Kapelusz cały
w czereśniach

Oriana Fallaci

Kapelusz cały w czereśniach

saga

Przełożyli:
Jarosław Mikołajewski
Monika Woźniak

Wydawnictwo Literackie

PROLOG

Kiedy oto przyszłość stała się krótka i przelatywała mi przez palce nieuchronnie jak przesypujący się w klepsydrze piasek, często zdarzało mi się rozmyślać o mojej przeszłości — szukać w niej odpowiedzi, z którymi wypadałoby umrzeć. Dlaczego się urodziłam, dlaczego żyłam, kto lub co ułożyło mozaikę postaci, która od zamierzchłych lat była moim Ja. Dobrze wiedziałam, rzecz jasna, że pytanie dlaczego-się-urodziłem zadawały już sobie, i to na próżno, miliardy ludzkich istnień, że odpowiedź na nie jest częścią tajemnicy, która nazywa się Życiem. I jeśli chciałabym udać, że ją znalazłam, to musiałabym odwołać się do idei Boga. Tego wybiegu nigdy nie rozumiałam i nie stosowałam. Niemniej jednak wiedziałam, że inne odpowiedzi kryją się w pamięci tego, co było, w zdarzeniach oraz stworzeniach, które towarzyszyły cyklowi wychowania, a więc odkopywałam je w obsesyjnej podróży wstecz — odgrzebywałam dźwięki i obrazy mojej wczesnej młodości, mojego dzieciństwa, mojego przyjścia na świat. Wczesnej młodości, z której pamiętałam wszystko: wojnę, strach, głód, rozpacz, dumę z tego, że u boku dorosłych walczyłam z wrogiem, niezabliźnione rany, które z niej wyniosłam. Dzieciństwa, z którego zapamiętałam wiele: chwile milczenia, przesadną dyscyplinę, utraty, perypetie rodziny nieuległej i aktywnej w walce z tyranem, a więc i brak wesołości oraz niedostatek lekkomyślności. Przyjścia na świat, z którego zdawało mi się, że pamiętałam każdy szczegół: oślepiające światło, które znienacka wyparło ciemność, trud oddychania na zewnątrz, zaskoczenie, że nie jestem już sama w moim worku z wodą, lecz dzielę przestrzeń z nieznanym tłumem. Była też znacząca przygoda chrztu u stóp fresku, na którym nagi mężczyzna i naga kobieta z grymasem bólu na twarzy opuszczają piękny ogród pełen jabłek — to wygnanie Adama i Ewy z raju, namalowane przez Masaccia w kościele Santa Maria del Carmine we Florencji. Odgrzebywałam tak samo dźwięki i obrazy moich rodziców, od lat pochowanych pod wonną rabatą róż. Spotykałam ich wszędzie. Nie jako starców, gdy widziałam w nich nie rodziców, lecz dzieci, i to do tego stopnia, że kiedy dźwigałam ojca, by go posadzić w fotelu, kiedy czułam, że jest tak lekki, skurczony i bezbronny, i patrzyłam na kruchą główkę bez włosów, którą ufnie wtulał mi w szyję, miałam wrażenie, że trzymam w ramionach moje osiemdziesięcioletnie dziecko. Spotykałam ich jako ludzi młodych. Kiedy to oni mnie podnosili i trzymali na rękach. Silnych, pięknych, odważnych. I przez jakiś czas wydawało mi się, że mam w ręku klucz, który otworzy mi każde drzwi. Lecz potem zorientowałam się, że otwiera tylko niektóre, że ani wspomnienie wczesnej młodości, ani dzieciństwa, ani przyjścia na świat, ani pamięć spotkania z dwojgiem młodych ludzi, silnych, pięknych i odważnych, nie mogły przynieść wszystkich odpowiedzi, których potrzebowałam. Przekraczając granice tej przeszłości, wyruszyłam na poszukiwanie zdarzeń i stworzeń, które ją poprzedziły, i czułam się tak jak wtedy, gdy otwierasz szkatułkę, która zawiera inną szkatułkę, w której tkwi kolejna szkatułka, i tak w nieskończoność. I podróżując wstecz, straciłam wszelkie hamulce.

Trudna to podróż, skoro było za późno, by zadawać pytania tym, którym nie stawiałam ich nigdy. Już nie było nikogo. Pozostała tylko dziewięćdziesięcioczteroletnia ciocia, która na moje powiedz-ciociu-powiedz ledwie poruszyła zamglonymi źrenicami i wymamrotała: „Kto to? Listonosz?". Prócz bezużytecznej już ciotki pozostał żal za utratą skrzyni z szesnastego wieku, która przez prawie dwa wieki strzegła pamiątek pięciu pokoleń: starych ksiąg, a wśród nich osiemnastowiecznego podręcznika do rachunków i elementarza, cennych dokumentów, z listem przodka, którego do swojej armii wcielił Napoleon i który zginął w Rosji, wartościowych cymeliów, poszwy dumnie wyhaftowanej pewną znaczącą frazą, pary okularów Filippa Mazzeiego i dedykowanego jego ręką egzemplarza dzieła Cesare Beccarii. Rzeczy, które udało mi się zobaczyć, nim obróciły się w popiół pewnej strasznej nocy 1944 roku. Cudem ocalało kilka przedmiotów: lutnia bez strun, gliniana fajka, czterosoldowa moneta wybita przez Państwo Kościelne, stary zegar, który był w moim domu na wsi i co kwadrans wybijał uderzenia dzwonu westminsterskiego. Pozostały też dwa głosy. Głos mojego ojca i głos mojej matki, którzy opowiadali dzieje swoich przodków. Rozbawiony i ironiczny głos jego, zawsze gotowego obrócić w śmiech nawet tragedię. Namiętny i przepojony współczuciem głos jej, zawsze gotowej wzruszyć się nawet komedią. Obydwa tak odległe w pamięci, że zdawały się cieńsze od pajęczej nici. A przecież od ciągłego ich przywoływania, od wiązania tych głosów z nieodżałowaną skrzynią i z tymi nielicznymi ocalałymi przedmiotami, pajęcza nić się wzmocniła. Zgęstniała, stała się mocnym włóknem, i opowieści rozrastały się z taką energią, że w pewnej chwili nie potrafiłam już ustalić, czy należały jeszcze do tych dwóch głosów, czy przekształciły się w owoc mojej wyobraźni. Czy naprawdę istniała legendarna sieneńska prababka, która odważyła się zaatakować Napoleona? Czy naprawdę istniała tajemnicza prababka hiszpańska, która poszła do ślubu z umocowanym na peruce żaglowcem wysokim na czterdzieści, a szerokim na trzydzieści centymetrów? Czy naprawdę istniał ten niezwykły pradziad, który był rolnikiem, a w chwilach religijnych uniesień nie cofał się przed samobiczowaniem; czy istniał naprawdę opryskliwy przodek marynarz, który otwierał usta tylko po to, by bluźnić? Czy naprawdę istnieli przodkowie wyklęci, jak republikanka Anastasia, której imię stało się moim drugim imieniem? Lub ultraarystokrata z Turynu, którego imienia, nazbyt świetnego i potężnego, na rozkaz babci nie należało nawet wypowiadać? I czy naprawdę tę biedną babcię, zrodzoną z ich gwałtownej namiętności, oddali do sierocińca? Tego już nie wiedziałam. Lecz równocześnie byłam pewna, że te postaci nie mogły być tylko tworem mojej wyobraźni, ponieważ czułam, że są we mnie, zagęszczone w mozaikę osób, które od zamierzchłych lat tworzyły moje Ja, przeniesione przez chromosomy otrzymane od dwojga młodych ludzi, pięknych i odważnych. Czyż cząstki nasienia nie są tożsame z cząsteczkami, z których ono pochodzi? Czyż nie powtarzają się, przechodząc z pokolenia na pokolenie? Czyż narodziny nie są wiecznym odnawianiem, a każdy z nas czyż nie jest owocem programu ustalonego przed naszym początkiem, dzieckiem miliardów rodziców?

Nastąpiła eksplozja kolejnych dociekań: dat, miejsc, dowodów. Poszukiwania gorączkowe, nerwowe — bo przyszłość przelatywała przez palce, bo wymuszony pośpiech, lęk, że nie ukończę pracy. Jak oszalała w pędzie mrówka gromadząca pokarm przetrząsałam archiwa, księgi metrykalne, spisy katastralne, wykazy dóbr, wszystkie możliwe *Stati Animarum*. Rejestry Dusz. Spisy, gdzie w formie rejestru wiernych, zobowiązanych do przestrzegania wielkopostnych zaleceń, proboszcz wymieniał mieszkańców każdej parafii i przeoratu, dzieląc ich na rodziny i zapisując to, co służyło do ich identyfikacji. Rok albo dokładną datę narodzin i chrztu, ślubu i zgonu, kategorię pracy i dochód, stan posiadania lub nędzy, poziom wykształcenia lub analfabetyzm. Ot, spis ludności w prymitywnej formie. Sporządzony to po łacinie, to znów po włosku, gęsim piórem i brązowym atramentem. Atramentem, osuszanym lśniącym, srebrzystym piaskiem, którego czas nie wykruszył, a który wręcz przywarł do słów, nadając im połysk — zdjęcie palcem choćby jednego nawet ziarnka było jak kradzież źdźbła światła, będącego źdźbłem prawdy. I cóż poradzić, jeśli w niektórych parafiach i przeoratach rejestry były zżarte przez szczury, zniszczone wskutek niechlujstwa albo okaleczone przez barbarzyńców, którzy wyrywają kartki, by sprzedawać je antykwariuszom? Cóż poradzić, jeśli przez to nie odnalazłam wcześniejszych przodków? Choćby tych, którzy, według dokumentu ze spalonej skrzyni, w 1348 roku opuścili Florencję, żeby zbiec przed zarazą — to o niej Boccaccio opowiada w *Dekameronie* — i schronić się w Chianti. Istnieli jednak ci, o których mówiły mi głosy rodziców, i tych odszukałam co do jednego. Ich potomków również. W przypadku wnuków i prawnuków odkryłam szczegóły, o których głosy nawet mi nie wspomniały, istoty, z którymi mogłam się utożsamić do bólu, których każdy gest i każdą myśl, każdą zaletę i każdą wadę, każde marzenie i każdą przygodę mogłam odtworzyć. Aż poszukiwania przekształciły się w sagę do napisania, w baśń do odtworzenia w wyobraźni. Tak, to wtedy rzeczywistość zaczęła osuwać się w sferę fantazji, prawda stopiła się ze światem, którego się domyślałam, a potem który wymyśliłam — jedno uzupełniało drugie, w symbiozie równie spontanicznej, co nierozerwalnej. I wszyscy ci dziadkowie, babcie, pradziadkowie, prababcie, prapradziadkowie, praprababcie, praszczury i praszczurzyce, krótko mówiąc — wszyscy ci moi rodzice stali się moimi dziećmi. Ponieważ tym razem to ja ich urodziłam, dałam, a raczej przywróciłam im życie, które wcześniej od nich dostałam.

* * *

Saga do napisania, baśń, którą mam odtworzyć w wyobraźni, zaczyna się ponad dwa wieki temu — w latach, które torują drogę rewolucji francuskiej i poprzedzają rewolucję amerykańską, czyli wojnę o niepodległość rozpętaną przeciw Anglii przez trzynaście kolonii powstałych w Nowym Świecie w latach 1607–1733. Bierze ona początek w Panzano, wiosce położonej na wprost domu, w którym zamierzam umrzeć, a na którą wcześniej — nim jak oszalała mrówka podjęłam swoje poszukiwania — patrzyłam, nie wiedząc, jak bardzo do niej należę. Rozpoczynając tę opowieść, czuję się w obowiązku podać kilka szczegółów z myślą o tych, którzy nie znają tego czasu i miejsca.

11

Panzano leży na jednym ze wzgórz Chianti, w pół drogi pomiędzy Sieną a Florencją. Chianti jest częścią Toskanii, która rozpościera się między rzekami Greve a Pesą — trzysta kilometrów kwadratowych gór i wzgórz niezwykłej urody. Góry są porośnięte wiecznie zieloną makią, kasztanowcami, różnymi gatunkami dębów, sosnami, cyprysami, krzakami jeżyn i paproci. Dają schronienie rajskiej różnorodności zwierząt: zającom, wiewiórkom, lisom, łaniom, dzikom, a także ptakom. Kosom i sikorkom, drozdom i słowikom, które śpiewają anielskimi głosami. Wzgórza są strome, lecz cudownie harmonijne, obsadzone w dużej części rzędami winnic, skąd pochodzi bardzo cenione wino, i oliwnymi gajami, źródłem smacznej i lekkiej oliwy. W przeszłości uprawiano tam również pszenicę, jęczmień i żyto, a żniwa stanowiły jedno z dwóch wydarzeń, według których odmierzało się pory roku. Drugim było winobranie. W czasie między żniwami a winobraniem kwitły irysy, pola wybuchały błękitem, wyglądały z daleka jak morze, które piętrzy się i opada ogromnymi, zastygłymi falami. Po winobraniu rozkwitały janowce, kontury pól porastały żółte żywopłoty, a fiolet wrzosów i czerwień jagód sprawiały, że każde takie ogrodzenie było jak płomień. W miejscach, które miały najwięcej szczęścia, takie scenerie do dziś cieszą oczy, podobnie jak krwiste i fiołkowe zachody — wciąż zapierające dech w piersiach. Dwa wieki temu Panzano liczyło dwustu pięćdziesięciu mieszkańców, wśród nich zielarza, wozaka, kuriera, swatkę, felczera, który krowom pomagał rodzić, a ludziom umierać; prócz tych pięciorga reszta to rolnicy. Najemnicy i osadnicy, którzy uprawiali posiadłości wielkiego księcia, właścicieli ziemskich lub instytucji kościelnych. Ich marzeniem było posiadać własny kawałek ziemi. Czyli wziąć pole w wieczystą dzierżawę i uwolnić się od pana. Bo pan był zazwyczaj despotą, do którego należała każda ich chwila, bez jego pozwolenia nie mogli nawet wypalić do bażanta ani wziąć ślubu. Ich dusza za to należała do księdza. A księży w Panzano było dwóch: stary don Antonio Fabbri i młody don Pietro Luzzi. Pierwszy w przeoracie

Wniebowzięcia Najświętszej Marii Panny, w samym środku wioski, drugi w parafii San Leolino, przy drodze do Sieny. Kręciło się tam ponadto mnóstwo zakonników, zaprzątniętych pilnowaniem lub poszukiwaniem adeptów do nader surowego zakonu franciszkańskich tercjarzy, i wszędzie, jak okiem sięgnąć, stały oratoria, kaplice, ołtarze. Wokół nich snuły się nudne procesje, które obok mszy i nieszporów były największą rozrywką dla rolników. Krótko mówiąc, pomimo wiary w rozum i postęp, głoszonej przez oświecenie, pomimo haseł wolności i równości, które stawały się coraz modniejsze, pomimo niereligijnych zasad i epikurejskich obyczajów epoki, w Chianti, na szczycie tego wzgórza, rządził bezlitośnie Kościół — najwyższy majestat i największy tyran.

Do miasta, geograficznie nie tak odległego, było jednak daleko. Bogaci udawali się tam konno lub karetą, mniej zamożni bryczką, biedni wozem, a nędzarze pieszo. I tak większość umierała, nigdy nie zobaczywszy Florencji, oddalonej od Panzano zaledwie o dwadzieścia mil, czy Sieny, odległej o dziewiętnaście. Drogi były wąskie i nierówne, wystarczył byle deszcz, by stały się nieprzejezdne, i zimą, przez tygodnie albo miesiące, wioska często była odcięta od świata. Co innego domy — prawie zawsze ładne, ponieważ w królewskich folwarkach wielki książę polecił budować je według pełnych wdzięku architektonicznych projektów. Ładne ganki, ładne wieżyczki i ładne piece do pieczenia chleba. Ale były tam również obory, chlewy, owczarnie, kurniki, z których dochodził wielki smród, pozbawione wody, inaczej niż domy w mieście. Na wsi wodę czerpano ze źródła, noszono wiadrami i nalewano do gąsiorów albo miedzianych dzbanów nazywanych *mezzine*. Kąpano się rzadko, powiedzmy raz na miesiąc, może tylko raz w roku, latryna zaś — którą najczęściej był pojemnik lub deska z dziurą i klapą — była luksusem. Za luksus uważano również oświetlanie pomieszczeń. Lampy oliwne były drogie, więc o zmroku szło się spać, czasem zapalało się świecę. Wstawano wcześnie. Latem o czwartej, żeby od razu pędzić do roboty w polu. W Panzano dużo się pracowało.

Średnio piętnaście godzin na dobę. I, nie licząc rozrywek typu msza, nieszpory czy procesje, wytchnienie dawały wieczornice. Czyli wieczorne zebrania, odbywające się w niedziele w oborze lub w kuchni, w trakcie których opowiadano sobie o czarownicach i diabłach, wróżkach i duchach. „Światową" natomiast rozrywką był cotygodniowy targ lub sezonowy jarmark w pobliskich wioskach — Greve i Raddzie. Jedyną prawdziwą pociechą — miłość dopuszczona przez Kościół, czyli małżeńska. (Co nie wykluczało namiętnych obściskiwań w stodołach i niechcianych ciąż, za które płaciło się ślubem). Co jeszcze? Cóż, dzieci zwracały się do rodziców per wy, na znak szacunku. Również mężowie i żony wyrażali w ten sposób wzajemne poważanie. A kobiety liczyły się mało. Nie miały prawa dziedziczenia; żeby wyjść za mąż, potrzebowały posagu i wyprawy, a kiedy tych brakowało, często kończyły w klasztorze. Pracowały motyką i łopatą jak mężczyźni. Szpitali na wsi nie było. Choć w Raddzie był lekarz rejonowy, to w Panzano trzeba było zadowolić się felczerem, który pomagał krowom rodzić, a ludziom umierać. Tak więc na tamten świat można się było wyprawić przez zwykłe skaleczenie lub kaszel. Nie uświadczyłeś też cmentarzy. Zmarłych chowano pod podłogą kościoła parafialnego pod wezwaniem San Leolino lub w przeoracie Wniebowzięcia Najświętszej Marii Panny — trochę wapna i po kłopocie. O szkole w ogóle nie ma co mówić. Jeśli umiałeś przeczytać książkę, ułożyć list, coś policzyć, to wyłącznie dlatego, że nauczył cię ksiądz. Don Fabbri nie miał na to ochoty, don Luzzi robił to tylko w wyjątkowych przypadkach, więc wśród okolicznych chłopów analfabetyzm sięgał osiemdziesięciu siedmiu procent.

A jednak to wzgórze w pół drogi pomiędzy Florencją a Sieną przez wszystkich było uważane za miejsce błogosławione przez Boga. Chianti było jednym z obszarów, na które patrzono w Europie zarówno z największym podziwem, jak i zawiścią. Jego sława sięgała aż po Wirginię — pierwszą z trzynastu kolonii, które szykowały się do antyangielskiej rewolty.

To tłumaczy, dlaczego saga do napisania, baśń do odtworzenia w wyobraźni przywołuje na swoim początku trzy postaci — nie łączy mnie z nimi wprawdzie żadne pokrewieństwo, ale miały związek z moim przyjściem na świat — Thomasa Jeffersona, głównego twórcę Deklaracji niepodległości Stanów Zjednoczonych i trzeciego prezydenta USA, który mieszkał w Wirginii i posiadając liczne ziemie, oddawał się ich uprawie z entuzjazmem agronoma; Benjamina Franklina, genialnego uczonego, pisarza i polityka kolonii nazywanej Pensylwanią, który wynalazł między innymi piorunochron i piec spalinowy; a także florentczyka Filippa Mazzeiego — lekarza, kupca, pamiętnikarza, eksperta rolnego, wyjątkowego awanturnika, ponadto przyjaciela dwóch wymienionych powyżej. Ich udział w mojej historii skłania do refleksji nad tym, jak komiczny jest los i jak niestosownie jest traktować go nazbyt poważnie.

CZĘŚĆ PIERWSZA

1

W roku 1773, kiedy Piotr Leopold Habsburg-Lotaryński był wielkim księciem Toskanii, a jego siostra Maria Antonina królową Francji, poniosłam ryzyko najbardziej przerażające dla kogoś, kto kocha życie, i żeby tylko je przeżyć, gotów jest przyjąć wszystkie jego katastrofalne konsekwencje — mogłam się nie urodzić! Na to samo ryzyko byłam, oczywiście, narażana przez miliony lat wielokrotnie, za każdym razem, kiedy mój praszczur wybierał sobie praszczurzycę albo na odwrót. Lecz tamtego lata naprawdę niewiele brakowało, bym na własnej skórze odczuła biologiczną zasadę, która mówi: Każdy z nas rodzi się z jaja, w którym połączyły się chromosomy ojca i matki. A więc jeśli zmienia się ojciec lub matka, zmienia się jedność chromosomów, i na świat nie przychodzi człowiek, który mógłby się był narodzić. Na jego miejsce rodzi się ktoś inny i potomstwo, które się z niego wywodzi, różni się od potomstwa, które narodzić się mogło. Jak to się stało? Po prostu. Filippo Mazzei handlował winem w Londynie, gdzie spotykał się z Benjaminem Franklinem, wysłannikiem Pensylwanii, od którego kupił dwa z jego słynnych pieców do królewskiej rezydencji w Palazzo Pitti. Za pośrednictwem Franklina nawiązał kontakt z Thomasem Jeffersonem, który znał język włoski, a o Toskanii wiedział wszystko. W pierwszych miesiącach 1773 roku Mazzei otrzymał od niego mniej więcej taką propozycję: „Drogi Filippo, według mnie Chianti to wzór rolnictwa, jakie należałoby zaszczepić w Wirginii. Nie zechciałby Pan przenieść się tutaj i założyć gospodarstwo produkujące wino i oliwę? Ziemi tu nie brakuje.

Kosztuje niewiele, jest żyzna i myślę, że odpowiednia do uprawy winorośli i oliwek. Niestety nasi rolnicy nie znają tych upraw, nic nie wiedzą o oliwie i winie. Jeśli postanowi Pan tutaj przyjechać, proszę zabrać ze sobą dziesięciu toskańskich rolników". Mazzei uznał, że pomysł jest znakomity. Za namową Franklina opuścił Londyn, wrócił do Florencji, gdzie z początkiem lata zaczął szykować podróż. By zaś dobrać dziesięciu rolników, zwrócił się do instytucji kościelnej, w której studiował medycynę: do Królewskiego Szpitala Santa Maria Nuova, prowadzącego w Panzano duże gospodarstwo. Szpital przekazał sprawę kilku okolicznym księżom, w tym don Pietrowi Luzziemu, a kandydatem tegoż był ładny blondyn o błękitnych oczach i bystrym umyśle, który potrafił czytać i pisać — Carlo Fallaci, przyszły pradziadek mojego dziadka po mieczu.

Carlo miał wtedy dwadzieścia lat. Był drugim synem najemnego rolnika, pracował w majątku nazywanym Vitigliano di Sotto dla rodu da Verrazzano, potomków niejakiego Giovanniego (temu ostatniemu zawdzięczamy odkrycie rzeki Hudson oraz nowojorskiej zatoki) i wśród bliskich uchodził za czarną owcę. Moi przodkowie bardziej niż rodzinę stanowili sektę zagorzałych franciszkańskich tercjarzy, poczciwców obdarzonych ponurą religijnością, poddanych rozpaczliwie klasztornemu rytmowi życia. Pokuty, wyrzeczenia, posty, krucyfiksy. Dyscyplina o sześciu sznurach z trzema węzłami na każdym, żeby się lepiej biczować. Przy uderzeniu modlitwa z dziesięciu *Ojcze nasz* i dziesięciu *Zdrowaś Mario*, odmawiana rano, w południe, o zmierzchu i wieczorem, a na dodatek *Chwała Ojcu* lub *Wieczny odpoczynek* na każde bicie dzwonów oraz różaniec przed snem. Czystość małżeńska, czyli rzadkie i szybkie kontakty wyłącznie w celu przedłużenia gatunku. Wstręt do wszelkich przyjemności, radości, rozrywki, żartu i śmiechu. Przy tym ślepe posłuszeństwo zakonnikowi tytułowanemu Ojcem Wizytatorem, który na koniec miesiąca wpadał do nich do domu sprawdzić, czy przestrzegają obowiązków pokory, miłosierdzia,

wstrzemięźliwości, cierpliwości i miłości do zwierząt, naucza-
nej przez świętego Franciszka. Albo przekonać się, że zakładają
włosiennicę, noszą skromne szare ubrania, stosownie przepasane,
że wystrzegają się złego towarzystwa, nieprzyzwoitych rozmów,
sprośnych przyśpiewek, tańca, wieczornic, jarmarków, mięsa zakazanego w środy, piątki, soboty i inne dni postne, że wreszcie
przykładają się do dzieł miłosierdzia zapisanych w papieskich
bullach. Takich na przykład, jak nawracanie wykolejeńców, pięt-
nowanie niedowiarków, donoszenie na współbraci winnych jakichś
grzechów, lecz nieskorych do samooskarżenia. I biada temu, kto
zbłądził! Po trzykrotnym ostrzeżeniu zostawał taki przepędzany
z klątwą: „Bądź przeklęty przez Boga, przeklęty, przeklęty!". Do
tych wszystkich reguł Luca i Apollonia, rodzice Carla, naginal-
li się jak żołnierze do dyscypliny wojskowej: wspierani szczerą
wiarą i przekonani, że nie ma innej drogi, by zasłużyć na raj lub
co najmniej na czyściec. I tak, w wieku pięćdziesięciu lat Luca
wyglądał jak starzec, jego sięgająca brzucha broda była już siwa,
a czterdziestosześcioletnia Apollonia wydawała się jeszcze starsza
od męża. Podczas spowiedzi żadne z tych dwojga nie znajdowało
w sobie grzechów, które mogliby wyznać, prócz tego, że ich syn był
buntownikiem. Gaetano, pierworodny, był taki sam jak oni. Jego
szacunek dla reguł zakonu był tak głęboki, że osiągnąwszy dwudziesty trzeci rok życia, wyglądał na lat czterdzieści, jego religijna
żarliwość była przesadna do tego stopnia, że wiele osób uważało
go za wariata, a jego życie było tak ascetyczne, że we wsi nazywano go Świętolizem. Co do siedemnastoletniej Violante, trzeciego
dziecka Luki i Apollonii, dziewczyna ta była owładnięta tylko
jedną myślą — by zostać zakonnicą, i nawet w śmierci widziała
dar Najwyższego. Poprzedniego roku umarł Aloisio, czternasto-
letni braciszek. Zabiła go niestrawność od fig, którymi się objadł,
by zaspokoić głód wzmożony wielkanocnym postem — zamiast
płaczu, fakt ten wywołał uśmiech Violante. „Dziękuję, Panie, że
przyjąłeś go do grona aniołów".

Ale Carlo był inny. Bardzo cierpiał po śmierci Aloisia i niewiele brakowało, a wyłupiłby oczy Ojcu Wizytatorowi, który w pełnej zgodzie z Violante, spoliczkowaną już za swoją podziękę, przyszedł z taką oto pociechą: „Radujcie się, radujcie, albowiem poszedł do nieba, nim zdążył dopuścić się ciężkich grzechów”. Carlo i tak już go nienawidził, i to do tego stopnia, że wpadał we wściekłość na sam widok zakonnika nadchodzącego z Vitigliano di Sopra. „Znowu lezie, prześladowca jeden! Znowu tu lezie ten kruk!” I nie było nadziei, że chłopak się odmieni i zostanie tercjarzem. Włosiennica napawała go zgrozą, na dźwięk modlitwy różańcowej zasypiał, dziesiątek *Ojcze nasz*, dziesiątek *Zdrowaś Mario* i *Chwały Ojcu* tudzież *Wiecznego odpoczynku* nie odklepywał, wychodził z siebie, kiedy ktoś wspomniał o pokucie czy wyrzeczeniach, a w mszy uczestniczył tylko w niedziele, w dodatku z grymasem na twarzy. „Robię to dlatego, że was kocham, i jeśli nie pójdę, będzie wam przykro!” Ponadto wszędzie szukał zabawy, również w pracy, chodził na wieczornice do wszystkich, którzy go zapraszali, biegał na każdy jarmark i łamał franciszkańskie zalecenia, zwłaszcza zakaz polowania, a siejąc spustoszenie wśród zwierząt — łapał je w sidła, pułapki i wnyki. Zające, bażanty, dzikie króliki, a przede wszystkim lisy sprzedawał na targu w Greve, gdzie nazywano go Pożeraczem Serc, ponieważ, mimo marnego dość wzrostu, naprawdę miał dużo wdzięku. Dodatkowej łagodności jego harmonijnym rysom nadawały jasne włosy i błękitne oczy — ta sama rodzinna cecha, przez którą Gaetano zdawał się wyblakły i wyglądał jak zwiędły kalafior. Uśmiech Carlo miał ujmujący, a ciało pełne wigoru. Bywał przez to próżny. Nosił brązową marynarkę z weluru, kaftan z granatowej wełny, koszulę, parę białych pończoch, do których zakładał zielone spodnie i związywane pod kolanem czerwoną wstążką, a także parę butów ze srebrną sprzączką, aksamitny surdut i kapelusz z trzema rogami: nakrycie głowy, którego chłopi nie nosili nigdy, bo przynależało elegancji miejskiej, na wsi zakładało się czapki jak garnki. Kupił sobie te wszystkie cuda za pieniądze ze sprzedaży lisów i zakładał przy każdej okazji, kiedy tylko mógł zrobić tym na złość familii da Verrazzano, której nie podobało się, że najemca ubiera się jak panisko. Miał z nimi na pieńku. Mówił, że są wyzyskiwaczami, napuszonymi egoistami, godnymi potomkami pirata, który odgrywał żeglarza, a nie umiał nadać swojego imienia rzece i nowojorskiej zatoce, i nienawidził wszystkiego, co do nich należało. A najbardziej domu, w którym mieszkał. Ładnego, dwupiętrowego, o sześciu izbach i z obszerną werandą z kamienia, domu z ładną wieżyczką i porządnym piecem, z dobrymi oborami dla zwierząt gospodarskich i podwórzowych, lecz pełnego krzyży, bez latryny i bez szyb w oknach. Zamiast szyb były w nich okiennice, i kiedy zamykali je przed deszczem lub zimnem, zapadali w ciemność tak głęboką, że trzeba było zapalać świecę nawet w dzień. „A potomkowie pirata mają szyby! I mają latrynę! A poza tym te krzyże mnie przygnębiają! My nie mieszkamy w domu. Mieszkamy w grobie!" Martwiło to Apollonię, a Lukę wpędzało w rozpacz: „Panie wszechmocny, stworzycielu ludzi i roślin, i zwierząt, które zabija mój syn, pomóż mu się odmienić! Zbaw jego niewdzięczną duszę!". Gaetano zaś wzdychał: „To heretyk. Nie mam pojęcia, jak don Luzzi mógł go z własnej woli wykształcić".

Tak, to don Luzzi wykształcił go, dziesięć lat temu.

— Chciałbyś nauczyć się czytać i pisać, chłopczyku?

— Ależ, plebanie!

— A więc przyjdź po nieszporach, to cię nauczę.

Zaproszeniu temu Luca opierał się ze wszystkich sił.

— Nie trzeba, plebanie. Chłopom nie trzeba umieć czytać i pisać. Kiedy czytają, przychodzą im do głowy różne myśli, zachcianki, a świat i tak dręczy już tyle pokus.

Lecz don Luzzi nalegał, twierdząc, że to bystry chłopak, że ciemniaków w rodzinie było już wystarczająco wielu, a jeśli ktoś ma list do napisania, idzie teraz do Vitigliano di Sotto. „Chodzą do Carla, pytają o Carla. Ten chłopak wie więcej niż ksiądz". Przyjaciele Carla mówili, że ma aż dziewięć książek: oszałamiającą liczbę, zważywszy że książki kosztowały majątek, a posiadali je tylko ludzie wykształceni. Ale on miał. Trzy dostał w prezencie od don Luzziego: Nowy Testament, Stary Testament i Pieśń nad Pieśniami. Sześć kupił przez kuriera, jak zawsze za pieniądze za lisy: *Piekło, Czyściec, Raj*, czyli *Boską komedię, Orlanda Szalonego, Jerozolimę wyzwoloną* i *Skarbczyk Wiejski abo Podręcznik Rolnika Doskonałego.* Trzymał je w pokoju, wystawione na regale, o którym mówił „moja biblioteka", razem z różnymi numerami „Gazzetta Patria", tygodnika wychodzącego co sobotę we Florencji. I w równym stopniu zarówno dzięki „Gazzetta Patria", jak i don Luzziemu, który nie zrażając się jego dziwactwami, wciąż roztaczał nad nim opiekę, wiedział Carlo mnóstwo rzeczy. Począwszy od tego, że Włochy nie istniały od wieków, że były podzielone na wiele królestw i księstw należących do cudzoziemców: tu do Austriaków, tam do Hiszpanów, tu i tam do Francuzów, pośrodku do papieża, a na północy do niejakich Sabaudów, sprzymierzonych raz z tymi, raz z tamtymi. Że do Austriaków należała również Toskania, ponieważ Piotr Leopold był Habsburgiem-Lotaryńskim, czyli synem cesarza, a Habsburgowie wzięli ją sobie wskutek bałaganu nazywanego pokojem wiedeńskim po śmierci ostatniego z Medyceuszy. Że Piotr Leopold zasiadł na tronie w 1765 roku, czyli niedawno, mając zaledwie osiemnaście lat, że za żonę wziął infantkę hiszpańską i przyjeżdżając tu, nie znał ani słowa po włosku. Że pomimo młodego wieku i praw, na mocy których zakazywał biedakom polować i ubierać się jak jaśnie państwo, był dobrym monarchą — człowiekiem z głową pełną nowych idei, przekonanym, iż da się sprawować władzę, kierując się światłem rozumu. Nie przez przypadek zlikwidował wojsko i karę śmierci, przez co Toskania była jedynym miejscem na świecie, gdzie nie umierało się ani na szubienicy, ani w służbie żołnierskiej, i zachęcał rolników, by stawali się drobnymi właścicielami ziemskimi, biorąc w zarząd, czyli w wieczystą dzierżawę, działki latyfundiów rozdrobnionych przez jego reformy. W mistycyzmie Luki dokonało to uszczerbku tak znacznego, że aż powiedział: „Przed śmiercią chciałbym mieć ziemię i stać się panem samego siebie, niech Pan Bóg błogosławi Leopolda".

Wiedział Carlo także inne rzeczy, o których w Panzano prawie nikt nigdy nie słyszał. Że Francja, na przykład, była krajem nie mniej potężnym od Austrii. I ojczyzną wielu nowych idei, i przez to, wcześniej lub później, dojdzie w tym kraju do katastrofy. Że siostra wielkiego księcia, frywolna dziewczyna dwojga imion Maria Antonina, poślubiła przyszłego króla Francji, niejakiego Ludwika, całkiem głuchego na nowe idee, i że wielki książę był tym trochę zmartwiony. Że Anglia nie ustępowała potęgą Francji, że w Ameryce założyła liczne kolonie, a w nich zamieszkało wielu takich jak on. Takich, którym uprzykrzyły się potajemne polowania na lisy lub mieli powyżej uszu ludzi wtykających nos w ich prywatne kontakty z Bogiem, i pewnego dnia zaciągnęli się na statek, i popłynęli, by przejąć doliny innych biedaków. Z czego owi biedacy, nazywani Indianami lub czerwonoskórymi, nie wydawali się zbyt zadowoleni i reagowali nierzadko zdzieraniem z intruzów skalpów. Lecz ani ta powierzchowna wiedza, ani książki ustawione równiutko na półce, ani pańskie ubrania czy nieustające sprzeciwianie się wszystkiemu nie przeszkadzały Carlowi być dobrym rolnikiem. Nikt zatem na jego polach nigdy nie widział zaniedbanego zagonu ani skiby porosłej chwastami. Na winnicach i oliwkach Carlo znał się tak dobrze, że wino i oliwę umiałby wytwarzać nawet na Saharze, a do rolnictwa miał wrodzoną namiętność. Krótko mówiąc, nie pomylił się don Luzzi, wskazując go jako jednego z dziesięciu, o których prosił Filippo Mazzei. Tym bardziej się nie mylił, sądząc, że chłopak przyjmie propozycję. Kiedy w połowie lipca Carlo otrzymał ofertę, której w dodatku towarzyszyła wiadomość, że pan Mazzei chce odpłynąć z Livorno przed końcem sierpnia, odpowiedział natychmiast: „Dobrze. Mnie to odpowiada". Nie przeszkadzało mu nawet to, że, jak słyszał, pomiędzy Anglikami z kolonii a Anglikami z ojczyzny kontakty nie układały się dobrze, wskutek czego konflikt z dużym prawdopodobieństwem mógł przekształcić się w wojnę. „Jeśli będzie wojna, będziemy walczyć", powiedział. Jego jedyną troską było powiadomienie Luki i Apollonii o wyjeździe w taki sposób, by nie zranić ich serc.

* * *

Zranione serce to jedno, lecz w ich rodzinie nie zdarzyło się nigdy, żeby ktoś zostawił ziemię ojców. Nawet w 1764 roku, kiedy głód rzucił na kolana całe Chianti. Nawet w 1709, kiedy mróz wymordował oliwki. Nawet w 1635, kiedy pleśń zniszczyła zboże. Świadczył o tym nie tylko *Status Animarum*, przechowywany przez don Fabbriego w opactwie, teraz już zżarty przez szczury, lecz i anegdota, którą Luca opowiadał o swoich rodzicach, Ambrogiu i Giuseppie. Na początku stulecia pewien francuski podróżnik zatrzymał się w Vitigliano di Sotto i spytał, od kiedy tutaj mieszkają. Ambrogio rozłożył ręce i odpowiedział: „Mój panie, nikt nie pamięta. Od dnia, kiedy uciekliśmy z Florencji przed dżumą, w 1348 roku, zawsze żeśmy się tutaj rodzili i umierali". Ale Giuseppa przerwała mu słowami: „Mylicie się, mężu. Wszyscy wiedzą, że wasz prapradziadek Elia urodził się i umarł w Vitigliano di Sopra". Tak więc zdanie Carla: „Przed końcem sierpnia odpływam do Wirginii" — padło jak lodowy grad na winnicę dojrzałą do winobrania. Luca aż się zachwiał.

— Co to jest Wirginia?

— Miejsce daleko stąd — przyznał Carlo.

— Jak daleko?

— Na drugim końcu świata. W Ameryce.

— Tej samej, gdzie jest rzeka, którą odkrył pan Giovanni da Verrazzano?

— Tak, tato.

— A dlaczego chcesz jechać na drugi koniec świata, do Ameryki?

26

— Bo chcę mieszkać w domu z latryną i szybami w oknach.
I być bogaty i czuć się bardziej wolny, szczęśliwy.

— Nie czujesz się tutaj wolny, nie czujesz się szczęśliwy?

— Nie, tato.

— A kiedy wrócisz, jak już wyjedziesz?

— Nigdy, tato.

Wówczas Luca wydał z siebie jęk katowanego zwierzęcia i nie pytając o nic więcej, wszedł do swojej izby, gdzie padł do stóp wielkiego krzyża, który wisiał nad łóżkiem, meblem szerokim na osiemdziesiąt centymetrów i długim na półtora metra. Dyscypliną z sześcioma sznurami i trzema węzłami na każdym zaczął się chłostać, by uprosić u Pana Boga pomoc, ubłagać go, by przebaczył temu synowi opętanemu przez diabła, i tak bardzo się Luca skrzywdził, że musieli go opatrzyć, a potem położyć na materacu — nie był to zresztą nawet materac, lecz siennik z suchych liści. Apollonia zemdlała. Violante niezwłocznie poszła w jej ślady. Głowy nie stracił tylko Gaetano — nie był wcale tak głupi, jak o nim we wsi myślano, rozumiał się na sprawach lepiej niż ci, którzy umieją czytać i pisać.

2

Jeśli wierzyć rozbawionej i ironicznej opowieści mojego ojca, Gaetano dwoił się i troił, żeby odwieść brata od powziętego zamiaru. Kiedy ocucił już Apollonię i Violante, odciągnął go na stronę, zaprowadził na podwórko i tu palnął kazanie, które miało się okazać jedyną dłuższą mową, jaką wygłosił w całym swoim życiu. Skupioną w dodatku na problemie, który dotyczył mnie osobiście: na fakcie, że każdy człowiek żyje, ponieważ urodził się z pewnej pary, która z kolei urodziła się z dwóch innych par, a więc gdyby zmieniła się jedna z tych par, to zmieniłyby się też chromosomy, i ten człowiek już by się nie urodził. „Co znowu za wolność, co znowu za szczęście, na co dom z latryną i szybami w oknach!", perorował Gaetano. Tu chodziło o coś znacznie ważniejszego — o przyszłość potomstwa! Czyż sam Carlo mu nie mówił, że w Ameryce tubylcy nazywani Indianami lub czerwonoskórymi skalpowali intruzów i szykowała się wojna pomiędzy koloniami a ojczyzną?! A więc, gdyby go tak oskalpowali tubylcy lub gdyby zabiła go wojna, krótko mówiąc, gdyby umarł w wieku dwudziestu lat, jego dzieci nigdy by się nie narodziły! Nie tylko one, lecz również dzieci potomstwa ich dzieci. Dobrze, załóżmy nawet, że przeżyje. Pozostając przy życiu, założy rodzinę — tak czy nie? Ożeni się z Amerykanką. A żeniąc się z Amerykanką zamiast z Toskanką, da życie zupełnie innemu potomstwu. A może to nieprawda, że cielę jest tym cielęciem, którym jest, ponieważ zostało spłodzone przez tego właśnie byka i tę właśnie krowę, a nie przez innego byka i inną krowę? O, nie! Nie miał prawa pogarszać losu własnego i losu tak wielu ludzi, jadąc na śmierć w wieku dwudziestu lat albo żeniąc się z Amerykanką. Jego przeznaczenie było tutaj, na tym wzgórzu, gdzie ich przodkowie od zawsze żyli i płodzili dzieci i gdzie był pochowany Aloisio. Wyczerpawszy argument biologiczny, przeszedł Gaetano do uczuciowego szantażu. Przypomniał bratu, że Aloisio poszedł do nieba, a tym samym od roku nie można było liczyć na jego pomocne ręce. Jeśli zabraknie i twoich, gospodarstwo popadnie w ruinę. Pomyśl o obowiązkach, jakie masz wobec rodziny i zwierząt. Na przykład muł słucha tylko ciebie i nikogo więcej. Mnie nawet nie pozwala się do siebie zbliżyć. Kiedy wyjedziesz, będzie musiał się nim zająć tata, a dla biednego starca to dodatkowa mordęga. Próbował również przestraszyć brata trudnościami, na jakie zostanie narażony podczas podróży i po tym, jak dotrze do celu. Powiedział mu, że trzy miesiące na morzu to dużo, że na morzu choruje się na chorobę morską, a choroba morska jest bardziej nieznośna od choroby uszu i od bólu zębów — tak twierdził don Fabbri. Powiedział, że na morzu piraci atakują statki, o tym również wiedział od don Fabbriego, i że porywają ludzi na pokład, żeby ich zmusić do wiosłowania albo sprzedać na targu niewolników. Powiedział, że w Ameryce nikt nie mówi po toskańsku, że wszyscy mówią po amerykańsku, a przecież amerykańskiego on nie zna. Będzie mógł więc rozmawiać tylko z towarzyszami niedoli, czyli sama nuda. Lecz Carlo był niewzruszony. I rozstrzygając dylemat, któremu każdy z nas musi stawić czoło, gdy podąża za jakimś marzeniem, i żeby za nim podążać, zmuszony jest wybierać pomiędzy sobą a najbliższymi, zareagował repliką, która z logicznego punktu widzenia była bezbłędna, lecz w najmniejszym stopniu nie brała pod uwagę mojego pragnienia narodzin.

Po pierwsze, odparł, to nieprawda, że w Ameryce nikt nie mówi po toskańsku. W ich języku mówi pan Jefferson, ten z hrabstwa, gdzie pan Mazzei zamierzał osiąść z rolnikami, i w którego głowie zaświtała myśl, by wytwarzać w Wirginii oliwę z oliwek i wino. Wie o tym od don Luzziego, opowiadał mu to notariusz z Królewskiego Szpitala Santa Maria Nuova, jemu zaś powiedział to sam pan Mazzei, a temu rzecz zrelacjonował pan Franklin — uczony i wynalazca pieców, które sprzedawał wielkiemu księciu. „Będziecie mieli dobrego sąsiada — powiedział don Luzzi. — Pan Jefferson jest uprzejmym i bardzo utalentowanym człowiekiem. Nauczył się naszego języka, choć nigdy nie słyszał naszej mowy. Po włosku czyta teksty poświęcone rolnictwu, a widując się z nim, nie będziecie się nudzić". Po drugie, amerykańskiego przecież się nauczy. Po trzecie, choroby morskiej się nie bał. Ani piratów, którzy by go chcieli porwać, ani tubylców, którzy chcieliby go oskalpować, ani wojny, bo nie wiadomo, czy w ogóle wybuchnie — gdyby człowiek brał pod uwagę każdą trudność życiową, nie wstawałby z łóżka i w ogóle by nie przyszedł na świat. Po czwarte, na gospodarstwie zależało mu tyle, co nic. Przecież nie należało do rodziny, tylko do potomków pirata. Jeśli popadnie w ruinę, to już ich sprawa. Po piąte, o obowiązkach wobec rodziny i zwierząt myślał, i to myślał od zawsze, aż do bólu głowy. Zwłaszcza przez muła, który był mułem trudnym, zdradzieckim — chwila nieuwagi, a mogłeś dostać kopa w kiszki i wnet skończyć pod podłogą klasztoru. Ptaki wylatują z gniazd, kiedy są gotowe, by fruwać, więc on, będąc gotowy, nie mógł sobie podcinać skrzydeł przez muła. A co do całej tej przemowy o cielaku, który rodzi się z tego właśnie byka i tej właśnie krowy, czyli co do przyszłości jego potomstwa, to owszem, wiedział. Dzieci, które by spłodził, gdyby został w Panzano i ożenił się z jakąś Toskanką, już się nie urodzą. A w konsekwencji nie urodzą się dzieci potomstwa tych dzieci. I co z tego? Urodzą się dzieci, które będzie miał z Amerykanką. Życie to gra przypadku. Na kogo pada, na tego pada, i tym gorzej dla tych, na których nie padło.

To zdanie zamknęło temat, który mnie obchodził najbardziej, i po miesiącu don Luzzi powiadomił Carla, że wielki książę udzielił pozwolenia na opuszczenie kraju — miał odpłynąć z Livorno na angielskiej brygantynie „Triumph", pod komendą kapitana Jamesa Rogersa, nie później niż 2 września. Niech się zatem szykuje. I niech w południe 25 sierpnia stawi się we Florencji, gdzie sekretarz pana Mazzeiego przyjmie go, żeby poprowadzić do portu razem z innymi ludźmi z Chianti i dwoma z Lukki oraz z piemonckim krawcem. Spotkanie było wyznaczone na Piazza della Signoria, przy Loggii dei Lanzi — tej z pięknymi rzeźbami, z *Perseuszem* Benvenuta Celliniego i *Porwaniem Sabinek* Giambolognii. Oczywiście, jeśli nie zmienił zdania. Miał zmienić zdanie? Zżerany niecierpliwością, przygotował już worek i torbę podróżną. W worku dziewięć książek z biblioteki, kilka sztuk bielizny i aksamitny surdut. W torbie kawał sera owczego z nożem, żeby kroić ser w plastry, oraz kapitał, który odłożył: dwadzieścia srebrnych skudów, trzy liry, siedem soldów i sześć krajcarów.

I tak, 24 sierpnia wieczorem założył białe pończochy, zielone spodnie z czerwoną wstążką, buty ze srebrną sprzączką, kaftan z granatowej wełny, marynarkę z brązowego weluru, kapelusz z trzema rogami, i wyściskawszy Apollonię, która szlochała,

Violante, która chlipała, Gaetana, który milczał zasromany, Lukę, który blady jak trup podawał mu medalik świętego Franciszka i chleb na podróż, wyruszył.

* * *

Ruszył w drogę pieszo, opuszczając Vitigliano di Sotto przed czasem, kwadrans przed północą. Na to, by przejść dwadzieścia mil, jakie dzieliły Panzano od Florencji, wystarczało dziesięć godzin, ale on wolał oszczędzić na czasie, żeby choć omieść wzrokiem miasto, którego nigdy nie widział i nigdy już miał nie zobaczyć, a niecierpliwość paliła go nie mniej niż ciekawość. Maszerując średnio dwie i pół mili na godzinę, zatrzymując się tylko dwukrotnie, na Passo dei Pecorai, żeby zaczerpnąć powietrza, i przy Kartuzji, żeby zjeść kromkę chleba od Luki, około dziewiątej rano był przy Porta Romana — bramie, którą idąc z południa, przekraczało się obręcz murów. Zadziwiony gigantycznymi wrotami wysokości ogromnego cyprysu, z tkwiącymi w nich gwoździami o łbach wielkich jak śliwki, stanął na drodze, która nazywała się tak samo jak brama, na via Romana. Nie odczuwał trudów nocy, która upłynęła mu na marszu, z workiem na plecach i torbą przewieszoną przez szyję, nie poddał się ciężarowi przytłaczającemu go coraz bardziej. Tak doszedł do dziwnego placu, który piął się do góry i na którego szczycie wznosił się pałac tak wielki i majestatyczny, że jego widok odebrał mu dech, i z trudem udało mu się wykrztusić pytanie, co to takiego. Dowiedział się, że to Palazzo Pitti, dom wielkiego księcia. Nie czując głodu, kąsającego żołądek, nie zważając na pot, którym w letni upał oblewał się pod zimowym ubraniem, dotarł do Ponte Vecchio, ładnego mostu obudowanego sklepikami pełnymi biżuterii, gdzie przystanął, żeby przyjrzeć się rzece Arno. Wydała mu się niezmierzona: była jak jezioro z łódkami, szerokości ośmiu rzek Greve i siedmiu rzek Pesa. Kiedy znalazł się po drugiej stronie Arno, co najmniej przez dwie godziny błąkał się ze swoim workiem i torbą, głodny, spocony, wydany na pastwę lęku, który ekscytował, co rusz powracając. Odczuł go na przykład przed Ponte Santa Trinita, mostem jeszcze piękniejszym niż Ponte Vecchio, ponieważ składał się z trzech arkad o niepokojącej elegancji, a zdobiły go cztery posągi, personifikacje pór roku. Lub na Piazza del Duomo, na widok bramy Baptysterium, lub kiedy wszedł do olbrzymiej, mistycznej katedry, i kiedy wspiął się na wieżę Giotta, by z góry podziwiać zdumiewający las kościołów, dzwonnic, kopuł, pałaców, pomników, piękna skupionego w jednym miejscu. Lęk odczuł także później, dostrzegając inne oszałamiające urodą szczegóły, przez co sam siebie zaskoczył pytaniem, czy oto na pewno dobrze robi, emigrując do Wirginii. Ulice brukowane i pełne luksusowych karet, nawet czterokonnych. Trotuary z tłoczącymi się ludźmi, którzy przekrzykiwali się, potrącali i śmiali jak na ogromnym jarmarku. Domy pięcio- lub sześciopiętrowe, sczepione ze sobą jak kłosy na polu pszenicy, każdy z szybami w oknach. Zachowujące się swobodnie, wydekoltowane kobiety, które mijając go, patrzyły mu w oczy, a nawet się uśmiechały. I wszystkie te lampy, zapalane o zmroku, wszystkie te sklepy gęsto zastawione rzeczami, których być może nie znali nawet w Ameryce. Ktoś tam sprzedawał książki. Po tuzinie, po sto. Instynktownie wszedł i za radą księgarza kupił dwie, do poczytania na morzu: *Rycerze Okrągłego Stołu* i *Dekameron*. Następnie, z dociążonym workiem i kapitałem uszczuplonym do dwóch skudów i trzech krajcarów, udał się na Piazza della Signoria: kolejny zachwyt, który wyostrzył poprzednie pytanie, ponieważ, jak przypuszczał, w hrabstwie pana Jeffersona miejsce tak wystawne i bogate w dzieła sztuki z pewnością nie istniało. Lecz było za późno, by poddawać się żalom, dzwony biły na dwunastą w południe, zdecydowanym krokiem skierował się więc do Loggii dei Lanzi, gdzie natychmiast rozpoznał dziewięciu mężczyzn, z którymi miał dzielić wybraną już przyszłość. Objuczeni tobołkami, siedzieli na murku pod jedną z arkad i wydawali się tak zagubieni, tak przestraszeni. Zwłaszcza ten, który nimi dowodził — czterdziestolatek z San Casciano, specjalista od butelkowania wina. „A, to wy jesteście ten dziesiąty. Chodźcic tu, chodźcie, i niech Bóg ma nas w swojej opiece". Tymczasem sekretarz pana Mazzeiego jeszcze się nie pojawił, i to jego spóźnienie stało się przyczyną spotkania z niejakim Masim z Ponte a Rifredi, który wrócił właśnie z francuskich Antyli i zrządzeniem losu akurat znajdował się na placu.

— Kim jesteście, na kogo czekacie? — spytał Masi, podchodząc do mężczyzn.

— Mamy płynąć z panem Mazzeim, niech Bóg ma nas w swojej opiece — odparł mężczyzna z San Casciano.

— Płynąć dokąd?

— Do Ameryki, do Wirginii, niech Bóg ma nas w swojej opiece.

— A po co?

— Żeby założyć gospodarstwo produkujące oliwę i wina, niech Bóg ma nas w swojej opiece.

I wtedy plac aż się zatrząsł od wrzasku:

— To nikt wam nie mówił, że tam gwiazdy spadają z nieba i palą wieśniaków, którzy pracują na polach? Uciekajcie, i to w te pędy!

Sam Mazzei opowiada o tym w swoich wspomnieniach, dodając, że cała dziesiątka przeraziła się tak, iż uciekła naprawdę. Ucieczka ta sprawiła, że musiał zadowolić się dwoma rolnikami z Lukki i piemonckim krawcem, jak również pewnym genueńczykiem, którego zawodu nie znamy, oraz florentczykiem, lub prawie florentczykiem, który nazywał się Vincenzo Rossi, był synem rzeźnika z Legnai, dzielnicy Florencji, i pomocnikiem miejscowego ogrodnika. Zostali więc ci, którzy o uprawach winnicy i oliwek nie mieli pojęcia. Chociaż wersja Mazzeiego zawiera poważny błąd. W rzeczywistości Carlo nie uciekł. Przeciwnie, robił, co mógł, żeby powstrzymać towarzyszy. Zawołał do Masiego, że jest ciemniakiem, pyszałkiem, że wtyka nos, gdzie nie trzeba, i gada tylko po to, by gadać. Tłumaczył im, że gwiazdy, o których mówił ten nieuk, to były komety, a komety nie spadają na ziemię, lecz w niebo, i nikogo nie palą. Przekonywał ich nawet, że jeśli uciekną, to wyjdą na głupków i tchórzy, że narażą na śmieszność całą Toskanię, a mieszkańcy Wirginii nigdy w życiu nie wypiją szklanki przyzwoitego wina i nie zjedzą sałaty przyprawionej oliwą. Ale i tak uciekli. A on został i czekał, aż nadejdzie sekretarz. Ze strachu, że go przeoczy, nie odszedł nawet o krok, żeby napić się wody z fontanny Neptuna, oddalonej zaledwie o pięćdziesiąt kroków. Tam i z powrotem, tam i z powrotem, chodził z workiem i torbą wzdłuż i wszerz Loggii dei Lanzi, pomiędzy zaludniającymi ją tragicznymi posągami: Perseuszem, który trzyma uciętą głowę Meduzy i depcze jej okaleczone ciało; Ajaksem, który podtrzymuje omdłałe zwłoki Patroklosa; Herkulesem, który dusi centaura Nessosa; Sabinkami, które się szamocą, żeby wyrwać się porywaczom; Polikseną, która płacze, bo i ona została porwana, i jeszcze innymi, którzy umierają albo właśnie przeszywają się sztyletem lub odwracają się porażeni niewyobrażalnym cierpieniem ciała czy duszy. Aż w pewnej chwili nie mógł już patrzeć na rzeźby i z nadzieją, że hrabstwo pana Jeffersona roztoczy przed nim weselsze wizje, odwrócił się plecami do tej orgii cierpienia i okrucieństwa, usiadł na schodkach środkowej arkady i z twarzą skierowaną do placu, zabrał się do lektury *Dekameronu*. Kiedyś- -w-końcu-przyjdzie. Problem w tym, że nigdy się nie widzieli, a w pańskim stroju Carlo wcale nie wyglądał na wieśniaka. Kiedy po południu sekretarz przybył i stwierdził, że w Loggii dei Lanzi jest tylko jeden miejski blondas, indywiduum w kapeluszu z trzema rogami skupione na lekturze *Dekameronu*, nie przyszło mu nawet do głowy, że to najemnik, którego wskazał don Luzzi. Bez słowa, nie widząc nawet worka podróżnego, który Carlo miał przy sobie, sekretarz odwrócił się na pięcie i pobiegł do pana Mazzeiego, by powiedzieć mu, że dziesiątka prostaków nie stawiła się na spotkanie. Tymczasem Carlo wciąż czekał.

Czekał przez całe popołudnie, biedny Carlo, czekał przez część wieczoru. Dopiero późną nocą zszedł ze schodów, żeby się schronić w pobliskim kościele Santo Stefano, tam zjadł na kolację resztkę sera, położył się na ławie i zasnął. Lecz o piątej rano wrócił do Loggii i znów zaczął czekać, uparciuch. Nabrał podejrzeń, że sekretarz już przyszedł i się minęli. Albo pomylił dzień i przyjdzie dziś, uprzejmie przepraszając. W pewnych przypadkach trzeba zachować zimną krew, nie wolno tracić otuchy i optymizmu. A jednak stopniowo je tracił. Upadł na duchu. Bo kiedy tak czekał, znów wyłoniły się pejzaże, które uważał za wymazane z pamięci. A te przywołały żal, który odczuł, kiedy zadał sobie pytanie, czy to na pewno dobrze, że chce emigrować do Wirginii. Oddalił je jednak od siebie na głos bijących w południe dzwonów. Krajobraz zielonych wzgórz zamieszkanych przez rajską faunę: zające, wiewiórki, lisy, łanie, dziki, ptaki o anielskich głosach. Krajobraz harmonijnych wzniesień z łąkami, gdzie kwitły irysy, aż latem błękitniały i wyglądały jak morze, które to wspina się, to opada w gigantycznych, znieruchomiałych falach. Lub krajobraz janowców, które jesienią rozpalały krzewy na żółto, a z różem wrzosów i czerwienią jagód wyglądały jak buchające płomienie. Obraz szlochającej Apollonii, chlipiącej Violante, Gaetana, milczącego ponuro, a przede wszystkim bladego jak trup Luki, który wręczał mu medalik ze świętym Franciszkiem i kawałek chleba na podróż. Ojciec był taki dobry. Tak tolerancyjny, wyrozumiały pomimo swoich ascetycznych zasad. Nigdy go nie uderzył, nigdy nie zmuszał do postu ani modlitwy, nigdy nikomu nie odbierał prawa, by żył na swój sposób. Gdyby chciał, mógłby sprzeciwić się tej ucieczce do Wirginii. Kto pragnął się ożenić albo emigrować w wieku dwudziestu lat, musiał przynieść pozwolenie od ojca. A przecież nie ruszył palcem, by narzucić swoją wolę Carlowi. Jedyne, co zrobił, to wydał jęk katowanego zwierzęcia i zabrał się do samobiczowania, żeby wezwać Bożej pomocy, błagać Stwórcę, by wybaczył temu synowi-opętanemu-przez-diabła. I widząc, jak szykuje swój worek, powiedział: „Napisz pozwolenie, to ci podpiszę". I podpisał. Krzyżykiem. Był bardzo zmęczony, wyczerpany harówką i wyrzeczeniami. Mając za jedynego pomocnika Gaetana, czy zdoła utrzymać gospodarstwo? Violante o dwóch lewych rękach nadawała się tylko do mamrotania *Salve Regina*. Apollonia miała na głowie dom, kury, króliki, wieprza, maciorę. Przy takich pracach, jak kopanie, pielenie, oranie, sianie, rozrzucanie gnoju, koszenie i tym podobnych, Luca na żonę i córkę raczej nie mógł liczyć. To samo przy oporządzaniu muła. Bardziej niż cokolwiek innego martwił Carla właśnie ten muł, do którego Gaetano nie miał odwagi nawet się zbliżyć. Czy ojciec będzie pamiętał, że jest to muł trudny, zdradziecki, który wierzgał z byle powodu, i biada temu, co za nim stał? Może don Luzzi źle mu doradził? Może naprawdę popełniał błąd, porzucając ziemię przodków, wyprawiając się do hrabstwa pana Jeffersona, pogarszając los swój i swojego przyszłego potomstwa? Może ten los był naprawdę na wzgórzach i pagórkach Chianti, wśród wyrzeczeń, pokut i tortur Ojca Wizytatora? Nie mówiąc już o tym, że sekretarz pana Mazzeiego był wielkim prostakiem, a może i pan Mazzei był takim samym prostakiem jak jego sekretarz. Godzinę spóźnienia da się jeszcze wytrzymać, mój Boże. Czasami nawet trzy albo cztery. Ale nie dziewiętnaście! Od dziewiętnastu godzin czekał wśród ponurych posągów nagich i zrozpaczonych ludzi! Czuł się urażony.

I w końcu, jakoś o siódmej rano, skoczył na równe nogi. Chwycił swój worek, zszedł z Loggii dei Lanzi i Piazza della Signoria, wszedł w via Vaccereccia, skręcił w Por Santa Maria, przemierzył znów Ponte Vecchio, raz jeszcze znalazł się na via Guicciardini, na Piazza Pitti, na via Romana, znów przeszedł pod Porta Romana, wyszedł z miasta, w którym został tak obrażony i gdzie, gwiżdżąc na jego cacka, już nigdy miał się nie pojawić. I przywracając kierunek swojemu i mojemu losowi, wrócił do Vitigliano di Sotto.

Tym razem wracał z prędkością trzech mil na godzinę, nie zatrzymując się ani przy Kartuzji, ani na Passo dei Pecorai. I nie tylko dlatego, że był rozczarowany, lecz dlatego, że nowa udręka kazała mu wracać w te pędy. Natrętna myśl wgryzała mu się w serce mrocznym przeczuciem. Nie mylił się. Kiedy dotarł do domu, dowiedział się, że muł wymierzył kopniaka w brzuch Luki i że Luca umiera.

3

Leżał na sienniku z suchych liści, tuż pod wielkim krucyfiksem, który wisiał nad łóżkiem, i rozdzierająco rzęził, dręczony coraz bardziej dokuczliwymi skurczami, w płomieniach gorączki, która zalewała mu potem nawet białą brodę. Próżno było się łudzić, że przeżyje. Oczy już zaszły mgłą, a rzężenie cichło tylko wtedy, gdy mógł wypowiedzieć samooskarżenie:

— To moja wina, moja wina. Stanąłem od zadu i pociągnąłem go za ogon.

Dlatego to wszystko się stało dnia poprzedniego.

— No, dalej, bracie mule, nastąp się! — nakłaniał zwierzę, ciągnąc je delikatnie za ogon.

A brat muł odpowiedział, miażdżąc mu jelita. Taki kopniak zawsze źle się kończył, więc lekarz z Raddy odmówił zbadania pacjenta:

— Po co mam jechać?

Na jego miejsce przyjechał felczer z Panzano, ten, który pomagał krowom rodzić, a ludziom umierać, i od razu zawyrokował:

— Wylew wewnętrzny. Wezwijcie księdza.

Ale Luca myślał trzeźwo, agonia jeszcze się nie zaczęła, więc widząc Carla, który podchodził do łóżka, ożywił się.

— Wróciłeś!

— Tak, tato... — wymamrotał Carlo przez łzy.

— Żeby zostać czy żeby zobaczyć, jak umieram?

— Żeby zostać, tato, żeby zostać...

— Chwała Panu na niebie. Wiedziałem, że mnie wysłucha.

Przy łóżku stali Apollonia, Gaetano oraz Violante i żadne z nich nie płakało — taka bluźniercza reakcja była niezgodna z regułą zakonu franciszkańskich tercjarzy, jak przykładnie pokazała Violante po śmierci Aloisia. W kącie stali don Fabbri i Ojciec Wizytator i kłócili się po cichu o to, który z nich ma udzielić ostatniego namaszczenia oraz rozgrzeszenia. To-do-mnie-należy-bo-jestem-jego-proboszczem, nie-do-mnie-bo-jestem-jego-opiekunem-duchowym.

— Podzielcie się po połowie, sępy! — wrzasnął Carlo ze szlochem.

Pomimo określenia „sępy" rada została przyjęta, i don Fabbri udzielił ostatniego namaszczenia. Ojciec Wizytator zaś odpuścił grzechy, przeciągając obrządek, żeby zrobić rywalowi na złość:

— *Dominus noster Jesus Christus, auctoritate ipsius ac beatorum apostolorum Petri et Pauli et Summi Pontificis, ego te absolvo ab omni peccato ac transgressione votorum tui Ordinis...*

I żeby jeszcze bardziej dokuczyć don Fabbriemu, zażyczył wręcz sobie, by Luca odmówił modlitwę, w której tercjarze oddają duszę Bogu. I Luca, posłuszny do ostatka, zrobił, co trzeba:

— Śmierci, Siostro, przyjmuję ciebie ochoczo i ofiaruję to konanie w uszanowaniu Twej mocy i władzy. Cieszę się w Tobie, o Śmierci, Siostro, i z głębi serca dziękuję Ci za to szczęście.

Lecz kiedy skończył, zmieniła się tonacja jego głosu.

— Teraz zostawcie mnie samego z moją rodziną — powiedział do swojego prześladowcy i don Fabbriego. — Zejdźcie do kuchni, bo chcę się pożegnać z moimi dziećmi i powiedzieć im coś, co was nie dotyczy.

Powiedział to głosem mocnym i jasnym — zaczęła się już ta chwilowa poprawa samopoczucia, która poprzedza śmierć, więc nawet nie rzęził. Odczekał, aż wyjdą, wściekli, poszukał dłonią prawej ręki Carla. Ujął ją z miłością.

— Ja i ty nigdy nie zgadzaliśmy się w niczym. Lecz jest jedna rzecz, co do której nie mogę odmówić ci racji: niedobrze jest uprawiać cudzą ziemię, źle mieć pana.

— Tak, tato — zaszlochał Carlo.

— Pamiętasz, jak krzyknąłem, że przed śmiercią chciałbym mieć ziemię, stać się panem samego siebie?

— Tak, tato...

— To zawsze było moim marzeniem. A teraz, kiedy wróciłeś, pozostawiam je tobie i Gaetanowi. Mnie się nie udało, ale wam się uda. Dla mnie.

— Tak, tato...

— Gaetano już wie, bo mu o tym mówiłem. Dowiedziałem się, że Królewski Szpital Santa Maria Nuova chce oddać w wieczystą dzierżawę szesnaście gospodarstw folwarku Panzano, a jedno z nich bardzo mi się podoba. Gospodarstwo San Eufrosino. Ale nie San Eufrosino di Sotto, to, które schodzi do kanału, tylko pnące się aż do drogi San Eufrosino di Sopra. Gospodarzy tam teraz ten bluźnierca Cecionesi, niech mu Pan Bóg przebaczy. Zrozumiałeś?

— Tak, tato...

— Jak na dwie pary chłopskich rąk jest może i duże, ja wiem. Cecionesi ma osiem rąk do roboty, a narzeka, że przydałoby mu się dwa razy tyle. Ale kiedy oddadzą San Eufrosino di Sopra w dzierżawę, i tak musicie je wziąć. I uważać mi, żeby nikt wam nie sprzątnął go sprzed nosa! Jasne?

— Tak, tato...

— Wiem też, że takie gospodarstwo jak San Eufrosino di Sopra jest warte co najmniej pięć albo i sześć tysięcy skudów i że za byle co go nie dadzą. Tak czy inaczej, przy podpisaniu umowy notariusz zażąda tylko rękojmii, czyli kaucji, żeby było na opłatę wstępną, i te pieniądze mogę wam zostawić. Żono, przynieście amforę.

Apollonia w milczeniu podeszła do wnęki wyżłobionej w ścianie od frontu, swoistej kapliczki, w której znajdowała się amfora z terakoty wypełniona kwiatami lawendy, by ładnie pachniało w pokoju. Wzięła naczynie i podała mężowi. Ale długie mówienie go wyczerpało, śmierć była coraz bliżej, i nie mógł już nawet unieść ręki.

— Żono, zróbcie to za mnie — szepnął.

Apollonia bez słowa wyjęła kwiaty, odwróciła amforę nad łóżkiem i wysypała z niej lawinę złotych skudów.

— Jest ich sto — wydyszał Luca z jeszcze większym trudem. — Od lat odkładam je na własne gospodarstwo. Lir do lira, krajcar do krajcara, skoro Violante chce być zakonnicą, a zakonnicom nie potrzeba wiana. Prawda, Violante?

— Prawda — posępnie potwierdziła Violante.

— Na rękojmię powinno wystarczyć — mówił dalej. — O spłatę rocznego czynszu zadbacie sami. Byle byście się za wcześnie nie pożenili. Ożenek kosztuje. I byle byś nie roztrwonił pieniędzy na stroje i książki. Na nic książki, na nic stroje. Zrozumiałeś?

— Tak, tato...

— A więc nie pozostaje mi nic prócz tych kilku przykazań. Nie zapodziejcie gdzieś waszego przywiązania do ziemi, nie wstydźcie się nigdy, że jesteście chłopami. To ziemia nas karmi. To dzięki chłopom świat ma co jeść. I nigdy nie bądźcie cwaniakami, nie myślcie, że Bóg nie istnieje. Kto jest cwany, ten nie jest mądry, a gdyby Pan Bóg nie istniał, trzeba by mi go teraz wymyśleć, bo inaczej umierałbym wściekły jak chory na wściekliznę pies. Ponieważ — i oby święty Franciszek nie miał mi za złe tych słów, niechaj nie przypłacę ich zbawieniem duszy — umierać w wieku lat pięćdziesięciu to wielka przykrość.

Potem zaczęła się agonia i Luca odezwał się tylko raz jeden, na chwilę przed ostatnim westchnieniem. Zdarzyło się to w środku nocy, kiedy szeroko otworzył oczy i całkiem donośnie zawołał:

— Wybaczcie mułowi!

Pogrzeb odbył się natychmiast, bez wielkich przygotowań, i był skromny jak pochówek każdego biedaka. Dekretem z 1748 roku Franciszek III ustanawiał bowiem, że szlachta i mieszczanie mają prawo do pogrzebu z gromnicami, katafalkiem, pieśniami żałobnymi i ornamentami, a biedacy musieli się zadowolić czterema pochodniami i dzwonami bijącym na śmierć. Niedawne zarządzenie

Piotra Leopolda, to samo, które dopuszczało kładzenie do trumny tylko biskupów i panów, uściślało, że pochówek ma się odbyć tak szybko i oszczędnie, jak to tylko możliwe. Nie narażając się więc na kary i grzywnę, zawinęli Lukę w stare prześcieradło, okręcili sznurkiem wokół szyi i kostek, położyli na desce i przy świetle czterech pochodni wynieśli z domu. Violante i Apollonia trzymały pochodnie. Carlo i Gaetano nieśli deskę. Żadnych kwiatów, żadnego orszaku krewnych czy sąsiadów. Na czele skromniutkiego konduktu idącego od Vitigliano di Sotto do Vitigliano di Sopra i Panzano szli don Fabbri i Ojciec Wizytator, którzy wciąż mieli za złe zmarłemu, że odesłał ich do kuchni. Kiedy dzwony biły na śmierć, pochód dotarł do kościoła Wniebowzięcia Najświętszej Marii Panny, gdzie został już odkryty skrawek posadzki, i dwaj grabarze w jednej chwili wrzucili zawiniątko do zbiorowego grobu. Lecz nim ponownie zakryli dziurę, Carlo zrobił coś, czego nikt by się po nim nie spodziewał. Wyrwał przeorowi brewiarz, wysyczał: „A niech tylko ktoś się sprzeciwi, a niech tylko ktoś mi przeszkodzi", odczytał całe nabożeństwo za zmarłych, do którego dorzucił jeszcze pięćdziesiąt psalmów, tuzin *Pater noster*, tuzin *Ave Maria*, jedno *Requiem aeternam* i jedno *Gloria*. A kiedy byli już w domu, zrobił coś jeszcze. Wszedł do obory, pogłaskał muła i powiedział: „Ja ci wybaczam".

Poszedł do sypialni, wyjął z regału księgozbiór, który obejmował już jedenaście tomów, z szafy marynarkę z brązowego weluru, kaftan z granatowej wełny, zielone spodnie, buty ze srebrną sprzączką, kapelusz z trzema rogami, i zamknął to wszystko w kufrze, którego miał nie otwierać przez lata. Wreszcie zszedł do kuchni, zwołał rodzinę i ze stanowczym wyrazem twarzy oświadczył:

— Od teraz będę postępował tak, jak chciał tata. Od teraz celem mojego życia będzie San Eufrosino di Sopra. I niech mnie szlag trafi, jeśli o tym zapomnę!

Tu należy wyjaśnić, co tak szczególnego miało w sobie pole, na którym gospodarzył „ten bluźnierca Cecionesi", i dlaczego Luca tak bardzo pragnął jego gospodarstwa, że zrobił odstępstwo od zasad ascezy, zbierając sto złotych skudów.

* * *

W szóstym wieku po Chrystusie żył biskup imieniem Eufrozyn, który nosił łachmany, prawie zupełnie wyrzekł się jedzenia, spał na gołej ziemi i zachowywał niebiańską zgoła pokorę. Czyli prekursor świętego Franciszka. Wielki mistyk. I machnijmy ręką na złe języki, które kwestionują jego świętość, zarzucając mu, że uwiódł pewną dziewicę, a uchronił się przed karą za ten postępek dzięki wstawiennictwu noworodka, który zaledwie wydostawszy się z matczynego łona, wrzeszczał po łacinie: *Euphrosinus sine culpa est!* „Eufrozyn jest niewinny!". Zresztą, przyzwoici ludzie kwitowali kalumnię wzburzeniem, mówiąc, że pomówienie nie zna granic, a zawiść nie ma hamulców, i z głęboką dumą wiązali imię Eufrozyna z Panzano. Zaiste, w osiemdziesiątym dziewiątym roku życia przybył on z misją ewangelizacji Toskanii, której mieszkańcy czcili wówczas fałszywych bogów. I, według niektórych z pragnienia, według innych pod wpływem nadprzyrodzonego natchnienia, zatrzymał się właśnie w Panzano. A dokładnie przy studni na zboczu od strony Val di Pesa, czyli na przeciwległym do zbocza z widokiem na Val di Greve, na którym położone jest Vitigliano di Sotto. Tam Eufrozyn zbudował sobie z gałęzi nędzne schronienie, tam nawrócił mnóstwo pogan i dokonywał cudów tak godnych podziwu, jak wskrzeszanie umarłych czy przywracanie wzroku ślepcom. Tam umarł z wyczerpania i starości i tam został pochowany. W grobie przeznaczonym wyłącznie dla niego — inaczej niż Luca. Potem nad tym grobem wzniesiono sanktuarium. Być może wskutek podziemnych wstrząsów, być może za sprawą przekleństw uwiedzionej dziewicy, sanktuarium się zawaliło i przez wieki czcigodne szczątki spoczywały pod kupą gruzu porośniętego trawą, na której pasły się owce. Dla podtrzymania kultu biskupa wyznawcy musieli się uciec do wykopania studni, rozpuszczając pogłoski, że woda z niej leczy zapalenie spojówek i pomnaża mleko kobiet w połogu. Lecz w 1441 roku trawa została wyrwana, gruz uprzątnięty, czcigodne szczątki ekshumowane. Obiecując odpust wszystkim, którzy złożą ofiarę, papież Eugeniusz IV wydał bullę nakazującą odbudowę sanktuarium. W ten sposób powstała urodziwa gotycka świątynia — oratorium San Eufrosino. Tak, właśnie wtedy zbudowano kościół, którego sława miała przekroczyć granice Chianti. Nie bez powodu było w nim więcej skarbów niż w przeoracie: freski, tabliczki wotywne, srebrne kandelabry, tryptyk pędzla Mariotta di Nardo, kapliczka Arnolfa di Cambio, kryjąca urnę z relikwiami, gipsowa rzeźba pokryta polichromią, przedstawiająca świętego w stroju biskupa i w wysadzanej klejnotami mitrze z okienkiem, za którym kryły się fragmenty czaszki. A ponad ołtarzem wspaniała Madonna namalowana przez Giotta.

Zatem gospodarstwo, którego Luca pragnął tak bardzo, że aż się wyrzekł ascezy i zgromadził sto złotych skudów, otaczało oratorium jak pierścień. Dom stał zaledwie czterdzieści metrów od fasady świątyni. A gospodarz San Eufrosino di Sopra miał klucze do tego świętego miejsca. Innymi słowy, prócz Madonny Giotta i cudownej studni Cecionesi zarządzał kościołem, w którym mógł przebywać i modlić się o każdej porze dnia i nocy. Dla bluźniercy przywilej to błahy, lecz franciszkański tercjarz za coś takiego sprzedałby duszę diabłu. I Carlo miał się o tym bardzo szybko przekonać.

4

Należałoby się zastanowić, jaki to wstrząs spowodował u Carla taką odmianę, zaskakujące zachowanie, które miało prowadzić do jego nawrócenia. Cierpienie wywołane tragiczną śmiercią Luki? Poczucie winy, które towarzyszyło cierpieniu? Rozczarowanie, wręcz upokorzenie daremnym oczekiwaniem pod Loggią dei Lanzi? Te trzy rzeczy naraz, czy może żar wiary, który już istniał, tłumiony jeszcze przemijającym buntem i skrywany w zakamarkach jego duszy? Nie wiadomo. Rozbawiony tudzież ironiczny głos mojego ojca o tym nie wspomniał. Wiadomo jednak, co Carlo odpowiedział, kiedy don Luzzi, cały w nerwach, poszedł do Vitigliano di Sotto i zamiast złożyć kondolencje, zaczął wrzeszczeć dlaczego--wróciłeś-dlaczego!

„Bo każdy rodzi się z własnym przeznaczeniem, księże plebanie, a moje nie jest w Wirginii, lecz tutaj".

Mniej więcej to samo odpowiedziałby w 1780 roku, kiedy Filippo Mazzei wybrał się do Florencji, żeby przekonać wielkiego księcia do nawiązania kontaktów handlowych ze zbuntowanymi koloniami i poparcia ich walki o niepodległość, a don Luzzi usłyszał, jaki los spotkał tę czwórkę, która z piemonckim krawcem odpłynęła z Livorno na pokładzie „Triumpha". Żadnego nie schwytali piraci, żadnego nie oskalpowali Indianie, żaden nie poległ na wojnie z Anglikami, która w tym czasie wybuchła. A Vincenzo Rossi, syn rzeźnika z Legnai, dorobił się fortuny w hrabstwie pana Jeffersona, gdzie ożenił się z zasobną obywatelką Wirginii. Antonio Giannini, jeden z dwóch mężczyzn z Lukki, tak się wzbogacił, że był w stanie wyłożyć dwieście pięćdziesiąt cekinów za niewielki kawałek ziemi.

— Czego ja chcę, plebanie, tego nie ma w hrabstwie pana Jeffersona. Ja jestem drzewem, którego nie można przesadzić.

W istocie, nigdy nie pożałował powrotu. Nigdy nie pomyślał, że byłoby dobrze zaciągnąć się na inny statek, odgrzebać dawną szansę. Również na starość powtarzał, że plan osiedlenia się w Ameryce był mrzonką, którą dzięki Bogu los od niego oddalił, i w ciągu pięciu lat, jakie upłynęły od śmierci Luki, żył tylko po to, by dochować przysięgi złożonej jemu i sobie — wziąć w wieczystą dzierżawę San Eufrosino di Sopra. Żadnych kłótni z rodziną da Verrazzano, żadnych utyskiwań na dom bez latryny i bez szyb w oknach, żadnego chodzenia w gości, żadnych jarmarków czy rozrywek w nagrodę za nieludzką robotę, której się podjął, aby pomnożyć kwotę stu złotych skudów. I żadnej krytyki sposobu życia, jaki prowadziła jego rodzina. Koniec końców, sam również został franciszkańskim tercjarzem.

To najbardziej dojmujący rys jego przemiany. I nad tym właśnie mój ojciec głosem rozbawionym i ironicznym rozwodził się najbardziej, poczynając od szczegółów dotyczących próby nowicjatu. Próba nowicjatu to był nader ciężki egzamin. Trwała sześć miesięcy, podczas których zwykłe udręki zadawane przez Ojca Wizytatora należało pomnożyć przez tysiąc, i uwzględniała biczowanie co wieczór. Dwadzieścia razów przed różańcem i dwadzieścia po. Przez grzbiet, po piersiach i brzuchu. Lecz Carlo wyszedł z tej próby triumfalnie. I tak wyłonił się człowiek, którym pozostał do końca życia. Mimo że poślubił niewierzącą, a nadzwyczajną kobietę. Zaangażowanie i pobożność Carla nie znały granic. Na przykład, nie dość usatysfakcjonowany włosiennicą, pas nosił tak, by dotykał skóry, i zaciskał go mocno, aż robiły się rany. Niesyty głodówek w środy, piątki i soboty, jak również w całym okresie Wielkiego Postu i adwentu, poddawał się wyrzeczeniom, których nikt od niego nie żądał, takich jak rezygnacja z choćby jednej szklaneczki wina: „Picie rozpala żądze". Nie dość ukontentowany tym, że schował do kufra jedenaście książek z ledwie co rozpoczętym *Dekameronem* i nieruszonymi *Rycerzami Okrągłego Stołu*, w ogóle nie zaglądał do „Gazzetta Patria" i nie chciał wiedzieć, co się dzieje na świecie. „Czytanie wodzi na pokuszenie". I oczywiście nie polował już na lisy, zające, bażanty i dzikie króliki, by je sprzedawać na targu w Greve. „Zabijanie zwierząt to bratobójstwo".

Nie oglądał się też za dziewczynami, nie okazując przy tym udręk życia w czystości, a krzyż, który trzymał w pokoju, kładł się zawstydzającym cieniem na krucyfiks należący do Luki. Nie krzyż, lecz pomnik, szeroki na metr a długi na dwa, który własnoręcznie zbił i który przerażał nawet Gaetana: „Daj spokój, Carlo, przesadzasz! Jak nam spadnie kiedyś na głowę, to nas pozabija!".

W końcu zaprzyjaźnił się również z Ojcem Wizytatorem, a w każdej wolnej chwili biegł do San Eufrosino di Sopra i prosił Cecionesiego, żeby otworzył mu oratorium. Chodzenie tam stało się jego prawdziwą obsesją i Cecionesi za każdym razem wpadał w szał.

— A bodaj byś dostał gangreny, obmyjchryście jeden, ojczenaszoklepie! Jesteś jeszcze gorszy od tego świętoliza twojego brata, bożesztyprzeklęty!

Lecz on się nie odszczekiwał, tylko powtarzał:

— Odmówię za was *Salve Regina*, Cecionesi.

Tymczasem się starzał. Pożeraczem Serc już go nikt nie nazywał. Zapadała się jego ładna i krągła twarz, traciły blask błękitne oczy, bywały dni, że wyglądał jak własny ojciec. Ożywił się tylko, gdy Królewski Szpital Santa Maria Nuova postanowił oddać w wieczystą dzierżawę gospodarstwa majątku Panzano — historyczne wydarzenie, do którego doszło w czerwcu 1778 roku. „Chwała Bogu, alleluja!" To don Luzzi przekazał mu dobrą wiadomość, dodając, że nie mają konkurenta. Czy to przez kościół, który na wylot przeszywał ci duszę i wystawiał rachunek sumienia, czy za sprawą cienia, który bryła świątyni rzucała na dom położony zbyt blisko, a może przez ciężar odpowiedzialności za klucze i za skarby skryte we wnętrzu świątyni, nikt nie chciał San Eufrosino di Sopra. Nie przez przypadek kaucja stopniała ze stu pięćdziesięciu złotych skudów do stu, a potem do osiemdziesięciu. Roczna dzierżawa zaś do siedemdziesięciu czterech — prawie połowy tego, co należało się za San Eufrosino di Sotto, o który wystąpił już majętny Girolamo Civili, stryj równie majętnego Giuseppe Civilego, młynarza z Greve. „Alleluja, alleluja!"

Lecz kiedy Carlo usłyszał, że na spisanie umowy trzeba iść do Florencji, zasępił się na nowo.

— Moja noga już nigdy tam nie postanie — powiedział, po czym zwrócił się do Gaetana — Idź ty. Ty jesteś starszy, ty rządzisz.

— Ale ty umiesz czytać i pisać i ty się znasz na papierach —
zaprotestował Gaetano.

— Do umowy wystarczy podpis. A przecież podpisać się
umiesz.

— Nie, podpisy potrzebne są dwa, twój i mój. Bez twojego
wszystko zapiszą na mnie, i tyle.

— Notariusz już coś wymyśli, żeby zapisać i na mnie. Idź!

I ruszył Gaetano, śmiertelnie przerażony, wystrojony jak na
jakieś święto. W spiczastym kapeluszu, w czarnej zgrzebnej ma-
rynarce, czarnych spodniach, czarnym kaftanie, w butach z grubej skóry. W przewieszonej przez szyję torbie było osiemdziesiąt
złotych skudów, które od razu miał wpłacić na kaucję. Pojechał
dyliżansem, który teraz dwa razy w tygodniu kursował pomiędzy
Panzano a Florencją, a odjeżdżał o czwartej rano, żeby na dziewiątą
dojechać na plac przez katedrą.

* * *

Nie znamy szczegółów tej podróży, przebiegającej, zważywszy
apatyczną osobowość Gaetana, z pewnością bez przygód i zaska-
kujących zwrotów. Znamy jednak umowę, którą podpisał i która
została sporządzona w kancelarii Królewskiego Szpitala — w sali
na parterze, położonej dziwnym trafem niedaleko kostnicy, w której sto sześćdziesiąt sześć lat później miałam przeżyć najbardziej
przerażający epizod mojej wczesnej młodości zatrutej wojną (choć
wypełniała mnie też duma z tego, że walczę z wrogiem u boku
dorosłych). Mam nawet kopię tej umowy. Dziewięć stron pokrytych pismem, którego prawie nie da się odczytać, gdzie imię Carlo
zastępują określenia „inni wezwani i uwzględnieni", przy imieniu
Gaetana zaś nigdzie nie ma tytułu „pan", który poprzedza wszak
imiona notariusza i świadków. Oto jej początek, który częścio-
wo streszczam, żeby uprościć lekturę: *„Dei nomine*, amen. Dnia
2 lipca 1778 roku Pana Naszego Jezusa Chrystusa, za rządów
Jego Świątobliwości Piusa VI, Najwyższego Kapłana Rzymskiego,

i Piotra Leopolda, pierwszego króla Węgier i Czech, Arcyksięcia Austrii, dziewiątego Wielkiego Księcia Toskanii i nam panującego szczęśliwie. Wobec wystawienia na licytację dzierżawy gospodarstwa majątku Panzano o nazwie San Eufrosino di Sopra i faktu, iż nie znaleziono stosownego kontroferenta, przed Wielce Szanownym Panem Franceskiem Marią Niccolinim, szlachetnym patrycjuszem florenckim i komisarzem Królewskiego Szpitala Santa Maria Nuova, oraz przede mną, Panem notariuszem Frankiem Figlinesim, i świadkami: Panem Giuseppe Conigliettim i Panem Giuseppe Lottim, kum Gaetano Fallaci, syn Luki, który za siebie i za innych wezwanych i uwzględnionych oświadcza, że bierze w wieczystą dzierżawę wspomniane gospodarstwo za roczny czynsz w wysokości skudów siedemdziesięciu czterech uiszczanych w dwóch ratach półrocznych i za skudów osiemdziesiąt rękojmi. Rzeczone gospodarstwo położone jest w parafii San Leolino w Panzano i obejmuje dom dzierżawcy złożony z izb w liczbie ośmiu oraz pieca, trzech obór, dwóch chlewów, podwórza, klepiska, odrębnej lepianki i podcienia z innym zabudowaniem z pięciu izb połączonych z kościołem o nazwie oratorium San Eufrosino. Izby są do użytku dzierżawcy prócz dni, w których w kościele odprawiane są msze albo procesje. San Eufrosino di Sopra rozciąga się na powierzchni stu dziesięciu *staiora*, z czego osiemdziesiąt to ziemia orna podzielona na pola rozmaite z uprawą winorośli, oliwek, morwy, owoców, a reszta to łąki albo lasy na opał lub sady. Jako komisarz Królewskiego Szpitala, Wielce Szanowny Pan Francesco Maria Niccolini udziela ich przeto w dzierżawę, *ab infinito* oraz *in perpetuo*, Gaetanowi Fallaciemu, synowi Luki, i innym wezwanym i uwzględnionym, jego i ich potomkom po mieczu z mężczyzn z prawego łoża lub naturalnych, również im *ab infinito* oraz *in perpetuo*, na tak długo, jak będzie trwało potomstwo po mieczu mężczyzny z prawego łoża lub naturalnego...".

Istnieją również plany topograficzne — dwa urocze i rozczulające szkice, wykonane do ksiąg katastralnych przez agronoma Valeriana Carnianiego. Urocze, ponieważ nie wyglądają jak mapy, lecz jak kolorowe landszafty: żółte pola z sinymi rzędami winorośli i oliwek, zielone pastwiska i żywopłoty, lasy z wyraźnie zarysowanymi drzewami i pobieżnie nakreślonymi krzewami, brązowe dróżki, białe zabudowania z czerwonymi dachami i szarymi oknami. Rozczulające, ponieważ San Eufrosino wciąż jeszcze tu jest, choć wykoślawiony przez wieki i przebudowy. Pierwszy szkic skupia się na oratorium, które otaczały wówczas ładne podcienia z kamienną arkadą i kolumnami, dziś już zniszczone, a zdobiła wdzięczna rozeta i ładna dzwonnica na wieży, z której wyrastał piorunochron w kształcie krzyża. Wokół oratorium widać prostokątną łąkę otoczoną cyprysami. A za nimi, od strony fasady świątyni, wiejski domek. Naprzeciw stoi kapliczka ze studnią, której woda leczyła zapalenie spojówek i pomnażała mleko matek. Drugi zaś szkic skupia się na domu: przyjemnym dwupiętrowym budynku, złożonym z kilku elementów, w tym z wystającego bloku, który po prawej stronie zamyka przestrzeń przypominającą wirydarz, z zewnętrznymi schodami wspinającymi się do balkonu na piętrze, a po lewej graniczy z przylegającym do obory podwórkiem. Na dachu, krytym dachówkami, znajduje się kształtny komin, z którego wydobywa się obłok dymu, kierowany przez wiatr w stronę kurnika, zagrody z królikami, chlewów, a dalej ku dróżce, która na południe biegnie ku San Eufrosino di Sotto, a na północ w stronę drogi znanej jako via Chiantigiana. Za dróżką klepisko z budką. Obrazek ten zawiera również ramkę, która pod słowami „Gospodarstwo wydzierżawione Gaetanowi Fallaciemu" obejmuje wykaz różnych pól i lasów, przy których podano ich długość w łańcuchach, a powierzchnię w *stiora, panora, pugnora*. Tak więc dowiadujemy się, że gospodarstwo miało obwód o długości siedemdziesięciu pięciu łańcuchów, czyli półtora kilometra, i że od południowej granicy były trzy działki ziemi uprawnej, czyli zasianej winoroślą, drzewkami oliwkowymi lub morwowymi, na powierzchni 225 *stiora*, 8 *panora* i 9 *pugnora*.

Od granicy północnej dwa pola uprawne pod pszenicę, jęczmień, żyto i owies na powierzchni 26 *stiora* i 6 *panora*. Obok nich połać ziemi zalesionej dębami szypułkowymi i ostrolistnymi, tudzież kasztanowcami na powierzchni 32 *stiora*, 8 *panora*, 9 *pugnora*. Od strony zachodniej dwa pastwiska z koniczyną i dzięcieliną o powierzchni 88 stiorów i 3 *pugnora*. Łącznie 374 *stiora*, 6 *panora*, 7 *pugnora*. Czyli 110 *staiora*, na które opiewała umowa, a które odpowiadały mniej więcej naszym dwunastu hektarom. Niewiele, by poczuć się bogaczem. Wystarczająco dużo, by się naharować, mając do dyspozycji dwie pary męskich rąk. Vitigliano di Sotto było o połowę mniejsze.

To wszystko, nie licząc warunków i gróźb, które Gaetano podpisał z drżeniem. Biada, jeśli dzierżawca i „inni wezwani i uwzględnieni" nie prowadzili dobrze gospodarstwa, a wręcz go nie ulepszali. Biada, jeśli po pieniądze na wydatki konieczne do utrzymania i ulepszenia zwrócą się o pomoc lub udział do Królewskiego Szpitala. Biada, jeśli pod pretekstem zakupu ziarna, narzędzi, tyczek do upraw winorośli, nawozów, jak również pozyskania dwóch wołów do pługa, niezawartych w umowie, poproszą o obniżenie komornego lub nie zapłacą rat w terminie. Za każde z tych przewinień straciliby nie tylko prawo do dzierżawy, lecz również kaucję i inne wpłacone pieniądze. To samo, gdyby gospodarstwo upadło przez klęskę głodu, posuchę czy trzęsienie ziemi. Jedyna korzyść to ta, że dom miał latrynę i szyby w oknach. I że mogli w nim zamieszkać we wrześniu.

5

Nie zamieszkali we wrześniu. Ani we wrześniu następnego roku, ani jeszcze rok później. Zaślepiony zawiścią i gotowy robić im na złość, Cecionesi nie chciał się wyprowadzić. „Jakie to znowu wasze, jaka tam dzierżawa! Zostanę tutaj, ile mi się tylko spodoba, moje świętolizy". Pełen urazy, pomny prześladowań, jakim poddawał go Carlo bezustannymi wizytami w oratorium, zabraniał im nawet zbliżać się do przykościelnego trawnika czy granic gospodarstwa. Na sam ich widok groził widłami. „Na moim was nie chcę, jasne? Za kogo wy się macie? Za księcia we własnej osobie? Chamy takie jak ja, oto co jesteście, bóg-z-wami-tańcował!"

Trzy lata musiały minąć, żeby spełniło się marzenie Luki. Trzy długie lata, w ciągu których ani razu nie udało im się postawić nogi na ziemi, która w końcu przecież należała do nich, a i tak mogli dziękować Bogu, że poprzez don Luzziego zdołali zapewnić sobie połowę zbiorów, które Cecionesi był im winien jako najemca. (Dochód ten, wraz z tym, co uzyskiwali z Vitigliano di Sotto, gdzie postanowili przeczekać, pozwalał im wynajmować dwa woły do pługa, niewpisane do umowy, a droższe od samej dzierżawy). Do przeprowadzki doszło w 1781 roku, przed zbiorem oliwek.

„A weźcie sobie tę trupiarnię, co to niby do was należy! Ja sobie znalazłem coś lepszego", z takimi słowami na ustach skapitulował wróg. Natychmiast załadowali na wóz meble, krucyfiksy, klatki z drobiem, królikami i gołębiami. Pożegnali się z rozgrzeszonym mułem, który niestety należał do rodziny da Verrazzano, zabrali wieprza i maciorę, i wspinając się po ścieżce prowadzącej do Vitigliano di Sopra, potem do Panzano, potem na via Chiantigiana, dotarli do upragnionego gospodarstwa... Na jego widok wydali okrzyk przerażenia. „Święty Eufrozynie, dopomóż!"

Przed odejściem wróg troszczył się tylko o winobranie, by zapewnić sobie swoją część wina, i tylko piwnica wyglądała w miarę porządnie. Reszta domu była zrujnowana. Opadające drzwi, powyginane belki, dziurawe podłogi, powyrywane cegły, popękane okiennice. Uszkodzony był również piec, zapewne rzecz najważniejsza, bo bez pieca nie można upiec chleba, a chleb to podstawowe pożywienie. W ruinę popadł także ogród, chyba nie mniej ważny od pieca, bo bez ogrodu nie ma warzyw, a bez warzyw nie ugotujesz zupy. Nie natrafiwszy na płot, dziki poryły ogród do cna. A w największej oborze cenne woły do orki ryczały z głodu i z gorączki — żebra obciągnięte samą skórą z niedożywienia i piana z pyska, bo chorowały z głodu. Co do pól, zaniedbanie obróciło je w step. Zupełnie nieuprawiane dwie działki od północnej strony, gdzie sierpniowe burze przerwały mur, który podtrzymywał grunt. Prawie zapomniane trzy pola na południowej krawędzi, gdzie nieopalowane winorośle zwisały w plątaninie liści, tonąc w pokrzywach. Zaniedbano pastwiska na zachodnim brzegu, gdzie trudno było znaleźć choć listek koniczyny lub dzięcieliny, a lasy zdziczały tak, że wszystkie ścieżki pozarastały chaszcze. A przecież braci czekały jesienne roboty. Trzeba było przygotować ziemię pod zasiew, zaorać. Trzeba było odświeżyć grunt, czyli przekopać, opielić i wyrównać ten, na którym zboże rosło już przez dwa lata. Trzeba było opróżnić kadzie z wytłoczyn i odsączyć, by uzyskać odsączkę, czyli winko, które pili, żeby oszczędzić wino prawdziwe, przeznaczone na sprzedaż. Trzeba było zebrać oliwki, których bogactwo, dzięki Bogu, aż wyginało w tym roku gałęzie, a każde drzewo dźwigało co najmniej sześć albo siedem baryłek, i trzeba było zawieźć owoce do tłoczni. Dobry Boże, od czego tu zacząć? Zaczęli od wołów, które Gaetano pospieszył nakarmić, a Carlo leczyć bezlitosnym, lecz niezwykle skutecznym roztworem octu i soli zalecanym przez *Skarbczyk Wiejski abo Podręcznik Rolnika Doskonałego*. Przeszli następnie do pieca, który naprawili wspólnymi siłami, do ogrodu, wokół którego wznieśli ogrodzenie, do oliwek, które z pomocą Violante zebrali w niecałe trzy tygodnie. I każdą baryłkę musieli nosić na plecach, skoro rozgrzeszony muł pozostał w Vitigliano di Sotto. Potem zrobili resztę, to znaczy naprawili zerwane drzwi, dziurawe podłogi i odbudowali mur, który osunął się na dwa pola od strony północnej. Praca ta wymagała, by wielokrotnie schodzili do kanału, szukali kamieni, które tam spadły, przynosili jeden po drugim, układali, spajali. Kamienie bywały duże jak głowa cielaka.

I tak zrobili, co trzeba. A kiedy przyszła zima, mur tarasowy, odgradzający dwie działki, znów stał, jak trzeba, pozostałe zaś pola były opielone, zaorane lub przekopane. Winorośle zostały opalowane, wsparte, odchwaszczone, związane, oliwa przelana do stągwi, dom urządzony. Lecz z zimą nadszedł również czas na zimowe roboty, bo to nieprawda, że dla chłopów zima to czas odpoczynku. W grudniu musieli zasiać ziarno, przyciąć wiklinę, potrzebną do plecenia koszy na chleb i wiązania snopów, zabrali się do przelewania wina z kadzi do beczek. W styczniu i lutym musieli znów machać łopatą i motyką, orać, wyrównywać, czyli robić to, co dziś wykonują maszyny. A wiosną znowu trzeba było siać, karczować, osypywać, kopać, kopać, kopać. Łopata musi być mocno zanurzona w ziemi. Musi być mocno dociśnięta nogą. A wydobytą skibę przewraca się, przełamuje, rozdrabnia silnymi uderzeniami. Spróbuj tylko, a sam zobaczysz, jak nadwerężysz sobie nogi, ramiona, plecy. Potem, z nastaniem lata, nadeszły żniwa. W tamtym czasie, bez maszyn, oznaczały wielki wysiłek. Większy od winobrania. Żniwa szybciej też niż winobranie musiały być ukończone, bo istniała groźba, że przez letnią ulewę diabli wezmą zebrane zboże. Dlatego potrzebnych było dużo rąk. Po to, by mieć ich wiele, trzeba było zwołać krewnych, sąsiadów albo dniówkarzy, których w Vitigliano di Sotto nigdy nie brakowało, bo najmował ich da Verrazzano. Nie mając w okolicy krewnych i nie mogąc sobie pozwolić na dniówkarzy, zwrócili się więc do sąsiadów. Do dzierżawców majętnego człowieka z Greve, który wziął w dzierżawę San Eufrosino di Sotto, czyli do pana Civilego. Wy-przyjdziecie-do-nas-a-my-przyjdzemy-do-was. Byle by ich tylko pozyskać, zadbali również o zabawę, którą organizowało się zazwyczaj po ciężkiej pracy. Zabili pięć kurczaków, pięć królików, upiekli osiemnaście chlebów, ugotowali sześć garnków fasoli z kiełbasą, otworzyli dwadzieścia butelek prawdziwego wina. Przepych w całkowitej sprzeczności z ascezą, do której przywykli. Lecz dzierżawcy pana Civilego byli wypisz wymaluj jak Cecionesi.

53

W ostatniej chwili zrezygnowali, i Carlo z Gaetanem sami musieli kosić, wiązać snopy, przenosić je na klepisko, bić cepami, wstawić worki w suche miejsca. Jedyną, marną zresztą, pomoc uzyskali od Violante, która nie mogąc doczekać się chwili, kiedy zostanie zakonnicą, pracowała niechętnie, wydymając wargi:

— Uffff, przecież ja chcę do zakonu, ufff.

I od Apollonii, którą zraziło marnotrawstwo kurczaków, króli-ków, fasoli, kiełbasy, chleba i otwartych butelek, więc przy każdym snopie wzdychała:

— Jesteśmy tu chyba po to, żeby nas obrażano! Byłoby lepiej zostać w Vitigliano di Sotto!

Albo:

— Ja jestem już stara. A muszę zajmować się domem, zwie-rzętami, wami. Nie mogę wychodzić w pole. Czy to moja wina, że wzięliście ciężar nie na nasze plecy?

Następnego roku było to samo. I to samo przez lata następne. Nie pozwalali sobie na chwilę wypoczynku, nie wychodzili ani razu z tego gospodarstwa, w którym więziło ich upiorne widmo rocznego czynszu. I nigdy nie zwlekali z półrocznymi ratami, które, by nie jeździć do Florencji, przekazywali przez don Luzziego.

Był to najbardziej heroiczny okres w ich życiu. Najbardziej godny podziwu i w pewnym sensie najbardziej decydujący. Przede wszystkim dla Carla, który drugiego roku przeżył wstrząs, przez co osłabł w swojej dewocji i utracił pociechę, jaką zwykł czerpać z odwiedzin w oratorium. O wstrząs przyprawił go Ojciec Wizy-tator, nieoczekiwanie usunięty z zakonu za to, że zapłodnił młodą franciszkańską tercjarkę. Kiedy tylko osiedli w San Eufrosino di Sopra, Carlo zapewnił sobie przywilej przechowywania kluczy do oratorium. Po to, by lepiej strzec świątyni, wybrał sobie nawet ciemny pokój, z widokiem na fasadę, i chodził do kościoła bez-ustannie. Żeby się modlić, żeby sprawdzić, czy nie brak niczego, żeby wpatrywać się w Madonnę Giotta i znaleźć pociechę w swo-ich utrapieniach. Lecz odkrycie, że człowiek, któremu powierzył władzę nad swoją duszą, okazał się szalbierzem, a jego grzech przypominał zarzut wobec świętego patrona Eufrozyna, zranił go tak, że aż zasiał w nim wątpliwość co do słynnego wyroku noworodka: *Euphrosinus sine culpa est*. Podejrzenie, że święty naprawdę uwiódł dziewicę, wytworzyło w nim uraz, przez co odwiedzał święty budynek z większą ostrożnością. Co gorsza, jego entuzjazm stróża tego miejsca opadł i w dniu, kiedy don Luzzi oznajmił, że chce zabrać tryptyk namalowany przez Mariotta di Nardo, by ulokować go w probostwie San Leolino, nie próbował się przeciwstawić, a nawet usiłował mu jeszcze wcisnąć popiersie z pokrytego polichromią gipsu z fragmentami czaszki i urną z resztkami relikwii biskupa: „Mnie wystarczy Madonna".

W heroicznym okresie przestał również nosić włosiennicę, zaciskać pas tak, żeby dotykał skóry, okładać się dyscypliną. I rozpamiętując, że w wieku trzydziestu lat był bezgrzeszny nie mniej niż Najświętsza Maria Panna, uświadomił sobie, że zapada w dziewiczą samotność. Bywało, że szedł spać, narzekając, iż znacznie piękniej byłoby zasypiać z kobietą u boku, z żoną, która by go trochę kochała i trochę dotrzymywała mu towarzystwa. I któregoś wieczoru, zamiast na czytaniu różańca, Gaetano zastał go na odmawianiu początkowych wersów Pieśni nad Pieśniami: „Niech mnie ucałuje pocałunkami swych ust! Bo miłość twa przedniejsza od wina"*. Problem w tym, że Carlo nie potrafił zapomnieć słów Luki: „Ożenek kosztuje". Tym bardziej nie mógł zapomnieć, że ich bieda nie potrzebowała kolejnej gęby do wyżywienia, a domem zajmowały się Violante i Apollonia. Ten stan rzeczy zaczął się zmieniać we wrześniu 1784 roku, kiedy już nie mogąc oprzeć się marzeniu o zakonie, Violante pożegnała się z nimi, żeby wstąpić do klasztoru karmelitanek bosych, którego miała nigdy nie opuścić. A całkowicie zmienił się trzy miesiące później, po śmierci Apollonii.

* Przekłady z Biblii za Biblią Tysiąclecia, Pallottinum, Poznań–Warszawa 1980.

Biedna Apollonia umarła na zapalenie płuc, którego nabawiła się, siejąc zboże na zachodniej granicy. Teren od strony zachodniej był wystawiony na mroźne wiatry znad Apeninów, więc zimą łatwo było złapać tam jakieś choróbsko. A ona wcale nie chciała tam iść: „Zostanę w domu! Mam sześćdziesiąt lat i jest zimno!". Lecz przez deszcze zasiew i tak odwlekł się już o dwa tygodnie, więc w końcu Carlo i Gaetano ubłagali ją, żeby im pomogła. Dwa dni później leżała w gorączce na sienniku wypchanym suchymi liśćmi, który wciąż był jej łóżkiem. Tym razem przyjechał nawet lekarz z Raddy. Upuścił jej krwi, natarł ciało ciepłym olejem, położył na piersi okład z gorczycy i suszonych fig, a na kaszel przepisał specyfik zalecany przez aptekarza Attanasia Kirchera, Wielebnego Ojca Towarzystwa Jezusowego. Piekielną mieszankę pokrzyw, mleka gotowanego z czosnkiem, wina gotowanego z porem, kurzej krwi i siarki, którą dzielnie wypiła. Lecz po wypiciu poczuła się gorzej i o zachodzie słońca powiedziała:

— Nie doczekam świtu. Kiedy skończę mówić, poślijcie po don Luzziego, poproście go, żeby przyszedł udzielić mi ostatniego namaszczenia i znalazł kumę, która mnie ubierze na śmierć.

I dodała jeszcze:

— Nie umiem pięknie przemawiać. Jestem biedaczką, która zawsze musiała siedzieć cicho, łazarką, która mogła tyle, co zwierzę pociągowe, i już. Nigdy się nie liczyłam. Nigdy nie mogłam powiedzieć, co myślę. I nikt się nigdy nie spostrzegł, że i ja mam głowę na karku. Kiedyś spytałam waszego ojca, dlaczego się ze mną ożenił, a on odpowiedział: „Bo macie dwie ręce, dwie nogi, dobre serce i nie jesteście garbata". Nie miał racji. Prócz rąk, nóg i dobrego serca miałam jeszcze głowę. Myślałam. I to dużo, więc przed śmiercią chcę wam dać radę. Przestańcie się modlić co pięć minut i harować dwadzieścia cztery godziny na dobę. W życiu musi być czas także na uśmiech. Choć trochę się bawcie. Pożeńcie się. I wydajcie na świat ludzi szczęśliwszych ode mnie.

Wreszcie rzekła:

— Ja nie mogę wam zostawić stu skudów, tak jak wasz ojciec. Co tylko dostawałam za podwórzowe zwierzęta, dawałam jemu. Ale sprzedając po kryjomu jajka, niech mi Pan Bóg wybaczy, przez te wszystkie lata uzbierałam dziesięć srebrnych skudów. I mogę wam je zostawić. Stoją w dzbanku koło amfory. Weźcie sobie po pięć, kochajcie się i nie płaczcie za dużo. Płacz szkodzi na oczy.

Lecz Carlo mocno zapłakał. Płakał nie mniej niż po Luce. I tylko dwie rzeczy były mu pociechą: że nie musiał owijać jej w samo prześcieradło i nie wrzucili jej do wspólnego dołu. Piotr Leopold poprzedniego roku wydał bowiem dekret, w którym zabraniał chowania zmarłych pospołu, pod podłogą kościoła, i nakazywał zakładanie cmentarzy w każdym mieście i w każdej wiosce Wielkiego Księstwa. W kwietniu wydał następny, w którym wszystkim pozwalał na trumnę, więc za pół skuda, z którego pozostał jeszcze jeden lir na cztery gromnice (na nie już też pozwalano), on i Gaetano kupili dla matki trumnę. Następnie kazali ubrać zmarłą w strój, który odległego dnia 1749 roku włożyła była do ślubu, jedyny przyzwoity, który jej został, i w trumnie, na ramionach, zanieśli ją na niedawno otwarty cmentarz za plebanią San Leolino. W ładne miejsce, gdzie don Luzzi odmówił wszystkie przepisane modlitwy i gdzie w świetle czterech gromnic złożono ją w grobie przeznaczonym wyłącznie dla niej. Po pogrzebie, wciąż płacząc, Carlo oświadczył, że się nie ożeni. Żadna kobieta nie mogła zastąpić matki w prowadzeniu domu. Ale cierpienie sprawia, że obiecuje się rzeczy, których trudno dotrzymać, i kiedy już przelał wszystkie łzy, wersy Pieśni nad Pieśniami znów zaczęły go męczyć. Spostrzegł, że drób, króliki i gołębie zdychają z zaniedbania, że bez kobiety dom staje się chlewem, i pod tym pretekstem w Boże Narodzenie rozmówił się z Gaetanem.

— Tutaj potrzeba kobiety. Jeden z nas dwóch, Gaetano, musi się ożenić.

— Ożeń się ty — ustąpił Gaetano uprzejmie. — Ja mogę zaczekać.

Liczył na taką odpowiedź. Dlatego w wieku trzydziestu trzech lat, czysty jak Maryja zawsze Dziewica, zdecydował się na krok, który półtora wieku później miał dać mi życie. Wezwał swata.

— Możecie z łaski swojej znaleźć mi żonę?

Swat był sprytnym człowiekiem. Najlepszym swatem w Chianti. I dlatego żądał zapłaty wyższej niż inni. Od dziewczyny siedmiu procent wiana. Od młodzieńca dwóch worków zboża, dzbana oliwy i baryłki wina. I wiosną 1785 roku zjawił się z pomyślną nowiną.

— Myślę, kumie, że mam, czego szukacie.

— Kto to? — spytał Carlo ze ściśniętym gardłem.

— Córka dzierżawcy, który mieszka pod Sieną, w Montalcinello. Nazywa się Caterina Zani i ma dwadzieścia lat.

— Jaka jest?

— Bystra, zaradna. A mnie nawet nie wydaje się brzydka. Tyle tylko...

— Że co?

— Jest z rodziny, która miała do czynienia z inkwizycją. Krótko mówiąc, jest z odstępców. I sama też jest odstępczynią.

— Nieważne — odparł Carlo. — Każdy może zostać zbawiony. Popatrzcie na mnie.

6

W Toskanii inkwizycja została zniesiona trzy lata wcześniej, to znaczy w 1782 roku, kiedy Piotr Leopold podpisał surowy edykt, na mocy którego, pod karą jego wielkopańskiego wzburzenia i jeszcze bardziej wielkopańskiej wściekłości, zlecał zamknięcie trybunałów Świętego Oficjum i zniszczenie wszelkich symboli, które przypominałyby o jego istnieniu. Przy czym we Florencji, mieście na tyle pobożnym, że dało Kościołowi trzech papieży i przerażającą liczbę świętych, inkwizytorzy nigdy nie dopuszczali się potworności, na jakie poważyli się w Hiszpanii czy w innych krajach Europy. Ich wszechwładza objawiła się dopiero w 1566 roku wraz z Pietrem Carnesecchim, wybitnym człowiekiem kultury, którego bojaźliwy wielki książę Kuźma I pozwolił aresztować i wydać papieskiej gwardii. Zamknięty w więzieniach Rzymu na mocy trzydziestu czterech paragrafów oskarżenia, między innymi o to, że o Lutrze i Kalwinie wypowiedział się jako o „niewinnych braciach i miłosiernych przyjaciołach", Carnesecchi trafił na dobre w szpony Świeckiego Ramienia i przez nie był poddany torturom, został oskarżony, skazany, ścięty i spalony. Oczywiście, również we Florencji istniały więzienia, w których dopuszczano się dobrze znanych podłości. Na przykład tortur: układano ofiarę na stole, na tkwiących w nim zaostrzonych kijach, i wlewano jej do gardła strumień słonej wody. Nazywano to torturą wody. Ale były też takie, które przewidywały smarowanie stóp sadłem lub innym materiałem łatwopalnym i ich podpalanie, co nazywano torturą ognia. W trakcie innych męczarni rozszczepiano członki przez zaciskanie sznura — to nazywano torturą sznura. Istniał również obyczaj ośmieszania winnego lub podejrzanego o winę przez wciśnięcie mu na głowę *sambenito*, komicznej czapki w kształcie stożka — jaką w Chinach Mao Zedonga hunwejbini mieli w przyszłości nakładać w szyderczym geście swym nauczycielom — następnie okrywając go kapą zdobioną wizerunkami płonących diabłów i zmuszając do klękania przed inkwizytorem. Ale w sumie heretyków zabijano niewielu, a jeśli chcemy wskazać godny uwagi epizod, musimy zrobić skok do 1641 roku, kiedy to Jacopo Fantoni, ksiądz bibliotekarz, który wpadł na fatalny pomysł, by mianować się ojcem duchowym burdelu i sypiać z podopiecznymi, trafił do ciemnej celi na resztę swojego życia. I z 1641 przenieść się do roku 1739, kiedy poeta Tommaso Crudeli wpadł w tarapaty przez dwa wersy pieśni napisanej na cześć Filippa Buonarrotiego: „Ten, co wstrzymywać przywykł / burzliwy napór duchownych". Lecz w ślad za Fantonim również Crudeli wykpił się torturą i celą bez okna. Co dowodzi, że we Florencji sprawy nie wyglądały tak źle. Zupełnie inaczej niż w Sienie.

Tylko Piza i Lucca nacierpiały się tyle, co Siena. O ile jednak w Pizie „bicz boży" obrał sobie za cel badaczy filozofii, a w Lukce wyznawców reformacji, to w Sienie doświadczył wszystkich: mężczyzn i kobiety, uczonych i analfabetów, obywateli miasta i przyjezdnych. W roku 1567, na przykład, na torturę sznura zostało skazanych czterech Niemców, którzy uczęszczali na wykłady uniwersyteckie o Dantem i których zastano na dyskusji wokół *O wolności chrześcijańskiej* Lutra, a pewien biedny piekarz, który nawet o Kalwinie nie słyszał, trafił na stół z zaostrzonymi kijami za to, że upowszechniał jego poglądy. Co do kobiet, to ich kalwaria była najokrutniejsza, a prześladowania dotknęły zwłaszcza te niewiasty, które były najbardziej narażone na oskarżenie o czary: akuszerki, zielarki nazywane znachorkami, wróżki, wieśniaczki przesądne i ciemne, a także gospodynie łamiące zakaz gotowania mięsa w dni postne. W 1569 roku pięć kobiet spalono żywcem za „rzucenie uroku na osiemnaścioro dzieci i konszachty z diabłem". W jaki sposób rzuciły czary na osiemnaścioro dzieci, nie zostało wyjaśnione. Lecz to, jak zawarły pakt z Szatanem, jest jasne jak słońce. Jedna warzyła miłosny napój z dzikich róż i jaszczurek gotowanych w winie, bo chciała udobruchać bijącego ją męża. Druga ukradła i połknęła poświęconą hostię, żeby uwolnić się od uroku rzuconego przez świekrę. Trzecia leczyła ból brzucha okładami, na które kładła krucyfiks. Kolejna wywołała poronienie u córki uwiedzionej przez wielkiego pana. Jeszcze inna ugotowała jagnięcy udziec podczas Wielkiego Postu. „Zlitujcie się nad waszym ciałem i nad waszą duszą! Oszczędźcie sobie tych wszystkich cierpień, przyznajcie się!", poradził im inkwizytor, nim oprawca przystąpił do tortur ognia, sznura i wody. Przyznały się zatem. Ale i tak zostały skazane, a na płonący stos patrzyli zarówno liczni członkowie zgromadzenia Crocesignati, jak też krewni, mający na sumieniu donosy, które zaprowadziły te kobiety przed sąd. Chcąc bowiem ułatwić sobie zadanie, sieneński inkwizytor stosował metodę opracowaną w Hiszpanii przez Torquemadę i z powodzeniem podjętą również w Lombardii: zachęcał rodziny, by wydawały odstępców, i nagradzał je odpustem całkowitym, czyli unieważnieniem grzechów dotychczas popełnionych. Posługiwał się również Crocesignati bractwem łajdaków obdarzonych subtelnym zmysłem węchu, z płóciennymi krzyżami naszytymi na płaszczach. Ci w dni postne przeszukiwali miasto, by łapać na gorącym uczynku ludzi gotujących lub spożywających mięso. Wówczas na najlżejszy zapach pieczeni wdzierali się do domów, wyjąc: „Herezja, herezja!". Następnie doprowadzali winnego lub winną przed Święte Oficjum. W ten właśnie sposób dała się przyłapać nieszczęsna kobieta, która w Wielkim Poście gotowała jagnięcy udziec. Była to Ildebranda, matka chłopca Lapo, żona kowala, który nazywał się Ghisalberto Zani, prababka Cateriny Zani.

Co do pokrewieństwa, nie ma wątpliwości. *Status Animarum*, ocalały od szczurów, mimo niechlujstwa wykazuje, że tamtego roku Ghisalberto uciekł ze Sieny i ukrył się w Montalcinello. W wiosce w Val di Merse, około trzech mil od Chiusdino, położonej na szczycie wzgórza w majątku Crescenzia Pannocchieschiego, biskupa Volterry. W wiosce, która miała przejść do medycejskiej Florencji.

* * *

Uciekł z synem o imieniu Lapo i z najukochańszym przedmiotem Ildebrandy — ładnie rzeźbioną skrzynią na wyprawę, długą na sześć piędzi, a szeroką na trzy, o żelaznych uchwytach i cokolikach w kształcie lwich łap. (Z tą samą, która miała strzec skarbów rodzinnych aż do straszliwej nocy roku 1944). I skrył się w Merse z nadzieją, że znajdzie w niej trochę spokoju, a zrobił to z czystej rozpaczy — z pewnością bowiem Montalcinello nie było odpowiednim miejscem dla człowieka z miasta. Liczyło dwieście pięćdziesiąt dusz i miało do zaoferowania jedynie zameczek otoczony fosą ze śmierdzącą wodą, kościółek z dwunastego wieku nazywany Pieve di San Magno, maleńki placyk ze zbiornikiem wody, nad którym unosiły się chmary komarów, publiczny piec, za którego użytkowanie płaciło się mąką, i trochę kamiennych domów. Gleba rodziła wyłącznie trawę dla koni, trochę zboża, trochę winorośli, a oliwek tyle, co nic. Dobre były tutaj tylko pastwiska zarządzane przez zakonników w służbie Crescenzia Pannocchieschiego, a chłopi żyli w takiej biedzie, że w raporcie dla medyków rewizor katastralny zapisał: „Jeśli w tym miejscu ktoś posiada kawałek domu lub ziemi, musi się wiele natrudzić, żeby to utrzymać". Lecz wspólnota rządziła się własnym statutem. W sprawach cywilnych i prawnych podlegała kapitanowi sprawiedliwości, który nie tolerował nadużyć inkwizycji, Crocesignati musieli trzymać się z dala, Święte Oficjum zaś nie aresztowało tu nigdy nikogo, i Ghisalberto nie zawiódł się w swojej nadziei.

Osiadł w tym miejscu najpierw jako robotnik najemny, następnie jako dzierżawca. Tutaj wychował się Lapo, założył dom i umarł, a dla ich potomków Montalcinello było tym, czym Panzano dla wnuków Ambrogia i Giuseppy. Ojczyzną. Jeśli podróżny pytał, od kiedy tu byli, odpowiadali: „Mój panie, nikt nie pamięta. Od dnia, kiedy trzeba było opuścić Sienę, żeby nie skończyć na stosie jak matka Lapa. Rodziliśmy się i umieraliśmy zawsze w tym miejscu".

Istotnie, wspomnienie o przodkini spalonej żywcem za odrobinę mięsa nigdy nie wygasło i wraz ze skrzynią przekazywano je tak żarliwie, że w 1785 roku potomkowie Ildebrandy mówili o jej męczeństwie jak o krzywdzie doznanej przed kilkoma godzinami. Zwłaszcza Caterina, która czcząc Ildebrandę tak, jak inni czczą Matkę Boską, nienawidziła każdej rzeczy i osoby mającej jakikolwiek związek ze Świętym Kościołem Rzymskim. I nie traciła okazji, by to okazywać. Nigdy nie chodziła na mszę, nigdy się nie modliła, wydymała wargi, kiedy dzwony biły na nieszpory lub na Anioł Pański, i oczywiście jadła mięso w dni postne, a w Wielkim Poście piekła jagnięcinę. Gorzej, jeśli don Bensi, pleban z San

Magno, zwracał jej delikatnie uwagę. Wtedy natychmiast na niego napadała z wściekłością dzikiej kotki:

— Siedźcie cicho, bo spaliliście mi babcię! Myślcie o waszej robaczywej duszy, która jest bardziej czarna od tej czarnej sutanny. Morderca! Podpalacz!

Albo:

— Ja nie mam nic wspólnego z waszym Bogiem, czy to jasne? Na moim ołtarzu jest tylko jedna święta: Ildebranda!

Innymi słowy, naprawdę była heretyczką. A raczej ateistką. Na pierwszy rzut oka przeciwieństwem odpowiedniej dla Carla żony.

7

Również z innych powodów Caterina, na pierwszy rzut oka, wydawała się zupełnym zaprzeczeniem właściwej żony dla Carla. Pierwszy powód brał się stąd, że będąc od dzieciństwa osierocona przez matkę i mając trzech braci, którzy nie założyli jeszcze własnych rodzin, to znaczy żyjąc w rodzinie złożonej wyłącznie z mężczyzn, sama też chowała się jak chłopak. Kopała łopatą lepiej niż mężczyźni, w jeździe konnej mogła konkurować ze stajennymi, bryczką powoziła lepiej od woźnicy, bluźniła, kiedy popadło, a zatem w niczym nie odpowiadała typowi kobiety, o której marzył Carlo, recytując Pieśń nad Pieśniami. Drugi powód, będący konsekwencją pierwszego, tkwił w nikłej sympatii, jaką żywiła dla myśli o potomstwie. Czyli dla jedynej przyczyny, która franciszkańskiego tercjarza upoważnia do sporadycznej rezygnacji z małżeńskiej czystości. „Dlaczego mężczyźni sami sobie nie robią dzieci? Dlaczego to my, kobiety, musimy przez dziewięć miesięcy chodzić z brzuszyskiem i cierpieć przy porodzie?"

Trzecim, ale w istocie podstawowym powodem był jej trudny charakter — to za jego sprawą można w ogóle mówić o dwóch pierwszych i to z niego rodziła się surowość, z jaką odnosiła się do poczciwego proboszcza. Z trudnego charakteru wynikała też wzgarda dla wszelkich reguł i przymusów. Na przykład dla nakazu poszanowania ustaw antyzbytkowych.

Ustawy antyzbytkowe, czyli surowe normy, które pod pretekstem ukrócenia marnotrawstwa umacniały i tak już nieprzekraczalne bariery społecznej hierarchii, istniały od zawsze. I Kościół zawsze stosował je bez zmiłowania. Lecz zasiadając na tronie, odwołał się do nich również Piotr Leopold i w 1781 roku wydał dekret nakazujący poddanym mu niewiastom ograniczyć zbytek. Również wieśniaczkom i chłopkom. „Jego królewska wysokość z najwyższą przykrością zauważa nadmierny zbytek, jaki od pewnego czasu wkradł się do ubioru, a zwłaszcza do ubioru niewiast. Tych, które z majątków własnych lub z upodobania i zasobności ich mężów odciągają poważne kwoty i zamiast przeznaczać je na przedmioty pożyteczne albo szlachetne, trwonią pieniądze na żałosną próżność. I tych niskiego pochodzenia, które przez ambicję właściwą swej płci podejmują rujnujące wysiłki, by dorównać niewiastom wyższego stanu. Kosztowny ten kaprys, który moda wprowadza do stolicy, upowszechnia się przeto w miastach prowincji i z większą jeszcze szkodą we wsiach..." Tak więc biada, jeśli jakaś wieśniaczka czy chłopka zakłada ubranie z weluru, adamaszku czy jedwabiu. Biada, jeśli spódnicę czy gorset zdobią koronki, frędzle, kokardy, wstęgi szersze niż na dwa palce, a ubiór ma barwy odświętne. Biada, jeśli to wszystko łączy się z noszeniem, a choćby tylko posiadaniem, złotych kolii, kolczyków i broszek, i korali, i pierścionków z perłami czy diamentami lub innymi kamieniami. I biada, jeśli nieposłuszeństwo prowadzi do noszenia kapeluszy, zwłaszcza takich, które zdobią pióra czy puszki, czy woalki, czy też inne ozdoby. Wieśniaczki i chłopki mogły zakładać ubrania wyłącznie z wełny czystej lub mieszanej, z surówki, przędzy lub bawełny. A ubrania te mogły być tylko czarne lub szare, lub brązowe, lub granatowe, bez bardziej strojnych niż hafcik czy wstążeczka dodatków. Albo biały fartuszek, który należało nosić na sukni jako znak społcczncgo statusu. Co do naszyjników, mogły być tylko ze srebra, szczerego albo sztucznego, z koralu albo z granatów, o ile łączna wartość takiej ozdoby nie przekraczała trzech i pół skuda, a głowę zakrywać mogły wyłącznie chusta lub szal. W polu surowe nakrycie głowy ze słomy dla ochrony przed słońcem. Lecz Caterina miała to w nosie, a jako że szyć potrafiła (od ówczesnych chłopek wymagało się tego bezwzględnie), posiadała mnóstwo zabronionych ubrań: z weluru, adamaszku, jedwabiu, z koronkami, frędzlami, kokardami, wstążkami na szerokość trzech palców lub nawet czterech, niezmiennie w odświętnych kolorach. Zakładała je odważnie i wyzywająco przy byle okazji, a razem z nimi nosiła zakazane ozdoby, między innymi złote kolczyki, które według legendy należały do Ildebrandy i które odziedziczył Lapo, a potem pierworodny syn Lapa, potem pierworodny syn tego pierworodnego i tak dalej. A kapeluszy Caterina miała chyba tuzin. Słomiane, filcowe, wysokie, niskie, z rondem opuszczonym, uniesionym, latem upiększone kwiatami lub owocami, a zimą zdobione w pióra lub puch. Szyła je sobie sama, podobnie jak ubrania. A kiedy ktoś przypomniał, że te wykroczenia są karane wysoką grzywną, odpowiadała krzykiem: „Ja na głowie i na sobie noszę, co chcę i co mi się tylko podoba, jasne? Powiedzcie to temu wścibskiemu wielkiemu księciu, tej jaśnie wysokości od butów!".

A jednak nie pomylił się swat, dostrzegając w niej żonę odpowiednią dla Carla. Pomimo trudnego charakteru, ekstrawagancji i krnąbrności Caterina posiadała podstawowe zalety, jakich oczekiwało się od żony ówczesnego chłopa i które dla niego były niezbędne. Dom zatem prowadzić umiała, i to dobrze. O ojca, jak i o rodzeństwo dbała bez sprzeciwu, i nie zdarzało się nigdy, żeby któraś izba była źle posprzątana, a wieczerza niesmaczna. Na polu harowała co dzień, i to ciężko. Już wiemy, jak wywijała łopatą, lecz z równą zręcznością pieliła, siała i przycinała, i z równym oddaniem troszczyła się o drób. Nie przez przypadek jajka od jej kur były tak wielkie, że skupujący płacił za nie dwa razy więcej niż za zwykłe. Była tak zdrowa, że nie rozchorowałaby się, chodząc boso po śniegu, a jej energia była widoczna we wszystkim, co robiła. Dzięki temu, na przykład, że umiała również haftować, w niespełna dwa lata uzbierała wyprawę, jakiej pozazdrościć by jej mogła wielka pani. Dwanaście prześcieradeł z koronkową girlandą w róże ściegiem *punto tondo*, osiem z girlandą w kłosy ściegiem *punto pieno* i czterdzieści kompletów poszewek. Dwadzieścia cztery ręczniki z haftem krzyżykowym i z frędzlami, dwadzieścia cztery kapy obrębione lilijkami, pięć nakryć z koronką klockową. Dwadzieścia obrusów i siedemdziesiąt dwie serwety z rogami w plastry miodu, trzydzieści sześć chusteczek z koronką, czterdzieści dwie ścierki i pięćdziesiąt szmatek. Tych wszystkich rzeczy w San Eufrosino di Sopra brakowało wręcz dramatycznie — z ubogiej wyprawy Apollonii zostały zaledwie dwa ręczniki i dwie pary prześcieradeł, które pruły się od samego patrzenia. Caterina miała też cechę, która w San Eufrosino di Sopra była potrzebna bardziej od prześcieradeł i ręczników: zmysł do interesów. Krótko mówiąc, posiadła kunszt radzenia sobie w każdej sytuacji, i to do tego stopnia, że braciom i ojcu nie zawdzięczała ani cala płótna na nielegalną garderobę. Wszystko kupowała sobie z własnej kieszeni, za pieniądze za jajka, lub z interesu, który rozsławił ją na targu w Rosii — wiosce pod Sieną, gdzie dwa razy do roku odbywał się wielki targ produktów rolnych, rzemiosła i bydła. Jaki to interes? Cóż, kiedy zorientowała się, że przyzwoite reformy (w ten sposób taktownie nazywano jeszcze niedawno kobiece majtki) były trudno osiągalne, zaczęła je wytwarzać seryjnie. I to nie jakieś zwykłe reformy, uszyte ot, tylko dla zakrywania nisko położonych części ciała, lecz wyrafinowana bielizna, z jedwabnymi sznureczkami, z niebieskim haftem na nogawkach i z mereżką na brzegach. Czyli wypisz wymaluj jak te, które w 1533 roku Katarzyna Medycejska, jej imienniczka, małżonka króla Francji, wprowadziła na dworze, upowszechniając tym samym wśród poddanych jej niewiast noszenie bielizny. Kiedyś wspomniał o nich pośrednik. Po wielu próbach udało się jej odtworzyć ich wzór, i oto produkowała już reformy w trzech rozmiarach: na chude, średnie i grube. Potem woziła na rynek w Rosii i wrzeszcząc głośniej niż obwoływacz, sprzedawała po pięć lirów i dziesięć soldów za parę: „Chodźcie, ludzie, i patrzcie! Reformy jak u królowej Francji! Kupujcie, panowie, kupujcie, a wasza żona będzie was kochać!".

I jeszcze jeden szczegół wyróżniał Caterinę — była ładna, a to zawsze pomaga. No, była może ciut za wysoka. Zwłaszcza dla Carla, który nie imponował wzrostem. Nie przypadkiem niektórzy mówili o niej „Kłonica" lub „Cyprysica". Ale ciało miała harmonijnie zbudowane, wysuszone wprawdzie ciągłym wysiłkiem, jakiemu je poddawała, ale reszcie trudno było coś zarzucić. Długie, miedziane włosy, które splatała w warkocz i owijała wokół głowy lub upinała na karku w kok. Zdrowe zęby, żywe oczy, mocno zarysowany nos. I sympatyczny, bystry wyraz twarzy. Widać to było na portrecie namalowanym przez kogoś na desce, kiedy Caterina miała pięćdziesiąt lat, i który moi rodzice włożyli dla bezpieczeństwa do skrzyni, tej, co przepadła potwornej nocy 1944 roku.

Lecz swat nie pomylił się przede wszystkim z dwóch fundamentalnych powodów. Po pierwsze, nikt jej nie chciał za żonę, a na sam dźwięk jej imienia młodzieńcy łapali się za głowę: „Kto?! Ta wiedźma nad wiedźmy, która sama powinna trafić na stos? Już wolę umrzeć jako stary kawaler, niż się z nią ożenić!".

Po drugie, Carlo znajdował się dokładnie w tym samym położeniu. A i owszem, wcale nie było łatwo zachwalać go jako kandydata na męża. Jego sława nudziarza, który z niedowiarka stał się bardziej katolicki od księdza, przekroczyła granice Panzano, i jeśli ktoś wspomniał o nim w obecności ojca niezamężnej dziewczyny, słyszał: „Kto?! Ten dewot, który chciał płynąć do Ameryki, a teraz nie przychodzi nawet na wieczornice? Prędzej się wykastruję, niż oddam mu moją córkę!".

Nie zamierzając rezygnować z siedmiu procent i beczki wina, biedak obszedł pół Chianti. Zapuścił się na drugą stronę Greve i Raddy, był w San Casciano i w Chiocchio, w Mercatale i w Gaiole, w Castelnuovo Berardendze i w San Gausmé. Lecz wszędzie odpowiadano mu w ten sam sposób. W końcu przez przypadek dowiedział się o heretyczce, której nikt nie chciał za żonę. Z czystej przekory powiedział do siebie: „Spróbujmy ostatni raz. Kto wie, czy to nie jest bliźniacza dusza, czy tym razem sprawa nie skończy się dobrze?".

Przez upór i gorliwość popędził do Montalcinello i pokłonił się Zaniemu, który, cud nad cudy, przyjął go z otwartymi rękami.

— Pewnie! Jeśli tylko Caterina się zgodzi, podwoję wyprawę i dodam jeszcze skrzynię. Wam wystawię pomnik na placu, a razem z należnym wynagrodzeniem dostaniecie niezły napiwek. Rzecz jasna, z wyrazami współczucia dla nieszczęśnika, który się z nią ożeni.

Jak można się domyśleć, z nią samą nie poszło już tak gładko.

* * *

— Jeżeli ma trzydzieści trzy lata — zaczęła — wydaje mi się stary. Jeśli matka nie żyje, a siostra zamknęła się w klasztorze, idiotka jedna, to on z bratem musieli zamienić dom w chlew — ciągnęła. — Jeśli po to, by znaleźć mu żonę, przyszliście do mnie, znaczy, że coś nie jest w porządku — podsumowała. A kiedy dowiedziała się, że kandydatem jest franciszkański tercjarz, znany ze swojej świątobliwości, po wzgórzu i dolinie rozległ się okrzyk obrzydzenia.

— Preeecz!

Na nic zdał się wykaz licznych zalet kandydata.

— Jest dobry, kumo. Jest uczciwy, ma sumienie!

— Precz!

— Jest bardzo pracowity, gospodarz jak się patrzy. Jego gospodarstwo wygląda jak ogród.

— Precz!

— Dzierżawa jest jego. A oprócz dzierżawy ma dwa woły, warte fortunę, jasne włosy i niebieskie oczy.

— Precz!

Lecz kiedy swat dodał, że bez względu na tercjarstwo i świątobliwość jest niegłupim człowiekiem, że potrafi czytać i pisać, pojaśniała jak pole pszenicy pod promieniami słońca.

— Powtórzcie.

— Umie czytać i pisać.

— Ale naprawdę czy tylko tak sobie, umie się podpisać i już?

— Naprawdę. I ma jedenaście książek.

Oszołomiona zdumieniem, niedowierzaniem, szacunkiem, Caterina poddała się. Ponieważ, w tym sęk, ona sama nie umiała czytać i pisać. Była analfabetką do tego stopnia, że nie potrafiła nawet złożyć podpisu. Podpisywała się krzyżykiem i na próżno było się łudzić, że kiedyś będzie inaczej. Proboszcz z San Magno spytał raz Zaniego, czy może ją trochę podkształcić, i Zani się wściekł: „Jeszcze czego, plebanie! Jeśli ją wykształcicie, dopiero wtedy trafi na stos!". Lecz jeśli na świecie było coś, o czym Caterina zawsze marzyła, coś, czego pragnęła żarliwie, to było czytanie i pisanie. I żeby tylko znaleźć kogoś, kto byłby ją skłonny tego nauczyć, sprzedałaby duszę Matce Boskiej. Wyparłaby się też Ildebrandy.

— A więc powiedzcie, żeby 22 maja przyszedł na jarmark w Rosii i podszedł do mojego straganu z reformami — tak brzmiał akt kapitulacji. — Tam będę na niego czekała. A po to, by mnie rozpoznał, będę miała kapelusz cały w czereśniach.

8

Już od dobrych dwunastu lat Carlo żył w samotności, na którą po śmierci Luki skazał się sam. Od tych samych dwunastu lat nie wkładał swoich pańskich ubrań. O północy 21 maja otworzył kufer, w którym tak długo były zamknięte, wyjął i dokładnie otrzepał. Potem porządnie się wyszorował w miednicy, o której mówił „moja łaźnia", ubrał się, nacisnął na głowę kapelusz z trzema rogami, o drugiej w nocy był na placu i niecierpliwie czekał na dyliżans, który z Panzano jeździł już nawet do Sieny — wyruszając o czwartej, o dziesiątej docierał do celu. Nigdy jeszcze nie jechał dyliżansem, więc ciekawiło go samo oczekiwanie. Wprowadzało niepokój. Wsiadł jako pierwszy. Podczas jazdy, oczarowany, delektował się nadzwyczajną przygodą, tym, że podróżował, siedząc wygodnie, podczas gdy konie pędziły, i widokiem pól, które umykały jak wiatr. I kiedy dojechali do Sieny, było mu przykro, że musi wysiąść i dalej iść pieszo. Dobre trzy godziny marszu, jeśli chciał zaoszczędzić na bryczce dwa liry, osiem soldów i sześć krajcarów. Ale błękitne niebo, żółte, dojrzałe już prawie zboża, czerwone maki, wyrośnięte i rozkwitłe, sama myśl, że udaje się na spotkanie, od którego zależy przyszłość jego samego i być może wielu przyszłych pokoleń, odebrał jak dobre znaki, więc szybko kroczył przed siebie. Nie odczuwając ciężaru bezsennej nocy, nie dbając o głód, który kąsał mu pusty żołądek, nie zważając na pot, który oblewał mu koszulę, wełniany kaftan i aksamitny surdut, spodnie do kolan. I czując się bardzo szczęśliwy — znacznie śmielszy niż wtedy, gdy szedł do Florencji, żeby dołączyć do grupy pana Mazzeiego, dotrzeć do Livorno, zaciągnąć się na statek, który miał go zawieźć do Wirginii. I tylko na myśl, że ma się spotkać z nieznaną dziewczyną, która czeka w kapeluszu przybranym czereśniami, spowalniał krok, tracił śmiałość, osłabianą pytaniem, którego dotychczas wolał sobie nie stawiać — a jeśli ona się jemu nie spodoba? I gorzej — jeśli to on nie spodoba się jej? Od harówki i zmartwień się brzydnie, starzeje. Zamiast niebrzydkim młodzieńcem, którego w przeszłości nazywano Pożeraczem Serc, czasem sam sobie wydawał się zmurszałym starcem. A ona miała dopiero dwadzieścia lat. Święty Boże!

Dotarł do Rosii w południe, około pierwszej, a zbliżając się do targu, poczuł, że kręci mu się w głowie. Nie przez to, że był zmęczony, spocony i miał pusty żołądek, lecz przez rwetes, w środku którego się znalazł. Od zbyt dawna nie miał już do czynienia z tłumem, odzwyczaił się od zgiełku, a nad rynkiem, na którym tłoczyły się setki osób, unosiła się wrzawa ogłuszająca niczym apokaliptyczny szelest cykad. Hałas, o którym zapomniał: krzyki sprzedających, wrzask kupujących, pyskówki handlarzy, pośredników, którzy podbierali sobie klientów. A w środku tego hałasu głos, który wyróżniał się spośród innych wesołym, zadziornym tonem. Głos kobiety, która zachęcała do oglądania czegoś, co miało związek z królową Francji, i która kończyła swoją zachętę wezwaniem: „Kupujcie, panowie, kupujcie, a wasza żona będzie was kochać!".

Podszedł do handlarza, który miał minę, jakby zjadł wszystkie rozumy. Spytał, gdzie się znajduje stragan Cateriny Zani, a ten odpowiedział rechotem, po czym wskazał palcem miejsce, z którego dochodziło wezwanie kupujcie-kupujcie.

— Co wy, kumie, macie wosk w uszach? Nie słyszycie jej wrzasków? Oto i ona, zaklinaczka diabłów!

Carlo ruszył we wskazanym kierunku, torując sobie drogę łokciami, bo dokoła tego właśnie straganu ścisk był większy niż gdziekolwiek indziej, i kiedy ujrzał wielki słomiany kapelusz cały w czereśniach, zamarło mu serce. Stanął przed nią i odebrało mu dech. Jakaż ona była wysoka, mój Boże! Przerastała go prawie o piędź. Ale na jego oko była piękna.

„A mnie nawet nie wydaje się brzydka", powiedział przecież swat tonem, którym zamierzał go przestrzec, dając uprzejmie do zrozumienia, że na fizyczne zalety nie należało liczyć ani trochę. I on się nawet nie skrzywił. Szukał przecież żony, która będzie spała w jego łóżku, towarzyszki, która utrzyma w czystości dom i urodzi kilkoro dzieci, krótko mówiąc — przyjaciółki, która ulżyłaby mu w samotności, żadnej tam czarodziejki, którą należy się chwalić na wielkoksiążęcym dworze. Widocznie na kobietach swat się chyba nie znał. Co za miła twarz, co za zwinna sylwetka, elegancja. Jak dama z miasta. Od kapelusza po buty. Gorsecik z zielonoszmaragdowego jedwabiu z bufiastymi rękawami i z tyloma wstążkami, że można by ją natychmiast posłać do więzienia. Biała koszula z haftowanym kołnierzykiem, dekolt, który przyprawiał o rumieniec. Spódnica ze szkarłatnej krepy, długa do kostek i uniesiona na jednym biodrze, żeby odsłonić halkę, również haftowaną i ozdobioną zakazanymi wstążkami. Fartuszek z przezroczystego muślinu, pantofelki z kokardą i, co było już całkowitym pogwałceniem antyzbytkowych ustaw Piotra Leopolda, dwa okazałe kolczyki ze złota. Lecz najbardziej ponętna nie była jej elegancja czy zwinna sylwetka, miła twarz czy imponujący wzrost, tylko jej pewność siebie. Nieustraszona hardość, z jaką rządziła na swoim straganie. Odwaga, z jaką pokazywała tę bezwstydną połać pokrytą reformami.

— Uszanowanie... Dzień dobry... — wyjąkał, kiedy wrócił mu oddech.

— I wam dzień dobry — odpowiedziała zdawkowo.

— To wy jesteście Caterina Zani, prawda? — przeciągał, żeby zyskać na czasie.

— A kim mam niby być? Nie widzicie reform, nie widzicie kapelusza całego w czereśniach? — odpowiedziała prowokacyjnie. Tymczasem jednak sama mu się przyglądała, wpatrywała się w jego poważne błękitne oczy, w jego zamyśloną twarz zaharowanego mężczyzny, w jego spracowane dłonie, a z uśmieszku, który towarzyszył tym dociekaniom, można było wnioskować, że to wszystko jej się podoba.

— A ja jestem Fallaci z San Eufrosino di Sopra, rolnik, który stara się o waszą rękę — mówił dalej trochę podniesiony na duchu.

— Miło mi — odpowiedziała, tym razem już prawie uprzejmie. I zakrywszy towar kawałkiem płótna, odpędziła ciekawskich, którzy przysłuchiwali się rozmowie. — Idźcie już sobie, wstrętni gapie, precz! Idźcie sobie, bo od tej chwili sprzedaż reform jest zawieszona, a o moich prywatnych sprawach słuchać nie będziecie!

Następnie zdjęła kapelusz, oderwała jedną czereśnię i podała absztyfikantowi.

— Chcecie? Zerwałam dziś rano. Są świeże.

— Nie, dziękuję... — bronił się Carlo z żołądkiem ściśniętym od widoku długiego miedzianego warkocza, olśniewającego zjawiska pominiętego do tej pory w wykazie jej zalet. — A skoro przestaliście sprzedawać, skoro tu jestem, żeby was poznać, i żebyście wy mnie poznali, chciałbym wyjaśnić...

Lecz urażona tym, że nie przyjął od niej czereśni, przerwała, podając mu książeczkę otwartą na stronie zaznaczonej uprzednio gałązką oliwną.

— Później wyjaśnicie. Teraz czytajcie.

— Dlaczego? Co to jest?

— Potem wam powiem dlaczego. A co to jest, powiem od razu. Katechizm, do diabła. To jedyne, co mógł mi wypożyczyć pleban. No dalej, czytajcie, co tam jest napisane.

— Na otwartej stronie?

— Na otwartej. I nie oszukujcie, bo wiem, co tam stoi.

Zadziwiony i nieświadomy tego, że właśnie przechodzi egzamin, znacznie trudniejszy niż wcześniej, Carlo spełnił polecenie.

— Jest napisane: „Grzechów głównych jest siedem. Pycha, chciwość, zazdrość, nieczystość, gniew, obżarstwo, znużenie duchowe, czyli lenistwo. Pycha to nadmierny wzgląd na samych siebie, chciwość to niepohamowane przywiązanie do dóbr doczesnych, zazdrość to smutek, jaki odczuwamy, widząc powodzenie bliźniego, rozwiązłość...".

Lecz ona suchym „już dość!" znów mu przerwała. I odebrawszy brewiarz, otworzyła pokrowiec, który zawierał gęsie pióro i flakonik z atramentem. Umaczała pióro i podała mu razem z kartką papieru.

— Piszcie. Pokażcie, jak się podpisujecie.

Wypełniając, co było mu polecone, Carlo zręcznie nakreślił piękny podpis, zwieńczony zakrętasami. Podał Caterinie, która przez dwie minuty lub więcej bez słowa się weń wpatrywała.

— Jest niedobry? — Carlo aż spytał, zaniepokojony milczeniem.

— Dobry, dobry — odrzekła poważnie. — Swat mówi prawdę.
Ale nie przeciągajmy sprawy. Ożenię się z wami, pod warunkiem
że nauczycie mnie czytać i pisać.

* * *

Pobrali się zaraz po żniwach, 9 lipca 1785 roku. Wesele odbyło się
w Montalcinello i — jeśli dać wiarę ironicznemu tudzież rozbawio-
nemu głosowi mojego ojca — uroczystość była pamiętna. O tym
wydarzeniu miano w Val di Merse opowiadać latami. Z niedowierzaniem i podnieceniem, że oto popatrzą sobie na heretyczkę,
która nie dość, że wychodzi za mąż, to jeszcze ma klęknąć przed
ołtarzem i wysiedzieć na mszy, mieszkańcy Montalcinello tuzinami
ściągali do kościoła San Magno. A wielu przyszło z Chiusdino.
Niektórzy z Rosii. Kościół nabity był ludźmi bardziej niż teatr
wystawiający popularną komedię i w przepychance, która z tego
wynikła, pękły dwie ławy, a ciekawscy runęli na plecy świadków.
Tych, którzy mieli największe prawo oglądać to przedstawienie:
ojca i trzech braci panny młodej, przerażonych na myśl, że Caterina
zmieni zdanie lub pozwoli sobie na jakąś scenę, i tych dalszych
krewnych z rodziny Zani, potomków Ghisalberta i Ildebrandy,
a także młodzieńców, którzy nie chcieli Cateriny za żonę. Wielka wrzawa była jakby odzwierciedleniem zadowolenia plebana,
dumnego z faktu, że tamtego dnia pożyczył katechizm pannie
młodej, w dodatku świadomego podwójnego poświęcenia, na które
zdecydowała się Caterina, zwracając się do kapłana bez wyzwisk
i słuchając, jak wymienia i wielokrotnie objaśnia siedem grzechów głównych. Ta druga rzecz była niezbędna, żeby nauczyć się
fragmentu na pamięć i sprawdzić, czy Carlo aby na pewno potrafi
czytać. Ale don Bensi był porządnym człowiekiem, dla tej dzikiej
parafianki zawsze wykazywał wielkie zrozumienie i nie wykorzystał triumfu tak, jak by mógł. Jedyne, co zrobił, to przeznaczył

dla niej kazanie, w którym określał ją jako „zagubioną owieczkę"
i skropił ją taką ilością święconej wody, że owieczka warknęła:

— Oj, plebanie! Ja już się dzisiaj kąpałam, a tą ulewą zniszczycie mi suknię!

Caterina była promienna, szczęśliwa, jak gdyby otrzymywała dyplom na wydziale filologicznym uniwersytetu w Sienie. Nie zakłóciło tej radości, że sama podpisała się krzyżykiem. Tego dnia i ów swat zobaczyłby w niej piękną dziewczynę. Wyglądała bardziej elegancko niż kiedykolwiek. Gdy tylko bowiem otrzymała obietnicę od Carla, jego przysięgam-że-nauczę-was-czytać-i-pisać, kupiła trzydzieści piędzi zakazanego adamaszku w kolorze chabrów. W mgnieniu oka uszyła sobie suknię, która mieniła się od wstążek i kokard, obmyśliła kapelusik, lśniący od róż i piór, prócz złotych kolczyków założyła na szyję sznur pereł, aż ktoś, widząc, jak kroczy z tym bógwieczym, zawołał:

— Tym razem czeka ją dożywocie!

Carlo natomiast miał na sobie ten swój strój, teraz już podniszczony, na kapeluszu z trzema rogami była plama, i w ogóle wyglądał dość marnie. Na jazdę tam i z powrotem wynajął bryczkę z woźnicą, lecz szkapa, która ją ciągnęła, na pokonanie dwudziestu pięciu mil potrzebowała aż dziesięciu godzin, i pomimo radości bijącej mu z oczu wręcz chwiał się na nogach. A na dodatek smucił się tym, iż żaden krewny ani znajomy nie przyjechał, żeby być świadkiem jedynego zwycięstwa w całym jego życiu, i że Gaetano też mu odmówił:

— A co ja mam do tego? Po co miałbym jechać? Wolę zostać i nieco uprzątnąć.

Biedny Carlo ożywił się dopiero na przyjęciu.

Uroczystość była bogata. W Montalcinello nikt nigdy nie widział takiej obfitości i pomysłowości. Faszerowane kury, kapłony z rożna, tymbaliki z kuropatw i gołębi, króliki w potrawce, a do tego nieodzowne udźce jagnięce na pamiątkę Ildebrandy. Wszelkiego rodzaju grzyby, jarzyny każdego gatunku, świeży chleb, słodycze, przekąski i rzeki wina. Było mnóstwo osób, ktokolwiek chciał przyjść, to mógł, a Carlo wystąpił przed gośćmi, recytując ku czci Cateriny fragment Pieśni nad Pieśniami:

O, jak piękna jesteś, przyjaciółko moja,
jakże piękna!
Oczy twe jak gołębice
za twoją zasłoną.
Włosy twe jak stado kóz
falujące na górach Gileadu! [...]
Jak wstążeczka purpury wargi twe
i usta twe pełne wdzięku...

Wywarło to wielkie wrażenie na wszystkich biesiadnikach i wymusiło na nich komentarz:

— Jaki tam z niego wieśniak. Toż to profesor!

Lecz oni sami zabawili krótko. Tradycja wymagała, żeby żona spędziła pierwszą noc w domu męża, więc o pierwszej po południu byli już w bryczce — siedzieli obok dwóch prosiaków, klatki z kurczakami, kozy, dwóch gęsi i skrzyni Ildebrandy. Prosiaki, kurczaki i koza były darami Zaniego, którego uczucie ulgi rozgrzało tak, iż wręczył je Carlowi, szepcąc:

— Dziękuję, że ją wzięliście. Ale ją trzymajcie, dobrze? Nie odsyłajcie mi jej!

Gęsi były darem plebana, który, wzruszony kulturalnym celem tego małżeństwa, dał je Caterinie, mamrocząc:

— Pamiętajcie, że dobre pióra rosną w części środkowej i końcowej skrzydeł, i że muszą być osuszone, potem umoczone, potem znów osuszone i za każdym razem ścięte dobrze naostrzonym nożem. W przeciwnym razie czubek się kruszy i nie pisze.

W skrzyni, którą już znamy, była wyprawa. Ważyła prawie kwintal. Była tak ciężka, że szkapa nie mogła ruszyć z miejsca i woźnica chciał wyładować kufer.

— Pod takim ciężarem koń padnie! My też się pozabijamy, bo pod górę zjedziemy do tyłu i skończymy w rowie! Ja tę skrzynię rozładuję!

Lecz Caterina rozwiązała problem inaczej, czyli kazała zejść z bryczki jemu samemu.

— Złaźcie wstrętny woźnico i wracajcie pieszo, już ja sama poprowadzę bryczkę.

Następnie ujęła lejce, pożegnała się z ojcem i braćmi, których miała nie zobaczyć już nigdy, i odjechała. Pogróżkami i wrzaskiem „rusz się ladaco, bo jak nie to ci grzbiet batem rozwalę", powoziła do samego San Eufrosino di Sopra, gdzie dojechali o dziewiątej wieczorem — o dwie godziny później, niż się tego można było spodziewać. I gdzie natychmiast doszło do tragedii. Istotnie, ani swat, ani Carlo nie zdradzili się z tym, że gospodarstwo otaczało pierścieniem kościół, który stał o kilka kroków od domu. „Lepiej trzymać gębę na kłódkę, bo szlag trafi interes i wraz z należnością stracę również napiwek", pomyślał swat. „Lepiej milczeć, bo się jeszcze rozmyśli i nie wyjdzie za mnie, nawet jeśli nauczę ją czytać i pisać po grecku i po łacinie. A poza tym, jako dzieło sztuki może jej się spodoba, kto wie", pomyślał Carlo. Lecz w chwili, gdy oratorium zarysowało się na tle szarzejącego już nieba — wielka bryła, która piętrzyła się nad domem jak góra, pośród cyprysów ze zwieńczoną krzyżem dzwonnicą — powietrze przeszył wrzask podobny do okrzyku obrzydzenia. Rozniósł się po wzgórzu i dolinie dokładnie tak, jak w chwili, kiedy Caterina dowiedziała się, że kandydat na męża jest tercjarzem.

— Ja nie wysiaaadaaam! Ja do tego domu nie weeeejdę!

Minęły wieki, nim się uspokoiła. Sprawy w swoje ręce wziął dobry Gaetano, który był we wszystko wprowadzony i silny cnotą, jaką już okazał Carlowi, czyli szacunkiem dla stosunków, jakie inni utrzymują z Najwyższym, o zmroku czekał na nich przed świętym budynkiem, gotowy przywrócić harmonię, jeśli nastanie tragedia.

— Już dobrze — powiedział Gaetano z właściwym sobie spokojem. Następnie tłumaczył jej, że przecież to kościół, a nie trybunał świętej inkwizycji. Tutaj inkwizytorzy nigdy nie postawili nogi. Crocesignani też nie, i zamiast pamięci okrutnych wydarzeń te mury strzegły czegoś, co sam Szatan chciałby posiadać: Madonny Giotta. A z nią cennych przedmiotów, wśród nich polichromowanego popiersia i relikwii Eufrozyna, świętego, który nigdy nie wyrządził krzywdy jej babci Ildebrandzie i który w młodości, jeśli wierzyć złym językom, chętnie odwiedzał ładne dziewczęta. Żeby się do nich zalecać, nie żeby je palić na stosie. Ponadto nie był to kościół otwarty dla każdego, taki z księdzem, dzwonami i tak dalej. Klucze trzymali oni, w dzwony nikt nie bił, ksiądz nigdy nie dziękował tu niebu, a jeśli już, to raz na jakiś czas don Luzzi odprawiał tutaj mszę albo prowadził procesję. Niech więc zejdzie z tej bryczki. Niech wejdzie do domu, który od dzisiaj będzie jej własnym domem, i niech stawi czoło przyszłości razem z mężem i nowym bratem. On sam ją uważał nie tyle za bratową, co za siostrę i, tak samo jak Carla, nic go nie obchodziło, czy jest heretyczką:

— Bóg mieszka w sercu każdego stworzenia i nie ma znaczenia, czy ktoś wierzy, czy nie wierzy, czy wierzy, że nie wierzy.

To ostatnie zdanie uwiodło ją i przekonało, by zsiąść z bryczki i wejść do domu. Lecz kiedy znalazła się w środku i zobaczyła bałagan, którego się przestraszyła w dniu, kiedy swat przyszedł zaproponować jej rolnika z jedenastoma książkami, a teraz jeszcze ujrzała las krzyży, które wyglądały jak krzyże cmentarne, zakryła sobie twarz i zapłakała. Nie tylko płakała. Ze łzami w oczach oświadczyła, że to nic złego być analfabetą, że ignoranci są często bardziej inteligentni od wykształconych ludzi i jeśli ceną za naukę czytania i pisania było spędzić życie na tym smętnym śmietnisku, wolała już być analfabetką, wrócić do Montalcinello. I musiała się uspokoić na nowo. Tym razem to Carlo uciszył ją krótką przemową.

— Nie odchodźcie ode mnie — powiedział. — Wiem, że dom nie jest was godny, a oratorium was drażni. Ale ja bardzo was kocham. I jeśli was stracę, to się powieszę.

Spojrzała mu w oczy. Czy można oprzeć się takiemu wyznaniu miłości? Caterina się nie oparła.

— Zgoda, nie odejdę od was — odpowiedziała, ocierając łzy i wydmuchując nos. — Bo wydaje mi się, że i ja trochę was kocham.

9

Wolno przypuszczać, że konsekwencje tego „bardzo was kocham" i tego „wydaje mi się, że i ja trochę was kocham" były natychmiastowe. Czyli że tej samej nocy Carlo zapomniał odmówić różaniec, a Caterina powstrzymać jego gorączkę swoim ulubionym sprzeciwem: „Dlaczego mężczyźni sami sobie nie robią dzieci?".

Ze *Status Animarum*, na podstawie którego można wyliczyć czas, jaki upłynął od ślubu do pierwszego porodu, wynika bowiem, że w ciążę zaszła od razu. To jednak nie przeszkodziło jej w nadaniu nowego wyglądu domowi, który określiła jako „smętne śmietnisko". Ażeby nie zwlekać, już nazajutrz zdjęła monstrualny krucyfiks szeroki na metr, a długi na dwa, który Carlo niegdyś powiesił nad łóżkiem. Zastąpiła go krzyżem dwadzieścia centymetrów na trzydzieści, który splotła z dwóch gałązek oliwnych. Zdjęła też pozostałe krucyfiksy. A raczej wszystkie pozostałe, prócz krzyża z pokoju Gaetana, który nieskłonny był dać dowód cierpliwości i tolerancji: „Mojego ruszać nie wolno!".

Zgromadziła je w piwnicy, obok drewna na opał, a na ich miejscu pozawieszała wesołe wianuszki z czerwonej papryki i czosnku. Czosnek miał bowiem tę siłę odczyniania, że odpędzał diabła, kiedy zdejmowało się święty wizerunek. Następnie, usunąwszy już krucyfiksy, zabrała się za porządkowanie tego zapuszczonego chlewu. Skrobiąc, szorując, zmywając, czyszcząc, sprawiła, że osiem izb przejaśniało bardziej niż za dni, kiedy domem zajmowały się Violante i Apollonia. W porywie zapału postanowiła zamieść nawet oratorium. Wynikła z tego wielka przyjaźń z Madonną Giotta, jej rysy przywoływały wyobrażenie, jakie Caterina miała o przodkini spalonej na stosie: „Jest podobna do Ildebrandy". Natomiast popiersie Eufrozyna wydało jej się antypatyczne przez te jego problemy z ładnymi dziewczynami, do których się zalecał, i nazywała je „posągiem satyra". Oczyściła też, jak należy, stajnie, piwnice, schowek, chlewy, kurnik, w którym kury, niezabijane z miłości do świętego Franciszka, wymarły ze starości lub brudu, królikarnię, w której króliki zdechły z tej samej przyczyny, gołębnik, z którego gołębie wyfrunęły z głodu, i wreszcie, *dulcis in fundo*, zrobiła rewolucję w sypialni. Wyprowadziła ją z ciemnego pomieszczenia, które Carlo wybrał, żeby z bliska strzec oratorium, i przeniosła do pokoju od strony południowej, z widokiem na jasny pejzaż Val di Pesa, przylegającego do innej izby, która miała się stać jej królestwem. Zawsze marzyła o własnym pokoju. Pragnieniu umiejętności czytania i pisania towarzyszyła jej chęć posiadania skryptorium. Do jego urządzenia też zabrała się ze szczególną werwą. Pobieliła pomieszczenie, odkaziła wiadrami octu, okna przystroiła ładnymi firankami. Wstawiła porządny gładki stół, dobrą lampę oliwną, kilka świeczek, dwa krzesła, kosz na śmieci i skarby wydobyte ze skrzyni Carla: gęsie pióro dobrze wysuszone i naostrzone, kulkę atramentu, ryzę bardzo kosztownego papieru, cenny kajet w linię, a wreszcie i jedenaście książek, które tak bardzo przyczyniły się do spotkania w Rosii. Książki postawiła na szafce z wikliny, w której Apollonia suszyła winogrona na rodzynki, a kiedy tylko wypytała o ich tytuły, ustawiła tomy w kolejności, w jakiej zamierzała je czytać, gdy tylko będzie w stanie to zrobić. Na pierwszym miejscu *Piekło, Czyściec i Raj*, czyli *Boską komedię*. Następnie *Orlanda Szalonego*, *Jerozolimę wyzwoloną*, *Dekameron*. Potem Pieśń nad Pieśniami, *Rycerzy Okrągłego Stołu*, *Skarbczyk*

Wiejski abo Podręcznik Doskonałego Rolnika. Wreszcie Stary oraz
Nowy Testament. Miesiąc zabrała jej ta cudowna harówka, przemiana „smętnego śmietniska". A kiedy skończyła, trach! — zorientowała się, że jest w ciąży.

Ciąża była strasznym odkryciem. Na dzień przed ślubem poszła do babki, czyli do akuszerki z Montalcinello, i wypytała ją,
co trzeba robić, żeby to wszystko mieć pod kontrolą. Robi się tak
i tak, pouczyła ją babka, zalecając również napar przeczyszcza-
jący na bazie pokrzywy. I ona robiła, jak mówiła jej babka, nie
zapominając o piciu naparu. Sumiennie. Prócz pierwszej nocy.
Świadomość, że nieszczęście przytrafiło się właśnie tej pierwszej
nocy, przez zapomnienie od tych wszystkich „was kocham", doprowadziło ją więc do wściekłości. Zajść w ciążę właśnie teraz,
kiedy miała swój pokój i zamierzała uczyć się czytać i pisać! Już
nigdy nie weźmie do ręki gęsiego pióra. Nigdy nie pozna historii
zawartych w jedenastu książkach. Nigdy nie zostanie wykształconą
osobą, kobietą, która czyta i pisze. Zawsze już będzie prostaczką,
której dłonie i oczy potrzebne są tylko, by czyścić brudy po innych,
wywijać motyką i łopatą. Co najwyżej będzie mogła haftować
prześcieradła i majtki. Noworodek to praca, która nie pozwala
zaczerpnąć oddechu — tak mówiła jej matka. Co chwilę trzeba
go karmić, myć, usypiać, znów karmić, znów myć, znów usypiać,
i Bogu jedynemu dzięki, jeśli w nocy uda ci się zasnąć choć na
kilka godzin. I tak już bez końca. Bo potem trzeba nauczyć dziecko stać, chodzić, mówić, bronić się. Skąd mogła wiedzieć, że
jego dewocja do tego stopnia sprawdza się również w miłości?!
Szlag z nim, szlag z jego słodyczą, z jego bardzo-was-kocham,
z jego jeśli-was-stracę-to-się-powieszę! Przez długie tygodnie
tak bardzo czuła się oszukana, okpiona, przegrana, że nic nie
powiedziała mężowi. Poniżała go tylko, odpychała, nienawidziła,
i biada, jeżeli w swoim zmartwieniu pytał, co się z nią dzieje.
„Dzieje się — ryczała — co tylko mi się podoba! Myślcie o swoich
sprawach!"

Lecz na początku września, czyli pod koniec drugiego miesiąca, jej zmysł praktyczny zwyciężył. Próżno płakać nad wylanym mlekiem, podsumowała. To dziecko musiało się urodzić, a z katastrofy można wyprowadzić korzyść. Ile czasu normalni ludzie poświęcają na to, żeby się wykształcić: rok, dwa? A więc jej uda się to w znacznie krótszym okresie: w siedem miesięcy. Tyle, ile dzieliło ją od porodu. Rzecz jasna, jeżeli zabierze się natychmiast do pracy. I zawalczyła o swoje, kiedy tylko Carlo wrócił z Gaetanem z pola.

— Dziś wieczorem zaczynamy naukę — powiedziała.

— Dzisiaj? Dlaczego akurat dzisiaj? — odpowiedział zaskoczony Carlo.

— Bo przez was jestem w ciąży, oto dlaczego! Bo jeśli nie nauczę się czytać i pisać, zanim urodzi się wasze dziecko, to nie nauczę się nigdy! Jasne?

* * *

Rozbawiony i ironiczny głos mojego ojca nie opowiedział, jak Carlo przyjął szczęśliwą wiadomość. Może ojciec sam tego nie wiedział. Lub uznał za oczywiste, że na twarzy Carla odmalowała się radość i duma. Lecz z tego, co opowiedział ojciec, można odtworzyć scenę, która rozegrała się później w pokoju Cateriny, kiedy Carlo wszedł w rolę nauczyciela. Rolę niezwykle trudną. On miał dziewięć lat, kiedy don Luzzi uznał, że dobrze będzie nauczyć go czytać i pisać, wyraźnie zapamiętał więc tylko trudności, jakie ku swemu utrapieniu napotkał. Na przykład znikomy entuzjazm Luki. „Nam, chłopom, wykształcenie nie jest do niczego potrzebne! Papier drukowany to dobre dla panów!" Trud wędrówki trzy razy w tygodniu z Vitigliano di Sotto do plebanii San Leolino, często w deszczu albo śniegu. Ofiarną naukę nocą, ponieważ za dnia musiał pracować w polu. W nocy padał ze zmęczenia, w dodatku Apollonia wyrzucała mu, że marnuje świece: „Świece kosztują! Zgaś to i idź spać, bo jutro trzeba kosić!".

Prawdziwa szkoła była niejasnym wspomnieniem z zakrystią w tle. Pamięć o pierwszej lekcji mgłą, z której wyłaniała się ręka wkładająca mu gęsie pióro pomiędzy kciuk, wskazujący i środkowy palec. Potem kartka usiana atramentowymi znakami, łza, która upadała na znaki, wybuch złości: „I popatrz, co zrobiłeś! Nie umiesz trzymać pióra, mój chłopcze!". Wspomnienie następnych lekcji składało się w koszmar narzekań i wyrzutów: „Nie umiesz jeszcze pisać wyrazów *acqua* i *soqquadro*! *Acqua* pisze się przez jedno *c* i jedno *q*, a *soqquadro* przez podwójne *q*!". Albo: „A więc myliłem się, uważając, że masz rozum w głowie! Jesteś tępakiem, mój drogi, tępakiem!".

Odnośnie do metody stosowanej przez don Luzziego pamięć Carla zachowała bardzo niewiele — na początek były kropki i kreski, które pozwoliły mu kreślić litery, potem nauka pięciu samogłosek, następnie spółgłosek, monosylab, sylab podwójnych, potrójnych oraz pewien szczegół: po to, by ułatwić mu rozpoznawanie samogłosek i spółgłosek, don Luzzi podpowiadał rozpoczynające się od nich słowa, których brzmienie przywoływało obraz dobrze znanego przedmiotu: „*A* jak akacja, jak anyżek, jak ambona. *B* jak brona, jak bób, jak byk...".

— Oto jak się trzyma — powiedział Carlo, wkładając gęsie pióro pomiędzy jej kciuk, palec wskazujący i środkowy.

— Jak się trzyma, to wiem — odrzekła Caterina, ujmując pióro, jak trzeba.

— Aha! No więc przejdźmy od razu do kropek i kresek.

— Tak, tak, przejdźmy.

— Kropki robi się tak: stawiając pióro na kartce. Lekko, w przeciwnym razie zrobi się kleks i trzeba wyrzucić kartkę. A kreski robi się tak: przeciągając piórem z góry do dołu. I jeśli wyjdą wam krzywo albo zrobi się kleks, nie traćcie otuchy.

— Nie, nie — odpowiedziała spokojnie. Następnie skreśliła dwa lub trzy kształtne kółka i, bez jednego kleksa, postawiła szereg tak prostych kresek, że jego zdumienie, pełne podziwu i wstydu, wzrosło dwukrotnie. Boże miłosierny! Na to, by tyle osiągnąć, dwadzieścia cztery lata temu on musiał poświęcić znacznie więcej czasu.

— Świetnie... A więc można przejść do samogłosek...

— Przejdźmy, przejdźmy.

— Samogłosek jest pięć: a, e, i, o, u. Można je pisać jako wielkie lub małe. Wielkie, kiedy są pierwszą literą imienia albo są po kropce, czyli na początku zdania. Małe w pozostałych przypadkach. Dzisiaj przerobimy małe i...

— Dlaczego małe?

— Bo występują częściej i są łatwiejsze...

— Dobrze — przystała niechętnie, lecz czujnie.

— Proszę, to jest *a*: *a* jak akacja, anyżek, ambona...

— Wiem, wiem — przerwała, odbierając mu pióro i narysowała *a*, niepewne, lecz rozpoznawalne.

— A to jest *e*: *e* jak esencja, Ewa, ewangelia...

— Jak egzorcyzmy i jak egzekucja — dodała, rysując *e*, mniej już niepewne i jeszcze bardziej rozpoznawalne.

— To natomiast jest *i*: *i* jak inkaust, jak insekt, jak irys...

— Jak Ildebranda i jak inkwizycja — dodała, rysując *i*, czupurne, lecz znośne.

— To jest *o*: *o* jak owies, jak obora, jak ołtarz...

— Jak oratorium i ornat — dodała, rysując *o*, pogardliwe, ale wyraźne.

— A to jest *u*: *u* jak uzda, jak ucho, jak ul...

— Jak umęczenie! Przestańcie już się zabawiać tymi przykładami i porównaniami! Musimy się spieszyć! Jutro wieczorem przejdziemy do dużych liter! — zaprotestowała, rysując zręcznie śliczne *u*.

— Zgoda...

Wobec wielkich liter była nazajutrz równie szorstka i prowokacyjna. Tymczasem na jej wargach błąkał się ledwie widoczny uśmieszek, ten sam, z którym przyglądała się Carlowi na targu w Rosji, i spoglądała na niego z dziwnym światłem w oczach, a kiedy skończyła się lekcja, zmieniła barwę głosu.

— Byłam dla was niedobra — wyszeptała. — Za to wy byliście lepsi niż kiedykolwiek. Od dzisiaj będę musiała pamiętać, że można również powiedzieć *a* jak amor.

10

Na naukę czytania i starannego pisania dużych oraz małych samogłosek poświęciła zaledwie pięć dni — podczas tego maratonu napisała nawet swoje pierwsze słowo: okrzyk z dyftongu „au". Szóstego dnia Carlo mógł więc zabrać się za spółgłoski. Skupiona na literach wielkich i małych, głoskach przydechowych oraz zębowych, gardłowych i wargowych, podniebiennych, językowych i niemych, pracowała nad nimi ledwie miesiąc, natychmiast pokazując, jaką drogą poprowadzi nieoczekiwana deklaracja: Od--dzisiaj-będę-musiała-pamiętać-że-można-również-powiedzieć--*a*-jak-amor. Przy *b* on bowiem powiedział:

— *B* jak brona, jak bób, jak byk.

A ona go poprawiła:

— *B* jak buziak albo jak bliskość.

Przy *c* on powiedział:

— *C* jak cedzak, cebula, jak cud.

A ona poprawiła:

— *C* jak Carlo i Caterina.

Z lekcji na lekcję malał żal do „ojczenasza", który od razu zrobił jej dziecko, tracił na sile bunt przeciw niechcianemu macierzyństwu i cała sytuacja zmieniała się tak szybko, że przy literze *m* dokonał się cud.

— *M* jak mucha, jak miód, jak maki — powiedział, a ona, głaszcząc go po policzku, dodała:

— *M* jak małżeństwo, jak mąż, jak mama.

Dzięki imionom „Apollonia" i „Giuseppe" łatwo przyswajała pisownię podwójnych spółgłosek. Żarliwość, z jaką pracowała, sprawiła, że bez trudu nauczyła się pisać wyrazy złożone z dwóch sylab, takie jak „mąka" czy „kuchnia", a wkrótce i z trzech, takie jak „pszenica" albo „kolacja". Lecz kiedy dotarli do piekielnych dwuznaków *ch, gh, cq, gl, gn, sp, sd* i tak dalej, z diabelskimi słowami *acqua* i *soqquadro*, nad którymi w dzieciństwie Carlo tak bardzo się biedził, sprawy przybrały inny obrót, i w połowie września, po tygodniach daremnych wysiłków, Caterina postanowiła wziąć byka za rogi.

— Potrzebny jest elementarz — powiedziała.

Wniosek tylko na pozór logiczny. Nawet w mieście, nawet we Florencji, gdzie Piotr Leopold chwalił się tym, iż ustanowił szkoły publiczne w każdej dzielnicy, zdobycie elementarza było ogromnym problemem — ucząc analfabetów, bardzo rzadko posługiwano się drukowanymi tekstami. A jeśli mieszkałeś na wsi, gdzie szkół publicznych nie było, gdzie książki stanowiły ekstrawagancję i nawet najbardziej zapobiegliwy sklepikarz nie pomyślałby o tym, żeby trzymać je w składzie, znaleźć elementarz było wyczynem na granicy niemożliwości. I Carlo wpadł w rozpacz. Oczywiście, od razu poszedł do don Luzziego. Poprosił go o pożyczenie egzemplarza, na którym sam się uczył przed dwudziestoma czterema latami. Ale don Luzzi był obrażony, bo Caterina, poza tym, że nie przychodziła do parafii ani na nieszpory, ani na mszę, nie pofatygowała się nawet, by, jak należało nowej parafiance, złożyć mu hołdy. I zamiast pożyczyć książkę, potraktował Carla źle. Napadł na niego, sycząc, że co znowu za dwuznaki, że zamiast dwuznaków jego żona lepiej odmówiłaby kilka zdrowasiek, zadbała o duszę — duszę z pewnością nie tak czystą, jak trzeba. Następnie nazwał go szaleńcem, nieodpowiedzialnym człowiekiem, który przed podjęciem decyzji o założeniu rodziny nie poprosił go ani o radę, ani o pomoc, głupkiem, bo chcąc założyć rodzinę, oddał się w ręce stręczyciela, któremu zależy tylko na tym, by dostać procent od wiana. W końcu odprawił go słowami, których nigdy by się nie spodziewano po kimś, kto chciał posłać ludzi do Wirginii.

— I daj już sobie z tym spokój, głupku jeden. Kobietom na nic się zda czytać i pisać, a w San Eufrosino wy sami umiecie posługiwać się piórem. Jeden na rodzinę wystarczy.

Rozczarowany tak przykrą odmową, Carlo zwrócił się również do Ojca Wizytatora, który był stary, niedołężny i już nikogo nie odwiedzał. Znów pieszo, by nie wydawać pieniędzy na bryczkę, Carlo skierował się do Poggibonsi, gdzie zakonnik leżał na gołej ziemi, jakby czekał już tylko na śmierć. Niczego przed nim nie ukrył. Wyznał, że poślubił dziewczynę, która pobożnością na pewno się nie odznaczała, czciła prababkę spaloną na stosie, i byleby tylko nauczyć się czytać i pisać, sama też była gotowa na śmierć. Wyjaśnił, że wybrał ją mimo wszystko, bo każdy może zostać zbawiony, a zbawiać to obowiązek dobrego franciszkańskiego tercjarza. Wyjawił mu, że pierworodne dziecko urodzi się wiosną, nie mogli więc tracić czasu. I do tej chwili wydawało się, iż świątobliwy człowiek reaguje z miłosierną wyrozumiałością, że gotowy jest dać elementarz. Lecz kiedy tylko usłyszał, że heretyczka nie nawróciła się i że noworodek będzie ssał mleko herezji, miłosierna wyrozumiałość dobiegła kresu. Podobnie jak słabość konającego. Zerwał się na równe nogi, wrzasnął, że trzymać w domu osoby obłożone ekskomuniką to grzech śmiertelny, że poślubiając taką jak ona, ryzykował, iż zostanie wyrzucony ze zgromadzenia jak parszywy pies. Wznosząc krucyfiks, zagrzmiał, że bulla wydana przez papieża Eugeniusza IV w 1440 roku zalecała czystość małżeńską i zachęcała, by podjąć takie zobowiązanie u notariusza, po czym pożegnał się, mówiąc:

— Elementarze to wstęp do lektury książek. Książki są zagrożeniem dla cnoty. A cnota jest tym większa, im większa jest niewiedza.

Przybity całą awanturą, Carlo zaczął prosić o pomoc nielicznych znanych mu świeckich: zielarza, kuriera, handlarza, cyrulika,
woźnicę oraz pośrednika, który dostarczył mu zbiegłe gołębie,
a także pomógł uzupełnić gospodarstwo po tym, jak kury i króliki
zdechły przez zaniedbanie lub ze starości. I poszukiwania weszły
tym samym w jeszcze bardziej deprymującą fazę. Co chwilę bowiem musiał prosić:

— Na litość boską, znajdziecie mi elementarz?

Albo:

— Powiedzcie, z łaski swojej, czy znaleźliście mi już elementarz?

Lub:

— Pamiętajcie, że czekam na elementarz!

Poszukiwania elementarza obrosły w Panzano legendą. Wszyscy śmiali się z Carla. Na placu, w kościele, w polu, na procesjach,
na wieczornicach.

— Słyszeliście już? Ta czarownica, z którą Carlo się ożenił pod
Sieną, chciałaby się nauczyć czytać i pisać i chce mieć elementarz.

Lecz elementarza nie było, więc na próżno nauczyciel i uczennica wciąż spędzali wieczory w pokoju Cateriny. On już nie potrafił
nauczać, ona już nie potrafiła się uczyć, i każda próba kończyła się
markotnym westchnieniem i posępnym pytaniem: „Czy uda się
nam znaleźć kiedyś ten elementarz?".

Wśród westchnień upłynął wrzesień, nadszedł październik,
potem listopad. Z tym pytaniem na ustach minął Caterinie trzeci
i czwarty miesiąc ciąży. I już się zdawało, że jej marzenie się roz-
prysło. Nawet Gaetano, bezstronny świadek dramatu, ubolewał nad
tym i próbował ją pocieszyć: „Nie przejmujcie się nadto, siostro.
Im mniej się wie, tym mniej się cierpi".

Lecz pewnego listopadowego poranka, gdy nad San Eufrosino
przetaczała się burza, z drogi biegnącej wzdłuż łąki przy oratorium
dobiegł chrapliwy głos. Należał do szewca, który w deszczowe
dni — tylko wtedy mógł być pewny, że klienci są w domu — robił

obchód gospodarstw, by sprzedać swój towar i wszystko inne, co chcieliby kupić. Jak zawsze po skandalicznych cenach i jak zawsze zawodząc piosnkę, którą sam sobie ułożył.

Szanowne kobiety, wszystkiego dobrego,
wy mnie posłuchajcie, przyszedłem dlaczego.
Tu mam dla was buty, a tu pantofelki,
sandały, saboty, a wybór ich wielki,
a oprócz bucików mam inne towary,
pomimo że szewcem ja jestem, mam szelki,
gwoździki i gwoździe, wywary, napary.
Mam karty do grania, cudaki dla dzieci,
mam kolczyk i broszkę tak jasną, że świeci,
więc żeby popatrzeć, wychodźcie wy z domu,
od tego nic złego nie będzie nikomu.
A jeśli ktoś nie chce wyjść z domu, niech wpuści,
bo jestem uczciwy i grzeczny, a juści!

Caterina wyjrzała przez drzwi z postanowieniem, że go pośle do diabła. Kiedy rozpadało się w sierpniu, wcisnął jej parę sznurowadeł, które natychmiast pękły, więc nie cierpiała go bardziej niż Ojca Wizytatora czy don Luzziego.

— Idź precz! Niczego od ciebie nie chcę, lichwiarzu!

— A ja myślę, że jednak czegoś ode mnie chcecie — odparł. — I ja to mam.

— O czym wy mówicie! Precz mówię, więc idźcie sobie!

— O elementarzu. Mówię o elementarzu.

— Elementarzu?!

— Owszem, o elementarzu, kumo. Popatrzcie tylko, co za skarb.

Był to wątły brulion, liczący niespełna dwadzieścia stron, napisany przez kapłana z Apta Julia, wydany przez drukarnię Pagliariniego w Rzymie i zatytułowany *Włoska metoda szybkiej nauki czytania tudzież pisania, bez literowania, a za pomocą pięćdziesięciu czterech różnych figur.* Na odwrotnej stronie frontu było wyjaśnienie: „Niniejsza metoda jest niezwykle łatwa, bo podaje sposób, w jaki każdy ją może stosować. Nie trzeba robić nic innego, jak tylko obserwować figury, wypowiadając głośno ich nazwy, a potem patrzeć na słowa, które tłumaczą, jak te nazwy się pisze. Jako że słowa są echem figur, a rzeczy, które się widzi, odciskają w umyśle wyraźniejszy znak od tych, które się słyszy, system ten nagina się do zdolności nawet najmniej pojętnych osób. Nawet głuchych i niemych". Po wyjaśnieniu następowały strony z figurami, podawanymi za każdym razem dwukrotnie, by wskazać liczbę pojedynczą i mnogą, a obok figur widniały odpowiadające im słowa. „Sprzączka, sprzączki. Trąba, trąbki. Płomień, płomienie. Grzyb, grzyby". Za tymi stronicami szesnaście lekcji, z których jedna poświęcona była piekielnym dwugłoskom. Wreszcie kilka ćwiczeń z czytania, które wyprowadziłyby z równowagi nawet świętego. Pierwszym ćwiczeniem było zdanie wyjęte z akt soboru trydenckiego: „Życie chrześcijańskie musi być nieustającą pokutą". Ostatnim — fragment tekstu świętego Mateusza, z jakiegoś powodu przeredagowany i poprawiony, a raczej wykoślawiony przez księdza z Apta Julia. „Błogosławieni udręczeni. Błogosławieni nieszczęśliwi. Błogosławieni nędzarze. Błogosławieni paralitycy, ślepcy, chorzy, nieszczęśnicy, którzy nie posiadają niczego. Albowiem otrzymają w zamian Królestwo Niebieskie". Nie rozumiejąc ich, Bogu dzięki, Caterina z drżeniem zaciskała w dłoniach skarb.

— Ile chcecie?

— Siedem skudów, kumo. Bierzcie albo oddajcie.

Siedem skudów to była zabójcza kwota. A żeby zrozumieć, do jakiego stopnia zabójcza, dość wspomnieć, że sprzedając jajka do sześćdziesiątego roku życia, Apollonia uzbierała dziesięć skudów i basta. Lub gdyby pomyśleć, że jednemu skudowi odpowiadało pięć lirów i dwanaście soldów, a kosiarz lub żniwiarz zarabiał półtora lira dziennie. Kobieta, która plotła kapelusze ze słomy, cztery soldy dziennie. Lecz Caterina zapłaciła bez zmrużenia oka.

— Masz, lichwiarzu.

Pomimo passusu, który zachęcał do bycia udręczonym, nieszczęśliwym, żebrakiem, paralitykiem, ślepcem, chorym i tym podobnym, czyli do przyjęcia wszelkich cierpień po to, by po śmierci pofrunąć do Nieba, drogi elementarz okazał się sensownym nabytkiem. Od razu bowiem obalił bariery, których ani Carlo, ani Caterina nie zdołali pokonać, i od tej chwili sprawy poszły już gładko. Codziennie Carlo uczył ją coraz skuteczniej i sprawniej, co wieczór Caterina uczyła się lepiej i więcej, a jej wiedza rosła razem z jej brzuchem. Wyglądało to bowiem tak, jak gdyby nosiła dwie ciąże równolegle, jedną w łonie, a drugą w mózgu, i rozwijały się one równocześnie, i w tym samym tempie rosło dziecko w ciele i dziecko w umyśle. W końcu listopada mogła już rysować piekielne dwugłoski oraz diabelskie słowa *acqua* i *soqquadro*. Na Boże Narodzenie umiała już odczytać w niezłym tempie tytuły jedenastu książek ustawionych w pokoju na półce i zastanawiać się, co miały jej do powiedzenia. Na Trzech Króli umiała czytać ze znaczną szybkością deprymujące zdanie wyjęte z aktów soboru trydenckiego: „Życie chrześcijańskie musi być nieustającą pokutą". (Słowa te doprowadziły ją do wściekłości). A na Matki Boskiej Gromnicznej, czyli w chwili, gdy kończył się siódmy miesiąc ciąży, umiała bezbłędnie zapisać odmianę czasownika *avere*, tak przykrego za sprawą *h*, które należało dodawać w niektórych formach. Pozostawało jej tylko zabrać się do apostrofów, interpunkcji oraz innych szczegółów, i często uczyła się sama, rojąc, że w przyszłości kupi sobie również podręcznik do rachunków, czyli nauczy się liczyć. Tymczasem gruby zeszyt się skończył. Pióro, zbyt często ostrzone, stało się niemożliwie krótkie, a gałka stałego atramentu zmniejszyła się do rozmiarów koziego bobka.

Atrament był tu najmniejszym problemem. W 1743 roku pewien jezuita, który pochodził od Giovanniego da Verrazzano i nosił nie tylko nazwisko przodka, lecz również imię, pozostawił przepis wyrobu inkaustu sposobem domowym. Trzeba było zdobyć nieco gumy arabskiej, zmieszać ją z dobrym winem, dodać kilka łyżek sadzy, wystawić tę ciecz na słońce lub blisko ognia, by wyschła. A że w kominku sadzy nie brakowało, wina była pełna piwnica, a gumę arabską można było kupić u zielarza, Carlo szybko zrobił nową gałkę. Bardziej skomplikowana była sprawa z piórami, które pozyskano co prawda kosztem gęsi podarowanych przez plebana z San Magno, lecz cena, którą ptaki musiały zapłacić, okazała się wyższa, niż należało przypuszczać. Wskutek przeoczenia bowiem obie były samiczkami. Przez zaniedbanie handlarza nigdy nie dotarł samiec, gąsior, przez co gęsi nie wydawały na świat potomków, których można by zjeść lub oskubać. Pióra do pisania wyjmowali więc dwóm gęsiom żywcem ze skóry i kiedy to, które Caterina znalazła na dnie skrzyni Carla zrobiło się za krótkie, zaczęła stosować przemoc bez zmiłowania. Zakrywając gęsiom głowy, by ochronić się przed ich dziobami, unieruchamiała je, dodając im otuchy przecież-to-nic-takiego, przecież-was-nie-zamorduję, wyciągała co najmniej po jednym piórze ze skrzydła, i za każdym razem z podwórza dobiegał tak rozdzierający wrzask, że Carlo i Gaetano pytali się nawzajem z niepokojem: „Kto to? Co to? Skąd to?". Dopiero po czasie Carlo zorientował się, że wrzask pochodził z podwórka, gdzie jego żona odzierała gęsi z piór. Zwrócił już co prawda uwagę, że pióro w pokoju Cateriny zagadkowo się wydłużyło i wyglądało jak nowe, lecz zrozumiał tego przyczynę dopiero w dniu, kiedy spostrzegł, że biedne ptaki łysieją i trudno im przychodzi trzepotanie skrzydłami. Energiczny protest: „Na to, Caterino, ja wam pozwolić nie mogę!" został złożony również w imieniu świętego Franciszka, i nadużycia ustały. Lecz ona zdążyła uzbierać zapas, który miał wystarczyć na lata, i sprawa piór została załatwiona.

Pozostawał za to problem zeszytu, bardzo poważny, ponieważ papier kosztował prawie tyle, co książki — zielarz brał nawet jednego lira za kartkę — a Caterina zużywała ich więcej, niż mogła. Próżno było powtarzać: „Postarajcie się tyle nie niszczyć". Tym razem ona nie dała za wygraną. Tego samego wieczoru, kiedy skończył się nawet papier u zielarza, sprawę rozwiązała po swojemu. Podeszła do kufra, w którym trzymała swoją wspaniałą wyprawę, wyjęła jedną z trzydziestu sześciu serwetek z koronką, i na oczach przerażonego Carla wypisała na niej ćwiczenia. Nazajutrz to samo. I to samo następnego wieczora. Przez dni, tygodnie. Nie przejmując się tym, że zapas serwetek topniał w oczach, bo przez atrament, którego żadne pranie nie mogło usunąć, stawały się nieprzydatne. Kiedy zdziesiątkowała też piękne chusteczki, ogarnęły ją skrupuły i przeszła na rzeczy z surówki, na ścierki. Lecz płótno było zbyt szorstkie, pióro nie sunęło po nim lekko, więc szybko zrezygnowała. Zaczęła dziesiątkować serwety z rogami w plastry miodu, potem ręczniki z krawędziami w lilijkę, a w dniu, kiedy i te stały się nie do użytku, zabrała się za jedną z poszew z wianuszkiem z kłosów. Tę samą, którą wraz z innymi skarbami pięciu pokoleń miałam widzieć w kufrze nazywanym kufrem Cateriny, nim nadeszła straszna noc 1944 roku. Lecz kiedy kolej przyszła na poszwę, dziecko noszone w brzuchu prawie dojrzało do porodu. Dziecko, które dorastało w głowie, dojrzało już całkiem, a marzenie o posiadaniu podręcznika do rachunków zdążyło wyprzeć radość ze zdobycia elementarza. Silna i pewna ręka Cateriny bezbłędnie stawiała litery, które wyraźnie jak rylcem napisała pod wiankiem z kłosów. I sto pięćdziesiąt osiem lat później czytałam z drżeniem: „Ja jestem Caterina Zani. Jestem chłopką i żoną chłopa, który nazywa się Carlo Fallaci. W siedem miesięcy nauczyłam się czytać i pisać i niedługo nauczę się również liczb, żeby rachować. San Eufrosino di Sopra, dnia ósmego kwietnia tysiąc siedemset osiemdziesiątego szóstego".

11

Skurcze zaczęły się 9 kwietnia o świcie i przyjęła je z gotowością żołnierza, który idzie na krwawą bitwę. Wypytując akuszerkę z Montalcinello o to, co się robi i czego się nie robi, żeby uniknąć ciąży, była bowiem na tyle przezorna, by spytać również, co się robi, jeśli dziecko urodzi się mimo wszystko. Akuszerka powiedziała, co trzeba, więc zamiast tracić czas na lamenty i postękiwania, Caterina zabrała się do działania zgodnie z otrzymanymi instrukcjami. Rozłożyła na podłodze sypialni warstwę liści kukurydzy, przykryła pobazgranymi przez siebie ręcznikami, następnie czystym prześcieradłem, wyciągnęła nożyczki do przecięcia pępowiny oraz miski i inne rzeczy, które miały się okazać potrzebne, wreszcie zaczęła chodzić tam i z powrotem, żeby przyspieszyć przebieg bitwy. Carlo, ma się rozumieć, chciał prosić o pomoc żonę dzierżawcy, który na rzecz majętnego Girolama Civilego uprawiał San Eufrosino di Sotto, a ta, zgodnie ze zwyczajem, już dawno obiecała, że przyjdzie. „Nie martwcie się, już ja się tym zajmę".

Lecz Caterina wiedziała o przykrości, jaką stronnicy Cecionesiego wyrządzili rodzinie tamtego lata, kiedy nie przyszli na żniwa, przez co Apollonia na próżno zabiła cztery kury i cztery króliki, upiekła mnóstwo chleba i otworzyła wiele butelek wina — więc zabroniła mu prosić.

— Nikogo mi nie potrzeba, tym bardziej chamki, która tak was potraktowała. Zadbajcie raczej o to, żeby płomień palił się w kominku, a woda była ciepła w kociołku, bo trzeba będzie jej dużo.

Liczyła na szybki poród, choć była przygotowana i na to, że pierwsze dziecko rodzi się najdłużej. Ciąża przebiegła znakomicie i Caterina przez dumę odrzucała myśl, że na poród będzie musiała poświęcić tyle samo czasu, co inne kobiety. Cierpiała jednak do nocy, a kiedy nadeszły skurcze porodowe, powiedziała do przerażonego Carla:

— Jestem gotowa. Przynieście mi kociołek z ciepłą wodą, a potem idźcie do waszego świętego. To są sprawy kobiece, wy będziecie mi tylko przeszkadzać.

Po czym, pozostając sam na sam z ciepłą wodą i swoim stoickim spokojem, stanęła na warstwie kukurydzianych liści pokrytych ręcznikami i prześcieradłem. Przycupnęła w ten sposób, by móc chwycić dziecko za głowę i pomóc mu wyjść. Urodziła bez słabości i krzyku. Nic więc dziwnego, że jedynym dźwiękiem, jaki Carlo usłyszał w oratorium, gdzie wyczekiwał niezdolny nawet odmawiać *Zdrowaś Mario*, był pełen strachu, a zarazem triumfalny krzyk, z jakim przychodzimy na świat. Kiedy popędził do Cateriny, ona zdążyła już przeciąć pępowinę. Uprzątnęła liście kukurydzy, brudne płótna, łożysko, i klęcząc przy kociołku kąpała dorodną dziewczynkę.

— Udała się. I w dużej części to wasza zasługa — wymamrotała, zanim padła wyczerpana na łóżko. — Do tego, by mieć dobre zboże, nie wystarczy siać o pełni księżyca. Potrzeba dobrego nasienia. A ja wybrałam dobre nasienie.

Rzeczywiście, dorodna dziewczynka była do niego podobna jak ziarno pszenicy podobne jest do innego ziarna pszenicy. Takie same błękitne oczy, takie same łagodne rysy, taki sam zamyślony wyraz twarzy. Pod każdym względem była dzieckiem miłości, która łączyła już tę szorstką i wyjątkową kobietę z tym mężczyzną łagodnym i przeciętnym, poślubionym tylko z rozsądku i trochę z sympatii, i nawet przez chwilę Carlo nie żałował, że nie urodził się chłopiec. A na tych wzgórzach każdy inny ojciec uznałby to za wydarzenie na granicy porażki albo nieszczęścia.

* * *

Nadali jej imię Teresa. Imię, które kiedyś musiało należeć do innej kobiety z rodu Zani, żyjącej w czci dla Ildebrandy. Chrzest odbył się w kościele parafialnym San Leolino, więc przy tej okazji Caterina poznała don Luzziego. Żeby sprawić przyjemność Carlowi, uzgodniła nawet z księdzem coś w rodzaju *modus vivendi*, który respektowała do dnia, kiedy, pod pretekstem ocalenia Madonny Giotta przed grabieżą Napoleona i ukrycia w bezpiecznym miejscu, don Luzzi ją sobie przywłaszczył.

— Cóż, ja przyszłam do was, więc teraz wypada, żebyście wy kiedyś przyszli do mnie. Jeśli raz na jakiś czas pofatygujecie się, żeby odprawić mszę w oratorium, wezmę w niej udział razem z moim mężem — powiedziała, udając, że nie wie o żałosnym zdaniu kobietom-na-nic-zda-się-czytać-i-pisać, jakim odrzucił prośbę o wypożyczenie elementarza. Carlo natomiast, dobrze pamiętając, jak don Luzzi skompromitował się, nazywając go szaleńcem, człowiekiem nieodpowiedzialnym i głupkiem, a o duszy Cateriny wypowiadając się, że jest nieczysta, potraktował go bardzo chłodno — co można było uznać za kolejny dowód na porozumienie, jakie nawiązało się pomiędzy heretyczką i dewotem.

— A więc będziecie mile widziani — dodał. — Lecz nie zapominajcie, że teraz obydwoje posługujemy się piórem.

Po chrzcie nadeszły błogie miesiące. Teresa ssała, ile trzeba, spała, kiedy była pora na sen, płakała mało, nie chorowała nigdy, a Caterina była z niej tak dumna, że przestała już myśleć o nauce rachunków. Nie narzekała nawet, że nie może się poświęcić edukacji — radości bazgrania na ślubnej wyprawie czy wertowania którejś z jedenastu książek, co byłaby już w stanie robić, lecz brakowało na to czasu. Raz spróbowała. Wróciła do swojego pokoju, do którego po porodzie nie zajrzała ani razu, i wzięła tom *Boskiej komedii*. *Piekło*, bo *Czyściec* i *Raj* budziły jej podejrzliwość. Szybko przeczytała trzy wersy, które wydały jej się wspaniałe:

W życia wędrówce, na połowie czasu,
Straciwszy z oczu szlak niemylnej drogi,
W głębi ciemnego znalazłem się lasu*.

I najchętniej by czytała bez końca. Lecz przy czwartej linijce przypomniała sobie, że trzeba nakarmić Teresę, więc odłożyła książkę.

---

* Fragmenty *Boskiej komedii* Dantego Alighieri w przekładzie Edwarda Porębowicza.

— Trudno. Ona przeczyta ją za mnie.

Co do Carla, to czuł się jak Adam w ogrodzie Edenu, a dziękując Niebu, sam przed sobą wymieniał powody do szczęścia. Gospodarstwo dobrze funkcjonowało, dawało pieniądze, które wystarczały zarówno na spłatę półrocznych rat, jak również na zakup ziarna. Na przyszły rok będą mogli kupić też osła. Gaetano wydawał się zadowolony — ciągle powtarzał jak-to-miło--mieszkać-w-czystym-domu i przyjmował ze zwykłą sobie dobrocią fakt, że stoi trochę na uboczu. Caterina nie zrzędziła już z powodu byle głupstwa i kiedy don Luzzi wreszcie przyszedł, by odprawić mszę w oratorium, naprawdę wzięła w niej udział, siedząc przy Carlu, z chustą na pięknych miedzianych włosach, jak tego wymagał ksiądz. A to cudowne stworzenie, które było do jej męża podobne jak ziarno pszenicy podobne jest do innego ziarna pszenicy, dopełniało szczęścia tak wyczekiwanego w latach, kiedy Pieśń nad Pieśniami pomagała Carlowi zrozumieć własną samotność. Lecz około połowy września, kiedy Teresa miała już pięć miesięcy i zaczął wyrzynać jej się pierwszy ząb, zaszło słońce nad ogrodem Edenu.

Nagle, któregoś wieczoru, dziewczynka zaczęła się zanosić od płaczu. Ona, która prawie nigdy nie płakała, a jeśli była głodna, wydawała z siebie dwa–trzy wesołe okrzyki. Caterina natychmiast więc przystawiła ją sobie do piersi, a ta, zamiast ssać, odwróciła główkę. Znów zaniosła się płaczem.

— Pewnie boli ją brzuszek — powiedział optymistycznie Carlo. Potem rozpalił ogień i położył jej na brzuszku ciepłą szmatkę. Na nic się to zdało i jej płacz przez całą noc ranił im uszy. Ustał dopiero o świcie, tylko po to, by zmienić się w coś, co wydało im się głębokim kaszlem, potem już tylko było bezsilnym łkaniem. To kazało im tęsknić za wcześniejszymi wrzaskami.

— Pewnie się przeziębiła — powiedział Carlo z tym samym optymizmem, co przedtem. Lecz Caterina potrząsnęła głową, już wydana na pastwę dręczących podejrzeń. Poprzedniego wieczoru, patrząc, jak córka płacze z otwartymi ustami, zobaczyła jej gardło — czerwone jak dojrzały pomidor, z opuchniętymi, szarawymi migdałkami. Teraz opuchnięty był również język, obrzmiała szyja, a twarzyczka była ciepła. Ciałko spocone. Wszystkie symptomy ostrego zapalenia. Lecz jakiego? I w jaki sposób je leczyć? Tłumacząc, co się robi, kiedy dzieci rodzą się mimo wszystko, akuszerka z Montalcinello nie powiedziała jej, jak się rozpoznaje symptomy, kiedy przychodzi choroba. I jak się ją leczy. Sama wiedziała tyle, że ból gardła nazywa się anginą i trzeba wezwać felczera. Poprosiła Gaetana, żeby po niego poszedł, ale felczer pojechał już do rodzącej krowy do Greve, więc Gaetano zdołał sprowadzić go dopiero po południu. Tymczasem gorączka straszliwie wzrosła, bezsilne łkanie stało się ciężkim sykiem, a gardło było tak zatkane, że powietrze ledwie przez nie przechodziło.

— Tak, to angina — zawyrokował, kiedy tylko umył porządnie ręce, jeszcze brudne od krowiej krwi. — I nie wiem, co na to poradzić. Gdyby była dorosła, zaleciłbym lewatywę albo pijawki. To zawsze działa. Ale u takiego brzdąca to wykluczone. Spróbujcie smarować jej szyję rozgrzaną oliwą lub osoloną wodą i wezwijcie doktora.

Doktor przebywał w Raddzie. Od śmierci Luki, czyli od trzynastu już lat, nic się nie zmieniło. Żeby go znaleźć, potrzeba było całego dnia, drugie tyle, by go sprowadzić, i choć ręce miał czyste, ignorancją przewyższał felczera. On też posługiwał się lewatywą i pijawkami. Jeśli z nich rezygnował, to tylko na rzecz okładów z suszonych fig i otrąb lub smarowideł na bazie soku z jeżyn i byczej żółci. W wyjątkowych przypadkach na rzecz skalpela, którego jednak nie dezynfekował. Wypowiadając słowo, którego Carlo i Caterina nie słyszeli dotychczas nigdy — dyfteryt — powiedział, że na poprawę oddychania mógłby naciąć języczek i szyję. Lecz Caterina sprzeciwiła się wrzaskiem, więc ustąpił na rzecz okładu na bazie suszonych fig i otrąb, potem smarowidła z soku jeżynowego i byczej żółci.

— Módlcie się — wymamrotał i poszedł.

Agonia trwała kolejne trzy dni. Dni, podczas których Carlo przez cały czas się modlił, a Caterina ocierała się o szaleństwo. W pewnej chwili, kiedy on się modlił, uprosiła Gaetana, by poszedł do studni świętego Eufrozyna i przyniósł gąsior wody, która pomagała wołom i kobietom ciężarnym, a której w ciąży nie użyła ani razu.

— Błagam, Gaetano, w te pędy! Jeżeli pomaga ciężarnym, pomaga również ich dzieciom!

Gaetano posłuchał, a ona próbowała wlać kilka kropel w usta Teresy.

— Pij, moja maleńka, pij! To święta woda, woda, co czyni cuda!

Ale Teresa nie piła. Już nie chciała jeść. Żeby pić, ssać, połykać, trzeba oddychać. Trzeba, żeby krtań była otwarta. I na próżno Caterina wyciskała sobie pierś, na próżno zbierała na łyżkę krople własnego mleka i wlewała maleńkiej do buzi. Pij-moja-kochana-pij. Zamiast spływać do przełyku, krople zostawały jej w ustach, i w każdej chwili mogła się nimi zakrztusić. Już nawet nie płakała. Również do płaczu potrzeba oddechu i otwartej krtani. Cicha i nieruchoma, jak szmaciana lalka, wpatrywała się w zapłakaną i zrozpaczoną kobietę, i jedynie żywe pozostały jej oczy. Lecz u schyłku trzeciego dnia zamknęła je. Syk stawał się coraz rzadszy, siniała, prawie przestała oddychać, a Caterina do reszty straciła głowę. Przytulając dziewczynkę do serca, rzuciła się w dół po schodach, wybiegła z domu, przebiegła przez pole okolone cyprysami, wdarła się do oratorium, gdzie Carlo nie przestawał się modlić, i rzuciła się na kolana przed Madonną Giotta. Zaczęła wykrzykiwać w jej kierunku nieskładne zdania. To prosiła o przebaczenie grzechów, to wyrażała skruchę, że obraziła Kościół i broniła Ildebrandy, która naprawdę była czarownicą i dobrze zrobili, że ją spalili na stosie. I jeśli Bóg jej nie ukarze, nie zabierze jej Teresy, stanie się dobrą chrześcijanką. Będzie uczestniczyła we wszystkich mszach, w których trzeba uczestniczyć, odmówi wszystkie modlitwy, które trzeba odmówić, będzie przestrzegać wszystkich postów, których trzeba przestrzegać, i będzie nosiła włosiennicę, i będzie się również biczować. Następnie wstała, i wciąż przyciskając do serca Teresę, która przestała wydobywać z siebie ten syk, odpychając Carla, który mówił do niej coś, czego nie dało się pojąć, rzuciła się do stóp popiersia Eufrozyna. Powtórzyła przed nim to samo, co wykrzyczała Madonnie Giotta. Dwa razy, trzy razy, pięć razy, aż Carlo przemówił tak, że dało się wreszcie zrozumieć. „Ona umarła. Chodźcie, Caterino. Zanieśmy ją do domu".

12

W tamtych czasach śmierć dziecka nie była zjawiskiem rzadkim. Dzieci umierało dużo. Przede wszystkim na wsi, przeważnie noworodki. Brak szpitali, lekarzy, odpowiednich warunków higienicznych, fakt, że kobiety często rodziły same lub przy pomocy przypadkowej akuszerki, zabijał je tak, jak susza i zaniedbanie zabijają młody pęd, który kiełkuje pomiędzy grudami. Było wielce prawdopodobne, że dzieci, które nie umarły zaraz po porodzie, mogły umrzeć w pierwszym roku życia, dziesiątkowane przez zapalenie płuc, atakujące zimą w wymrożonych domach, przez epidemie, latem wybuchające z powodu brudnej wody w zapuszczonych studniach, przez różne choroby, na które nie było rady, tak że nawet doktor leczył pijawkami i lewatywą lub okładami z otrębów i suchych fig, z soku z jeżyn i byczej żółci. I nikt się tym nie oburzał. Nikt nie tracił głowy przez śmierć dziecka, w tym rzecz. „Umarło? Trudno, urodzi się drugie". Albo: „Cóż robić. Następnym razem pójdzie lepiej".

Lecz Caterina straciła głowę. I nie tylko w chwili, gdy zorientowawszy się, że Teresa przestała oddychać, pobiegła do oratorium, żeby wyrzec się Ildebrandy i błagać Madonnę Giotta, a potem świętego Eufrozyna, lecz w te dni, tygodnie i miesiące, które nadeszły później. Jej szaleństwo trwało cały rok. Szaleństwo spokojne, milczące, w które popadła po złożeniu Teresy w Mogile Aniołków. Z początku objawiło się odmową jedzenia i mówienia. Następnie zupełną zmianą zwyczajów i osobowości. Stanem całkowitej bezczynności, totalną apatią umysłu i ciała. Zapomniawszy o miłości do Carla, jaką w sobie odkryła, nie spała już z nim w jednym łóżku. Urządziła sobie posłanie na legowisku w swoim pokoju i kładła się tam co wieczór. „W ten sposób unikniemy kolejnych przykrości".

Prysła jej duma, że nauczyła się czytać i pisać, i nie czytała już, nie pisała. Nawet nie widziała zapasów piór ani jedenastu książek, które stały jej przed oczami. Wygasła niepohamowana energia, która zawsze ją wyróżniała, od świtu do zmierzchu siedziała przy kominku i ze splecionymi dłońmi wpatrywała się w ogień, jak gdyby i sama chciała umrzeć. Nigdy nie wychodziła w pole, nie dbała o bydło, nie gotowała, nie prała, nie sprzątała, i w trzy miesiące w domu zapanował taki chlew, że w połowie grudnia Gaetano powiedział: „Trzeba, żebym ja się ożenił". Następnie stawił się przed don Luzzim, poprosił, żeby ten znalazł mu żonę, i don Luzzi znalazł mu ją natychmiast. W Chiocchio, wiosce przy drodze do Imprunety.

Nazywała się Viola Calosi i była franciszkańską tercjarką, analfabetką, lecz w randze Matki Wizytatorki. Nosiła wyłącznie ubrania szare i wyblakłe jak jej twarz, miała wygląd pokorny i nieufny jak króliczka w klatce, i w Boże Narodzenie miała skończyć trzydzieści lat. Szczegół ten nie bardzo spodobał się Gaetanowi, przywykłemu już do młodości i uroku bratowej. Ale don Luzzi odparł, że Viola Calosi owszem, kończyła trzydzieści lat, lecz on sam zbliżał się do czterdziestki, czyli był starym kawalerem w tym samym stopniu, co ona starą panną. Że jako kandydat na męża nie mógł się znów pochwalić tak wielkim dorobkiem i Bogu dziękować, jeśli w łóżku będzie wiedział, od której strony się zabrać do dzieła, i dodał, że stara czy nie, szpetna czy nie, wszak miała dwie ręce do roboty i brzuch do noszenia dziecka. Tym uciął wszelkie wątpliwości oraz sprzeciwy i 31 grudnia 1786 roku wyprawiono ślub. Bez rozgłosu, zważywszy niezbędny pośpiech i znikomy entuzjazm męża, bez udziału Cateriny, która na tę okoliczność nawet nie wstała z krzesła przy kominku. „Nie, ja nie pójdę. Co mi do tego".

Z tego samego krzesła nie podniosła się nawet wtedy, gdy Viola urządziła się w dwóch izbach od zachodu i biorąc się za mycie, szorowanie, czyszczenie, doglądanie bydła, przejęła też w domu rządy. „Róbcie, jak uważacie..." Ani wtedy, gdy Viola jako dobra tercjarka przywróciła na dawne miejsca krucyfiksy zdjęte półtora roku temu i przykryte starym prześcieradłem. „Jeśli wam tak zależy..." Lub kiedy w styczniu obwieściła, że jest w ciąży, chwała-Panu-Bogu-że-nie-zważa-na-lata, i zaczęła obnosić się z brzuchem, który wkrótce przybrał monstrualne rozmiary. „Wasze szczęście..."

Mijały miesiące, nic nie zapowiadało końca letargu, w którym Caterina pogrążyła się ze swoim dzikim cierpieniem, i Carlo nie wiedział już, do którego świętego modlić się o pomoc. Często, po kryjomu przed światem, płakała. Lecz w dniu, w którym, przy pomocy robotnicy, w Eufrosino di Sotto urodziły się bliźniaczki i — co jak zwykle nie zdziwiło nikogo — umarły w pięć minut, letarg prysł. Po egzekwiach bowiem nad Mogiłą Aniołków Viola wypowiedziała zdanie „Cóż robić, następnym razem pójdzie lepiej". I wtedy jakby porażona, Caterina wstała z krzesła. Podeszła do Violi i potężnie uderzyła ją w twarz. Następnie, w obecności Gaetana, który nie kiwnął palcem, żeby ją powstrzymać, rzygnęła na nią całą litanią wyzwisk, które nawet woźnicę przyprawiłyby o rumieniec:

— Cichawoda, świętolizka, księżojebka, mniszkodajka, wam nigdy już lepiej nie pójdzie, jesteście trupem i trupem zawsze będziecie!

I odzyskała dawną werwę. Do tego stopnia, że wieczorem usunęła legowisko z pokoju i jasno wyłożywszy swe racje, znów zaczęła spać z Carlem w jednym łóżku.

— Karty na stół! Carlo, czy wy mnie jeszcze chcecie?

— Ach, Caterino! — westchnął Carlo, dla którego ten rok wstrzemięźliwości był trudniejszy od samotnego życia, jakie wiódł, zanim ją poznał.

— Dobrze. I ja was chcę, więc od dzisiaj znów będę z wami spała. Ale pod jednym warunkiem.

— Jakim, Caterino?

— Że nie zajdę w ciążę.

— Zgoda, Caterino.

Nazajutrz posunęła się jeszcze dalej. Złapała krzesło, na którym przez dwanaście miesięcy trawiła swoje spokojne szaleństwo, i zawołała Violę — przestraszoną, z policzkiem opuchniętym od uderzenia. I zrzuciła ją z tronu, wraz ze znienawidzonymi krucyfiksami.

— Widzicie to?

— Tak...

— Wiecie, do czego służy?

— Do siedzenia...

— Nie, moja pani. Do tego, by prać po grzbiecie faryzeuszki cwane i bez serca. Kto wam pozwolił powiesić te symbole cierpienia i śmierci?

— Wy... Powiedziałyście: „jeśli wam zależy"...

— To, co wygadywałam, kiedy byłam chora i chciałam umrzeć, się nie liczy. Zdejmujcie mi to natychmiast, bo pewnych rzeczy ja tutaj nie chcę. Może nie wiecie?

— Tak, ale...

— Żadne tam ale! Ja byłam tu pierwsza i ja tutaj rządzę, jasne? Ja rządzę, a wy słuchacie, rozumiemy się?

Po swojemu wzięła rodzinę w cugle. I przez dwa kolejne lata poprzedzające rewolucję francuską, podczas których została uchwalona konstytucja amerykańska i wydarzyły się inne głośne rzeczy, dosłownie przeszła samą siebie. Na początek kupiła podręcznik rachunków. Przyniósł go szewc, ten sam, co poprzednio, razem z ryzą papieru, która uratowała inne poszwy z wyprawy, za łącznie sześć skudów. Czyli o jednego skuda mniej, niż kosztował ją elementarz. I tak wyposażona, tym razem już samodzielnie, Caterina podjęła naukę liczenia. Przedsięwzięcie ułatwiał jej fakt, że cyfry już znała, a dzięki sprzedaży jajek tuzinami liczyła już całkiem dobrze, do sześćdziesięciu. Marnując niewiele kartek, nauczyła się rachować na piśmie i w niespełna miesiąc przeszła do tabliczki mnożenia. Nauką zamęczała wszystkich, ponieważ, pracując w domu lub w polu, powtarzała głośno działania: „Jeden razy jeden równa się jeden... Dwa razy dwa równa się cztery... Trzy razy trzy równa się dziewięć...". Całymi godzinami. I biada, jeśli ktoś przerwał. Któregoś razu Viola spróbowała i tylko cudem krzesło nie spadło na jej grzbiet: „Powinnyście mi być wdzięczna, bo dzięki mnie możecie się czegoś nauczyć. Ciemna analfabetka!".

Kiedy nauczyła się już tabliczki mnożenia (którą w listopadzie potrafiła klepać do dziesięć-razy-dziesięć-równa-się-sto), przeszła do dodawania, odejmowania, dzielenia. Ten trud zabrał jej czas aż do lata, ponieważ mechanizm dzielenia okazał się dla niej trudny, i wpadła w sidła ilorazów: „To za trudne, nie dam rady!".

Nie zrezygnowała jednak i kiedy nadeszły zbiory, o arytmetyce miała co najmniej takie pojęcie, jakie ma w naszych czasach dziecko po pięciu latach nauki w szkole. Umiejętność ta okazała się bardzo przydatna w liczeniu zbiorów i nasion, w szacunku strat i zysków, w bilansie wciąż zagrożonym przez nieuchronne półroczne raty, czyli w administrowaniu gospodarstwem, powierzonym dotychczas Carlowi, który w rachunkach nie celował. Nie przez przypadek pokój Cateriny zmienił się w coś w rodzaju kantoru, który prowadziła jak buchalter, sąsiedzi zaczęli nazywać ją profesorką, i każdy, kto musiał prosić o pomoc lub radę, szedł do niej. Na przykład dzierżawca z San Eufrosino di Sotto, któremu już wybaczyła i którego wykorzystywali w swym gospodarstwie do drobnych robót.

— Chciałbym sprzedać osiem garnców fasoli, profesorko. Po dwa liry i dwanaście soldów za garniec, ile wezmę za to wszystko razem?

Równocześnie Caterina pogrążyła się w lekturze jedenastu książek, których po narodzinach i śmierci Teresy oraz przez rok szaleństwa nawet nie ruszyła. Pierwszą, po jaką sięgnęła, była *Boska komedia* — odłożona, jak już wiemy, podczas karmienia przy wersie „W głębi ciemnego znalazłem się lasu". Przeczytała *Piekło*, które bardzo jej się spodobało, a czytanie zajęło jej tylko dwa tygodnie. *Czyściec*, który polubiła mniej, przeczytała w trzy tygodnie. *Raj*, który polubiła tak sobie, w pięć. Następnie zabrała się za *Orlanda Szalonego*, który ją oczarował, za *Jerozolimę wyzwoloną*, którą przeczytała dość obojętnie, za *Dekamerona*, który ją olśnił. Lecz jeśli nawet któraś książka uwodziła ją słabiej, to i tak przyjemność, jaką czerpała z czytania, była niezmierna, i w pewnej chwili postanowiła podzielić się lekturą z innymi. Idąc za obyczajem, często praktykowanym jeszcze wówczas w Toskanii, zainaugurowała cykl posiedzeń, podczas których czytała wszystkim. Zwłaszcza wybrane pieśni *Piekła*, ze szczególnym nabożeństwem dla pieśni o Paolu i Francesce.

Raz dla zabawy czytaliśmy boje,
Gdzie wpadł Lancelot w miłosne więzienie;
Byliśmy sami, bezpieczni oboje.
Czasem nad księgą zbiegło się spojrzenie
I zdejmowało z lic barwy rumiane
Ale nas zmogło jedno okamgnienie.
Kiedyśmy doszli, gdzie usta kochane
Rycerz całował w nieowładnej chęci,
On, z którym nigdy już się nie rozstanę,
Drżący do ust mych przywarł bez pamięci.

I wszyscy się przy tym wzruszali. Jedyną, która nie doceniała tych posiedzeń i tego fragmentu, była Viola. Nie zapominając, iż jest Matką Wizytatorką, pewnego ranka zdobyła się na odwagę i wygarnęła, co miała na myśli.

— Zakon franciszkańskich tercjarzy — oznajmiła — zakazywał zgromadzeń, na których się nie modlono, czyli zebrań błahych i nieprzyzwoitych. Zakazywał również posiadania występnych książek i lektur, które przynoszą uszczerbek na cnocie, a opowieść tej Franceski była gorsząca.

Lecz w odpowiedzi tak oberwała krzesłem po głowie, że całymi godzinami leciała jej krew z nosa i nawet Gaetano się zbuntował:

— Tym razem przesadziłaście, Caterino, bo żony nie możecie mi bić.

Był to protest, na który zareagowała wzruszeniem ramion i rewolucyjnym pomysłem, by nauczyć się na pamięć ulubionych fragmentów i recytować je w polu, podczas zbiorów i winobrania. „Płeć białą, bohatyry, wojny i miłości…" Albo: „Zważcie plemienia waszego przymioty; / Nie przeznaczono wam żyć jak zwierzęta, / Lecz poszukiwać i wiedzy, i cnoty…". Musiała dobrze się wydzierać, żeby słyszano ją przy ostatnich rzędach. Lecz fortel ten rozwiązał problem siły roboczej i sprawił, że rodzina zaczęła przeżywać wspólne chwile w formach dotychczas nieznanych. A z czasem została znachorką, biegłą w zielarstwie i wyspecjalizowaną w diagnozowaniu chorób. Był to być może najbardziej oryginalny przejaw jej geniuszu.

Choć Caterina powróciła do życia, to przecież nigdy nie wykreśliła z pamięci agonii Teresy i cierpień, jakich doświadczyła z winy najpierw felczera, który znał się tylko na leczeniu krów, potem z winy ofermy, który umiał jedynie przystawiać pijawki, stosować lewatywę albo okłady — a wszystko pozbawione jakiejkolwiek naukowej podstawy. I poprzysięgła sobie, że taka tragedia nigdy się już nie powtórzy. Po przeczytaniu jedenastej książki, zaczęła więc czekać, że deszcz znów sprowadzi do ich domu szewca. Tym razem powierzyła mu zadanie, by znalazł najlepszy podręcznik medycyny, jaki był dostępny na rynku, i za gigantyczną cenę ośmiu skudów, sześciu lirów i trzech soldów zakupiła tom zatytułowany *Dzieło Chirurgiczne Anatomiczne uwzględniające ruch krążenia krwi i inne odkrycia najnowsze. Z dodatkiem* Traktatu o Dżumie *i różnymi uwagami Paola Barbette, francuskiego doktora i praktyka słynnego w Amsterdamie*. Wydany w 1650 roku po flamandzku, przetłumaczony w 1729 na łacinę, a z łaciny na język włoski, co znaczy, iż był bardzo stary i wielokrotnie przerabiany, nie mógł więc być z pewnością uznany za najlepszy tekst medyczny, jaki istniał na rynku. Pisany był jednak językiem przystępnym, zawierał dość dokładną diagnostykę, jak również nadzwyczajny zbiór recept na bazie ziół, tylko w niektórych przypadkach zmieszanych ze zwykłymi świństwami. Rzuciła się więc na głęboką wodę, rozpoczynając od rozdziału, który Barbette nazwał „Studium o narośli w gardle, przeszkadzającej łykać i oddychać". Po dokładnym prześledzeniu symptomów, pogrążyła się w receptach, a pierwsza, jaką udało się jej zrealizować, tworzyła specyfik do zastosowania przy początkowych objawach choroby. Syrop przygotowała z bluszczu, korzenia prawoślazu, liści malwy, kwiatów kopru i rumianku, maku i soku z granatu, wszystko to gotowane w wodzie z jęczmienia. Żeby upewnić się, że napój nie szkodzi, zastosowała na sobie, przyprawiając się najpierw przy pomocy pieprzu o silne pieczenie gardła. Drugą, raczej dyskusyjną, receptę należało zrealizować w przypadku, gdyby nie zadziałał syrop. Okład z gorczycy, siemienia lnianego, słupków białych lilii, oleju z orzechów i migdałów, gołębich odchodów, jaskółczych gniazd, cebuli pieczonej w gorącym popiele, a wszystko zmieszane z uncją wina i przepuszczone przez sito, co wypróbowała na Carlu, szczęśliwym trafem cierpiącym właśnie na ostre zapalenie migdałków i przywykłym już do tego, że niczemu nie powinien się dziwić. Okład też nie zaszkodził i od tego dnia nikt już jej nie mógł powstrzymać.

Podniecona tym, że w Panzano i okolicach zawsze był jakiś chory skłonny poddać się eksperymentom profesorki, od bólu gardła przeszła do kaszlu — przypadłości, którą zwalczała naparem z pokrzywy, mięty, szałwii, rozmarynu, szyszek jałowca i soku szydlicy. Od kaszlu do bólu ucha — nieszczęścia, które leczyła smarowidłem na bazie mleka gotowanego z czosnkiem, białkiem, kaczym tłuszczem i porami miażdżonymi w winie. Od bólu uszu do bólu głowy, potem żołądka i brzucha, rozdając lekarstwa, które owszem, niekiedy zawierały składniki o przerażających nazwach, jak gołębie odchody czy jaskółcze gniazda, lecz były w nich równocześnie substancje, którymi posługuje się farmakologia. Korzenie, liście, płatki, nasiona, słupki roślin. Bądź co bądź, na ziołach i kwiatach się znała. Jedenasta książka, czyli *Podręcznik Doskonałego Rolnika*, w tym zakresie dobrze ją wykształciła. Na łąkach i w lasach znajdowała wszystkie potrzebne rośliny, co w pewnej chwili pozwoliło jej przekształcić nową pasję w handel nie mniej dochodowy od reform, które swego czasu sprzedawała na targu w Rosii. A że składniki w gruncie rzeczy były te same, przy okazji mogła wymyślać również preparaty piękności, które wraz z lekarstwami sprzedawała co sobotę w Greve, gdzie prowadziła stragan z tabliczką „Apteka Cateriny" i gdzie wielkie triumfy święciły trzy jej mieszanki, niepozbawione pewnej skuteczności: „Ładna buzia", „Zdrowe ręce" i „Dobra woda". Ta pierwsza, balsam do ochrony skóry twarzy, powstała na bazie tłuczonych goździków, pączków czarnego bzu, kiełków lawendy, ubitych białek, ałunu, białego wina i żelatyny z cielęcych nóg. Wszystko gotowane na wolnym ogniu i destylowane. Druga, maść na dłonie wysuszone od pracy i zimna, powstała na bazie bobu gniecionego w moździerzu, wysuszonego żółtka, soku z sałaty i ogórka, kwaśnej śmietany i sproszkowanych kasztanów. Trzecią miksturą były perfumy, otrzymane z gotowanych liści majeranku, bazylii, neroli, werbeny, płatków róży, kwiatów jaśminu oraz nasion anyżku i skórki cytryny. Produkt był przefiltrowywany przez lniane płótno i przechowywany przez sześć miesięcy w ciemności, z dołączonym ręcznie napisanym bilecikiem — ten nie odniósł sukcesu, bo prawie nikt go nie potrafił odczytać. „Pamiętajcie, że *Dobra woda* na nic się zda, jeśli co najmniej raz w miesiącu, a jeszcze lepiej raz w tygodniu, nie wykąpiecie się porządnie w miednicy".

Dzięki Barbette'owi gromadziła również wiedzę w dziedzinach odległych od zielarstwa. Sposoby leczenia ran i gipsowania złamanego przegubu lub zwichniętej kostki, na przykład. Sposoby na wyrwanie zęba lub nacięcie narośli. I dieta, która według Barbette'a miała bez wątpienia wpływ na płeć noworodka: pokarm mało solony, mięso i słodycze, jeśli chcesz począć dziewczynkę; posiłki mocno solone, ryby, ser, jeśli chcesz począć chłopca. Informacja, która okazała się cenna w chwili, gdy Caterina postanowiła złamać umowę, jaką zawarła z Carlem i wydać na świat syna, po którym, w ciągu dwudziestu pięciu lat, miało się urodzić jeszcze dziesięcioro dzieci.

13

Wszystko przez Violę, która przy swoim łagodnym i nieufnym wyglądzie królika zamkniętego w klatce, przy całej wstydliwości franciszkańskiej tercjarki i żenującej pokorze, z jaką podstawiała kark pod kolejne uderzenia krzesłem, okazała się godną podziwu przeciwniczką. A wręcz niebezpiecznym wrogiem. I tak, na przekór wiekowi i przykremu finałowi pierwszego porodu, w grudniu 1788 roku Viola wydała na świat (i tym razem przy pomocy wyrobnicy z San Eufrosino di Sotto) wątłego i chorowitego bobasa, któremu nadano imię francuskiego króla — Ludwik. Pochłonięta przez naukę arytmetyki, lekturę *Orlanda Szalonego*, studiowanie *Dzieła Chirurgicznego Anatomicznego*, które dopiero co dostarczył jej szewc, Caterina zareagowała na niespodziankę z obojętnością kogoś, kto nazbyt jest pewny swego, by obawiać się o własną pozycję. „Co mnie to obchodzi, pomyślała, ta Cichawoda nie umie rodzić dzieci zdolnych do przeżycia. Biedne dziecko nie doczeka stycznia 1789 roku". Tymczasem, również dzięki okładom i naparom, które Caterina sama aplikowała mu z nieostrożną hojnością, w styczniu biedny chłopczyk wciąż pozostawał przy życiu. To samo w Wielki Post, a także w Wielkanoc, kiedy to obojętność ustąpiła miejsca zaniepokojeniu, a słowa co-mnie-to-obchodzi zastąpiło wyrażenie no-nie-psia-kość! Mogłaby machnąć ręką, gdyby Luigi był dziewczynką — w Wielkim Księstwie kobiety nie miały prawa dziedziczenia. Ale Luigi był chłopcem, któremu po śmierci Gaetana dostałaby się dzierżawa, więc należało przejść do kontrofensywy. Czyli podjąć dietę Barbette'a i natychmiast urodzić chłopca.

Kontrofensywa rozpoczęła się bitwą o sól, i to niezwykle ciężką, ponieważ sól była droższa od papieru, ponadto Caterina nie lubiła dań bardzo słonych. Mimo to za pieniądze, jakie otrzymała ze sprzedaży środków kosmetycznych, kupiła jej cały garniec i z właściwą sobie siłą ducha zaczęła pochłaniać potworne ilości. Potem przyszła kolej na bitwę rybną — nie mniej ciężką, bo ryb też nie lubiła, a na toskańskiej wsi nikt się nimi nie odżywiał. Lecz przyglądając się potokom, stwierdziła, że są pełne pstrągów, raz–dwa nauczyła się je łowić, a również jeść. Ser owczy w domu był zawsze, w trzy miesiące była więc gotowa przystąpić do właściwego kontrataku. Do wydarzenia, do którego doszło w połowie lipca, jeśli wierzyć legendzie, dokładnie w dniu zdobycia Bastylii. W tej samej chwili, gdy w Paryżu tłum szturmował królewskie więzienia, wykąpała się porządnie w miednicy, skropiła się „Dobrą wodą", i z zawadiactwem jakobina, który chce zmienić świat, powiedziała do Carla: „Zmieniłam zdanie. Dzisiaj poczniemy dziedzica".

Reszta to już historia. Carlo był bardzo szczęśliwy, gdy 14 kwietnia 1790 roku, na liściach kukurydzy, urodził się ładny i zdrowy chłopiec, któremu nadali imię Domenico, i od tej chwili wojna między dwiema bratowymi, wzajemne zadawanie sobie ciosów, polegała na wydawaniu na świat kolejnych chłopców. Bez wytchnienia, bez litości, przy wtórze innej wojny, która pod imieniem rewolucji francuskiej rozsadzała europejski porządek. Potwierdzają to daty. We wrześniu tego samego roku Viola, która nie była taka głupia i dietę Barbette'a intuicyjnie odkryła rok wcześniej niż Caterina, znów zaszła w ciążę. I pomiędzy 20 a 21 czerwca 1791 roku, czyli tej samej nocy, gdy podczas ucieczki Ludwik XVI i Maria Antonina zostali pojmani w Varennes, urodziła drugiego kruchego i chorowitego synka, który otrzymał imię Antonio. Caterina się wściekła. Zrobiła po raz drugi to, czym uczciła już zdobycie Bastylii, i 10 sierpnia 1792, czyli w dniu ostatecznego ataku na Tuileries, urodziła kolejnego dorodnego syna, który został nazwany Pietro. Na podstępny ten cios Viola odpowiedziała 20 stycznia 1793, czyli na dwadzieścia cztery godziny przed ścięciem Ludwika XVI, trzecim chorowitym synem, jeszcze bardziej wątłym, którego nazwano Giuseppe. I nic to, że 17 października, czyli dwadzieścia cztery godziny po tym, jak ścięto Marię Antoninę, chłopca zabił rachityzm. Tercjarka pogrzebała swoje niepowodzenie, stanęła w zapasy i 28 lipca 1794 — kiedy również głowy Robespierre'a i Saint-Justa wpadły do koszów na chleb — urodziła czwartego syna, w miarę zdrowego, jak się wydawało, któremu dano na imię Silvestro. Na jego pojawienie się Caterina odpowiedziała ślicznym chłopcem o imieniu Eufrozyn, urodzonym 15 maja 1795 roku.

Historyczna data, choć pozornie pozbawiona wagi — dzień przyjścia na świat Eufrozyna. Ponieważ, wycieńczona daremną walką, tego dnia czterdziestoletnia już Viola wywiesiła białą flagę. Zakończyła się wojna, która od siedmiu lat toczyła się w gospodarstwie, i w kolejnych latach Caterina mogła bez zakłóceń „produkować" chłopców, by następnie przejść do rodzenia dziewczynek. I skupić się na wrogu ciekawszym od szwagierki — Napoleonie Bonaparte. Tymczasem skończyła się również wojna znana jako rewolucja francuska. Z głupotą typową dla rodu ludzkiego zwolennicy znaleźli sobie znacznie mniej łagodnego władcę niż ten, którego zabili. I sytuacja zmieniła się również w Chianti. Po śmierci swojego brata, cesarza Austrii, w 1790 roku Piotr Leopold wrócił do Wiednia, żeby przyjąć koronę Habsburgów. Tu zmarł 29 lutego 1792 roku, czyli na rok, siedem miesięcy i szesnaście dni przed swoją siostrą Marią Antoniną, a nad Wielkim Księstwem władzę objął jego syn Ferdynand III — poczciwy człowiek, owszem, lecz pozbawiony umysłu i odwagi ojca. Co gorsze, mianowany dowódcą armii włoskiej. Napoleon nadciągał do Toskanii, żeby zająć Livorno i zajrzeć do Florencji, gdzie Caterina miała go zaatakować 1 lipca 1796 roku.

* * *

Legenda przekazana potomnym wraz z poszwą i skrzynią ma wprawdzie liczne luki, lecz znany jest wzniosły epizod, który potwierdzają wydarzenia historyczne, niepodważalne. W czerwcu 1796 roku dwudziestosiedmioletni Napoleon postanowił zająć Toskanię, a na dobry początek Livorno, które było w tym czasie czymś w rodzaju Hongkongu, miastem otwartym dla wszystkich. I przy całej swojej głupocie Ferdynand III uświadomił to sobie do tego stopnia, że jakoś w połowie miesiąca wysłał do Bolonii, gdzie dowódca armii włoskiej przebywał ze swoim sztabem, trzech komisarzy — księcia Corsiniego, markiza Manfrediniego i pisarza, akademika Lorenza Pignottiego — z misją przekonania wodza do zmiany zamiarów. Jako doświadczony znawca ludzkiej duszy Napoleon przyjął ich bardzo uprzejmie. Powiedział Pignottiemu, że jego własny brat Józef był jego słuchaczem w Pizie oraz ślepo wielbił jego literacką twórczość. Corsiniemu i Manfrediniemu oświadczył, iż poznać ich było dla niego zaszczytem i że nic nie może nadwerężyć dobrych stosunków pomiędzy Toskanią a Francją, następnie zaś odczekał, aż usatysfakcjonowani głupcy odjadą, i na czele dywizji wjechał do Toskanii. 24 czerwca najechał Pistoię, 26 lipca wysłał do Ferdynanda III list, w którym informował, że wskutek wrogich działań, jakich Anglicy dopuścili się przeciw Francuzom mieszkającym w Livorno, dyrektoriat zwrócił się do niego z prośbą, by zajął to miasto, co uczynił 27 lipca. Bez jednego wystrzału, gdyż Anglicy uciekli, a Toskańczycy, nawet gdyby chcieli, nie byliby w stanie przeciwstawić się Francuzom. Prócz kary śmierci i inkwizycji oświecony majestat Piotra Leopolda zniósł wojsko, a wielkiego księcia przed najeźdźcą bronić miało tylko tysiąc ośmiuset źle uzbrojonych piechurów oraz gwardia obywatelska złożona z ochotników, którzy w niedziele wspólnie wyprawiali się polować na bażanty.

Konfiskując, łupiąc i dopuszczając się gwałtów, Napoleon pozostał w Livorno trzy dni. Potem przekazał komendę Joachimowi Muratowi i pod pozorem złożenia hołdu Jego Królewskiej Mości, lecz tak naprawdę chcąc przyjrzeć się dziełom sztuki, które przy pierwszej sposobności zamierzał ukraść, 30 czerwca wieczorem wjechał do Florencji w eskorcie regimentu dragonów. Został przyjęty z takimi samymi honorami, jakie miały zostać oddane Mussoliniemu i Hitlerowi w 1938 roku, co prawnuczka naszej bohaterki miała zobaczyć na własne oczy. Umierając ze strachu, Ferdynand III, bardziej bezradny niż kiedykolwiek, oddał do dyspozycji Korsykanina najładniejszy pałac w Borgo Pinti. W szaleństwie nieostrożności zabrał go na spacer po pałacu oraz ogrodach Boboli i przez całą dobę pokazywał Napoleonowi pałac Uffizi, jak również wszystkie kościoły i muzea, które tamten chciał zwiedzić, czyli poddać inspekcji. Obrazy, rzeźby, mozaiki, kamee, do których przyszły cesarz zapałał namiętnością, oraz wspaniały sarkofag etruski, wraz z przepiękną Wenus Medycejską, po latach miały się znaleźć w Luwrze. Wreszcie wydał wystawny obiad na jego cześć, podczas którego gość powiedział: „Cóż to za szczęście, że korzenie moich przodków tkwią w nadobnej Florencji". Zdaniem tym nawiązywał do faktu, iż w szesnastym wieku rodzina Bonaparte wyemigrowała z Toskanii na Korsykę. (Niektórzy twierdzą, że pochodziła z San Miniato al Tedesco, wioski przy drodze do Pizy, w której mieszkał jeszcze wuj Napoleona, kanonik. Inni, że z Val di Greve, a ściślej z obszaru pomiędzy Greve a San Casciano).

Kłopot w tym, że tego dnia we Florencji przebywała też Caterina. Zdążyła się już mianować kasjerką rodzinnego majątku i zobowiązać, że dwa razy do roku będzie osobiście chodzić do Królewskiego Szpitala Santa Maria Nuova, żeby płacić półroczne raty, wcześniej przekazywane za pośrednictwem don Luzziego. I dzięki „Gazzetta Patria", którą za szesnaście soldów co miesiąc przynosił kurier, o Napoleonie wiedziała więcej, niż było trzeba. Na przykład to, że w imię wolności, równości i braterstwa już wziął był sobie Piemont, Ligurię, Lombardię. Co nie bardzo jej się spodobało. Jak gdyby tego nie dość, kiedy tylko wysiadła z dyliżansu, usłyszała, że 27 czerwca niegodziwiec zajął Livorno i właśnie przebywa we Florencji. To spodobało się jej jeszcze mniej. Ze złością maszerowała więc drogą, którą dwadzieścia trzy lata wcześniej Carlo przeszedł, by stanąć na Piazza della Signoria, i los zechciał, że dotarła na Piazza Pitti dokładnie w chwili, gdy Napoleon wjeżdżał na plac od via Maggio w drodze na wystawny obiad. Zorientowała się, że to on, ponieważ jechał w złoconej karocy Habsburgów-Lotaryńskich, w eskorcie dragonów w zielonych mundurach, miedzianych hełmach z czarnymi pióropuszami, i w butach wysokich do połowy uda. I od razu podeszła, żeby spojrzeć mu w twarz, zastanowić się, czy nie był może jednak wielkim człowiekiem, jak utrzymywali jego zwolennicy. Lecz kiedy zobaczyła znużonego młokosa o wzgardliwym spojrzeniu i nosie wielkim jak dziób, przeczuła to, co i jej prawnuczka, patrząc na dwóch innych mężczyzn w 1938 roku. Wielkie zło, z którego zło zrodzić się miało. Wpadła w furię, i tak, szturmując karocę, wykrzyczała krótki akt oskarżenia, który dotrwał do naszych czasów wraz z poszwą i skrzynią: „Bodajbyś sczezł, ty i dziwka, która cię urodziła! Jakie jeszcze rzeźby chcesz nam ukraść, jakie wojny wytoczyć, ptaku drapieżny?!".

Została natychmiast aresztowana. Ze złej przygody wybroniła się jednak w pół godziny, ponieważ zaczęła wrzeszczeć „jestem w ciąży, a niech tylko który mnie ruszy", a że dowódca żandarmerii był wujem chłopaka z Livorno, trochę więc z litości, a trochę przez solidarność, zakończył sprawę dobroduszną połajanką. Lecz nienawiść do „drapieżnego ptaka" była już tak powszechna, że w 1799 roku miała wybuchnąć i ogarniając również Carla i Gaetana, wciągnąć ich obu w jedyne zbrojne wystąpienie w ich nader pokojowym życiu — w powstanie przeciwko Francuzom.

14

Syn, którego Caterina nosiła w łonie, kiedy krzyczała „jestem w ciąży, a niech tylko który mnie ruszy", miał na imię Donato i był moim prapradziadkiem po mieczu. A urodził się 2 stycznia 1797 roku, roku spokojnym dla San Eufrosino i dla Toskanii. Dla San Eufrosino, ponieważ, jak wiemy, Viola zrezygnowała z wojny na chłopców i przestała już rodzić. Dla Toskanii, ponieważ wiosną Napoleon wycofał wojska z Livorno i podpisał w Leoben rozejm z Austrią, latem oddał się pracy nad tworzeniem Republiki Cisalpińskiej, a jesienią był pochłonięty dwiema innymi sprawkami: traktatem w Campo Formio i zamachem stanu, którego przeprowadzenie 18 fructidora powierzył Pierre'owi Augereau. W tym sensie był spokojny również rok 1798, w którym kampania egipska i cios wymierzony Napoleonowi przez Nelsona pod Abukirem oderwały go od ojczyzny przodków, którzy urodzili się i żyli w Val di Greve lub w San Miniato al Tedesco. A Caterina zaszła w ciążę po raz piąty. Lecz w 1799, kiedy kruchy rozejm z Austrią został zerwany, a Francuzi, podbijając Królestwo Neapolu, zorientowali się, że do marszu z północy na południe Włoch potrzebowali toskańskich dróg, wszystko uległo zmianie. We Florencji pojawiły się plakaty z napisem „Wolność, Równość, Braterstwo", a z plakatami — godło Republiki, na którym znajdował się drzewiec z osadzoną na nim czapką frygijską oraz wiązka rózg połączona z toporem, czyli symbol władzy, który również Mussolini miał przyjąć sto dwadzieścia lat później. I dnia 23 marca nowy dowódca armii włoskiej, generał Scherer, wydał odezwę, która kładła kres wszelkim nadziejom na pokój.

Głuchy na obietnice neutralności, jakimi bojaźliwy i bezradny Ferdynand III próbował zatrzeć swoje pokrewieństwo z cesarzem Austrii, Scherer deklarował w niej bowiem, że Toskania potrzebuje wyzwoleńczego dzieła Francuzów, które zamierzał przeprowadzić generał Gaultier. Z Bolonii generał zapowiedział swoim oddziałom, że zajmą obszary należące do najpiękniejszych we Włoszech, a zatem żołnierze powinni łupić ostrożnie. Oszalały z wdzięczności Ferdynand III zareagował zaś na to, zachęcając swoich poddanych, by szanowali gości i powstrzymywali się od jakichkolwiek gestów, które mogłyby ich zdenerwować. I tak 24 marca, w Wielkanoc, zdarzyło się to, co krótkie wystąpienie Cateriny już zapowiadało. Poprzedzony licznymi regimentami kawalerii, z muszkietami w rękach i równie wieloma regimentami piechoty, z gałązkami oliwnymi szyderczo zatkniętymi za bagnety oraz niekończącym się pochodem artyleryjskich armat na kołach — Gaultier wkroczył do opustoszałego i cichego miasta. Zakwaterował się w Palazzo Riccardi i polecając nieistniejącemu wielkoksiążęcemu wojsku, by złożyło broń, zatknął francuski sztandar na Palazzo Vecchio. Następnie wysłał do Fedynanda III pismo, w którym dyrektoriat żądał jego abdykacji i skłaniał, by opuścił Toskanię w ciągu czterdziestu ośmiu godzin, co ten wykonał bez zmrużenia oka, po czym generał sześćdziesiątką strzelców piechoty i szwadronem konnych otoczył Kartuzję. Aresztował papieża, wysłał go do Parmy, a stamtąd do Delfinatu, by tam umarł w okowach. Na koniec ustanowił kogoś w rodzaju gubernatora, komisarza Reinharda, a ten, zarówno na Piazza Santa Maria Novella, jak i na Piazza della Signoria, natychmiast przemianowanym na plac Narodowy, kazał zasadzić Drzewo Wolności. Drzewo, na ogół buk, które idąc za przykładem amerykańskiej wojny wyzwoleńczej, rewolucjoniści wybrali na symbol Republiki. Reinhard nie omieszkał również zawiadomić obywateli, że przestał obowiązywać dotychczasowy kalendarz i że od tej pory mieli nie liczyć lat i miesięcy tak, jak je zawsze liczyli. Mieli też nie nazywać ich tak, jak zawsze je nazywali, czyli styczniem, lutym, marcem, kwietniem i tak dalej roku 1799, lecz śnieżnym, deszczowym, wietrznym..., czyli *nivôse*, *pluviôse*, *ventôse*, *germinal*, *floréal* i tak dalej roku siódmego. I kiedy opustoszałe i oniemiałe miasto zaczęło się wypełniać szalbierzami, którzy wołali: „Niech żyją Francuzi!", kiedy zwolennicy Napoleona, oportuniści i konformiści, stawali na jego rozkazy, stawali się kolaborantami, komisarz zabrał się za wydawanie edyktów. Tych potwornych edyktów, które zaczynały się zawsze od słów „*Nous voulons*, my chcemy", i przez które Toskańczycy zawsze będą nazywali Francuzów *Nuvolòn* albo Nuwolonami.

Pierwszy edykt Nuwolonów nakazywał bezzwłoczne przekazanie im przez mieszkańców Toskanii zarówno naczyń i kandelabrów ze złota i srebra, jak również najlepszych obrazów i rzeźb, które zdobiły kościoły, oratoria, klasztory i różne święte miejsca. Naczyń i kandelabrów, żeby stopić je we florenckiej mennicy na monety. Obrazów i rzeźb, żeby je posłać do Luwru, gdzie Reinhard wysłał już wspaniały etruski sarkofag oraz malowidła, mozaiki, kamee, które Napoleon zobaczył w dniu, w którym Caterina rzuciła się na jego karetę, krzycząc: „Jakie jeszcze rzeźby chcesz nam ukraść, jakie wojny wytoczyć?". I gdzie od 1796 roku znajdował się Apollo Belwederski, zagrabiony w Rzymie jako wojenne trofeum. Ten sam, za którego po latach miał „wydać" Wenus Medycejską, na razie uratowaną, czyli ukrytą w Palermo.

Edykt rozciągał się na wsie. I tak dotarliśmy tam, dokąd chcieliśmy dotrzeć.

* * *

We wsiach nie doszło do inwazji w tym samym czasie, co we Florencji, więc do San Eufrosino di Sopra wiadomość, że Francuzi okupowali stolicę, nie dotarła od razu. Zwłaszcza że była Wielkanoc, 24 marca, i nawet kurier nie odbył zwyczajowej wyprawy do miasta. Nazajutrz, w drugi dzień świąt, to samo. Zatem przez dwa dni rodzina nie miała o niczym pojęcia. Caterina, choć była w siódmym miesiącu ciąży, bez problemu dawała sobie radę ze wszystkimi zadaniami głowy rodziny. Zaradność to jedyna cecha, która łączyła ją z Napoleonem. W tym czasie Caterina uczyła czytać i pisać czwórkę z siedmiorga dzieci będących owocem „wojny na chłopców": pierworodnego Domenica, już dziewięcioletniego, Pietra, drugiego swojego syna, który miał siedem lat, i ich kuzynów Antonia i Luigiego. Ten ostatni miał już lat jedenaście i był równie słabego zdrowia, co małych zdolności do nauki.

W końcu 26 marca wyprawiony do miasta kurier przywiózł najświeższe wiadomości. Na wieść, że „drapieżny ptak" zajął Florencję, przepędził wielkiego księcia, aresztował papieża, że nad Palazzo Vecchio powiewał francuski sztandar, a zamiast stycznia, lutego, marca i tak dalej trzeba było mówić śnieżny, deszczowy, wietrzny i tak dalej, Caterina wybuchła złowrogim wrzaskiem: „A nie mówiłaaam?!".

Po tygodniu Nuwoloni dotarli do Greve, gdzie posadzili swoje Drzewo Wolności, młody buk ścięty w lasach parafialnych, otworzyli *gendarmerie* i mianowali komisarza prowincji. Został nim bogaty młynarz Giuseppe Civili, wnuk Girolama Civilego, tego, który wziął sobie San Eufrosino di Sotto. Ich zdaniem oddanego jakobina, szczerze wyznającego zasadę „Wolność, Równość, Braterstwo". Według mieszkańców Greve przebrzydłego oportunistę, któremu te trzy słowa były potrzebne tylko do zrobienia kariery. Na wniosek Civilego, do którego zadań należało również wskazywanie zapalnych punktów na podległym mu obszarze, wkroczyli potem do Panzano, gdzie zasadzili inny młody buk i otworzyli kolejną *gendarmerie*. Ulokowali w niej szesnastu wojskowych, w tym czterech konnych, dobrze uzbrojonych, pod rozkazami zarozumiałego sierżanta, który na dobry początek zainstalował się w przeoracie. Stary don Fabbri został zmuszony spać w składziku. Civili szybko podjął drugą decyzję; poszerzył podlegające mu terytorium do gminy Radda, zakreślając tym samym trójkąt, który obejmował i oddawał pod jego kontrolę cały obszar Chianti. Dramat ten

Caterina powitała jeszcze bardziej złowrogim rykiem: „Trzeba waaalczyyyć!".

Nazajutrz zaczęły się podatki i inne nękania, jakie Republika Cisalpińska i byłe państwa papieskie już znały: rekwirowanie mułów, osłów, cieląt, konfiskata mąki, wina, oliwy, warzyw, drobiu. Przeprowadzane niekiedy najokrutniejszymi metodami, ponieważ żołnierze sami musieli starać się o żywność, a kiedy byli głodni, nie tracili czasu na uprzejmości: zwalali się na gospodarstwo i łapali, co tylko im się przydało. Czasami czyniono to lżejszą ręką, a więc za pomocą rozporządzeń spisanych przez Civilego i wywieszanych na placu. Świadczył o tym dokument przechowywany do 1944 roku w skrzyni Cateriny: „Wolność i Równość, w dniu 20 germinala roku Siódmego. Obywatele! Potrzeba nieodwołalnie dwudziestu par kurcząt, dziesięciu gołębi i trzech beczek najlepszego wina do kantyny francuskiego wojska. Przyniesiecie to pod najściślejszą naszą kontrolą do jutra rana. Komisarz Giuseppe Civili, który mówi wam Zdrowie i Braterstwo". Rozporządzenia te doprowadzały ją do wybuchów, w których pobrzmiewała wręcz groźba morderstwa: „Śmierć kolaborantooom!".

Lecz mimo to w San Eufrosino di Sopra nie zdarzyło się nic, co obudziłoby patriotyczną świadomość rodziny na tyle, by doprowadzić do walki z najeźdźcą. Pola, stodoły, piwnice i podwórze nie ucierpiały na grabieżach, rozporządzenia dotyczące żywności nie zostały wykonane, oni nie ponieśli żadnych konsekwencji, Caterina nie straciła nawet jednego jajka. (Szczegół, który zaznaczono na innej kartce przechowywanej w skrzyni, zapisanej tym razem po francusku, prawdopodobnie przez butnego sierżanta w liście do Giuseppe Civilego: *Liberté, Egalité, Fratenité, le premier Floréal de la Septième Année. Vu l'impossibilité de trouver des vivres au-dehors de Panzano, on demanda citoyen commissaire d'intervenir avec son autorité.* Zważywszy niemożność znalezienia żywności poza Panzano, prosi się obywatela komisarza, by interweniował, używając swej władzy"). Lecz kiedy na bramie Santa Maria w Panzano pojawiła się kopia edyktu, który nakazywał zdawać okupantom cenne przedmioty przechowywane w kościołach, oratoriach, w klasztorach i tym podobnych obiektach, wszystko się zmieniło. I tym razem rozległ się wrzask na cztery głosy.

— Madonna Giotta!

— Popiersie świętego Eufrozyna!

— Relikwie!

— Dwa srebrne kandelabry!

Potem głos wyjątkowo zimny i twardy. Głos Carla:

— Po mojemu popiersie i relikwie nic a nic ich nie obchodzą. Po mojemu, prócz kandelabrów, chcą Madonnę.

Po głosie Carla głos Gaetana. Poruszony, ale stanowczy:

— Natychmiast trzeba je ukryć.

Nie było łatwo ukryć Madonnę. Był to obraz na desce, długi na sześć piędzi, a szeroki na cztery, wzmocniony od tyłu żelaznymi prętami, więc nie tylko duży, lecz również ciężki, a dom i oratorium nie gwarantowały odpowiedniego schronienia. Podobnie reszta gospodarstwa. Gdyby Madonnę, dajmy na to, utknęli pod siennik, zostałaby natychmiast odkryta. To samo, gdyby ją zagrzebali w schowku albo w oborze — opowiadając o grabieżach w Raddzie, kurier mówił, że Nuwoloni byli skuteczni w przeszukiwaniu najbardziej wymyślnych schowków. „Znaleźli nawet gąsior z oliwą spuszczony do studni”.

Z drugiej strony, nie można jej było zostawić na ścianie głównego ołtarza — w promieniu stu mil wszyscy wiedzieli, że w San Eufrosino jest Madonna namalowana przez Giotta, a najlepiej wiedział o tym Civili. Doszło więc do gorączkowej debaty i postanowiono, że obraz trzeba powierzyć don Luzziemu. Gaetano poszedł po niego i don Luzzi zjawił się w mgnieniu oka, dziarski i waleczny jak nigdy dotąd. Tak, zapewniał, że zgadzał się z Carlem, a kiedy to mówił, zręcznie złapał dwa srebrne kandelabry. Popiersie świętego Eufrozyna i relikwie nie były narażone na żadne niebezpieczeństwo, bo ci ateiści pewnymi rzeczami w ogóle się nie interesowali. Lecz obraz Giotta by wzięli, nawet jeśli przedstawiał Madonnę, i nikt nie rozumiał tego lepiej niż on, bo w probostwie San Leolino miał inne dzieło sztuki, które musiał ratować, *Zwiastowanie* Ghirlandaia. Niech mu więc ją przyniosą natychmiast. Gdzie i tak miała trafić już jedna Madonna, tam trafią dwie, i dobry Bóg obie uchroni przed chciwością najeźdźcy. I niech nigdy nie pytają pokornego sługi, w jaki sposób i w jakim miejscu obraz ukrył.

— Ale to nigdy, jasne?

Nie spodobało się to Caterinie, która i tak już nabrała podejrzeń na widok gotowości, z jaką niegdysiejszy wróg zajął się srebrnymi kandelabrami. Lecz Carlo i Gaetano odpierali jej wątpliwości, twierdząc, że nieufność do własnego proboszcza to grzech śmiertelny, i zdjąwszy obraz ze ściany, pozostawiając na niej wielką białą plamę, którą nawet ślepiec by zauważył, zanieśli go o zmroku do probostwa San Leolino. A łatwo wcale nie było, ponieważ okolicę o każdej porze dnia i nocy patrolowało czterech konnych Nuwolonów, opłacani przez nich szpiedzy wyrastali co krok, gęściej niż pokrzywy, i żeby nikogo nie spotkać, trzeba było iść lasem, wybierać mało uczęszczane ścieżki, gęste od jeżyn, które przeszkadzały w marszu, nie palić pochodni. Ale się udało. O zmroku przenieśli ciężki i niewygodny bagaż, nie poddając się zmęczeniu i lękowi. A nazajutrz przyszli żandarmi.

— *Réveillez-vous!*, pobudka!, *réveillez-vous!*

Zjawili się o świcie. W dziesięciu, z karetą, do której mieli załadować łup, pod komendą pyszałkowatego sierżanta. Z minami ludzi, którzy dobrze wiedzą, po co przyszli, kazali otworzyć oratorium, wtargnęli, i na widok białej plamy na ścianie wpadli we wściekłość jak rozjuszone byki:

— *Où est la Vierge*, gdzie jest Madonna?, *où est la Vierge?!*

Jak rozjuszone byki rzucili się w wir poszukiwań i w San Eufrosino di Sopra zdarzyło się to, do czego nigdy wcześniej nie doszło. Przywiązali Carla i Gaetana do cokołu misy z wodą święconą, przeszukali zakrystię i pięć sąsiadujących z nią pomieszczeń. Zniszczyli oborę, splądrowali piwnicę, stajnię, chlewy. Rozebrali podłogę schowka, a dom, ma się rozumieć, przewrócili do góry nogami. Wprawiając w przerażenie Violę, która się rozwrzeszczała, i dzieci, które płakały, przekopali łóżka. Rozpruli materace. Porozbijali szafy, a nawet część cegieł w ścianach. I wrócili do kościoła. Odwiązali Carla i Gaetana i wyprowadzili na zewnątrz. Na oczach Cateriny, która była w ósmym miesiącu ciąży i patrzyła na przeszukania bez słowa, popchnęli ich pod ścianę.

— *Où est-elle?*, gdzie ona jest? — zapytał Carla pyszałkowaty sierżant.

— W niebie — odpowiedział z anielskim spokojem.

— *Où est-elle?* — spytał tym razem Gaetana.

— Przecież on już powiedział: w niebie, razem z Ojcem, Synem i Duchem Świętym — odparł Gaetano ze spokojem jeszcze bardziej anielskim.

Zaczęli więc przesłuchanie, okraszane biciem. Ciosy pięścią po głowie i brzuchu, kopniaki w łydki i nerki, czego w podobnych okolicznościach ich prawnuki miały doświadczyć półtora wieku później. Przy każdym uderzeniu to samo pytanie:

— Gdzie jest?

Na każde pytanie ta sama, uparta odpowiedź:

— W niebie.

Lub:

— W niebie, razem z Ojcem, Synem i Duchem Świętym.

Do sceny jednak włączyła się Caterina. Bo kiedy pyszałkowaty sierżant zaczął wrzeszczeć, że jeśli nie przestaną, to ich każe rozstrzelać, i żeby ich przestraszyć, rozkazał dziesięciu żandarmom uformować pluton egzekucyjny, Caterina się wściekła. Złapała sierp, którym zwykle ścinała zboże, i przyparła sierżanta swoim brzuszyskiem do ściany.

— Raczej ja cię zabiję, sługusie „drapieżnego ptaka"!

„Sługus" w ostatniej chwili uskoczył i rozbroił ją. Po czym, być może pod wrażeniem odwagi tej ciężarnej chłopki, być może zdeterminowany, by zakończyć sprawę, nie zabijając nikogo, a przy tym ratując twarz, być może dlatego, że nie był taki zły, na jakiego wyglądał, powiedział tym dziesięciu, by opuścili lufy karabinów. Żołnierze przeszli zatem do konfiskowania, wypełniając karetę drobiem, królikami i gąsiorami z winem. I sierżant odjechał z uśmieszkiem na wargach.

— Trzeba przyznać, że macie odwagę, kobieto.

15

Epizod z Cateriną, która z ośmiomiesięcznym brzuszyskiem i z sierpem w garści rzuca się na ciemiężyciela i odbiera od niego wyrazy uznania za swoją odwagę, na zawsze miał pozostać symbolem rodzinnej godności oraz wzorem walki z tyranią. (Przewyższyć miało go dopiero odważne zdanie, jakie moja matka wypowiedziała sto czterdzieści lat później. Czyli w dniu, kiedy poszła po mojego ojca, aresztowanego przez faszystów, a dowódca oprawców powiedział do niej: „Pani mąż zostanie rozstrzelany jutro o szóstej rano").

Lecz w ciągu trzech miesięcy tamtej okupacji Carlo i Gaetano wykazali się równie godną postawą. I może nawet bardziej heroiczną, bo to, co Caterinie, kobiecie bez religijnych zahamowań i skłonnej nienawidzić, nie zaś wybaczać, wydawało się łatwe, było prawie niemożliwe dla nich, ludzi pokornych i nader religijnych, przywykłych odrzucać nienawiść i odpowiadać przebaczeniem. Ich trójkę łączył zatem sprzeciw, który — co trzeba wspomnieć przed zakończeniem tej części opowieści — wyprzedził bunt, jaki duchowieństwo wszczęło w połowie maja. Właśnie wtedy, gdy chłopi, uzbrojeni w widły, kosy i sierpy, zaatakowali francuskie władze w Arezzo, a potem w Cortonie, i z okrzykiem „Wiwat Maryja! Wiwat Jezus Chrystus!" zmusili je do ucieczki, generał Gaultier wysłał z Florencji na odsiecz polski legion, który rolnicy z Casentino zatrzymali w Pontassieve. Ze Sieny generał Macdonald wydał dwa zarządzenia, których okrucieństwo przewyższyło surowość komisarza Reinharda. W pierwszym informował buntowników, że jeśli nie poddadzą się w ciągu dwudziestu czterech godzin i nie wyślą mu dwudziestu zakładników, to kulami armatnimi obróci oba miasta w perzynę, wszystkich mieszkańców ponadziewa na ostrza szpad, złupi i spali wszystkie domy, a na ruinach wzniesie dwie piramidy z napisem: „Kara za bunt". Drugim edyktem powiadamiał mieszkańców toskańskich wiosek, że każdy, kto będzie trzymał w rękach broń albo widły, kosę albo sierp, zostanie stracony na miejscu. I cóż z tego, że w San Eufrosino di Sopra walka była znacznie mniej epicka niż w Arezzo? Cóż z tego, że w historycznych książkach nie ma po niej śladu? W swoim małym i niekiedy komicznym wymiarze miewała momenty wzniosłe. Wystarczyły w każdym razie, by podbudować rodzinne poczucie godności, od której zaczęliśmy wątek.

Pierwszym aktem tej walki było wyrżnięcie drobiu i królików, których pyszałkowaty sierżant nie zabrał karetą, a także zniszczenie wina, jakie pozostało w piwnicach i w rozlewniach. Te formy odwetu miał powtórzyć podczas inwazji Napoleona na Rosję generał Kutuzow, paląc moskiewskie magazyny żywnościowe. I Viola na próżno próbowała się sprzeciwiać, twierdząc, że już lepiej było dać jeść i pić Francuzom. Niezdolni do tego, by własnymi rękami zabić tyle stworzeń tak ukochanych przez świętego Franciszka, Carlo i Gaetano powierzyli eksterminację Caterinie, która przy każdej kurze i przy każdym króliku ryczała: „Uśmieszkiem i ładnym słówkiem nikt mnie nie kupi!".

Co do wina zaś, to niszczeniu oddali się osobiście, jakby w odwecie za siniaki, które wskutek bicia pokrywały ich czarnymi plamami od stóp do głów. Wzdychając: „Jak wrócą, to niczego nie znajdą", co do jednego gąsiora, co do jednej beczki, wszystkie owoce winobrania z kilku lat wylali do strumyka, w którym woda zabarwiła się na czerwono, a ryby upiły się na umór. Drugim aktem był atak na Drzewo Wolności, które Carlo przemianował na Drzewo Niewoli. Znienawidzonego symbolu, strzeżonego we dnie i w nocy przez dwóch Nuwolonów, nie dało się ściąć ani wykopać. Lecz można było podejść, żeby ozdobić jego gałęzie wstęgami i kokardami i położyć pod nim kwiaty, co podsunęło Caterinie pomysł, by drzewo stopniowo podtruwać, polewając kwasem solnym rozcieńczonym w oleju orzecha czarnego — gatunku, którego wyciąg zabija wszystkie rośliny. Szła przeto dwa razy w tygodniu na plac. Kładła pod drzewem kwiaty, a zarazem, pod nosem Nuwolonów, którzy nie mogli zrozumieć, z jakiej przyczyny młody buk sechł i wiądł, wylewała fiolkę piekielnej mikstury. Trzecim aktem oporu było rozpowszechnianie antyfrancuskiego wiersza, wydrukowanego potajemnie we Florencji pod tytułem *Oszustwo wolności ludom ciemiężonym wyjaśnione*, który stosownym skrótem ktoś przerobił na toskańską przyśpiewkę. Śpiewali ją od rana do wieczora, kazali śpiewać ją dzieciom, uczyli jej wszystkich. A na widok konnego patrolu nucili chórem:

Wolność urok ma i czar,
od narodu to jest dar,
co chce podbić cały świat,
mówiąc światu: Jesteś brat.
Sprytny jest wolności zew,
mnóstwo ślicznych, młodych drzew,
a ten posadzony las
ma wolnymi czynić nas.
Wielka wolność, piękna tak.
Wielka wolność, smutna tak.
Wielka wolność, cwana tak.

I wreszcie atak na żandarmerię w Panzano.

Atak na *gendarmerie* w Panzano to był pomysł don Luzziego, jego odpowiedź na edykt, w którym Reinhard obciążał duchownych odpowiedzialnością za bunty i obiecywał im również natychmiastowe rozstrzelanie: „Jeśli mam skończyć pod ścianą, to już lepiej, żebym im dostarczył powodów".

Atak miał polegać na podpaleniu Drzewa Wolności-Niewoli, które co prawda już prawie uschło, lecz wciąż strzegli go dwaj Nuwoloni, i niedalekiej budki wartowniczej — składziku, który stał się ważny z powodu tkwiącego na nim francuskiego sztandaru i herbu Republiki z wiązką rózg liktorskich. Atak wydawał się równie trudny, co niebezpieczny — wzorowano się na przeprowadzonej już wcześniej akcji w Arezzo. I wymagał obecności Cateriny — miała ściągnąć na siebie uwagę dwóch Nuwolonów krzykiem ratunku-ja-rodzę-ratunku i udawaniem bólów porodowych (zważywszy, że była w dziewiątym miesiącu ciąży, mogła nie budzić podejrzeń) i doprowadzić do wywrotowego zbiegowiska, które pozwoliłoby Carlowi podbiec do drzewa, Gaetanowi wejść do budki wartowniczej, i obu podłożyć ogień za pomocą szmat umaczanych w nafcie i podpalonych w ostatniej chwili. Przekonanie ich do takiego przedsięwzięcia wymagało żmudnej pracy. Carlo odmawiał ze względu na zagrożenia, na które wystawiała się Caterina — już dobrze znana Francuzom i tuż przed rozwiązaniem. Nie bez powodu wściekł się na don Luzziego i po raz pierwszy w życiu potraktował go źle:

— Sami sobie, wielebny ojcze, idźcie udawać poród!

Gaetano odmawiał z powodu gwałtownego charakteru akcji.

— Wielebny ojcze, to coś zupełnie innego niż śpiewanie: „Wielka wolność, cwana tak". Tę akcję ktoś może przypłacić życiem.

Ale don Luzzi ich zagadał i pomimo podejrzeń, jakie żywiła w stosunku do niego, Caterina uznała, że jest to ich wspólna sprawa. Zawołała, że akcje, jakie przeprowadzili dotychczas, to były półśrodki, głupstwa, że na zarządzenie, które groziło im rozstrzelaniem za widły, kosę lub sierp, należało odpowiedzieć poważnym ciosem. I widziała tylko dwa rozwiązania: podpalić drzewo i budkę albo zabić Civilego. Czyn, na który mogła poważyć się sama, uzbrojona w dobrze zaostrzony nóż. Szantaż odniósł skutek i do ataku doszło w ostatnią niedzielę maja, o zmierzchu, w porze, gdy plac wypełniał się idącymi na nieszpory ludźmi. Atak był szybki, precyzyjny, pewny. I łatwiejszy, niż przypuszczali, ponieważ dziewięć miesięcy minęło, i kiedy Caterina krzyczała ratunku--ja-rodzę-ratunku, bóle zaczęły się naprawdę. W mgnieniu oka odeszły wody, szczęśliwe wydarzenie rozegrało się na placu, i zarówno Carlo, jak i Gaetano zdołali podłożyć ogień niezauważeni.

Lecz gorzkie to było zwycięstwo. Nazajutrz bowiem przyjaciółka pyszałkowatego sierżanta oświadczyła, że zna podpalacza, który wszedł do budki. Z wielkim przekonaniem podała imię żniwiarza, który na widok pierwszych płomieni rzucił się do gaszenia pożaru, i pyszałkowaty sierżant aresztował go, a kiedy wiadomość doszła do San Eufrosino di Sopra, nie było już sensu walczyć o niewinność zatrzymanego: powiesił się ze strachu przed rozstrzelaniem.

* * *

Gorzkie były również tygodnie po przyjściu na świat syna urodzonego na placu. (Piątego chłopca, któremu nadali imię niewinnego żniwiarza, Lorenza, i który zapoczątkował pięcioletnią przerwę w prokreacji). Gorzkie nie tylko dlatego, że w następstwie tego nieszczęścia Gaetano popadł w depresję, która miała go stopniowo doprowadzić do grobu. Lecz również dlatego, że nowe wydarzenia przyniosły najsmutniejszą naukę — zło nie leży tylko po jednej stronie i ten, kto z nim walczy, też jest lub będzie jego sprawcą. Nierzadko w tym samym stopniu, przy zastosowaniu tych samych środków. Jakie to wydarzenia? Cóż, w dniach, kiedy generał Macdonald szykował się do odbicia Arezzo, złupienia, zniszczenia, ponadziewania mieszkańców na ostrza szpad i tak dalej, Austriacy, z Rosjanami u boku, przeprowadzili kontrofensywę na północy. Macdonald zrobił w tył zwrot, by pognać nad Trebbię, gdzie w połowie czerwca poniósł sławetną klęskę. Gaultier i Reinhard oddalili się z dwiema dziesiątkami zakładników i w całej Toskanii (nie licząc Panzano, gdzie nie było już takiej potrzeby) Drzewa Wolności-Niewoli zostały spalone. Mieszkańcy Arezzo, którzy nie byli już ani męczennikami, ani buntownikami, wtargnęli do Florencji i do innych miast. Dowodzeni przez chamów i okrutników, którzy wrzeszczeli: „Wiwat Maryja! Wiwat Jezus Chrystus!", dopuścili się czynów tak haniebnych, że nietrudno było opłakiwać Francuzów, a najwyższą cenę zapłacili biedacy, którzy uwierzyli w hasło Wolność, Równość, Braterstwo. Stosy trupów, grabieże, lincze, procesy. Trzydzieści dwa procesy w ciągu piętnastu miesięcy (podczas których *Zwiastowanie* Ghirlandaia wróciło na ołtarz główny kościoła parafialnego San Leolino, a Madonna Giotta nie wróciła na ołtarz główny oratorium, przez co również Carlo i Gaetano zerwali stosunki z don Luzzim, Caterina zaś zrobiła mu scenę i nazwała złodziejem). Najgorsze jednak zdarzyło się w 1801 roku, kiedy po rozpoczęciu drugiej kampanii włoskiej i pokonaniu Austriaków pod Marengo Napoleon odebrał sobie Toskanię, by przekształcić ją w Królestwo Etrurii, i na podstawie traktatu w Lunéville podarować ją dwojgu Burbonom od siedmiu boleści: infantowi Ludwikowi i jego żonie Marii Luizie Hiszpańskiej. Albowiem do nauki o złu, które nigdy nie leży po jednej stronie, tego roku dołączyła lekcja kolejna, pewnie jeszcze bardziej ponura — cierpieć pod tyranią, dręczącą cię plutonami egzekucyjnymi, to jedno, a wegetować pod tyranią, co dręczy fałszywą łaskawością i oportunizmem tych, którzy się przed nią ugną, to drugie. W pierwszym przypadku możesz złapać za sierp albo strzelbę i walczyć. W drugim nie możesz nic.

Ludwik był epileptykiem i półgłówkiem, który przez całe dni podśpiewywał głosem tenoropodobnym *Tantum ergo* i *Magnificat*. Maria Luiza — kobietką głupią i próżną, której zależało jedynie na tym, by przekształcić Palazzo Pitti w hiszpański dwór. Władcy Królestwa Etrurii wjechali do Florencji 12 sierpnia, przyjęci przez

Joachima Murata, na białym koniu, obnoszącego się z najpiękniejszym wśród swoich pięknych mundurów, w eskorcie wciąż tych samych francuskich dragonów, którzy tym razem dęli nawet w fanfary. I ci sami konformiści, którzy w ciągu trzech miesięcy pierwszej okupacji francuskiej wiele zrobili, by narzucić republikę, czapkę frygijską i hasło Wolność, Równość, Braterstwo, bezzwłocznie i żarliwie stanęli po stronie Burbonów. Pomogli, na przykład, znaleźć Wenus Medycejską ukrytą w Palermo — i razem z innymi dziełami wyniesionymi z Palazzo Uffizi żałosna para wysłała ją do „drapieżnego ptaka" z wdzięczności za królestwo, które spadło im z nieba. Aż wreszcie, powalony nie wiadomo już którym atakiem epilepsji połączonej z gorączką kataralną, Ludwik został zawieziony na cmentarz. Maria Luiza jako regentka doprowadziła do ruiny to, co pozostało z Toskanii. Z pomocą kleru, który lizał właśnie stopy Napoleona, usiłowała nawet przywrócić inkwizycję. I — ona, która opróżniała kasy państwowe, wydając lukullusowe uczty i trwoniąc dwieście pięćdziesiąt tysięcy lirów na stroje! — przywróciła dekrety antyzbytkowe. Zamiast okrutnych edyktów, które straszyły lud karą śmierci, edykty uprzejme, zachęcające umiłowanych poddanych, a zwłaszcza umiłowane poddane, by ubierały się z chrześcijańską skromnością. I znów zostały zakazane szlachetne tkaniny, drogie świecidełka. Napiętnowani zostali mężczyźni, którzy nosili fraki zdobne we wstążki i hafty, i wyklęte niewiasty, które „zakładały ubiory, by uwodzić płeć męską i miały nieprzyzwoity obyczaj noszenia kapeluszy". Powtarzano dobitnie groźbę kar dla tych, którzy okazaliby nieposłuszeństwo. Nie przez przypadek Caterina stanęła do daremnej walki z tą formą tyranii, która dręczy bez pomocy plutonów egzekucyjnych, i narzuciła sobie okres frywolności trudnej do pogodzenia z obecnym etapem jej życia. Zrezygnowała z surowych ubrań, które już zazwyczaj zakładała, i zaczęła podążać za modą na bardzo popularne w Paryżu wydekoltowane sukienki, obnażające piersi po sutki. Ścięła długi warkocz, z którego była tak dumna, i uczesała czerwonomiedziane włosy tak, jak czesała je żona jej wroga, Józefina Beauharnais: w loczki, grzywkę i pejsiki przed uszami. Bardziej zdecydowanie stosowała szminki i perfumy, włożyła niewygodne buty na wysokim obcasie, a przede wszystkim uszyła sobie najbardziej wyzywające kapelusze, jakie kiedykolwiek nosiła. W San Eufrosino di Sopra prawie zapomniała o tym, że w ogóle lubi kapelusze. Wkładała je tylko w polu, żeby chronić się przed słońcem lub deszczem, a ten przyozdobiony czereśniami w chwili, gdy spotkała Carla na jarmarku w Rosii, stał się koszem na jajka. Lecz po edykcie, który uznawał kapelusze za „nieprzyzwoite", zaczęła nosić je znowu, i to częściej niż kiedyś, w Montalcinello. Słomiane, pilśniowe, z weluru, z jedwabiu, jak czepek, z rondem opuszczonym na uszy, z dwoma wierzchołkami, z trzema, ozdobione groteskową wręcz orgią kwiatów, owoców, piór, puszków, kokardek. Z piersiami obnażonymi po sutki, w butach na wysokim obcasie, z loczkami, z grzywką i pejsikami *à la* Józefina Beauharnais, nosiła nakrycia głowy z ostentacją za każdym razem, kiedy szła do Panzano, gdy jechała do Greve albo do Florencji, żeby wpłacić ratę dzierżawy. I przestała dopiero, kiedy zmarł Gaetano, żeby przywdziać żałobę.

Gaetano umarł po południu, w listopadzie 1804 roku, mając zaledwie pięćdziesiąt cztery lata, w sposób mniej łagodny, niż los mógłby mu przeznaczyć — zwęglony przez piorun, który trafił w dzwonnicę oratorium, kiedy na nią wszedł, by ratować kota należącego do bratanka, Lorenza. Lecz bardziej niż nieszczęśliwy wypadek było to samobójstwo — śmierć, której chciał i którą ściągnął na siebie z poczucia winy, jakie trawiło go od dnia, gdy usłyszał, że niewinny żniwiarz się powiesił. Dość szybko przygnębienie stało się chorobą psychiczną, a ta wpędziła go w taki smutek, że zatarła w nim wszelki instynkt przetrwania. Pracował mało i niechętnie, nie troszczył się już o nikogo, nie obchodziło go nic, a jeśli otwierał usta, to po to, by modlić się lub powiedzieć: „Nie zabili go Francuzi. Nie zabił się sam. To ja go zabiłem". Albo:

„To moja wina. Dopuściłem się gwałtu, obraziłem świętego Franciszka i ktoś inny zapłacił za mnie. Jeżeli nie ukarze mnie Bóg, ukarzę się sam".

I ukarał się. Tego dnia, po południu, nad Chianti rozpętała się wielka burza. Zrywając dachy, wyrywając drzewa, niszcząc zbiory winogron, dotarła do San Eufrosino di Sopra, a kot Lorenza, wystraszony grzmotami, uciekł, żeby wspiąć się na dzwonnicę oratorium i uczepić żelaznego krzyża, który pełnił również funkcję piorunochronu.

— Mój kot, mój kot — płakał Lorenzo.

A wszyscy na niego krzyczeli:

— Bądź cicho! Chcesz, żeby ktoś poszedł po niego i zginął?

Gaetano tymczasem milczał, siedząc przy ogniu. Można by pomyśleć, że nie był świadomy małego dramatu, który się właśnie rozgrywał. Lecz nagle wstał.

— Nie płacz, zaraz ci go przyniosę — powiedział do bratanka.

I głuchy na sprzeciwy Violi, Cateriny i Carla wyszedł na coraz silniejszą nawałnicę. Powolnym krokiem przeszedł przez łąkę okoloną cyprysami, wszedł do oratorium, gdzie, jak widzieli, przyklęknął przed popiersiem świętego Eufrozyna i wielką białą plamą po Madonnie Giotta, z zakrystii przeszedł do dzwonnicy i kiedy stanął na dachu, zawołał:

— Lorenzo!

Zawołał z taką rozpaczą, że zamiast do bratanka, wydawać się mogło, iż woła do niewinnego żniwiarza. Po czym, zapominając o kocie, rozłożył ręce, jak gdyby błagał, by Bóg skorzystał z okazji. Piorun trafił go dokładnie w chwili, kiedy unosił oczy do nieba.

Carlo z Cateriną cierpieli nie mniej niż Viola. Carlo dlatego, że bez tego dobrego i szczodrego brata, z którym dzielił wszelkie trudy, każde przeciwieństwo losu, czuł się bardziej okaleczony niż rozpołowione drzewo. Caterina dlatego, że łagodny i cichy szwagier, który przez te wszystkie lata (a ona to wiedziała) kochał ją potajemnie, i to do tego stopnia, że pozwolił jej uderzyć własną żonę, czuła się owdowiała bardziej niż wdowa prawdziwa. I po pogrzebie powiedziała do męża:

— Trzeba, żeby Gaetano powrócił.

Tej samej nocy zaszła w ciążę, a w sierpniu 1805 roku wydała na świat szóstego syna, Gaetano, pieszczotliwie zwanego Gaetanino, którego pojawienie się rozpoczęło kolejną przerwę w prokreacji. Przerwę zawieszoną w 1810 roku, gdy Caterina — zachęcona przez Kodeks Napoleoński, prawem dziedziczenia obejmującym kobiety — zmieniła dietę i zainicjowała narodziny dziewczynek. Marii, Giovanny, Annunziaty, Assunty i Amabile. Ostatnią urodziła w 1815 roku, mając pięćdziesiąt lat. Była bowiem w znakomitej formie — jeśli wierzyć rodzinnej legendzie, wyglądała zaledwie na lat czterdzieści, a tym, którzy na nią patrzyli, przychodziło do głowy to, co o toskańskich wieśniaczkach Monteskiusz napisał prawie sto lat wcześniej. „Jeśli nawet rodziły dziesięć albo dwanaście razy, są świeże i smukłe i wdzięczne jak dziewczęta. Pięćdziesięcioletnie wyglądają na lat czterdzieści, a czterdziestoletnie na lat dwadzieścia. Zdrowa żywność, uregulowane życie, świeże powietrze muszą to sprawiać". Lecz nie mógł trzymać się źle także Carlo, który w 1815 roku miał sześćdziesiąt trzy lata i — jeśli wierzyć legendzie — powitał pierwszy okrzyk Amabile następującymi słowami: „Trzeba odetchnąć, moja żono. W przeciwnym razie na starość będziemy mieli na wykarmieniu drużynę".

16

Saga Carla i Cateriny mogłaby się na tym zakończyć. A raczej mogła się zakończyć na narodzinach Donata, prapradziadka, od którego wywodzi się interesująca nas gałąź. Lecz warto jeszcze opowiedzieć i o tym, jak odeszli, bardzo starzy i bardzo zakochani, w krótkim odstępie czasu. Epilog ten ma swój początek w potwornych latach, jakie przeżyli, co wiązało się z koszmarem ukrywania synów i wnuków, na których polował Napoleon, żeby ich posłać na śmierć w swoich bitwach. Oto skrócony raport o każdym z nich oraz smętna historia wygaśnięcia dzierżawy. A było tak. W grudniu 1804 roku Napoleon ogłosił się cesarzem. W maju 1805 roku mianował się królem Włoch. W listopadzie 1807 odesłał głupią Marię Luizę, którą trzynaście miesięcy później miał zastąpić swoją siostrą, równie głupią Elizą Bonaparte, po mężu Baciocchi, neodiuszesą Lukki i księżną Piombino. W lutym 1808 przyłączył Toskanię do Cesarstwa. W maju podzielił ją na trzy dystrykty o nazwach Arno, Ombrone, Mediterraneo, zarządzane przed francuskich funkcjonariuszy według francuskiego prawa. W lipcu ogłosił pobór, zarządzając, by trzy dystrykty dostarczyły mu piętnaście tysięcy rekrutów do 113 Regimentu Piechoty Liniowej i 28 Strzelców Konnych, czyli po to, by przynajmniej w części wzmocnić szeregi wojsk wykrwawionych trzydziestoma siedmioma tysiącami poległych, którymi przypłacił niedawne zwycięstwa pod Jeną, Auerstadt i Pruską Iławą. Każdy, kto miał osiemnaście, dziewiętnaście albo dwadzieścia lat (choć po dwudziestu jeden tysiącach poległych pod Essling i trzydziestu dwóch tysiącach poległych pod Wagram świeżo upieczona księżna obniżyła wiek poborowych do lat siedemnastu), stawał się więc barankiem, który mógł zostać złożony w ofierze na wojnach w Hiszpanii i w Austrii, i kto wie w jakich jeszcze hekatombach przyszłości. Był to wielki dramat dla Carla, Cateriny i Violi, którzy baranków ofiarnych mieli czwórkę: Domenica, Pietra, Luigiego i Antonia. Dzięki prefektowi Arno, *monsieur* Fuchetowi, przemianowanych na Dominique'a, Pierre'a, Louisa i Antoine'a. Zatem w San Eufrosino di Sopra rozpoczął się dramat tych, którzy nie chcąc zdychać za człowieka, który przyszedł bredzić o wolności i postępie, a potem ogłosił się królem i cesarzem — stawali się winnymi *insoumission*, uchylania się od służby wojskowej. Pierwszym, który tego doświadczył, był Luigi-Louis — gdy tylko został powołany, wziął obcęgi, zamknął się w oratorium i ze stoickim spokojem wyrwał sobie wszystkie zęby. Odczekał, aż doły zarosną i stawił się przed komisją poborową, która odesłała go z lekceważącą pogardą: *„Allez, allez. Vous n'êtes pas digne de l'Armée Française.* Odejdź, nie zasługujesz na armię francuską". Słowa te, zamiast go pokrzepić, dały mu przedsmak przykrości, z jaką miał przyjmować odmowy kobiet, które prosił o rękę i które niemało przyczyniły się do ponurej mizantropii, w jakiej żył do końca swoich dni.

Drugim był Domenico-Dominique, który chciał iść w ślady kuzyna i obciąć sobie palec wskazujący oraz kciuk prawej ręki — rozwiązanie stosowane przez wielu do dnia, w którym Pierre Lagarde, dyrektor generalny Bezpieczeństwa Publicznego, obwieścił, że każdy, kto sam się okalecza, żeby zostać w cywilu, zostanie wysłany na roboty przymusowe na Korsykę, z kompanią sanitarną na front albo z dezerterami pod mur. Tak czy inaczej Caterina zabroniła mu to robić, grożąc, że jeśli obetnie sobie palce, to ona utnie mu jaja, i Carlo pomógł synowi zbiec do Maremmy, gdzie ten pod zmienionym nazwiskiem pracował do 1815 roku na bagnach. Wybieg ten pozwolił mu później kupić bagnisty grunt, dzięki niskiej cenie ziemi w tym niezdrowym regionie, osuszyć go, wykorzystać, stać się majętnym właścicielem ziemskim w Cinigiano, ożenić się z ładną kobietą, posiadającą dobra w Castiglioncello Bardini. Ale doprowadziło to Domenica też do malarii, która wykończyła go w wieku zaledwie czterdziestu dziewięciu lat.

Trzecim był Pietro-Pierre, który chciał zastosować inne wyjście, nagminnie wykorzystywane, czyli wynająć chromego, który zamiast niego stawi się przed Komisją. Czytając jednak „Gazzetta Patria", prenumerowaną przez Caterinę, Carlo odkrył, że istnieje coś takiego jak „wykup", czyli możliwość uniknięcia poboru w zamian za wpłatę na rzecz wojska sumy, która wahała się pomiędzy kwotą dziewięciuset a dwóch tysięcy sześciuset lirów. I zadłużając się po uszy u lichwiarza, który pożyczył mu tysiąc pięćset lirów (równowartość trzystu starych skudów), kupił ocalenie syna. Z ofiary tej nie mógł się wypłacić przez lata, a Pietro zawsze się jej wstydził.

Czwartym był Antonio-Antoine. On miał najmniej szczęścia ze wszystkich, ponieważ, jeszcze bardziej cherlawy niż w dniu, kiedy przyszedł na świat, myśląc, że zostanie odrzucony jak brat Luigi-Loius, nie wysłuchał błagań Violi i stawił się, gdzie trzeba. W efekcie ubrali go natychmiast w mundur 113 Regimentu Piechoty Liniowej. Posłali do Polski, potem do Francji, i słuch po nim zaginął aż do 1811 roku, kiedy do San Eufrosino di Sopra dotarł rozdzierający list, pisany Bóg wie gdzie. „Kochana matko, kochany wuju, kochane rodzeństwo i kuzynostwo. Tym moim listem przekazuję wam wiadomości, żeby powiedzieć, że my, Toskańczycy, walczyliśmy, tak że bardzo się bałem, lecz sprawiłem się dobrze i zostałem pochwalony przez francuskiego pułkownika, który powiedział mi: *Mon cher soldat, dans les petits tonneaux il y a le bon vin*. Słowa, które na panzański tłumaczy się: «Mój drogi żołnierzu, w małych beczkach dobre leżakuje wino. Miejmy nadzieję, że Cesarz się o tym dowie». Muszę jeszcze Wam donieść, że bardzo trudno jest tutaj przebywać, bo Francuzi mówią po francusku i już, a kiedy nie są Francuzami, są Polakami, którzy mówią po polsku, kiedy nie są Polakami, są Węgrami, którzy mówią po węgiersku, i tak dalej, przez który to fakt bardzo słabo się rozumiemy, a choć są i inni Toskańczycy, ja czuję się bardzo samotny. Czasem myślę sobie: «no i popatrz, co za nieszczęście mieć dwadzieścia trzy lata i czuć się tak samotny wśród tylu ludzi, i nie wiedzieć nawet, czy będziesz żył jutro». Z łaski swojej w modlitwach proście świętego Franciszka, by mnie zostawił przy życiu. Teraz żegnam Was, ukochana matko, która bez taty jesteście tak zdana na siebie, i kochany wuju, którzy jesteście taki dobry, i kochana ciociu, która jesteście tak miła i waląc mnie po łbie, nauczyłyście mnie czytać i pisać, bym mógł wam posłać ten list, i kochane rodzeństwo i kuzynostwo, bo myślę o Was zawsze, a kiedy myślę, to chce mi się płakać. *Priez, priez. Au revoir, votre Antoine*". I nic więcej do 1813 roku, kiedy jeden z dwóch tysięcy sześciuset trzydziestu siedmiu żołnierzy włoskich, którzy uszli z hekatomby marszu na Rosję, opowiedział kurierowi, że Antoine dzielnie walczył pod Moskwą z Czwartym Korpusem armii księcia Eugeniusza Beauharnais'go i że zamarzł na śmierć podczas odwrotu.

Dwie trzecie z sześciuset tysięcy mężczyzn, których Napoleon zabrał do Rosji na śmierć, nie było Francuzami, podobnie jak znaczna część tych, których poświęcił w innych wyprawach, i również dla San Eufrosino di Sopra te lata były najgorsze. Pomiędzy 1811 a 1813 rokiem Toskania przeżyła bowiem pięć poborów, które zabrały tysiące rekrutów, a dotknęły przede wszystkim dystrykt Arno. Po zniesieniu wykupu i ograniczeniu samookaleczeń zwielokrotniła się liczba dezerterów, a zarządzenia prefekta Fucheta stały się tak surowe, że rozciągnęły się na całe rodziny: nierzadko rodzice *insoumis*, czyli uchylających się, byli aresztowani i trzymani w więzieniach, aż nieszczęśnik sam się zgłaszał. Wzmogły się również polowania na rekrutów ukrywających się po wsiach i komendant żandarmerii, pułkownik Jubé, utworzył dwa korpusy specjalne: *Gardes Champêtres*, czyli gwardie polne, które przeszukiwały gospodarstwa, i *Garnisaires*, czyli agentów policji wojskowej, którzy wprowadzali się do domu lub wioski *insoumis*, żądając prócz wiktu i mieszkania również grzywny. To wszystko, nie licząc szpiegów, otrzymujących za donos na uciekiniera nagrodę we frankach francuskich, i procesów często kończących się wyrokiem śmierci. Nie przez przypadek „Gazzetta Patria" i „Giornale del Dipartimento dell'Arno" nie drukowały niczego innego prócz wyroków skazujących na rozstrzelanie.

W 1811 roku Silvestro-Sylvestre, ostatnie dziecko Gaetana i Violi, kończył siedemnaście lat. Eufrosino-Euphrosyne, trzecie dziecko Carla i Cateriny, miał ukończyć tyle w następnym roku. Gwiżdżąc na aresztowania i grabieże ze strony *Garnisaires*, rodzina postanowiła więc, że pierwszy będzie się ukrywał, a drugi schroni się u wujostwa po kądzieli w Montalcinello. Tak też się stało, i Silvestro-Sylvestre uciekł, żeby zaszyć się w lasach nieopodal góry San Michele, następnie góry Giove, gdzie razem z dziesięcioma dezerterami, wśród których było dwóch Francuzów, założyli bandę zbrojną, w ciągu trzech lat wsławioną napaściami na ratusze i aktami ośmieszającymi *maires*, czyli burmistrzów osadzonych przez Fucheta. (Znaczną sławę zyskała akcja przeciwko *maire* Castigliona Fibocchiego, do którego pleców, w trakcie uroczystości publicznej, przyczepiła się kartka z napisem: „Jestem kłamcą arystokratycznego jakobina, jebanym złodziejem na służbie tego wieprza Napoleona i boję się rebeliantów, którzy poprzysięgli sobie, że mnie wykończą").

Mniej przedsiębiorczy, za to urodzony polityk, Eufrosino--Euphrosyne dotarł natomiast do Montalcinello, gdzie wystrzegał się brawurowych akcji i gdzie osiadł, zostając bardzo ważnym człowiekiem. Z archiwów państwowych wynika bowiem, że w 1825 roku zaliczał się już do grona obywateli zobowiązanych do płacenia cła komunikacyjnego i podatku gruntowego, czyli do posiadaczy, że w 1827 roku ożenił się z córką właściciela ziemskiego i w prezencie ślubnym kupił jej duży dom obok kościoła parafialnego San Magno, tego, w którym pobrali się Carlo i Caterina. A w 1830 roku był właścicielem wielu innych domów i ziem z bardzo wysokim dochodem katastralnym, i w 1848 roku wchodził w skład kolegium elektorskiego, który to przywilej był zastrzeżony dla posiadających duże dochody i nieźle wykształcenie, i dzięki któremu aspirował zarówno do Konstytuanty Włoskiej, jak i do Zgromadzenia Legislacyjnego Toskanii. Z tych dokumentów wynika ponadto, że w 1850 roku kandydował do Rady Generalnej Chiusdino, któremu podlegało Montalcinello, został wybrany stu dwudziestoma głosami, w 1860 roku ponownie wybrano go stu czterdziestoma trzema głosami, a jego ósmy syn, ochrzczony imieniem Carlo, został szanowanym prokuratorem Florencji. (Ta wiadomość pochodzi z kamienia nagrobnego pośrodku maleńkiego cmentarza w Montalcinello, na którym szanowany prokurator zażyczył sobie być pochowany. Obok tej informacji znajduje się fotografia nadzwyczaj dostojnego starca we fraku, zdumiewająco podobnego do prawnuczki jego wuja Donata, który spoza okularów posyła spojrzenie przesiąknięte ironiczną surowością, ukazując przy tym najbardziej niewiarygodne wąsy, z jakimi można się spotkać. Śnieżnobiałe, sztywne i o końcach ostrych jak noże, rozłożone poziomo i długie na co najmniej dwadzieścia centymetrów po każdej stronie).

* * *

Męka, która miała przynieść tyle szczęścia Eufrosino, a tyle zgryzot Antoniowi, skończyła się w 1814 roku, co w ostatniej chwili pozwoliło mi uniknąć ryzyka, które poniosłam już w 1773 roku, kiedy niewiele brakowało, a Carlo wyemigrowałby z Filippem Mazzeim do Wirginii, a tam ożeniłby się z kobietą, która nie byłaby Cateriną. Ryzyka, że się nie urodzę. 2 stycznia tamtego roku prapradziadek Donato ukończył bowiem feralnych siedemnaście lat, które według Elizy Bonaparte Baciocchi były wiekiem kwalifikującym na śmierć w bitwie, i pod imieniem Donatien został wciągnięty do 14 Regimentu Piechoty Liniowej. Lecz księżna, którą sprawiedliwie obrzucono gradem śmieci, 1 lutego musiała opuścić Florencję. Napoleon, tchórzliwie zdradzony przez wszystkich swoich sojuszników i upokorzony klęską pod Lipskiem oraz poddaniem Paryża, 6 kwietnia został zmuszony do abdykacji, i kiedy w marcu 1815 powrócił, żeby wypełnić do końca swój los, Donato-Donatien miał już za sobą groźbę znalezienia się wśród czterdziestu jeden tysięcy francuskich ofiar bitwy pod Waterloo. Od ponad pięciu miesięcy Ferdynand III znów był władcą Wielkiego Księstwa Toskanii, więc również Silvestro powrócił z ukrycia.

Pomimo iż wiele osób zamieszkiwało dom, który choć poszerzony o izby przylegające do oratorium, zdążył stać się za mały, w San Eufrosino di Sopra zapanował czas spokoju i rozkwitu. Do tego stopnia, że pożyczka zaciągnięta u lichwiarza po to, by wykupić Pietra, została całkowicie spłacona i gospodarstwo — utrzymywane dzięki właściwemu bilansowi mieszkańców, czyli uprawiane przez pięciu młodzieńców tudzież przez siedemdziesięcioletniego Carla i dorastającego Gaetanina — przyniosło niebywałą ilość zboża, wina i oliwy. Po narodzinach ostatniej dziewczynki Caterina mogła oddać się realizacji nowych pomysłów: wprowadziła hodowlę jedwabników, by sprzedawać jedwab do fabryk we Florencji, zaczęła handlować plecioną słomą na kapelusze, którą Anglia kupowała całymi kwintalami, wreszcie kupiła ładnego gniadosza i dosiadała go w wieku pięćdziesięciu sześciu lat bez siodła.

Ubrana po męsku, ze strzelbą przewieszoną przez ramię do obrony przed bandytami, którzy w tym czasie panoszyli się w Toskanii, dotarła kiedyś do Montalcinello, gdzie ważny już wówczas Eufrosino wydał wielkie święto na jej cześć i zmusił dawnych wrogów, by całowali ją w rękę. Innym razem zapuściła się do Castglioncello Bandini, gdzie poprosiła o wgląd do dokumentów katastralnych i sprawdzenie, czy Domenico był naprawdę bogaty. Następnie kupiła sobie kolasę, którą podróżowała po wioskach Chianti, wjeżdżając do nich całym pędem, wymachując batem i wołając nad dorodnym gniadoszem „Dalej, zdechła chabeto", i najęła chłopaka o imieniu Gasparo, z którym zaczęła uprawiać kartofle. Warzywa te w tamtym czasie nie smakowały nikomu — były rośliną egzotyczną, rosnącą wówczas tylko w ogrodach Boboli jako roślina ozdobna. Za kartoflami poszła uprawa pomidorów, które w tamtym czasie miały jeszcze mniej zwolenników i które sadzono eksperymentalnie jedynie w ogrodzie botanicznym. (Lecz ona odkryła, że gotowane z solą, pieprzem, oliwą i bazylią smakowały wyśmienicie, i zaczęła wytwarzać sosy, które sprzedawała w słojach z napisem „Sos dla smakoszy"). Tak, zwłaszcza dla Cateriny okres ponapoleoński był bardzo szczęśliwy, a zakłóciły go tylko dwie bądź trzy przykrości, albo raczej uprzykrzenia. Samobójstwo Luigiego, który obrzydziwszy sobie brak uzębienia i odmowy, jakie otrzymywał od każdej kobiety, utopił się. Biedny Luigi. Śmierć Violi, która załamana kolejnym nieszczęściem przestała jeść i zgasła z wygłodzenia. Biedna Viola. Wreszcie potworne odkrycie, że czwórka dzieci pozostałych w domu po kryjomu została franciszkańskimi tercjarzami. Sprała każde po pysku i zrobiła scenę Carlowi: „To wasza wina! To wy dajecie zły przykład!". Lecz stopniowo nauczyła się na to nie zważać. I w dniu, w którym Gaetanino rozwinął swój żar religijny do tego stopnia, że postanowił wstąpić do seminarium, czyli zostać księdzem, wyraziła tylko spokojne rozczarowanie: „Wolałabym się już dowiedzieć, że skończyłeś w więzieniu za morderstwo lub kradzież". Potem oddała się wyłącznie pięciu córkom. „Nie chciałabym, żeby zdradziły mnie jak ich bracia i żeby któraś została mniszką albo czymś w tym rodzaju".

Spokój i dobrobyt trwały do czasu, kiedy rodzina rozmnożyła się w monstrualny sposób. Katastrofa, która razem z innymi nieszczęściami doprowadziła do utraty dzierżawy i którą można zrozumieć, czytając dane spisane przez następcę don Luzziego (zmarł, nie zdradzając, gdzie u diabła ukrył Madonnę Giotta!). W 1823 roku Donato ożenił się z franciszkańską tercjarką z Greve, Marianną Bucciarelli, która w mgnieniu oka wydała na świat ośmioro dzieci, a wśród nich pradziadka Ferdynanda. W 1824 roku ożenił się Silvestro, który w wieku trzydziestu lat zmarł na raka, pozostawiając dwoje dzieci, lecz wdowa natychmiast znalazła pociechę u Pietra, który sprawił, że urodziła kolejną siódemkę. W 1825 roku ożenił się Lorenzo, który miał szóstkę dzieci, więc w kilka lat i tak mały już dom wypełnił się prawie czterdziestką osób, wśród nich dwadzieściorgiem trojgiem dzieci. Razem z pięcioma córkami Carla i Cateriny — dwadzieścia osiem gęb do wyżywienia, czemu jednak nie odpowiadała liczba rąk do pracy. Poza tym ceny zboża i wina spadły wskutek cudzoziemskiej konkurencji, we Florencji pozamykano fabryki jedwabiu, Anglia narzuciła w portach skandaliczne cła na słomiane kapelusze, pięć dziewczynek wyrosło na kobiety w wieku do zamęścia, a jako że żadna z nich nie chciała zdradzić matki, idąc do zakonu, Carlo i Caterina musieli zadbać również o ich wyprawy. Tak więc stosunek pomiędzy wydatkami a przychodami coraz bardziej tracił na równowadze, lawinowo zaczęło brakować pieniędzy, raty dzierżawy zmieniły się w koszmar, który spędzał sen z powiek, i okazało się, jaki błąd popełnił w swoim naiwnym oświeceniu Piotr Leopold, zachęcając chłopów, by brali w dzierżawę grunty rozdrobnionych latyfundiów, i jaką pułapką była podjęta nigdyś przez Caterinę „wojna na dzieci", wojna dla zapewnienia im spadku. Jaka pułapka? Jaki błąd? To proste. Nie tylko dzierżawa nie była prawdziwą własnością albo była nią nie bardziej niż przedmiot kupiony na raty i w przeciwieństwie do przedmiotu kupionego na raty stanowiła jarzmo nie do zrzucenia, bo dług nigdy nie mógł być spłacony. Nie tylko żądana rata była zbyt wysoka dla chłopa, który bez kapitału musiał płacić sam za nasiona, narzędzia rolnicze, nawozy, woły, muły, zwierzęta podwórzowe, transport, jak również znosić klęski głodu i grabieże. Lecz jeśli rodzina rosła i przez to zakłóciła równowagę pomiędzy liczbą gąb do wykarmienia a liczbą rąk do pracy, jeżeli obejmowała przy tym wiele niewiast, którym należało dać wyprawę, jeśli gusta klientów i ceny produktów się zmieniały — to konsekwencje były gorsze od stu grabieży i klęsk głodowych. I stawałeś się niewypłacalny, zostawałeś wyrzucony z dzierżawy jak lokator, który nie płaci czynszu, traciłeś wszystko, co dotychczas wydałeś. Czyli ofiarę dziesięcioleci, nierzadko pokoleń. Tłumaczy to dobrze kontrakt podpisany przez Gaetana z Królewskim Szpitalem Santa Maria Nuova. Zresztą, prócz chłopów z obszarów Maremmy, gdzie niezdrowy teren kosztował niewiele, a dług spłacało się szybko, w Toskanii ten los spotkał wszystkich dzierżawców.

Żeby nie okazać się niewypłacalnym, mając osiemdziesiąt lat, Carlo wrócił do ciężkiej harówki w polu. Przy pomocy Pietra, Donata i Lorenza wykarczował część lasu, poszerzył pole, podwoił zbiór zboża, które niewiele było już warte. Caterina sprzedała kolasę i dorodnego gniadosza, wycofała się z hodowli jedwabników i handlu plecioną słomą — przedsięwzięć, które nie przynosiły już zysków. Następnie odprawiła Gaspara, zrezygnowała z przyjemności uprawy kartofli, których nikt nie chciał, i pomidorów — nie udało jej się upowszechnić nawet przecierów. I pewnego dnia zrobiła coś lepszego. Zebrała na klepisku rodzinę i wrzasnęła, że tak, to ona była winna, ponieważ poza dwoma wyjątkami powiła stado baranów, zdolnych tylko do tego, by zapładniać owce, i tyle. W każdym razie, co miało się stać, już się stało, i biada, jeśli nie będą próbowali walczyć o swoje. Krótko mówiąc, jeśli nie przestaną się lęgnąć jak myszy, wypali im z dubeltówki w siedzenie, każdemu, bez wyjątku. I oni posłuchali. Lecz dzieło upadku zaszło już za daleko i do tego, by płacić raty, konieczna była pomoc dwóch bogatych synów. Domenico odrzucił prośbę suchym: „Ta sprawa mnie nie dotyczy", a Eufrosino wysłuchał jej, wypłacając natychmiast zaległość w wysokości siedmiu okrągłych rat. Płacił również raty następne. Płacił przez lata. Kłopot w tym, że w pewnej chwili mu się sprzykrzyło, skwitował: „Już dość! Sami dawajcie sobie radę", i dzierżawa przepadła. O czym Carlo i Caterina nigdy się nie dowiedzieli, bo dzięki Bogu przedtem umarli.

* * *

Carlo zmarł 31 grudnia 1839 roku, mając osiemdziesiąt siedem lat, z godnością, jaka przystoi dobremu franciszkańskiemu tercjarzowi. Kiedy zrozumiał, że przyszedł na niego czas, posłał po syna Gaetanina, który był księdzem w Sienie, i tytułując go z uszanowaniem „ojcem", poprosił o ostatnie namaszczenie:

— Proszę was, ojcze, rozgrzeszcie starca, który dał wam życie.

Następnie zebrał rodzinę i uwolniony od grzechów, których nigdy nie popełnił, pożegnał się takimi słowami:

— Do zobaczenia w Niebie. Dobrze postępujcie, a się spotkamy.

Lecz kiedy tylko został sam z Cateriną, zapomniał, że dobry franciszkański tercjarz powinien przyjąć śmierć niepomny więzów, namiętności, żalów, i skierował do niej zupełnie inne pożegnanie.

Powiedział, że umiera, kochając ją bardziej niż kiedykolwiek przez te ponad pół wieku, ile trwało ich małżeństwo, ponieważ z czasem jego miłość wzmocniła się jak stare, dobrze przechowywane wino. Powiedział jej, że się cieszy, iż nie wyemigrował do Wirginii z panem Mazzeim, ponieważ tam by jej nie spotkał, a bez niej byłby biedny, nawet gdyby stał się bogaczem. Powiedział, że dzień, w którym poszedł na spotkanie z nią na jarmarku w Rosii, był błogosławiony, był darem Bożym, więc jej dziękuje za wszystko: że go przyjęła, że wyszła za niego, że rozweselała go swoją energią i swoim podłym charakterem, a także wyrwała go z rąk Francuzów, którzy go chcieli rozstrzelać, i pomogła spalić Drzewo Wolności. Powiedział jej w końcu, że była jedyną kobietą jego życia, jedyną, jakiej pragnął i dotknął, więc o innych kobietach nie wiedział nic i czuł się jak Adam, który żegna się z Ewą, towarzyszką niezastąpioną, niepowtarzalną, jedyną. Caterina słuchała ze łzami. I ze łzami odpowiedziała, że również on był jedynym mężczyzną jej życia, jedynym, jakiego pragnęła i dotykała, choć był przeklętym dewotem i świętolizem. I ona mu dziękowała za wszystko: że ją wybrał, że ją rozumiał, że ją znosił, że nauczył ją czytać i pisać. I ona kochała go bardziej niż kiedykolwiek w ciągu tego ponad półwiecza, ponieważ z czasem jej miłość wzmocniła się jak stare wino. Co więcej, wino, które na początku nie było winem, lecz wodą, a z czasem się stało nalewką, która upajała tak, że już nie mogła się bez niej obyć, nie umiała już żyć bez niego. Po czym wyciągnęła z kieszeni fartucha flakonik z kwasem solnym rozpuszczonym w oleju z czarnego orzecha, szlachetną pamiątkę walki z Francuzami, i załkała:

— Wystarczy jeden łyk. Zaczekaj, to umrzemy razem.

Lecz koniec końców nie wypiła. Zbierając resztki sił, Carlo zdołał wyrwać jej flakon i odrzucić:

— Nie, dziękuję, moja kochana.

Ale przeżyła tylko następny rok, do wiosny. Piętnaście miesięcy, podczas których zwiędła równie szybko, jak piętnaście lat temu usechł buk otruty przez piekielną mieszankę. W ciągu dwóch albo trzech pór roku jej ciało, jeszcze wyprostowane i jędrne, skurczyło się i zgarbiło, zmniejszając wysoką sylwetkę o jedną trzecią, jej ładne włosy, które zachowały kolor miedzi, posiwiały i zaczęły wypadać jak suche liście, nadzwyczajna energia znikła, serce się rozchorowało, a ona stała się zaprzeczeniem samej siebie. Staruszką smutną, cichą, pokorną. I tylko umysł pozostał nietknięty. Nie przez przypadek kupiła sobie okulary, spędzała całe dnie w swoim pokoju, czytając gazety lub książkę niejakiego Silvia Pellica, zatytułowaną *Moje więzienia*, i wiedziała o wszystkim, co się działo poza ciasnymi granicami San Eufrosino di Sopra. Że nowy wielki książę Leopold II był poczciwym człowiekiem, nieodpowiednim do zadań, do których zmusił go los; że w Królestwie Lombardzko-Weneckim rząd austriacki dopuścił się surowych represji wobec ruchu karbonariuszy, lecz walka stawała się coraz bardziej zażarta; że patriota, który nazywał się Giuseppe Mazzini, założył wywrotowe stowarzyszenie o nazwie Młode Włochy, a jego członkowie byli rozstrzeliwani tuzinami; że odważny marynarz, który nazywał się Giuseppe Garibaldi, uciekł z więzienia i właśnie walczy w południowej Ameryce; że — krótko mówiąc — kraj wrzał od nowych fermentów i szykował się do tego, by wygnać cudzoziemców i przynieść społeczeństwu przemianę. To podobało jej się bardzo i czasami sprawiało, że przerywała ponure milczenie słowami: „Gdybym nie była stara, machnęłabym ręką na te barany moje dzieci i przyłączyłabym się do ludzi, którzy chcą zmienić świat". Interesowała się również powstaniem kolei, cudownego środka transportu nazywanego pociągiem, który paląc drewno lub węgiel, pędził bez koni. „Kiedy pomyślę, że mój Carlo szedł pieszo z Panzano do Florencji, a ja w dyliżansie…".

Lecz były to ostatnie płomyczki ognia, który tak naprawdę już nie chciał się palić lub już wygasł w chwili, gdy załkała: „Zaczekaj, to umrzemy razem". Niebawem zaczęła przysypiać nad gazetami i nad książką i kiedy ktoś mówił obudźcie-się-babciu, odpowiadała, unosząc ciężko powieki. „A po co? Jestem zmęczona i nikomu już nie jestem potrzebna".

26 marca miała atak serca, który w dwa dni zabił ją tak, jak ogień zabił kiedyś uschłe drzewo. Nie dała się jednak ujarzmić. Gdy wezwała ponownie Gaetanina, także tym razem przyszedł ze świętymi olejami i założywszy stułę, podszedł, żeby udzielić jej ostatniego namaszczenia. Lecz kiedy tylko otworzył usta, żeby powiedzieć: *Ego te absolvo in nomine Patris et Filii, et Spiritus Sancti*, otworzyła oczy z gniewem.

— Wybij to sobie z głowy, mój chłopcze — warknęła. — Mam siedemdziesiąt sześć lat i odejdę stąd z mądrością, którą sama mam w głowie, wiedząc dwie rzeczy: że ani ty, ani twój Bóg nie macie mi nic do wybaczenia i że on nie ma dla mnie czasu. Ani ja dla niego.

Następnie powiedziała:

— Już idę, Carlo, już idę.

I wyzionęła ducha.

Skrzynię Ildebrandy wziął właśnie Gaetanino, który pomimo reprymendy starannie ułożył w niej jedenaście książek, elementarz, arytmetykę, książkę medyczną doktora Barbette'a, poszwę z pięknym napisem „Ja jestem Caterina Zani", list kuzyna, który zginął w Rosji, *Moje więzienia*, okulary, i zabrał ze sobą do Sieny. Tu pozostała do chwili, gdy, nie wiadomo z jakiego powodu, została odesłana do Chianti przez prapradziadka Donata, który pozostawił ją w spadku pradziadkowi Ferdinandowi, który z kolei zostawił ją w spadku dziadkowi Antoniowi, który w lipcu 1944 roku przekazał ją mojemu ojcu. Lecz to już inna historia. I jeszcze daleka. Teraz trzeba wysłuchać głosu namiętnego i żałosnego, głosu mojej matki opowiadającej historię Francesca i Montserrat, przodków z tego samego czasu, co Carlo i Caterina, w przypadku których ryzyko, że się nie urodzę, zostało mi oszczędzone. Ponieważ nic na świecie, ale to nic, nie mogłoby przeszkodzić w tym, żeby ich nieszczęścia się ze sobą spotkały.

CZĘŚĆ DRUGA

1

Statek, na którego pokładzie Carlo miał płynąć z Filippem Mazzeim do Wirginii, nazywał się „Triumph". Był to trójmasztowiec o wyporności dwustu pięćdziesięciu ton, kupiony od angielskiej marynarki wojennej przez londyńskiego armatora Williama Rogersa z zamiarem przerobienia na okręt handlowy. Rogers powierzył komendę swojemu bratu Jamesowi, ten z kolei zaciągnął wyłącznie poddanych Jego Królewskiej Mości Brytyjskiej Korony. Okręt dotarł z Lizbony do Livorno 3 sierpnia 1773 roku i stał tam trzydzieści dni — tyle zajęło wyniesienie czterdziestu skrzyń cukru przeznaczonego dla zarejestrowanej w Livorno firmy Porther and Ady, uszczelnienie statku, naprawienie żagla postrzępionego przez wicher na wysokości Gorgony i załadowanie niewyobrażalnego bagażu, jaki Mazzei zabierał ze sobą, żeby założyć przedsiębiorstwo rolne, co doradzili mu Thomas Jefferson i Benjamin Franklin. Setki szczepów oliwnych i odrostów, czyli pędów winorośli, worków kukurydzy na zasiew, motyk, łopat, bron, pługów, nożyc. Beczki wina, baryłki *vinsanto* i małmazji, gomółki parmezanu, bele materiału, buty, ubrania, wszelkiego rodzaju odzież. Papier do nut, mnóstwo książek, a wśród nich wiele egzemplarzy *O przestępstwach i karach*, czyli traktatu Cesare Beccarii, walizy Mazzeiego i czwórki śmiałków, którzy wraz z piemonckim krawcem wypływali zamiast Carla i dziewiątki rolników, wystraszonych groźbą spalenia przez spadające gwiazdy. A także dwie owce — jedyne zwierzęta, które kapitan James Rogers zgodził się zabrać na pokład, nie wpuszczając całej menażerii mułów, bawołów, gołębi, psów myśliwskich i obronnych. Jednym z najbardziej dokuczliwych problemów, doskwierającym szczególnie podczas atlantyckich przepraw, był bowiem niedostatek wody do picia. Nie można było zabrać więcej niż wyznaczoną ilość, a zapasy zgromadzone w dwunastu beczkach, mieszczących się w ładowni na „Triumphie", i tak już mogły się okazać niewystarczające przez konieczność podlewania odrostów i szczepów oliwek.

Podczas tych trzydziestu dni spędzonych w porcie młody marynarz o oczach mrocznych jak noc, długich włosach, czarnych jak krucze pióra, z nożem zatkniętym za pas i wyzywającym złotym kolczykiem w lewym uchu, omal nie wyskoczył ze skóry, jakby na coś albo na kogoś czekał. Pozostając wciąż w jednym miejscu, wypatrywał czegoś na horyzoncie, z oczami utkwionymi w żaglowce, które wpływały na redę, wypytywał, czy nie zawinęła przypadkiem fregata o nazwie „Bonne Mère" i brygantyna „Generał Murray". Nie ruszał się z miejsca nawet wtedy, kiedy się z niego śmiano. Mazzei dostrzegł go i spytał kto to. Syn rybaka porwanego dwadzieścia lat temu przez berberyjskich piratów — usłyszał w odpowiedzi — po dziś dzień niewolnika w Algierze. W maju ojcowie trynitarze podpisali z algierczykiem Alim Paszą umowę na uwolnienie czternastu toskańskich niewolników w zamian za czternastu niewolników tureckich przetrzymywanych w Livorno. W czerwcu „Bonne Mère" wypłynęła z Turkami, by zrealizować wymianę. W lipcu Piotr Leopold wykupił w imieniu cesarza austriackiego stu czterech niemieckich niewolników, przetrzymywanych również w Algierze, i wysłał po nich „Generała Murraya". Równocześnie rozeszła się wieść, że do stu czterech Niemców Ali Pasza dorzucił trzech ludzi z Livorno — i właśnie w nadziei, że ojciec znajduje się na jednym z dwóch statków, chłopak czekał naiwnie na jego powrót. Robił tak zresztą za każdym razem, kiedy docierała do niego wiadomość o wykupie albo wymianie. Nie dbając o to, że ominie go zaciąg, sadowił się w porcie, czekał, a w chwili gdy repatrianci schodzili na ląd, jego widok przyprawiał o łzy. „Daniello Launaro, Daniello

Launaro! — wrzeszczał. — Czy wśród was jest Daniello Launaro?!" Następnie podbiegał do nich, przeciskając się przez strażników, którzy ich odgradzali od tłumu, chwytał przybyszy jednego po drugim za ramię i pytał: „Czy ty jesteś Daniellem Launarem? No powiedz, że nazywasz się Daniello Launaro!". Na próżno było powtarzać, że nie powinien się łudzić, że wymiany obejmowały tylko ludzi bogatych lub ważnych, a nigdy lub bardzo rzadko ubogich rybaków. Próżno zapewniać, że dwadzieścia lat to za długo, że nie zdarzyło się, by po dwudziestu latach ktoś wrócił, czyli jego ojciec już na pewno umarł... Z uporem powtarzał, że ojciec żyje i że jeśli nie wykupią go zakonnicy czy jacyś wielcy książęta, to zrobi to on. Za własne pieniądze. Bo to może nieprawda, że w przypadku niewolników o niskiej wartości Ali Pasza zadowalał się czterystoma piastrami, czyli trzystoma srebrnymi skudami? Po latach oszczędzania, zaciskania pasa, zgromadził już sto czterdzieści! A jeśli sprzeda złoty kolczyk, przedmiot bardzo kosztowny, szybko uzyska sumę wymaganą, by zawieźć ją temu draniowi. Za bolesny szczegół należy uznać to, że ojca nie pamiętał ani trochę. W czerwcu 1753 roku, w dniu, w którym ten został porwany, gdy łowił ryby przy wybrzeżu Sardynii, syn miał zaledwie trzy lata.

„Bonne Mère" powróciła 31 sierpnia i kiedy tylko czternastka Toskańczyków zeszła na ziemię, podniósł się ten sam krzyk co zawsze. „Daniello Launaro, Daniello Launaro! Czy wśród was jest Daniello Launaro?" Kiedy tylko przeszli przez świętujący tłum, powtórzyła się zwykła scena: „Czy ty jesteś Daniellem Launarem? No, powiedz, że nazywasz się Daniello Launaro!". Lecz i tym razem Daniella Launaro nie było wśród repatriantów, a trynitarze, którzy razem z nimi zeszli z pokładu, odciągnęli młodego marynarza na stronę. Wytłumaczyli mu, z jakiego powodu nie warto było czekać również na „Generała Murraya" i na prezent w postaci trzech ludzi z Livorno.

A jednak Daniello Launaro do niedawna jeszcze żył. W marcu tłukł kamienie w kopalni i tam został zauważony, bo wydawał się tak stary, że niezdatny do ciężkiej pracy. Białe włosy, biała broda, zgarbione plecy, ciało wychudzone — jak gdyby miał osiemdziesiąt lat. Nie przez przypadek podeszli do niego, by spytać o wiek, i pootwierali gęby, gdy usłyszeli: „Czterdzieści dwa". Nazajutrz do niego wrócili. Długo z nim rozmawiali, dzięki temu poznali wszystkie szczegóły jego golgoty. Porwanie u wybrzeży Sardynii, gdy łowił razem z sześcioma towarzyszami niedoli. Wyładunek w przeklętym mieście, ze związanymi rękami i gardłem zaciśniętym przez dławiącą smycz. Niewolniczy marsz przez drogi pełne ludzi, którzy śmiali się z niego, pluli, wrzeszczeli: „Niewierny pies, niewierny pies". Przybycie do Baño de los Esclavos, niewolniczego więzienia, okrucieństwo strażników, którzy natychmiast wymienili smycz na żelazną obrożę, po czym skuli mu nogi kajdanami, do których przymocowali ciężką kulę. A za celę miał dół ze szczurami, za całe jedzenie garstkę kuskusu, a jedynym jego zajęciem było tłuczenie kamieni. Bez żadnej nadziei na powrót do Livorno, do żony, do maleńkiego syna, za jedyną pociechę mając modlitwy do Boga. Był bowiem dobrym chrześcijaninem, człowiekiem bardzo pobożnym. Zawsze odmawiał swoje *Ojcze Nasz* i *Zdrowaś Mario*, a jeśli strażnik Bachì pozwalał odprawić mszę, brał w niej udział ochoczo i ani myślał postąpić jak tchórze, którzy chcąc sobie ulżyć w męce, przechodzili na islam. Nigdy nie założył turbanu, nigdy nie wyrzekł się Świętego Kościoła Rzymskiego. Zatem pomyślano, by wpisać jego nazwisko na kolejną listę osób do wykupu. Problem w tym, że w połowie wiosny przeniesiono go do portu i wcielono do załogi, która budowała nowe nabrzeże. Gorączkową krzątaniną cudzoziemskich okrętów port zachęcał do ucieczki, więc Daniello szybko uległ pokusie. Bóg jeden wie, jak udało mu się uwolnić z łańcuchów, rzucić do morza, podpłynąć do weneckiej szebeki, a nawet wejść na pokład. Myślał, że dowódca otoczy go opieką, zabierze do Włoch. Nie wiedział, naiwny, że pomiędzy Republiką Wenecką a krajami berberyjskimi istniał od 1764 roku nienaruszalny traktat. Pakt, który zobowiązywał

weneckie statki do odmowy przyjęcia na pokład zbiegłych niewolników, do denuncjowania ich po to, by została im wymierzona
kara.

— Tak więc komendant go wydał — podsumowali trynitarze
opowieść przekazaną chłopakowi. A oprawcy Alego Paszy wymie-
rzyli karę.

— Podrzynając mu gardło... Niech im Pan Bóg wybaczy.

— Pan Bóg może tak, Francesco Launaro nie — odpowiedział
młody marynarz, nie roniąc ani jednej łzy. — Przysięgam, że kiedyś
zaszlachtuję dwudziestu algierczyków. Jednego za każdy rok, który
mój ojciec wycierpiał w łańcuchach.

Następnie stanął przed kapitanem Rogersem, który był już
gotowy do podróży, i zaproponował mu swoją służbę.

— Zabierzcie mnie stąd, z łaski swojej.

Wierny zasadzie, by nie zatrudniać cudzoziemców, z załogą
w komplecie, kapitan Rogers odmówił. Lecz wstawił się za Launarem Filippo Mazzei. Przekonał kapitana, by zmienił zdanie, i w ten
sposób na pokładzie „Triumpha", 2 września rano, zamiast Carla
Fallaciego, czyli pradziadka mojego dziadka po mieczu, wypłynął
w morze Francesco Launaro, pradziadek mojego dziadka po kądzieli. I oto doszliśmy, gdzie chciałam. Gdyby nie to nieplanowane
wejście na pokład, nigdy bowiem nie znalazłabym tego, co sto
siedemdziesiąt jeden lat później znalazłam w skrzyni Cateriny.
Nigdy nie poznałabym historii Francesca i Montserrat. Albowiem podczas trzech miesięcy rejsu na trasie Livorno–Gibraltar–
Williamsburg coś się wydarzyło. W tropikach bezwietrzna po-
goda obezwładniła żagle, spowolniła podróż, zaczęło brakować
wody. By ograniczyć jej spożycie, kapitan Rogers rozkazał jak
najdrastyczniej zmniejszyć racje, wstrzymać podlewanie sadzonek
i szczepów oliwnych, nie poić dwóch owiec, które choć umieszczono je w ocienionym miejscu na pokładzie przy dziobie, wciąż
chciały pić, i szybko, biedne zwierzęta, zaczęły się skarżyć. Ich
beczenie przypominało jęki rodzącej. Lecz nagle beczeć przestały.

Mazzei pobiegł, by sprawdzić, czy zdechły, i stwierdził, że mają się lepiej niż on sam, bo Francesco poił je swoją porcją. I z tego zrodziło się porozumienie, którego niepodważalne świadectwo miała strzec skrzynia Cateriny — aż do potwornej nocy 1944 roku. W książce *O przestępstwach i karach* na stronie tytułowej widniała dedykacja: „Dla Francesca Launara, na pamiątkę pewnej miski z wodą, z podziwem Filippo Mazzei. Na pokładzie Triumpha, w roku 1773".

* * *

Kiedy znalazłam tę książkę, leżała z lutnią bez strun i żaglowcem złożonym z papieru, zamknięta w pudle, na którego pokrywie widniał groźny napis „Nie dotykać", a pomiędzy nierozciętymi stronami książki krył się inny skarb: kataloński paszport Montserrat. Lecz ani jej imię, ani imię Francesca nic mi nie mówiły, a matka do tamtej chwili o nich nie wspominała. Wiedziałam tylko, kim był Mazzei. I tak dedykacja na książce Beccarii rozpaliła moją ciekawość: kim był Francesco, kim była Montserrat, co miał z nimi wspólnego Mazzei. A stateczek z papier mâché? Lutnia bez strun? Pytania wybuchły jak wulkan. Z czasem moja matka głosem namiętnym i przepojonym współczuciem opowiedziała, o czym nigdy wcześniej nie wspominała. I opowiadanie o przodkach stało się wręcz przyzwyczajeniem, nawykiem, który w ostatnich latach jej życia graniczył wręcz z natręctwem — mnożenie szczegółów, powtarzanie w kółko tych samych historii. Sprzeciwiałam się: „Już mi o tym mówiłaś, mamo!". Jest rzeczą nadzwyczajną, że nie licząc pamięci o przedmiotach, które przepadły wraz ze skrzynią Cateriny i całą ulicą Guicciardini, całą ulicą Bardi, całą Por Santa Maria, wszystkimi mostami Florencji, prócz Ponte Vecchio, do tego, by odtworzyć i wymyślić na nowo sagę o Francesku i Montserrat mam teraz tylko echo głosu mamy.

W przeciwieństwie do historii Cateriny i Carla tym razem nie było żadnych dokumentów zapisanych gęsim piórem i brązowym atramentem. Żadnych ziarenek piasku, które, gdy zbierać je palcem, wydałyby się okruchami światła, lśnieniem prawdy. Są tuziny ludzi zarejestrowanych w *Status Animarum*, niezniszczonej przez klęski czasu i barbarzyństwo ludzi, pod nazwiskiem Launaro, którzy w osiemnastym wieku mieszkali w Livorno lub wzdłuż wybrzeży Morza Tyrreńskiego. W drugiej połowie tamtego stulecia co najmniej trzech miało na imię Francesco, ale żaden z nich nie urodził się w 1750 roku. Nie zgadzają się również daty ślubów, narodzin i zgonów. Mroki przerzedzają się dopiero przy wnukach i prawnukach. Co do Montserrat, to nosiła ona prestiżowe nazwisko Grimaldi. I choć w osiemnastym wieku wielu ludzi miało takie nazwisko — we Włoszech, w Hiszpanii, a także we Francji, w krajach północnych — to wiem, o którą gałąź chodzi. Ta gałąź jednak wygasła i akt chrztu Marii Ignacii Josephy nazywanej Montserrat przepadł podczas hiszpańskiej wojny domowej w pożarze, który w Barcelonie pochłonął katedrę Santa Maria del Mar. Zresztą, jej narodziny również otaczała taka tajemnica, jak sami to zobaczymy, że żądać na nie dowodów nie do odrzucenia byłoby idiotyzmem. W trakcie moich daremnych poszukiwań zadałam sobie nawet pytanie, czy niedomówienia, które zawsze towarzyszą sagom przekazywanym drogą ustną, nie spowodowały, że do mojej matki dotarły już bajki słabo związane z rzeczywistością. Jej opowieść pochodziła od niejakiego Attilia, wuja, który twierdził, że usłyszał ją od swojego ojca Natale, który utrzymywał, iż usłyszał ją od swojego ojca Michele, i każdy z nich mógł ją wykoślawić. Lub sfałszować. Lecz na takie podejrzenia zawsze reagowałam, mówiąc sobie, że nie, że to niemożliwe — ta opowieść była zbyt precyzyjna, szczegóły zbyt dokładne, w zbyt wielkiej zgodzie z wydarzeniami lub postaciami historycznymi tamtej epoki. A te skarby, książka z dedykacją Mazzeiego, ten paszport, lutnia czy żaglowiec z papier mâché nie były wymysłami. To konkretne przedmioty, które widziałam, brałam do ręki, dotykałam. Wątpliwościom muszę przeciwstawić akt wiary.

Dowód, którego brakuje w *Status Animarum* i w katedrze Santa Maria del Mar, dowód, który zastępuję wspomnieniem i wiarą, posiadam zresztą w stopniu większym, niż bym tego chciała. To tkwi w genetycznej pamięci, zwierzęcej pewności, którą oddalam od siebie na próżno, na próżno zwalczam, z zagubieniem pomieszanym z urazą. Albowiem tę nieszczęśliwą i nieszczęsną zarazem parę noszę w sobie jak ciężar, jak niechcianego gościa. Za każdym razem, kiedy coś idzie mi źle, myślę oto-dziedzictwo-Francesca, oto-dziedzictwo-Montserrat, i ich historia budzi we mnie przerażenie. I z przerażeniem teraz ja rodzę tę historię. A zaczynam od Francesca i od jego miasta.

2

Livorno było w tamtym czasie drugim miastem Toskanii, równie słynnym na całym świecie co Florencja. Nie przez przypadek zaliczało się do obowiązkowych etapów „wielkiego tour", jaki cudzoziemscy podróżnicy odbywali do Włoch, a jego nazwa istniała w wielu językowych wariantach, co było przywilejem zarezerwowanym wyłącznie dla metropolii i stolic. Po angielsku nazywało się Leghorn, po francusku Livourne, po hiszpańsku Liburna. To również jeden z najsłynniejszych portów w Europie, jeden z najczęściej odwiedzanych na Morzu Śródziemnym, drugie po Marsylii najbardziej kosmopolityczne centrum, w jakim można było zamieszkać. Wieża Babel, ojczyzna wszystkich — prześladowanych z przyczyn politycznych czy religijnych, awanturników, straceńców, uciekinierów, kreatur bez skrupułów, zbrodniarzy. Po to, by je zaludnić i rozbudować port, który miał zastąpić pochłonięty przez morze port w Pizie, w 1590 roku Ferdynand de Medici ustanowił prawo, dające mieszkańcom niezwykłe przywileje: zwolnienie z podatków, bezpłatne mieszkania, wyposażenie rybaków i marynarzy oraz ich rodzin w magazyny lub sklepy, anulowanie długów poniżej pięciuset skudów, unieważnienie wyroków karnych wydanych w ojczyźnie lub za granicą, o ile nie wynikały z przestępstw powiązanych z herezją, obrazą majestatu lub biciem fałszywych monet. A w 1593 roku inne prawo, które rozszerzając stan szczęśliwości na każdego cudzoziemca gotowego stać się obywatelem, przewidywało następujące koncesje: prawo azylu, wolność zawodową i wyznaniową, zależność prawną od obyczajów i praw obowiązujących w kraju pochodzenia, zwolnienie z cła wszystkich towarów złożonych w magazynie celnym, pozwolenie na zwolniony z podatków i myta eksport produktów sprowadzonych mniej niż dwanaście miesięcy wstecz, jak również ochronę przed piratami dla podróżujących na trasach strzeżonych przez flotę kawalerów zakonu świętego Stefana, czyli na Morzu Śródziemnym. W efekcie w ciągu kilku lat Livorno zapełniło się florentczykami, mieszkańcami Lukki, Genui, Neapolu, Pizy, Wenecji, Sycylii, a także Żydami, którzy uciekli lub zostali wygnani z Hiszpanii i Portugalii. W ciągu kilku dziesięcioleci przybyli tu również Anglicy, Francuzi, Niemcy, Szwajcarzy, Holendrzy, Skandynawowie, Rosjanie, Persowie, Grecy, Ormianie. Port rozwinął się bardziej, niż Ferdynand I ośmielał się marzyć, i od prawie dwóch wieków cieszył oczy jedynym na świecie spektaklem. Brygantyny, fregaty, pinasy, szebeki, filugi, tartany, wszelkiego rodzaju żaglowce. Zacumowane tak gęsto, tak liczne, że przy zwiniętych żaglach ich maszty wyglądały jak pnie bezlistnego lasu. Inne statki, które z rozwiniętymi żaglami wpływały na redę lub z niej wypływały, wywożąc tonami bogactwa: wino, oliwę z Chianti, dorsze i śledzie z Terranovy, sztokfisze z Norwegii, kawior z Rosji, cukier z Kuby, zboże z Ukrainy i Wirginii, kość słoniową z Afryki, dywany z Persji, opium i zioła z Konstantynopola, kadzidła i przyprawy ze wschodnich Indii. A na nabrzeżu, przy pomostach uwijali się ładowacze, marynarze, handlarze, pośrednicy, swaci, pasażerowie w trójgraniastych kapeluszach, turbanach, perukach, burnusach, kapturach. Rwetes dźwięków, hałasów, kłótni, śmiechów, przekleństw, wykrzykiwanych we wszelkich możliwych językach. Mieszanka miłych zapachów i dławiących miazmatów. Smród ryb i błota, zapach owoców i kwiatów. Bachanalia życia.

Przy swoich czterdziestu czterech tysiącach mieszkańców, która to liczba nie uwzględniała przejezdnych cudzoziemców i marynarzy, gnieżdżących się pod pokładami, w 1773 roku miasto przyprawiało o zawrót głowy również swoją zabudową: do szesnastego wieku było rybacką osadą i miejscem kaźni galerników, czyli niewolników skazanych na wiosłowanie. Otoczone majestatyczną fosą ze słoną wodą, Fosso Reale, i w okolicy nazywane Nową Wenecją, poprzecinane przez kanały z wdzięcznymi mostkami, wydawało się wyspą wyczarowaną pośrodku stałego lądu. I wszystko w nim wyrażało nowoczesność, fantazję, dobrobyt. Domy wysokie aż na sześć pięter, bez wyjątku wyposażone w ubikacje i szyby w oknach, które razem z pałacykami — to różowymi, to znów błękitnymi — wznosiły się wzdłuż każdego kanału, dokładnie tak jak w Wenecji. (Różnica polegała tylko na tym, że rozdzielały je ulice nazywane *scali*, a ich szczyty zamykały ściany). Podziemne magazyny, wychodzące na kanały i otoczone wodą, stateczki, a raczej barki, które przy nich cumowały, by załadować lub wyładować towar, i które rowami połączonymi z rzeką Arno kursowały do Pizy i Florencji. Medycejscy architekci nadali reszcie kompleksu miejskiego racjonalną strukturę, czyli ulice, które równolegle lub prostopadle do siebie ułatwiały ruch, a w szczególności szeroka via Ferdinanda (lub via Grande), która od Porta a Pisa prowadziła wprost do portu. Blisko siedemset kroków bruku, po którym wozy i karety pędziły w obu kierunkach, przesuwając się przed wspaniałymi budynkami, czystymi gospodami, sklepami pełnymi czego dusza zapragnie. I jeszcze wielki plac w centrum, Piazza d'Arme, ozdobiony katedrą, który ciągnął się przez dobrych trzysta sześćdziesiąt kroków długości i sto dziesięć szerokości. Masywne bastiony piętrzące się wzdłuż Fosso Reale, z ogromnymi tarasami, po których można było spacerować i rozkoszować się z wysokości widokiem na plażę z latarnią morską, krągłą wieżę Matyldy, czerwoną strażnicę starej fortecy, sanktuarium Monte Nero, urocze wille Anglików i Holendrów. I z niczym nieporównywalna sceneria meczetów i synagog, kościołów katolickich i protestanckich, koptyjskich i prawosławnych cerkwi — symbol tolerancji i współżycia, jakich nigdzie indziej nie znano. W Livorno nie istniały getta. Choć w pewnych rejonach — w dzielnicach greckiej, żydowskiej czy ormiańskiej — niektóre grupy etniczne zachowywały swoje zwyczaje, to nie ulegano pokusie rasowych przesądów czy dyskryminacji. Nie przestrzegano tu również praw antyzbytkowych. Bogaci i biedni mogli ubierać się w welur, jedwab czy brokat, nosić wstążki i kokardy, kapelusze i pióra, a razem z luksusem dozwolonych było wiele innych rzeczy. Na przykład hazard. Rozwiązłość i burdele. W innych miastach Wielkiego Księstwa Toskanii kobiety lekkich obyczajów były aresztowane i wystawiane na pośmiewisko, podobnie jak hazardziści, uwodziciele i cudzołożnicy. Za to w Livorno prostytutki krążyły i polowały na klientów bez najmniejszego skrępowania. Pozwalał na to sam wikariusz inkwizycji „na znak szacunku dla cudzoziemców i ludzi morza, którzy zatrzymują się w tym miejscu na kilka dni lub tygodni".

Wreszcie, choć w Livorno nie było uniwersytetów, a życie kulturalne skupiało się w Pizie, Florencji i Sienie, kwitł tutaj handel książkami. W połowie wieku zawiązał się bowiem krąg literatów, którzy postanowili upowszechniać idee oświeceniowe. Drukarz Marco Coltellini z zecerem Giuseppe Aubertem założyli wydawnictwo — i to dzięki nim ukazały się we Włoszech pierwsze wydania najważniejszych dzieł oświeceniowych. To Coltellini i Aubert wydali w 1764 roku *O przestępstwach i karach* Beccarii. A w 1763 *Rozmyślania o szczęściu* Pietra Verriego, w 1771 *Rozmyślania o ekonomii politycznej*, a dwa lata później *Rozprawę o istocie przyjemności i bólu*. W 1770 roku podjęli się nawet przedruku całości *Encyklopedii*, uznanej przez księży za heretycką i skandaliczną, publikowanej tylko we Francji i w Petersburgu. I to jeszcze nie wszystko. Albowiem w kantorze Coltelliniego można było również znaleźć nieosiągalne gdzie indziej teksty myśli libertyńskiej: dziełka i pamflety, które nie mniej odważny księgarz Pietro Molinari drukował w Londynie, następnie wysyłał do Livorno, Genui, Civitavecchii, Neapolu, Messyny. *Boża Materia, Wygasłe Piekło, Unicestwiony Raj, Wygwizdany Czyściec, Święci Bandyci Niebios, Wypędzenie Triumfującej Bestii* — rzeczy, które samemu Szatanowi spędziłyby sen z powiek. Nie przez przypadek, kiedy w 1765 roku Mazzei przybył z Londynu pod pozorem podróży do Wenecji i założenia tam magazynu orientalnych pereł, a w rzeczywistości by przywieźć liczne skrzynie z podobnymi tekstami — tylko o włos uniknął kłopotów. Oskarżony przez Święte Oficjum o przemyt książek szkodliwych, czyli sprzecznych z religią i dobrym obyczajem, i o handel nimi w ilościach, które byłyby w stanie zatruć cały kraj, musiał uciekać do Neapolu i przeczekać tam trzy miesiące. Co do Marca Coltelliniego, Giuseppe Auberta i Pietra Molinariego, ryzykowali dożywotnim więzieniem. Lecz dajmy spokój chimerom — zdecydowana większość czterdziestu czterech tysięcy mieszkańców, ilu liczyło miasto w 1773 roku, w niczym nie przypominała podejrzanych osobników. Książek ludzie kupowali mało, wyrafinowania intelektualnego wykazywali jeszcze mniej, a żeby się przekonać o sławie Livorno w tamtych latach, wystarczy przeczytać ocenę, jaką wystawia mu Piotr Leopold w swoich *Relacjach o rządach Toskanii*. Oto i ona, ledwie zredagowana i poprawiona, by uczytelnić jej tekst zapisany niedoskonałym wariantem języka włoskiego: „Cudzoziemcy zatrzymują się tutaj tylko przez wzgląd na własny interes, bez żadnej więzi z miastem, i nie mają innej perspektywy niż tę, by zarobić wiele pieniędzy środkami legalnymi albo nielegalnymi i móc je wydawać na luksusy lub kaprysy, i osiąść gdzie indziej, korzystając z uzyskanych dochodów. Panuje między nimi niezgoda, złośliwość, duch stronniczości i każdy sposób jest dobry, byleby tylko szybko zarobić pieniądze: fałszywe dokumenty, oszukańcze lub przerabiane rachunki, dyskredytujące listy i donosy... Prokuratorzy, notariusze i inni idą za ich przykładem. Księża są głupi. Lud tonie w niewiedzy, jest bardzo religijny, przesądny, fanatyczny, kłótliwy, pochłonięty bitwami, grabieżami, hazardem, rozwiązłością i winien poddany być twardym rygorom".

Wyłączając grabieże i hazard, czyli jedyne grzechy, którymi Francesco nigdy się nie splamił, przedstawiony opis wydaje się jego wiernym portretem.

* * *

O tak — o młodym marynarzu, który swoimi nieszczęściami i miską wody dla owiec oczarował Filippa Mazzeiego, wszystko dało się powiedzieć prócz tego, że był świętym człowiekiem. Stanowił zaprzeczenie łagodnego i pobożnego Carla. Sprzeczki rozstrzygał nożem, poglądy wyrażał pięściami, kłótnia i bunt stanowiły jego życiową filozofię. I wystarczył rzut oka, żeby to zrozumieć. Od ciągłych bijatyk miał zawsze zdartą skórę na knykciach, nos wiecznie złamany od otrzymanych ciosów, plecy posiekane od chłosty wymierzanej za brak dyscypliny. Policzki i plecy znaczone szramami, pozostawionymi przez przeciąganie pod stępką. Była to kara, którą na żaglowcach stosowano w przypadkach przestępstw lub ciężkiego nieposłuszeństwa, polegała na związywaniu nóg i rąk winnego, rzucaniu do morza na dwóch długich linach luzowanych korbą, wleczeniu pod statkiem, w wielominutowym zanurzeniu, wreszcie wyciąganiu tego, co z niego zostało. A zwykle zostawał nieboszczyk rozdarty gwoździami i nierównościami burt. Francesca wyciągnięto żywego. Błyskawicznie wrócił do siebie dzięki zwykłym okładom z soli i rumu. Jego silny organizm dawał bowiem odpór każdej chorobie i cierpieniu, a dzięki grubej skórze mógł stać na bocianim gnieździe, czyli na najwyższym piętrze głównego masztu, przez całą dobę bez przerwy — bez snu i ryzyka upadku. Był też bardzo źle wychowany, nadmiernie butny, przesadnie mściwy. Nigdy się do nikogo nie uśmiechał, nigdy nie mówił „przepraszam", nigdy nie ulegał przypływom serdeczności. A odpowiedź, jakiej udzielił na trynitarskie niech-im-Pan-Bóg- -wybaczy, owo „Bóg może tak, Francesco Launaro nie", wynikało z jego natury niepoprawnego pyskacza. Obietnica, że poderżnie gardło dwudziestu algierczykom, po jednym za każdy rok, który Daniello odcierpiał w kajdanach, należała do jego złowieszcze- go obyczaju zmazywania uraz wyłącznie krwią. Analfabetą był w większym stopniu niż mieszkańcy Livorno, jakimi widział ich Piotr Leopold, więc podpisując kontrakt, rysował łódkę. I więk- szym ateistą od libertynów, którzy pisali *Wygasłe Piekło*, *Unice- stwiony Raj* czy *Wygwizdany Czyściec*. Nikt nigdy nie widział, by wszedł kiedy do kościoła czy wymamrotał modlitwę, podczas burzy nigdy nie powierzał się Bogu, a na widok księdza, rabina czy muezzina wręcz wychodził z siebie. „Szarlatani, uzurpatorzy!" Co do rozwiązłości, to łatwo poddawał się demonowi, czemu sprzyjał fakt, iż prostytutki zakochiwały się w nim i obsługiwały go za darmo. „Nic nie płacisz, piękny marynarzu. To ja powinnam wam płacić". Nie, wcale nie był szczególnie ładny. Ze złamanym nosem, szramami na policzkach, płaszczem włosów czarnych jak krucze pióra wyglądał jak lustrzane odbicie zła. Lecz miał krzepkie i doskonałe ciało, jego twarz poryta i spalona słońcem uwodziła w tajemniczy sposób, jego nieokiełznanie miało nieodparty urok, a wyraz oczu skruszyłby dziką bestię. Lśniące, głębokie, przegrane i nasycone przerażającym smutkiem.

I miał biedny Francesco powody do smutku. A przyczyn ku temu, by stać się diabłem, też niemało. Na początek, mając dwa- dzieścia jeden lat, żył w samotności, jaką zna tylko ryba złowiona na haczyk i wrzucona do pustego słoika. Matka umarła, kiedy był dzieckiem, zabita przez epidemię plamistego tyfusu w 1763 roku. Braci i sióstr nie miał, ponieważ przed porwaniem ojca urodził się tylko on. Krewnych też nie było, bo inni mieszkańcy Livorno o nazwisku Launaro nie wykazywali z nim żadnego stopnia pokre- wieństwa i żyli sobie w świętym spokoju. Związków uczuciowych też brakowało, gdyż nie mógł sprostać kosztom ożenku, a po to, by doświadczyć nieco miłości, musiał korzystać z usług prostytutek. Przyjaciół nie miał z powodu charakteru, który uniemożliwiał jakiekolwiek porozumienie z nim, i kiedy tylko spotykał kogoś, kto był skłonny go znosić, znajomość kończyła się bijatyką. A jakby tego było mało, żeglował od dnia, w którym ukończył zaledwie jedenaście lat — zaciągnął się wówczas na statek jako majtek, gdzie natychmiast zapomniał, że jest dzieckiem, i chyba nie ma powodu tłumaczyć dlaczego. Bycie marynarzem w tym czasie nie sprzyjało z pewnością przemianie syna biednego rybaka w paniczyka wykształconego, dobrze wychowanego, serdecznego i bogobojnego. Poza domem spędzało się wiele miesięcy, niekiedy rok albo dwa. Zawijało się do portu tylko wyładować lub załadować towar, by zejść na ląd — zazwyczaj bez kapitańskiego pozwolenia. Tak długie przebywanie na pokładzie wyniszczało. Piękne od zewnątrz, działające na wyobraźnię, zdobione rzeźbami i złotem, w środku statki były otchłaniami ohydy — szambem, w którym roiło się od szczurów, karaluchów, wszy, pcheł. Jeśli nie umierało się podczas katastrofy morskiej lub spadając z pokładu albo lądując w morzu, pochłoniętym przez fale, które w czasie burzy wszystko zmiatały z pokładu, to zdychało się na wstrętne choroby. Malarię, francę, trąd, dżumę, cholerę. W najlepszym razie na szkorbut. Choroby atakowały, zarówno kiedy jadło się codzienną strawę, czyli zbutwiały bób i zgniłą fasolę, zatęchłą słoninę i spleśniałe suszone mięso, ryby, w których kłębiły się robaki, jak i piło wodę, która zaśmiardła w bekach. Ona też była skażona. Zawsze brudni, zawsze cuchnący marynarze spali pod gołym niebem lub na przegniłych hamakach. Wyrzekali się wszelkiej cywilizacji, żyli w załogach złożonych z byłych skazańców lub pijaków rekrutowanych w knajpach. Niekiedy przy użyciu siły. Majtkowie byli regularnie maltretowani, bici, upokarzani, wykorzystywani do każdego celu, gwałceni. A od swoich wyzyskiwaczy uczyli się tylko przeklinać, kłócić, żuć tytoń. Kapitan zachowywał się jak niepodzielny władca.

Decydował o życiu i śmierci, a ponieważ każdy akt wyrozumiałości groził rozprzężeniem, za byle co nakładał bezlitosne kary. Kto choćby z najmniejszym opóźnieniem wypełniał rozkaz lub wypełniał go niedoskonale, otrzymywał od trzydziestu do stu batów na grzbiet. Kto kradł łyk wody, palił fajkę lub pluł pod wiatr, był wiązany, spuszczany do morza i pozostawiany całymi godzinami na pastwę rekinów. Kto kogoś zranił podczas bójki, był karany przeciąganiem pod stępką lub przybijany własnym nożem za dłonie do głównego masztu. Dziewięciu na dziesięciu traciło przy tym rękę. A tego, kto zabił w bójce, zawiązywano w worku z trupem i wrzucano w morską otchłań. Kto się buntował, był wieszany. Prócz umieszczenia w worku i powieszenia Francesco doświadczył wszystkiego.

A jednak nie to, a raczej nie tylko to, powodowało, że stawał się diabłem o oczach przepełnionych przerażającym smutkiem. Sprawiała to nienawiść, która zżerała go od dnia, w którym jako dziecko dowiedział się, że jest synem niewolnika. Nienawiść ślepa, ponura, nie do wymazania, sycona kolejnymi latami daremnych oczekiwań, daremnych nadziei. I zagęszczona, skupiona na bardzo konkretnym wrogu — na piratach, którzy porwali mu ojca.

3

Filmy i książki dla młodzieży przyzwyczaiły nas do piratów jako kategorii sympatycznych łajdaków o drewnianych nogach i opaskach na oczach, z trupią czaszką na fladze, która powiewa na dziobie, i ze skarbem ukrytym w jakiejś jaskini na Karaibach — czyli z mało szkodliwym epizodem naszej przeszłości. Lecz rzeczywistość jest całkiem inna. Przez ponad tysiąc lat, aż do pierwszych dziesięcioleci dziewiętnastego wieku, piraci byli plagą, co siała śmierć i rozpacz, łzy i krew, podsycając najbardziej dochodową hańbę, jaka kiedykolwiek splamiła świat — handel niewolnikami. Ignorancja i niepamięć kazały nam zapomnieć, iż plaga ta spadła przede wszystkim na Morze Śródziemne, czyli na morze, nad którym leżą trzy miasta Afryki Północnej, Berberii, przyłączonej do imperium otomańskiego, że na takim handlu rozkwitły i oparły swoją egzystencję Trypolis, Tunis, Algier. (Tanger w Maroku z marnym skutkiem próbował za nimi nadążać). Morze Śródziemne spowijał płaszcz przerażenia. Ktokolwiek przez nie przepływał lub mieszkał w wiosce nadmorskiej, mógł łatwo skończyć jak Daniello. Sprzedaż czarnych niewolników do Ameryki stała się tylko kolejnym rozdziałem tej hańby. Zanim do tego doszło, w samym Algierze sprzedawano co roku od dziesięciu do czternastu tysięcy białych niewolników. Tak zwanych nazareńczyków albo niewiernych psów. Na początku siedemnastego wieku miasto trzymało w łańcuchach dobre trzydzieści trzy tysiące ludzi, z których osiem tysięcy nawrócono na islam, a w roku, w którym został porwany Daniello, dej floty algierskiej oświadczył hiszpańskiemu mnichowi, że prowadzi wykup: „Dla nas, Berberów, to morze jest radością. Bo jest tu wiele statków do ograbienia, wielu nazareńczyków do porywania, a nasz fach przynosi mnóstwo pieniędzy".

Dlatego powstały wieże strażnicze, bastiony ostrzegawcze, które do dziś widać wzdłuż wybrzeży mórz: Tyrreńskiego, Jońskiego, Adriatyku. Dlatego powstały floty korsarskie, czyli floty rzymskie, weneckie, genueńskie, maltańskie, angielskie, francuskie, hiszpańskie, które za pisemnym pozwoleniem odpowiednich rządów lub władców wypływały na wody uzbrojonymi w działa okrętami. Owszem, także łupiły, gromadziły zdobycze, od których rząd lub władca odciągał procenty, lecz równocześnie zwalczały piratów, odwdzięczając się im z nawiązką. Wystarczy wspomnieć o takich postaciach, jak Francis Drake, Walter Raleigh, Jean Bart. Natomiast w Wielkim Księstwie Toskanii powstała flota kawalerów zakonu Świętego Stefana — dobrowolna milicja złożona z osób świeckich, oddanych obronie katolicyzmu, których dokonania miały obrosnąć legendą. Istotnie, nikt nie był bardziej przerażający niż kawalerowie zakonu Świętego Stefana. Ze swoimi czerwonymi krzyżami, spedycjami karnymi, galerami nazwanymi Galerami Wielkiego Diabła, odstraszali wrogów bardziej niż Francis Drake, Walter Raleigh i Jean Bart — nacierając i przejmując każdy okręt tunezyjski, jaki napotkali, z Trypolisu czy z Algieru, wieszając raisa na maszcie, wyrzynając załogę lub robiąc z jej członków niewolników zgodnie z zasadą oko za oko, ząb za ząb. W nadziei, że uda się zlikwidować problem, zaczęli zwalczać nawet imperium otomańskie, oczywistego protektora berberyjskiego piractwa. Na przykład w 1606 roku komisarz generalny Alessandro Fabbroni zniszczył czterdzieści cztery okręty słynnej karawany aleksandryjskiej i pojmał tylu więźniów, że okowy na pokładzie wystarczyły tylko do skucia tysiąca — pozostałych oddał na pożarcie rybom. Niemal w tym samym czasie admirał Jacopo Inghirami zapuścił się w swojej furii aż pod fortece tureckie w Laiazzo, Namurze, Finice, zburzył je, a w ostatniej z nich zabił Agę, porywając przy okazji jego żonę i córkę. W 1626 roku nowy admirał Barbolani di Montauto wpłynął do Cieśniny Dardanelskiej i podpalił fregatę konstantynopolitańskiego sułtana. Kawalerzy maltańscy nie byli gorsi. Floty Wenecji i Państwa Kościelnego to samo. Zaświadczają o tym tuziny książek, tysiące dokumentów, w których łatwo znaleźć znakomite nazwiska. Maltańczyka Gabriela de Chambres, który zginął w bitwie pod Rodos, wenecjan Girolama Morosiniego i Luigiego Moceniego. A jednak plaga piractwa wciąż trwała, nie tracąc na sile. Nawet na rok, na miesiąc czy dzień nie ustał strach i nie zelżała hańba. I pomimo zwycięstw kraje europejskie musiały pójść na ugody. Jeden po drugim podpisywały traktaty pokojowe lub koszmarne umowy — jak ta, na mocy której komendant statku przekazał Daniella rzeźnikom Alego Paszy. Poza wszystkim były to pakty zbyteczne. Zobowiązania, które Berberzy łamali w kilka godzin. Natychmiast po traktacie, jaki zawarli z Państwem Kościelnym, algierczycy wylądowali w San Felice Circeo, by porwać papieża Benedykta XIII, który łowił ryby w jeziorze Fogliano. Kiedy nie osiągnęli celu, złupili miasto i uprowadzili mieszkańców. W tym starców i noworodki.

Przyznajmy — niewolnicy byli również w Livorno. Przez półtora wieku Galery Wielkiego Diabła dostarczały ich na portowe nabrzeża, to oni kopali Fosso Reale i kanały Nowej Wenecji. Nie przez przypadek w starej przystani od 1617 roku stał pomnik Czterech Maurów — wspaniałe i tragiczne w wyrazie posągi z brązu, przedstawiające czterech Berberów lub Turków przykutych łańcuchem do rogów cokołu, na którym góruje sylwetka Ferdynanda I Medyceusza w stroju kawalera zakonu Świętego Stefana. Nieopodal pomnika — łaźnia, którą w 1602 roku Ferdynand wzniósł dla nich oraz dla *fiscalini*, czyli skazanych na dożywocie rodaków, którzy odsiadywali karę na galerach, przy wiosłach. Z wyjątkiem żony i córki Agi — które szybko zwolniono, ponieważ kobiety stanowiły kłopotliwy balast i Kościół nie życzył sobie, by je porywano — tłumy więźniów Fabbroniego czy Inghiramiego kończyły właśnie w ten sposób, i z pewnością nikt ich nie głaskał po głowie. „Wczoraj kazałem powiesić niewolnika, nie wiedząc, czy to dozwolone. Zrobiłem to, by zaniechano obyczaju, jaki rozpanoszył się między nimi kilka miesięcy temu, by ranić się lub zabijać wzajemnie", pisze w liście z 15 maja 1644 roku florencki admirał Ludovico da Verrazzano, inny wnuk Giovanniego, który odkrył rzekę Hudson i wybrzeże Nowego Jorku. Następnie wyjaśnia, że wspomniany niewolnik, balwierz, prosił o posłuchanie, by złożyć skargę na strażnika, który dręczył go nadmiernymi wymaganiami, a wręcz prześladował. Myśląc, że balwierz jest pijany, oddalił jego prośbę i kazał zakuć, wskutek czego nieszczęśnik załamał się i uciekł się do brzytwy. Poderżnął sobie gardło. „I tak nie uszedłby z życiem, więc do głowy przyszła mi myśl, by dzieła dokonał kat, który też jest niewolnikiem. I po to, by dać wszystkim nauczkę, a także sprawdzić, czy ta kanalia ma rękę wprawną do podobnych zajęć, rozkazałem, by go powiesił, jak już wyżej wspomniałem. Szkoda, bo był to niewolnik mocny i dobry, i bez trudu sam wiosłował łodzią za pięcioosobową załogę". Przypadek ten jest znamienny, choć Turcy i Berberowie więzieni w Livorno wywodzili się zawsze z piratów, wrogów pojmanych w bitwie, a nie z rybaków porwanych dla łupu, takich jak Daniello. Bardziej niż za niewolników byli uważani za więźniów wojennych, mieli więc lepiej niż *fiscalini*. I w przeciwieństwie do nich nie nosili żelaznej obroży ani kuli u nogi. Za kopanie i wiosłowanie otrzymywali zapłatę wyższą o czternaście soldów, w dni świąteczne jedli to samo co marynarze w porcie, a w dni robocze mieli trzy funty chleba z dorszem lub zupę jarzynową. Nie byli też źle ubrani. Każdej wiosny ich odzież uzupełniano o dwie koszule, dwie pary spodni, cztery pary skarpet, wełniany żakiet, czapkę z tego samego materiału, podkute buty i kurtkę zwaną niewolniczką. Za łączną wartość ośmiu albo dziesięciu skudów. Tyle, co Apollonia zarobiła w ciągu całego życia, sprzedając jajka od swoich kur. Codzienność też nie była najgorsza. Do spania mieli łóżka z materacem, do mycia słodką wodę i mydło, dla zdrowia lazaret oddzielony od lazaretu *fiscalini*, z którymi nie chcieli mieć nic wspólnego. Mogli przestrzegać przykazań islamu, czyli modlić się, przerywając pracę pięć razy dziennie, chodzić do prostytutek, uprawiać drobny handel. Czyli produkować na własny rachunek ubrania z wełny, paski w mauretańskim stylu, wiklinowe kosze na chleb, ciastka, biszkopty i sprzedawać je w bazarowych baraczkach w porcie albo i dalej. Mogli ponadto pracować w mieście — nosić bagaże, sprzedawać wodę, prowadzić lub posiadać kantory z kawą i tytoniem, ubojnie owczego mięsa.

Wypada również podkreślić, że z biegiem czasu zelżał napływ niewolników skutych łańcuchami przez kawalerów zakonu Świętego Stefana. W 1608 roku łaźnia liczyła ich trzy tysiące, w 1648 — ośmiuset czterdziestu jeden, w 1737 — dwustu czterdziestu czterech. W 1747 — dwustu dwudziestu jeden

(44 Turków egipskich, 97 algierczyków, 57 tunisyjczyków, 23 try-politańczyków), których odesłano do Konstantynopola, by przy-pieczętować pakt o pokoju podpisany tego roku z Otomanami. Pozostało zaledwie piętnastu sklepikarzy, którzy przeszli na katolicyzm, i dziesięciu służących, którzy na podróż byli za starzy. I w ten oto sposób, po przewiezieniu *fiscalini* do więzień w Pizie i Porto Ferraio, łaźnia została zamknięta. Otwarto ją na nowo dopiero dwadzieścia lat później, kiedy Piotr Leopold, zdesperowany zdradami Berberów, którzy bezustannie łamali pakt z 1749 roku, znów zaczął ich zwalczać i więzić. Lecz wtedy nowi przybysze zażądali przywilejów jeszcze większych, które też otrzymali: prawo do zakładania stowarzyszeń, do korzystania z pomocy adwokata, do zgłaszania w sądzie swoich krzywdzicieli i, co najlepsze, do tego, by kupować dla siebie wolność. Po jej uzyskaniu, gdyby chcieli, mogli wystąpić o obywatelstwo i wziąć ślub. Innymi słowy, przy wszystkich łajdactwach Ludovica da Verrazzano, być niewolnikiem w Livorno, a być nim w Tunisie, w Trypolisie lub Algierze, to było coś całkiem innego. A zwłaszcza w Algierze.

* * *

Opowieść, w której trynitarze wyjawili przed Franceskiem golgotę, jakiej doświadczył Daniello, nie miała w sobie ani cienia fałszu czy przesady — w Algierze nazareńczycy naprawdę byli okrutnie traktowani. Nie licząc smyczy, opluwania i obelg, po myciu, goleniu i ubraniu w szmaty, prowadzono ich do pałacu gubernatora. Bijąc po twarzy i kopiąc, przesłuchiwano ich, spisywano, dzielono według statusu społecznego i na tej podstawie ustalano, czy byli warci ceny jednej talii, czy też nie. Osobom bogatym lub ważnym, czyli zasługującym na talię, oszczędzano przeto upokarzającej sprzedaży na wzór koni czy wielbłądów. W oczekiwaniu na okup przechowywał ich konsul lub pasza gościł w swoim pałacu. Lecz pozostałych natychmiast prowadzono na basistan — targ. A tu działo się dokładnie to samo, co działo się lub miało się dziać w Ameryce z czarnymi niewolnikami przeznaczonymi do plantacji. A nawet o wiele gorzej. Strażnik Bachì zdzierał z nich ubrania, wystawiał nago na podwyższeniu i krzyczał: „Mężczyzna do roboty! Kobieta do rozkoszy! Patrzcie, jakie piersi, jakie pośladki! Patrzcie, co za muskuły, co za zęby!". Wtedy podchodzili kupujący, zaczynali ich macać, badać im piersi, pośladki, mięśnie, zęby, następnie oferowali cenę lub brali udział w licytacji. Kupowali ich oddzielnie albo grupami. Niekiedy po to, by ich wynajmować lub odsprzedawać, poddawać nowym upokorzeniom i poniżeniom. Najpiękniejsze kobiety lądowały w haremach, mniej urodziwe w burdelach. Brzydkie i stare zostawały kuchtami, sprzątaczkami lub czymś w tym rodzaju. Dziewczynki trafiały do prywatnych domów, gdzie pracowały jako służące. Urodziwi młodzieńcy też kończyli w burdelach lub na służbie panów, którzy robili z nich swoich paziów albo kochanków. Mniej urodziwi oraz dojrzali mężczyźni, bez względu na wiek, byli kierowani do najcięższych prac. Czyli do tłuczenia kamieni, kopania studni, wybierania szamba, ciągnięcia pługa lub wozu w zastępstwie osłów i mułów. Osiemnaście godzin pracy dziennie, bez przerwy z kłodami na karkach i u nóg, śpiąc w rowach zamykanych kratami i wyposażonych w drabiny do schodzenia i wchodzenia. Oczywiście bez łóżek. Bez mydła, bez szpitali, w których mogliby się leczyć, bez prostytutek, by się pocieszyć, bez chwili na odpoczynek i bez płacy. Zamiast tego wszystkiego — kary porównywalne z tymi, którym podlegali marynarze na statkach. Tyle że cięższe, ma się rozumieć, i wymierzane z podwójną perfidią. Sto razów kijem w stopy, jeżeli ktoś się zatrzymał, by przez moment odetchnąć. Sto kijów na grzbiet, jeśli ktoś padał z nóg ze zmęczenia. Dwieście, jeśli ktoś ośmielił się zbuntować. Ucięcie ręki dla tych, którzy ukradli owoc lub garstkę kuskusu, ścięcie głowy, jeśli ktoś dotknął algierki, poderżnięcie gardła za próbę ucieczki. I umierali, tysiącami, często po roku czy dwóch. Rzadko żyli tak długo jak Daniello.

Naturalnie był sposób, by położyć kres tej kalwarii — nawrócić się na islam. Stając się muzułmaninem, przestawało się wykonywać przymusowe roboty, zyskiwało prawo do noszenia turbanu, wchodzenia w związek małżeński, prowadzenia bazaru lub sklepów takich jak te, które posiadali niewolnicy mieszkający w Livorno, obejmowanie stanowisk rządowych, a nawet dostęp do fachu pirata. Przy odrobinie szczęścia wręcz awans do stopnia raisa. W historii piractwa berberyjskiego nie brakuje raisów angielskich, francuskich, maltańskich, greckich, włoskich. Jednym z nich był słynny Alì Piccinini, syn przechrzty urodzonego w Wenecji, który w Algierze przetrzymywał sześciuset chrześcijan, a miał też wielce renomowaną szkołę złodziei.

Jeżeli jednak odmawiałeś nawrócenia się na islam, pozostawały ci trzy rozwiązania: ucieczka, wymiana, okup. Z tym że pierwsza dawała niewielkie szanse. Choć na Sycylii działali „agenci ucieczek", którzy na małych łodziach, wykazując się wielką odwagą, przypływali po ciebie i zabierali, to niemal każda próba wyrwania się stamtąd kończyła się porażką. Do tego, by się udało, konieczna była dobra organizacja od wewnątrz, z pomocą wspólników gotowych nadstawić karku. Sprzyjało też to, jeśli uciekinier pracował w porcie lub w mieście, a nie na peryferyjnych kamieniołomach, jeśli sam lub przy wsparciu miłosiernego strażnika zdołał rozkuć okowy i rzucić się do wody, jeśli potrafił pływać i dopłynąć do „agentów ucieczek" ukrytych za jakąś skałą lub w jakiejś grocie, a przede wszystkim, jeśli rzecz się działa w Tunisie — w mieście położonym najbliżej sycylijskich wybrzeży i wyspy Pantelleria. Z Trypolisu dla małej łodzi było za daleko. Z Algieru — nawet nie ma co marzyć. Co do wymiany, to nie można tu było mieć wielkich nadziei. Zakładając, że jeden muzułmanin był wart co najmniej trzech chrześcijan, algierczycy odmawiali wymiany jeden za jednego, dochodziło do tego tylko w wyjątkowych przypadkach. Należała do nich wymiana przeprowadzona przy pomocy „Bonne Mère" — wymiana: czternastu za czternastu. Wynika z tego, że jedynym skutecznym rozwiązaniem był okup. I płacono ich mnóstwo. Widać to po listach spisanych przez bractwa miłosierdzia i instytucje religijne, które prowadziły pertraktacje, jak również po raportach konsulów i „agentów ucieczek", których kraje europejskie utrzymywały w Berberii w tym jednym celu — by odzyskiwali ich porwanych współziomków. Oto niektóre przykłady. Pomiędzy 1690 a 1721 rokiem franciszkanie z trzeciego zakonu wykupili ośmiuset dwunastu nazareńczyków. W 1720 roku zakon trynitarski świętego Ferdynanda wykupił stu siedemdziesięciu jeden. W 1769 Mercedarianie trzewiczkowi wykupili pięciuset piętnastu. W 1771, razem z księciem Paternò, za którego rodzina zapłaciła niebotyczną sumę pięciuset tysięcy piastrów, Palermitańskie Dzieło Najświętszego Zbawcy wykupiło osiemdziesięciu. Trynitarze bosi ośmiuset dwudziestu. Za sumę od trzystu do czterystu peset za każdego. Jeśli policzyć, że pesety, monety ze złota, stanowiły wielokrotność piastrów i odpowiadały dwóm skudom toskańskim, i jeśli pomyśleć, że w ciągu trzech wieków sami trynitarze wykupili dwieście tysięcy chrześcijan, łatwo zrozumieć, dlaczego w Algierze ponury zarobek przynosił jeszcze większy zysk od grabionych towarów i od nieszczęśników sprzedawanych masowo na basistanie.

Ostatnie wyjaśnienie: okup wcale nie był rzeczą łatwą. Procedura trwała latami, wymagała wielkiej znajomości miejscowej etykiety i nie polegała jedynie na przekazaniu żądanej sumy. Biada bowiem, jeśli wpłacając kwotę paszy, nie przekazywałeś stosownych procentów dejowi, biada, jeśli dając procenty dejowi, nie dawałeś ich również premierowi, biada, jeśli dając premierowi, nie dawałeś również strażnikowi Bachì, raisowi, który dokonał pojmania, tłumaczowi, który uczestniczył w rozmowach, pisarzowi, który sporządzał umowę, rozmaitym strażnikom, stróżom i wartownikom więziennym. Wówczas negocjacje szlag trafiał. Lub grzęzły w martwym punkcie, ponieważ w przypływie zachłanności pasza podnosił cenę. W 1760 roku biedny sycylijski proboszcz don Gasparro Bongiovanni zebrał i zawiózł do Algieru dwadzieścia tysięcy

piastrów — kwotę w zupełności wystarczającą do odzyskania
czterystu rybaków porwanych w ciągu kilku sezonów pomiędzy
Caltanissettą a Ragusą. Lecz pasza roześmiał mu się w twarz:
„Chcę czterdzieści tysięcy".

A teraz wróćmy do Francesca.

4

Z piękną dedykacją w książce, której nie umiał i nigdy już miał
nie przeczytać, z sercem cięższym niż w chwili wyjazdu, Francesco
pojawił się w porcie ponownie 29 marca 1774 roku — w dniu,
w którym „Triumph" znów zacumował w Livorno, by wyładować
dziewięćdziesiąt skrzyń tytoniu i pięćdziesiąt worków bawełny.
Trochę za sprawą bezwietrznej pogody, która w tropikach spowolniła kurs i o dwa tygodnie opóźniła przybicie do Norfolku, trochę
przez wysoką gorączkę, która w dniu wypłynięcia zmusiła kapitana,
by zszedł z pokładu i pozostał na lądzie do Bożego Narodzenia, trochę przez burze, które w drodze powrotnej wymusiły dwa
nadprogramowe postoje, jeden na Wyspach Kanaryjskich i jeden
w Gibraltarze — rozpaczliwie podjęta podróż trwała dobrych siedem miesięcy, wystarczająco długo, by ukoić lub choć stłumić każde
cierpienie. Ale nie jego. Sycone nienawiścią, w ciągu tych siedmiu
miesięcy dojrzało jak dobrze nawadniana i nawożona roślina. Jak
dziecko, któremu nigdy nie zabrakło mleka. Cierpienie wzmocniło
przysięgę, jaką złożył wobec trynitarzy bosych, to jego przysięgam-
-że-poderżnę-gardło-dwudziestu-algierczykom, i o niczym innym
nie myślał. Dość było spojrzeć na niego, by się o tym przekonać.
Wyglądał bardziej złowrogo niż kiedykolwiek, oczy miał smutne
jak nigdy przedtem, przerwy w pracy spędzał, ostrząc nóż — i na
nic by się zdało wypędzać mu z głowy tę upartą myśl. Próżno było
powtarzać, że w wieku dwudziestu jeden lat przyszłość jest darem,

którego nie wolno psuć planem zemsty, próżno podsuwać mu inne perspektywy. Inne cele. Mazzei podjął taką próbę. Przedstawił mu możliwości, jakie Nowy Świat otwierał przed tymi, którzy emigrowali, i zasugerował zmianę zawodu — niech zostanie chłopem i osiądzie w Wirginii. Lecz Francesco odpowiedział: „Nie dziękuję, muszę załatwić pewną sprawę". Próbował również James Rogers. Podczas postoju w Gibraltarze zaproponował Francescowi, by pozostał na „Triumphie", który z Livorno miał się skierować do Bombaju, by zabrać partię przypraw i herbaty: „Jesteście dobrym marynarzem. Jeśli się zgodzicie, dam wam sześć sterlingów na miesiąc".

Cóż, znakomita pensja te sześć sterlingów na miesiąc. Zazwyczaj armatorzy byli skorzy płacić cztery lub pięć. Ale James Rogers okazał się porządnym człowiekiem. Typem, który zabraniał okrutnych kar. „Triumph" był żaglowcem dość czystym, na którym jadło się raczej dobrze. Lecz Francesco znowu odpowiedział nie--dziękuję, muszę-załatwić-pewną-sprawę. Kłopot w tym, że nie wiedział ani gdzie, ani jak, ani kiedy miał ją załatwić. Dowiedział się, a raczej odkrył to, dopiero pewnego dnia rano, zszedłszy ze statku, podczas rozmowy z właścicielem lokandy, wynajmującym mu brudny pokój, w którym pomieszkiwał pomiędzy jednym rejsem a drugim. I już.

* * *

W tym czasie Galery Wielkiego Diabła już nie istniały. W 1737 roku, po śmierci Jana Gastona, czyli ostatniego Medyceusza, Habsburgowie-Lotaryńscy zagarnęli Wielkie Księstwo Toskanii i galery zamienili na żaglowce. A pozbawione tych długich wioseł — które wyglądały jak szable, gotowe przeciąć człowieka na pół, pozbawione długich trzonów, które wyglądały jak rożna gotowe cię nadziać i które naprawdę nadziewały cię po to, by przejść do abordażu — żaglowce nie budziły takiego lęku. Od 1737 roku nie istnieli też już praktycznie kawalerowie zakonu Świętego Stefana. Znosząc wolontariat zaciągu i reorganizując ich racjonalnie, nowy wielki książę, ojciec Piotra Leopolda, ugasił tym samym ich zapały i mistyczne wzloty. Teraz, choć strzelali żelaznymi kulami, siali strach mniejszy niż zwykły strażnik w mieście. Co gorsze, w 1765 roku pacyfizm iluministy Piotra Leopolda, który dopiero co zasiadł na tronie, ograniczył to, co pozostawało z wielkiej floty korsarskiej, do wątłej flotylli złożonej z kilku kanonierek i dwóch brygantyn o kokieteryjnych imionach „Alerion" i „Jaskółeczka". Następnie nowy władca powierzył komendę angielskiemu szlachcicowi, który nie miał wcale serca do walki, Johnowi Actonowi. Nie przez przypadek statki handlowe i kutry rybackie musiały się same bronić za pomocą strzelb i wyrzutni rozlokowanych gdzie popadło — do piratów algierskich, tuniskich i trypolitańskich dołączyli bowiem Marokańczycy, w Berberii zaś handel niewolnikami rozkwitł stukrotnie, i wniwecz poszły umowy podpisane przez Habsburgów-Lotaryńskich. Lecz kiedy to wszystko się działo, na horyzoncie pojawił się nowy John Acton, bratanek pierwszego. I krok za krokiem sprawy zaczęły przybierać inny obrót. Po śmierci rodziców bowiem młody Acton przybył do Toskanii, by zamieszkać ze stryjem i zapisać się na uniwersytet w Pizie, lecz szybko się zorientował, że od studiów bardziej podoba mu się żegluga. W mgnieniu oka został kapitanem statku i stryj powierzył mu komendę na „Jaskółeczce". Nadużycie władzy? Czysty nepotyzm? Nic podobnego. Za pomocą „Jaskółeczki" John junior zwany Giovanninem natychmiast pojmał nieuchwytną dotychczas szabekę, która terroryzowała każdego, kto przemieszczał się pomiędzy Sardynią a Gorgoną, następnie żaglowiec, który od dawna szydził z nich sobie, błądząc po redzie pod Livorno. Zachęcony tymi sukcesami, Piotr Leopold wzbogacił wątłą flotę o fregatę pod surową nazwą „Etruria". Do niej dołączyła następnie fregata „Austria", osobisty dar cesarzowej Marii Teresy, która z Wiednia czujnym wzrokiem obserwowała rządowe wysiłki syna. „Austria" została przydzielona komendantowi „Jaskółeczki" i kiedy teraz wymawiało się nazwisko John Acton, nikt już nie myślał o starym Actonie, którego zresztą oddalono, obciążając fałszywymi zarzutami, i który się rozchorował na serce. Myślano o wschodzącej gwieździe Giovannina. I dzięki niemu przez siedem miesięcy, które Francesco spędził na pokładzie „Triumpha", wydarzyło się bardzo wiele.

„Źle zrobiliście, Launaro, że zaciągnęliście się 2 września. Straciliście powód do satysfakcji" — powiedział właściciel lokandy. I opowiedział, że dwa tygodnie po wypłynięciu „Triumpha" Jego Wysokość upoważnił Johna Actona do podejmowania karnych wypraw, jak za pięknych czasów, kiedy pływały galery. John Acton umieścił na „Austrii" pięćdziesiąt cztery dodatkowe działa, skierował się ku portowi w Tunisie, wpłynął do niego i nie tracąc ani jednego masztu czy marynarza, zniszczył jedenaście okrętów nieprzyjaciela. To nie wszystko. Albowiem nazajutrz wypłynął na poszukiwania nowych ofiar i 14 października je znalazł: dwie marokańskie korwety, które żeglowały wokół przylądka Spartel. Cóż, jedną natychmiast zlikwidował, przeprowadzając abordaż i pojmując osiemdziesięciu czterech członków załogi, jak również czterech oficerów i raisa. Drugą ścigał, wypychając aż na skały Arzilli, gdzie się rozbiła i w mgnieniu oka zatonęła.

— A gdzie jest teraz ten Acton? — spytał Francesco.

— Robi pokazówkę na wodach Algieru.

— Kiedy wraca?

— Niedługo. Zazwyczaj wypływa, spuszcza łomot i wraca.

— A żeby przyjął na pokład, co trzeba zrobić?

— Trzeba stanąć przed komisarzem, który zajmuje się zaciągiem, i powiedzieć: „Nazywam się tak i tak i chcę się zaciągnąć". Ale wynagrodzenie jest niskie. Kilka skudów, od których odejmują koszt munduru. A przy podziale łupu marynarzom przypadają marne resztki.

— Nieważne. Pieniędzy już nie potrzebuję.

Faktycznie pieniędzy nie potrzebował. Lecz dwa problemy wciąż stanowiły przeszkodę — w jego przypadku nie do pokonania.

Po pierwsze, dyscyplina wojskowa, której załogi musiały przestrzegać, ślepe i absolutne posłuszeństwo regulaminom, o których na statkach handlowych nawet się nie śniło. Zakaz przeklinania, kłótni, żucia tytoniu, chodzenia półnago albo bez butów, sikania i załatwiania się na siatkę pod pokładem. I żadnych długich włosów do połowy pleców, żadnych kolczyków, żadnych noży, czyli nieprzepisowej broni. Po drugie, niewiarygodna bigoteria, która była warunkiem przyjęcia na pokład. Pomimo udziału w łupach Piotr Leopold bardzo przestrzegał tego, by uwiarygodniać imieniem Chrystusa wyprawy jego korsarskiej floty, przedstawiać ją jako duchową spadkobierczynię floty kawalerów zakonu Świętego Stefana. Żeby nią dowodzić, stary Acton musiał po kryjomu nawrócić się na katolicyzm, a żeby objąć komendę nad „Austrią", Giovannino podczas uroczystości publicznej wyrzekł się anglikańskiego Kościoła. Marynarze byli więc przyjmowani wyłącznie wtedy, gdy okazywali się ludźmi sprawdzonej katolickiej wiary, wykazywali się znajomością modlitw, deklarowali, że regularnie biorą udział w mszy świętej i w nieszporach. A Francesco wolałby się wykastrować, niż zdradzić siebie samego i swoją nieprzejednaną obojętność wobec Boga. Nienawiść jednak jest uczuciem tak mocnym jak miłość. Podobnie jak ona może odwrócić bieg rzeki, przenosić góry. I jeśli rodzi się z wielkiej niesprawiedliwości, z wielkiej krzywdy, to może czynić cuda, o jakich miłości się nawet nie śniło. Kiedy pod koniec kwietnia „Austria" powróciła, wśród tłumu, który oklaskiwał ją w porcie, znalazł się również Francesco. Zdecydowany, uparty, gotowy kłamać. Wiedząc, że należało przekonać komisarza, który zajmuje się zaciągiem, nauczył się nawet na pamięć dziesięciu psalmów i dziesięciu litanii. Następnie skradł krzyż długi na siedem centymetrów i zawiesił sobie na szyi.

— Nazywam się Francesco Launaro i chcę się zaciągnąć.
— Dlaczego?
— Bo wierzę w Boga, w Matkę Boską i w świętych.
— Chodzisz na mszę, na nieszpory, znasz modlitwy?

— Tak jest ekscelencjo, lepiej niż ksiądz.

— No to zobaczmy, czy umiesz *Salve Regina*.

— *Witaj Królowo Niebios, Matko Miłosierdzia, życie, słodyczy, nadziejo nasza, witaj! Do ciebie wołamy, wygnańcy synowie Ewy...*

— Dobrze. A włosy?

— Zetnę, ekscelencjo.

— A kolczyk?

— Wyrzucę.

— A ten nóż jak u rzeźnika?

— To relikwia, ekscelencjo, błogosławiony skarb. Jeśli pozwolicie mi go zachować, obiecuję, że nie posłużę się nim nawet do obierania jabłka.

Nazajutrz był na pokładzie. Z krótkimi włosami, bez kolczyka. Nóż pozwolono mu zachować. Korsarz najbardziej posłuszny, najbardziej dostojny, wykazujący się największym respektem i — na pozór — najbardziej religijny, jakiego flota toskańska kiedykolwiek miała. Zanim „Austria" i „Etruria" wypłynęły na wyprawę karną, która miała im zająć całe lato, zapragnął wręcz uczestniczyć w uroczystej mszy, którą biskup Livorno odprawiał w katedrze sławetnej kolegiaty, by błagać Maryję Dziewicę o jak najwięcej wrogów, których można by zabić. Bóg jeden wie, jak się wyspowiadał i przystąpił do komunii, a widząc żar, z jakim się modlił, wielu się nawet wzruszyło: „Co za pobożny młodzieniec!".

Rejs nie okazał się godny takiego poświęcenia. Upokorzony atakiem, który zniszczył jedenaście okrętów, dej Tunisu zaproponował tego lata odnowienie unieważnionych paktów i ograniczył napaści swoich piratów. Przerażony utratą dwóch korwet, sułtan Maroka zrobił to samo, a wręcz zaproponował zawarcie nowej umowy, wysyłając sześć arabów czystej krwi i kosztowne adamaszki. Odwagę Johna Actona podtrzymywał jedynie Ali Pasza i, pomimo mszy biskupa, „Austria" zdołała schwytać zaledwie trzydziestu czterech algierczyków. Było to zresztą pyrrusowe zwycięstwo, ponieważ poddali się natychmiast i nie udało się im nawet wyrwać jednego włosa z głowy. Lecz Francesco otrzymał to, czego szukał. Pewny, że okazja nadejdzie, zmusił się do oczekiwania. I nadeszła następnego lata, kiedy Hiszpanie wylądowali w Algierze. Zrządzeniem losu do wydarzenia tego doprowadził człowiek, którego córkę miał Francesco poślubić trzynaście lat później. Ojciec Montserrat.

5

Nazywał się Gerolamo Grimaldi, markiz i książę Grimaldi, hiszpański grand. Spośród wszystkich mieszkańców naszej planety najmniej predestynowany do tego, by spokrewnić się z biednym marynarzem i analfabetą, synem niewolnika, któremu poderżnięto gardło. Arystokrata w czterech czwartych, znany na wszystkich dworach Europy ze swojej kultury i elegancji, z wyrafinowanych gustów i znajomości savoir-vivre'u, należał do jednej z najbardziej szanowanych genueńskich rodzin. Sześciu dożów, siedmiu kardynałów i zastępy kondotierów. Był do tego bogaty, budził strach, miał wpływy, a pozycję swą osiągnął również dzięki bardzo roztropnemu sprytowi i dobrze wykalkulowanej ambicji. Hołubiąc marzenie, by zostać papieżem, w wieku czternastu lat wybrał karierę kościelną. Triumfując w salonach Rzymu, gdzie wykorzystywał pozycję wuja w purpurze, już w wieku lat dziewiętnastu dochrapał się godności opata. Skandalik seksualnej natury zmusił go jednak do zmiany drogi życiowej i mając lat dwadzieścia sześć, Gerolamo Grimaldi przeprowadził się do Madrytu, by wstąpić w szeregi dyplomacji i oddać się na służbę króla Hiszpanii. W Madrycie natychmiast uczyniono go doradcą następcy tronu i od tej pory, także dzięki tak uwodzicielskiemu wyglądowi, że wszyscy mówili o nim *el lindo abate*, piękny opat, odnosił same sukcesy, którym nic nie mogło stanąć na przeszkodzie. W 1746 roku był specjalnym wysłannikiem w Wiedniu, by pertraktować odrębny pokój z Marią Teresą i rozwiązać problem, który ściągnął na siebie Filip V, przystępując do wojny o austriacką sukcesję. W 1749 został ambasadorem w Sztokholmie. W 1752 przebywał w Londynie, w 1755 w Hadze, w 1759 w Kopenhadze, w 1761 w Paryżu, gdzie negocjował i podpisał pakt familijny, czyli słynne przymierze militarne pomiędzy Burbonami rządzącymi we Francji, w Hiszpanii, w Parmie i w Neapolu. W 1763 roku został *ministro de estado*, czyli premierem Karola III, króla, którego siostrę poślubił Piotr Leopold — infantkę Marię Ludwikę. I co z tego, że hiszpańska arystokracja nie mogła go znieść? Cóż z tego, że jego największy nieprzyjaciel hrabia de Aranda mówił o nim „*maricón y renegado de su patria*, pedał i zdrajca ojczyzny"? Karol III zależał od niego bez reszty i akceptował każdą jego decyzję, każdą inicjatywę. Włącznie z pomysłem wyprawy do Algieru, by ukarać Alego Paszę za to, że jego okręty napadły na port, z którego wypływali hiszpańscy korsarze, bazę Peñón de Vélez, zatapiając szesnaście statków i porywając stu marynarzy. Włącznie z radą, by prosić szwagra, Piotra Leopolda, aby do wyprawy włączył „Austrię" i „Etrurię".

Portret, który pozostawił nam malarz Xavier dos Ramos alias Antonius de Maron, olej na płótnie, 189 na 276 centymetrów, został namalowany trzy lub cztery lata po ataku na Algier, i ukazuje ponadsześćdziesięcioletniego, wysokiego i smukłego mężczyznę, który stojąc przy zawalonym papierami stole, wyciąga rękę, by położyć kopertę, na której jest napisane „Por el Rey". W miejscu, w którym zamierza ją położyć, leży kartka, a na niej można przeczytać: „Pacto de Familia. Tratado entre España y Francia, el año 1762. Grimaldi, Choiseul". Za jego plecami rokokowy fotel. W tle nisza kryjąca posąg tłustej Minerwy, a między zasłonami fresk z białym pałacem w Aranjuez. Grimaldi wygląda bardzo, ale to bardzo elegancko. Nosi gładką, szarą perukę, która nad uszami wybrzusza się w trzy poziome fałdy. Ma na sobie odświętny strój hiszpańskiego ambasadora, który to ubiór skupia naszą uwagę, jak gdyby był prawdziwym bohaterem obrazu. Długi frak z wełny lub weluru, turkusowy, z podszewką i obrębieniami rękawów z jaskra-woczerwonej mojry, po lewej stronie udekorowany diamentową gwiazdą, której przekrój nie może być mniejszy niż dziesięć czy dwanaście centymetrów, Order Złotego Runa. Niżej, nieco ukry-ta, kolejna, podobna i nieco mniejsza odznaka kawalera Orderu Ducha Świętego. Także kamizelka z jaskrawoczerwonej mojry, równie długa i równie usiana wspaniałymi złoconymi haftami. Tym razem w pędy bluszczu i jagody jałowca. Kordzik, który wyłania się spod fraka, by ukazać misterną rękojeść. Spodnie związane w kolanach, wciąż z żywoczerwonej mojry, pończochy z jasnego jedwabiu, które otulają długie i dobrze umięśnione nogi, trzewiki zdobione niezwykle wyrafinowanymi klamrami. Szeroka szarfa z błękitnej mojry, a na szyi, spięta haftowanym żabotem, różowa wstęga, która podtrzymuje order Karola III, niewiarygodny wręcz łańcuch z wisiorem pereł i brylantów, z którego zwisa olbrzymi prostokątny szafir (powiedzmy, trzy centymetry na cztery), i kolej-ny wisior, ociekający wręcz od klejnotów... I dopiero w chwili, kiedy dotrzemy tu wzrokiem, nasze spojrzenie dźwiga się z powrotem, by zatrzymać się na rysach twarzy mężczyzny, obnoszącego tę orgię luksusu, galerię blichtru. Czoło ma szerokie. Oczy szare, wodniste, pozbawione rzęs. Nos mocny. Policzki ściągnięte. Wargi sine i wąskie. Podbródek nacięty głębokim dołkiem. A te szcze-góły, wszystkie naraz, składają się na twarz nader antypatyczną. Twarz starca próżnego i dwulicowego, dewota, który za swoją uprzejmością kryje coś wstrętnego. Myślę, że nieposkromiony egoizm i dogłębną nikczemność. Jak również wiele grzechów, których być może się wstydzi i przez które cierpi w głębi swego serca. I za każdym razem, kiedy go obserwuję, myślę: „nie lubię go, nie lubię". I mam nadzieję, że opowieść przekazana przez moją matkę jest nieprawdziwa.

Nie podoba mi się też sposób, w jaki zorganizował atak i dał Francescowi jego wielką okazję. Dobry efekt wyprawy opierał się bowiem na trzech fundamentalnych elementach: precyzyjnym rozeznaniu, potajemnym charakterze przygotowań i właściwym wyborze przywódcy. I każdy z nich zawiódł. Pierwszy, ponieważ Gerolamo wziął na serio bajdurzenia niejakiego don Eletego, kapelana hiszpańskich niewolników w Algierze, wedle którego wojsko Alego Paszy liczyło zaledwie kilka tysięcy słabo uzbrojonych łapserdaków, gnieżdżących się za murami, tymczasem składało się ono z ni mniej, ni więcej stu dwudziestu tysięcy wojowników rozlokowanych wzdłuż wybrzeży i uzbrojonych po zęby w miecze, szable, strzelby, granatnice, pięćset osiemnaście armat, trzy tysiące koni i sześć tysięcy wielbłądów. Drugi, ponieważ przygotowania w porcie Kartaginy, czyli porcie położonym najbliżej Algieru, trwały trzy miesiące, od lutego do czerwca, i w ciągu tych trzech miesięcy nikt nie trzymał gęby zamkniętej na kłódkę. Włącznie z nim samym. *Yo soy el alcazar del secreto*, mówił przy każdej okazji, dając do zrozumienia, że szykowało się coś poważnego. Lecz zaraz skłonność do gadulstwa i przechwałek brała górę, po alcazarze, po tej „twierdzy" nie pozostawał ślad, i po to, by przekazać tajemnice algierczykom, wystarczało mu bywać na dworze lub na salonach Madrytu: na balach, koncertach, bankietach, gdzie dyplomaci, damy i bawidamki plotkowali za zasłoną wachlarzy. Jedyny, który, paradoksalnie, nic nie wiedział o planach księcia, minister spraw wewnętrznych, został poinformowany przez francuskiego konsula, ten zaś dowiedział się wszystkiego w Marsylii od marokańskiego przyjaciela żydowskiego kupca z Grenady. (Utrzymują tak ówczesne gazety). Zresztą nawet w Livorno rozmawiano o tym bez cienia ostrożności. Na pytanie, czy w wyprawie weźmie udział ze swoją „Austrią" oraz „Etrurią", Piotr Leopold powiedział „tak". Kiedy tylko otrzymał rozkaz, John Acton wprowadził specjalne szkolenie załóg, i o tym, że Toskańczycy szykują się do ataku na wroga razem z Hiszpanami, wiedziały nawet dzieci. „Ale zrobimy im niespodziankę! Ale skopiemy im tyłek!" Co do trzeciego elementu, zabrakło go, ponieważ Gerolamo powierzył wyprawę fajtłapowatemu inspektorowi piechoty, z którym chodził do kościoła i któremu przyznał już stopień marszałka oraz tytuł hrabiego — Irlandczykowi Alexandrowi O'Reilly'emu. Jako żołnierz O'Reilly był warty tyle, co nic, a jeszcze gorszy był jako dowódca. Jego doświadczenie wojskowe ograniczało się do bitwy w Campo Santo w Meksyku, gdzie został ranny i okulał, w dodatku na okrętach nie znał się wcale. A jednak Gerolamo postawił go na czele ekspedycji, powierzył mu dwadzieścia jeden tysięcy ludzi, sam kwiat hiszpańskiej młodzieży, i trzysta statków. Konwój złożony z ośmiu brygantyn, ośmiu fregat, dwudziestu czterech żaglowców, siedemdziesięciu ośmiu statków handlowych do transportu żywności i broni, stu osiemdziesięciu szalup, barek i tratw, by dowozić na brzeg żołnierzy, oraz „Austrii" i „Etrurii", które przywiozły trzystu marynarzy i trzystu toskańskich ochotników, a wśród nich wielu felczerów i grabarzy mających opiekować się rannymi.

Że don Elete był kretynem, a Ali Pasza został dobrze poinformowany dzięki przechwałkom premiera, dworskim i salonowym plotkom oraz gadulstwu obywateli Livorno — przekonano się już w chwili, kiedy konwój dotarł do miejsca przeznaczenia. Na długości co najmniej pięciu wiorst wybrzeże roiło się od wojowników gotowych do walki i nawet z daleka widoczne były namioty ich obozowisk, zagrody z wielbłądami oraz końmi, nabitymi działami, mieczami i szablami, które połyskiwały w słońcu. A że podjął błędną decyzję, Gerolamo uświadomił to sobie w chwili, gdy zamiast natychmiast zejść na brzeg, O'Reilly rozkazał zwinąć żagle. „*Mejor esperar.* Lepiej zaczekać". „*¡No, señor, no! ¡El vino está echado y es menester beberlo!* Wino jest nalane i trzeba je wypić", odpowiedział hrabia Fernán Nuñez, jeden z adiutantów polowych. Lecz ten ze strachem potrząsnął głową i przez tydzień trzymał dwadzieścia jeden tysięcy wojska w oczekiwaniu, że wino zamieni się w ocet. Co gorsze, w dniu, w którym postanowił znowu rozwinąć żagle, wiatr zmienił kierunek, i O'Reilly, mając go przeciw sobie, nie zdołał dopłynąć do zamierzonego celu. Do plaży nazywanej Mala Mujer, odległej o trzy wiorsty od centrum miasta i wystarczająco obfitującej w załomy, w których mogły się schować oddziały w przypadku natychmiastowego kontrataku. Wciąż nie dając posłuchu Nuñezowi i innym adiutantom polowym, O'Reilly skierował się ku plaży pomiędzy rzekami Jarache i Argel, dobrze strzeżonej przez doborowe straże, i bez żadnej możliwości obrony dla tych, co nacierali od morza.

I oto wracamy do Francesca i jego okrutnej zemsty.

* * *

Muszę to wyznać: przez większą część mojego życia epizod z dwudziestoma zaszlachtowanymi algierczykami wydawał mi się niewiarygodny, mroczny, nierealny. O wydarzeniu historycznym, w które się on wpisuje, moja mama nic nie mówiła, brakowało mi więc scenerii, w którą mogłabym go wpasować. „Zeszli z pokładu. Oficerowie w hełmach i białych burnusach, żołnierze w czarnych turbanach i z obnażoną piersią..." Dobrze, lecz gdzie dokładnie wydarzył się ten feralny epizod? W jakich okolicznościach Francesco mógł uregulować swoje rachunki? Kiedy rozpoczęła się moja podróż w czasie, poszukiwania zmierzające do zrozumienia wreszcie, kim jestem i od kogo się wywodzę, zaskoczyła mnie własna ciekawość. Zaczęłam przeszukiwać biblioteki, czytać świadectwa, zgłębiać rekonstrukcję, jakiej w dziewiętnastym wieku dostarczył Ferrer del Río, i dzisiaj wszystko już jest dla mnie jasne. Wszystko wydaje mi się prawdziwe i rzeczywiste.

Poprzedzone wściekłym atakiem salw artyleryjskich, który nie ułatwił sprawy, ponieważ okręty strzelały ze zbyt dużej odległości i pociski nieuchronnie wpadały do wody, lądowanie zaczęło się o świcie 9 lipca 1775 roku od pierwszej fali ośmiu tysięcy Kastylijczyków pod komendą don Augustína de Villiers, niesionych przez siedem kolumn łodzi, tratw i barek razem z setkami granatnic, moździerzy i skrzyń z amunicją. Błąd stał się oczywisty w chwili, gdy don Augustín postawił stopę na ziemi. Plaża była bowiem bardzo stroma i piaszczysta, żołnierze co krok grzęźli w niej do kostek, granatnice i moździerze zapadały się do pół koła i by wciągnąć je na górę, nie wystarczały podwójne liny napinane siłą czternaściorga ramion. Z żadnej strony na plaży nie było nisz czy skał, w których można by się zasadzić, schronić, wszędzie otwierała się przed wrogiem, a sześćset metrów od brzegu wznosił się grzbiet stromych i lesistych wzgórz, które opasywały ją jak łukowo wygięta ściana, czyniąc z niej coś w rodzaju przepołowionej studni. I po to, by zdobyli te wzgórza, padł rozkaz ataku. Wydany przez dowództwo za pomocą gwizdków, sygnaturek i bębnów, czyli instrumentów, których używano, by porozumiewać się na odległość, i don Augustín wypełnił rozkaz w jedyny możliwy sposób — posyłając na rzeź dwa z ośmiu tysięcy żołnierzy. Albowiem wojownicy ukryci w lasach pozwolili im wspiąć się na zbocze, a potem ich wszystkich wymordowali. Wówczas don Augustín posłał kolejne trzy tysiące, które zdołały dojść do polany bez drzew, tu oprzeć głowice mostu, lecz przy tej operacji nie zorientowali się, że poza polaną otoczoną gęstymi zaroślami i pagórkami kryły się bataliony algierczyków, piechota i jazda. Ci, którzy szli pieszo, wynurzyli się poprzedzani tuzinami wielbłądów, tworzących coś w rodzaju ruchomej ściany — ogromnej tarczy żywych pancerzy, a te, nawet gdy ugodziły je strzały, parły do przodu, depcząc i miażdżąc. W kilka minut głowica mostu stała się krwistą papką, a ci, którzy przeżyli, musieli wrócić na plażę, gdzie wciąż przy pomocy piszczałek, sygnaturek i bębnów, około dziewiątej rano, O'Reilly przekazał komendę, by kopać transzeje i w nich się ukryć — czekać na właściwy moment do nowego ataku. Problem w tym, że po to, by kopać transzeje, mieli tylko piasek, w dodatku tak drobny i wysuszony, że przy najmniejszym potrąceniu osypywał się, wypełniając i tak już płytkie rowy. Chować się w nich znaczyło tyle, co własnoręcznie podać się wrogom na srebrnej tacy. Zachęceni łatwym celem algierczycy rozszarpywali ich kulami z dział, a na tę rzeź O'Reilly wysłał kolejną falę żołnierzy. Osiem tysięcy Kastylijczyków, Katalończyków i Andaluzyjczyków, tym razem pod komendą markiza de la Romany, którym nakazano, by nie ruszyli palcem aż do wylądowania kawalerii. A za nimi szalupy „Austrii" i „Etrurii". Na jednej z tych szalup był Francesco. Ze strzelbą na ramieniu, tą przepisową. A za pasem miał nóż, którego obiecał, że nie użyje nawet po to, by obrać jabłko.

Nie znam wielu szczegółów martyrologii drugiego szturmu. Świadectwa ograniczają się do informacji, że kawaleria nigdy nie zeszła na ląd i nigdy już miała nie zejść — nie informując nikogo, O'Reilly postanowił nie przeprowadzać nowych ataków, przy pierwszej możliwej okazji ewakuować się z plaży i powrócić do Hiszpanii. W rezultacie również osiem tysięcy Kastylijczyków, Katalończyków i Andaluzyjczyków pozostawało godzinami bezczynnie, przyjmując na siebie strzały z armat, podobnie jak Toskańczycy. Ginęli tysiącami, podczas gdy don Augustín wpadał w rozpacz, a markiz de la Romana ryczał: *„¿Por que el cobarde nos tiene en esa trampa hacer nada y morir por nada? ¡Somos soldados del rey, no vacas para matar!* Dlaczego ten tchórz trzyma nas w tej pułapce bezczynnie i patrzy, jak giniemy za nic? Jesteśmy żołnierzami króla, a nie bydłem na ubój!". Co do Ferrera del Río, wiemy tylko, że w pewnej chwili kanonady ucichły i hordy wojowników z mieczami i szablami rzuciły się w dół, ze wzgórz, by wpaść do okopów, przejść do starcia twarzą w twarz, które uwięzieni w nich podjęli z prawdziwym heroizmem, tracąc często głowę. Ali Pasza obiecał bowiem po złotej monecie każdemu, kto wróci z głową jednego Hiszpana lub Toskańczyka, trofeami, które miały być wystawione na basistanie, czyli sprzedane najhojniejszemu kupcowi, i wśród głów, które tam trafiły, znalazła się również głowa markiza de la Romany. Następnie hordy wróciły na wzgórze i o zachodzie zaczął się odwrót tych, co przeżyli. Przez cały wieczór i całą noc łodzie, tratwy i barki pływały wahadłowo pomiędzy wybrzeżem a statkami, by ich zabierać na pokład, a przy tym zajęciu odznaczyli się szczególnie wolontariusze z „Austrii" i „Etrurii", felczerzy i grabarze, którzy przybyli, by zbierać rannych. Uratowali około czterech tysięcy i niewiarygodną rzeczą jest to, że nikt im nie przeszkadzał. Być może tamtym odważnym wojownikom nie mieściło się w głowie, że O'Reilly przybył z tyloma ludźmi i statkami tylko po to, by dwukrotnie spróbować zdobyć wzgórze, jak zauważa Ferrer del Río. Być może uwierzyli, że łodzie pływały w tę i z powrotem, by przywieźć posiłki, i nie atakowali, by mieć więcej głów, które mogliby ściąć o poranku. Tu zamyka się wywód, który o klęsce drugiego ataku niczego już nie mówi. Lecz to, co z niego wiadomo, zupełnie wystarcza, by docenić okrutną opowieść, którą po wielu latach — kiedy był już starcem powalonym przez Bóg wie już którą nieogarnioną tragedię, jaką zrzucił na niego los, tak nieogarnioną, że po to, by ją znieść, szukał przyczyn w grzechach przeszłości — Francesco przekazał synowi Michele. Michele przekazał ją swojemu synowi Natale, a Natale swojemu synowi Attiliowi, Attilio zaś wnuczce Tosce, czyli mojej matce, a moja matka przekazała ją mnie. Opowieść okrutną i cenną. Ponieważ lepiej niż cokolwiek innego ukazuje metamorfozę, dzięki której powstał człowiek, jakiego odnajdziemy po trzynastu latach i który poślubi Montserrat.

„Zeszli ze wzgórz. Oficerowie w hełmach i białych burnusach. Żołnierze w czarnych turbanach i z obnażoną piersią. W ręku trzymali szablę i pusty worek, który nie było wiadomo, do czego ma im się przydać. «¡Los Moros! Qué vienen los Moros! Maurowie! Niech przyjdą Maurowie!», wrzasnął hiszpański porucznik, chwytając za szablę. Następnie krzyknął: «¡Santiago y tierra de España! Za Santiago i za Hiszpanię!» I wyskoczył z okopów, wybiegł im naprzeciw z obnażonym ostrzem. Pobiegłem za nim wraz z rybakiem z Livorno i studentem z Pizy, i byłem bardzo zadowolony, ponieważ od zbyt wielu godzin siedzieliśmy, oskubując kwiaty z płatków, czekając, aż gwizdki i sygnaturki i werble poślą nas do ataku. Już prawie pogodziłem się z tym, że umrę, nie załatwiając mojej sprawy. Bitwa twarzą w twarz okazała się wielką jatką. Maurowie są bardzo sprawni, gdy idzie o walkę na szable, jednym uderzeniem przetną cię na pół, zanim zawołasz: Aj!, a my z «Austrii» mieliśmy zaledwie bagnet na końcu regulaminowej strzelby. Przyrząd, na który można tylko nadziać i kropka. Nóż, owszem, nosiłem, lecz wyłącznie dla zasady. Przykro mi było złamać dane słowo i myślałem sobie: trudno. Ale kiedy przecięli na pół rybaka z Livorno, zmieniłem zdanie. To był porządny chłopak, zaciągnął się z porywu serca i wydało mi się, że widzę w nim mojego tatę, kiedy był młody. Rybak otworzył się jak morela, psia kość, i wtedy odrzuciłem bagnet. Wziąłem nóż i od tej chwili zacząłem podrzynać gardła. Wskakując im na plecy, chwytając od tyłu za szyje i licząc. Jeden... dwa... trzy... cztery... pięć... Pracowałem szybko — za tym atakiem poderżnąłem pięciu. Następnie, wciąż z workami, o których nie było wiadomo, do czego służą, lecz teraz już nie wyglądały na puste, wrócili na wzgórza. Oddalili się, żeby wypocząć. Ja też odpocząłem i przy następnym ataku poderżnąłem gardło sześciu. Przy trzecim — czterem. Wracali wielokrotnie, a ta świnia O'Reilly nawet się nie ruszył, żeby nam pomóc. Choćby wysyłając kawalerię, którą trzymał na pokładzie statków, albo ostrzałem z armat. I tak wszystko trwało aż do zachodu słońca, do chwili, kiedy przestali nas atakować, a to bydlę zarządziło odwrót. Inni byli bardzo zadowoleni z odwrotu, byleby tylko ocaleć, sprzedaliby własną matkę, i nie obchodziło ich nawet to, że pozostawiają za sobą kobierzec martwych towarzyszy. Mnie natomiast sprawiło to przykrość, ponieważ Maurów do tej pory zabiłem tylko dziewiętnastu zamiast dwudziestu, i byłem tak zawiedziony, że w nadziei, by oporządzić dwudziestego, czekałem do wschodu słońca i wsiadłem do ostatniej szalupy. Wsiadłem do niej ze studentem z Pizy i z hiszpańskim porucznikiem, a obaj byli ranni i starali się mnie pocieszać. Jeden mówił, że na pewno pomyliłem rachunki, drugi, że należało wliczyć również tych, których nadziałem na bagnet, lecz były to słowa rzucone na wiatr, bo byłem pewny, że policzyłem dobrze, a tych, których nadziałem na bagnet, liczyć nie chciałem. Ale kiedy tylko odpłynęliśmy o ćwierć kabla od brzegu, coś się zdarzyło. Mianowicie to, że około tuzina

Maurów zeszło znowu z workami, a hiszpański porucznik zaszlochał: «*¡Oh, Virgen Santísima, ¡madre de Dios! ¡Ahora comprendo! ¡Mirad lo que hacen, mirad!* Teraz rozumiem. Patrzcie, co oni robią, patrzcie!». Spojrzałem i w końcu ja też zrozumiałem, na co im były te worki. Dziwne, że nie zorientowałem się wcześniej. Po to, by wkładać do nich głowy naszych martwych towarzyszy. Obcinali je i zabierali ze sobą. Wyskoczyłem z szalupy. Kiedy tamci dwaj krzyczeli: «Zwariowałeś, gdzie leziesz?!», wpław dotarłem do brzegu. Zabrało mi to trochę czasu. Kiedy wyszedłem z wody, na plaży pozostał już tylko jeden. Tylu, ilu trzeba. A kiedy poderżnąłem mu gardło, zabrałem też jego szablę. W ten sposób uregulowałem moje rachunki. Dzisiaj już bym nie uregulował. Wiem, że zemsta niesie zło, że tych dwudziestu algierczyków ściągnęło na mnie nieszczęście. Lecz wtedy tego nie wiedziałem, a dla kogoś, kto dostał kopniaka od losu, zemsta jest wspaniałym lekarstwem. Dokonując jej, odczułem ulgę i odkryłem wreszcie, co to spokój".

* * *

Odkrył naprawdę. I o tym się przekonamy. Za to jego przyszły teść wprost przeciwnie. Powracając z dziesięcioma tysiącami rannych, z których połowa dogorywała, O'Reilly okazał się bowiem na tyle bezczelny, by mówić, że odniósł sukces, i oświadczyć, że zginęło zaledwie sześciuset. Tej liczbie brakowało jednego zera. W konsekwencji wzburzenie sięgnęło zenitu, a zapłacił za nie Gerolamo, uważany przez wszystkich za prawdziwego sprawcę nieszczęścia.

Że w końcu wszystko zawiedzie,
że się wrogowie wywiną,
a nasi wykrwawią i zginą,
to można było przewidzieć.
Lecz przeczyć temu, co każdy wie,
mówić, że to było zwycięstwo,
a tchórzostwo to męstwo,
co to, to nie!

Tak brzmiała satyra, którą poświęciła mu „Gaceta de Madrid"
i którą śpiewano w całym królestwie. Gerolama nazywano łamagą
nad łamagami, *pintor de su afrenta*, malarzem własnego wstydu.
Najbardziej wzburzeni prosili Karola III, by posłał go na szubienicę
lub na garotę, a najłagodniejsi błagali, by przegnał go precz. Nie
wysłuchał ich Karol III. Bronił księcia z takim uporem, że zasłużył sobie na przydomek *su esclavo en grillos de oro* — niewolnika
w złotych łańcuchach. Gerolamo za to wysłuchał ich uważnie
i po kilku miesiącach, kiedy sprytny hrabia de Aranda wywołał
ludową rewoltę, która o mały włos nie skończyła się linczem,
złożył dymisję ze stanowiska premiera. Poprosił o nominację na
ambasadora Hiszpanii przy Stolicy Apostolskiej, którą otrzymał,
przeniósł się do Rzymu i przebywał tu do roku 1785 — kiedy
wrócił do Genui, by umrzeć tam w 1789, pozostawiając testament,
z którego wynikało, że nie zmienił swojego stanu kawalerskiego.

Było to spore kłamstwo, zważywszy, że żonę miał — była nią
María Isabel Felipa Rodríguez de Castro, matka jego córki Montserrat. I tak trzeba nam wrócić do 1769 roku, by zająć się obojgiem.

6

Nie ma dowodów na homoseksualizm Gerolama. Nawet Giacomo Casanova, który był wielkim plotkarzem i w swoich wspomnieniach z Hiszpanii przypisuje tę cechę różnym osobistościom
Madrytu, w tym weneckiemu ambasadorowi, w jego przypadku
milczy. Jeśli naprawdę był tym, kim hrabia de Aranda utrzymywał,
że jest, *un gran maricón*, czyli wielkim pedałem, potrafił ukrywać
to dobrze. Pedał czy nie, cieszył się nieprzeciętnym powodzeniem
u kobiet. Zarówno na dworze, jak i na salonach, gdzie uwodził swą
elegancją, kulturą, urokiem, władzą, a bogate arystokratki w wieku
do zamążpójścia kręciły się wokół niego bardziej gorączkowo niż
suki w cieczce. By położyć kres jego upartemu celibatowi, by go

poślubić, padały przed nim na kolana. María Isabel Felipa nie mogła się pochwalić niczym, co pozwoliłoby jej konkurować z takimi rywalkami. Lękliwa, nieśmiała, osierocona przez rodziców i wszystkich krewnych, pracowała jako pomocnica guwernantki w książęcym pałacu w zaułku San Miguel. Czyli była kimś niewiele więcej niż pokojówką, bogactw nie posiadała żadnych, a krwi niebieskiej ani jednej kropli. Jedynym zaszczytem, którym mogłaby się chlubić, był fakt, iż jest córką hidalga, ale tytuł ten od co najmniej dwóch wieków oznaczał upadek, nędzę, ruinę. W Madrycie na setki można było policzyć ludzi z tytułem *hidalgos* i w dziewięciu przypadkach na dziesięć zarabiali oni na życie, wykonując drugorzędne lub mało dochodowe zawody. Bywali krawcami, szewcami, właścicielami lokand. Co najwyżej pisarzami. Ponadto w 1769 roku biedaczka miała dwadzieścia siedem lat — osiągnęła wiek, w którym mogła być uważana za starą pannę, i nikomu nie przeszłoby nawet przez myśl, by uznać ją za wstrząsającą piękność. Rysy anonimowe, zwiędła twarzyczka, ledwie ożywiona łagodnymi orzechowymi oczami, ciało zbyt chude i niezgrabne przez koszmarne fartuszki, na których wiecznie kołysał się pęk kluczy. Kluczy do szaf, kredensów, piwnic, zakazanych pokoi — każdy z nich był znakiem jej służebnego stanu i gwarancją jej wierności. Ale umiała czytać i pisać, i była tak dobra, że aż upierdliwa, jej dobroć łączyła się z niewyczerpaną cierpliwością, a dla księcia żywiła niemal religijne uwielbienie: *„Excelencia, por Usted yo podría morir*. Ekscelencjo, dla Pana mogłabym umrzeć". I tego lata, którejś nocy, Gerolamo wziął ją do łóżka. Ona zaszła z nim w ciążę. On być może nawet się w niej zadurzył.

Mówię „być może", bo czy była to miłość, czy kaprys, czy też najzwyklejszy gwałt, tego nie wiem. Także co do tego szczegółu pełen żalu i litości głos mojej matki się nie wypowiadał. Mówiła tylko, iż pod koniec października María Isabel Felipa zorientowała się, że spodziewa się dziecka i że Gerolamo przyjął tę wiadomość źle. Choć pójście do łóżka z pokojówką należało do obyczaju, to mieć z nią dziecko zawsze stanowiło problem, a ostatnią rzeczą, której potrzebował, była sława uwodziciela sieroty o trzydzieści dwa lata młodszej od niego. Zgoda — nad jego głową wisiało już oskarżenie o to, że był *maricón* — pedałem — *maricón*. Wszelako jego powodzenie u kobiet przeczyło temu zarzutowi lub go neutralizowało, w mieście roiło się od homoseksualistów, a czym innym było słyszeć oszczerstwa, czym innym dać żywy dowód swej winy. Hrabia de Aranda na pewno potrafiłby na nim skorzystać. Król, tak umartwiony bigoterią, że narzucił sobie czystość, by przestrzegać wdowieństwa, byłby tym zdruzgotany. Watykan, który darował Gerolamowi już jedną wpadkę, tę, przez którą musiał się rozstać z myślą o zostaniu papieżem, doprowadziłoby to do wściekłości. A gdyby tego nie było dość, do okoliczności obciążających należało zaliczyć również jego własne skrupuły praktykującego katolika, jego udręki człowieka niepozbawionego przypuszczalnie zasad etycznych, a w każdym razie przerażonego wizją piekła. Przerażeniu lub wściekłości towarzyszyło więc gorączkowe poszukiwanie wyjścia, które pomogłoby mu ocalić duszę, a równocześnie uniknąć skandalu. Poprosił o radę swojego spowiednika, a ten zasugerował mu zawarcie potajemnego małżeństwa. Było to wyjście wskazane z trzech powodów. Po pierwsze, mając swoją wartość dla Kościoła, pozwalało Gerolamowi oczyścić sumienie, a syn, który mógłby przyjść na świat, nie byłby owocem grzechu. Po drugie, będąc bez wartości w oczach społeczeństwa, małżeństwo to zwalniało Grimaldiego od jakiegokolwiek zobowiązania cywilnego lub od problemu prawnego. Po trzecie, będąc potajemnym, mariaż uwalniał go od kłopotu oficjalnego związku, niegodnego wspaniałego nazwiska. Tajemnica sekretnego małżeństwa była bowiem bezwzględna. Rygor, pod którym jej strzeżono, był nienaruszalny, a czytając ówczesne dokumenty, łatwo też zrozumieć dlaczego. Śluby odbywały się przy drzwiach zamkniętych w kościele parafialnym lub w kaplicy wybranej przez arcybiskupa, który udzielił pozwolenia. Oboje świadków ślubowało na krzyż, iż nie wyjawią nigdy tego, co widzieli i podpisali, a akt małżeński był przechowywany przez samego arcybiskupa, ten strzegł go w skarbcu swojej kurii, zapieczętowany w skrzynce, do której sam przechowywał klucz i która nigdy nie miała być otwarta dla nikogo, nawet dla króla. Co do małżonków, to mieszkali oni w oddzielnych domach lub nawet w oddalonych regionach. Żona nie mogła wymagać ani wsparcia finansowego, ani spadku po mężu, nie miała prawa przybrać jego nazwiska. To samo dzieci. Zdarzało się, owszem, że do nazwiska matki ktoś dodał nazwisko ojca — w osiemnastym wieku rejestry metrykalne nie istniały, narodziny były zgłaszane wyłącznie księdzu, który udzielał chrztu, i wystarczyło wykazać się odrobiną sprytu, bo łatwo można się było wywinąć. Lecz pod żadnym pozorem nie upowszechniało się tożsamości ojca. W konsekwencji dziecko, uznane przez Boga i przez nikogo więcej, było dzieckiem z nieprawego łoża lub, w języku Kościoła, bastardem.

Propozycja potajemnego małżeństwa została złożona przez spowiednika. I z pochyloną głową, wpatrując się w pęk kluczy, który symbolizował jej podrzędny status, a również zapewniał jej wierność, María Isabel Felipa wyraziła zgodę. „A jaki miała wybór? — wzdychał głos, pełen żalu i litości. — Nie miała żadnego, poza tym kochała go". Z niemocy lub miłości zgodziła się i na to, by opuścić Kastylię i przeprowadzić się do Katalonii, do Barcelony, miasta, w którym nie znała nikogo i w którym mówiło się dziwnie po hiszpańsku, język brzmiał jej zupełnie obco. Lecz Gerolamo znalazł na to lekarstwo, powierzając ją młodemu katalońskiemu księdzu don Julianowi Manencie, który został mu polecony przez arcybiskupa i który, ledwie zawiadomiony przez posłańca, natychmiast przybył do Madrytu. Był to ten sam ksiądz, któremu co roku miała być powierzana rata skąpej renty, a przed wyjazdem także suma konieczna, by w nowej ojczyźnie kupić dom. Ale tylko pod warunkiem że María Isabel Felipa nigdy nie wróci do Madrytu, nigdy nie napisze do męża, nigdy nie będzie go poszukiwała, w żaden sposób i z żadnego powodu. Nawet po to, by powiedzieć, czy urodził się syn, czy córka. Pan książę nie miał ochoty tego wiedzieć.

A teraz czas na ślub.

* * *

Ślub odbył się pewnego poranka w połowie grudnia, w prywatnej kaplicy w Toledo. Świadkami był wspomniany spowiednik i don Julian Manent. Udzielał go wikariusz arcybiskupa, starzec zły i spragniony tego, by jak najszybciej uwolnić się od kłopotu, i był to najbardziej nijaki ślub, jakiego biedna kobieta poślubiona ze strachu mogła się spodziewać. Kaplica była zimna, wilgotna, ponura i tak ciemna, że ledwie dało się dostrzec to, co się w niej znajdowało. Ponad pustym i zakurzonym ołtarzem fresk z uśmiechniętym Bogiem na chmurze białej jak jego broda, skoncentrowanym na ciskaniu gromów w sześciu upadłych aniołów, którzy rozdzierając ramiona w geście przerażenia, spadali głową w dół, do czeluści. Pod spodem wielka urna ze szkła ze szkieletem jakiegoś świętego i tuzinem czaszek. Na prawej ścianie obraz z przeszytym strzałą świętym Sebastianem, który wrzeszczał z bólu. Przy lewej ścianie posąg brzydkiej Madonny, płaczącej przed krucyfiksem. Pośrodku kilka ławek z klęcznikiem. Rzecz jasna pustych. Tu i tam jakieś kandelabry i kilka zapalonych świec. Co do Gerolama, to doprawdy, nie wydawał się zadowolony ze swojej decyzji — cały na czarno, bez klejnotów, wyglądał jak męczennik, który poddaje się niezasłużonej karze. Nie przez przypadek przybył z dużym opóźnieniem i wchodząc, rzucił Maríi Isabel Felipie zimny i niedostrzegalny gest pozdrowienia, jak gdyby była mu kimś nieznanym czy też wrogiem napotkanym w teatrze. Ona tymczasem przybyła z wyprzedzeniem, ze strachu, że nie zdąży, dotarła do Toledo w środku nocy, czekała na niego godzinami i wyglądała jak ślimak skulony w muszli, by lepiej znosić cierpienia. Zamiast skorupy miała szary płaszcz z kapturem, który okrywając ją od stóp do głów, zakrywał brzuch nabrzmiały już w piątym miesiącu ciąży. Ani cienia uśmiechu. Żadnego błysku radości. Surowy i niezauważalny gest pozdrowienia tak bardzo ją spłoszył, że odpowiedziawszy nań pełnym uszanowania ukłonem, stanęła przy Gerolamie z drżeniem, uważając, by go nie musnąć, nie rozdrażnić, i od tej pory już tylko płakała. Osuszając potajemnie łzy szybkimi i ukradkowymi gestami lub je połykając. Płakała nawet wtedy, kiedy wikariusz wypowiedział słowa: „*Os declaro marido y mujer antes Dios y la Iglesia*. Ogłaszam was mężem i żoną przed Bogiem i przed Kościołem", i podczas uroczystości nie otworzyła ust aż do chwili, kiedy musiała powiedzieć „tak". To samo Gerolamo. Nie zamienili ani jednego słowa. Nie wymienili spojrzenia. Kiedy podpisali akt małżeństwa, który arcybiskup natychmiast miał zamknąć w nienaruszalnej szkatule nienaruszalnego skarbca, odwrócili się do siebie plecami i nie przerywając milczenia, nie patrząc na siebie, wyszli oddzielnie, by nigdy się już nie zobaczyć. Istotnie, do Madrytu María Isabel wróciła sama. I w zaułku San Miguel, gdzie służba myślała, że jedzie, by poślubić bednarza, przez którego została sprytnie uwiedziona, zatrzymała się tylko po to, by zabrać swoje rzeczy. Niewielki kufer z bielizną, perukę, której w Toledo nie używała, modlitewniki i dar małżonka — obraz, który przedstawiał Matkę Boską z Montserrat, patronkę Katalonii, z dzieciątkiem Jezus na rękach. Następnie, w eskorcie konnych żołnierzy, których Gerolamo wynajął, by chronić ją przed bandytami, wyjechała wraz z don Julianem.

Istnieje zdanie komentujące jej podróż do Barcelony. To, które po osiemnastu latach na łożu śmierci miała wypowiedzieć do Montserrat, łamiąc tajemnicę: „*Las bodas fueron tristes, pero el viaje fue trágico*. Ślub był smutny, lecz podróż tragiczna". Żeby to zrozumieć, trzeba wiedzieć, jakich niewygód na podobnej trasie doświadczała ciężarna kobieta. (Jedyna rzecz, o której Gerolamo nie pomyślał albo pomyśleć nie chciał). Drogi były niedobre, rzadko utwardzone, w każdym razie pełne dziur i kamieni, na których koła podskakiwały lub w których grzęzły, szamocąc pasażerami bez wytchnienia. Oblegali je też bandyci, którzy często nie ograniczali się do kradzieży, lecz mordowali. Okienka karoc nie miały szyb, więc kurz, deszcz, błoto i śnieg dokuczały bez litości. Lokandy, w których można się było zatrzymać o zachodzie słońca, były pozbawione wygód i warunków sprzyjających higiene. Podłe jedzenie, chmary wszy i pcheł, a do snu brudne prześcieradło lub zbutwiały koc. (Przez co wiele osób podróżowało z własną pościelą). Żeby się umyć i skorzystać z ubikacji — dzban zimnej wody i wiadro, które opróżniano potem w czarnej studni lub na polach. Dla ochrony przed zimowym chłodem zaledwie piecyk lub ruszt, który, bez rury wymyślonej przez Benjamina Franklina, oślepiał dymem. W dodatku drzwi pokoju nie wolno było zamykać od środka — agenci inkwizycji chcieli móc wejść z zaskoczenia, by sprawdzić, czy popełnia się cudzołóstwo lub inny grzech, a to wystawiało podróżującego na niełaskę złodziei i każdego, kto tylko chciał napaść. Spało się do trzeciej w nocy, wyjeżdżało o czwartej. A ponieważ konie nie mogły przejść więcej niż dziesięć wiorst, czyli czterdzieści kilometrów dziennie, na podróż z Madrytu do Barcelony potrzeba było co najmniej dwóch tygodni. Tym razem konieczne okazały się aż trzy i każdy etap niósł niezbyt miłą przygodę. Na przykład pomiędzy Guadalajarą a Siguenzą bandyci zbrojnie ich zaatakowali. Wprawdzie zostali spłoszeni przez wojskową konną eskortę, lecz María Isabel Felipa śmiertelnie się przeraziła i ze strachu przed poronieniem don Julian kazał jej leżeć trzy dni. W górach Mesety, gdzie na lodzie karoca poślizgnęła się i przewróciła, musiała zrobić to samo. Za Saragossą właściciel lokandy ukradł jej perukę i stos bielizny i kiedy dotarli do Barcelony, biedaczka była w takim stanie, że zakonnice z klasztoru, w którym przejściowo zamieszkała, niemal odmówiły wzięcia za nią odpowiedzialności. Jedyną pociechą po przybyciu było szybkie znalezienie domu, na który Gerolamo powierzył pieniądze don Julianowi i który don Julian wybrał w Barrio del Born. Urocza mała piętrowa willa z jeszcze bardziej urokliwym patio i dziewięcioma ładnie urządzonymi pokojami. Za cenę trzech tysięcy *lluras* lub katalońskich lirów. Całkiem sporo.

Przepełniona wdzięcznością do tego męża nie męża, który choć posłał ją na wygnanie, wynagradzał jej to takim bogactwem, María Isabel Felipa osiadła tam w styczniu 1770 roku razem z trzema pomocnicami: kucharką, pomywaczką oraz służącą. I tu w połowie kwietnia urodziła się wspaniała dziewczynka, której, w hołdzie Matce Boskiej z obrazu, nadała imię Montserrat, lecz którą w katedrze Santa Maria del Mar don Julian ochrzcił imionami María Ignacia Josepha Rodríguez de Castro y Grimaldi — córka matki poślubionej nieznanemu ojcu.

7

Chcąc odtworzyć osiemnaście następnych lat, tych, które wypełniły dzieciństwo i dorastanie Montserrat, pojechałam wreszcie do Barcelony. Zaczęłam szukać domku za trzy tysiące *lluras* i poczułam, że znalazłam go na Carrer del Bonaire, starej ulicy w Barrio del Born. Tak poczułam, i tak czuję do dziś, ponieważ budynek, obecnie opuszczony i zarośnięty chwastami, które na jego dachu tworzą dziki ogród z piętrzącym się nad nim drzewkiem, wywołał we mnie tajemne wspomnienie, jak gdybym mieszkała tam w jakiejś bardzo dalekiej, lecz niezatartej jeszcze przeszłości. Podążając za nitką pamięci, umiałam rozpoznać każdy jego szczegół: prostokątną bryłę, fasadę z balkonem w kolumienki, kwadratowe okna z niebieskimi okiennicami, solidną bramę z okuciami... Mimo że brama była zamknięta, mogłam nawet wejść i zobaczyć urocze patio z niewielką fontanną pośrodku i wykładaną mozaikami misą, cztery pokoje na parterze, które otwierały się pod czymś w rodzaju podcieni, pięć innych, które na pierwszym piętrze ciągnęły się wzdłuż balkonu z żelazną poręczą, i łóżka z baldachimami, meble, zasłony. A przede wszystkim mogłam zobaczyć ją samą, Marię Isabel Felipę, i z tego widma bił tak głęboki smutek, tak beznadziejna melancholia, że jej powiewy docierały do mnie poprzez dzielące nas wieki. Owiewały mnie potwornymi pieszczotami i prawie zmuszały do płaczu.

Biedna María Isabel Felipa — nigdy nie przestała kochać Gerolama. Jak wierna suka, która wybacza swojemu panu każdą krzywdę, każdą niesprawiedliwość, nawet na tym wygnaniu nie skierowała do niego ani jednego oskarżenia czy wyrzutu i nigdy nie zrezygnowała z wdzięczności, która syciła jej rezygnację. *„Es un hombre muy generoso, un señor de verdad*. To bardzo hojny człowiek, prawdziwy pan”, powtarzała don Julianowi, wskazując kucharkę, pomywaczkę, służącą i dziewięć ładnie urządzonych pokoi. I jeszcze na kilka dni przed śmiercią nie zrobiła niczego, co mogłoby złamać postanowienia okrutnej umowy. Nigdy go nie szukała, nigdy do niego nie napisała, nigdy nie wypowiedziała jego imienia i nigdy nie napomknęła o niczym, co mogłoby zdradzić jego tożsamość. Lecz za jaką cenę i za jakie życie?! W obawie o to, iż się zdradzi, że wyjawi sekret, spotykała się wyłącznie z don Julianem. Widywała się tylko z nim i na nic ją było prosić, by z kimś porozmawiała, by utrzymywała jakiś kontakt ze światem. Bojąc się, że okaże się osobą niegodną nowego statusu, nie pozwalała sobie też na frywolność. Na rozrywkę. Uważnie unikała jarmarków i teatrów, nosiła surowe brązowe suknie, które na jej chudym ciele wyglądały jak zakonne habity. Na głowę zakładała grube szale, a z domu wychodziła tylko po to, by iść na nieszpory lub mszę do pobliskiej Santa Maria del Mar. Całymi godzinami klepała litanie w cieniu katedry, następnie wracała do pięknej córeczki i z jej obecności czerpała rzadkie chwile szczęścia. Rzadkie uśmiechy. Cóż innego mogłaby robić, by utulić smutek i melancholię? W dniach, w których szukałam małego domku, próbowałam wyobrazić sobie, jaka była w tamtych latach Barcelona. Przeczytałam raz jeszcze Casanovę i zorientowałam się, że o Barcelonie mówi bardzo mało — prócz jarmarków i teatru niewiele miała do zaoferowania. Przeczytałam *Calaix de sastre*, słynny dziennik barona Rafaela de Maldà, i odkryłam, że opisywał jedynie wydarzenia okrutne albo nieważne. Przybycie nowej trupy komediantów lub regimentu, odkrycie grobowca, który strzeże kości świętego nazywanego ojcem Nolasco, przerażającą liczbę uroczystości religijnych i egzekucji publicznych na szubienicy, historię wieśniaczki, która wydaje na świat potwora o dwóch głowach i czterech rękach, czyli syjamskie bliźniaki. Następnie przejrzałam obrazy i mapy z tamtego czasu i z nich dowiedziałam się, że całe miasto skupiało się wokół ponurych średniowiecznych zabudowań Barrio Gotico. Ponadto było zamknięte bardzo wysokimi murami, które odcinały mu widok na port, od wspaniałego spektaklu setek żaglowców, ładnego nabrzeża, uroczej plaży. Na obrazach wizerunek Barcelony był zawsze ciemny i nieprzystępny, zupełnie inaczej niż dzisiaj. Ołowiana szarość domów, dachów, oficyn, wież i dzwonnic jej mrocznych kościołów. I ponury bastion, który jak bezkresna tarcza oddzielał miasto od morza. Ponure ulice, odrapane zaułki. Całkowite przeciwieństwo migotliwego Madrytu. Dla kogoś, kto był przyzwyczajony do szerokich i jasnych alei madryckich, do śnieżnobiałych pałaców i dekoracyjnych kościołów, witalności tego miasta, nie mogło być łatwo mieszkać w Barcelonie. Dodatkowych kłopotów madryckiej Maríi Isabel Felipie nastręczał język kataloński, tak różny od kastylijskiego i bardziej podobny do dialektu genueńskiego niż do języka hiszpańskiego. Zresztą nigdy dobrze się go nie nauczyła. I na nic się zdało, że don Julian niezmordowanie udzielał jej lekcji z godną podziwu cierpliwością.

W opuszczonym obecnie i zarośniętym chwastami budynku odnalazłam też don Juliana. I tajemne wspomnienie ukazało mi obraz młodego księdza, energicznego i inteligentnego, który do Carrer del Bonaire jechał nie tylko po to, by uczyć Maríę Isabel Felipę katalońskiego, zawieźć ratę dożywotniej renty, rozwiązać problemy praktycznej natury, lecz również dla przyjemności przebywania blisko niej, błogości płynącej z tego, że ona jest obok. Widziałam szczególną troskę w jego oczach, czułość, która wykraczała poza ewangeliczne miłosierdzie. Kiedy wchodził, uśmiechał się tak, że jego uśmiech był jak pieszczota, wychodząc, żegnał się z Marią Isabel Felipą niemal z żalem, i podejrzewam, że ubogi ślub, a potem potworna podróż przeżyta wspólnie i, dalej, niemal codzienny kontakt, rozpaliły w jego sercu bardzo ziemskie uczucia. Te same, które wyzwoliły w nim niechęć do pana hrabiego i sprawiły, że do aktu chrztu Montserrat dodał nazwisko Grimaldi. Obawiam się, krótko mówiąc, iż w nic nieznaczącej, lecz uroczej kobiecie, która została mu powierzona, był potajemnie zakochany i że chodząc do niej, otaczając ją opieką, czuł się kimś więcej niż tylko bratem w Chrystusie. Nie dałoby się inaczej wytłumaczyć jego żarliwości, pilności i stałości, z jakimi przez osiemnaście lat odgrywał swą rolę. Rolę czystego małżonka i przybranego rodzica. I jeśli pomyśleć, że w ciągu tych osiemnastu lat to on wypełniał pustkę pozostawioną przez prawdziwego męża, prawdziwego rodzica, i nadawał sens tej rodzinie. To on dbał o Montserrat i czuwał nad jej dojrzewaniem, planował jej przyszłość, to on wyrywał ją z tego domu, w którym nikt nigdy nie słyszał śmiechu i w którym była hodowana jak pokojowy piesek, czyli w magmie macierzyńskiej miłości, lecz bez towarzystwa innych dzieci i bez edukacji, które mogłyby rozwinąć jej intelekt. Posłał ją po naukę do Monestir de Jonqueres — wykwintnego kolegium prowadzonego przez benedyktynki, które nauczały nie tylko dobrych manier i sztuki haftu. Do czegoś w rodzaju żeńskiej akademii, w której uczono zarówno podstawowych przedmiotów, jak historia, geografia, filozofia i literatura, lecz również grać co najmniej na jednym instrumencie i mówić co najmniej jednym obcym językiem. Wreszcie, a wręcz przede wszystkim, to on na zakończenie cyklu kształcenia przekonał Marię Isabel Felipę, by wyjawiła przed prawie dorosłą już córką sekret i uwolniła ją od niemal obsesyjnej potrzeby dowiedzenia się, kim był ojciec, o którym mówiono jej zawsze tylko jedno: „Nie żyje". Dla małej dziewczynki, pokojowego pieska, jakim była w dzieciństwie, ten problem jeszcze nie istniał. Dzięki odosobnieniu, w które się coraz bardziej zapadała, nie wyobrażała sobie nawet, jakie znaczenie ma słowo „ojciec", a wręcz myślała, że odnosi się ono do Juliana. Kucharka, pomywaczka i służąca nazywały go przecież ojcem. *Buen-día-padre, buenas-tardes-padre.* Nawet mama, która zazwyczaj zwracała się do niego konfidencjonalnie don Julian lub Julian, niekiedy nazywała go ojcem. *Quiero confesarme, padre.* Montserrat wytłumaczono potem, że w przypadku don Juliana słowo to oznacza tyle, co ksiądz, że ojciec-padre był dodatkową matką przebraną za mężczyznę, a jej prawdziwy ojciec nie żyje. Lecz na tę wiadomość zareagowała z dziecięcą obojętnością. Po co ojciec, skoro jest już matka? I co to znaczy, że nie żyje? Dopiero w kolegium sprawa zaczęła ją dręczyć, stawiała sobie dramatyczne pytania. Dlaczego o tym ojcu, który nie żyje, nigdy jej nikt nie mówił? Dlaczego w jej dokumentach było nazwisko Grimaldi, a w dokumentach mamy nie? Skąd pochodził ten dodatek Grimaldi, od kogo? I oto doszliśmy do sedna.

Do Monestir de Jonqueres wstąpiła Montserrat jesienią 1778 roku, mając niewiele więcej niż osiem lat. Opuściła go jesienią 1787 roku, w wieku siedemnastu i pół, a jej powrót do domu dowiódł, jaką dalekowzrocznością wykazał się don Julian. Mówiła doskonale zarówno po kastylijsku, jak i po katalońsku, dość dobrze po francusku i włosku, wiedziała, że Sokrates wypił śmiertelną ciecz zwaną cykutą, że we Francji wybuchała rewolucja, a w Ameryce zbuntowane kolonie wygrały wojnę z Anglią, i znała dzieło Cervantesa oraz kilka wierszy Alfieriego. Ponadto grała brawurowo na lutni, improwizując preludia i fugi, wykonując suity Luisa Milana, Enriqueza de Valderrabana, Sebastiana Bacha. I, co najważniejsze, wyrosła na olśniewającą piękność, o sylwetce smukłej i doskonałej, z twarzą, która mogłaby zostać skradziona posągowi Canovy, o uroku dorównującym wdziękowi, przez który Gerolamo zyskał sobie w młodości przydomek pięknego opata. Gerolama przypominała również posturą, wrodzoną elegancją, sposobem bycia. Lecz co do charakteru, była wierną kopią Maríi Isabel Felipy.

Podobnie jak ona nieśmiała, dobra, skłonna do zaniżania własnej wartości, do ulegania, cierpienia w milczeniu. Dręczona ponadto przez kompleks, który zrodził się z dramatycznych pytań sieroty, dziecka z nieprawego łoża, pytań kim-był-mój-ojciec, kim-był? I don Julian szybko zdał sobie z tego sprawę i postanowił, że należy odkryć przed nią sekret, i powiedział o tym Maríi Isabel Felipie, która właśnie tej jesieni dowiedziała się, że nosi w sobie chorobę, raka, w Katalonii nazywanego *mal dolent*. Wręcz *un mal molt dolent*.

* * *

Gdyby nie *mal dolent*, a wręcz *mal molt dolent*, prawdopodobnie nigdy by jej nie przekonał. Montserrat nigdy nie opuściłaby Barcelony, nie spotkałaby Francesca i, znowu to samo, nie urodziłabym się ja sama. Lecz drogi przeznaczenia naprawdę są nieskończone i w swojej perfidii *mal dolent* zawiera coś pozytywnego — zazwyczaj długie oczekiwanie na nieuchronny kres nazywany śmiercią. Przedsionek zaświatów, jeśli ktoś woli. Przerwę czy limbo, w którym nadchodząca Śmierć kroczy w zwolnionym tempie, tak że czekając na nią i patrząc, jak idzie ku nam powolutku, mamy czas, by zrobić dwie rzeczy. Docenić życie, czyli zorientować się, że jest piękne nawet wtedy, kiedy jest wstrętne, i dobrze się zastanowić nad nami samymi i nad innymi — rozważyć teraźniejszość, przeszłość, tę odrobinę przyszłości, jaka nam pozostała. Ja to wiem. I być może María Isabel Felipa nie zorientowała się, że życie jest piękne, nawet kiedy jest wstrętne. Przyznanie tego wymaga pewnego rodzaju wdzięczności, której ona nie miała. Wdzięczności dla naszych rodziców i dziadków, i pradziadków, i prapradziadków, i praszczurów, czyli dla tych, którzy dali nam możliwość przeżywania tej nadzwyczajnej i potwornej przygody, która nazywa się istnieniem. A jednak wiele rozmyślała po tym, jak don Julian powiedział, że Montserrat musi poznać prawdę. Dzięki pozytywnej stronie *mal dolent* rozważyła teraźniejszość, przeszłość, tę odrobinę przyszłości, jaka jej pozostała. I sama z siebie zrozumiała, że była głupia, ponieważ zgodziła się na niesprawiedliwe wykluczenie, okrutny pakt. Zrozumiała, że Gerolamo był fałszywym dobroczyńcą, ponieważ bronił swoich przywilejów i tyle, swojej władzy i niczego więcej, swojego katolickiego sumienia i basta. Zrozumiała, iż don Julian trwał przy niej tak blisko za sprawą miłosnego uczucia, z którego płynęła jego miłość do Montserrat, i że kiedy umrze obiekt jego uczucia, rola przybranego rodzica w nim osłabnie i przywiedzie do tego, by wydać jej córkę za mąż za pierwszego lepszego mężczyznę, jaki się nawinie. Zrozumiała, że Montserrat, pomimo swej urody, elegancji, savoir-vivre'u i dziewięciu lat spędzonych w Monastir, była podobnie jak ona pozbawioną woli frajerką, niezdolną poradzić sobie z najprostszym problemem. Prócz wyjawienia tożsamości ojca należało zatem zapewnić jej przyszłość mniej niepewną od tej, jaka jej groziła, czyli posłać ją do Gerolama. Wydawało się to całkiem proste, jeśli nawet ignoranci wiedzieli, że od 1785 roku były premier króla wyjechał do Genui, gdzie zamieszkał z bratankiem w Palazzo Grimaldi. I pewnego majowego dnia, niemal na progu nieuchronnego kresu, María Isabel Felipa poważyła się na jedyny odważny gest w swoim strachliwym życiu. Wstała z łóżka, w którym opadała z sił, dowlekła się aż do biurka i napisała feralny list, którego Gerolamo miał nigdy nie dostać. Odtwarzam go z pamięci, nie wiedząc, rzecz jasna, czy wersja przekazywana przez wieki była dokładnie ta sama, lecz widmo, które ujrzałam w Carrer del Bonaire, zapewniło mnie, że list jest prawdziwy. A chromosomy mi to potwierdzają.

„*Mi Señor*, mój Panie! Nie osądzajcie mnie źle po tym akcie nieposłuszeństwa. Dokonuję go przy moim śmiertelnym łożu, dla córki, o której nigdy Wam nic nie wspomniałam i o którą mnie nigdy nie pytaliście. Tak, narodziła się córka. Wydałam ją na świat pomimo okrutnej podróży, jaką odbyłam, by dojechać do Barcelony, nazwałam ją Montserrat, imieniem Matki Boskiej z obrazu, który ze wspaniałą uprzejmością mi ofiarowaliście, a don Julian ochrzcił ją imionami María Ignacia Josepha. Dałam jej moje i Wasze nazwisko: Rodríguez de Castro y Grimaldi. Nie, nie gniewajcie się, *mi Señor* — na akcie chrztu Wasze imię nie widnieje, przed światem tajemnica została dochowana. Zamierzam jednak ją odkryć naszej córce, *mi Señor*, którą wysyłam do Was wraz z niniejszym listem. Niebawem zostanie sama i don Julian nie może wziąć za nią odpowiedzialności. Myśl, że zamieszka pod Waszym dachem, pomaga mi umrzeć w pokoju, i chcę, by wyjechała natychmiast po moim pogrzebie, kiedy tylko sprzedany zostanie dom, który Wasza Wysokość mi kupił. Przyjmijcie ją, błagam Was o to. Ma dobre serce, wyśmienite wykształcenie i jest piękna. Jest do Was podobna. Ponadto to wspaniała chrześcijanka i nie potrzebuje tytułu czy bogactw. Potrzebuje ojca, własnego ojca, który ją będzie prowadzić i otoczy ją opieką. I tym Was żegnam na zawsze, *mi Señor*, z uniżeniem i szacunkiem podpisuję się, Wasza María Isabel Felipa, która bardzo Was kochała".

Następnie włożyła list do koperty zaadresowanej do księcia Gerolama Grimaldiego, Palazzo Grimaldi, Republika Genueńska, i podała go Montserrat.

— Nadeszła chwila, bym wam wszystko wyznała, moja córko.

Odpowiedział jej złamany szept.

— O moim nazwisku, mamo?

— Tak, ten list jest do twojego ojca.

— Do... mojego... ojca, mamo?

— Tak. On nie umarł. Przeczytaj go, moja córko.

Montserrat przeczytała i straciła przytomność.

Nie znam dalszych szczegółów tego patetycznego majowego dnia. Żarliwy i pełen litości głos ich nie dostarczał, a tajemna pamięć podrzuca mi tylko widok uroczej dziewczyny, leżącej na wznak na podłodze, oraz kobiety zżeranej chorobą, która ze łzami wzywa pomocy pomywaczki. Ta wbiega z wrzaskiem: *„Que pasa*, co się dzieje? Matko Przenajświętsza!". I bierze uroczą dziewczynę na ręce, układa ją na tapczanie i podtyka pod jej kształtny nosek flakon z solami. Lecz wiem, że kiedy Montserrat wróciła do siebie,

María Isabel Felipa wyznała naprawdę wszystko: opowiedziała o nieoczekiwanej i nieprzewidywanej nocy miłosnej w pałacu w zaułku San Miguel, o decyzji i warunkach zawarcia potajemnego ślubu, smutnej uroczystości w Toledo, ucieczce z eskortą konnych żołnierzy, wielkim afekcie don Juliana, tajemnicy jej aktu chrztu. Przemilczając to, co myślała o Gerolamie, a zrozumiała zbyt późno, usprawiedliwiła również okrucieństwo wygnania i milczenia, na które została skazana. „Był grandem Hiszpanii, moja córko. Nie mógł się skompromitować ze sługą. I tak okazał się wielkoduszny, żeniąc się ze mną. Odebrał sobie możliwość związania się z arysto-kratką godną jego pozycji, i dlatego teraz jest samotnym starcem, który mieszka z bratankiem". Sportretowała go jako człowieka bez winy, czyli ojca, z którego Montserrat mogła być dumna. I przekonała ją, by pojechała do niego. Następnie wezwała don Juliana i poinformowała go, że podjęła decyzję jeszcze bardziej drastyczną od jego rady. Zleciła mu sprzedaż domu za możliwie najwyższą cenę i przekazanie pieniędzy Montserrat, zorganizo-wanie jej podróży, dostarczenie paszportu. W końcu napisała list gwarancyjny, dokument wówczas jeszcze konieczny do odbywania podróży, który półtora wieku później miałam znaleźć w skrzyni Cateriny. „Oświadczam, iż panna María Ignacia Josepha Rodríguez de Castro y Grimaldi jest moją córką, że ma osiemnaście lat, jest niezamężna i niezaręczona. Oświadczam, że z powodów rodzin-nych upoważniam ją do podróży do Genui i, jeśli to konieczne, do innych miast we Włoszech. Do władz i osób miłosiernych kieruję prośbę, by udzielili jej pomocy, jakiej młody wiek i brak doświadczenia wymagają". Nazajutrz umarła i jej pogrzeb był jeszcze uboższy niż jej nędzny ślub. Jako że nie miała przyjaciół i nie znała nikogo, za karocą wiozącą trumnę szli tylko Mont-serrat oraz don Julian z kucharką, pomywaczką i służącą. Reszta wydarzeń przebiegła w sposób, o jaki prosiła: don Julian sprzedał dom za całe cztery tysiące *lluras*, przekazał pieniądze Montserrat razem z roczną ratą, zorganizował jej wyjazd, dostarczył paszport.

Dokument, który pamiętam słowo po słowie po hiszpańsku, ponieważ czytałam go w kółko, zaciekawiona dziwnym szczegółem — tym, że nigdy nie podaje się wieku, że tylko opis fizyczny: *„Talla, casi seis pies. Colorido, rosado. Frente, alta. Ojos, griso-azul. Cabellos, rubios. Nariz, pequeña. Dientes, sanos. Marcas características, un lunar sobre el labio superior** ...znaki szczególne: pieprzyk nad górną wargą".

Wystawiony 10 czerwca 1788 roku przez Jego Ekscelencję Pana Ministra Policji, w imieniu Jego Katolickiej Wysokości Karola III, paszport upoważniał do podróżowania po ziemi i morzu. Don Julian wolał, by Montserrat odbyła ją drogą morską i, by nie wystawiać jej na ataki piratów, wybrał duński statek „Europa". W 1780 roku bowiem Dania podpisała z krajami berberyjskimi jedyny traktat, który respektowali, i jej żaglowce posiadały specjalny algierski glejt, który, odnawiany co roku dzięki ogromnym darom wręczanym sukcesorowi Alego Paszy, pozwalał Duńczykom unikać napaści i grabieży. „Europa" była skromną brygantyną o wyporności dwustu ton, wykorzystywaną w transporcie towarów na morza północne, a zbudowali ją armatorzy Christian Oldenburg i Jurden Rode z Altony. Ewentualnym pasażerom oferowała wyłącznie maleńką kabinę i zazwyczaj pływała na trasie Hamburg–Göteborg–Kopenhaga–Gdańsk–Helsinki–Sztokholm. Albo Hamburg–Amsterdam–Rotterdam–Portsmouth–Londyn––Hawr–Brest. Tym razem opuściła Hamburg właśnie po to, by płynąć na Morze Śródziemne, i z ładunkiem sztokfiszy zamierzała dotrzeć do Barcelony w drugiej połowie czerwca. Stamtąd miała płynąć wprost do Marsylii, Genui, Livorno, a tak na marginesie, to jej kapitan nazywał się Johan Daniel Reymers. Jego bosman — Francesco Launaro.

---

* Rozmiar, prawie sześć stóp. Karnacja, różowa. Czoło, wysokie. Oczy, szaro-niebieskie. Włosy, blond. Nos, mały. Zęby, zdrowe. Znaki szczególne, pieprzyk nad górną wargą.

8

Od kiedy żaglowce zaczęły zastępować łodzie wiosłowe, czyli galery, okazało się, że bosman miał bardzo ważne stanowisko. Był ważniejszy od oficerów, którzy zresztą otrzymywali pensję znacznie niższą od niego, mniej więcej o połowę. Był ważny, ponieważ stanowił ogniwo łączące kapitana i załogę, czyli rządził załogą, i to on musiał wykonywać manewry, pilnować kursu, przewidywać zmiany pogody. Nie można było zostać bosmanem przez łut szczęścia czy przypadek i przed osiągnięciem dojrzałości. Należało mieć więcej niż trzydzieści lat i duże doświadczenie na morzu, jak również naprawdę szczególne umiejętności. Na dobry początek — przeczuwać nadejście i siłę burzy, opierając się wyłącznie na podmuchach wiatru, kształcie chmury czy locie ptaka. Trzymać ster lepiej od sternika, wchodzić na maszt lepiej od majtka, zwijać żagle lepiej od marynarzy i znać statek lepiej od kapitana — słyszeć każde odbiegające od normy skrzypnięcie, każdą anomalię. Należało też umieć zachować się jak przywódca, utrzymywać posłuszeństwo i respekt wśród marynarzy, wręcz budzić w nich strach i karać, kiedy trzeba, a równocześnie chronić ich, bronić, leczyć: kurować szkorbut i biegunkę, wyrwać zepsuty ząb, amputować zgangrenowaną nogę. Bosman był bardzo samotny. Nie mając stopnia oficerskiego ani kwalifikacji marynarskich, żył niezależnie, tak fizycznie, jak i psychicznie, a to wprowadzało dystans w stosunku do jednych i drugich. Na przykład spał, owszem, na dziobie, w części dla załogi, ale osobno — w kabinie podobnej do tych, w jakich mieszkali oficerowie, i umieszczonej bliżej mostka. Jadł, owszem, te same dania co kapitan, pił, owszem, to samo piwo i ten sam likier, lecz w pojedynkę — na ogół skulony pod środkowym masztem lub nad świetlikiem, w miejscach, gdzie nie tracił z oczu załogi i kursu. I wszystko to, a więc jego samotność, jego umiejętności i jego odpowiedzialność, sprawiało, że był człowiekiem bardzo rozsądnym. Bardzo refleksyjnym. Był kimś w rodzaju pokładowego mędrca.

Wizerunek ten może wydawać się nieprzystający do Francesca, ale bosman z „Europy" niewiele już przypominał malowniczego demona, którego widzieliśmy w Livorno w chwili, gdy czekał na „Bonne Mère" albo na „Triumphie", gdzie ostrzył nóż swojej zemsty. Równie mało przypominał bezlitosnego mordercę, którego pozostawiliśmy 9 lipca 1775 roku na plaży w Algierze, kiedy podrzynał gardło dwudziestej ofierze i szablą ucinał jej głowę. Czas sprawił, że dojrzał jak dobre wino, które starzejąc się, uwalnia się też od złogów i zmienia barwę, zmienia smak.

Właśnie. Był solidnym, trzydziestoośmioletnim mężczyzną, dorosłym człowiekiem pełnym rozsądku i wewnętrznej równowagi. Już się nie awanturował w knajpach, nie dyskutował na noże, nie doprowadzał złości do wrzenia, czego skutkiem było przeciąganie pod stępką. Z malowniczego demona pozostawały mu tylko szramy, siła fizyczna, czupryna czarna jak krucze pióra i spojrzenie ciemne jak noc. (Ciemne i przesiąknięte potwornym smutkiem. „Myślę, że 1788 roku Francesco był kimś w tym rodzaju", powiedziała któregoś dnia moja matka, pokazując mi bożonarodzeniowe zdjęcie swojego dziadka po kądzieli. A fotografia ukazuje przystojnego mężczyznę o pooranej bruzdami twarzy, typ człowieka, który jest jak ci ciosani uderzeniami siekiery, w oczach których gnieździ się potworny smutek). Z bezlitosnego mściciela pozostawała w nim tylko wojskowa dyscyplina i nieograniczona cierpliwość. Nikogo nie był już w stanie nienawidzić. Jego żądza zabijania do cna wypaliła się na plaży, a najlepszym na to dowodem były dalsze wydarzenia. Dwa lata, które nastąpiły po rzezi, jaką ściągnął na nich O'Reilly, były bardzo chwalebne dla „Austrii" i „Etrurii" — mała flota Piotra Leopolda, wytoczona na Berberów, dokonała czynów godnych podziwu. A jednak Francesco nie wyróżniał się entuzjazmem i kiedy dworska intryga zmusiła Johna Actona do opuszczenia Toskanii i do przejścia na służbę króla Neapolu, on też odszedł. Znów zaczął pływać na statkach handlowych, został bosmanem i w 1785 roku zaciągnął się na

„Europę", ponieważ pływała daleko od mórz, po których błąkali się jego byli wrogowie. „Koniec z korsarskimi statkami, z morderstwami, z wojnami. Od kiedy uregulowałem moje rachunki, łapanie Maurów mnie nudzi". Przemiana zresztą nie ograniczyła się tylko do tego. Dzięki kapelanowi „Austrii" zelżał nieco jego zatwardziały ateizm — podczas burz Francesco kreślił znak krzyża i jeśli nie dochodziło do nieszczęść, pozwalał sobie na agnostyczne wahania. „Któż wie, czy Bóg nie istnieje?" Dzięki oficerowi, który okazał się filantropem, niemal nauczył się pisać i czytać — jego rejestry rachunków nie wyróżniały się znacznymi odstępstwami od ortografii i zdarzało się, że swymi mizernymi umiejętnościami pisarskimi służył tym, którzy chcieli przesłać do domu list. „Kohani rodzice, tym moim listem informuje Was, że moje zdrowje jest dobre...". A dzięki znakomitej pensji oraz procentom, jakie bosman zwykł inkasować od przewożonych towarów, nie był już biedny. W jednym z banków w Livorno trzymał wystarczającą sumę, by zapewnić sobie wygodną przyszłość, w lokandzie na via dell'Amore wynajmował na stałe pokój, a na lądzie ubierał się z taką elegancją, że nawet stare znajome zwracały się do niego *signor* Launaro. (Frak z granatowego weluru, spodnie z granatowego weluru, pończochy z białego jedwabiu. Koszula z haftem, kapelusz wysoki ze wstęgą, laska z gałką z kości słoniowej). W jednym się jednak nie zmienił — pozostał starym kawalerem i zamierzał w tym wytrwać. W ciągu trzynastu lat nie ożenił się, zamiast do prostytutek po uciechy chodził do kochanek i, nie skrywając pogardy dla kobiet, kolekcjonował je gdzie tylko się dało: w Hamburgu, Rotterdamie, Kopenhadze, Hawrze, Breście... „Ja do kobiet chodzę tylko po jedno. Nigdy dla nich nie tracę głowy, poza łóżkiem wręcz ich nie lubię, a tych porządnych się boję".

Z wielkim przerażeniem przyjął więc w Barcelonie wiadomość, że z następnym załadunkiem znajdzie się na pokładzie również młoda kobieta, która chce płynąć do Genui. I niemal z rozpaczą próbował przekonać kapitana Reymersa, by zmienił zdanie. Kobiety na pokładzie przynoszą pecha, powiedział, a jeśli w dodatku są ładne, to pech jest podwójny. Załóżmy, że nie tylko jest młoda, lecz jeszcze ładna lub znośna, a od pierwszego dnia zaczną się prawdziwe kłopoty. Jak stłumić wygłodzone marynarskie żądze, panie kapitanie, jak ją uchronić od wulgarnych docinków i chamstwa, jak jej zabronić wpadać w popłoch za każdym razem, kiedy spuszczają spodnie i załatwiają się na siatkę za burtą? I nawet gdyby sama postanowiła przez cały czas siedzieć zamknięta w kabinie, byłaby to próżna nadzieja, bo kabina była dziurą, a podróż do Genui trwa prawie trzy tygodnie. A jak zapobiec jej codziennym potrzebom? Kto miałby jej służyć? Kto miałby pomóc, gdyby dostała torsji? Kto miałby wypróżniać jej nocnik? „Bardzo się boję, panie kapitanie. Niech pan to przemyśli". Sęk w tym, że pan kapitan już to przemyślał, i jego wahania przygniótł ciężar czterystu *lluras* ofiarowanych przez don Juliana, więc nie tracąc pewności siebie, odpowiedział Francescowi, że nie wie, czy jest ona ładna, brzydka, czy znośna. Ksiądz powiedział mu tylko, że odbywa podróż z powodów rodzinnych, że jest to ktoś ważny i że należało ją chronić. Tak czy inaczej, schładzać żarłoczne pożądanie, wulgarne komentarze, chamstwo i publiczne załatwianie się załogi było zadaniem bosmana — by postawić im tamę, wystarczyło, że zrobi użytek ze swojej władzy. Co do reszty, to cóż — służyć będzie jej majtek, kiedy zwymiotuje, zaopiekuje się nią Pan Bóg na niebie, a co do nocnika, to będzie wypróżniała go sama, wylewając zawartość przez okno. „Mówi pan, bosmanie, że kobiety na pokładzie przynoszą pecha? Za czterysta *lluras* warto stawić czoło pechowi. A jeśli nie chcecie wystawić się na pokusę, zamknijcie oczy". W konsekwencji, kiedy Montserrat wchodziła na pokład, Francesca nie było na mostku, by ją przyjąć. „Im później ją zobaczę, tym lepiej".

* * *

Weszła na pokład 29 czerwca, w dniu, gdy wedle moich obliczeń „Europa" wypłynęła z Barcelony, a na mostku przyjmował ją kapitan Reymers, który w chwili, gdy ją ujrzał, od razu pojął, jak słuszne były obawy bosmana. Zamknąć oczy? Od bladej, kameliowej twarzy po smukłe kostki, które wedle mody hiszpańskiej sukienka odsłaniała co najmniej na dziesięć centymetrów, młoda kobieta emanowała urokiem tak nieodpartym, że nawet ślepiec mógłby przez całe życie gapić się na nią jak w obraz. Ponadto płakała, a któż się oprze pięknej, płaczącej dziewczynie? Jej pocieszaniem zajmował się tymczasem don Julian, który przeklinał samego siebie, że wysłuchał polecenia Maríi Isabel Felipy, a teraz nie potrafił uspokoić dziewczyny. Uczepiona sutanny, błagała go w kółko nie-pozwólcie-mi-płynąć, nie-pozwólcie-mi-płynąć, i na próżno ją zapewniał, że jeśli coś pójdzie źle, on po nią pojedzie.

— Poszukaj sobie mieszkania, napisz, a ja przyjadę.

— Ale ja nie znam Genui!

— To ją poznasz, moja droga.

— Nie wiem, gdzie szukać mieszkania!

— To się dowiesz, moja droga. Bosman jest Włochem, więc ci pomoże.

Długo trwało smętne pożegnanie. Tyle, ile trzeba, by załadować obfity bagaż, jaki nie byle pasażerka ze sobą zabierała: dwie duże skrzynie, jedna z garderobą i jedna z wyprawą, pięć walizek, trzy pudła kapeluszy i dwa z perukami, obraz z Matką Boską i futerał z lutnią, na której nauczyła się grać w Monestir de Jonqueres. (Lutnię również pamiętam. Kształtem przypominała gruszkę, była bardzo mała i wyjątkowo lekka, z owalnym pudłem, na które składało się trzynaście listewek z drzewa wiśniowego, mieniącego się kolorami, z długim gryfem intarsjowanym macicą perłową). Don Julian zszedł wreszcie na ląd, „Europa" rzuciła cumy, Montserrat zamknęła się w kabinie, by dalej przelewać łzy, i od tej chwili jej historia wydaje mi się prostsza od najprostszego zadania. Mogę ją odtworzyć bez trudu, podążając za nicią wyobraźni.

Niełatwo jest bowiem zmienić życie, przeprowadzić się do kraju, którego się nie widziało, nie wiedząc, co nas w nim spotka, będąc samemu. Nie jest to łatwe nawet dla dorosłego człowieka, rozkapryszonego przez nasze czasy. A dla osoby w wieku dojrzewania, dwa wieki temu, dla naiwnej i rozpieszczonej dziewczyny niezdolnej do tego, by zdjąć ze ściany pajęczynę, musiało być to gorsze niż podróż rakietą do stratosfery, gorsze niż tkwić w kapsule, która pędzi na księżyc. Nic dziwnego, że płakała. Teraz, kiedy Barcelona znikała, rozpraszała się we mgle, wszystko prowokowało Montserrat do płaczu. Wszystko. Morze, które z daleka wydawało się jej zawsze błękitną i nieszkodliwą częścią pejzażu, przyjacielem, a które z bliska stawało się wrogiem — bezkresną płaszczyzną czarnej cieczy gotowej ją pochłonąć. Statek kołysał się, podskakiwał, a przy każdym podskoku czy kołysaniu podbijał jej żołądek do ust, wywracał na drugą stronę. Półnadzy marynarze, którzy na pokładzie patrzyli na nią w sposób, w jaki wilki patrzą na królika przeznaczonego na obiad. Do płaczu przywodziła sama myśl, że będzie musiała dzielić z nimi, i to przez kilka tygodni, tę kapsułę, która pędziła na księżyc. Ona, która zarówno w domu, jak i w kolegium zawsze żyła wśród kobiet, która znała jednego tylko mężczyznę — don Juliana. I jeszcze myśl o tym, że płynie na poszukiwanie ojca, którego nigdy nie chciała spotkać i który nigdy nie przesłał jej ani jednego znaku miłości czy pozdrowienia, który przegnał ją, kiedy była jeszcze w brzuchu matki, i był teraz tak stary, że mógłby uchodzić za jej dziadka. Sześćdziesiąt osiem lat, jak twierdził don Julian. Mój Boże! Jak on ją przyjmie, ten ojciec nieczuły i nieznany, ten starzec tak sędziwy, że mógłby być dziadkiem? I, co gorsze, czy w ogóle ją przyjmie, czy znów przegna z domu? I co ona zrobi, jeżeli ją przegna? Poszukaj-sobie-mieszkania, napisz-a-przyjadę. Dobrze, lecz perspektywa powrotu wcale nie była pociechą. Wrócić znaczyło tyle, co poddać się, schować się w domu z pierwszym lepszym szakalem gotowym zainkasować cztery tysiące *lluras* zdeponowanych w banku, o czym zaświadczał dokument bezpiecznie schowany w jej bieliźnie. Albo skończyć w zakonie. Nie chciała iść do klasztoru. Nie chciała wpaść w szpony jakiegoś typa łasego na jej pieniądze. Chciała stworzyć szczęśliwą rodzinę, pokochać mężczyznę, który by ją pokochał, odkupić nieszczęścia jej matki. Oczywiście, płakała również za matkę. Płacząc, na nowo widziała ją w patio, gdzie tkwiła w swoich surowych brązowych ubraniach, z ciężkim szalem na głowie, potem w łóżku, gdzie słabła zżerana przez *mal dolent*, i to potęgowało jej szloch. „Ach mamo! *¡Mamita, mamà!*" Lecz przede wszystkim płakała ze strachu. Bardzo się bała. I bardzo potrzebowała komuś to wyznać. Zwierzyć się, otworzyć przed kimś serce.

Przez pięć dni przelewała w kabinie łzy. Nie pozwalając sobie nawet na to, by przez chwilę się przejść otulona kocem, nie odpowiadając kapitanowi Reymersowi, który bardzo zmartwiony prosił, by wyszła. Zachęcał, by zaczerpnęła trochę powietrza, zjadła kolację z oficerami i z nim. „Odwagi, proszę się uspokoić, *doña* María Ignacia Josepha!" Głucha na każde wezwanie, otwierała drzwi tylko, by wpuścić majtka, który jej przynosił jedzenie. W ciągu tych dni Francesco nie widział jej ani razu. Słyszał tylko, jak płacze, i tyle. Lecz lato jest gorące na Morzu Śródziemnym, źle znosi się duszne powietrze w kajucie pełnej bagaży, zresztą w wieku osiemnastu lat zew życia jest niepohamowany. Szóstego dnia, pokonana przez upał i osamotnienie, wyszła. Ukradkiem wstąpiła na deski rufy, usiadła na zwoju lin, by cieszyć się bryzą i porywającym spektaklem: okręt płynął wzdłuż odcinka zamkniętego pomiędzy Capo Creus a Carcassonne, podążał z rozpiętymi żaglami w kierunku Zatoki Liońskiej. I tutaj jej uwagę zwrócił mężczyzna, wysoki i dobrze zbudowany, który odwracając się od niej plecami, zdawał się przyglądać jedynej plamie mącącej błękitny mundur nieba — kępce bardzo delikatnych chmur, na północy przechodzącej w błyski nieco brudnej bieli. Przyciągał jej uwagę właśnie dlatego, a także przez to, że z jego silnej postaci promieniowało coś rodzinnego. Aura, która dawała jej poczucie bezpieczeństwa, zaufania, i która napawała ją potrzebą, by spojrzeć temu mężczyźnie w twarz, dowiedzieć się, kim jest. Tak więc

213

wstała i, zapominając o swojej nieśmiałości, wychyliła się przez balustradę.

— *¡Que nubes tan bonitas!* Jakie urocze chmury, prawda *señor*?

Jak gdyby ktoś strzelił mu w plecy. Mężczyzna skulił się w sobie i przez kilka sekund pozostawał w bezruchu, odrętwiały w tej samej pozycji. Wreszcie powoli się odwrócił. Unosząc pooraną twarz, czarne oczy, w których gnieździł się przerażający smutek, patrzył na nią jeszcze przez kilka sekund. Usta rozwarte w zdumieniu, które, wydawało się, że odbiera mu dech. W końcu odpowiedział. W nieskazitelnym kastylijskim języku i z zamierzonym dystansem.

— To cirrusy, proszę pani. I nie są wcale urocze. Są złowrogie.

— Złowrogie, *señor*?

— Złowrogie, pani. Zwiastują mistral. Zły wiatr, niebezpieczny. Przed Carcassonne zdążymy się o tym przekonać.

— *¡Oh, Virgen Santa! Y quién es usted*, kim jesteś, *señor*?

— Bosmanem, pani.

To rzekłszy, znów odwrócił się do niej plecami, a żeby dać do zrozumienia, iż rozmowa jest zakończona, zszedł do ładowni. Lecz lody zostały przełamane, niemożliwe spotkanie stało się faktem i, jak przyciągany przez magnes, który sprawia, że każdy opór jest daremny, bosman po jakimś czasie powrócił. Wszedł na deski rufy, przeprosił, że był tak oschły, przez kilka minut rozprawiał o cirrusach, które niosą zły wiatr. Po jakimś czasie poszedł do jej kajuty, sprawdził, czy bagaż jest dobrze ułożony, czy lampa oliwna działa, czy ma zapas wody do picia, i znów zaczął z nią rozmawiać. Tonem opiekuńczym prosił ją, by przyjęła zaproszenie na kolację, jakie wystosował do niej kapitan. Zapowiedział, że w wolnych chwilach on też dotrzyma jej towarzystwa, i nazajutrz złożył jej wizytę. Opisał swój fach, robiąc na niej wielkie wrażenie i otrzymując w zamian wiele uśmiechów i ekstatycznych okrzyków. Zabawił ją opowieścią o swoich licznych podróżach. Następnego dnia wieczorem to samo. Tymczasem porozumienie między nimi przybierało na sile, nieuniknione, nieuchronne. Kolejnego wieczoru rozmowa skierowała się na nią. Spytał, z jakiego powodu płakała całymi dniami. I z potrzeby zwierzeń, ulegając tej aurze, która napełniała ją poczuciem bezpieczeństwa i zaufaniem, Montserrat powiedziała mu wszystko. Wyjawiła, że ojciec, którego nigdy nie poznała, nazywa się Gerolamo Grimaldi, a on dobrze znał to nazwisko z czasu lądowania w Algierze, i na jego brzmienie wzdrygnął się, jak gdyby spotkała go przykrość. To czwarte spotkanie trwało długo. Kiedy się rozstali, była już noc. Ona była zniewolona bez reszty i myślała o tym, jak bardzo chciałaby kochać podobnego człowieka. Poważnego, pełnego zrozumienia, opiekuńczego, ciekawego. On, wyraźnie zdenerwowany, myślał, że jeśli uczciwe kobiety budziły w nim strach, to ta wręcz go przerażała. Bo była zbyt młoda, Jezu Chryste! Zbyt piękna, zbyt wytworna. Wypisz wymaluj córka księcia. Nie mógł sobie pozwolić, by zgrywać zakochanego bawidamka, rozpraszać się, snując głupiutkie mrzonki właściwe chłopcu, który zakochuje się od pierwszego wejrzenia! „Europa” przepływała przed Perpignan, czyli znajdowała się już w Zatoce Lionskiej, temperatura opadła, a wiatr zmieniał kierunek. Zamiast wybrzuszać żagle, pozwalał im teraz opaść lub tłukł w nie z lewej strony, raz za razem wiał więc z północnego zachodu.

9

Mistral bierze początek z termicznych zapaści, które z północnego zachodu Francji tłoczą zimne powietrze w kierunku południowego wschodu. Kiedy już przetoczy się przez całą dolinę Rodanu, jedyny obszar, który nie stawia przed nim górskich barier, wdziera się do basenu Morza Śródziemnego poprzez gardziel Carcassonne, tak więc Zatoka Lionska jest pierwszym jego celem. Nigdy nie atakuje z zaskoczenia. Zapowiada się zawsze spadkiem temperatury, a dobry marynarz czyta jego nadejście z dwóch znaków: cirrusów układających się w smugi, które Montserrat nazwała uroczymi chmurami, i bryzy, jaką rozkoszowała się na pokładzie rufówki. W bryzie, która w porze największego upału może skrywać owe termiczne zapaści. Ale mistral jest naprawdę złośliwy — jego porywy mogą dochodzić do osiemdziesięciu albo stu węzłów, czyli stu pięćdziesięciu czy dwustu kilometrów na godzinę, i piętrzyć fale wysokie na dziewięć lub dziesięć metrów, rwać żagle na strzępy, jak gdyby były z papieru, łamać maszty, jak gdyby to były patyki. Miał więc rację Francesco, przeklinając swoje nagłe zakochanie. Bo zakochanie odrywa od zajęć, przeszkadza w porządnym dowodzeniu statkiem. A „Europa", owszem statek krzepki, zdolny stawić czoło burzom, lecz ta zatoka była cmentarzyskiem żaglowców, i po to, żeby pływać po jej wodach, kapitan Reymers bardziej liczył na swojego bosmana niż na samego siebie. Od tej chwili bosman potrzebował całej jasności umysłu i biada, gdyby stracił z oczu żagiel, reję czy linę, biada, jeśli będzie roztargniony choć przez chwilę — do samej Marsylii nie było portów, w których można by szukać schronienia.

Noc nie przyniosła burzy. Kiedy minęli Perpignan, porywy z północnego zachodu przerzedziły się, a wręcz wyciszyły. „Europa" znowu płynęła wzdłuż brzegu, z wiatrem wiejącym w rufę, załoga mogła iść spać, nawet kapitan Reymers poszedł do siebie, by pokrzepić się drzemką. Na straży pozostał tylko Francesco z marynarzami na wachcie i drugim oficerem, który powtarzał mu z zakłopotaniem: „Być może pomyliliście się, bosmanie. Być może będzie wiało na pełnym morzu. Może alarmowaliście nas bez powodu?". Co do Montserrat, zasnęła z błogością, jaka często towarzyszy rodzącej się miłości. Wypoczywała wolna od koszmarów, śniąc przypuszczalnie o poważnym mężczyźnie, pełnym zrozumienia, troskliwym, interesującym, który potrafi ukoić jej rozpacz. Lecz kiedy zaczęło dnieć, pomiędzy Carcassonne a ujściem rzeki Aude sprawy przybrały inny obrót. Niebo stawało się coraz mętniejsze, morze coraz cięższe, a mistral uderzył, przybierając na sile, przyspieszając gwałtownie od trzydziestu do czterdziestu, pięćdziesięciu i sześćdziesięciu węzłów. Montserrat obudziła się.

„*Virgen Santa*, co się dzicjc?!" To już nie były zwykłe kołysania
i podskoki. Wstrząsana potężnymi uderzeniami wiatru, „Europa"
podskakiwała, wirowała, odchodziła na boki, i przy każdym podskoku czy kołysaniu wszystko się przewracało i spadało wprost
na nią. Kufry, walizki, pudła, obraz Matki Boskiej, krzesło, lampka
oliwna... Drżąc ze strachu, ubrała się, opuściła kabinę. Kołysząc
się i ślizgając, wyszła na korytarz, który prowadził na środkowy
pomost, zatrzymała się na progu i... *Madre de Deu!* Nie uwierzy-
łaby, że można zobaczyć podobną apokalipsę, nigdy! Fale były tak
wysokie i długie, tak potężne, że wyglądały jak mury z żelaza —
gigantyczne czarne ściany przemieszczały się, by runąć na statek,
eksplodować z łomotem, który brzmiał, jak gdyby statek pękał na
pół. Pomiędzy ścianami — czeluść, w którą zapadał się dziobem,
głową w dół, jak oszalały wieloryb, by znów wypływać, a wtedy
zgiełk spienionej i wściekłej wody zmiatał z pokładu wszystko —
każdą rzecz i osobę — co nie było mocno przywiązane do jakiegoś
uchwytu. Zwoje lin, beczki, marynarzy. I to w chwili, gdy wiatr
spadał potężnymi ciosami na maszty, a uderzając równolegle do ich
płaszczyzny, szamotał nimi z taką furią, że przy każdym podmuchu
płótna i maszty wydawały się pękać, i z tej apokalipsy unosił się
piekielny zgiełk. Łomoty, piski, zgrzyty, uderzenia, wycia. W tym
zgiełku strzępy tajemniczych okrzyków, rozkazów wydawanych
niecierpliwie i wściekle.

— Wszyscy na środek, na śrooodeeek! Na maszt, wspiąć się
na maszt!

— Zwinąć górne żagle, foki, kliwer!

— Poluzować dolne, założyć żagiel sztormowy!

— Odpuścić bezan, ster bramsel, grot brom bramsel!

Tajemniczo brzmiącym okrzykom towarzyszył rozdzierający
odgłos gwizdka, który komendy tłumaczył na konwencjonalne
dźwięki, gwizdka bosmana, i godna podziwu krzątanina załogi,
która walczyła z tym wrogiem stworzonym z powietrza i wody.
Jedni łapali krawędzie, inni przywiązywali się do falszburty, od-

zyskiwali zmiecione przedmioty, wciągali na pokład towarzyszy, inni, przywiązani do cumy, uwijali się na dziobie, pogrążając się w wodzie za każdym razem, kiedy zwariowany wieloryb zanurzał się w czeluściach, inni, wstrząsani przez porywy wiatru, wspinali się na drabiny linowe, które prowadzą na gniazda, inni, już wisząc na linach, zwijali albo składali żagle, choć te, przemoczone i stwardniałe od morskiej soli, nie chciały się zginać. Kapitan Reymers stał na rufie przy sterniku, by lepiej go kontrolować. „Mocno pod wiatr, mocno pod wiatr!" Z progu korytarza Montserrat nie mogła widzieć kapitana, lecz go słyszała — komendy wydawane niecierpliwie i ze złością pochodziły od niego. Francesco tymczasem stał na środkowym pomoście, z progu mogła widzieć go doskonale i ten widok napełniał ją czymś w rodzaju dumy, jak gdyby wzrastająca miłość była już oczywistym związkiem, wzajemnym posiadaniem, które pozwalało myśleć, że ten mężczyzna należy do niej. Wydawał się tak zdecydowany, pewny siebie. Gwizdka, na przykład, używał z chłodnym spokojem, nie zmieniając skupionego wyrazu twarzy, i prócz Reymersa jako jedyny nie był ani przywiązany, ani do niczego uczepiony. Stojąc pod grotmasztem, potrafił zachować równowagę nawet bez trzymania, a kiedy fala czy chluśnięcie groziły spłukaniem go stamtąd, nie ruszał się ani o krok. Wyciągał tylko dłoń do lin i lekko się przytrzymywał. Lecz nagle zimny chłód znikł. Jego twarz wykrzywił skurcz przerażenia, jego głos zadudnił z trwogą.

— Ludzie na grot brom bramsla grotmasztu, na dół! Na dół, i to juuuż!

— Fał grot brom bramsla grotmasztu się rwie!

— Trzeba związać reję, biorę to na siebie!

Następnie schwycił zwój lin, założył go sobie na pierś i kiedy tylko marynarze zeszli, rzucił się na pierwszą drablinkę. Wdrapał się na stengę, wszedł na drugą drablinkę, dotarł do grot brom bramsla, gdzie widział, że rwie się fał, czyli sznur, który utrzymując najwyższą reję, pozwala go trzymać przy „bocianim gnieździe", i kiedy już dotarł w to miejsce, zbladł. Sprawy miały się gorzej, niż myślał. Łopotanie żagli, mocne tarcie wywołane ich wirowaniem na wietrze, ciężar marynarzy, którzy zbyt długo stali na linie, prawie ją zerwały. Reję podtrzymywały tylko nieliczne sznury z poprutych konopi. Niebawem i te musiały się zerwać, a maszt w każdej chwili mógł pęknąć, rozłupać statek, wywołać katastrofę. A jednak musiał wejść na górę, usiąść okrakiem, przeciążyć ją swoim ciałem — nie było innego sposobu, by naprawić szkodę i uniknąć tragedii. I zrobił, co trzeba. Uparcie wchodził na szczyt, z liną u boku, przywiązał się do masztu i wychylony, w powietrzu zaczął związywać wokół konopnych lin nowy fał. Nową linę. Wiązanie zajęło mu dużo czasu. Całe wieki. Lub tak wydawało się tym, którzy obserwowali z duszą na ramieniu to karkołomne zadanie: kapitanowi Reymersowi, oficerom, załodze, a przede wszystkim Montserrat, która chcąc widzieć go lepiej, przeszła próg korytarza, ryzykując, że wypadnie za burtę, doszła do schodów prowadzących na rufówkę i obejmując rękami kolumienkę, modliła się do Matki Boskiej, by jej go ocaliła. Wyglądał tak krucho, tak bezbronnie tam w górze, pięćdziesiąt metrów nad nimi — przywiązany do masztu i wychylony nad próżnią. Mistral potrząsał nim, jak gdyby był liściem, który w każdej chwili może spaść z drzewa. Żeby nie sfrunąć, przytrzymywał się lewym ramieniem, czyli posługiwał się tylko jedną ręką, i często musiał przerywać pracę. Działał jednak bezbłędnie, ani razu nie uległ strachowi. W jego ruchach było doświadczenie trzydziestu lat i odwaga całego życia. Ta sama, z którą, będąc dzieckiem, jako majtek, znosił upokorzenia, gwałty i obrazę, jakim się majtków poddaje. Ta, z którą stawiał czoło chłoście i karom pokładowym, i harował, by odłożyć czterysta piastrów, które zamierzał posłać Alemu Paszy. Ta, z którą stał się korsarzem, wylądował na plaży Algieru, by poderżnąć gardła dwudziestu algierczykom. Jedna jedyna rzecz sprawiała, że trząsł się ze strachu, jedyna rzecz budziła w nim przerażenie — widok młodej kobiety, która uczepiona kolumienki, modliła się, ryzykując, że wpadnie do morza, i do której chciałby zawołać:

— Do kabiny, idźcie do kabiny, na Boga!

Faktem jest, że reję przymocował wyśmienicie. Sprawnie odwiązał się od masztu i zsunął do „gniazda", doprowadził tam końcówki nowej rei, wreszcie dotarł do drablinek i zszedł. Lecz kiedy już znalazł się na dole, popełnił nieostrożność — zamiast pobiec do kapitana Reymersa, skierował się wprost do Montserrat.

— Najgorsze za nami, *doña* María Ignacia Josepha. Teraz możemy brać kurs na Marsylię i szukać schronienia. Ale wy musicie wrócić do kabiny i pozostać w niej aż do końca burzy, jasne? Tutaj jest zbyt niebezpiecznie. Jeżeli coś wam się stanie, to ja się zabiję.

Burza trwała do następnego wieczoru i wiele się natrudzili, by dotrzeć do Marsylii. Wciąż płynąc ze zrzuconymi żaglami, niekiedy zaledwie dryfując. Do Genui za to dotarli bez przeszkód 19 lipca rano, w piękny słoneczny dzień. Kłopot w tym, że Montserrat, która wcześniej przecież wcale nie wydawała się radosna, teraz wyglądała jak obraz nieszczęścia. Nawet wspaniała sceneria, jaką miasto otwierało przed nią od strony morza — błękitny kobalt nieba, zielony szmaragd jego promieniście rozchodzących się gór, rytm jego wspaniałych pałaców — nie wzbudził u niej uśmiechu. I to wcale nie przez lęki i zmartwienia, z którymi wsiadała na pokład.

* * *

Nie trzeba pytać dlaczego. Widok jej bohatera, który wychylony nad próżnią naprawiał uszkodzenie, ratował statek, był dla niej fatalny w skutkach. Odsuwając na dalszy plan lęki i zmartwienia, z którymi weszła na pokład, otworzyła drogę rodzącej się miłości, a zdanie „Jeżeli coś wam się stanie, to ja się zabiję" wypuściło tę miłość na wolność. Podróż z Marsylii do Genui ukształtowała i utwierdziła złudzenia jej osiemnastu lat, już gotowych na pożar. Kiedy minęli Marsylię, powróciły bowiem spotkania na rufie. Francesco bez zahamowań uległ temu, co rozbrajało wszelki jego opór i z niewinnym zawstydzeniem, cechującym piękne czasy, w których miłość była rzeczą poważną, oddali się oboje idylli, nie pytając, czy ma ona przyszłość. Lecz przed Genuą cała prawda wybuchła ze zdwojoną siłą. On to przyjął, a ona nie.

— Spójrzmy prawdzie w oczy, *doña* María Ignacia Josepha. Mógłbym was prosić, byście nie schodziła na ląd, i zabrać was do Livorno, lecz nie przejdzie mi to nawet przez myśl. Kundle powinny trzymać się od chartów z daleka, a więc trzeba nam udawać, że nigdy się nie spotkaliśmy.

— Proszę, proszę tak nie mówić...

— A właśnie, że mówię i powtarzam. Tu czeka na was życie dostatnie, pełne przywilejów, godne was. Musicie zanieść ten list do waszego ojca i zapomnieć o moim istnieniu.

— To niemożliwe, niemożliwe...

— Możliwe, i zaraz was sprowadzę na ląd. Pomogę wam przejść przez odprawę graniczną, ulokuję w wielkopańskim zajeździe, pozostawię was i pozwolę pamiętać o mnie tylko wtedy, gdy nie zechce was ojciec. Jeżeli nie będziecie wiedziała, dokąd iść i do kogo się zwrócić. Czy to jasne? „Europa" będzie zakotwiczona tu do 2 sierpnia.

— Tak... Tak...

Zostawił ją w zajeździe Krzyż Maltański, który był uważany za najlepszy w mieście. Dobra służba, dobre jedzenie, wytwornie urządzone pokoje. Nie przez przypadek cudzoziemscy podróżnicy woleli go od słynnego zajazdu De Cerf. Jakieś dwadzieścia lat wcześniej w Krzyżu Maltańskim zatrzymali się nawet Casanova i Tobias Smollett, a w dziewiętnastym wieku mieli nocować tu nie mniej znakomici Wolfgang Goethe, Stendhal, Richard Wagner, Alexandre Dumas, Gustave Flaubert, Mark Twain. Krzyż Maltański stał przy bulwarze nazywanym Ripa, mieścił się w ładnej średniowiecznej wieży Torre de' Marchi i prócz tych zalet miał jeszcze dwie: znajdował się przy porcie, dokładnie na wysokości doku, gdzie cumowała „Europa", a od Palazzo Grimaldi dzieliło go zaledwie kilka przecznic.

Żeby odtworzyć genueński etap jej życia, zrobiłam to samo, na co wcześniej poważyłam się w Barcelonie, kiedy zdecydowałam się zrekonstruować osiemnaście lat po sekretnym ślubie, i pojechałam szukać jednego i drugiego. Tym razem rzecz była łatwa, ponieważ Torre de' Marchi wciąż istnieje, ma prawie nietknięte przez czas krenelaże na szczycie i ostre łuki okien na dwóch górnych piętrach, za to jest wyszczerbiona w podstawie i tak podupadła, że przez popękane okiennice bez trudu wchodzą gołębie. I gnieżdżą się w pustych i odrapanych pokojach. Istnieje też Palazzo Grimaldi, oszpecony zmianami i upokorzeniami, jakie ignorancja i cynizm przyniosły mu razem z bombami drugiej wojny światowej, i oczywiście trudno było mi zaakceptować myśl, że banalny budynek, w którym wydzielono obecnie małe mieszkania, był kiedyś rezydencją księcia pana. Równie trudno było mi przyjąć, że wieża z popękanymi okiennicami i gołębiami mieściła słynny zajazd, w którym znane postaci zatrzymywały się chętniej niż w De Cerf. A jednak duch Montserrat wciąż tam przebywał, stał na balkonie na ostatnim piętrze, widzialny i odczuwalny nie mniej niż duch Maríi Isabel Felipy w Carrer del Bonaire. I jego obecność ściągała na mnie melancholię, której nie rozproszyły wieki, co doprowadzało prawie do płaczu. Montserrat nie wydawała mi się zbyt sympatyczna. Jej fizyczna wspaniałość, jej bierność, jej przyzwoitość nigdy nie kazały mi kochać jej tak, jak pokochałam Caterinę. A jednak zawsze miałam dla niej bezbrzeżną litość, wyjątkową czułość, i to nie tylko przez okrutną tragedię, która ją w końcu złamała, lecz przez udręki, jakie los zsyłał na nią w każdej chwili życia. Na przykład w Genui. Czułam, że ten duch na balkonie jest nieszczęśliwy. Obolały. Wciąż wpatrywała się w statek zakotwiczony w doku na wprost okna, wciąż szukała wzrokiem mężczyzny, o którym miała w końcu zapomnieć, i nic nie obchodził jej ojciec, którego przez tyle lat chciała poznać. Jeśli szykowała się na poszukiwania, to tylko po to, by posłuchać Francesca i tyle, poddać się radom, jakich udzielił jej, pozostawiając pod Krzyżem Maltańskim. „Załóżcie najlepszy strój, bądźcie tak piękna, jak tylko umiecie. Pojedźcie karetą, wejdźcie jak wchodzi królowa, która składa oficjalną wizytę, nie wyjawiajcie służbie pełnego imienia. Mówcie wyłącznie z księciem panem i wręczcie list tylko jemu". Nic dziwnego, że zdecydowała się dopiero po trzech dniach i bez zapału włożyła na siebie najlepszy strój — wytworną princeskę z gołębiego brokatu, wydekoltowaną i strojną w jedwabne obszycie barwy écru. Bez radości postanowiła być tak piękna, jak tylko umiała, opięła szyję delikatną kryzą z francuskiej koronki, na głowę założyła misterną białą perukę, przypięła do piersi kokieteryjną różę z tiulu, następnie udała się karetą do Palazzo Grimaldi. I ściska mi się serce, kiedy na obrzeżach wyobraźni widzę, jak na moje szczęście ściąga na siebie ogromne kłopoty.

Osiemdziesięcioletni Gerolamo mieszkał z bratankiem dwojga imion Francesco Maria. Czyli z synem swojego brata Raniera, który miał żonę i jeszcze dwie córki, a przez to, że stryj nie posiadał potomstwa z prawego łoża, Francesco Maria był przyszłym spadkobiercą jego tytułu i bogactw. Posiadłości w Sestri Levante i Sampierdarenie, domów, przedsiębiorstw handlowych, w tym kilku kopalni, kont w banku San Carlo w Genui, w Banco de España w Madrycie, w Lloyds Bank w Londynie. Jak również dzieł sztuki, stadnin, sreber, złota, kosztowności w rodzaju wspomnianej już kolii, w której malarz Xavier dos Ramos sportretował Gerolama po katastrofie algierskiej. I zarówno Francesco Maria, jak i jego żona Laura dokładali wielkich starań, by trzymać na dystans każdego, kto zagrażałby integralności ich dziedzictwa. Do tego stopnia, że prawie nikt nie mógł się zbliżyć do drogocennego stryja, a ten, chory na podagrę i reumatyzm, sklerozę naczyniową i marskość wątroby, całymi dniami dyktował obfity w słowa testament, czemu miał się oddawać również przez kolejne trzynaście miesięcy, jakie mu pozostały do śmierci. I tak armia służących dawała odpór każdemu intruzowi, nawet przyjaciele byli zatrzymywani w bramie pałacu, i tylko trzy osoby miały prawo wchodzić na schody, które przez galerię rodzinnych portretów prowadziły do jego komnat: spowiednik, lekarz i notariusz. Lecz kiedy odźwierny stanął przed tym zjawiskiem w brokatach, kryzie i peruce, z tiulową różą, przed tym aniołem, który z wdziękiem wyuczonym w Monestir de Jonqueres prosił o dopuszczenie przed oblicze księcia pana, nawet nie spytał, kogo ma zapowiedzieć. Onieśmielony tudzież olśniony, poprowadził gościa do pazia, który z wielkim szacunkiem wiódł ją po zakazanych schodach, i na wzór królowej, która składa oficjalną wizytę, Montserrat wkroczyła do błyszczącego salonu, gdzie w orgii luster, kandelabrów i kryształów majordomus przyjmował wyjątkowych gości. Kłopot w tym, że majordomus skierował do niej pytanie, którego odźwierny zapomniał jej zadać, a ona, zamiast odpowiedzieć w sposób, jaki zalecił Francesco, przedstawiła się pełnym imieniem. Majordomus zamiast księciu panu powtórzył je pani Laurze i wtedy nastąpił koniec świata. Służba na wyrywki biegała od jednej komnaty do drugiej, dociekając, kto ją tu wpuścił, seriami padały wyrzuty, okrzyki, nerwowe szepty. *Doña* María Ignacia Josepha Rodríguez de Castro y Grimaldi? Któż to taki? I czego tu szuka? A po końcu świata nastąpiło ciężkie milczenie i do lśniącego salonu wpadł ubrany po kawaleryjsku trzydziestopięcioletni mężczyzna. Buty z cholewami z grubej skóry z ostrogami, w bryczesach, we fraku z czerwonego aksamitu, ze szpicrutą. Obejrzawszy ją przeciągłym, zaskoczonym wzrokiem, lekko się uśmiechnął, poprosił, żeby usiadła, wtedy sam usiadł, założył nogę na nogę i zaczął bębnić szpicrutą po bucie. Tak-tak, tak-tak.

— *Doña* María Ignacia Josepha Rodríguez de Castro y Grimaldi, jak mi przekazano?

— Tak, s*eñor*.

— Mówicie po włosku?

— Tak, s*eñor*.

— Nazywam się Francesco Maria, jestem bratankiem księcia. Czy jesteśmy przypadkiem spokrewnieni?

— Tak, *señor*.

Zignorowanie rady, by nie przedstawiać się służbie pełnym imieniem, było błędem, o czym Montserrat przekonała się, kiedy tylko nastąpił wspomniany koniec świata, i gdyby nie usłyszała imienia Francesco, nie popełniłaby dalszych głupstw. (Tak przynajmniej twierdził namiętny i litościwy głos, który dla naiwnej prababki zawsze szukał okoliczności łagodzących). Było bowiem coś, co w osobniku noszącym strój jeźdźca wprawiało ją w zakłopotanie: niebezpieczeństwo, które nawet jej bezdenna łatwowierność zdołała wychwycić. Może chytre, złowrogie oczka? Lub fałszywa uprzejmość, z jaką się do niej zwracał, niezdrowe zaciekawienie, z jakim jej się przyglądał? Żadne tam zaciekawienie mężczyzny, który obserwuje piękną kobietę, żeby ją zdobyć — ciekawość kota, który wpatruje się w mysz do pożarcia i tylko czeka na odpowiedni moment, by wyciągnąć łapę i chwycić. Lecz brzmienie ukochanego i szanowanego imienia „Francesco" wydało jej się taką gwarancją, że stłumiło wszelkie instynkty samoobrony. I wraz z nieuświadomionym pragnieniem, by przegrać tę partię i zyskać tym samym dobry powód do powrotu na okręt, zatriumfowała jej naiwność.

— Jakiego stopnia, moja droga?

— Jesteśmy kuzynami, *señor*.

— Ach! Dalekimi, jak przypuszczam.

— Nie, *señor*. Książę jest moim ojcem.

Bęc! Szpicruta upadła na podłogę. Chytre i złowrogie oczka stały się zdumione, wręcz przerażone.

— Waszym... ojcem?!

— Tak, *señor*. Dlatego tu jestem i proszę o możliwość rozmowy. Czy może mnie pan do niego zaprowadzić, *por favor*? Muszę mu wręczyć list, który moja matka napisała do niego przed śmiercią.

Następnie otworzyła torebkę i, żeby dał wiarę jej słowom, wyciągnęła kopertę, którą kocia łapa natychmiast pochwyciła w pazury.

— Nie macie niczego innego na poparcie prawdy, którą mówicie?

— Nie, *señor*. Małżeństwo moich rodziców było potajemne, nie można go udowodnić. A na moim akcie chrztu imię mojego ojca nie widnieje. On nawet nie wie, że w ogóle się urodziłam... Mój list, *señor*.

Wychyliła się do przodu. Podjęła nieśmiały i niepewny wysiłek, by go odzyskać. Lecz „kot" udał, że tego nie widzi.

— Ach, więc rozumiem niecierpliwość, z jaką nalegacie, żeby z nim porozmawiać. Paść mu w ramiona. Szkoda, że dzisiaj go nie ma. Skąd przybywacie, moja droga? Gdzie mieszkacie? Przy jakiejś zaprzyjaźnionej rodzinie, w klasztorze?

— Nie, *señor*. Przybywam z Barcelony, dopiero co przyjechałam. Sama. Zatrzymałam się pod Krzyżem Maltańskim i w Genui nie znam nikogo. Poproszę o list.

Znów się wychyliła. Po raz drugi spróbowała go odzyskać. Już nie tak wstydliwie, nie tak niepewnie. Lecz list zdążył zatonąć w czerwonym fraku i znalazłszy schronienie dla cennych wiadomości, „kot" nie miał najmniejszej ochoty, by go zwrócić.

— Nie przejmujcie się, moja droga, książę go otrzyma. Osobiście o to zadbam. A on na pewno was wezwie. Czekajcie pod Krzyżem Maltańskim. Teraz, niestety, muszę Was pożegnać, żeby udać się na moją codzienną przejażdżkę. Majordomusie, odprowadźcie panią, która właśnie wychodzi.

I podczas gdy ona patrzyła na niego w odrętwieniu, niezdolna, by zaprotestować i odebrać to, co do niej należało, ulotnił się z pięknym ukłonem.

* * *

Jeśli dać wiarę opowieści przekazywanej z pokolenia na pokolenie, od dwu stuleci, Gerolamo nigdy nie ujrzał listu od Maríi Isabel Felipy. Nigdy się nie dowiedział, iż odtrącona córka przybyła z Hiszpanii, by prosić o opiekę, i że w oczekiwaniu na wezwanie mieszkała o kilka kroków od niego. Francesco Maria miał się na baczności, by nie wyjawić tego przed nim i nie wręczyć jedynego dokumentu, z którego wynikało, że Gerolamo był ojcem Maríi Ignacii Josephy Rodríguez de Castro y Grimaldi. Francesco Maria nie mógł uważać jej za przeciwniczkę, zważywszy na fakt, że dziedziczenie nie przypadało kobietom w udziale, ale za rywalkę, owszem: Montserrat mogłaby uszczuplić ojcowiznę, odbierając suty udział albo apanaż. Prawda to czy nieprawda? Nie wiem. Lecz zarówno intuicja, jak i logika każą mi wierzyć, że sprawy tak właśnie się miały. W przeciwnym razie nie potrafiłabym wytłumaczyć sobie sześćdziesięciu stron testamentu, który 4 sierpnia 1789 roku, czyli prawie na miesiąc przed śmiercią, Gerolamo zredagował i którego odpis mam przed oczami.

Nie jest to testament spisany przez złego starca, łajdaka bez skrupułów ani litości. Jeśli już, to jest to portret otępiałego arystokraty, który ślepo przyjmuje nieprawości swojego czasu i nie potrafi wyobrazić sobie świata innego niż ten, w jakim żyje, starca ogłuchłego, który pomimo że całe życie oddał polityce, nie słyszy nawet szmerów rewolucji francuskiej. Typa, którego nie musnęły nowe idee oświeceniowe i który, choć uważał się za intelektualistę, nie przeczytał bodaj jednej linijki *Encyklopedii* czy choćby Woltera, Beccarii, braci Verrich. (A jeśli przeczytał, nie zastanowił się nad nimi ani przez chwilę). Można to wyczytać z uporu, z jakim powtarza, że z grona przyszłych dziedziców zostanie wykluczony „każdy, kto nie urodził się z prawowitego małżeństwa, i każdy, kto zawarł małżeństwo z kobietą pozbawioną szlachectwa lub o szlachectwie nieudowodnionym". Jak refren strona po stronie powtarzają się słowa „primogenitura męska". Prawowita, szlachecka i męska. Nie przez przypadek wyrzuca Laurze, iż urodziła dwie dziewczynki, i wydziela jej trzy tysięcy lirów genueńskich na rok, jeżeli urodzi chłopca, którego nie była jeszcze zdolna dać swemu mężowi. Będąc portretem, testament jest również bezwiedną autokarykaturą dewota, który bardzo się boi, że pójdzie do piekła, więc próbuje zarobić przynajmniej na czyściec, kupując sobie wdzięczność wszystkiego i wszystkich, chwaląc: Boga, Kościół, Republikę Genueńską, rodzinę, przyjaciół, znajomych, pismaków, służbę i znanych mu nędzarzy. Do Boga kieruje głęboką skruchę — mówi, że był wielkim grzesznikiem, żałuje, iż dopuścił się wobec niego obrazy, i by otrzymać przebaczenie, przyzywa Jezusa Chrystusa, Najświętszą Dziewicę Maryję, wszystkich świętych i wszystkie święte, swojego anioła stróża. Kościołowi pozostawia ogromny majątek i zadanie, by odprawił dobrych trzy tysiące nabożeństw w intencji jego duszy. Czyli jedną mszę dziennie przez prawie dziewięć lat. Republice Genueńskiej pozostawia sześćset tysięcy lirów na budowę dwóch dróg utwardzonych, jednej na wybrzeżu wschodnim i jednej na wybrzeżu zachodnim, lub na uzbrojenie floty do walki z berberyjskimi piratami. Członkom rodziny i przyjaciołom zakazuje jakiejkolwiek formy żałoby i choć mianuje Francesca Marię dziedzicem tytułu i spadku, to każdemu z nich pozostawia jeszcze pamiątkę. Laurze, na przykład, bibliotekę pełną książek i starych rękopisów. (I to bez warunku, by urodziła chłopca). Adwokatowi złoty zegarek i złotą tabakierę. Notariuszowi Matkę Bożą z Dzieciątkiem, namalowaną przez ucznia Rafaela, i Zwiastowanie, namalowane także przez kogoś z jego szkoły. Pismakom natomiast zapisuje sześć płatów najdelikatniejszej czekolady — raz do roku, do końca życia. Służbie genueńskiej liberie, kapelusze, buty, garderobę, której używają, lecz która należy do rodziny, a ponadto sumy oscylujące pomiędzy czterystoma a sześciuset lirami na głowę. Tym z Rzymu i Madrytu to samo. Osobistemu koniuszemu tysiąc lirów, a w dodatku ubrania i koronki. Znanym mu nędzarzom zaś cały dochód z aukcyjnej sprzedaży klejnotów, złota, drogocennych kamieni, srebra. Ma się rozumieć, że z oczywistym żądaniem, by modlili się za niego i wzięli udział w trzech tysiącach nabożeństw za jego duszę. Nie do pomyślenia więc, by zdechlak tak wrażliwy na pamięć o sobie i tak przerażony perspektywą kary pośmiertnej dobrowolnie odepchnął albo zignorował córkę, która zdawała się posłana przez

Boga samego, by ułatwić mu dostęp do czyśćca. Tak, cała wina obciążała wyłącznie „kota".

W każdym razie Montserrat czekała przez tydzień pod Krzyżem Maltańskim i to, co robiła podczas oczekiwania, nigdy nie stanęło mi przed oczami dość jasno. Czy wciąż siedziała i rozpaczała nad odebranym jej listem, dręczyła się pytaniami, czy został doręczony, miała nadzieję, że ojciec ją wezwie, czy też całymi dniami rozkoszowała się tym, że wszystko się tak rozegrało, i hołubiła pobożne życzenia, by nigdy się do niej nie odezwał? Namiętny i przepojony współczuciem głos nic mi o tym nie wspomniał, podobnie jak duch z balkonu Torre de' Marchi. Również po tych kłopotach, które na siebie ściągnęła, widziałam, owszem, jak wychyla się z okna na ostatnim piętrze i wpatruje w okręt zacumowany na wprost, w zatoce, szuka wzrokiem mężczyzny, o którym powinna była zapomnieć. Lecz już patrzy inaczej. Jak gdyby lśniący salon z orgią luster, żyrandoli i kryształów wzbudził w niej sprzeczne uczucia — z jednej strony zirytował, co wzmocniło żal za Franceskiem, ale i oczarował, a to żal z kolei łagodziło. Tak czy inaczej, nie ma żadnych wątpliwości, że duma jest kołem ratunkowym, a pokorne stworzenia bywają zdolne do zdumiewającej brawury. Do przebłysków buntu, które strzelają cudami.

Pod koniec tygodnia, czyli tuż przed tym, jak „Europa" miała podnieść kotwicę, Montserrat zrozumiała, że należało się dowiedzieć, czy Gerolamo list otrzymał, czy nie. Ponownie włożyła brokatową, gołębią suknię, kryzę z francuskiej koronki, białą perukę, tiulową różę i wróciła do Palazzo Grimaldi. A tu natychmiast została oddalona przez odźwiernego, który był już dobrze pouczony, że księcia-pana-nie-ma, jego-pana-bratanka-też-nie-ma, idźcie--sobie-bo-będzie-bieda. I wtedy pojawiła się duma. Dokonał się cud. I to tak zdecydowanie, że nieco zdezorientowana zadaję sobie pytanie, czy Montserrat była naprawdę strachliwą dziewczyną, którą opisywała mi matka, czy za powłoką jej łagodności i słabości nie kryła się kobieta na swój sposób silna i żarliwa. (To podejrzenie jeszcze się powtórzy). Ponieważ zamiast zalać się łzami, jak miała w zwyczaju, wróciła z podniesioną głową do hotelu i napisała do don Juliana list, który był prawdziwą deklaracją niepodległości. Szkoda, że go nie mam, muszę go streścić ze wspomnienia przekazanej mi opowieści: „Drogi księże Julianie, mój ojciec nie przyjął mnie i nie przyjmie. Więc teraz ja go odrzucam i skreślam z mojego życia i z moich myśli, i nie chcę już słyszeć jego imienia, i żałuję, że noszę jego nazwisko. Z łaski swojej sami poinformujcie go, że mama nie żyje, a przy okazji dodajcie, że i ja też odeszłam już z tego świata. I tym was żegnam, dziękuję wam i przesyłam pomyślną wiadomość: nie musicie po mnie przyjeżdżać. Spotkałam człowieka, który wart jest więcej niż tysiąc książąt i markizów, kocham go i wiem, że od dzisiaj to on będzie mnie bronił". Następnie posłała po Francesca, który, ma się rozumieć, przybył w mgnieniu oka i wszystko rozstrzygnął, nie tracąc ani minuty.

— Posłuchajcie mnie dobrze — powiedział dobitnie. — Wy macie osiemnaście lat i jesteście wielką panią. Córką bogatego i potężnego arystokraty. Ja mam lat prawie czterdzieści i jestem zwykłym marynarzem. Synem niewolnika, któremu poderżnięto gardło. A że kundle nie żenią się z chartami, to już wam mówiłem. Lecz jeśli mnie chcecie, jeśli ja wam odpowiadam, to poproszę kapitana Reymersa, by znów wziął was na „Europę". Zabiorą was do Livorno i tam weźmiemy ślub.

11

To niezwykłe, że ich historii słucha się dotychczas jak bajki, która dobrze się kończy, że nie da się jeszcze dostrzec w niej ani zgryzot i nieszczęść, których będzie doświadczać ta para, ani tragedii, która zmiażdży ich dwadzieścia lat później. W schemacie baśni, która szczęśliwie się kończy, zawiera się też motyw dobrych, co zwyciężają, i złych, co ponoszą klęskę, a także typowe znaki, które zapowiadają piękną przyszłość. Ponieważ Francesco Maria, zaślepiony namiętnością do koni i hazardu, roztrwonił w mgnieniu oka całe dziedzictwo Gerolama i umarł w nędzy. I dlatego też, że w niedzielę 10 sierpnia, kiedy „Europa" zacumowała w Livorno, czarne chmury, które przez dwa tygodnie rzucały cień na Morze Tyrreńskie, nagle się rozproszyły. Znów wynurzyło się słońce i niebo stało się bardziej kryształowe od wymytej szyby. Zaświadcza nam o tym kronikarz Pietro Bernardo Prato, który od 1764 do 1813 roku redagował swoim gęsim piórem pobieżny, lecz szczegółowy dziennik życia portu i miasta, i który na stronie 68b pięćdziesiątego dziewiątego tomu oznajmia przybycie duńskiego okrętu, wymieniając rozmaite etapy jego podróży od Gibraltaru i dalej, oraz wymienia z nazwiska kapitana Johana Daniela Reymersa.

Namiętny i litościwy głos nazywał tę fazę „krótkim nawiasem szczęścia" i wreszcie z wesołym uśmiechem mogę patrzeć, jak w tym słońcu schodzą z pokładu. On — pijany z miłości i dumny, że widzą go u boku wielkiej pani, której ludzie rzucają pełne podziwu spojrzenia. „Co za królowa! Bogini! Gdzie też ją znalazł Launaro?!" Ona — oszalała z radości, że posiada mężczyznę wartego więcej niż tysiąc książąt i markizów, i ogłuszona bachanaliami życia, którymi przyjmowała ją nowa ojczyzna. Wszystko odbiera jak obietnicę samego dobra, wszystko. Smród ryb i zgnilizny, który unosi się nad kipielą przystani, ogłuszający hałas, przeklinających tragarzy, kokieteryjne prostytutki, pomieszanie języków, których nigdy nie słyszała. Arabskiego, greckiego, armeńskiego, koptyjskiego, rosyjskiego, jidysz. Feerię strojów, których sobie nawet nie wyobrażała. Barakany, kaftany, burnusy, turbany, fezy, pantofle z zawiniętymi czubami i zakończonymi śmiesznym pomponem. I także poza portem — zgiełk tak wesoły, że Barcelona wyglądała przy nim jak przedsionek cmentarza. A sama Genua była miejscem nader spokojnym. Karety, lektyki, powozy. Woły zaprzężone w wozy pełne towarów, osły, które na poboczach drogi dźwigają beczki wody na sprzedaż, po jednym soldzie za szklankę, sklepy ze wszystkim, o czym można tylko zamarzyć. Nie licząc pięknych kanałów, które doprowadzają morską wodę pod dom, uroczych okręcików, wdzięcznych mostów i ścian domów wytapetowanych afiszami, które zapowiadają nadzwyczajne wydarzenie: rychły lot balonem o średnicy osiemdziesięciu łokci. „Szlachetni panowie, niewiarygodne podniesienie machiny aerostatycznej, która wyszła z rąk nieśmiertelnych Montgolfierów, wymógł na najświatlejszych narodach, by potwierdziły nauką i należnym doświadczeniem pożytek z wynalazku. Eksperymenty z niewielką czaszą, przeprowadzone we Florencji, rozbudziły w żarliwych jednostkach pragnienie stworzenia wielkiej machiny zdolnej unieść trzy osoby. Już nie tylko po to, by zaspokoić ciekawość gapiów, lecz po to, by przeprowadzić ściśle i filozoficzne obserwacje podsuwane przez słynnego filozofa amerykańskiego Benjamina Franklina, który poświęca wyżej wspomnianemu odkryciu swe słynne badania. W tym celu wybrany zostaje maszynista Carmine Fedele..." Cud nad cudy! Cztery lata temu zawiodły wysiłki niejakiego Giuseppe Batacchiego, chirurga z zawodu, aeronauty z powołania. Za pierwszym razem balon się nie wzniósł, za drugim wzniósł się, by spaść na pobliski dach, za trzecim, by wylądować w ścieku. I gubernator Barbolani di Montauto zakazał tego, co określił sztubacką zabawą — „nader niebezpieczną ze względu na ogień, który balon niesie z sobą". Teraz jednak, kiedy we Florencji próba się powiodła, zakaz został odwołany. Śmiały wyczyn winien się powtórzyć 31 sierpnia, a by go ułatwić, organizatorzy proszą obywateli o składanie hojnych datków. Carmine Fedele jest starym przyjacielem. „Być może za pięćdziesiąt skudów zechce nas zabrać, i nasza podróż poślubna będzie podróżą balonem", mówi Francesco, kwaterując Montserrat w lokandzie Pod Czarnym Orłem.

* * *

Umieścił ją zatem tym razem w zajeździe, który za okupacji napoleońskiej miał zostać przemianowany na Hôtel de l'Aigle Noir, bardzo drogim, lecz położonym blisko tego, w którym wynajmował pokój dla siebie. I od razu oświadczył, że zapłaci za wszystko ze swojej kieszeni: „Od teraz to ja się wami zajmę i nie mówcie mi nic o wyprawie, ponieważ nie chcę waszych czterech tysięcy *lluras*. Nigdy chcieć ich nie będę i nie dotknąłbym ich, nawet gdybym miał konać z głodu". Nazajutrz powrócił na pokład, pobrał zapłatę, zawiadomił osłupiałego kapitana Reymersa, że nie odpłynie z nim „Europą", ponieważ żeni się z hiszpańską pasażerką, i bez żalu opuścił statek, na którym spędził najmniej udręczony okres swojego aż nadto udręczonego życia. A razem ze statkiem wygodne bytowanie na morzach północnych oraz kochanki z Hamburga, Rotterdamu, Kopenhagi, Hawru, Brestu. (Wciąż jeszcze na niego czekają, biedaczki). Następnie poszedł do proboszcza kościoła Świętego Antoniego, w którym w 1774 roku Bóg wie w jaki sposób wyspowiadał się oraz przystąpił do komunii, by służyć na „Austrii", do jedynego kościoła, w jakim kiedykolwiek stanęła jego stopa. Pokazał księdzu list gwarancyjny, w którym María Isabel Felipa oświadczała, że Montserrat jest panną nikomu nie obiecaną, spisane oświadczenia, z których wynikało, iż on również jest wolny, zaopatrzył się w inne dokumenty konieczne do ożenku i dwa następne tygodnie poświęcił trojakim wysiłkom: przygotowaniu ślubu, który wedle jego woli miał być przebogaty, tudzież przekonywaniu Carmine Fedele, by zabrał go z żoną do balonu. Oraz poszukiwaniom domu godnego książęcej córki. To trzecie okazało się nie lada wyzwaniem. W 1788 roku Livorno miało czterdzieści cztery tysiące mieszkańców, napływ cudzoziemców gotowych zapłacić każdą sumę za dobre mieszkanie pomnożył cenę nieruchomości i zakup mógł pochłonąć wszystkie lub prawie wszystkie pieniądze, jakie Francesco trzymał w banku — oszczędności zgromadzone dzięki pracy w randze bosmana. Lecz to go nie przerażało i wreszcie, po wielu staraniach, kupił dwupiętrowy pałacyk z trzema pokojami na każdej kondygnacji, nad kanałem, który biegł wzdłuż przystani Scali del Monte Pio — w dzielnicy

Nowa Wenecja, o kilka kroków od via Borra. W dzielnicy bogaczy. Nabył go od angielskiego kupca, który w suterenie budynku, czyli na poziomie kanału, posiadał również magazyn, a wybrał go, ponieważ wydawało mu się, że odpowiada opisowi willi w Carrer de Bonaire. Choć dom nie miał patio, był już urządzony, i to nie bez elegancji. W głównym pomieszczeniu znajdowała się ładna alkowa z haftowanymi zasłonami, a w salonie kandelabr, którego świece rozjaśniały trzy wielkie lustra, oraz dwie kanapy obszyte aksamitem, które, jak mu się wydawało, przypominają wręcz przepych Palazzo Grimaldi. Problem w tym, że angielski kupiec nie chciał domu sprzedać ani na raty, ani ze zniżką dla zakochanych. Zakup naprawdę pochłonął niemal wszystkie pieniądze, a pozostałą resztkę przeznaczono na inne wydatki: na rachunek w hotelu, na pomywaczkę o imieniu Alfonsa i kucharkę o imieniu Ester, a także na pięćdziesiąt skudów, które wziął Carmine Fedele, nie gwarantując wcale przyjęcia na pokład balonu. Dopiero co pobrana zapłata została wydana na przystrojenie kościoła, na obiad weselny, na ubrania jego i Montserrat. I na wszystko, z czym wiązało się zaproszenie z Florencji słynnego fryzjera Gaspara Filistrucchiego, któremu powierzono zadanie uczesania panny młodej zgodnie z nowoczesną modą — upięcie fryzury na żaglowcu z papier mâché. (Tak, na tym samym, który aż do potwornej nocy 1944 roku moja matka przechowywała w skrzyni Cateriny, zamknięty w pudle, a z jego pokrywy bił w oczy groźny napis „Nie dotykać").

Ach, ten papierowy żaglowiec! Pociągał mnie zawsze do tego stopnia, że kiedy zaczęłam rozmyślać o własnej przeszłości, zadawać sobie pytania, kto i co ukształtowało mozaikę osób, które od dalekiego letniego dnia składały się na moje ja, od niego właśnie rozpoczęłam poszukiwania wokół Francesca i Montserrat. Czy to możliwe, że moja przodkini nosiła go na głowie tak, jak się nosi kapelusz, myślałam, czy to możliwe, że panowała wtedy taka moda? Bardzo długo szukałam potwierdzeń. Szukałam, aż odkryłam, że w 1785 roku Maria Antonina, wydając w Wersalu wielki bal ku czci Jean-François La Pérouse'a, którego Ludwik XVI dopiero co zaangażował do poszukiwań wzdłuż amerykańskich i azjatyckich wybrzeży północnego Pacyfiku, pojawiła się w dziwnym przybraniu na głowie, z miniaturą żaglowca „Belle Poule", czterdzieści trzy centymetry długości na szesnaście szerokości i trzydzieści dwa wysokości. Miniaturą fregaty, na której La Pérouse przez lata służył królowi. Fryzura odniosła ogromny sukces, pod nazwą „coiffure Belle Poule" lub „coiffure Marie Antoinette" wkroczyła do salonów Europy, a we Florencji Filistrucchi sposobił ją tak doskonale, że wzywano go nawet do Wenecji — miasta, w którym mieszkało ponad ośmiuset pięćdziesięciu damskich fryzjerów. *Belle Poule*, zwana inaczej *Marią Antoniną*, była bowiem niezwykle trudna przez fakt, że nie można było umocować żaglowca na samej peruce. Z powodu wielkości i ciężaru modelu peruka opadała lub zsuwała się na bok. Żeby zaś całość trzymała się mocno, należało zmieszać włosy naturalne z półmetrowymi treskami, a to wymagało niebywałej wprawy. Można to sobie wyobrazić, czytając instrukcje zawarte w tekstach z tamtej epoki. „Rozdzielić włosy przedziałkiem, który przechodzi od skroni do skroni, spuścić loczki z przodu, tudzież z boku i z tyłu, stworzyć na przedzie drugi przedziałek prostopadły do pierwszego, mniej więcej trzycentymetrowy. Zapleść włosy na czubku głowy, zbudować z nich podstawę i wetknąć w nie żelazny sworzeń nazywany mostkiem. Połączyć tylne loki z treskami, opleść je wokół mostka, umocować na nich żaglowiec. Ująć połowę loków z boku i sprowadzić je na dziób splotem szerokim, na rufie zaś splotem wąskim. Zapleść poziomo drugą połowę, trzy pukle na prawo i trzy na lewo, i zamaskować nimi stępkę..." Należało następnie podciągnąć loczki z przodu, utrefić je pianką i przypudrować, polakierować, wzmocnić stabilność kompozycji jedwabnymi wstążkami i sznurami pereł, wreszcie udrapować żagle, niebieskie lub zielonkawe — dziesięć godzin roboty jak nic. A po skończonej pracy zaczynała się męczarnia nieszczęsnej ufryzowanej, która musiała nosić ten wynalazek na głowie. Nie było mowy o tym, by nagle się odwrócić, pochylić albo położyć, biada, jeśli nie kroczyła tak wolno, jak tylko się dało. Jeśli nie trzymała się sztywno jak żerdź. Nie przez przypadek Filistrucchi wyjechał z Florencji trzy dni przed ślubem, konno przybył do Livorno dwa dni przed ceremonią i pracował od szóstej rano do szóstej wieczorem, a w nocy Montserrat nie położyła się spać. „Usiadła w fotelu i tkwiła na nim do świtu. Nie poruszyła głową, nawet się nie oparła", opowiadał namiętny i litościwy głos mojej matki. Lecz nie tłumaczył powodów, które przywiodły tak poważnego człowieka jak Francesco, by poddać ją takiej próbie. Potrzeba udowodnienia, że dla niego była naprawdę królową, jego Marią Antoniną? Pragnienie, by przywołać wspomnienie okrętu, na którym się poznali? Być może. Okręt, który krył się w skrzyni Cateriny, był trójmasztowcem podobnym do „Europy" i na jego głównym maszcie tkwiły dwie flagi. Flaga katalońska, cztery czerwone wstęgi na żółtym polu, i flaga Wielkiego Księstwa Toskanii, dwie czerwone wstęgi na polu białym, z herbem Lotaryńczyków i kulami Medyceuszy.

Pobrali się w sobotę 30 sierpnia i w kościele Świętego Antoniego, udekorowanym trzystoma śnieżnobiałymi liliami, znaleźli się wszyscy znajomi, z jakimi Launaro zetknął się w porcie i w mieście. Marynarze, tragarze, prostytutki, rybacy, żebracy, woźnice, stręczyciele i dwóch nawróconych niewolników. Wskutek czego goście nie prezentowali się zbyt elegancko. Ale on, owszem: dopasowany frak i spodnie do kolan z fioletowego jedwabiu, różowe pończochy, koszula zdobiona przeogromnym żabotem, liliowa kamizelka, z której zwisał złoty zegarek, i peruczka, kryjąca włosy czarne jeszcze niczym krucze pióra. Aż jeden z rybaków powiedział: „Wygląda jak bawidamek, ta kobieta go zniszczy". Co do Montserrat, to pomimo bezsennej nocy jej uroda zapierała dech w piersiach jeszcze bardziej niż zwykle. Nawet żaglowiec z papier mâché nie zdołał jej oszpecić, nawet dwie flagi na głównym maszcie nie zdołały jej ośmieszyć. Powolność i sztywność, z jaką musiała kroczyć, żeby nie zniszczyć fryzury, dodawały jej majestatu, a strój, który razem z Filistrucchim tak bardzo przyczynił się do opróżnienia kieszeni pana młodego, podwajał jej wdzięk. (Jak mi zawsze mówiono: *robe à l'anglaise* z ciężkiego jedwabiu barwy bladozielonej, haftowana złotymi i srebrnymi galonami, z gorsetem wydekoltowanym do połowy piersi, obcisłe rękawy, które w łokciach rozszerzały się w godne podziwu *volants* z koronki Valenciennes, spódnica mocno podniesiona na biodrach i na plecach ozdobna draperia, wykończona siedemdziesięciocentymetrowym trenem). Uroczystość ślubna godna była oszałamiającej toalety. Prócz przybrania kościoła ze śnieżnobiałych lilii Francesco zamówił śpiewaną mszę, „ale śpiewaną dobrze, bo na muzyce moja przyszła żona się zna i nie możemy się zbłaźnić", tak więc proboszcz dobrał sam kwiat miejscowych muzyków. Na organach grał młody Filippo Gragnani, syn lutnika z Livorno Antoniego Gragnaniego i nader obiecujący muzyk, chór składał się z trzydziestu młodzieńców, tudzież z utalentowanego eunucha, a wybrane fragmenty zawierały wiele arii Bacha. Słuchał ich nawet rybak, który powiedział „ta kobieta go zniszczy", i w końcu płakał ze wzruszenia. Równie wystawne było przyjęcie z zupą rybną i szampanem z opactwa Hautvillers w roli głównej — odbyło się Pod Czarnym Orłem w towarzystwie gości dobranych tak, by nie przynieśli wstydu. Był wśród nich hiszpański konsul de Silva, angielski kupiec, wnuk księgarza Coldelliniego, a przy toaście ktoś zadeklamował wiersz, którego znam pierwsze linijki, ponieważ moja matka często śpiewała go na melodię toskańskiej przyśpiewki:

Szczęśliwą parę
złączyła słodka miłość
mocnym, nierozerwalnym łańcuchem,
Ona czysta jak światło,
dziewica cud,

on silny jak skała,
bohater mórz.
To dzień radości
i rozkoszy jest dzień.

Jedyną rzeczą, która się nie powiodła, była planowana podróż poślubna balonem. W niedzielę 31 sierpnia nowożeńcy na próżno przygotowali się do rejsu z Carmine Fedele. Na próżno też mieszkańcy Livorno wypełnili ulice, okna, dachy, bastiony i plac defilad, z którego machina aerostatyczna, tak droga słynnemu filozofowi amerykańskiemu Benjaminowi Franklinowi, miała się unieść z trzema osobami na pokładzie. Gubernator Barbolani di Montauto narzucił mnóstwo restrykcji, wskutek czego datki obywateli nie były hojne i w ostatniej chwili śmiały wyczyn został odwołany. Czyli Francesco dopłacił do tego jeszcze pięćdziesiąt skudów. Tak czy inaczej, alkowa z haftowanymi zasłonami sprawiła, że nie żałował zanadto, i po chwili goryczy nastąpił ekstatyczny miesiąc miodowy, który naprawdę trwał miesiąc i podczas którego Montserrat zaszła w ciążę. Trwał więc do dnia, w którym Francesco zorientował się, iż zrobił, jak to się mówi w Panzano, krok dłuższy od własnej nogi, czyli został bez grosza.

12

Nie bez paniki stwierdził, że nie mają już żadnych oszczędności. Poziom życia, który Francesco ustanowił w pałacyku nad Scali del Monte Pio, wymagał znacznych dochodów, a jeśli nie chciał sięgać po posag żony (nie-chcę-waszych-czterech-tysięcy-*lluras*, nigdy-chcieć-ich-nie-będę-i-nie-dotknąłbym-ich-nawet-gdybym--miał-konać-z-głodu), potrzebował czegoś więcej niż zwykłego angażu. Pierwszą rzeczą zatem, jaką zrobił, było potajemne zastawienie złotego zegarka, jak również laski z gałką z kości słoniowej oraz stroju z fioletowego jedwabiu, drugą — zaciągnięcie pożyczki w banku, w którym przez lata trzymał właśnie wydane oszczędności. Trzecią — szukanie zatrudnienia na statku, który zapewniłby mu znaczące dochody. A jedynymi statkami tej kategorii były te, na które skupowano niewolników wzdłuż afrykańskich wybrzeży, by wozić ich do Ameryki, gdzie właściciele plantacji płacili za nich złotem. Czyli statki niewolnicze.

Od co najmniej stulecia trwał morski handel niewolnikami. Na Atlantyku handel czarnymi niewolnikami nie ustępował w niczym handlowi białymi niewolnikami, który nękał Morze Śródziemne. A nawet był gorszy, ponieważ nie przewidywał wykupu ani wymiany, interwencji trynitarzy czy odwetów korsarskich okrętów, a także dlatego, że jego ostoją byli nie berberyjscy piraci, lecz sami Afrykańczycy. Królowie rozmaitych plemion, ministrowie, kacyki. Niekiedy same rodziny — rodzice i rodzeństwo sprzedawanych. Rodziny — by ulżyć sobie w biedzie i przetrwać głód. Królowie rozmaitych plemion, ministrowie i kacyki — żeby się wzbogacić. Do tego stopnia, że ich wojny miały na celu wyłącznie chwytanie więźniów, czyli niewolników na sprzedaż, a w okresach pokoju ich żołnierze zbierali ofiary, wykradając je z bezbronnych wiosek lub łowiąc w sieci i pułapki w lasach. (O tym wszystkim często się dziś zapomina). Handel niewolnikami był gorszy również z racji, że prosperował lepiej od tego, na którym wzbogacali się Berberowie — pod koniec osiemnastego wieku sama Gambia eksportowała do Ameryki trzy tysiące niewolników rocznie. Senegal — około czterech tysięcy. Złote Wybrzeże i Wybrzeże Kości Słoniowej — po sześć tysięcy każde. A podczas wojen lub klęsk głodowych dwa razy tyle. Szacuje się na tej podstawie, że dochody Złotego Wybrzeża i Wybrzeża Kości Słoniowej przekraczały sumy, które Toskania uzyskiwała ze sprzedaży oliwy i wina, Szwecja z handlu dorszami, Norwegia z handlu sztokfiszami, a Indie z przypraw. Zysk zależny był oczywiście od płci, wieku, zdrowia, popytu. Lecz na różne typy „towarów" obowiązywały dość stałe ceny.

„Indyjska sztuka", czyli okazały Murzyn, była warta mniej więcej tyle, co czterdzieści pięć bel materiału (jedwabiu z Nîmes lub bawełny z Rouen). Para o tych samych cechach i wyglądzie obiecującym potomstwo — tyle co dwóch okazałych Murzynów i dwadzieścia zwojów tabaki. Cztery dziewczynki niepozbawione dziewictwa — tyle samo co pół „indyjskiej sztuki" i osiem beczek wódki. Mężczyzna lub kobieta około trzydziestki, bez chorób i zepsutych zębów, mniej więcej tyle samo. Coś jeszcze? Cóż, warunki sprzedaży były takie same, jakie obowiązywały w krajach berberyjskich — żeby podrasować towar, dostawcy golili go, smarowali, wystawiali nago i zachęcali kupujących, by macali muskuły, zaglądali w zęby lub badali wszelkie możliwe otwory. Załadowanie i transport były szczególnie haniebne. Przywiązanych po dwóch do jednej belki, która więziła im szyję — a więc bardziej niewygodnej od żelaznej obroży, jaką algierczycy założyli mojemu pradziadkowi Danielowi — wrzucano ich na międzypokład lub do ładowni i tu trzymano plecami do siebie, złączonych jak sardynki w zalewie. A jeśli próbowali się zabić albo buntować, strzelano do nich z armatek naładowanych solą, grochem i fasolą. Jeśli odmawiali jedzenia, wtykano im *speculum oris* — rodzaj lejka, który sprzedawano w portach Londynu, Bristolu i Liverpoolu. I tak oto doszliśmy do marynarzy, którzy chcąc nie chcąc trafiali na niewolnicze statki.

Statki niewolnicze odpływały niemal bez wyjątku z Londynu, Bristolu lub Liverpoolu. Jeśli szukałeś pracy, tam właśnie należało skierować pierwsze kroki. Jeżeli jej nie szukałeś, powinieneś trzymać się od tych statków z daleka. Marynarze byli na nie często rekrutowani oszustwem lub siłą, zwłaszcza pijacy mieli ogromne szanse, by obudzić się na pokładzie, nie wiedząc, w jaki sposób nań trafili, i od tej pory mieli na co narzekać, przeklinając to nieszczęście, że w ogóle przyszli na świat. Kapitanowie byli brutalni i okrutni i do tradycyjnej chłosty, tradycyjnych tortur i tradycyjnego przetaczania pod stępką dodawali razy pejczem z dziewięcioma kolcami, nazywanym „kotem o dziewięciu ogonach", a zadane rany posypywali pieprzem. Jedzenie było bardziej ohydne od tego, jakie podawano na normalnych statkach handlowych, do tego niewielka ilość pitnej wody, żadnych hamaków do spania. Chorobom sprzyjał gorący i wilgotny klimat: żółta febra, dyzenteria, oftalmia, ospa, wręcz masowa śmiertelność. Niekończące się rozładunki na wprost wybrzeży afrykańskich, dwu albo trzymiesięczne postoje w oczekiwaniu, by „towar" jeszcze niepojmany w końcu się zjawił i żeby dostawcy dowieźli go na pirogach. (Biada, jeśli zszedłeś na ląd. W wielu wioskach panował kanibalizm i można było trafić do garnka albo na rożen). Wyczerpujące warty u wyjścia z międzymostka albo ładowni, obrzydliwe kontrole ludzkiego mięsa, z którego unosił się dławiący smród rzygowin i gówna. Prócz „kota o dziewięciu ogonach", wszystkich tych potworności bosman doświadczał na równi z załogą, a nawet w dwójnasób. Na statkach niewolniczych bowiem bosman nie był kimś wyjątkowym, jak to widzieliśmy dotychczas. Nie jadł tych samych posiłków co dowódca, nie posiadał kabiny, nie cieszył się przywilejami, jakie dawała mu jego funkcja. Mieszkał z załogą i tak jak załoga. Ale zarządzał „towarem". To on go odbierał, przeglądał, macał, ustawiał niewolników plecami do siebie, karał wystrzałami z armat, z których leciały groch i fasola, karmił za pomocą *speculum oris*. I zarabiał bardzo dobrze. Prócz miesięcznego wynagrodzenia zbliżonego do kapitańskiego dwa procent od każdego sprzedanego niewolnika i napiwek z „indyjskiej sztuki", którą mógł sprzedać w Norfolku, Charlestonie lub Savannah, czyli w amerykańskich portach handlowych. Jeśli pomyśleć, że na okręcie dwustutonowym można było pomieścić nawet czterystu niewolników, a na okręcie pięciusettonowym nawet tysiąc, jeśli się zważy, że w Norfolku, Charlestonie lub Savannah cena jednego niewolnika nie schodziła nigdy poniżej trzydziestu toskańskich skudów, łatwo wyciągnąć wniosek, że za ładunek czterystu niewolników bosman zarabiał dwieście czterdzieści *lluras*. Na załadunku tysiąca —

dobre sześćset. Nie licząc wypłaty i „indyjskiej sztuki", ma się rozumieć.

Francesco wyruszył w połowie października. Pomimo że Montserrat spodziewała się dziecka, pojechał do Liverpoolu i poszukał okrętu. Miał wrócić we wrześniu następnego roku, kiedy pierworodny skończyłby cztery miesiące. Było jednak gorzej — na pokładzie statków niewolniczych pozostał prawie dziewięć lat. Tych, podczas których urodziły się ich dzieci. (Pięciu chłopaków, samych pięknych prócz ostatniego. Silnych, dobrze zbudowanych, o szaroniebieskich oczach po niej i czarnych włosach po nim lub o czarnych oczach po nim i blond włosach po niej. Sympatycznych i inteligentnych). „Wyjeżdżał, zostawiając ją w ciąży, wracał po roku lub dwóch z pieniędzmi, znajdował narodzone dziecko, zatrzymywał się na dwa albo trzy tygodnie i znów wypływał, pozostawiając ją znowu brzemienną", mówił z wyrzutem namiętny i litościwy głos mojej mamy.

Z pretensją, której nie podzielam. Ja zawsze w tych dziewięciu latach widziałam bezbrzeżny akt miłości, dowód na to, że dla miłości można zrobić wszystko. Nawet zdradzić samego siebie. Pomyślmy bowiem: dla mężczyzny, syna niewolnika, który z powodu niewolnictwa był na wojnie i zatruł sobie życie, nie mogło być rzeczą łatwą spędzić dziewięć lat na załadunku i rozładunku oraz dręczeniu istot, które wydawały się ciemnoskórym odbiciem jego ojca. Nie powiedział nikomu, że zarabia na chleb, pracując na niewolniczych statkach. Montserrat nigdy się nie dowiedziała, że po to, by ona żyła jak pani, dopuszczał się tak haniebnego zajęcia. Prawda wyszła na jaw długo po ogromnej tragedii i po jej śmierci, kiedy będąc już wdowcem i nie mając rodziny, wyjawił ją jedynemu synowi, który mu pozostał. Tym wyznaniem odsłonił dramat, który kosztował go zdradę samego siebie. „Swojej «indyjskiej sztuki» nie odsprzedawałem. Kiedy dopływałem do portu, ofiarowywałem mu wolność i dawałem nieco pieniędzy, żeby kupił sobie ubrania i jedzenie. I nie stosowałem *speculum oris*. Jeśli ktoś odmawiał jedzenia, wtykałem mu je rękami. A soli do armatki kładłem tyle, co nic. Podobnie grochu i fasoli. Psia mać! Za każdym razem wydawało mi się, że strzelam do taty, że dręczę własnego ojca. I bardzo się wstydziłem. A więc dlaczego wciąż tam pracowałem? Dlaczego pozostawałem na tych pieprzonych statkach? Dlatego że niczego innego nie mógłbym robić dla twojej mamy, mój chłopcze. Niczego. A kochałem ją bardzo".

O tak! Ten Francesco mnie nie oburza, lecz wzrusza.

* * *

Jednak wzrusza mnie też Montserrat, dla której on się staczał, pracując w haniebny sposób: młoda żona, która przez te dziewięć lat miała go przy sobie przez dwa albo trzy tygodnie w roku, w sumie przez pięć lub sześć miesięcy, a w tym czasie jej piękne ciało nabrzmiewało, pustoszało, znów nabrzmiewało i znów pustoszało. Jedno dziecko na ręku, a drugie w brzuchu, kolejne na ręku i kolejne w brzuchu. Pokazuje to spis, z którego podoba mi się tylko dziwne następstwo pór roku i jeszcze dziwniejszy wybór imion, które się kończą niezmiennie na *ele*. Pierworodny Raffaele urodził się wiosną 1789 roku. Drugi, Gabriele, jesienią 1790. Trzeci, Emanuele, zimą 1792. Czwarty, Daniele, wiosną 1794. A piąty, Michele, znów latem — 29 czerwca 1796.

Wzrusza mnie, ponieważ macierzyństwo stało się celem jej życia, rekompensatą za wszystkie nieszczęścia, zajęciem, w jakim wyrażała swoją prawdziwą naturę, duszę kobiety, która aż do tego momentu wydawała się pozbawiona jakiegokolwiek talentu, a przecież talent miała. Talent do wychowywania dzieci, troszczenia się o nie, edukowania, wielbienia. Z naiwnej dziewczyny o dwóch lewych rękach wyrosła mama nadzwyczajna, tak godna podziwu, że dla jej prawnuczek owa cnota miała się stać legendarna. Jeśli moja matka chciała się czymś pochwalić, mówiła: „Jestem nie gorszą mamą niż Montserrat". Jeśli chciała sama siebie potępić, mówiła: „Nie jestem taka jak Montserrat". Wzruszała mnie też przez samotność, w której przeżywała niekończące się nieobecności męża, wiekuiste oczekiwanie na jego powrót. Podczas miesiąca miodowego, krótkiego nawiasu szczęścia, nie było czasu, by nawiązywać znajomości. Ponadto jej nieśmiałość nie sprzyjała kontaktom z innymi, a osoby poznane na weselu można było policzyć na palcach jednej ręki: konsul de Silva, który był zbyt prominentny, żeby ją odwiedzać, wnuk księgarza Coltelliniego — zbyt zajęty, żeby szukać jej towarzystwa, muzyk Filippo Gragnani przeprowadził się do Paryża, angielski kupiec, który sprzedał pałacyk i na Scali del Monte Pio przychodził co jakiś czas, żeby rzucić okiem na magazyn w suterenie. Nie licząc Ester i Alfonsy, dwóch służących, które pomagały jej rodzić, nie miała się do kogo zwrócić. W salonie z kandelabrem i trzema lustrami oraz kanapami obszytymi atłasem nie pojawiała się żywa dusza i nie licząc dzieci, jej życie bardzo przypominało to, które wiodła María Isabel Felipa — wychodziła tylko po zakupy albo na mszę. Co najwyżej po to, by udać się do sanktuarium Montenero i złożyć wotum Matce Boskiej patronce marynarzy. Po zerwaniu korespondencji z don Julianem, symbolem przeszłości, o której chciała zapomnieć, nie wiedziała nawet, że Gerolamo umarł, a kuzyn roztrwonił majątek. Niekiedy stawiam wręcz sobie pytanie, czy wiedziała, że Maria Antonina skończyła na gilotynie podobnie jak Robespierre. Jedynym zainteresowaniem towarzyszącym jej matczynemu oddaniu była lutnia, na której nie przestawała grać z wielką wprawą, i to, co się działo na świecie, nie obchodziło ją wcale. Podobnie jak to, co się działo w Livorno. Na przykład w lipcu 1789 roku nadpłynęło jedenaście hiszpańskich fregat pod komendą wiceadmirała Texady. Ze starej fortecy ich przybycie zostało powitane stu trzema wystrzałami z armaty, na które Texada odpowiedział stu sześcioma, a po nich nastąpiło pamiętne święto. Po to, by wziąć udział w imponującej paradzie, jaką odprawiono na placu defilad, i uczestniczyć w uroczystościach, które odbyły się w Teatro degli Avvalorati, przybył sam Piotr Leopold z wielką księżną oraz kochanką. Lecz wątpię, by

244

Montserrat była wśród tłumu, który wypełniał ulice. Poza wszyst
kim innym Raffaele dopiero co się narodził. W maju 1790 roku
wybuchł ludowy bunt z powodu arbitralnego zamknięcia trzech
kościołów, Świętej Julii, Świętej Anny i Odkupienia, i odsprzeda-
nia żydowskim kupcom złotych i srebrnych sprzętów. Angażując
setki kobiet, bunt trwał przez wiele dni. Buntowniczki wdarły się
do kościołów, napadły na stragany żydowskich kupców, odebrały
święte sprzęty, poustawiały na powrót na ołtarzach, i była z nim
też Ester. Nie sądzę, by była tam Montserrat. Zresztą nosiła już
w łonie Gabriele. Wzrusza mnie wreszcie, ponieważ, kiedy widzę
ją zajętą rodzeniem, karmieniem, kołysaniem, czekaniem, czekaniem, czekaniem, wyczuwam w niej wielki strach. Strach, że
zachoruje dziecko. Strach, że nowa ciąża skończy się poronieniem.
Strach, że w domu, którego nie strzeże mężczyzna, ktoś na nią
napadnie. Strach, że Francesco zapomni o niej lub zginie w katastrofie morskiej, nie wróci... W tamtych czasach nie informowano
przecież o losach podróżujących statków. Nie znałaś daty powrotu,
uzależnionej zawsze od burz i różnych nieszczęść lub przeszkód.
Któregoś dnia rozchodziła się pogłoska, że wpływa jakiś statek,
a wtedy port wypełniał się nieszczęsnymi kobietami, które wo-
łały syna, męża lub ojca, podczas gdy ten być może już nie żył
lub trafił w ręce Berberów i amen. Na wieść o katastrofie często
czekało się lata. Że Jean-François La Pérouse nigdy nie ukończył
rejsu wzdłuż wybrzeży amerykańskich i azjatyckich północnego
Pacyfiku, ponieważ w 1788 roku rozbił się o skały wyspy Vanikoro
i tam został zjedzony przez tubylców wraz z całą załogą, odkryto
na przykład w 1827 roku — po trzydziestu dziewięciu latach.
Poczta nie działała lepiej niż dzisiaj. Na list z Liverpoolu czekało
się dwa miesiące. Na list z Ameryki co najmniej trzy albo cztery.
A z wybrzeży Afryki nie docierał tu nawet wiatr. Lecz tym, co
w Montserrat robi na mnie największe wrażenie, jest dramat,
który dotknął ją w czerwcu 1796 roku, kiedy Napoleon najechał
swoją nową ojczyznę.

13

W 1796 roku plany militarne i strategiczne Napoleona, wówczas najwyższego dowódcy armii francuskich we Włoszech, zakładały dwa cele: odzyskanie Korsyki, niespokojnej wyspy, którą dwadzieścia osiem lat wcześniej Republika Genueńska odstąpiła Francji, lecz która od 1793 roku przy wsparciu Anglików dążyła do niezależności, oraz władza w Livorno. Na tym drugim zależało mu, ponieważ nie dość, że taka zwierzchność zapewniała transport zboża do Prowansji, to port pozwalał kontrolować Morze Tyrreńskie, gdzie niepodzielnie panował zaciekły wróg Bonapartego — Horacy Nelson, a król Neapolu sprzyjał Anglii do tego stopnia, że miał angielskiego premiera, znanego już Johna Actona. I nowy wielki książę Toskanii Ferdynand III, czyli syn Piotra Leopolda, dobrze o tym wiedział. Wiedział też, że Livorno było miastem proangielskim i lubiło swoją angielską nazwę Leghorn, że większa cześć jego firm przywozu i wywozu towarów należała do Anglii, jak również połowa zacumowanych statków oraz pięknych pałaców wzdłuż bulwaru, oraz że nie licząc grupy intelektualistów uwiedzionych przez jakobińskie idee, jego mieszkańcy wprost nie cierpieli Francuzów. Nazywali ich ścinaczami łbów, zasrańcami, jebakami, w procesach nie świadczyli na ich korzyść, w knajpach aż się rwali, żeby prać ich po pyskach, a w portach niekiedy nawet odmawiali im cumowania. Wiedząc o tym i będąc człowiekiem raczej strachliwym, nigdy nie zapominał, by zapewniać Francję o swojej przyjaźni, i robił wszystko, by zachować neutralność. W lutym odrzucił wręcz żądanie wysunięte przez jego brata, cesarza Austrii, by ulokować w starej fortecy garnizon dobrany przez Johna Actona i złożony z neapolitańczyków. Jednak w marcu Ferdynand III pośliznął się na skórce banana. Mianował gubernatorem Livorno markiza Spannocchiego, znanego ze swej antypatii do Francuzów, a sekretarzem stanu hrabiego Serrati — z pewnością najlepszego przyjaciela, jakiego we Florencji miał Londyn. Nie

dość tego — w maju pozwolił lordowi Nelsonowi zakotwiczyć na
redzie czterdzieści jeden okrętów wojennych i statek „Agamemnon"
z siłą pięciuset mężczyzn i sześćdziesięcioma czterema działami.
I tak 23 czerwca dotarł do Palazzo Pitti list, w którym Napoleon
informował Ferdynanda III, że ma już tego dość. „Wasza Wysokość! By strzec honoru francuskiego sztandaru, w ciągu czterech
dni moje oddziały wkroczą do Livorno".

O tym, co wydarzyło się w ciągu tych czterech dni, opowiada
nam pamiętnik Pietra Bernarda Prata na stronach, które częścio-
wo przepisuję, oczyszczając je z najmniej zrozumiałych wyrazów.
Piątek 24 czerwca: „Dziś rano o siódmej oficjalnie podano, że kolumna wojska francuskiego przybyłego drogą z Modeny weszła do
Toskanii i zakwaterowała się w Pistoi. Ta wiadomość zasiała wielki
zamęt wśród narodu angielskiego tutaj osiadłego i szybko począł
się on krzątać, by pakować swe dobra osobiste, i załadować na statki
gotowe do postawienia żagli. Strach i zamęt rozprzestrzeniły się
również wśród ludności Livorno, a zwłaszcza wśród kobiet, które
obecnie są w stanie skrajnego poruszenia...".

Sobota 25 czerwca: „Narasta w narodzie angielskim tu mieszkającym ruch wielki, by przygotować wyjazd, i o trzeciej po południu została wywieszona w zwyczajowych miejscach następująca
wiadomość: «Obywatele! Dowiedziawszy się, że w mieście i w porcie jest poruszenie i zamęt z powodu fałszywych lub niejedno-
znacznych wiadomości odnośnie do francuskiego wojska zakwa-
terowanego w Pistoi i kierującego się do Livorno, Najjaśniejszy
pan markiz Gaetano Spannocchi, nasz gubernator, powiadamia
nas, iż dowiedział się w minionych dniach od Jego Wysokości, że
pomimo zbliżania się wspomnianych wojsk neutralność Toskanii
zostanie zachowana...»".

Niedziela 26 czerwca: „Pomimo święta, które angielscy pro-
testanci obchodzą jak katolicy, również dzisiaj w niedzielę dał się
zauważyć znaczący przewóz dóbr osobistych i mebli na statkach
w celu uchronienia ich przed Francuzami wkraczającymi do na-

szego miasta, które naród angielski uznawał w duchu za swoje. O zachodzie słońca wszyscy członkowie tego narodu udali się na pokład z niewielkim dobytkiem, który mogli zabrać, zważywszy na niedostatek czasu, i pierwsze statki płyną teraz w kierunku Korsyki, gdzie poszukają schronienia...".

Poniedziałek 27 czerwca: „O godzinie pierwszej wieczorem przybyła do tego miasta francuska kawaleria. Zważywszy, że kwaterowała ona przy Porta Pisa, obywatele Livorno pozamykali wszystkie zakłady i wszelkie wejścia do domów. Na via Grande nie pozostała otwarta nawet publiczna giełda i rwetes jest ogromny. Złożone z półkompanii żołnierzy i dowodzone przez porucznika patrole pieszo lub na wozach rozproszyły się po licznych rejonach i w liczbie trzystu przemierzyły główną ulicę, by biwakować na placu defilad. W liczbie stu pięćdziesięciu i nie zatrzymując się nawet na chwilę, kawalkada jeźdźców przemierzyła wspomnianą ulicę, by się udać do portu, gdzie zajęła starą fortecę i gdzie o trzy kwadranse na szóstą zaczęła walczyć z ostatnimi okrętami angielskimi opuszczającymi nasze wybrzeże. Około pół do ósmej wieczorem przybyli również dragoni w liczbie trzydziestu z Napoleonem Bonaparte, najwyższym komendantem armii francuskiej we Włoszech. Razem ze swoimi oficerami i strażą generał zatrzymał się na placu przed Porta Pisa, gdzie wezwał niezwłocznie pana gubernatora i markiza Spannocchiego...".

O tym, co wydarzyło się od tej chwili, opowiadają nam *Pamiątki Ojczyste* Giovanniego Battisty Santoniego i te mniej ojczyste Marcelina Pelleta, francuskiego konsula w Livorno. Stu pięćdziesięciu konnych zmierzających do portu prowadził Joachim Murat z zadaniem zatrzymania okrętów angielskich, które wciąż stały na redzie. W szczególności okrętu, który wiózł pieniądze wybrane z banków i dwieście czterdzieści wołów przeznaczonych na rzeź, by mogły karmić wojsko przez wiele tygodni. Lecz zanim Murat dotarł na nabrzeże, wszystkie statki wypłynęły. Ostrzeliwane z armat na starej fortecy i skutecznie chronione przez fregaty

Nelsona, które odpowiadały na ogień, odpłynęły, a tym, który zapłacił najwyższą cenę, był odważny Spannocchi. Zamiast stawić się w oficjalnym mundurze i ze świtą, przyszedł po cywilnemu i w towarzystwie sekretarza. Z kapeluszem w ręku, ale wspierając się niestarannie na lasce, spytał Napoleona, dlaczego tu przybył, dlaczego go wezwał. Napoleon stracił głowę. I tak już oszalały z wściekłości na Murata, który pozwolił uciec okrętowi z pieniędzmi i dwustu czterdziestoma wołami, wrzasnął, że przybył, by bronić ludu Livorno, a wręcz go wyzwolić od niewoli narzuconej przez gubernatora kretyna. Grożąc, że go spoliczkuje, dodał, że wezwał go po to, by powiedzieć, że jest nie tylko kretynem, lecz również łajdakiem zasługującym na gilotynę, a kiedy Spannocchi odpowiedział: „Ja jestem człowiekiem honoru, a łajdakiem zasługującym na gilotynę jest pan", kazał go pojmać. Aresztowanego oddał w szpony fanatycznego jakobina, sklepikarza Maria Peru, który obił gubernatora. Zaraz potem Napoleon wypędził biskupa Pizy, który z ponurym tchórzostwem przybiegł, by złożyć mu wyrazy oddania. „Powiedzcie mu, by wrócił jutro i stanął w szeregu z innymi". Mianował gubernatorem generała de Lavillette, zainstalował się w pałacu wielkiego księcia, umył się, przebrał, poszedł do teatru, zrobił scenę, ponieważ publiczność nie nagrodziła go oklaskami, wrócił wściekły do pałacu. Podpisując edykty, zarządzając rekwizycje, kradzieże i rabunki, czyli przygotowując okupację, pozostał tam do środy wieczorem 29 czerwca, a więc do chwili, gdy pozostawił Livorno, by skierować się do San Miniato al Tedesco i spędzić kilka godzin ze stryjem kanonikiem don Filippem Bonaparte, który dzięki takiemu bratankowi miał nadzieję dożyć beatyfikacji pewnego przodka o imieniu Bonaventura. Stamtąd dotarł do Florencji, gdzie, jak wiemy, Ferdynand III gościł go w Borgo Pinti, pokazał mu galerie sztuki, które tamten trzy lata później miał okraść, wydał dla niego wystawną ucztę, służalczo wysłuchał przemówienia o przywileju posiadania toskańskich przodków. I gdzie Caterina nosząca w łonie mojego prapradziadka po ojcu, Donata, rzuciła się na jego karetę, krzycząc: „Jakie jeszcze rzeźby chcesz nam ukraść, jakie wojny wytoczyć, ptaku drapieżny!".

Francesca nie było w domu od grudnia 1795 roku. Po pełnym udręki przystanku przed jedną z wiosek Wybrzeża Kości Słoniowej dotarł do Charlestonu i rozładowywał właśnie siedmiuset niewolników, których miał sprzedać plantatorom tytoniu z Wirginii. Wtedy to się zdarzyło. Raffaele miał siedem lat, Gabriele sześć, Emanuele cztery, Daniele dwa, a Montserrat kończyła siódmy miesiąc ciąży. Tej, z której miał się urodzić mój prapradziadek po kądzieli, Michele.

* * *

Znosiła ciążę bez kłopotów. Jej ciąże zawsze przebiegały bez zakłóceń, sprawiały wręcz, że piękniała, dzięki jędrności swoich dwudziestu sześciu lat nosiła tę piątą ciążę ze szczególną naturalnością i w stanie krowiej łagodności czekała na kolejne dziecko. Dla jasności: tym razem dobrze wiedziała, co się wokół niej dzieje. Przez cztery dni oglądała korowody wozów, procesje żaglowców, które obładowane towarem wpływały do portu, okręty chronione przez lorda Nelsona i gotowe płynąć w kierunku Korsyki. Ponadto w sobotę wieczór angielski kupiec, który prowadził magazyn w suterenie, odpłynął z połową towaru. „Wezmę tyle, ile mogę. Żegnam, pani Launaro". Ale nazajutrz Ester powiedziała, że na afiszach gubernator Spannocchi mówił o fałszywych i sprzecznych doniesieniach, a wręcz informował obywateli, że dowiedział się od wielkiego księcia, iż w Toskanii nikomu nie spadnie włos z głowy, i z pałacyku dość odległego od Porta Pisa w ten poniedziałek nie obserwowano po południu niepokojących zdarzeń. Po odpłynięciu uciekinierów zdawało się, że dzielnica jest pogrążona w ciszy aż gęstej od dobrych znaków. Bez wahania zatem Montserrat owinęła się szalem, pod którym kryła brzuch, powierzyła służącym swe dziecięce przedszkole i wyszła po zakupy. Bez podejrzeń czy lęków ruszyła wzdłuż Scali del Monte Pio, skręciła w lewo, poszła wzdłuż

Scali del Monte Marmo, weszła na via Borra, nie dostrzegając, że ulice były podejrzanie opustoszałe, dotarła do via Traversa, czyli zaułka, który prowadził na rynek Scali del Pesce. Nie zastanowiła się nawet, dlaczego we wszystkich domach okiennice były zamknięte, drzwi zaryglowane, i dopiero, kiedy zobaczyła, że targ Scali del Pesce jest zamknięty, zmartwiła się. Czyżby gubernator pomylił się, mówiąc o fałszywych i dwuznacznych doniesieniach? Czy przyczyną tej ciszy było nadejście Francuzów? Lecz w takim razie należało znaleźć otwarty sklep i zaopatrzyć się chociaż w chleb i mleko dla dzieci! I z takim zamiarem, wciąż po pustych ulicach, wzdłuż domów z zasuniętymi okiennicami i zaryglowanymi drzwiami, ruszyła przed siebie. Doszła do via del Corso, skręciła w prawo, przeszła przez via dei Lavatoi, gdzie wydało się jej, że słyszy wielki gwar, który docierał z placu defilad, potem przez via della Doganetta, gdzie zdało się jej, że słyszy również echo werbli, następnie via delle Galere, gdzie pomyślała, że echo narasta, przemierzyła via dei Greci, gdzie dobiegł ją dziwny hałas z prostopadłej via Grande, hałas kroków i butów — znalazła się na via Grande i, *Madre de Deu!*, Francuzi! Nadeszli Francuzi! Przemieszczali się setkami na wozach, z mułami, armatami, grając na werblach. Tarasowali odcinek pomiędzy Porta Pisa i via dei Greci, a przed nimi sunęły dwa szwadrony jeźdźców, którzy pod dowództwem pięknego oficera w mundurze zdobionym złotymi galonami (Joachima Murata) pędzili bez ładu w kierunku portu. A pędząc, przewracali wszystko, co im stanęło na drodze, tratowali psy, koty, kosze, porzucone wozy i wrzeszczeli do nielicznych przechodniów, by się usunęli: „*Déblayez le chemin, parbleu, déblayez le chemin!*".

Zatrzymała się zagubiona. Przylgnęła do ściany, położyła sobie dłonie na brzuchu, jak gdyby chciała go chronić. I co teraz? Co ma teraz robić? Wrócić ulicami, po których już szła, czyli przez ten trakt długi, lecz wolny od Francuzów, czy ruszyć przez via Grande, wyjść na plac defilad, który był blisko, tam wejść w via del Porticciolo, o kilka kroków od Scali del Monte Pio, czyli wybrać drogę krótką, lecz gęstą od Francuzów? Lepsze to drugie, pomyślała. Przecież była w ciąży, a kto zaczepi ciężarną kobietę? I nie myśląc, że szal zakrywa jej brzuch i że żołdactwo nie zagłębia się w szczegóły, nie zważa, czy jesteś w ciąży, czy nie, ruszyła przez via Grande. Dotarła na plac defilad, ruszyła w stronę via del Porticciolo i już miała na nią wkroczyć, kiedy otoczyła ją grupa biwakujących żołnierzy.

— *Regarde ce que nous avons ce soir!*

— *Ou vas-tu, jolie femme?*

— *Viens ici, laisse-toi baiser!**

Zaczęli ją dotykać, popychać, obmacywać. Zamknęli w kręgu chichotów, powalili na ziemię i co jej zrobili, tego nie wiem. Namiętny i litościwy głos powiedział tylko, że w pewnej chwili wystrzelił pistolet i że wystrzałami z tego pistoletu jakiś porucznik uchronił ją przed najgorszym. Tak czy inaczej, w tej sytuacji namiętny i litościwy głos na nic się przydał. Nie pomoże tu też wyobraźnia. Ponieważ nawet próba gwałtu jest gwałtem. Jeśli przemoc nie narusza twojego ciała, to narusza twój umysł, brudzi go, rani koszmarem, którego nie możesz zapomnieć. Również dlatego, że w miejscu Montserrat widzę młodą kobietę, która nie jest do niej podobna, która po niej i po jej mężu odziedziczyła tylko geny choroby *mal dolent* i która sto siedemdziesiąt cztery lata później doświadcza tej samej ohydy w Sajgonie. Sto siedemdziesiąt cztery lata później, w Sajgonie, panuje noc. Godzina policyjna już się rozpoczęła i ulice są puste jak w Livorno 27 czerwca 1796 roku. Nikt prócz wojskowych nie może chodzić po mieście. Lecz młoda kobieta przebywa tam jako korespondent wojenny, ze swoim plecakiem na grzbiecie właśnie wróciła z frontu, ciężarówka dopiero co zostawiła ją na rue Pasteur, i teraz wraca do hotelu. Idzie

* Popatrz, co tu mamy! — Dokąd idziesz, ślicznotko? — Chodź tu, pozwól się pocałować!

zamyślona, rozbita zmęczeniem i potwornościami, które widziała podczas bitwy. Ma w sercu wielkie miłosierdzie dla ludzkich istnień, a w szczególności dla tych, którzy noszą mundury. „Biedni chłopcy. Jutro będą musieli zabijać i być zabijani", mówi sama do siebie, przechodząc przed obozowiskiem wietnamskich żołnierzy. I lekkim skinieniem głowy posyła im pozdrowienia. Wtedy biedni chłopcy odchodzą od obozowiska. Dwójkami wskakują na motory, których ona nie zauważyła w ciemności. Krążą wokół niej, zamykają w ruchomym ogrodzeniu, które odcina jej wszelką możliwość ucieczki. Tymczasem rechocą *regarde-ce-que-nous-avons-ce-soir, ou-vas-tu, jolie-femme, viens-ici-laisse-toi-baiser*. Następnie ruchome ogrodzenie staje się nieruchomym płotem. Zsiadają z motorów i zaczynają ją dotykać, popychać, obmacywać. Ich dłonie i ramiona są jak macki wygłodniałej ośmiornicy. Ona się broni. Pięściami, kopniakami, złością, która się rodzi z wściekłości i niemocy. Lecz plecak krępuje jej ruchy, obciąża ją jak siedmiomiesięczna ciąża, i nie może go zdjąć. Zresztą nie zdjęłaby go, nawet gdyby mogła, bo ma tam swoją pracę. Nagrane taśmy, zapisane stronice, fotografie. To przeszkadza jej bić się skutecznie, poza tym macek wygłodniałej ośmiornicy jest zbyt wiele. Wszyscy ją otaczają, blokują, ciskają na ziemię, próbują rozebrać. Zostanie ocalona przez dwóch Amerykanów, którzy na pokładzie dżipa patrolują rue Pasteur. Przypadkiem. Kiedy uratują, odwiozą ją też do hotelu. Ją i jej bezcenny plecak. Montserrat natomiast wraca do domu sama. Bez Amerykanów, bez dżipa, bez szala. (To znak, że dostrzegli jej brzuch). I zamiast plecaka na grzbiecie ma dziecko w brzuchu. Dziecko, które trzeba ratować. „Pozwólcie mi się położyć. Boję się, że odejdą wody".

Na via del Porticciolo naprawdę poczuła groźny skurcz. Na schodach pałacyku następny. Nikt lepiej od niej nie wiedział, że skurcze maciczne poprzedzają odejście wód, poród, i gdyby to miało się zdarzyć, dziecko urodziłoby się przedwcześnie. Rzadko w tamtym czasie zdarzało się, by wcześniak pozostał przy życiu. Zazwyczaj umierał, ujrzawszy światło dzienne.

* * *

Podczas gdy Raffaele, Gabriele i Emanuele, i Daniele płakali przerażeni, ponieważ w porcie wciąż trwała wymiana armatnich strzałów i ogłuszał ich hałas, Alfonsa i Ester położyły ją do łóżka. W nadziei, że wody nie odejdą, leczyły ją zdrowaśkami i ojczenaszami oraz wywarem z rumianku. I nic lepszego zrobić nie mogły. Żołdacy opanowali dzielnicę, na Scali del Monte Pio słychać było, jak wrzeszczą i wyśpiewują *Marsyliankę, Ça ira, ça ira,* i wyjść z domu w poszukiwaniu pomocy byłoby szaleństwem. Aż o świcie skurcze ustały. Żołdacy odeszli, Ester poszła po lekarza. Lecz go nie zastała, bo nawet lekarze się kryli, i wróciła ze złymi wiadomościami. Napoleon osadził ciężką artylerię na tarasach bastionów — powiedziała — i zamknął główne ulice. Zarządził ponadto, by rozkradziono majątek Anglików, Austriaków i Rosjan, czyli ich sojuszników, i wraz z miejscowymi jakobinami jego oddziały dopuszczały się niezliczonych aktów przemocy. Opróżniały stajnie, plądrowały rynek, kradły łóżka ze szpitali. Przeszukiwały magazyny sklepowe, by zabrać towary pozostawione przez uciekinierów, zajmowały wille na wzgórzach i na bulwarach, by ulokować w nich oficerów. W tym czasie napastowali kobiety, na via Borra, zaczepiali także i ją, i mówiło się, że wiele mieszkanek Livorno szykowało się do ucieczki w przebraniu. Lecz najgorszą rzeczą było co innego: obiecując, że wysadzą wszystko w powietrze przy najmniejszym akcie buntu czy nieposłuszeństwa, zakładali miny w magazynach cudzoziemców. Przed magazynem podziemnym wystawili już beczki z prochem, tak więc pałacyk był na łasce lontu, który ktoś mógł podpalić w każdej chwili. I słysząc to, Montserrat zapomniała o wszelkich środkach ostrożności. Szlochając — „to niemożliwe, to niemożliwe" — zeskoczyła z łóżka. Wybiegła, by się o tym przekonać, stoczyła się po pochyłości prowadzącej do kanału, i wody odeszły. Nie po to, by dać początek bólom porodowym, lecz po to, by ją dręczyć skurczami, które miały trwać przez cały dzień, całą noc i cały następny poranek. Czyli po to, by rozpocząć bezkresne oczekiwanie, które pomniejszało i tak już nikłe nadzieje, że zdoła ocalić dziecko. Biada bowiem, jeśli poród nie następuje w ciągu dwunastu lub co najwyżej dwudziestu czterech godzin po odejściu wód. W takim przypadku macica się rozszerza. Rozszerzając się, odsłania śluz przed zarazkami, dla których przedtem była niedostępna, i prawie zawsze płód ulega zakażeniu. A z płodem matka. Montserrat zdawała sobie z tego sprawę i w tej rozpaczy szamotała się aż do południa w środę — do czasu, gdy skurcze przerodziły się w bóle porodowe. Lecz dopiero o dziewiątej wieczorem, trzydzieści osiem godzin po odejściu wód, wydała triumfalny okrzyk: „¡Llega, nadchodzi, llegaaa!".

Urodziło się dziecko maleńkie. Tak małe, że nie mierzyło nawet czterdziestu centymetrów, nie ważyło nawet półtora kilo. I tak cichutkie, tak drobne, że ujrzawszy światło, nie wydało z siebie nawet okrzyku. Zamiauczało lekusieńko i tyle. Lecz miało oczy otwarte jak ktoś, kto postanowił przeżyć, dwoje pięknych, błękitnych oczu, w których kryła się rozpaczliwa chęć przetrwania, i przecinając mu pępowinę, Ester zawołała: „Jak na mój nos, ta drobinka przeżyje nas wszystkich!". Następnie zanurzyła je w ciepłej wodzie, rozcierała łagodnie, nadała różowy wygląd, i z maleńkich płucek dobyło się lekkie rzężenie. Pisk ptaszka, który dopiero wyłonił się ze skorupy. Wymyśliła dla niego nawet coś w rodzaju inkubatora — skrzynka na buty wypełniona wełną i obłożona gorącymi cegłami — w którym trzymała go sześć tygodni. Albowiem dopiero po sześciu tygodniach dziecko osiągnęło wagę dwóch i pół kilo, które zapewniały mu przeżycie — mojemu biednemu prapradziadkowi Michele. W pierwszych trzech tygodniach karmiony był rożkiem sukna zanurzonym w mleku, po kropli, bo nie miał siły ssać. Co do Montserrat, to po wyskrobaniu łożyska dostała krwotoku, przez co mogła pójść od razu do raju. Po nim nastąpiła potężna gorączka wywołana zakażeniem, którego nabawiła się podczas minionych trzydziestu ośmiu godzin, i kiedy nadszedł w końcu lekarz, powiedział, że już nie będzie mogła mieć dzieci.

14

Francuzi pozostali przez dziesięć miesięcy. Dziesięć piekielnych miesięcy. Codzienne grabieże zapasów żywności szybko pozostawiły miasto bez chleba. Donosy i akty zemsty miejscowych jakobinów, perfidia, wobec której przemoc popełniana w Greve w Chianti przez Giuseppe Civilego wyglądała na gesty uprzejmości. Coraz częstsze gwałty, absurdalne edykty, jak ten, w którym nakazywano oddawanie broni ostrej włącznie z nożyczkami i kuchennymi nożami. Godzina policyjna o zmierzchu, aresztowania, odwety, wyroki przymusowych robót i pręgierza. (Kara polegała na wystawianiu skazanego na placu z karteczką przyczepioną do szyi, na której było napisane: „Ośmielił się sprzeciwić Armii Francuskiej i demokratycznemu rządowi"). Samobójstwa kupców zmuszonych do wypłaty pięciu milionów lirów, które miały zapobiec sprawdzaniu ksiąg rachunkowych i stanu oszczędności w banku. Skarbiec wykrwawiony przez wydatki na utrzymanie wojska, obciążające w całości władze miejskie. Port zablokowany przez Nelsona, który po przydzieleniu eskorty uciekinierom na Korsykę, zjawił się na powrót, by rzucić kotwicę na redzie i nie pozwalał wpłynąć ani wypłynąć nawet kutrom rybackim. Jeśli ktoś tylko spróbował, okręty Nelsona wystrzeliwały z armat kule, które docierały aż do Ponte di Marmo, czyli do rogu Scali del Monte Pio. A dla Montserrat również koszmar zaminowanego magazynu, epicentrum wszelkiej udręki. Trzy były preteksty, by podpalono lonty do beczek z prochem. Pierwszy — niewypełnienie rozkazu oddania broni ostrej, zbrodnia, do której Ester podżegała słynnym zdaniem „Chleba łyżeczką kroić nie będę". Pewien jakobin z via Borra wziął na siebie obowiązek przeszukania siedzib sąsiadów, dom po domu, prócz noży kuchennych znalazł nożyczki, które posłużyły do przecięcia pępowiny Michele, i tylko cudem nieostrożna kobieta nie skończyła z kartką na szyi. Drugiego pretekstu dostarczyło święto, które nowy gubernator celebrował 14 lipca, by upamiętnić zajęcie

Bastylii — scena wzniesiona na placu defilad, trofea z napisem „Wolność, Równość, Braterstwo", Posąg Wolności z wiązką w ręku, przemówienie komisarza Garrau, czyli franciszkanina, który walczył o to, by posłać na gilotynę Ludwika XVI i Marię Antoninę, a potem przeszedł na służbę dyrektoriatu, jak również rozkaz, by okna rozświetlać pochodniami i świecami. Kochana Ester przyjęła to wzruszeniem ramion: „świece kosztują", jakobin się wściekł i tylko gorączka Montserrat wymusiła na nim dobroduszne słowa: „Następnym razem każę ściąć wam łeb". Trzeci pretekst objawił się w postaci trupa francuskiego żołnierza posiekanego szablą i pozostawionego tuż przy zaminowanym magazynie. Struga krwi płynęła od brzegu kanału do austerii położonej na Scali del Monte Pio, zarówno gospodarz, jak i jego pomocnik zostali aresztowani, a pałacyk uratował się dlatego, że w ostatniej chwili odkryto, iż Francuz zginął w bójce z własnymi kompanami.

Tymczasem, dzięki miłości Montserrat i mądrości Ester, Michele rósł. Dla jasności — rósł kiepsko, wciąż trapiony bronchitem, brakiem apetytu i anemią, z wielką głową, która kołysała mu się jak korona zwiędłego kwiatu, i z garbem na grzbiecie. Ale rósł. We wrześniu ważył trzy i pół kilograma, w listopadzie pięć, w grudniu sześć, a w dniu, w którym odeszli Francuzi, osiągnął prawie dziewięć kilogramów. A odeszli 14 maja 1797 roku, żądając od Ferdynanda III rekompensaty w wysokości okrągłych dwóch milionów. W czerwcu Francesco wrócił, a ja bym chciała, żeby saga tej najbardziej nieszczęśliwej i pechowej pary, której winna jestem swe życie, zakończyła się tutaj.

* * *

Lecz tu się nie kończy. Najgorsze, niestety, dopiero nadejdzie. I jeśli dobrze się zastanowić, podejrzenie, że na obojgu ciążyło coś w rodzaju przekleństwa, że ich zła gwiazda przyświeca temu, co źle potoczyło się w moim życiu, tylko się wzmacnia. Pogłębia się strach, o którym wspominałam na początku. Zatem do dalszej opowieści zabieram się ze ściśniętym sercem. Pospiesznie streszczam dwanaście lat, które poprzedzają ostateczną tragedię, objaśniam je kilkoma epizodami, a zaczynam od tego, że powrót Francesca nie był z pewnością wesoły. Kiedy ujrzał to dziecko o zgarbionych plecach i z głową kołyszącą się jak kielich zwiędłego kwiatu, kiedy potem usłyszał, co przeżyła Montserrat, zapłakał jak nigdy dotychczas i jego czarne włosy w mgnieniu oka stały się szare. W każdym razie wstrząs odniósł ten skutek, że oddalił go od statków niewolniczych i Francesco pozostał w domu przez ponad półtora roku, opiekował się rodziną, którą przez zbyt długi czas się nie zajmował, i cieszył się zarobionymi pieniędzmi. W drugiej połowie 1797, w 1798 i w pierwszych miesiącach 1799 roku wszystko toczyło się dość spokojnie. Montserrat roniła raz za razem, potwierdzając, co zapowiedział jej lekarz. Michele wciąż był chorowitym i niezgrabnym brzdącem. Lecz Raffaele, Gabriele, Emanuele i Daniele rekompensowali ojcu gorycz. „Mając czwórkę takich synów, łatwo zapomnieć o każdym nieszczęściu". Rzecz jednak w tym, że w marcu 1799 roku, jak wiadomo, Francuzi znowu najechali Toskanię. W Livorno zainstalowali się pod dowództwem generała Miollisa, zaczęli się panoszyć ze zdwojoną arogancją, i Francesco, daleki od zapomnienia o jakimkolwiek nieszczęściu, uprzytomnił sobie, co zrobili jego żonie i piątemu synowi. Wskrzeszając nienawiść, jaką dawniej żywił dla algierczyków, przyłączył się do ruchu oporu, tlącego się w pobliskim Viareggio, pozyskał trzech młodych rolników: braci Pietra, Lorenza i Luigiego Marchettich, bardzo się do nich przywiązał, wciągnął ich do rewolty, do której doszło w końcu kwietnia i...

Bunt w Viareggio to był bardzo piękny bunt, znacznie bardziej heroiczny i szlachetny od rewolt, które w Arezzo i w Cortonie miały wszcząć ruchy „Viva Maria". Po spaleniu drzewek fałszywej wolności i wypędzeniu oportunistów przebranych za jakobinów powstańcy rozbroili cały garnizon i zdobyli fortecę, nie zabijając nikogo prócz jednego oficerskiego konia. Lecz było ich niewielu. Tych, co się poświęcają, by walczyć z tyranią, jest zawsze niewielu.

Czwartego dnia Miollis zdołał ich pokonać. Dwudziestu jeden buntowników, wśród których znajdowali się trzej bracia Marchetti, zostało schwytanych, zaprowadzono ich w łańcuchach do Livorno i posłano pod sąd razem z pięcioma zbiegami. Proces odbył się 16 *prairiala*, czyli 4 czerwca, przy zamkniętych drzwiach w zaimprowizowanej naprędce sali rozpraw — w przytułku dla nędzarzy. Przewodniczył mu trybunał komisji wojskowej, na którego czele stał niejaki pułkownik Pinot, trybunał złożony z sześciu tępaków, podobnie jak przewodniczący nieznających włoskiego: kapitanów Coqueranta, Santvaille'a, Guy'a, porucznika Danosa, starszego sierżanta Albesia, kancelisty Arnauda. Jako że oskarżeni nie znali francuskiego, proces trwał zaledwie pół dnia, a zresztą wyrok i tak został już wydany z góry. Siedem osób skazano na godzinę pręgierza i na trzy lata więzienia w łańcuchach, osiem osób na pięć miesięcy więzienia, dwie uniewinniono, a na dziesięć wydano wyrok śmierci „za usiłowanie zabójstwa na francuskim żołnierzu i zabicie jego wierzchowca". Z dziesięciu tylko pięciu znajdowało się na prowizorycznej sali rozpraw: szkutnik Saverio Belli, marynarz Luigi Soldini, rolnik Giovanni Catturi oraz Pietro i Lorenzo Marchetti. Rozstrzelano ich nazajutrz rano z teatralnym rytuałem, który tak bardzo lubił Napoleon. Przy warkocie werbli brygadier Varas zabrał ich z Palazzo Pretorio i zaprowadził na plac defilad, gdzie czekało stu strzelców cisalpińskich, stu piemonckich, stu narodowych gwardzistów, ich oficerowie w odświętnych mundurach, bractwo miłosierdzia i wstrętny kaptur zarzucany na twarze. Poprzedzany orkiestrą, która grała marsz żałobny, pochód szedł wzdłuż via Grande. Kroczył nią bardzo powoli, skierował się do bastionu San Cosimo, miejsca wybranego na wykonanie wyroku, i zarówno Belli, jak i Soldini oraz Catturi zachowali zdumiewającą odwagę. Podczas całego przemarszu szli z podniesioną głową, krzycząc: „Umieramy za sprawę, którą zrozumieją przyszłe pokolenia!

Umieramy, by wyzwolić nas samych i was od cudzoziemskiego jarzma! Precz z uzurpatorami Włoch, precz z tą świnią Napoleonem!". Inaczej Pietro i Lorenzo Marchetti. Całkiem przeciwnie. Nie chcieli iść, zapierali się rękami i nogami, odmawiali kontaktu z kapelanem Mantovanem, który podając im krucyfiks i powtarzając bądźcie-silni, niebawem-ulecicie-do-nieba, miał nadzieję przynieść im pocieszenie. Wrzeszczeli rozpaczliwie: „Pomóżcie, ludzie, pomóżcie! Powiedzcie Francuzom, że my nie chcemy umierać, powiedzcie im, że nikogo nie zabiliśmy, że strzelaliśmy tylko do konia!", a skryty w tłumie Francesco widział i słyszał wszystko. Z tragicznymi konsekwencjami. Albowiem wyrzut sumienia spowodowany tym, że ich pozyskał, a sam ocalał, całkiem unicestwił jego nieposkromioną osobowość, której przeciwieństwa i nikczemności nigdy nie zdołały rzucić na kolana. Odstąpił od walki i popadł w obojętność, która zgasiła w nim wszelką odwagę, wszelką iskrę woli. Nawet jego fizyczna siła zaczęła słabnąć, jego pasja dla Montserrat stygnąć i w kilka miesięcy stał się cieniem samego siebie. Zgorzkniałym starcem, człowiekiem pokonanym, który jeśli otwierał usta, to tylko po to, by z siebie szydzić. „Moja wina, moja wina. Wszystko, czego się dotknę, gnije lub umiera".

W 1799 roku był już zatem gotowy na cios, który miał spaść na niego pięć lat później. Czyli wtedy, kiedy znów dzierżył stanowisko bosmana na niewielkich statkach, pływających po sól na Sycylię, i kiedy nad Toskanią, przekształconą w Królestwo Etrurii i ofiarowaną przez Napoleona Burbonom, władzę sprawowała Maria Ludwika — głupia kobieta, którą los miał się posłużyć, by doprowadzić do tej tragedii. Już mówię w jaki sposób. W 1804 roku zacumował w Livorno hiszpański żaglowiec „Anna Maria Toledo", którego ładunek zawierał trzydzieści strusich piór do garderoby Marii Ludwiki. Żaglowiec przybywał z Vera Cruz, gdzie doszło do wielu przypadków żółtej febry, i przywiózł już zarazę do portów Kadyksu i Barcelony. Zgodnie z zasadami sanitarnymi powinien był odbyć co najmniej miesięczną kwarantannę, ale głupia kobieta chciała jak najszybciej dostać swoje strusie pióra, przypuszczalnie do kołnierza odświętnego stroju. Zarządziła więc, że miesiąc może potrwać trzy dni — i wybuchła epidemia, zabijając sześćset osób, w tym również Alfonsę. Francesco posłał wówczas trzech najmłodszych synów w góry Sarzany, razem z Ester i Montserrat. Wziął dwóch najstarszych na statek i trzymał ich tam tak długo, jak długo trwała epidemia, i gdyby nie to, ani Raffaele, ani Gabriele nigdy nie mieliby okazji odkryć, czy lubią żeglować, czy nie. Montserrat posyłała ich do szkoły, która dawała wstęp na uniwersytet. I pierwszy z nich miał w planach skończyć prawo w Pizie, drugi — medycynę we Florencji. Dzięki Marii Ludwice i żółtej febrze trafiło się im nieoczekiwane doświadczenie. Uwiodło ich pływanie z ojcem, który na ziemi nie miał im nic do powiedzenia, lecz na pokładzie statku mógł ich nauczyć wszystkiego, i po powrocie w ich planach życiowych nie było miejsca na żadne studia. „Chcemy robić to samo, co tata". Francesco nie przeciwstawił się tej deklaracji, którą przyjął wręcz z zadowoleniem. Co za frajer wolałby trybunał lub szpital od żaglowca? Montserrat ani łzami, ani protestem nie zdołała ich odwieść od powziętej już decyzji, a w 1806 roku przyszła kolej na Emanuele. „Ja też lubię morze". Rok później padło na Daniele, który siłą przeciągłego wrzasku „Dlaczego oni tak, a ja nie?!" osiągnął status majtka i w ciągu kilku sezonów dom na Scali del Monte Pio wyludnił się, by powierzyć zgorzkniałemu i przegranemu starcowi czterech zdrowych i krzepkich synów. Montserrat mogła się pocieszać swoim garbuskiem Michele, który mając lat jedenaście, wciąż był cherlawy, chorowity i niewyrośnięty, lecz głowę trzymał już prosto i był równie dobry, co inteligentny. „Nie zamartwiajcie się o mnie, *mamita*. Może Pan Bóg zrobił mnie, jakim zrobił, żebym nie wypłynął w morze i żebym był z wami, kiedy nie ma moich braci?".

Raffaele, Gabriele, Emanuele i Daniele bardzo kochali Michele. Traktowali go, jak gdyby był śliczny, i tłukli każdego, kto tylko wspomniał o jego chorowitym wyglądzie. Kochali się też między sobą. Podpisując marynarskie kontrakty, żądali, by kapitan przyjmował na pokład ich wszystkich, i nigdy się nie rozdzielali. „Wszyscy albo nikt". W porcie w Livorno do legendy przechodziła historia o czterech młodych Launaro, którzy zawsze razem zatrudniali się do pracy, razem schodzili z pokładu i nigdy się nie rozstawali. A ich widok w chwili, kiedy wypływali, trzymając się za ręce lub idąc gęsiego za ojcem bosmana, wszystkim rozgrzewał serca. Coraz weselsi, coraz bardziej rozbawieni, sympatyczni, wydawali się jeden kopią drugiego, alegorią symbiozy. Montserrat była dumna. Martwiła się tylko, że spędza z nimi za mało czasu. Puste pokoje wypełniały się życiem tylko wtedy, gdy po schodach wspinał się wesoły gwar wróciliśmy-już-wróciliśmy, wtedy jej chłopcy wdzierali się, rozsiewając wesołość, a ona, oszalała z radości, całą rodzinę znów brała w opiekę. Bardzo lubiła pomagać Ester, zastępować Alfonsę, gosposię zabitą przez żółtą febrę. *„¡Siete platos, siete!* Siedem talerzy!"*, podśpiewywała za każdym razem, kiedy wykładała nakrycia na stół.

Aż nadszedł 1808 rok. W Toskanii przyłączonej już do francuskiego imperium wprowadzono nakazy, którymi Napoleon zdobywał mięso armatnie na swoje wojny, i podczas gdy dwudziestojednoletni chłopcy wypełniali koszary, gdy *garnisaires* aresztowali dekarzy, a trybunały wojskowe skazywały ich na śmierć, w Livorno rozeszła się pogłoska, że w 1809 roku pobór obejmie dwudziestolatków i dziewiętnastolatków. Pamiętamy to z sagi o Carlu i Caterinie. I dość było tej pogłoski, by wzbudzić w małżonkach Launaro udrękę znaną już rodzinie Fallaci z San Eufrosino i wszystkim, którzy posiadali syna w wieku poborowym. W 1809 roku Raffaele i Gabriele mieli skończyć dwadzieścia i dziewiętnaście lat. Żeby zapobiec poborowi, Francesco postanowił więc zabrać ich na Gibraltar, a stamtąd do Ameryki, do Charlestonu lub Savannah, gdzie znał wysoko postawione osoby, gotowe udzielić im gościny. „Ja was odwiozę". Problem w tym, że Raffaele i Gabriele nie chcieli rozstawać się z dwójką pozostałych braci. Zgłaszając zastrzeżenie, że trzeba być dalekowzrocznym, czyli ocalić również Emanuele i Daniele, oświadczyli, że bez nich nie wypłyną, i dobroduszny już wówczas Francesco dał się przekonać. A nawet zrobił coś gorszego. Jako że nigdy nie było łatwo znaleźć statek handlowy, który zgodziłby się na warunek „wszyscy albo nikt", zaciągnął się na kruchą pinkę o osiemdziesięciu tonach wyporności, która właśnie szukała bosmana i czterech marynarzy — na „Santa Speranza".

Pod komendą wiecznie pijanego kapitana, nazywanego z tego powodu Panem Głębszym, „Santa Speranza" miała wypłynąć 17 grudnia i, dziw nad dziwy, żeby dopłynąć do Gibraltaru, miała powtórzyć w odwrotnym kierunku kurs „Europy" podczas rejsu w 1788 roku. Genua, Marsylia, Barcelona. Co zakładało, rzecz jasna, przepłynięcie Zatoki Liońskiej. Podstępnej Zatoki Liońskiej, cmentarzyska żaglowców, na którą mistral spadał z morderczą furią i w której Francesco o włos uniknął katastrofy.

15

Wybór ten przeraził Montserrat. Niezapomniana noc, podczas której zrozumiała, że kocha fascynującego demona utrzymującego równowagę na szczycie głównego masztu, pozostawała w jej pamięci jako wspomnienie równie wspaniałe, co potworne, przez co myśl o nich pięciu w Zatoce Liońskiej wprawiała jej serce w szaleńczy trzepot. Ponadto Marsylia leżała we Francji, Barcelona i reszta Hiszpanii należały do Napoleona, który właśnie w tych dniach przemierzał te kraje, by tłumić rewolty, Francesco miał prawie pięćdziesiąt osiem lat i od jakiegoś czasu gnębiła go tajemnicza choroba nadwątlająca jego siły. „Boję się. Nie wsiadajcie na ten statek. Nie zabierajcie ich tam, błagam", powiedziała do męża, wymieniając wszystkie przeciwności. Lecz on odparł, że marynarz nie da się powstrzymać wiatrowi, iż w Marsylii i w Barcelonie jego młodzieńcy niczym nie ryzykują, ponieważ nie osiągnęli wieku poborowego, a on sam nie był jeszcze ani starcem, ani umarlakiem. I Raffaele, Gabriele, Emanuele i Daniele poklepywali go po plecach, pokrzykując, że czy ma lat pięćdziesiąt osiem, czy też nie, czy chory jest na tajemniczą chorobę, czy nie, jest najlepszym bosmanem na świecie, zdolnym opanować każdą burzę i naprawić błędy najgorszej pokładowej ciury. Wydawali się bardzo podnieceni. Myśl, że mogą wyrwać się z domu w sposób tak awanturniczy i udać się do Charlestonu lub Savannah bawiła ich, myśl, że mogą odtworzyć w odwrotnym kierunku rejs, podczas którego ich rodzice zakochali się w sobie, rozczulała, a perspektywa walki z mistralem martwiła mniej niż marsz do Austrii czy Prus, by umrzeć za tyrana. A zresztą przecież wrócą, czyż nie? Bonaparte nie był wieczny, a oni nie mieli najmniejszej ochoty osiadać w Ameryce, wyrzekać się swojej prześlicznej mamy. I tak na nic zdała się próba ich zatrzymania, gorączkowe przygotowania przeszkodziły ponownemu rozważeniu problemu. W końcu nadszedł 16 grudnia — dzień, w którym Montserrat ugotowała wystawny obiad pożegnalny, podała go na najlepszej zastawie, ale zamiast podśpiewywać *siete-platos-siete* szepnęła do Francesca: „Czuję, że już ich nie zobaczę. Czy naprawdę myślicie, że nie osiądą na stałe w Ameryce?". Nazajutrz odprowadziła ich do portu. Nigdy ich nie odprowadzała. Nigdy nie miała odwagi przyglądać się, jak odpływają. Tym razem ją miała. I to bez łez — ona, która płakała z byle powodu. Krocząc pewnie przed siebie, doszła za nimi aż do „Santa Speranza", blada jak trup, lecz z suchymi oczami zatrzymała się na nabrzeżu, by poczekać, aż zaczną rzucać cumy, i nawet w tamtej chwili nie pozwoliła sobie na szloch, płacz czy gest, który ulżyłby jej zimnej rozpaczy. Podczas długiego oczekiwania poruszyła się dwukrotnie, i tyle. Raz, żeby zakasłać, drugi, by się poddać dreszczowi. Tego dnia było zimno. Góry Apuańskie pokrył śnieg, a w mieście temperatura utrzymywała się na poziomie zero stopni. Przed odstawieniem trapu Raffaele, Gabriele, Emanule i Daniele zeszli, by wziąć ją w ramiona. Nie roniąc ani jednej łzy, przygarnęła do siebie każdego i każdemu wyszeptała: „Wróć, mój kochany. Nawet gdybyś w Ameryce miał się ożenić i gdyby sprzyjało ci szczęście, wróć. Oszaleję, jeśli już cię nie zobaczę". Zaraz potem zawołała raz jeszcze Raffaele. Wskazała mu Francesca, który stojąc przy głównym maszcie, pokazywał coś człowiekowi o wyglądzie pyszałka, Panu Głębszemu, i powiedziała: „Bardzo się postarzał i zmienił. Nie powinien już pływać. Ty jesteś najstarszy, tobie go powierzam". Mocno ją całując, Raffaele odpowiedział: „Nie martwcie się, *mamita*, odeślę wam go całego i zdrowego", i znów wszedł na pokład. Stanął przy braciach, którzy wychylając się za burtę, wymachiwali chusteczkami, i wszyscy pożegnali ją gromkim „hura".

„Na cześć naszej najpiękniejszej mamy hip, hip, hurra!"

Nigdy już jej nie zobaczą ani ona ich. Nigdy. A oto, co się zdarzyło.

* * *

Towar załadowany w Livorno ważył niewiele. Herbata, kawa, gałka muszkatołowa, cynamon, pieprz i inne przyprawy. I tak musieli dociążyć statek. Workami z piaskiem, skrzyniami z gruzem, kamieniami, śmieciami, które mieli wyrzucić w Genui, gdzie spodziewali się przyjąć na pokład sto baryłek oliwy i sto wina. Lecz do Genui dotarli spóźnieni, zimowa burza zmusiła ich do pozostania dwa dni w porcie La Spezia i Pan Głębszy nie chciał wyrzucić nawet jednej szpilki. Zrzędząc, że czas to pieniądz, nakazał ułożyć baryłki oliwy i wina pod pokładem, przywiązać je sznurami do obręczy na wewnętrznych ścianach i w swym bezkresnym opilstwie nie pomyślał nawet, że dwie rzeczy wpływają negatywnie na stateczność „Santa Speranza": bardzo wysoka rufa i dość płaskie dno, zanurzające się więc w nieznacznym stopniu. Nie wziął pod uwagę, że podstawa fokmasztu znajduje się pod pokładem: jeśli puściłaby jedna z obręczy, baryłki uderzyłyby o maszt, łamiąc jego konstrukcję. I zamiast przypomnieć mu o tym, przekonać, by uwolnił się od obciążenia, przenieść ładunek do ładowni, Francesco tylko zrzędził: „Kapitanie, jak nie chce się stracić czasu, można stracić życie!". Dotarli spóźnieni również do Marsylii, kolejna burza spowolniła ich rejs, kiedy płynęli wzdłuż Wysp Hyères, więc również w Marsylii pijak nie chciał uwolnić się od balastu i przenieść towaru do ładowni. Również w Marsylii Francesco nie próbował mu niczego narzucić. Co więcej, wbrew protestom synów sprzeciwcie-mu-się-tatuśku-sprzeciwcie, zgodził się ułożyć pod pokładem kolejny ciężki ładunek — siedem tuzinów baryłek absyntu. Wypłynęli więc z jeszcze większym ryzykiem i sunęli tak wzdłuż Zatoki Liońskiej, a kiedy Pan Głębszy spał uchlany grappą, dotarli do odcinka pomiędzy ujściem rzeki Aude a Carcassonne, i w tym miejscu spadł na nich mistral, dokładnie w tym samym punkcie, w którym dwadzieścia lat wcześniej dopadł „Europę", płynącą z tą samą prędkością trzydziestu węzłów, które po chwili stały się czterdziestoma, pięćdziesięcioma, sześćdziesięcioma... Tym razem spadł na nich z prawej strony. I, co gorsza, wraz z przerażającą burzą. Grzmoty, błyski, pioruny, i na próżno odtwarzać na nowo koszmar, który już znamy — z kruchej łajby wielkie fale wyglądały jak stalowe mury, gigantyczne ściany wody, które sunęły, by runąć na statek. Przy tej rozpaczliwej niestabilności ładunku pod pokładem okręt wirował, kołysał się, opadał dziobem w przepaść, głową w dół jak oszalały wieloryb. Raffaele stał przy sterze. Za każdym razem, kiedy oszalały wieloryb wspinał się w górę, tracił nad nim kontrolę. Maszty chwiały się, liny napinały, uderzenia, skrzypienia, piszczenia, łomotania mnożyły się w nieskończoność, i na nic zdały się wrzaski Francesca:

— Pod wiatr, Raffaele, ostro pod wiaaatr!

— Wy na burtę, wskakujcie na burtę!

— Zwiążcie górne żagle, foki, fokreje!

— Postawić grot, zwinąć dolne żagle!

— Poluzować bezan, bramsel, grotbombramsel!

Te same rozkazy, które dwadzieścia lat temu wydawał kapitan Reymers i które on dalej przekazywał gwizdkiem. Kiedy mistral uderzył na nich z prawej, Francesco zrozumiał, że sytuacja jest bliźniaczo podobna do tej z 1788 roku. Natychmiast pobiegł, by zbudzić pijaka, a kiedy to się nie udało, przejął komendę. Faktem jest, że niebezpieczeństwo było większe od tego, które im groziło w 1788 roku na krzepkiej brygantynie „Europa" — burza była zbyt silna, „Santa Speranza" zbyt krucha. Sześćdziesiąt węzłów przeszło w siedemdziesiąt, osiemdziesiąt, pękł szczyt, który trzymał grot masztu głównego. Żagiel rozdarł się i trzymał się tylko na dwóch albo trzech strzępach, jego drzewce zaczęło się obracać, tnąc każdą przeszkodę, którą znajdowało na drodze, i odsłaniając przestrzeń pod pokładem, przecięło również mostek. Następnie opadło na pokład, na którym Raffaele, Gabriele i Emanule, a także Daniele, wydali donośne „Hurra! Za naszą przepiękną mamę, hip, hip, hurra!". Oderwało gruby kawał pokładu, otwierając potężną dziurę, a morze, wdzierając się przez ten otwór, a następnie przez pokład, spadło na spód: na baryłki oliwy i wina, na beczki z absyntem. Wdarło się tak gwałtownie, że obręcze na bocznych ścianach ładowni puściły, poluzowały się cumy, którymi przywiązany był do nich ładunek, beczki i baryłki wytoczyły się i zaczęły uderzać o podstawę masztu. Bum! Bum! Bum! To, co Francesco przewidział, zżymając się na kapitana, to jego jak-się-nie-chce--stracić-czasu-można-stracić-życie.

— Dziura! Zatkajcie dziurę!

— Dolny pokład! Wybierajcie wodę z dolnego pokładu!

— Beczki, baryłki! Wiązać je, przymocować!

— Pędem, co się tak ślimaczycie, pętaki, ruszać się co sił!

Komendy stały się gwałtowne, wściekłe. Wściekłość zresztą była nieuzasadniona, ponieważ dziurę łatali porządnie. Do krawędzi wyrwy grupa, w której był również Daniele, przybijała gwoździami płótna impregnowane słoniną, a one skutecznie hamowały strumienie wody. Lecz po kilku minutach morze je wyrywało, woda znów się wdzierała pod pokład, i trzeba było zaczynać od nowa. Porządnie wybierali też wodę, która zalewała dolny pokład — zajmował się tym Gabriele, który z innymi marynarzami zszedł na dół. W wyposażeniu żaglowców znajdowały się jednak tylko pompy ręczne i próba wybrania za ich pomocą takiej ilości wody była jak marzenie, by Zatokę Liońską osuszyć łyżką do zupy. Co do baryłek i beczek, to owszem, usiłowali je związać i przymocować, lecz wiele już popękało, z winem i absyntem wylewała się z nich oliwa, więc wyślizgiwały się z rąk. I znów obijały się o podstawę grotmasztu. Bam! bam! bam! I to właśnie była przyczyna. Mocowania rei niskiej i środkowej nagle pękły, maszt przytrzymywały już tylko wanty, i poddana nadmiernemu obciążeniu jedna z nich się rozpruła. Jak przed dwudziestu laty. I jak przed dwudziestu laty Francesco wrzasnął: „Ja to zrobię!", jak przed dwudziestu laty chwycił zwój sznura, owiązał nim pierś, po drabinkach wyrwał się w górę. Montserrat nie myliła się, twierdząc, że się bardzo postarzał, bardzo zmienił i nie powinien już pływać. Jego nogi niosły zmęczenie tej ludzkiej ruiny, którą się stał po rozstrzelaniu braci Marchett, ręce rozbrajała mu słabość, przez którą pokornie znosił bestialstwo wiecznie pijanego kapitana, a całe ciało nadwątliła tajemnicza choroba, przyspieszając nieuchronny upadek. Poślizgnął się na szóstym stopniu drabinki. Runął całym ciężarem, co zauważył Raffaele, który puścił ster i rzucił się do ojca. „Ty jesteś najstarszy, tobie go powierzam". „Nie martwcie się, *mamita*, odeślę wam go całego i zdrowego". Podniósł go, odebrał mu linę, owinął się nią i wskoczył na drabinkę. Ale on nie był od tego. Nie znał sztuki lekkiej wspinaczki, stąpania po linach, kontroli równowagi, mierzenia ruchów. Podciągnął się nie tak, jak trzeba. Źle postawił nogę na linie, źle wyważył ciężar ciała, na maszcie wykonał całą serię nieodpowiednich ruchów, i ostatnie mocowania puściły. Maszt runął, zabierając go w dół i miażdżąc mu czaszkę. A wtedy fokmaszt, który wisiał już chyba tylko na wietrze, wygiął się, złamał, spadł na burtę z triumfalnym „hura", w którym odłupał kolejną wyrwę. Kolejną dziurę. Wdzierając się dwoma otworami, morze bez żadnych już przeszkód wypełniło żaglowiec „Santa Speranza", runęło na wszystkie maszty, zalało bez reszty dolny pomost i ładownię, i stała się katastrofa.

— Spuścić szalupę, opuścić statek!

Daremny rozkaz wydobył z siebie Pan Głębszy, który obudził się nagle z kamiennego snu. Szalupę natychmiast porwały apokaliptyczne fale, a opuszczanie statku przez załogę na niewiele się zdało — dziób tkwił już w otchłani, rufa dźwigała się do góry i katastrofa była nieuchronna. Oprócz Francesca zginęli wszyscy. Raffaele, Gabriele, Emanuele, Daniele, w wyjątkowo gwałtowny sposób. Raffaele został porwany przez prąd wody, który przetoczył się przez pokład w chwili, gdy towarzysze próbowali odciągnąć chłopaka w spokojniejsze miejsce. (Ale i tak by zginął. Rana głowy była głęboka, a jego oddech zanikał). Gabriele został przygnieciony beczkami i baryłkami pod pokładem i umarł w jeziorze zanieczyszczonym przez wino, olej i absynt, próbując je wypompować. Emanuele utonął. Na okrzyk Pana Głębszego rzucił się z zamiarem wejścia na kołyszącą się nieopodal łupinkę, lecz był fatalnym pływakiem, więc nie dopłynął do niej, tylko pogrążył się w odmętach. Daniele mógłby się uratować. Sparaliżowany paniką i niedojrzałością swoich piętnastu lat, przez prawie cały czas był blisko ojca, więc razem wskoczyli do morza. Ale po kilku chwilach „Santa Speranza" poszła na dno i Daniele porwała woda. Topiel pochłonęła go w chwili, kiedy powietrze ciął jego nieludzki okrzyk.

— Tatoooo!

Przez resztę życia Francesco miał się zastanawiać, dlaczego nurt nie porwał także i jego, dlaczego kipiel go oszczędziła. Czy lepiej trzymał się wraku? Był cięższy, a może Pan Bóg na niebie nie przebaczył mu dwudziestu algierczyków, którym poderżnął gardło, i dziewięciu lat, jakie spędził na niewolniczych okrętach?

Bo przeznaczenie istnieje, a to, które przypisane jest jemu, chciało, by do ostatniej kropli wypił truciznę nieszczęścia. Trzy dni i trzy noce dryfował jak korek popychany przez wiatry, nie mając nawet siły, by wskoczyć do wody i utonąć, z ponurą perwersją, wręcz roz-koszując się ulgą, że powoli gaśnie, zabijany przez głód, pragnienie i zimno. Wreszcie wrak dotarł do plaży w Carcassonne. Wyciągnęli go, wyleczyli, wnieśli na francuski statek, który płynął do Livorno, i tu zszedł na brzeg w połowie marca, wychudzony, wysuszony, jak szkielet, z włosami, brodą i wąsami, które nie były już szare, lecz białe, przerażony na myśl, że musi spojrzeć w oczy swej żonie. I tak błąkał się przez cały tydzień po porcie, spał na nabrzeżu. Otrząsnął się dopiero, kiedy jakiś podróżny uznał go za żebraka i wcisnął mu do ręki dwudziestosoldową monetę. Ze spuszczoną głową ruszył ku Scali del Monte Pio, dowlekł się do pałacyku, po raz pierwszy wzywając pomocy Wszechmocnego Boga, nakreślił znak krzyża, wszedł do domu i wypowiedział potworne słowa, które miały rozpalić szaleństwo Montserrat.

16

— Zginęli wszyscy — powiedział.

Nastąpiła długa, bardzo długa cisza, w której dało się słyszeć tylko tłumiony skowyt Ester. Następnie Montserrat otworzyła usta.

— *No es verdad*, to nieprawda — odpowiedziała ze spokojnym uśmiechem.

— Utonęli w morzu. Na moich oczach.

— *No es verdad* — powtórzyła wciąż z tym samym opano-wanym wyrazem twarzy. — Popłynęli do Gibraltaru na „Santa Speranza", a z Gibraltaru do Ameryki. Teraz są w Charlestonie albo w Savannah.

— Do Ameryki nigdy nie dopłynęli, Montserrat. Ani do Gi-braltaru. „Santa Speranza" zatonęła w Zatoce Liońskiej.

— Jeśli utonęła, a wy jesteście tutaj, to znaczy że są także oni. Zatem niedługo ich zobaczę — odpowiedziała niewzruszona.

I podśpiewując *siete-platos-siete*, położyła siedem talerzy na stół i zaczęła na nich czekać.

Głucha na łkania Ester i na błagania męża Montserrat, nie-róbcie-mi-tego, nie-róbcie-mi-tego, czekała na synów przez cały dzień i noc, ze wzrokiem utkwionym w próżni i spokojnym uśmiechem przyklejonym do ust. Otrząsnęła się o świcie. Bardziej spokojna niż kiedykolwiek przedtem, posprzątała ze stołu, położyła się, zasnęła, i kiedy tylko wstała, od razu nakryła do stołu. I znowu śpiewając *siete-platos-siete*, położyła siedem talerzy na stole i znów zaczęła na nich czekać. I wieczorem to samo. I nazajutrz. Następnego dnia nawet prześcieliła łóżka w pokojach Raffaele i Gabriele, Emanuele i Daniele, wyprała i wyprasowała ubrania, które pozostawili, ugotowała dla nich wystawną kolację z ich ulubionymi daniami. To samo w kolejne dni. Było tak, jak gdyby odrzucenie śmierci tej czwórki cofnęło zegar pamięci, by zaprowadzić jego wskazówkę do czasu, w którym ze schodów dobiegał radosny gwar „Wróciliśmy, mama", a jej chłopaczyska wdzierały się do domu, napełniając go wesołością. Niemal błogi obłęd, wytrwały i coraz bardziej oderwany od rzeczywistości. Albowiem stopniowo jej podświadomość wykluczyła, a wręcz pogrzebała wszelkie wspomnienia, jakie mogłyby doprowadzić do słów „Zginęli wszyscy czterej". Wspomnienie napoleońskich orędzi, poboru obejmującego dwudziestolatków i dziewiętnastolatków, wejścia na pokład „Santa Speranza", ucieczki do Gibraltaru, pożegnania na nabrzeżu. I kiedy obłęd rodził miraże, w jej biednym i chorym mózgu przybierające materialną wręcz postać, przeprowadziła się do życia, w którym miała pewność, że Raffaele, Gabriele, Emanuele i Daniele nigdy nie odpłynęli. Zaczęła widywać ich w domu, czyli zachowywać się tak, jak gdyby z nią byli. Na przykład nakładała dania na talerze i nie dostrzegając, że pozostawały nietknięte, ani tego, że Ester wyrzucała je na śmieci, patrzyła, jak jedzą. Mówiła do nich. Weźcie-jeszcze-trochę-kurczaka, podajcie-mi-soli. Pewnej nocy poszła, żeby upewnić się, że dobrze śpią. Nad każdym łóżkiem pochyliła się, by pogłaskać nieistniejącą twarz, a potem zawołała: „Co za radość mieć ich tak blisko. Muszę chyba zanieść jakieś wotum Madonnie z Montenero, żeby się jej wywdzięczyć". Nie widziała tylko Michele. Albo widziała, lecz nie rozpoznawała. „A ty, brzdącu, kim jesteś? Co ci się stało z plecami?" I na nic się zdały jego rozpacz i protest: „To ja, mamo, wasz Michele! Nie pamiętacie, że jestem garbaty?". Wreszcie Francesco wezwał lekarza. Spytał, co może zrobić, i wśród wielu rozterek byłoby-lepiej-gdybyście-jej-nie-zaprzeczali, byłoby-lepiej-pozwolić-jej-wierzyć-w-to-w-co-chce-wierzyć, doktor pozwolił powiedzieć jej, że czterej synowie wyjechali. „Ale ostrożnie, bardzo o to proszę, delikatnie. I żadnych szczegółów, które sprzyjałyby nagłym myślom, nieoczekiwanym reminiscencjom. Gwałtowne doprowadzenie jej do rzeczywistości mogłoby okazać się bardzo, ale to bardzo niebezpieczne". I tak nadszedł dzień, gdy zauważyła wreszcie, że jedzenie z czterech talerzy trafiało do kosza, i zaskoczona uniosła twarz.

— *¡Virgen Santa!* Dlaczego to wyrzucacie?

— Bo nie jedzą — odpowiedział Francesco.

— A dlaczego nie jedzą?

— Bo ich nie ma.

— A dlaczego ich nie ma?

— Bo wyjechali.

— A dlaczego wyjechali?

— Bo ich posłałem do Ameryki — rzucił Francesco, zapominając, co lekarz powiedział mu odnośnie szczegółów, które sprzyjały nagłym myślom lub niespodziewanym wspomnieniom. I nagle ten biedny chory umysł rozbłysnął płomyczkiem światła, niemal światełkiem świecy, która szuka bezwiednie tego, czego szuka.

— Do Ameryki...

— Tak. Przez Gibraltar, na „Santa Speranza" — uściślił Francesco.

I wówczas świeczka rozjaśniła kryjówkę, w której podświadomość pogrzebała wspomnienie pożegnania na nabrzeżu. Wspomnienie mętne, niepewne i oderwane od słów wszyscy-czterej-nie-żyją. A jednak wystarczające, by przekonać ją, że owszem, wyjechali.

— Macie rację... A jednak to dziwne, że nigdy nie napisali z tego Gibraltaru. Chyba że przekazali list kapitanowi. Kiedy wraca „Santa Speranza"?

— Nie wiem, Montserrat.

— Jutro pójdę do portu i zapytam.

Ach, Francesco wprost stawał na głowie, żeby jej w tym przeszkodzić. Przypomniał jej, że okręty nigdy nie wracają o wyznaczonej porze, więc nikt nie mógłby udzielić jej takich informacji. Zamknął ją w pałacyku, całymi tygodniami nie opuszczał nawet na minutę, próbował odciągnąć ją od tego pomysłu. Ale nie zdołał. Któregoś popołudnia musiał wyjść i powierzył ją Ester. „Nie pozwólcie jej wyjść, nawet gdyby dom stanął w płomieniach". Lecz Ester, odciągnięta gdzieś przez Michele, na chwilę straciła ją z oczu i Montserrat wyszła. I skierowała swe kroki do portu.

— Kiedy wraca „Santa Speranza"?

I trafiła na kogoś, kto lubił mówić bez ogródek.

— „Santa Speranza"? Droga pani, w jakim wy świecie żyjecie?! „Santa Speranza" zatonęła w styczniu w drodze na Gibraltar. Wszyscy zginęli oprócz bosmana. Włącznie z czterema braćmi Launaro, z pani synami. Nie wiedzieliście o tym?

* * *

Kryzys, jaki zazwyczaj towarzyszy przejściu od łagodnej do gwałtownej postaci szaleństwa, bywa określany przez psychiatrów jako ryk myszy. Lecz w przypadku Montserrat był to ryk tygrysa spragnionego krwi. Gwałtowny powrót do rzeczywistości na nowo otworzył ranę, którą wcześniej zasklepiła, mówiąc „*No es verdad*, to nieprawda", i przywrócił pamięci wspomnienia pogrzebane wraz z pożegnaniem na nabrzeżu. A to podsunęło kozła ofiarnego, którego mogła oskarżyć, osądzić i skazać. Łup na pożarcie. Francesca. To on był winny! On, który pod pretekstem żółtej febry wyciągnął Raffaele i Gabriele z uniwersytetów, zabrał ich w morze, przywiódł do upojenia jego niebezpiecznym fachem! On, który nie dość nasycony szaleństwem skradł jej również pozostałych dwóch synów, pięknych i zdrowych, pozostawił ją z niekształtnym brzdącem i tyle! On, który pomimo jej łez, jej boję-się, jej nie-wsiadajcie-na-tę-łupinę, nie-zabierajcie-ich-stąd, wziął ich na łódź pod komendą pijaka i zaprowadził na cmentarzysko żaglowców! On, który sam się uratował i wrócił! Wydawało się jej niewybaczalne przede wszystkim to właśnie, że on sam uratował się i powrócił. I jej bezkresna słodycz zniknęła, jej nieskończona dobroć wygasła. Namiętność do mężczyzny, którego tak bardzo kochała, zmieniła się w dziką nienawiść, niesprawiedliwą, zwierzęcą. „To wy ich zamordowaliście, zbrodniarzu!"

Wykrzyknęła to, kiedy tylko stanęła w domu i go ujrzała. Następnie porwała siekierę, wymierzyła w jego serce, zraniła go w rękę, lecz nawet kiedy rozbroiła ją Ester, nie ucichł jej gniew. Gwałtowne szaleństwo zdążyło wybuchnąć i na wzór mistrala spadało na każdą rzecz i osobę, jakie się nawinęły: na kryształowy żyrandol, lustra, kanapę w salonie, zasłony w alkowie, na sąsiadów, którzy, słysząc zgiełk, rzucili się, by udzielić pomocy, na samego Michele, który płacząc „Mamusiu, nie", próbował obronić ojca. Musieli wezwać bractwo miłosierdzia, by ją skrępować, poprowadzić ze spustoszonego domu do Świętej Barbary i tutaj roztoczyć opiekę. Opieką?

W Livorno był to jedyny szpital, w którym można było leczyć kobiety i szaleńców, jedyny też, w którym ignorancja w najwyższym stopniu łączyła się z okrucieństwem. Umysłowo chorych uważano tu za dzieci szatana. Potępieńców oddanych we władanie złych duchów, złoczyńców zasługujących na karę. A żeby ich ukarać, bito ich, wyzywano, szydzono. Trzymano ich z chorymi na parchy i świerzb, leczono według metody nazywanej *Fame et vinculis et plaga*, czyli głodem i łańcuchem, i biczem, wrzucano do brudnych wanien z lodem lub wrzącą wodą. Nią zaopiekowali się w ten sam sposób. Przywiązano Montserrat za ręce i kostki do łóżka i pozostała tu przez cztery miesiące, wzywając pomocy i wrzeszcząc, że jej mąż jest mordercą i że zabił jej czterech synów. Odwiedzając ją, Francesco nie mógł nawet zbliżyć się do niej. Musiało wystarczyć, że spojrzy na nią z daleka, ukryty za kolumną korytarza, ze zranioną ręką i śmiercią w sercu. I po to, by sprawdzić, czy nie za bardzo ją biją, nie za bardzo biczują, czy nie głodzą, któregoś dnia zaprowadził do szpitala Michele. Spróbuj zadać jej te pytania. Lecz biedny umysł znów był w letargu, tortury sprowadziły ją w mrok i fortel zawiódł. „Kim ty jesteś, karzełku? Czego chcesz?" „Jestem waszym synem, mamusiu! Przyszedłem, żeby was spytać..." „Ja nie mam synów. Moi synowie zostali zamordowani przez ich ojca. Idź sobie". Następnie Francesco odkrył, że we Florencji istnieje szpital jedyny na świecie, szpital świętego Bonifacego. Jedyny na świecie, ponieważ prowadził go uczony, Vincezio Chiarugi, którego zdaniem szaleństwo nie powinno być uważane za zbrodnię zasługującą na karę, lecz za chorobę, którą trzeba leczyć metodami nowej nauki o nazwie psychiatria. Była to teza wyrażona dobitnie w regulaminie, który Chiarugi spisał w 1789 roku, kiedy pod auspicjami Piotra Leopolda został założony szpital świętego Bonifacego. „Najwyższą powinnością lekarską i ludzką jest szacunek dla fizycznej i moralnej osoby chorego. Niech żaden chirurg czy lekarz, czy zielarz, czy pomocnik, czy służący, czy sprzątacz nie waży się bić ani obrażać, ani prowokować umysłowo chorych podczas napadów szaleństwa ani wcześniej czy później. Z żadnego powodu i pod żadnym pretekstem. Niechaj, nie będąc skrępowani łańcuchami, pozostaną na wolności, niechaj krążą po naszych pomieszczeniach i naszych ogrodach, niech imają się jakichś prac. Niechaj niezdolni do samodzielnego odżywiania będą pod serdeczną opieką karmieni, niechaj pokarmy mają ustaloną ilość i jakość, tak by nawet ścisła dieta zakładała choćby wypicie jajka, by mięso było możliwie najlepsze, a chleb dobry i wino czyste, niech posługa będzie pełniona bez hałasu i gwaru. Niech w żadnych oknach nie znajdą się kraty..."

Zawiózł ją tam wygodną karetą zaprzężoną w cztery konie, razem z Ester i Michele, i po to, by go nie widziała, pozostał na koźle z woźnicą. Była to najtrudniejsza podróż jego życia. Co chwilę Montserrat wybuchała gniewem, szamocząc się w ramionach Ester, groziła, że wyskoczy przez okienko, więc Michele musiał ją szpikować laudanum zmieszanym z walerianą. „Pijcie, mamusiu, pijcie". „Nie jestem waszą mamą!" „I tak wypijcie, proszę pani". Niekiedy trzeba było się zatrzymać, poszukać lokandy, gdzie nierzadko jej nie przyjmowano: „Nie chcemy tutaj wariatów!". W ciągu dwóch dni zdarzyło się to trzykrotnie. W Pontederze, w Empoli, w Scandicci. Boże, co za ulga dojechać do Florencji: wjechać w via San Gallo, w via San Bonifacio, zobaczyć ten ładny budynek z łukowatymi podcieniami i balkony z jasnego kamienia, z oknami bez krat! Co za pociecha pozostawić ją tutaj, wiedząc, że od tej chwili będzie leczona w cywilizowanym miejscu! O tak, cywilizowanym! Szpital miał pomieszczenia wyraźnie oddzielone od sektora chorych na parchy i świerzb, ładną przestrzeń wokół i pacjenci jednego oddziału nie spotykali się nigdy z pacjentami drugiego. Na tyłach szpitala były urocze ogrody i rozległe parki do spacerów. Wewnątrz sale lśniące i posprzątane korytarze, jak również pokoje odpłatne. A wszędzie oferowano troskę dobrze wykształconego personelu, który liczył czterdzieści mniszek z kwalifikacjami medycznymi. Dziesięć na oddziale nerwowo chorych, dziesięć na oddziale obłąkanych, czyli cierpiących na amnezję, halucynacje czy delirium, dziesięć na oddziale melancholików i dziesięć do specjalnych przypadków. Montserrat umieszczono w odpłatnym pokoju. „Niech ma najlepiej, jak tylko można, nie patrzę tu na wydatki", powiedział Francesco, oddając czterysta skudów pożyczonych w banku Monte di Pietà. Powierzono ją mniszce oddelegowanej do specjalnych przypadków, siostrze Kunegundzie, i przydzielono do oddziału nerwowo chorych. Był to wybór konieczny, ponieważ, poza wszystkim innym, Montserrat wrzeszczała, że jest córką wielkiego księcia i przysługiwał jej tytuł wielkiej księżnej, że tak powinni nazywać ją wszyscy, choć wyszła za mąż za syna niewolnika, a kiedy nie miała łańcuchów, raniła samą siebie paznokciami lub wszystkim, co jej trafiło do rąk. Piękną twarz bez ustanku drapała, szarpała. Lecz w 1811 roku napady szału przeszły w stany mistyczne. Zaczęła się utożsamiać ze świętą Teresą z Ávili, wypalać się na modlitwach, pisać miłosne listy do Jezusa, i przeprowadzono ją na oddział obłąkanych. Następnie na oddział melancholików, gdzie, olśniewając legendarną urodą, odnalazła rozbłyski jasności, i pewnego dnia powiedziała: „Przynieście mi moją lutnię".

I dostała ją. Przywiózł ją Francesco, który raz w miesiącu jeździł do Florencji, by spytać o jej stan i przywieźć anonimowy bukiet lilii. „Tylko żeby nigdy nie dowiedziała się, kto je przynosi, na litość boską". I kiedy dostała lutnię, prawie wróciło do niej szczęście. Wciąż potrafiła grać dobrze, a kiedy wykonywała suity Bacha, nawet szamoczący się obłąkani zaczynali jej słuchać, a siostra Kunegunda wołała: „Tą lutnią mogłybyście wskrzeszać umarłych!". I właśnie to ją zabiło w noc Bożego Narodzenia 1814 roku, w wieku czterdziestu ośmiu lat. Połechtana komplementem zaczęła bowiem grać przed kostnicą w głębi ogrodu. Czy lato, czy zima, czy padał deszcz, czy świeciło słońce, zawsze tam uciekała, by wskrzeszać umarłych, a w grudniu 1814 roku we Florencji panował wielki mróz. W ciągu dwóch tygodni słupek termometru spadł do piętnastu stopni poniżej zera, przez tydzień padał śnieg i wiele osób zamarzło na śmierć. „Niech żaden pacjent nie opuszcza ogrzewanych pokoi", polecił profesor Chiarugi. A siostrze Kunegundzie wyjaśnił to jeszcze dobitniej: „Nie traćcie z oczu pani

Launaro. Uważajcie, by nie wychodziła, by nie szła wskrzeszać umarłych". Lecz w noc Bożego Narodzenia siostra Kunegunda straciła ją z oczu. Usprawiedliwiając się mrozem, wypiła o kieliszek za dużo, zasnęła niczym Pan Głębszy, a Montserrat wzięła swoją lutnię i wyszła. Boso, półnaga, pobiegła, by zagrać swojej ulubionej publiczności, by wskrzeszać umarłych. Odnaleziono ją o świcie zamarzniętą na kość. Wyglądała jak piękna lodowa rzeźba, która spadła na śnieg.

* * *

Francesco dowiedział się o tym w ostatnim tygodniu stycznia, kiedy jak zazwyczaj, z bukietem lilii, udał się do szpitala świętego Bonifacego z comiesięczną wizytą. Odprawiwszy Ester i sprzedawszy pałacyk na Scali del Monte Pio, zarabiał pieniądze jako marynarz na barce kursującej pomiędzy Pizą a Livorno, już tylko po to, by przeżyć i opłacać pokój Montserrat. Na stateczku jadł, spał, wychowywał Michele i nie miał żadnego adresu, a po tym, co się wydarzyło, nikt już nie mógł za nim trafić. „Zanieście je na cmentarz — powiedzieli mu na widok kwiatów. — Umarła miesiąc temu". I ból spustoszył Francesca do tego stopnia, że zdrowie opuściło go całkiem i przeżył tylko dwa lata. Podczas których opowiedział Michele to, co ja opowiedziałam dotychczas. Lecz nawet w ciągu tych dwóch lat nie przestał pracować, nadwerężać zdrowia i dzięki stateczkowi znów spotkał Filippa Mazzeiego, który powróciwszy do ojczyzny, zamieszkał w Pizie, gdzie spisywał swoje pamiętniki i gdzie dumny zc swojej wiedzy rolnej przedstawiał się jako Pippo Ogrodnik. Zobaczył go przypadkiem, gdy przyszedł wręczyć mu przesyłkę, która dotarła do Livorno z Norfolku. (Był to prawdopodobnie list, który 9 sierpnia 1815 roku napisał do niego Thomas Jefferson, by poinformować Mazzeiego, że wysłanie pieniędzy pochodzących ze sprzedaży jego posiadłości w Wirginii stanowi poważny problem wskutek bankructwa, jakie dotknęło liczne banki amerykańskie. I ten sam, w którym wyraża się z nieoczekiwanym współczuciem o Napoleonie pobitym pod Waterloo i czekającym na zesłanie na Wyspę Świętej Heleny). „Panie Mazzei, jest poczta z Ameryki!", takimi słowami po pół wieku Francesco powitał mężczyznę, który pomógł mu zaciągnąć się na „Triumpha" i przeżyć śmierć ojca. Jeśli posłuchamy namiętnego i litościwego głosu, to dowiemy się, że ponad osiemdziesięcioletni Mazzei dopiero po kilku minutach rozpoznał w postarzałym sześćdziesięciopięciolatku śmiałego marynarza z nożem za pasem i złotym kolczykiem w lewym uchu, który na tropikach napoił owce swoją wodą, i wtedy wziął go w ramiona i zatrzymał na wiele godzin opowieścią o swoich szczęśliwych przygodach. O rewolucji amerykańskiej, w której brał udział, o rewolucji francuskiej, którą widział z bliska, o spotkaniach z Waszyngtonem, La Fayette'em, Robespierre'em, rosyjskim carem i polskim królem, u którego pełnił służbę. Chełpliwy monolog, wykluczający najmniejsze zainteresowanie dla jakiejkolwiek rzeczy, która w tym czasie przytrafiła się Francescowi, zakończyło pytanie:

— Czytaliście kiedy *O zbrodniach i karach* Beccarii, książkę, którą ofiarowałem wam z dedykacją?

Ale Francesco potrząsnął głową.

— Panie Mazzei — odpowiedział — zbrodni popełniłem całe naręcze, a kar doświadczyłem już tyle, że nie miałem ani potrzeby, ani ochoty, by czytać o nich u Beccarii.

Po czym odwrócił się do niego plecami i wrócił na swój stateczek.

Jego historia kończy się tutaj. Co do wydarzeń, które nastąpiły po lapidarnej odpowiedzi, wiadomo tylko, że zmarł 17 stycznia 1816 roku i że umierając, odkrył, czym była potajemna choroba, która od 1799 roku podwajała jego bezkresne nieszczęście — *mal dolent*. Bezlitosny *mal dolent*, który zabił Marię Isabel Felipę, który przez jego chromosomy i chromosomy Montserrat miał zabić wiele osób w rodzinie i który prędzej czy później zabije także i mnie. Jemu zaatakował gardło. Michele, w 1816 roku dwudziestolatek wrażliwy i gotowy stawić czoło perfidii życia, natychmiast opuścił stateczek. Zabierając ze sobą lutnię, która pozostała przy pięknej lodowej rzeźbie, osiadł w Pizie i dzięki czterem tysiącom *lluras*, których nawet w nędzy Francesco nie chciał spożytkować, otworzył sklep z instrumentami muzycznymi. Został doświadczonym lutnikiem. Lecz pozostał na zawsze garbatym, biednym prapradziadkiem Michele. Garbatym karłem, rachitycznym i brzydkim. Jedyną piękną rzeczą, jaką posiadał, były wielkie błękitne oczy, w których Ester ujrzała, że przeżyje i pochowa wszystkich. A oprócz tych pięknych oczu miał też odwagę, by poślubić młodą kobietę, mierzącą metr siedemdziesiąt dziewięć, a więc nie mniej odważną od niego, i z nią przedłużył gatunek.

CZĘŚĆ TRZECIA

1

Kiedy przywołuję w pamięci cymelia pozostałe po Cantinich, a przechowywane w skrzyni Cateriny, odnajduję tylko strzępki pamiątek ich patriotycznego zapału i rewolucyjnej gorączki. Zetlała i pocerowana trójkolorowa flaga, wyblakła, zapleśniała chusta i plik listów napisanych przed bitwami pod Curtatone i Montamarą, a także po nich (na szczęście mam ich kopie, przepisałam je, gdy byłam jeszcze w szkole i miałam przygotować referat o wojnach o niepodległość), i różne ulotki propagandowe z czasów risorgimenta, między innymi niezapomnianą inwektywę, pełną wulgarnych słów:

Kurewska Austrio, oddech nam zabierasz,
obyś zdechła, podła kurwo,
śmierć twoim służalcom, w błocie utytłanym.
Niech żyją Włochy,
niech żyje krew Ludu,
który w dupę dostaje, lecz w końcu zwycięży.

Naprawdę biedni biedacy, naprawdę nędzni nędzarze nie zostawiają po sobie haftowanych futerałów i lutni z perłowymi intarsjami. Ani książek z dedykacją Filippa Mazzeiego i pozostałości peruk w stylu Marii Antoniny. A że często wyrzucają takich również z cmentarzy, w wielu przypadkach nie pozostały po nich nawet kości. Więc ci moi przodkowie, którzy bili się za ojczyznę, sprawiedliwość, prawdę — marzenia, którymi dzisiejsi kłamcy posługują się, by się dorwać do władzy i rządzić — byli rzeczywiście bardzo biedni. Prawdziwi nędzarze. Tak ubodzy, że w porównaniu z nimi Fallaci z Panzano mogli się uważać za wielmożów, a Launaro ze Scali del Monte Pio za bajecznie bogatych. Cantini byli takimi nędzarzami, że ich własny zapał i nadzieja obróciły się przeciwko nim, a głód towarzyszył im przez wiele pokoleń. Aż do czasów dziadka Augusta, ojca mojej matki, który w 1947 roku skonał w brudnym szpitalu, ściskając w rękach cały swój dobytek: glinianą fajkę, binokle, niepokojący portret praszczura Giobatty w wieku piętnastu lat, legitymację anarchisty i pięć lirów. Do banknotu dołączony był bilecik: „Proszę o oddanie tych pieniędzy siostrze Veronice, pielęgniarce z oddziału cukrzyków, która była dla mnie bardzo dobra i po cichu dawała mi podwójną porcję zupy". (To pewnie dlatego do pieniędzy żywię rodzaj urazy pomieszanej z zażenowaniem, do biedy nienawiść połączoną z obrzydzeniem, a do fałszywych apostołów równości bezgraniczną pogardę). Nawiasem mówiąc, to właśnie głosu dziadka Augusta będę słuchać, próbując odtworzyć losy tych pariasów. Głosu ciepłego, gorzkiego, ale nade wszystko uwodzicielskiego, który kojarzę z wywrotowymi hymnami.

> Póki my tutaj jesteśmy jak dzieci,
> trzeba nam cierpieć pod przekupną zgrają,
> jeśli słońce Anarchii nie zaświeci,
> to bez litości was pozabijają!

Wspomniana inwektywa i listy napisane przed bitwami pod Curtatone i Montanarą oraz po nich były pamiątką po Giobatcie. Trójkolorowy sztandar, czerwona chusta i propagandowe ulotki risorgimenta należały do jego rzekomego wuja Giovanniego, praszczura, który otwiera sagę Cantinich. Ta saga nie przynosi wielu zagadek. Już w osiemnastym wieku *Status Animarum* rejestruje ich imiona w San Jacopo w Acquavivie, przedmieściu położonym poza murami Livorno i zamieszkanym przez najbiedniejszy plebs tego regionu. Dlatego wiem, że 8 czerwca 1774 roku dwudziestocztcrolctni Natale, woźnica i dzierżawca sadu zwanego Orto dei Fabbri, Sadem Kowali, poślubił szesnastoletnią Bernardę Pacinotti, podkuchenną. I że 23 listopada 1775 roku urodziła im się córka, której dano na imię Margherita, 2 lipca 1781 na świat przyszedł syn, nazwany Gasparo, 6 grudnia 1783 roku kolejny syn, Giovanni, a 29 marca 1789 roku urodziła się jeszcze jedna córka, ochrzczona jako Vigilia. Wiem, że 13 marca 1804 roku Bernarda zmarła w wyniku epidemii żółtej febry, zapoczątkowanej przez zakażone strusie pióra przywiezione z Vera Cruz dla głupiej królowej Etrurii, że rok później dziarski Natale sprawił sobie nową żonę, dziewiętnastoletnią Rinę Nuti, szmaciarkę, i że 4 lutego 1814 roku trzydziestotrzyletni Gasparo poślubił dwudziestopięcioletnią Teresę Nardini, z zawodu krawcową. Zachowało się nawet świadectwo małżeństwa Gaspara i Teresy, z którego wynika, że żadne z nich nie potrafiło się podpisać. (Mizerny kulfon ze źle postawionym „i", który widać na dole strony, należy do ojca i teścia: „Naitale Cantin"). Zachowało się także świadectwo urodzenia Giobatty, powitego przez Teresę w 1823 roku. I mniejsza z tym, że jest ono nieścisłe, gdyż przypisuje ojcostwo dziecka prawowitemu małżonkowi. W rodzinie dla nikogo nie było tajemnicą, że sprawy potoczyły się inaczej. „Jaki Gasparo, jaki Gasparo?! My pochodzimy od Giovanniego!", wrzeszczał dziadek Augusto do tych, którzy usiłowali go nie słuchać. Potem, żeby podkreślić swoją rację, powtarzał to, co Teresa wyjawiła Giobatcie na łożu śmierci: „Nie mogę odejść, nie wyznawszy ci prawdy, synku. Twój ojciec nie był twoim ojcem. Twoim ojcem był twój stryj". Głuchy na protesty znudzonych krewnych, dziadek nie szczędził im najdrobniejszych szczegółów przebiegu cudzołóstwa. Jego zdaniem była to wielka historia miłosna. Nie, nie chodziło o wulgarny romans, mówił. Płomień namiętności rozpalił się na długo, zanim Teresa została żoną Gaspara, i przez prawie dziesięć lat zakochani próbowali go zgasić, unikając się albo próbując patrzeć na siebie nieprzychylnie. Ale pewnego fatalnego zimowego dnia ten przygłup Gasparo wysłał ich razem do Lukki i... „Moi drodzy, nie można uciec przed przeznaczeniem".

San Jacopo w Acquavivie. Nie jest mi trudno wyobrazić sobie to przedmieście w czasach, kiedy byłam Giovannim. A kiedy to robię, przechodzi mnie dreszcz. Bo w tamtej okolicy nie rozkoszowałeś się urokiem kanałów, nad którymi przerzucono marmurowe mosty, widokiem gmachów o pięciu piętrach i zatłoczonych ulic, oświetlonych latarniami. Nie cieszyłeś się malowniczym widokiem morza i portu pełnego statków, feerią barw, woni i dźwięków, która tak urzekła Montserrat po przyjeździe. Na krajobraz składały się wyłącznie pola, na których uprawiano warzywa sprzedawane potem na Piazza delle Erbe, portu nie dało się dostrzec i wszędzie zalegała melancholijna cisza. Żadnych kanałów, żadnych latarni, żadnych ulic, żadnych domów. Zamiast domów nędzne lepianki, których widok przyprawiał o mdłości. Budy, w których wieśniak z Chianti nie trzymałby nawet świń. Wysokie może na dwa metry, ciasne, pozbawione okien, a w rezultacie światła i powietrza. W chałupie Cantinich brakowało nawet drzwi. Zresztą czemu miałyby służyć? Odstraszeniu złodziei? Jeśli nie liczyć wózka, który Natale na wszelki wypadek ustawiał każdego wieczoru w norze nazywanej sypialnią, jedynym przedmiotem o niejakiej wartości był w ich gospodarstwie nocnik, wniesiony w posagu przez Bernardę wraz z dwoma ręcznikami, balią i mydłem. Nocnik — z portugalskiej majoliki, szeroki na dziesięć cali i głęboki na siedem, pomalowany w niebieskie kwiatuszki — nie był używany zgodnie ze swym przeznaczeniem, lecz trzymany na stole w kuchni w charakterze ozdoby (swoje potrzeby i tak załatwiało się na zewnątrz). Co prawda, w kuchni było też kilka garnków, kilka drewnianych talerzy, kilka aluminiowych sztućców. Ale oprócz stołu z nocnikiem znajdowało się tam tylko sześć stołków i trzy skrzynie. Tak zwana sypialnia (jedna dla wszystkich, dlatego, gdy Natale spółkował z Bernardą, zarówno synowie, jak i córki poniekąd uczestniczyli w wydarzeniu) wyposażona była tylko w sienniki do spania i gwoździe, na których wieszano garderobę. Garderobę? Kobiety miały spódnicc z przędzy, koszule z płótna lub wełny, szale dla ochrony przed deszczem lub słońcem. Mężczyźni zaś barchanowe kaftany, filcowe koszule, parę spodni często przewiązanych zwyczajnym sznurkiem. Na nogach chodaki. (Najubożsi nie nosili butów. Nosili chodaki. Albo chodzili boso). Co do diety, o mój Boże! Od poniedziałku do piątku zupa jarzynowa gotowana bez oliwy i soli (oliwa kosztowała dużo. Sól fortunę). W niedzielę polenta z dorszem i śledziem. W ważne święta nadpsute ryby i podroby, które handlarze ryb i rzeźnicy oddawali w zamian za warzywa. Świeże ryby i dobre mięso nie trafiały na stół nigdy. Jajka i chleb — rzadko. W Sadzie Kowali zboża nie uprawiano, a kur nie wolno było hodować, by nie niszczyły sadzonek. Nie mając kur, nie miałeś jajek. Nie mając zboża, nie miałeś mąki. Nie mając mąki, nie miałeś chleba. Młynarz liczył sobie dziesięć kracji za librę. Prawie tyle, ile wynosiło dzienne wynagrodzenie robotnika.

Co jeszcze? A tak, wiara w Boga, umiejętność pisania i czytania. Cenny pokarm dla umysłu i ciała, bogactwa duchowe, które powinny równoważyć udręki cielesne. Ale Cantini z San Jacopo w Acquavivie nie rozmyślali zbyt wiele o zbawieniu duszy. Archiwa parafii świadczą, że do kościoła udawali się tylko na chrzest, to znaczy by wciągnięto ich do księgi stanu cywilnego, a świadectwo ślubu Gaspara i Teresy (bazgroł „Naitale Cantin" się nie liczy) jest dowodem, że byli analfabetami. Jedyny wyjątek to Giovanni. W istocie, pchnięty jakimś niewyjaśnionym odruchem obywatelskim, Natale w 1793 roku wysłał dwunastoletniego Gaspara i dziesięcioletniego Giovanniego do szkoły publicznej barnabitów. Gasparo okrył się hańbą. Zaledwie po trzech czy czterech tygodniach nauczyciel wyrzucił go z klasy, krzycząc: „Wracaj ciągnąć wózek, kapuściana głowo! Zamiast mózgu masz kapustę!". Natomiast Giovanni nauczył się czytać już w ciągu jednego semestru. Co prawda tylko czytać. W szkołach publicznych nie istniał bowiem system zastosowany niegdyś przez Carla w stosunku do Cateriny: od razu włożyć pióro do ręki i uczyć pisać i czytać jednocześnie. Tu najpierw uczono cię czytać, trud trwający dwa lata, potem pisać, trud trzyletni. A dzieci z plebsu w tych czasach musiały pracować. Nie mogły sobie pozwolić na tak długie chodzenie do szkoły. Jednak w rejestrach sporządzonych piętnaście lat później obok imienia Giovanniego zaznaczono zarówno CZ, to znaczy „czyta", jak i P, czyli „pisze". Z tego szczegółu można wywnioskować, że jakimś cudem w 1808 roku chłopak umiał także pisać.

Jesteśmy w roku 1808, kiedy obowiązkowy pobór do wojsk napoleońskich wywołał poruszenie w San Eufrosino di Sopra i w Scali del Monte Pio. Włochy należą do Cesarstwa Francuskiego. Livorno jest stolicą prowincji nazwanej Departamentem Śródziemnomorskim, Piazza d'Arme zmienia się w place Napoléon, via Grande w rue Napoléon, a dwudziestopięcioletni Giovanni nienawidzi z całego serca Nappy. Nappa to zdrobnienie, jakim nazywa się w Toskanii Napoleona. Giovanni jest kościsty, wychudzony. Nie przypadkiem nazywają go Kijem, a kiedy zdejmuje koszulę, można mu policzyć wszystkie żebra. Za to mierzy metr siedemdziesiąt dziewięć wzrostu, ma zdrowe zęby, temperament podrywacza i cieszy się doskonałym zdrowiem. Z charakteru jest niespokojny, nieprzystępny, nieufny. Mówi mało, żerają go gorzkie myśli. Nie mogę odmówić mu racji: umiejętność pisania nie przydaje się wcale, umiejętność czytania pozwala mu rozszyfrowywać edykty i proklamacje, którymi Nappa dręczy swoich poddanych, a żeby związać koniec z końcem, haruje szesnaście godzin na dobę. O świcie rozładowuje warzywa na Piazza delle Erbe, gdzie Natale i Gasparo mają stragan, rankiem zbiera końskie łajno w stajniach, po południu rozrabia wapno dla Onorata Nardiniego, dość dobrze sytuowanego murarza, który mieszka w sąsiednim przedmieściu Salviano, a wieczorami zamiata ulice. Wszystkie te zajęcia nie pozwalają mu zarobić nawet tyle, by mógł pozwolić sobie na wieczór w gospodzie czy na krótką wizytę w burdelu. Nie ma narzeczonej. Marzy o poślubieniu Teresy, uroczej dziewiętnastoletniej córki Onorata Nardiniego: odkąd ją poznał, usycha z miłości, dzień-dobry-panno-Tereso, moje-uszanowanie-panno-Tereso, i nawet ślepy by się domyślił, że ona odwzajemnia jego uczucia... Spojrzenia, jakie mu rzuca! Niekiedy nawet się rumieni. Ale Teresa nosi buty. Mieszka w domu, w którym są drzwi i osiem okien, jest krawcową, ubiera się jak dama. (Ma nawet kapelusz). Kiedy nosisz chodaki, chodzisz w łachmanach, śmierdzisz końskim łajnem, mieszkasz w ruderze z nocnikiem na stole kuchennym, to w jakim zakamarku serca znajdziesz odwagę, by powiedzieć: Panno Tereso-przypadliście-mi-do-serca-chciałbym-Was-poślubić? W której kieszeni znajdziesz pieniądze na założenie rodziny? Biedny Giovanni zadaje sobie to pytanie każdego dnia. Z tym pytaniem zasypia, budzi się, pracuje, aż w pewnym momencie zatrzymuje się przed ogłoszeniem, którym 22 lipca pokryte są mury miasta.

Toskańczycy!
Napoleon I, z łaski Bożej i Konstytucyjnej cesarz Francuzów i Włochów, zarządził, aby w trzech Departamentach otwarto zaciąg do wojska tysiąca dwustu poborowych, urodzonych między 1 stycznia a 31 grudnia 1788 roku, i aby trzystu pięćdziesięciu z nich pochodziło z Departamentu Śródziemnomorskiego. Zatem także młodzieńcy z waszego regionu staną się depozytariuszami Wielkości Narodowej, a mając więcej szczęścia od Francuzów, którzy ich poprzedzili, zostaną wcieleni do Sławnych Falang dopiero teraz, gdy czas niebezpieczeństw przeminął i oczekują ich łatwe zwycięstwa. Toskańczycy! Wkrótce staniecie się częścią Triumfujących Legionów, które panują nad Europą i którym wystarczy tylko się zjawić, by zwyciężyć. Toskańczycy! Już niedługo Francuzi nazwą was braćmi!

Obok proklamacji wisiało ogłoszenie prefekta Louisa Chapelle'a.

Mieszkańcy Livorno!

Zwracając się z tym apelem do synów, których niedawno adoptował, Jego Wysokość Cesarz i Król Italii zachowuje się niczym czuły Ojciec. Jeśli jednak odważylibyście się zlekceważyć Jego wolę, nie zawaha się użyć języka, jakim przemawia Ojciec surowy i budzący lęk. Nieuniknione i dotkliwe kary spadną na opornych poborowych, zbiegów i dezerterów. Czeka ich więzienie, kara 1500 franków, areszt najbliższej rodziny, wyrok ogłoszony we wszystkich gminach: oto jaki los spotka tych, którzy znieważają honor Ojczyzny.

2

Giovanni przeczytał obwieszczenie z dziwnym pomieszaniem oburzenia i zazdrości. Ojciec?! Nie miał zamiaru uważać za ojca tego oprawcy, tego pyszałka, tyrana, który gadając o wolności, równości i braterstwie, włożył sobie koronę na głowę i terroryzował połowę świata. Bracia?! Nie miał zamiaru uważać za braci tych drani, złodziei, fircyków, którzy albo zaczepiali Margheritę i Vigilię, albo zabierali kapustę i cebulę, albo rekwirowali wózek z placu. *„Allez, allez, ça sert à l'Armée*. To dla armii". Mimo to żałował, że nie urodził się między 1 stycznia a 31 grudnia 1788 roku. Kto nosi łachmany na tyłku, nie może za bardzo wybrzydzać. A że czas niebezpieczeństw już przeminął i tylko łatwe sukcesy oczekiwały na sławne falangi oraz triumfujące legiony, gdyby miał dwadzieścia lat, zgłosiłby się od razu. Od razu! Żołnierze Nappy odżywiali się po królewsku. Biały chleb rano i wieczorem, wołowina zakropiona winem, gotowane warzywa z oliwą i solą, sery. Rzeczy, o których w San Jacopo w Acquavivie nie śniło się nawet nocą. Poza tym żołnierze byli zakwaterowani w koszarach, które przypominały pałac. Łóżka z prześcieradłami, ustępy z wiadrem, miski do mycia... Nosili wysokie buty zapierające dech w piersiach i mundury tak bogate w pętelki, guziki i wstążki, że nie można było odróżnić prostego żołnierza od generała, i dostawali zawrotny żołd. Lir dziennie, pomyśleć tylko! Dwa razy więcej, niż on zarabiał w najlepszych miesiącach! Lir dziennie to znaczy trzydzieści lirów miesięcznie, czy to się mieści w głowie?! Trzydzieści lirów miesięcznie to trzysta sześćdziesiąt lirów na rok, czyli pięćdziesiąt jeden skudów i jeden *baiocco*. Masz pojęcie, na ile uciech można sobie pozwolić za pięćdziesiąt jeden skudów i jednego *baiocca*, nie musząc wydawać pieniędzy na ubrania? Po pierwsze, możesz wstawić drzwi do lepianki, w której mieszka twój tato. Po drugie, nie musisz wyliczać sobie każdego miedziaka. Na koniec, co najważniejsze, wreszcie możesz powiedzieć to wymarzone zdanie: Panno Tereso-przypadliście-mi-do-serca-chciałbym--Was-poślubić. A następnie pobrać się w czasie przepisowego urlopu.

Oburzenie trwało kilka godzin. Zawiść — niecały tydzień. Dokładnie do środy 27 lipca, kiedy w mieście pojawiło się drugie ogłoszenie, które po rozmaitych wstępach obwieszczało, co następuje:

Od poboru zwolnieni są młodzieńcy mierzący mniej niż metr pięćdziesiąt cztery, ci, którzy są słabego zdrowia lub mają zepsute zęby, cierpią na niedostatek sił lub słabości nieprzystające do trudów żołnierskiego życia. Poza tym zwalnia się od poboru sieroty bez żadnego rodzica, jedynaków utrzymujących ze swojej pracy matkę wdowę lub osiemdziesięcioletniego ojca, tych, którzy zawarli małżeństwo przed datą dzisiejszą, członków zakonów i seminarzystów przed wyświęceniem. Wszyscy pozostali, łącznie z bliźniętami, zostaną wciągnięci na listy poborowe, które zostaną ogłoszone publicznie do niedzieli 31 lipca: w tymże dniu poborowi mają się stawić w miejscu wybranym przez Wielmożnego Prefekta, by osobiście wziąć udział w losowaniu. Aby pokazać, że prawo jest bezstronne i nie dopuszcza kumoterstwa ani niesprawiedliwości, nabór będzie zdany na los i poborowi sami zdecydują o swoim przeznaczeniu, wyciągając na ślepo kartę z urny. Karty zostaną ponumerowane i ci, którzy wyciągną niski numer, będą musieli wyruszyć natychmiast. Ci, którym trafi się wysoki numer, zostaną zatrzymani w Livorno i prawdopodobnie już tam pozostaną. Niemniej dopuszczalne jest zastępstwo, to znaczy zamiana numeru niskiego na wysoki. Wymiana ta musi się odbyć od razu w wyniku umowy między dwoma poborowymi tego samego wzrostu i pochodzącymi z tej samej dzielnicy.

Jak dotąd, nic nadzwyczajnego. Te uściślenia nie dotyczyły Giovanniego. Zaraz potem jednak wyczytał z obwieszczenia coś, co obchodziło go bezpośrednio: dodatek wytłuszczony czarnym drukiem.

Powyższe normy odnoszą się także do obywateli, którzy nie urodziwszy się między 1 stycznia a 31 grudnia, nie są objęci poborem, ale chcieliby zgłosić się na zastępstwo. Osobom owym Wielmożny Prefekt udziela następujących informacji: 1. Zastępstwo polega na przekazaniu wezwania wolontariuszowi nieobjętemu poborem, który za wynagrodzenie ustalone w obecności notariusza zajmie miejsce poborowego. 2. W celu dokonania zastępstwa nie ma konieczności, aby Zastępujący miał ten sam wzrost co Zastępowany lub mieszkał w tej samej dzielnicy. Wystarczy, żeby mieszkał w tym samym departamencie i miał skończone co najmniej dwadzieścia jeden lat, lecz nie więcej niż dwadzieścia sześć. 3. Oprócz odpowiedniego wieku niezbędnym warunkiem jest także, aby Zastępujący wykazał się niekaralnością i przedstawił wszelkie dokumenty wymagane od normalnego poborowego. Zaświadczenie o dobrym zdrowiu, zaświadczenie o stanie cywilnym. Co do wzrostu, w tym przypadku musi on przekraczać metr sześćdziesiąt cztery. Nie zostaną dopuszczeni Zastępujący niżsi niż metr sześćdziesiąt pięć.

No tak: furtka, dzięki której Carlo i Caterina uratowali drugiego syna przed kampaniami napoleońskimi. Okrutne rozwiązanie, które na przekór bezstronności prawa i sloganowi „Wolność, Równość, Braterstwo" faworyzowało bogatych kosztem biednych: tym pierwszym pozwalało uratować skórę, tych drugich posyłało na śmierć. (Zastępstwo istniało już w czasach rewolucji francuskiej i Napoleon tylko je udoskonalił). Ale Giovanni miał wrażenie, że otwarły się przed nim wrota raju. Czegóż więcej oczekiwać od losu? Ta regulacja zdawała się stworzona z myślą o nim: oprócz dobrego wiktu, wysokich butów, pięknego munduru i żołdu w wysokości lira dziennie zapewniała mu jeszcze odszkodowanie podpisane w obecności notariusza! W mieście było tylu krezusów, że na pewno bez trudu zdoła znaleźć kogoś, kto zechce scedować służbę wojskową własnego syna na nieszczęśnika, który ma dość noszenia chodaków. I nie mając pojęcia, że odszkodowanie było precyzyjnie określone, że we Francji wynosiło cztery tysiące franków, czyli pięć tysięcy franków toskańskich, a w Departamencie Śródziemnomorskim co najmniej dwa tysiące sześćset lub trzy tysiące, Giovanni ruszył na poszukiwanie klienta, któremu mógłby sprzedać swoje życie. W rodzinie pomysł ten spotkał się z chórem protestów, lamentów i powszechną rozpaczą. Do licha, przecież nawet dzieci zdawały sobie sprawę, że gadaniem o łatwych sukcesach i braku niebezpieczeństw Nappa chciał swoim edyktem po prostu nabrać naiwnych. Nawet najwięksi ignoranci wiedzieli, że ten pobór był częścią europejskiego zaciągu, rozpoczętego w celu zebrania stu sześćdziesięciu tysięcy ofiar do wysłania na wojnę w Hiszpanii. Na targu o niczym innym nie mówiono! 2 maja wybuchło w Madrycie krwawe powstanie. W mgnieniu oka rozszerzyło się ono na kraj, potem na Portugalię, i cały Półwysep Iberyjski walczył już z Jego

Cesarską Mością. Co gorsza, Anglia wspierała powstańców, wzdłuż wybrzeży Katalonii niejaki admirał Cochrane bombardował bez ustanku forty nabrzeżne, w Estremadurze generał o nazwisku Wellesley nacierał z hordami piechoty, w związku z tym żołnierzom Napoleona dostawało się z każdej strony. Rzezie, od których włosy stawały dęba. „Upiłeś się, Kiju? Chcesz zostać mięsem armatnim?", wrzeszczał Natale. Gasparo błagał: przemyśl-to-Kiju-przemyśl-to, Margherita i Vigilia szlochały: posłuchaj-ich-Kiju-posłuchaj-ich, a macocha Rita podsumowała: „Moim zdaniem dureń z ciebie". Na próżno. Zaopatrzony w dokumenty, Giovanni krążył po bogatych dzielnicach i pytał: „Jest tu ktoś, kto szuka zastępstwa?". Chodził też po kościołach, synagogach i „Sor proboszczu, sor rabinie, jeśli znacie kogoś, kto potrzebuje zastępstwa, oto mój adres". Na koniec wiadomość dotarła do adresata i 31 lipca, kiedy została ogłoszona lista poborowych do ciągnięcia losów, przed lepianką bez drzwi pojawił się elegancki pan we fraku. Kawaler Isacco Ventura, zajmujący się sprzedażą wyrobów jubilerskich, a zarazem ojciec dwudziestoletniego Beniamina Ventury. Rzuciwszy niedowierzające spojrzenie na nocnik, przekroczył próg, przedstawił się i zadał oczekiwane pytanie:

— To tutaj mieszka zastępca?

— Tutaj — odpowiedział Giovanni, prostując się na całą swoją wysokość metra siedemdziesięciu dziewięciu centymetrów.

Tamten wydał powątpiewające stęknięcie.

— Wzrost pasuje... ale wydajecie mi się trochę chudzi.

— To zdrowa chudość, sor Ventura — odpowiedział Giovanni, machając zaświadczeniem o dobrym zdrowiu.

Tamten wydał westchnienie ulgi.

— A inne dokumenty, inne wymogi?

— Mam, sor Ventura, wszystko mam — odrzekł Giovanni, pokazując zdrowe zęby, zaświadczenie o niekaralności i o stanie cywilnym.

Tamten chrząknął z zadowoleniem.

— Dobrze. Jeśli zastąpicie mojego syna, dam wam tysiąc lirów.
Odpowiedział mu entuzjastyczny okrzyk.

— Tysiąc...?!!!

— Tysiąc. Do przelania w pięciu częściach. Pierwsza zaraz
po zakończeniu badania poborowego, to znaczy gdy zastępstwo
zostanie zaakceptowane przez władze. Cztery następne co dwanaście miesięcy wypłatą z banku. Pod warunkiem że zagwarantujecie
odnowienie umowy po pierwszych dwóch latach, jasne?

— Jasne...

— To jutro idziemy do notariusza podpisać ugodę.

Biorąc pod uwagę, że minimalna stawka wynosiła dwa tysiące sześćset, to tysiąc lirów było niemal złodziejstwem. Co do
warunków ugody zaś — to prawdziwy szwindel. Ale stawek, powtarzam, Giovanni nie znał. Tysiąc lirów było dla niego sumą
tak nadzwyczajną, niezwykłą, że myśl o jej podwojeniu czy wręcz
potrojeniu, nawet nie powstała mu w głowie. Tym bardziej nie
zaprotestował przeciw otrzymaniu wypłaty w ratach i odnowieniu
umowy. Uszczęśliwiony wyciągnął rękę.

— Zgoda, *sor* Ventura.

Badanie poborowych odbyło się w dniach od 9 do 11 sierpnia
w kościele Dominikanów, wypełnionym z tej okazji żandarmami
i ogołoconym z wszelkich przedmiotów sakralnych. Precz z krucyfiksami, precz z obrazami i figurami świętych, z monstran-
cją! Fresk przedstawiający świętego Dominika ukoronowanego
przez Matkę Boską zasłonięto wielkim francuskim sztandarem.
Prezbiterium zmieniono w rodzaj sali gimnastycznej. Na środku
urna z kartami do losowania. W głębi podest z podwójną miarką i poprzeczką ustawioną na wysokości metra pięćdziesięciu
czterech centymetrów. Po bokach stoły dla funkcjonariuszy: prefekta Chapelle'a, kancelarzystów, pisarzy, lekarzy wyznaczonych
do kontroli zdrowia poborowych. Sami poborowi i ich rodzice
stali w ogrodzonej przestrzeni pośrodku głównej nawy. Wielu
z nich płakało lub przeklinało z rozpaczą: „O, ja nieszczęsny!",

„O, ja nieszczęśliwy!", „Niech piekło pochłonie przeklętego Nappę!". Opowiadają nam o tym dzienniki napisane gęsim piórem. Opowiadają też, jak przebiegała procedura. Poborowi, wywoływani w porządku alfabetycznym przez francuskiego żandarma, opuszczali ogrodzenie i przechodzili do prezbiterium. Podczas gdy do jęków i przekleństw dołączały zaklęcia odpukaj-w-żelazo, odpukaj-w-drewno, dotknij-swoich-jaj, poborowy podchodził do urny z losami. Ze strachem wyciągał numer, przekazywał go kancelarzystom, którzy podawali go pisarzom, po czym rozbierał się. Wchodził na podest z poprzeczką ustawioną na wysokości metra pięćdziesięciu czterech centymetrów i jeśli nie dosięgał jej głową, był uratowany. Niezależnie od tego, jaki wyciągnął numer, przeganiali go tak szybko, że z trudem nadążał wciągnąć na siebie ubrania. *Sortez, sortez! Nous n'avons pas besoin de nains.* Nie potrzebujemy karłów". Jeśli jednak głowa poborowego dosięgała poprzeczki lub wystawała ponad nią i jeśli nie tylko cieszył się on dobrym zdrowiem, ale i wyciągnął niski numer — był ugotowany. Lekarze zaglądali mu do ust i przekazywali go do Chapelle'a, który orzekał, że chłopak jest zdolny do służby wojskowej, i przydzielał do jednego z dwóch regimentów przeznaczonych już na front hiszpański: 28 Strzelców Konnych lub 113 Piechoty Liniowej. Giovanni podszedł ze swoimi dokumentami, rozebrał się, wszedł na podest, popisał się niezaprzeczalnymi stu siedemdziesięcioma dziewięcioma centymetrami wzrostu i mniejsza z tym, że jego wychudzenie wzbudziło duże wątpliwości. Mniejsza z tym, że niektórzy lekarze zawyrokowali niewydolność-klatki-piersiowej, a najbardziej krytyczny dodał: „Ja bym go nie przyjął". Chapelle odpowiedział, że wojskowe befsztyki poprawią Giovanniemu kondycję, i tonem niedopuszczającym sprzeciwu nakazał mu wyruszyć w przeciągu dwunastu godzin, czyli następnego ranka, do Parmy. Do miasta, w którym rekruci zostawali rozdzieleni, wyszkoleni i gdzie ci należący do departamentu śródziemnomorskiego byli oczekiwani w następnym tygodniu.

O Boże, dwanaście godzin to niewiele. W ciągu dwunastu godzin możesz wprawdzie odebrać dwieście lirów pierwszej raty, oddać je tatusiowi, pocieszyć go przypomnieniem, że od tego dnia nie będzie musiał wyliczać sobie każdej kracji. Możesz osuszyć łzy Margherity i Vigilii, które beczą niepocieszone: Kiju-opamiętaj--się-Kiju. Możesz wygłosić kazanie do Gaspara, który samodzielnie nie umie nawet wygonić pająka z dziury: poradzić mu, żeby zachowywał się rozsądnie i znalazł sobie na żonę poczciwą dziewczynę, a nie taką, która zwęszy pieniądze szwagra. Nie możesz jednak rozwiać tej straszliwej rozterki, w której żyjesz, od kiedy zrozumiałeś, że Nappa naprawdę wysyła cię do Hiszpanii. Pójść czy nie pójść do Salviano, do Nardinich, wygłosić czy nie wygłosić wymarzone zdanie: Panno-Tereso-przypadliście-mi-do-serca--chciałbym-Was-poślubić? Bo to oznacza poważne zobowiązanie. Związanie Teresy przyrzeczeniem małżeństwa. „Sprzedałem się panu Venturze przede wszystkim dla Was, żeby z wami założyć rodzinę. Niech Teresa na mnie poczeka, gdy tylko wrócę, pobierzmy się". A jeśli nie wrócisz? Albo pojawisz się bez ramienia, bez nogi? Zrobisz z niej wdowę, podczas gdy jest jeszcze panną? Poślubisz ją jako kaleka bez ręki lub bez nogi? Z drugiej strony... być może wrócisz. I to cały. Jeśli nie zwiążesz jej teraz przyrzeczeniem, to po szczęśliwym powrocie z wojny możesz ją zastać zaślubioną jakiemuś rywalowi... W rezultacie Giovanni spędził te dwanaście godzin, bijąc się z myślami: „Pójdę, nie pójdę, powiem jej, nie powiem". Następnego ranka wyruszył, nie powiedziawszy Teresie nic, nawet jej nie pożegnawszy, i przebył całą drogę do Parmy z cierpieniem w sercu. Podróż ośmiodniową. Pieszo. W chodakach.

* * *

W Parmie przydzielono go do 2 Batalionu Grenadierów, dowodzonego przez pułkownika Casanovę. (Grenadierzy musieli być wysocy, większość rekrutów nie przekraczała metra sześćdziesięciu, dlatego cyprysy, takie jak Giovanni, Casanova brał z zamkniętymi oczami. Mniejsza o „niewydolność klatki piersiowej").

Po przydzieleniu do grenadierów dali mu tak obfity posiłek, że od razu dostał niestrawności. Pierwszej niestrawności w życiu. Dali mu łóżko z materacem i prześcieradłami, pierwsze w jego życiu, dali mu parę butów z cholewami do kolan, pierwsze buty w jego życiu, i mundur, którego widok zapierał dech w piersiach. Kurtka z niebieskiego płótna z białymi wyłogami. Czerwone mankiety, czerwone naramienniki, złocone guziki. Biała kamizelka, czarne skarpety, czerwony pas, niebieska szarfa. Na głowę futrzana bermyca. Z czarnego włosia, z czarną kitą, nausznikami podkutymi błyszczącymi metalowymi łuskami, podpinki ze srebrnym kordonkiem. Wszystko to zagłuszyło cierpienie Giovanniego i zmniejszyło jego nienawiść do Nappy. Wkrótce kazano mu jednak przysiąc wierność sztandarowi regimentu. Kwadratowemu kawałkowi francuskiego jedwabiu z francuskimi napisami i symbolami. (Po prawej dwa czerwone trójkąty. Po lewej dwa niebieskie. Pośrodku biały romb z mottem: „*Valeur et Discipline*, Męstwo i Dyscyplina" po jednej stronie i z napisem „*L'Empereur des Français au Cent-treizième Régiment d'Infanterie de ligne*, Cesarz Francuzów 113 Regimentu Piechoty Liniowej" po drugiej. Na szczycie drzewca orzeł z rozpostartymi skrzydłami i trzymający w szponach wiązkę piorunów). Wciśnięto Giovanniemu do ręki karabin skałkowy, zaczęto go ogłupiać nauką strzelania i ataku bagnetem oraz musztrą. Na koniec wcielono go do kontyngentu złożonego z ośmiuset czterdziestu strzelców, grenadierów i szwoleżerów. Grenadierami dowodził kapitan Trieb z Livorno. 8 września ogłuszyli Giovanniego wrzaskiem, który rozbudził na nowo nienawiść przytłumioną butami i mundurem: „Do szeregu, wymarsz!". Znowu na piechotę. Tym razem dźwigając na ramionach plecak, który powaliłby wołu, opuścił Parmę. Rozpoczął długi marsz, który przez Nizinę Padańską, Ligurię, Prowansję, a następnie nadmorskie regiony Langwedocji, przez Montpellier, Béziers, Narbonę po dwóch miesiącach zakończył się w Perpignan, przy granicy z Katalonią. W regionie, w którym generał Reille, wódz 7 Armii, zbierał i rozdzielał wojska nowego Królestwa Włoch.

Do Perpignan Giovanni dotarł 30 października. Zaraz po przybyciu odkrył, że kontyngent dostarczony uprzednio przez 113 Regiment Piechoty Liniowej stracił dokładnie ośmiuset czterdziestu ludzi, zatem ich przysłano po to, by zastąpić zabitych. Od pewnego pizańczyka, który przeżył hekatombę, dowiedział się także tego, o czym Casanova i Trieb z premedytacją zapomnieli wspomnieć: że nie było gorszej rzeźni niż Katalonia i człowiek ginął tam, zanim zdążył policzyć do trzech. Lesiste góry i pagórki kryjące partyzantów, czyli nieprzyjaciela, który był największym koszmarem każdej armii wyćwiczonej do wielkich bitew w polu i wobec którego najczęściej była ona bezradna. Wąwozy i jary, gdzie zawsze czekała jakaś pułapka, rzeki i strumienie, których nie dało się przebyć, bo były zbyt rwące lub zbyt głębokie. Wątłe mosty, które pod ciężarem pojazdów zawalały się jak domki z kart, a jeśli usiłowano zbudować je solidniej, były niszczone w mgnieniu oka. Wybrzeża kontrolowane przez angielską flotę, która uniemożliwiała uzupełnianie dostaw drogą morską, więc jedzenie trzeba było zdobywać, rekwirując i zabierając siłą. „I za jaką cenę — krzyknął pizańczyk — za jaką cenę!" Kilka tygodni wcześniej patrol szwoleżerów udał się do miasteczka San Miguel, aby zarekwirować prowiant. Na ich widok *paisanos*, chłopi, zaczęli bić we wszystkie dzwony, aby ostrzec El Verduga, dowódcę partyzantów, który jeńców brał tylko po to, aby ściąć im głowę siekierą. Właśnie dlatego nazywali go El Verdugo, co po hiszpańsku znaczy kat. No cóż, na dźwięk dzwonów El Verdugo wyskoczył ze swoimi chłopcami z lasu. Spadł na szwoleżerów jak jastrząb i wymordował wszystkich. Nawiasem mówiąc, ciekawe, czy Giovanni już w Parmie zorientował się, że karabiny 113 Regimentu Piechoty są figę warte: trafiają do celu najwyżej na sto pięćdziesiąt lub dwieście metrów, do diaska! Na trzysta celny strzał jest raz na dziesięć razy, a na czterysta nawet nie donoszą, to chyba jasne? Jeśli do Verduga nie strzelisz z daleka, trafiasz do raju, zanim zdążysz ponownie załadować. Co do tubylców, lepiej trzymać się od niech z daleka. Nawet od kobiet, starców i dzieci. W połowie czerwca Reille zaczął oblężenie Saragossy, na początku lipca Girony, i co? Zmusili oblegających do odwrotu. To twardy lud, Giovanni musi to zrozumieć. Niustraszony i nieposkromiony, gotów zapłacić każdą cenę za wolność. W istocie, jemu, pizańczykowi, często przychodziło do głowy, niech to szlag!, ci ludzie biją się o swoją wolność! Im dłużej myślał, tym bardziej zdawał sobie sprawę, że walczy w niesprawiedliwej wojnie. A im głębiej był o tym przekonany, tym niechętniej polemizował z wewnętrznymi oporami, które przypominały poczucie winy. Ach, gdyby nie był zawodowym żołnierzem! Ach, gdyby mógł się stąd wynieść!

— Grenadierze, a ty jesteś tu na zastępstwo? — zapytał pizańczyk.

— No tak — odpowiedział Giovanni.

— Czemu zrobiłeś takie głupstwo?

— Bo, jak powiada moja macocha, dureń ze mnie — odpowiedział Giovanni.

Było już jednak za późno, by oddawać się żalom nad swoją głupotą lub dręczyć wyrzutami sumienia z powodu uczestnictwa w niesprawiedliwej wojnie, dodał potem. Żal niczego nie zmieniał, a wyrzuty sumienia wydawały mu się niebezpiecznym luksusem. Z tego, co zrozumiał w czasie musztry w Parmie, na wojnie obowiązuje zasada albo-ja-albo-ty. Jednym słowem, strzelać do tego, kto do nas strzela. Czy słusznie, czy też nie. I odłożywszy na bok rozgoryczenie, rozterki sumienia i skrupuły, Giovanni postanowił wkroczyć na tę drogę krzyżową, która miała go zaprowadzić aż do Niemiec i potrwać do lata 1814 roku.

3

Ciepły i gorzki głos nie opowiedział niemal nic o tej gehennie. Kiedy dziadek Augusto opisywał Giovanniego, wolał podkreślać dramat jego obsesyjnej miłości do Teresy, narodziny gorączki politycznej, kolejne etapy bolesnego zaangażowania rewolucyjnego. O cierpieniach okresu hiszpańskiego wspominał niewiele, najczęściej przywołując tylko historię o kosmyku siwych włosów. Wydarzyło się to zaraz po ich przybyciu do Katalonii, podczas chrztu bojowego, który 2 Batalionowi trafił się w Selva del Mar, wiosce nad brzegiem morza. Anglicy, wspomagani przez El Verduga, wylądowali tam, aby zainstalować baterie dział na jednym ze wzgórz, i bombardowali stamtąd francuski fort. Zadanie wykurzenia ich przypadło pułkownikowi Casanovie, który postanowił rozwinąć atak na bagnety. Chłopcy-to-wzgórze-trzeba-zdobyć. Ruszajcie--i-pokażcie-im-że-my-się-nie-boimy. Giovanni, przekonany, że ma do czynienia tylko z Anglikami, śmiało ruszył do ataku, i na kogo się natknął w połowie wzgórza? Na El Verduga we własnej osobie. Z siekierą w ręku! Giovanni tak się przeraził, że na lewej skroni posiwiał mu spory kosmyk włosów. Można było później rozpoznać przez to Giovanniego na milę, dlatego w czasach, gdy działał w karbonarstwie, zamalowywał go sobie atramentem albo kopciem, żeby nie dać się złapać policji. I tyle. Za to o dziejach 113 Regimentu Piechoty, stworzonego w poborze 1808 roku, ówczesne kroniki piszą dużo i szczegółowo. Dzięki tym cennym świadectwom mogę uzupełnić braki w historii Giovanniego, a robiąc to, zastanawiam się tylko, jakim cudem biednemu Kijowi udało się ujść z życiem.

Opisy zawarte w kronikach są przerażające — wynika z nich, że przez sześć lat 2 Batalion był prawdziwym mięsem armatnim. W istocie, trzeciego dnia zdobyto wzgórze. Za cenę wielu zabitych i rannych wykurzono Anglików, a z nimi El Verduga. Jednak od tamtej chwili generał Reille nie dał żołnierzom ani chwili wytchnienia i używał ich do zadań, o których zaraz opowiem. Z Selva del Mar wysłał ich do Rosas, by zdobyli fortecę El Botòn, bronioną przez trzy tysiące Hiszpanów z regularnej armii, i nie troszcząc się o straty, rzucał ich do ataku, dopóki nie udało im się zrobić wyłomu w obwarowaniach i zmusić nieprzyjaciela do kapitulacji. Z Rosas wysłał ich do Barcelony, żeby odzyskali cytadelę, która wpadła w ręce powstańców, i jak zwykle nie myśląc o stratach, kazał się bić, dopóki jej nie zdobyli. Z Barcelony (nadszedł już styczeń 1809 roku) posłał ich do Castellón de Ampurias, żeby odbili dwadzieścia dział przechwyconych w Rosas przez El Verduga, a następnie kazał im wraz z tym ciężkim sprzętem przebyć rzekę przy wysokim stanie wód — w rezultacie utonęła cała kompania szwoleżerów. Z Castellón de Ampurias, a raczej znad wezbranej rzeki, wysłał ich pod Gironę, aby wznowić oblężenie miasta, co zajęło dwa miesiące i — oprócz spodziewanych zabitych — skończyło się epidemią cholery. Z Girony posłał ich do Bañolas, gdzie rozwścieczony utratą dwudziestu dział, El Verdugo zaatakował batalion od tyłu pięcioma tysiącami partyzantów, dokonując rzezi. Z Bañolas Reille wyprawił ich do Kastylii, gdzie jedna trzecia tych, którzy do tej pory przeżyli, padła pod miastem Talavera de la Reina — w słynnej bitwie, w której Arthur Wellesley pokonał wojska marszałka Victora i został za to nagrodzony tytułem księcia Wellington. Nie ma sensu opowiadać ani wyjaśniać, co działo się w tym czasie z 1 Batalionem, wykorzystywanym z takim samym cynizmem: dla 113 Regimentu Piechoty rok 1809 był tak straszliwy, że z tysiąca sześciuset osiemdziesięciu poborowych, których wyprawiono z Parmy w dwóch kontyngentach, we wrześniu zostało zaledwie pięciuset. Nie przypadkiem sam Nappa wreszcie się ulitował i kazał wysłać ich do Francji, do Orleanu, na sześciotygodniowy urlop. Wino i prostytutki do woli. Niestety po powrocie z Orleanu zastali kontyngent tysiąca trzystu świeżych rekrutów z kolejnego poboru i wszystko zaczęło się od nowa. W Katalonii, Kastylii. Potem w Asturii i León. A także w regionie graniczącym z Portugalią, dlatego też wystawionym na ataki nowo mianowanego księcia Wellingtona: w Benavente, Zamorze i w dalszej kolejności w miejscowości Puebla de Sanabria, gdzie wraz z dwoma batalionami szwajcarskimi i trzema kompaniami polskimi zostali otoczeni przez sześć tysięcy Hiszpanów i Portugalczyków. Jeśli chodzi o rok 1811, to od września mieli na karku także partyzantów konnych genarała Castañosa. Osobników, którzy jeńców nie eliminowali w pośpiechu, nie zabijali siekierą El Verduga. Mordowali ich powolutku, obcinając im ręce i nogi, a potem zostawiając, aby się wykrwawili.

Dziennik bojowy z 1811 roku opisuje męczeństwo 113 Regimentu. „Czwartek, 2 maja. *Guerrilleros-caballeros* Castañosa atakują grenadierów 2 Batalionu, którzy kierują się z kapitanem Triebem w stronę Astorgi. Sześciu zabitych, sześciu rannych, szesnastu jeńców wykrwawionych na śmierć po obcięciu członków". „Sobota, 4 maja. *Guerrilleros-caballeros* Castañosa atakują 1 Batalion, który z podwozami konnymi przemierza dolinę Vegamian. Przez dzień i noc atakują osiem kompanii, które tworzą kwadrat, i odpierają natarcie, jedna z kompanii zostaje oddzielona i na drugi dzień odnajduje się jedynie tułowia jeńców". „Niedziela, 12 maja. *Guerrilleros-caballeros* Castañosa atakują patrol dwunastu żołnierzy, którzy szukają prowiantu na peryferiach Balaguer. Po wyczerpaniu zapasu nabojów dwunastka chroni się w dzwonnicy kościoła, zostaje jednak odkryta i zamordowana przez zwykłą torturę". „Wtorek, 21 maja. *Guerrilleros-caballeros* Castañosa atakują trzy kompanie 2 Batalionu, kicrujące się do Alcamaru, i uprowadzają jedną eskadrę szwoleżerów, aby zamordować ich w zwykły sposób". W czerwcu w Villadangos następuje rzeź stu strzelców, którzy pod rozkazami niejakiego porucznika Bertiniego bronią się przed *guerrilleros-caballeros* przez dwadzieścia cztery godziny, ale na koniec giną wszyscy. Pięćdziesięciu w walce, pięćdziesięciu w sposób, który kronikarz nazywa zwykłą torturą albo zwykłym sposobem. (Bertini, szczęściarz, strzela sobie w usta). W lipcu pogrom w Torre Hermada: pięćdziesięciu grenadierów daje się zaskoczyć z dwoma zarekwirowanymi wołami. Zgadnijcie, co dalej! W kolejnych miesiącach są jeszcze bitwa pod Ortego, bitwa pod Dueñas, bitwa pod Magas. Za każdym razem bilans zabitych jest tak wysoki, że pomimo następnego kontyngentu tysiąca świeżych rekrutów pułkownik Casanova wpada w ciężką depresję i zostaje przeniesiony do Paryża, a generał Corsini wygłasza płomienną pochwałę, by pocieszyć niedobitków. Wielką przemowę, w której porównuje 113 Regiment Piechoty z najsłynniejszymi legionami Cesarstwa i nazywa go armią bohaterów. Marszałek Bessières postanawia nawet dokonać jego przeglądu i osobiście podziękować nieustraszonym-synom-Toskanii. Najgorszy okazał się jednak rok 1812, ostatni spędzony w Hiszpanii. W styczniu 1812 książę Wellington zdobył Ciudad Rodrigo, bardzo ważny punkt strategiczny, co w lipcu pozwoliło mu ruszyć do Salamanki, potem do Valladolidu, a 12 sierpnia do Madrytu. Pierwszy Batalion zniknął jak sen. Połowa zginęła, broniąc ulicę po ulicy i dom po domu w Ciudad Rodrigo, połowa dostała się do niewoli i na statkach Cochrane'a została przewieziona do Anglii, skąd już nie wróciła. (Dodam, że zaginął po nich wszelki ślad i nigdy nie wyjaśniono, co się z nimi stało). Drugi Batalion zaś na rozkaz Marmonta brał udział w katastrofalnym starciu pod Arapiles i 22 lipca przyłączył się do odwrotu wojsk, który historycy porównują niekiedy z odwrotem z Moskwy rozpoczętym trzy miesiące później. Niektórzy uważają go wręcz za początek upadku Napoleona.

Odwrót? „Paleni słońcem, które prażyło od świtu do zachodu, dręczeni pragnieniem i gorącem, wycieńczeni i zdemoralizowani, maszerowaliśmy w haniebnym nieporządku. Głodni i obdarci, rozwścieczeni, żyliśmy z rabunku i szabrowania. Często żywiliśmy się surowym mięsem koni i wołów, które trzeba było ubić z powodu braku paszy. Hordy bez nadziei i bez dyscypliny, zdziczałe bestie, które zapomniały, co znaczy być żołnierzami; dotarliśmy w ten sposób na wybrzeże Morza Śródziemnego, do dalekiej Walencji", opowiada w tragicznym sprawozdaniu jeden z uczestników odwrotu. Dokumenty potwierdzają, że Toskańczycy z 2 Batalionu, włączając w to kompanię Giovanniego, nie zachowywali się lepiej od tych hord-bez-nadziei-i-bez-dyscypliny. Rabunki, dezercje, zabójstwa. Przemoc, gwałty, sodomie na własnych towarzyszach. Pod Arapiles stracili cztery piąte oficerów, między innymi kapitana Trieba, który w stanie agonalnym podróżował na noszach, toteż nie było prawie nikogo, kto poprowadziłby ich w porządku i zapobiegł postępującej demoralizacji. Od kompletnego rozkładu fizycznego i moralnego uratowali się o włos, kiedy z Walencji pomaszerowali na północ i Reille przekazał ich generałowi Caffarellemu. Ten urodzony w Langwedocji potomek włoskich emigrantów zaczął ich używać jako zapchajdziury: w Górach Kantabryjskich do eskortowania konwojów, w okolicach Burgos do zwalczania partyzantów, w Santanderze, aby uniemożliwić lądowanie Wellingtonowi, który opuścił Madryt i powróciwszy do Portugalii, przygotowywał się do decydującego ataku. Nazywali ich *Régiment passe-partout*, regimentem-wytrychem. Zresztą nie byli już nawet regimentem. Z siedmiu tysięcy poborowych, którzy od 1808 roku zostali wysłani w kolejnych kontyngentach do Hiszpanii, zostało zaledwie stu dziewięćdziesięciu. Szczęśliwe niedobitki, z którymi 28 lutego 1813 roku Giovanni opuścił wreszcie Hiszpanię. Nieliczna gromadka dotarła po raz ostatni do Orleanu, gdzie rok wcześniej pułkownik Casanova odtworzył 113 Regiment Piechoty Bis, zaginiony w Rosji, i gdzie dzięki ośmiuset dziesięciu rekrutom, zebranym przez Elizę Bonaparte Baciocchi w poborze osiemnastolatków, tworzył się właśnie 113 Regiment Tris. Biedny Giovanni. W Orleanie powinien był zostać zwolniony z wojska. Jednak, dodawszy sto dziewięćdziesiąt do ośmiuset dziesięciu, otrzymuje się okrągłą liczbę tysiąca sztuk mięsa armatniego, dlatego też nieliczna gromadka została od razu wcielona do 113 Regimentu Tris. Dołączono do nich dwa tysiącosobowe bataliony piechurów bawarskich oraz dwa tysiące lekkiej kawalerii rzymskiej i w maju wszyscy razem ruszyli do Niemiec. W czerwcu wkroczyli do Würzburga. Księstwa, w którym Ferdynand III Habsburg-Lotaryński żył na wygnaniu narzuconym mu przez Nappę w 1799 roku. W Würzburgu miał się rozegrać ostatni etap drogi krzyżowej Giovanniego.

O Würzburgu dziadek Augusto też nie mówił zbyt wiele. Snując opowieść, wspominał tylko o tym, iż Giovanni dostał tam awans na sierżanta i chwalił się pierścionkiem z diamentami i rubinami, przeznaczonym dla Teresy. „Prawdziwe diamenty, nieprawdaż! Prawdziwe rubiny! Jakiś typ ze Sieny zagrabił pierścionek w czasie plądrowania Ciudad Rodrigo, a Giovanni wygrał go od niego w rosyjską ruletkę. To taka gra, która polega na tym, że wsadza się jeden nabój do obrotowego magazynku, potem kręci się nim i przykłada lufę rewolweru do skroni. Albo nic się nie dzieje, albo rozwalasz sobie łeb. Wiesz, dlaczego to zrobił? Bo chciał mieć pierścionek dla Teresy! A ponieważ sieneńczyk twierdził, że mało kto ma odwagę grać w rosyjską ruletkę, Giovanni powiedział mu: Ja mam odwagę i jeśli trafię na pustą komorę, dasz mi pierścionek! Oj, Teresa, Teresa! Okazji, żeby wybić ją sobie z głowy, z pewnością mu w tych latach nie brakowało. W Hiszpanii było pełno pięknych dziewcząt, a w Orleanie burdeli. A jednak nigdy nie pozbył się żalu, że opuścił ją, nie wymówiwszy owego brzemiennego w skutki zdania: Panno-Tereso-przypadliście-mi-do-serca-poczekajcie--na-mnie-pobierzemy-się-gdy-tylko-wrócę. Mimo to wierzył, że zastanie ją jeszcze panną, gotową do zaręczyn. A do zaręczyn potrzeba pierścionka, prawda?”

To tyle od dziadka Augusta. Na szczęście na temat dziejów 113 Regimentu Tris zachowało się wiele świadectw i oto, co udało mi się odkryć. Przez kilka miesięcy trzy tysiące żołnierzy żyło sobie dość wygodnie w Würzburgu. Uniknęli nawet morderczej bitwy pod Lipskiem, w której od 16 do 19 października koalicja wojsk austriacko-prusko-szwedzko-angielskich powaliła na kolana Napoleona i zmusiła go do kolejnego odwrotu. Jednak

20 października sprawy przybrały inny obrót. Generał austriacki von Schwarzenberg, chcąc zagrodzić drogę powrotną armii maszerującej ku granicy północno-zachodniej i uniemożliwić jej przedostanie się do Francji przez dolinę rzeki Ain, obsadził sześć dywizjonów wokół Frankfurtu i Mannheimu. Jeden z nich wysłał na oblężenie pobliskiego Würzburga, gdzie tysiąc piechurów bawarskich i tysiąc kawalerzystów rzymskich przeszło od razu na jego stronę. Natomiast tysiąc ze 113 Regimentem Tris stawiło zaciekły opór. Pod ogniem osiemdziesięciu dział bombardujących cytadelę Marienberg, w której się zabarykadowali, przez trzy dni stawiali czoło piętnastu tysiącom Prusaków. Wszystko wskazuje na to, że jednym z najbardziej zajadłych obrońców był pewien sierżant z kosmykiem białych włosów na lewej skroni. „Nie chciał się poddać, o nie!", donosi anonimowy kronikarz. „Jak szaleniec skakał z bastionu na bastion, i kiedy widział, że jego towarzysze są zmęczeni lub zniechęceni, wrzeszczał: *Ne cédez pas, ne cédez pas*, nie ustępujcie! *Démontrez au monde que nous sommes du Cent-treizième*, pokażcie światu, że jesteśmy ze Sto Trzynastego!". I pokazali. Pierwszego dnia padło dwustu. Drugiego dnia — trzystu. Trzeciego — czterystu. Czwartego — stu niedobitków zasygnalizowało nieprzyjacielowi, że chcą się poddać, pod warunkiem że zagwarantuje im honorową kapitulację. Żądanie zostało przyjęte i wyszli z cytadeli, maszerując między dwoma szeregami salutujących na baczność Austriaków. Chorąży niósł kwadratowy sztandar z barwami i odznakami Francji oraz z napisami: „*Valeur et Discipline*" i „*L'Empereur des Français au Cent-treizième Régiment d'Infanterie de ligne*".

Następnego dnia zamknięto ich jednak w kazamatach opuszczonego zamku, gdzie pożerały ich szczury. I pomimo licznych próśb wysłanych do Ferdynanda III (Najjaśniejsza-Wysokość--jesteśmy-Toskańczykami-pomóżcie-nam, poproście-waszego--brata-cesarza-żeby-przeniósł-nas-do-koszarów) gnili w tych podziemiach przez sześć miesięcy. Dopóki Napoleon nie skapitulował i nie podpisał traktatu w Fontainebleau. Dopiero wtedy, dokładnie 23 kwietnia 1814 roku, zostali uwolnieni i przewiezieni do Strasburga, gdzie sierżant z kosmykiem białych włosów na skroni zwolnił się z wojska i rozpoczął podróż w rodzinne strony. Długą wędrówkę, która przez Alzację, Szwajcarię, Piemont, Ligurię doprowadziła go do domu w sierpniu. Powrót do ojczyzny, o którym ciepły i gorzki głos opowiadał wszystko.

* * *

Kiedy wrócił, miał trzydzieści jeden lat. Stał się mężczyzną na schwał i nikomu nie przyszłoby do głowy nazwać go teraz Kijem, mówił po francusku lepiej niż po włosku, oprócz tego świetnie po hiszpańsku, przyzwoicie po niemiecku, a na jego twarzy malował się wyraz zagubionego zdziwienia. Zdziwienia człowieka, który nic już nie rozumie i stracił poczucie sensu i kierunku. Na Boga żywego!, w czasie gdy on gnił w kazamatach zamku ze szczurami, które żarły go żywcem, a potem wędrował przez pół Europy, świat przewrócił się do góry nogami. W rezultacie nowa rzeczywistość wydawała się halucynacją. Kto mógł sobie wyobrazić, że do tego dojdzie? Teraz Nappa żył na wygnaniu na Elbie, władcy, których wypędził, dzielili się po raz kolejny Włochami, a ci, których posadził na tronie lub ich tam tolerował, cynicznie uczestniczyli w uczcie. W Wiedniu robiono przygotowania do kongresu, który (o czym ćwierkały nawet wróble) miał usankcjonować, a nawet pogorszyć ten skandaliczny stan rzeczy. Wenecja i Lombardia miały przypaść Austriakom, którzy, wspierani przez Anglików, już zachowywali się tam jak u siebie. Piemont zaś miał trafić w ręce dynastii sabaudzkiej, która naturalnie zachowywała Niceę i Sardynię, ale żądała dla siebie także Ligurii. Lacjum, Marche, Umbria, Emilia-Romania i Bolonia zostały przydzielone papieżowi, czyli Państwu Kościelnemu. Królestwo Neapolu, a zatem Kampanię, Abruzję, Kalabrię miał dostać Murat, który chcąc zatrzymać tron podarowany mu przez Napoleona, podążył za szwedzkim przykładem

Bernadotte'a i przeszedł na stronę zwycięzców. Sycylia dostała się Burbonom, którzy po cichutku czekali, żeby przejąć także łup Murata. A Toskania została przekazana ponownie Habsburgom- -Lotaryńskim, to znaczy temu kretynowi Ferdynandowi III, który nie miał nawet odwagi porzucić Würzburga. „Elba znajduje się o strzał muszkietu od Wielkiego Księstwa. Lepiej się nie spieszyć i nie narażać na niebezpieczeństwo".

Wracając, Giovanni miał na sobie mundur, z którym mimo zwolnienia z wojska nie umiał się rozstać. Nie udał się prosto do Livorno. Mimo iż zależało mu, by zobaczyć jak najszybciej Tere-sę, upewnić się, że jest jeszcze panną, podarować jej pierścionek z brylantami i rubinami, jednym słowem — ożenić się z nią, naj-pierw chciał uporządkować myśli. Zatrzymał się więc w Viareggio, u towarzysza broni, który wyprzedził go, podróżując konno, i to, co od niego usłyszał, kazało mu zapłakać za czasami Chapelle'a. W porządku, Ferdynad czaił się w Würzburgu. Jednak jako swego namiestnika przysłał księcia Giuseppe Rospigliosiego, typa o krót-kim rozumie i czarnym sercu, który pilnował korony za pomocą systemu *Buongoverno* (Dobrego Rządu). Stworzył siatkę policji, która bez procesów, bez sądów, bez dochodzenia, bez świadków, bez obrońcy, bez dowodów skazywała za gesty, słowa i myśli prze-ciwko Kościołowi i odbudowanemu reżimowi. „Za myśli, Cantini, za myśli! Mój drogi, w Toskanii zaczęły się rządy policyjnych zbirów. Większość ludzi boi się nawet otworzyć usta, a żeby w to uwierzyć, wystarczy znać żart, który od miesięcy krąży po wsiach i miastach. — Przepraszam, która godzina? — pyta pani jakiegoś przechodnia. — Piąta, proszę pani. Tylko niech pani tego niko-mu nie mówi, żeby mnie nie wydać — odpowiada przechodzień. Największym problemem nie jest jednak samowola policji, ale to, że wszyscy zareagowali na nową rzeczywistość jak chorągiewka na wietrze. Zgadnij, na przykład, kto stanął na czele rządu, kto się zajmuje karaniem-gestów-słów-myśli. Aurelio Puccini, były jakobiński gubernator, który w 1799 wprowadził w obieg slogan

Liberté, Egalité, Fraternité. A zagadnij, kto się zajmuje przygotowaniem uroczystości na dzień, w którym Ferdynand zdecyduje się powrócić do Wielkiego Księstwa. Girolamo Bartolommei, były pronapoleoński burmistrz, rewolucjonista, który w przeszłości aresztował ludzi krzywo patrzących na francuski sztandar! Teraz takich słów, jak *bonjour* czy *merci* nie chce nawet słyszeć. Na „dzień dobry" mówi *Guten Morgen*, w podziękowaniu *Danke*, a żeby uniknąć wszelkich niedomówień, zlecił Akademii Sztuk Pięknych, aby wymalowała ogromny fresk, na którym wielki książę przedstawiony jest w powozie ciągniętym przez cztery bóstwa, a swoim obcasem miażdży biało-czerwono-niebieską kokardę. A jeśli chodzi o lud, to popatrz: zmienili melodię jeszcze szybciej niż wielcy panowie. Zwłaszcza w Livorno. Kto zaraz po bitwie pod Lipskiem pobiegł ściągnąć z Piazza d'Arme napis place Napoléon, a z via Grande nazwę rue Napoléon? Kto skuł napisy zdobiące fasady urzędów, orły z rozpostartymi skrzydłami, trzymające w szponach wiązkę piorunów napoleońskich, płaskorzeźby z profilem Nappy? Kto zaczął wykrzykiwać obelgi pod adresem jego siostry Elizy Baciocchi: Baciocca-kurwa-za-trzy-soldy-Baciocca! A w kwietniu, kiedy generał austriacki Starhemberg wkroczył ze swoimi wojskami do Toskanii, kto obrzucił kamieniami okna liworneńczyków, którzy nie chcieli zapalić lampionów na jego cześć? Kto wrzeszczał wystawcie-pochodnie-sklepikarze, wystawcie-świece? No oczywiście: ten sam motłoch, który po Austerlitz i Wagram skandował na ulicach: niech-żyje-Nappa, brawo-Nappa! Woźnice, woziwody, tragarze, którzy po każdym zwycięstwie cesarza biegli do portu, żeby zaoferować francuskim marynarzom swoje usługi w stręczeniu dziwek! Giovanni sam to zobaczy po powrocie. A jeśli już jesteśmy przy temacie: nie ma chyba zamiaru wracać do Livorno w mundurze?!" „Oczywiście — odpowiedział Giovanni. — A dlaczego?"

Bo weteranów Nappy wszędzie nienawidzono, oświadczył towarzysz broni, a w Livorno chyba już najbardziej. Motłoch wyzywał ich, drwił z nich, opluwał, a szef policji Serafini prześladował na sto sposobów. Na przykład wzywał o świcie do swego biura, przetrzymywał godzinami na stojąco w przedsionku, wreszcie odsyłał szorstko z poleceniem wróćcie-tu-jutro: czysta złośliwość nazywana karą upokorzenia. Albo też używał ich do poniżających prac, takich jak zbieranie gnijących ryb i śmieci, odmawiał wydania paszportu, niezbędnego, jeśli chciało się wyemigrować, szpiegował na każdym kroku i aresztował pod byle pretekstem. W Starej Fortecy już ze dwudziestu siedziało w kajdanach. Jeden za to, że burknął do markiza Spannocchiego, wybranego teraz na nowo gubernatorem: „Poprzednio wygonili cię Francuzi, tym razem my cię wygonimy!". Inny za to, że wyciągnął ramię w stronę Elby i wyszeptał: „Było lepiej, kiedy było gorzej". Serafini kontrolował też, czy weterani nie popełniają wykroczeń przeciw Kościołowi, i jeśli przyłapał ich na bluźnierstwie albo na ateistycznych sympatiach, karał żywych albo martwych. Żywych piętnastoma batami w plecy. Martwych zakazem pochowania w poświęconej ziemi. W szpitalu Świętego Augustyna, w lipcu, pewien porucznik, który przetrwał odwrót z Moskwy, zmarł bez sakramentów. Nie chciał ich. „Dobrodzieju — powiedział do księdza — ja już w nic nie wierzę i od waszego Jezusa Chrystusa niczego nie przyjmę. Pozwólcie mi umrzeć w pokoju". Ksiądz zdał sprawę biskupowi, biskup Serafiniemu i buntownik został pochowany w Mulinaccio. Czyli na wysypisku śmieci. „Posłuchaj mojej rady, Cantini. Kup sobie parę spodni, kaftan i ubierz się po cywilnemu".

Ale Giovanni potrząsnął głową. Nie chciało mu się wierzyć, żeby Serafini traktował w taki sposób weteranów. To nieprawdopodobne, aby lud ich wyzywał, opluwał, drwił z nich. Zbyt wiele razy w ciągu swojej drogi krzyżowej pocieszał się wizją powrotu do domu w mundurze. Nadzieją na pokazanie swojej dumy, poczucia moralnego zwycięstwa, pewności siebie, godności, jaką nadawał mundur. „Popatrzcie na mnie, ludzie. Może zbłądziłem, sprzedając swoje życie za tysiąc lirów, marnując młodość na niesprawiedliwej wojnie, oddając się na usługi megalomanii Nappy. Ale mimo wszystko sześć lat temu byłem pariasem w chodakach, nędzarzem, który umiał tylko ciągnąć wózek albo zbierać końskie łajno, a dzisiaj jestem żołnierzem. Umiem szturmować fortecę, potrafię przeżyć miesiące ciemnicy w upale i w zimnie, umiem stawić czoło bestiom takim, jak El Verdugo i *guerrilleros-caballeros* Castañosa, odeprzeć piętnaście tysięcy Prusaków, którzy ostrzeliwują moją pozycję z osiemdziesięciu dział, a generał Corsini nazwał mnie bohaterem. Marszałek Bessières powiedział, że jestem nieustraszonym synem Toskanii, książę Schwarzenberg uczcił moją odwagę salutem wojskowym. Zasługuję na szacunek, zasługuję na uwagę".

Tak więc wrócił do Livorno w mundurze grenadiera. Gorzej: zamiast po dotarciu przed Porta Pisana zostać poza murami, czyli udać się prosto do San Jacopo w Acquavivie, wszedł do miasta. Gnany pragnieniem zobaczenia portu skręcił w via Grande i...

Pierwszy zbliżył się starzec, proszący o jałmużnę.

— Sługo Napoleona, zabawa skończona!

Potem jakiś chłopak.

— Przegrał Nappa świat, sam nie wiedział jak, wygubił żołnierzy, kto chce, niech nie wierzy!

Po chłopaku dwie prostytutki.

— Zrobiłeś w portki, co, przystojniaczku? Aż ci włosy posiwiały!

Po dwóch prostytutkach piekarz, od którego chciał kupić obwarzanka:

— Czego chcecie?

— Obwarzanka.

— Tutaj Francuzom i francuzopodobnym nie sprzedaje się ani chleba, ani niczego do chleba, zrozumiano?!

Po piekarzu splunięcie. Wsparte potrójnym krzykiem: „Najemnik! Janczar! Jakobin!".

Nie dotarł do portu. Po tym, jak go opluto, skręcił w plątaninę prawie pustych uliczek i pod osłoną zapadających ciemności wyszedł z miasta przez Porta Cappuccina. Skręcił w dróżkę, która prowadziła przez pola do Orto dei Fabbri. Dopiero kiedy się tam znalazł, był w stanie dojść do siebie po wszystkich obelgach i konfrontacji z rzeczywistością, powiedział sobie, że nie powinien o tym myśleć. Do licha!, za chwilę znajdzie się w domu. W domu z drzwiami, być może wyremontowanym. Przywitawszy się z rodziną, pobiegnie do Salviano, do Teresy, która (niespodziewanie czuł to każdą cząstką swego serca) naprawdę nie wyszła za mąż, i spełni się marzenie wielu lat. I co z tego, że Serafini prześladował weteranów, że Rospigliosi rządził, że triumfował oportunizm, Giovanni nie musiał się tym przejmować. W plecaku miał żołd z sześciu lat, dwa tysiące franków francuskich, czyli dwa tysiące trzysta lirów toskańskich, a w którymś z banków czekało na niego osiemset lirów od Isacca Ventury. Albo przynajmniej ta część, której nie wydali w domu. I z odważnym uśmiechem rzucił się między grzędy kapusty, cebuli, fasoli.

— Tatusiu! Tatusiu, wróciłem!

— Gasparo! Gasparo, wróciłem!

— Margherito, Vigilio, Rito, to ja!

Gaspara nie było. Dziwne. W domu oprócz drzwi wszystko wyglądało jak w dniu, kiedy Giovanni wyruszył. Łącznie z nocnikiem. Po uściskach, ucałowaniach, łzach radości Natale wyjaśnił mu, co się stało.

— Raty nigdy nie zostały przelane, synku.

— Nigdy?

— Nigdy. W 1809 roku wszyscy z rodziny Venturów zmarli na tyfus, trudno odzyskać dług od nieboszczyków!

Nastąpiło długie milczenie. Potem odważny uśmiech powrócił.

— A gdzie jest Gasparo?

— Gasparo już z nami nie mieszka. Ożenił się, przeniósł się z żoną do domu teścia.

— Ożenił się? To dopiero dobra nowina! Kiedy?

— Sześć miesięcy temu, 4 lutego.

— Wspaniale! Cieszy mnie to. Z kim?

— Z jedną taką z Salviano. Córką Onorata Nardiniego.

— Z córką Onorata Nardiniego?! Z Teresą?!

Tak jest, z Teresą, potwierdził Natale. I rozumiał zdumienie Giovanniego: ta dziewczyna mogłaby wziąć sobie za męża każdego, gładkiego czy mądrego, albo bogacza z via Borra. Śliczna jak obrazek, dobrze wychowana, zawsze modnie ubrana, w kapeluszu i w butach. A także pojętna, chociaż nie umiała czytać ani pisać. Była krawcową, a żeby się tym parać, trzeba swój rozum mieć, prawda? Za to Gasparo... Biedny Gasparo. Trzydziestotrzyletni, o osiem lat starszy od żony, był wciąż tym, kim nauczyciel ogłosił go w 1793 roku. Kapuścianą głową, kretynem tak wielkim, że jeśli podarowałeś mu jajko, on wyjadał białko, a wyrzucał żółtko. O pieniądzach lepiej w ogóle nie mówić, a co do wyglądu... wychudzony, z twarzą żółwia, z pewnością nie wyróżniał się urodą! Za to był taki poczciwy! Najlepszy, najspokojniejszy, najłagodniejszy mężczyzna, jakiego kobieta mogłaby sobie życzyć. Sama słodycz, prawdziwy święty jak z obrazka. Nigdy się nie buntował, nigdy się nie sprzeciwiał, nigdy nie odmawiał ci przysługi, nigdy nie robił nic, co mogłoby sprawić ci przykrość. Spotykając się z nim często, łatwo było zapomnieć o jego brakach, a od 1809 roku, kiedy Onorato Nardini wziął go do domu jako stałego pomocnika, Teresa widywała go codziennie. Poznała jego dobroć. Nie żeby do zaręczyn doszło jakoś szybko, co to, to nie. Przez prawie pięć lat nawet o tym nie pomyśleli. Teresa nie chciała wyjść za mąż, nie wiedzieć czemu odrzucała wszystkich starających się, po za tym czy można sobie wyobrazić Gaspara, który śpiewa serenadę? Jednak w styczniu powiedział sobie: „A gdybym spróbował? Gdyby mi odpowiedziała «tak»? Uszczęśliwiłbym brata. Przed wyjazdem zalecił mi, żebym był rozsądny, żebym znalazł sobie na żonę dobrą dziewczynę, a gdzie znajdę lepszą niż Teresa?". Po czym oświadczył się, a wszystkim opadły szczęki, bo ona odpowiedziała „tak" i teraz jest w piątym miesiącu ciąży. Niech Giovanni sam pójdzie i zobaczy. Teresa bardzo się ucieszy, że Kij nie zginął. Bo w ciągu tych wszystkich lat stale pytała: „Kumie Cantini, wiecie coś o Kiju? Kumie Cantini, są wieści o Kiju?". Nawet w dzień ślubu w urzędzie stanu cywilnego jeszcze go o to zagadnęła. Usłyszawszy po raz setny „nie", uroniła łzę. Potem westchnęła: „Widać naprawdę umarł!".

4

„Smukłe i gibkie ciało. Długa szyja i delikatne rysy. Wielkie czarne oczy i włosy, które czesała na wzór cesarzowej Józefiny, to znaczy z grzywką i z małymi loczkami. Biała cera, piękne ręce, których nie była w stanie zniszczyć nawet najbardziej niewdzięczna praca. Śliczna, niewątpliwie, i obdarzona wdziękiem, którym tchnęły nawet jej sukienki. Patrząc na nią, nie pomyślałbyś, że to plebejuszka z przedmieścia, córka murarza. Z usposobienia spokojna i skryta. Z tych, co mówią zawsze przyciszonym głosem, rzadko się śmieją, nie pozwalają sobie na spontaniczne gesty i nie zdradzają innym swoich myśli i uczuć. Lecz coś specjalnego musiała przecież mieć, skoro Giovanni kochał się w niej przez całe życie". W taki sposób dziadek Augusto opisywał Teresę i jego portret tej kobiety był bardzo precyzyjny. Powinien mi wystarczyć do odtworzenia postaci, odmalowania egzystencji, dzięki której i ja zaistniałam. A jednak jej prawdziwa tożsamość umyka mi, i za każdym razem, kiedy próbuję opowiedzieć sobie, kim byłam, kiedy byłam Teresą, gubię się w gąszczu pytań. Co się ukrywało pod płaszczem wdzięku i układnych manier? Gołąbka czy tygrysica? Nieśmiałe i bezbronne stworzenie czy osoba silna i pewna siebie? Co ją skłoniło, by zadowolić się durniem, który z jajka wyjadał białko, a wyrzucał żółtko, co ją popchnęło, by takim wyborem zakończyć sześć lat oczekiwania na ukochanego, który odjechał, nie poprosiwszy jej, by na niego poczekała? Czy rzeczywiście była to anielska dobroć, którą Natale podziwiał u Gaspara, czy też masochizm, zrodzony z przekonania, że Kij nie żyje, i z dziwacznej idei dochowania mu wierności poprzez poślubienie jego brata? I w jaki sposób zareagowała na wieść, że żyje, na ponowne spotkanie? Wybuchła płaczem, zemdlała, pozdrowiła go z dystansem? (Ta ostatnia hipoteza jest najbardziej prawdopodobna. Prawie na pewno zdołała się opanować i podziękować Bogu, że jej wielkie czarne oczy nie zdradziły się błyskiem radości zmieszanej z żalem). No cóż, tylko dwa pewniki wyłaniają się z mgły niepewności: romantyczna miłość, którą Teresa karmiła się podczas absurdalnego oczekiwania, i tragiczny błąd, jaki popełniła, zostając w końcu panią Cantini. Bo powiedzmy to od razu: nic pozytywnego z tego nierozumnego małżeństwa nie wynikło. Nawet dzieci, których, o czym świadczą liczne ciąże, musiała bardzo pragnąć. Pierwsze dziecko, córka Maria Domenica, którą Teresa nosiła pod sercem w sierpniu 1814, urodziło się 30 grudnia i zaraz zmarło z powodu wady serca. Drugie, syn Antonio, urodził się 26 października 1815 roku i zmarł następnego dnia na sarkoidozę płucną. Z takim samym pośpiechem umarła w 1817 roku Natalizia, w 1819 Cesare, w 1821 Eufemia, w 1822 Eligio. Między małżonkami musiał istnieć w istocie konflikt genetyczny, w wyniku którego dzieci przychodziły na świat dotknięte chorobami niedającymi szans na przeżycie.

Nie, nie rozumiem Teresy. Mam wrażenie, że uganiam się za duchem, który nie pragnie, aby mu przeszkadzano, za jakąś cząstką mnie samej, która nie chce się ujawnić i opowiedzieć mi, kim byłam, kiedy byłam Teresą. I egzystencja, jaką przeżyłam poprzez nią, pozostaje niejasna, niewyraźna, niczym przedmiot majaczący w ciemnościach. Natomiast ten los, jakiego doświadczyłam z Giovannim, jest przejrzysty niczym lustro wody, w którym można dojrzeć dno i leżące na nim kamienie. Rozumiem także to, co zrobił po rozczarowującym powrocie. Co mianowicie? Na początek postanowił trzymać się z daleka od Salviano, za wszelką cenę unikać tych wielkich czarnych oczu, które być może popatrzyły na niego z radością zmieszaną z żalem. Potem przysiągł sobie, że nigdy się nie ożeni (postanowienie, którego dotrzymał do końca swoich dni). Zacisnął zęby i zorganizował sobie życie bez kobiety u boku, bez munduru na grzbiecie, bez pieniędzy, których nie przelał Isacco Ventura. Sprzedał pierścionek z diamentami i rubinami i za uzyskaną sumę oraz za dwa tysiące z żołdu wynajął pokój i stajnię przy via dell'Olio, czyli wewnątrz murów, następnie kupił dwa konie i piękny powóz, po czym zaczął zarabiać na życie jako woźnica. Zawód, który pozwalał wymknąć się trochę spod kontroli Serafiniego i dawał mu prawo do swobodnego przemieszczania się z miasta do miasta. Ale przede wszystkim Giovanni zaczął się zajmować tym, czego tak zwany Dobry Rząd, *Buongoverno*, zakazywał najsurowiej: myśleniem. Rozmyślaniem nad nową rzeczywistością i badaniem własnego sumienia. Nie przypadkiem właśnie tej jesieni zaczął uczęszczać do destylarni Ginesiego, gdzie wstąpił na trudną drogę, która miała go zaprowadzić w szeregi karbonariuszy, a potem Prawdziwych Włochów (grupy rywalizującej z Młodymi Włochami). Zakład Ginesiego był gniazdem masonów i bonapartystów. Zaglądali do niego byli jakobini i malkontenci, którzy pod pretekstem wypicia kieliszka absyntu wymieniali się pisemkami z Elby i wznosili toasty za powrót ich bohatera z wygnania. Nie dziwi mnie, że widzę wśród nich Giovanniego. Włochy, porąbane na kawałki przez kongres wiedeński, przestały istnieć. (Królestwo Lombardzko-Weneckie, Królestwo Sardynii z Piemontem, Królestwo Obojga Sycylii, Wielkie Księstwo Toskańskie, Państwo Kościelne i pięć państewek kontrolowanych przez Austriaków: księstwo Parmy i Piacenzy, księstwo Modeny i Reggio, księstwo Massy i Carrary, Księstwo Lukki, Republika San Marino). Triumfowała Restauracja. Jednak z czasów przeżytych w walce pod biało-czerwono-niebieskim sztandarem 113 Regimentu Piechoty zostało Giovanniemu coś, czego żaden człowiek badający swe sumienie nie mógłby zignorować: idee, które pomimo koron królewskich i cesarskiej, pomimo tytułów szlacheckich i tronów rozdawanych jak cukierki krewnym i przyjaciołom, pomimo niesprawiedliwych wojen i rzezi w imię chciwości i megalomanii Nappa paradoksalnie rozpowszechnił — czy wręcz zaszczepił w duszy swoich ofiar. Idee wolności i postępu. Postulaty rewolucji, pojęcia jedności i niezależności, które u Ginesiego zrodziły toast: „Za naszą Ojczyznę od Alp do Morza Jońskiego". Że Giovanni stał się bonapartystą, świadczy zresztą zdanie, za które został pobity, gdy do księstwa wracał Ferdynand III. „Dlaczego wiwatujecie, durnie? *Espèce de cons, balourds!* Nappa, nawet gdy śpi, więcej jest wart od tego przygłupa wielkiego księcia, gdy czuwa!"

Niestety prawie nic mi nie wiadomo o początkach trudnej drogi Giovanniego. Czyli o jego aktywności politycznej po ucieczce Napoleona z Elby, po stu dniach, po Waterloo, jednym słowem: w ciągu pierwszych dwóch lat Restauracji. Z tego okresu zachowała się jedynie ulotka z 1816 roku, kiedy Nappa przebywał już na wygnaniu na Wyspie Świętej Heleny, przechowywana przez Cantinich z pokolenia na pokolenie wraz z innymi biednymi cymeliami, które moja matka miała schować w skrzyni Cateriny. Notatka była napisana po francusku: „*Vive Napoléon! Vive l'union du peuple toujours prêt à suivre ses ordres!* Niech żyje Napoleon, niech żyje jedność narodu zawsze gotowego, by spełniać jego rozkazy!". Nie wiem także nic o Giovanniego przygodach miłosnych i związkach sentymentalnych, którymi osładzał w tym czasie swoją samotność, próbując wybić sobie z głowy Teresę. Temat, który dziadek Augusto zbywał krótką wzmianką: „Jakie przygody, jakie związki?! Ulice roiły się od prostytutek, a mężczyźnie ze złamanym sercem niewiele potrzeba". Natomiast o przejściu od bonapartyzmu do karbonaryzmu rozprawiał dużo i ze szczegółami. „W 1818 — powiadał — Giovanni udawał się często do Pizy, miasta, do którego powozem ciągniętym przez dwa konie docierało się w parę godzin. W Pizie szukał klientów w hotelu Tre Donzelle, bardzo lubianym przez obcokrajowców, i w maju

1818 roku w Tre Donzelle zatrzymała się para sympatycznych Anglików: Percy Bysshe Shelley z żoną Mary. Tą od *Frankensteina*. — Jesteście wolni, mój dobry człowieku? — spytał Shelley, który dość dobrze mówił po włosku. — Dla Dobrego Rządu nie. Dla was tak — odpowiedział Giovanni. A ponieważ po takim postawieniu sprawy zrozumieli się doskonale, pozostawał na jego usługach przez dwa miesiące. Zawiózł go także do miejscowości Bagni di Lucca. Ale nie jak ktoś, kto trzyma lejce i tyle: jako pomocnik do wszystkiego, zaufany sekretarz, z którym rozumiesz się we wszystkim. *Sor* Shelley to, *sor* Shelley tamto. *Sor* Giovanni to, *sor* Giovanni tamto. Zaprzyjaźnili się, rozumiesz? Tak bardzo, że kiedy nie padało albo nie było Mary, Shelley zamiast siedzieć sobie wygodnie w karecie, siadał obok Giovanniego na koźle. Rozmawiał z nim o polityce i tym podobnych rzeczach. No cóż, jeśli przez dwa miesiące wozisz w taki sposób sympatycznego człowieka, który nie tylko jest wielkim poetą, ale nienawidzi też tyranów, opowiada ci o konstytucji, wyjaśnia, kim są karbonariusze, uczysz się myśleć lepiej niż w destylarni. A jeśli myśląc lepiej, słyszysz rzeczy, o których nigdy nie słyszałeś, na przykład, że ulotki *Vive Napoléon! Vive l'union du peuple toujours prêt à suivre ses ordres!* niczemu nie służą i nie posłużyłyby, nawet gdyby Nappa wygrał pod Waterloo, bo wolność trzeba sobie zdobyć samemu — przestajesz chodzić do Ginesiego. Potem Shelley pojechał do Wenecji do swojego przyjaciela Byrona, potem do Rzymu i Florencji albo jeszcze gdzieś, i pozostawił swego ucznia w niepewności. Jednak w następnym roku pojawił się ponownie i w czerwcu zatrzymał się z Mary w Livorno, żeby zostać tam całe lato. Giovanni znowu zaczął go wozić i słuchać, a słuchając go na nowo, przekonał się, że wolność trzeba zdobywać samemu i dołączył do węglarstwa".

Och, o tej wzruszającej przyjaźni między wielkim poetą a prostym woźnicą dziadek Augusto opowiadał dużo więcej. Że ci dwaj przestali się widywać dopiero w lipcu 1822 roku, to znaczy kiedy dwudziestodziewięcioletni Shelley utonął wraz ze swoim szkunerem w pobliżu miejscowości La Spezia, że kiedy odnaleziono ciało na plaży w Viareggio, zrozpaczony Giovanni płakał jak dziewczyna, i że w hołdzie zmarłemu nauczył się trochę po angielsku i zawsze recytował w oryginale strofę z jakiegoś jego wiersza... (Jaki wiersz, jaka strofa? Podejrzewam, że mogło chodzić o epilog z *Liberty*, bo zawiera słowo *van*, czyli powóz.

From spirit to spirit, from nation to nation,
from city to hamlet thy dawning is cast
and tyrants, and slaves are like shadows of night
in the van of the morning light.

Nieprzetłumaczalna, nieporównywalna pieśń, którą z niejakim zażenowaniem tłumaczę dosłownie:

Z ducha do ducha, z kraju do kraju,
z miast do wioski rozprzestrzenia się twój świt
i niewolnicy, i tyrani stają się cieniami nocy
w karecie świetlistego poranka.

Niekiedy dziadek opowiadał także, że w 1821 roku Shelley przedstawił Giovanniego Byronowi, który właśnie przyjechał do Pizy z gromadą służących, egzotycznych ptaków i zwierząt, między innymi licznych małp, i że Byron nie zrobił na nim najlepszego wrażenia. Wydał mu się luksusowym naciągaczem. Opowieść dziadka jednak koncentrowała się na tych dwóch miesiącach, które mistrz Shelley i uczeń Giovanni spędzili razem po spotkaniu w Tre Donzelle, na następnym lecie, kiedy uczeń rozproszył swe ostatnie wątpliwości, i na decyzji, którą w końcu podjął. Pozwala mi to wywnioskować, że w 1819 roku Giovanni był już karbonariuszem. Co do kolejnego roku, mam na to niepodważalny dowód. Czystym przypadkiem znalazłam go w nieprzebranych archiwach *Buongoverno*. Wynika z niego, że 27 lipca 1820 roku sędzia Paoli,

następca Serafiniego, otrzymał szalony autodonos opatrzony nie-
spójnymi wierszowanymi groźbami:

Na tych, co Konstytucji żądają,
twe groźby i wyroki spadają,
drżyj, bo zemsta cię nie minie,
wiemy, jak ukarać świnie.

Pod niebiesko-czerwono-czarnym trójkątem, kolorami pierwszego węglarstwa, szalony donos wymienia w istocie piętnaście
imion karbonariuszy z Livorno. Obok imion podaje także liczbę
popleczników zwerbowanych przez każdego z nich w różnych
miastach Toskanii i na dwunastym miejscu jest on, z czternastoma
zwolennikami pozyskanymi w Lukce.
„Cantini Giovanni. Lucca 14".

* * *

Słowo karbonariusz, czyli węglarz, kojarzone jest z męczeństwem.
Przywołuje wspomnienie szubienic, plutonów egzekucyjnych, nie-
ludzkich kazamatów, patriotów umierających z okrzykiem „Niech
żyją Włochy!" na ustach. Ale także pamięć o perwersyjnej surowości, z jaką sekta dyscyplinowała swoich członków, o okrucieństwie,
z jakim karała każdego, kto naruszył jej regulamin. Na przykład
tego, kto źle wykonał swoje zadanie. Kto nie był posłuszny absur-
dalnym rytuałom, komu wymknął się niepożądany gest, kto nie
pomógł zagrożonym towarzyszom, kto okazywał się kłamcą lub
tchórzem. Cios nożem w brzuch, poderżnięte gardło, i już. Na
cmentarz. Chcę powiedzieć: w imię wolności karbonariusze akcep-
towali bezlitosne zasady, poddawali się bestialskim wyrzeczeniom.
I przede wszystkim ryzykowali sąd wojskowy, trybunały specjalne.
Dlatego kiedy byłam dzieckiem, pękałam z dumy, wiedząc, że mój
przodek Giovanni należał do węglarstwa. Chwaliłam się tym,
wydawało mi się, że jestem wnuczką bohatera. Dzisiaj nie, dzisiaj

nie robi to na mnie takiego wrażenia, a szalony autodonos z 27 lipca 1820 roku wywołuje u mnie uśmiech. Ponieważ 1820 to rok, w którym w Lombardii-Wenecji została wykryta sieć karbonarska Silvia Pellica i Piera Maroncellego i obaj skończyli w więzieniu, a także rok, w którym karbonariusze neapolitańscy doprowadzili do rewolucji i uzyskali konstytucję. Natomiast w Toskanii nie wydarzyło się nic. W 1821 roku rewolucja została poskromiona, konstytucja odwołana, karbonariusze rozproszeni. W tym samym roku węglarze piemonccy zbuntowali się w poczuciu, że zostali zdradzeni przez Karola Alberta, mediolańscy zaś wraz z Federikiem Confalonierim zostali aresztowani, i zarówno we Włoszech Północnych, jak i Południowych postawiono pierwsze szafoty. Natomiast w Toskanii wciąż nie zdarzyło się nic. 1822 to rok brutalnych represji w Palermo, gdzie ścięto dziewięciu karbonariuszy, a ich głowy włożono do żelaznych klatek i wystawiono na widok publiczny na placu jako ostrzeżenie; kolejnych dziewięciu powieszono w Modenie, w Weronie trzydziestu trzech, w Neapolu trzydziestu, wśród nich przywódców buntu, czyli podporuczników Michele Morettiego i Giuspeppe Salvatiego. Tych pozostawiono wiszących na sznurze przez sześć dni, na postrach i ku przestrodze. W tym samym roku Pellica i Maroncellego zamknięto w Spielbergu. Więzieniu, w którym nie trzeba było kata, żeby cię zabić. W Toskanii nie zdarzyło się nic. I można by tak opowiadać dalej: w 1823 roku represje wzmogły się: dziesięciu rozstrzelanych w Neapolu, trzech powieszonych w Catanzaro, trzech w Capui, pięciu w Palermo, siedmiu w Weronie. A w Toskanii...

W Toskanii nie wieszano nikogo, nikomu nie ścinano głowy, nikogo nie rozstrzeliwano. Nie istniała nawet kara śmierci. Pomimo nadużyć sądowych wszechwładnej policji *Buongoverno* nie był żądny krwi. I pomimo związków rodzinnych i roszczeń Wiednia Ferdynand III nie był tyranem. Nie zasługiwał na pogardliwą opinię, wyrażoną przez Giovanniego, że Nappa-nawet-gdy-śpi-więcej-jest-wart-od-tego-przygłupa-wielkiego-księcia-gdy-czuwa.

Zaraz po powrocie Ferdynand pozbawił wszelkiej władzy niesławnego księcia Rospigliosiego, zabronił prześladowania ateistów, weteranów, dysydentów i od tego czasu dokonywał cudów, żeby nie stać się prokonsulem swojego brata Franciszka I, cesarza Austrii. W 1820 roku Franciszek kazał hrabiemu Fiquelmont, ambasadorowi austriackiemu, stawić się u Ferdynanda z listą Toskańczyków do zaaresztowania. Książę podarł dokument i rzucił go w ogień, po czym odpowiedział ambasadorowi: „Proszę powiedzieć swemu władcy, tak jak ja to powiem swemu bratu, że tylko ja rządzę moimi poddanymi. Proszę go takowoż poinformować, jako i ja go poinformuję, że owi buntownicy, których imiona tutaj zechciałem spalić, to moje ukochane dzieci". Nie tylko: obrażony żądaniem cesarza kazał przyjmować gościnnie wszystkich uciekinierów, którzy szukali schronienia w Wielkim Księstwie. Właśnie dlatego Byron przeprowadził się do Pizy, skompromitowany związkami z karbonariuszami z Ravenny i ze spiskiem zawiązanym przez ojca swojej kochanki Teresy Gamba Guiccioli. Także dlatego Shelley wolał Pizę, Livorno i Florencję od Rzymu czy Wenecji. I dlatego Toskanię wkrótce zaczęto nazywać rajem wygnańców, krainą Bengodi. Co do karbonariuszy, z którymi związał się Giovanni, byłoby przesadą twierdzić, że podporządkowywali się bezwzględnym regułom czy też że wyróżniali się wyjątkową odwagą i gotowością do męczeństwa. Mam przed sobą protokół policyjny z przesłuchania trzydziestu dziewięciu podejrzanych i jedynym przypadkiem godnym uwagi jest sprawa poety Francesca Benedettiego, który z obawy, że zacznie mówić, uciekł z więzienia i popełnił samobójstwo w jakiejś gospodzie. Obok pozostałych imion widnieją niemal wszędzie upokarzające wyznania: „wyznaję winę szczerze i z żalem", „wyznaję winę szczerze i ze skruchą". Dokładniej mówiąc: szesnastu z nich zwolniono od razu i powierzono kurateli rodziny. Dwudziestu skazano w procesie, ale na lekkie kary: niektórych na trzy lub cztery miesiące więzienia bez chłosty, pięciu czy sześciu na areszt domowy lub na wygnanie do

Maremmy. I *dulcis in fundo*: z akt zawierających szalony autodonos z 27 lipca 1820 roku wynika, że nie wyciągnięto z niego żadnych konsekwencji. Zamiast nakazu aresztu do dokumentu jest dołączona lakoniczna notatka sędziego Paolego: „sprawdzić". I wskazówki dla funkcjonariuszy, którzy mieli przeprowadzić kontrolę. „Pamiętać, że adepci wzmiankowanej wyżej sekty noszą często czarny krawat i zielony parasol z ostrym szpikulcem. Przedmiotu tego używają jako broni. Pamiętać, że przy powitaniu uciekają się do groteskowego rytuału. Pozdrawiający zdejmuje kapelusz lewą ręką, następnie podnosi go do ust, opuszcza, przesuwa wzdłuż nogi, a jednocześnie wyciąga prawą rękę. Pozdrawiany robi to samo, a ściskając rękę współtowarzysza, drapie wnętrze jego dłoni palcem wskazującym. Natomiast salutujący naciska na mięsień u podstawy kciuka. Na koniec wymawiają hasło. «Wiara», szepcze pozdrawiany. «Nadzieja», szepcze pozdrawiający. I obejmują się". (Po przeczytaniu tych informacji trudno nie zadać sobie pytania, czy tym niewydarzonym bohaterom nie brakowało którejś klepki).

Heroizm nie jest jednak miarą, którą mierzy się człowieka, męczeństwo nie stanowi niezbędnego atrybutu wartości, groteskowe rytuały to zbyt mało, aby unieważnić marzenie. Zasług Giovanniego nie pomniejsza to, że policja nie potraktowała poważnie jego wyzwania, ani to, że w Toskanii karbonariusze nie byli wieszani, ścinani czy rozstrzeliwani. Ani tym bardziej to, że praktykowali absurdalne i znane policji rytuały, ani to, że większość z nich nie grzeszyła odwagą. Biedny Giovanni i tak oddał swój hołd marzeniu. Można się było tego domyślić z ulotek przechowywanych w skrzyni Cateriny, z tych patetycznych i poruszających kartek z napisami „Wolność lub Śmierć", „Konstytucja albo Śmierć" (innych nie pamiętam, ale szperając w papierach przechowywanych w archiwach *Buongoverno*, rozpoznałam tekst dwóch apeli do żołnierzy. Jeden wierszowany, tak jak groźby wobec Paolego:

Pomny Konstytucji mądrości,
rodzi się do życia w wolności,
kto nie niewolnik czy tchórz,
bezczynny nie może być już,
powstań toskański żołnierzu,
obudź się ze snu!

Drugi w formie proklamacji: „Toskańcy żołnierze, otrząśnijcie się! Nie wstydźcie się żądać Konstytucji! Nie bójcie się Austrii, która musi się zajmować własnymi sprawami!"). Karbonariusze łudzili się, że tymi apelami rozpalą w Wielkim Księstwie płomień ruchów, które rozprzestrzeniły się już we Włoszech Północnych i Południowych, i powiedzmy to jasno: kraina rozkoszy czy nie, raj wygnańców czy nie, kto głosił takie wezwania, ryzykował więzienie. A jednak wydaje się, że Giovanni robił to śmiało, a nawet lekkomyślnie, rozrzucając ulotki z loggii Teatru Karola Ludwika, przyczepiając je na drzwiach burdeli i kościołów, rozrzucając je przed koszarami, by potem oddalić się szybko dwukonnym powozem... Poza tym wykonywał perfekcyjnie wszystkie przydzielone mu zadania i jeśli wierzyć ciepłemu i gorzkiemu głosowi mego dziadka, tylko jeden raz zawiódł: 16 czerwca 1822 roku, kiedy nie udało mu się zabić Karola Alberta Sabaudzkiego. W istocie, Karol Albert, który najpierw poparł ruchy piemonckie i jako regent zgodził się na uchwalenie konstytucji oraz powołanie do rządu patrioty Santorre di Santarosa, następnie uciekł z Turynu. Porzucił cynicznie powstańców na pastwę gniewu monarchistów wspieranych przez Austrię i wraz z młodą żoną Marią Teresą z Habsburgów--Lotaryńskich, najmłodszą córką Ferdynanda III, schronił się we Florencji. Czyli pod skrzydła teścia, wielkiego księcia. Ferdynand jednak, oburzony licznymi przygodami miłosnymi Karola Alberta, którymi upokarzał jego córkę, nie przydzielił mu nawet osobistej straży. Przyjmował go jak zwykłego gościa, pozwalał mu krążyć po Toskanii bez żadnej eskorty albo w towarzystwie jednego osiemdziesięcioletniego stajennego. I tego roku grupa węglarzy postanowiła pomścić zabitych towarzyszy, zlecając Giovanniemu

Cantiniemu z Livorno i Giuseppe Malateście z Genui zabicie go w Pizie, gdzie zmieszany z tłumem 16 czerwca uczestniczył zawsze w uroczystościach na cześć świętego Rainieriego. „Bardzo łatwe zadanie — mówił dziadek Augusto. — Co trudnego we wbiciu noża w brzuch lub plecy łajdaka, który w tłumie przygląda się uroczystościom? Problem w tym, że w wigilię wydarzenia ten tchórz Malatesta, ogarnięty wyrzutami sumienia, zmienił zdanie. Poszedł do katedry, klęknął przy konfesjonale i wyśpiewał wszystko spowiednikowi. Spowiednik zdał relację arcybiskupowi, arcybiskup gubernatorowi, gubernator Jego Wysokości, który zdecydował się oglądać uroczystość w obstawie policji na łodzi pośrodku rzeki Arno — i żegnaj zamachu. Jeśli mi nie wierzysz, przeczytaj *mea culpa* wygłoszone na starość przez Malatestę".

Wierzę, wierzę. Zawsze w to wierzyłam. Do tego stopnia, że w szkole nigdy nie przepuszczałam okazji, żeby pochwalić się przed nauczycielami: „Jestem praprawnuczką karbonariusza, który miał zamiar zabić Karola Alberta!". (Na co oni odpowiadali zimno: „Wstydź się!"). Zawsze zadawałam sobie też pytanie, jaki obrót przybrałaby historia Włoch, gdybym w czasie, gdy byłam Giovannim, mogła spokojnie zamordować Sabaudczyka koniunkturalistę. W tym miejscu dochodzę jednak do punktu, który interesuje mnie bardziej od tego pytania. Bo nadszedł rok 1823. Rok, w którym Giovanni poddał się swej upartej miłości do Teresy, Teresa swojej miłości do Giovanniego i razem popełnili cudzołóstwo, bez czego zabrakłoby niezbędnego ogniwa w łańcuchu, któremu zawdzięczam swoje pojawienie się w Czasie.

5

O tak, wiele rzeczy się zmieniło, odkąd świat stanął na głowie, aby przywrócić na tron władców z przeszłości. Na przykład 5 października 1818 roku w zatoce Livorno pojawił się statek, z którego wznosiła się kolumna dymu. „Statek płonie, statek płonie!", zaczęto krzyczeć w całym mieście. Kapitan portowy przygotował szalupę, żeby pomóc w ugaszeniu ognia, z którym marynarze na pokładzie najwyraźniej nie umieli sobie poradzić. W rzeczywistości jednak statek wcale nie płonął. Dym wydobywający się z komina pochodził z dziwnego kotła pełnego wrzącej wody — statek był pierwszym parowcem na wodach Morza Śródziemnego. Zwodowano go w czerwcu w Neapolu i nadano mu imię panującego króla Ferdynanda I. Otóż to: aby przemierzać morza i oceany, nie był już potrzebny wiatr. Nie używano pięknych żaglowców, na których Francesco Launaro przeżył niewiele radości i wiele tragedii swego krótkiego życia. Zaczęto wykorzystywać parowce, bardziej odporne na sztormy i zdolne do osiągania oszałamiających szybkości. Z Europy do Ameryki w trzy tygodnie zamiast czterech miesięcy. Z Europy do Indii Wschodnich w miesiąc lub dwa zamiast roku. Dlatego wkrótce pomyślano o użyciu pary także do podróży lądem i po zwodowaniu „Ferdynanda I" egzaltowany redaktor „Gazzetta Universale" napisał: „Siła napędowa wody, która ulatnia się w temperaturze wrzenia i pcha statek do przodu bez potrzeby rozpinania żagli, to wynalazek ważniejszy od odkrycia ognia i koła. W rękach człowieka spoczywa teraz moc tysiąca koni i stał się on zaprawdę Władcą Kosmosu. Wiedzcie, szacowni czytelnicy, że niektórzy uczeni angielscy i amerykańscy marzą o zainstalowaniu długich białych szyn z żelaza zwanych *railway*, czyli drogi żelazne, po których jeździć będą długie sznury wagonów ciągnięte nie przez konie, ale przez parę. O Bogowie! Choć wykonanie takiego projektu wydaje się nieprawdopodobne, nikt nie ośmiela się odrzucić hipotezy, że w ciągu najbliższego dziesięciolecia ten cud się spełni".

Cud? Nie można już było zliczyć cudów, projektów cudów, badań, transformacji. Oprócz tego, co pewnego dnia miano nazwać pociągiem, analizowano także sposób zastąpienia świec i łuczyw gazem. Niewidzialną i nieuchwytną materią, którą dzięki jakiemuś czarnoksięstwu mogłeś zapalić, a raz zapalona, dawała tyle światła, ile Słońce. Opracowywano również system wykorzystania wynalazku elektrycznego telegrafu: diabelstwa zbudowanego z drutu, który przy dotknięciu dawał straszliwy wstrząs, a nawet mógł zwęglić człowieka, ale za to pozwalał przesłać wiadomości w zaledwie kilka minut. Na tym nie koniec. W Niemczech pan Drais von Sauerbronn zbudował jednoosobowy pojazd z dwoma kołami i kierownicą. Machinę, na której na razie można się było poruszać tylko w pozycji siedzącej, ale która w przyszłości, po dodaniu pedałów, miała się stać bicyklem, czyli dziadkiem roweru. We Francji pan Jacques Daguerre zauważył, że połączenie pewnego procesu chemicznego z ekspozycją na światło pozwala utrwalać obrazy na metalowej płycie, i przysięgał, że wkrótce zdoła portretować osoby, przedmioty i pejzaże takimi, jakimi są w rzeczywistości, a nie tak, jak je interpretował kaprys czy niedokładność malarza. W co najmniej trzech krajach próbowano zrealizować odwieczne marzenie krawców: skonstruować maszynę do szycia, i cud nad cudy: zarówno Francuz Eugène Souberain, jak i Anglik George Guthrie twierdzili, że niemal odkryli anestetyk, dzięki któremu można znieczulać pacjentów w czasie operacji. To znaczy chloroform. (Mając na uwadze, że dotąd, nawet kiedy amputowano nogę, otwierano brzuch czy trepanowano czaszkę, odurzano pacjenta porcją rumu, i basta, łatwo zrozumieć, co oznaczała taka zmiana). Jeśli chodzi o modę, odmienioną już na początku wieku, kiedy wyszły z użycia, a potem całkiem zniknęły peruki, gorsety, muszki naklejane na twarz, nie dało się jej rozpoznać. Zamiast obcisłych pludrów, które z bezwstydną otwartością odsłaniały nawet rozmiar genitaliów, sztywne i dyskretne rurkowate spodnie. A zamiast kokieteryjnych sukienek wprowadzonych za Cesarstwa, z zawrotnymi dekoltami, krótkimi rękawami, z lekkich materiałów, przez które przezierał kształt nóg, kobiety nosiły ubrania niemal mnisie. Zapięte pod szyję, z długimi rękawami i spódnicą wzmocnioną halką, z paskiem na wysokości talii, aby ukryć kształty. Na głowie budki i kapelusze zawiązywane pod brodą na wielką kokardę.

Zmieniło się, a raczej zmieniało, także rolnictwo. Najodważniejsi rolnicy (tacy jak Caterina) zaczynali uprawiać ziemniaki i pomidory, produkty, które miały zrewolucjonizować sztukę kucharską. Jedna tylko rzecz się nie zmieniła i nie zmieniała: uparta miłość Giovanniego do Teresy i Teresy do Giovanniego. Dramat, który mnie zadziwia, rozczula i wzrusza.

Zadziwia, gdyż czternaście lat (tyle minęło od dnia, kiedy się zgubili, do dnia, kiedy się odnaleźli) to niemało. Bo trudno, bardzo trudno jest podtrzymać tak długo żar miłości, która nie żywi się spotkaniami i nadzieją. Rozczula, bo w 1823 roku Giovanni był czterdziestodwulatkiem doświadczonym przez trudy i rozczarowania, zgorzkniałym od samotności, zaangażowanym w działalność polityczną. Teresa była trzydziestoczterolatką, prawdopodobnie zwiędłą z powodu trudów życiowych, i z pewnością wycieńczoną przez bezużyteczne ciąże, dramat rodzenia dzieci, którym przeznaczone było od razu umierać. Żadne z nich nie było już takie, jak niegdyś. Nie mieli tyle energii, potrzebnej, aby oddać się namiętności, znosić jej rozkosze i udręki, płacić jej wysoką cenę. Wzrusza mnie, bo częścią tego dramatu był Gasparo. Poczciwy Gasparo, głupi Gasparo, nieświadomy Gasparo, który nigdy niczego nie rozumiał i nie podejrzewał ani wtedy, ani później. W istocie zabieram się do opowiadania o tym znamiennym wydarzeniu z niejaką nieśmiałością, z obawą, że skrzywdzę któreś z trojga, i nie dostrzegam tu rogacza zasługującego na drwinę ani dwojga grzesznych cudzołożników: widzę ofiarę godną współczucia i dwóch kochanków, których szanuję. Co więcej, w moim przypadku nie tylko ich szanuję, ale też im dziękuję. Kochani, nieszczęśliwi, biedni praprapradziadkowie, którzy przekazali mi swoje dramaty i chromosomy: chciałabym ich uściskać w chwili, gdy mają się odnaleźć i przyczynić do mojej przyszłej egzystencji, do mojego odważnego pojawienia się w Czasie.

Jest sobota w połowie lutego. Następnego dnia Giovanni ma wyruszyć, bez wielkiej chęci, do Lukki, gdzie czekają na niego krytyki węglarzy z innych regionów. Jedzie tam także Teresa — i któż ośmieliłby się zaprzeczyć, że nieskończone są drogi mądrości bożej? Od miesięcy szczytem mody są rękawy *gigot*, czyli w kształcie jagnięcego udźca: szerokie i bufiaste u nasady, zwężające się na przedramionach, dopasowane na nadgarstkach. Bardzo skomplikowane. W styczniu Teresa zgodziła się uszyć sukienkę z rękawami *gigot* klientce z Lukki, która rzadko bywa w Livorno, i w ostatnią środę Teresa zauważyła, że model jest prawdziwą łamigłówką: konieczna jest natychmiastowa przymiarka. Ogarnięta paniką poprosiła o glejt do Lukki i zarezerwowała miejsce w dyliżansie, który każdego dnia kursuje między dwoma państwami. Tymczasem wtrącił się Gasparo. „Dyliżans? Dyliżans wlecze się niemiłosiernie, a ja wiem, że w sobotę Giovanni ma jechać właśnie do Lukki. Dowiezie cię tam w niespełna cztery godziny!" Teresa, naturalnie, sprzeciwiła się. „Nie, nie zawracaj mu głowy, nie trzeba, wolę pojechać sama". Giovanni, naturalnie, usiłował się wykręcić: „Nie wiem, czy będę mógł, może będę miał pasażera, niech jedzie dyliżansem". Gasparo jednak nalegał, dopóki się nie zgodzili. Biedny Gasparo, tak bardzo zależy mu, żeby stworzyć im okazję do zaprzyjaźnienia się, przezwyciężenia antypatii, którą do siebie czują. Właśnie tak, antypatii. Kto wie, z jakiego powodu Giovanni traktuje Teresę jak wroga? Nigdy się do niej nie uśmiecha, nie patrzy na nią przyjaźnie, nie oddaje nawet drobnej przysługi. A Teresa traktuje Giovanniego jak obcego. Unika go, pozdrawia z grzecznym chłodem, niemal na niego nie patrzy. Tylko na pogrzebie szóstego dziecka, zmarłego zaraz po urodzeniu, zachowali się inaczej. Ona, głaszcząc maleńką trumnę, szlochała: sześcioro-to--zbyt-wiele, dość, i nagle wydała z siebie niezrozumiały okrzyk:

— Och Giovanni, Giovanni!

Wtedy Giovanni objął ją ramieniem i pocieszył:

— Nie płaczcie, następne będzie żyło.

Pamiętam doskonale tę lutową sobotę. Z mgły przeszłości tym razem wyłania się nawet Teresa, która, postarzała czy nie, dzisiaj wygląda wdzięczniej niż kiedykolwiek i naprawdę elegancko. Suknia z krynoliną i ciemnoszary płaszczyk, ubrania wykrojone z resztek, ale uszyte ze smakiem i fantazją, skórzane trzewiki z wklęsłym obcasem, te same, które nosiła na ślubie, ale jeszcze w dobrym stanie, a na głowie budka z różowego aksamitu podbita od spodu koronką. Pod brodą olbrzymia kokarda z różowej tafty: kolor, który doskonale podkreśla czerń jej włosów i oczu. Gdyby nie to pudło z suknią do przymiarki, można by ją naprawdę wziąć za damę z towarzystwa. Dzisiaj elegancki jest także Giovanni. Tabaczkowe spodnie, antracytowy surdut, jedwabna koszula, wysokie buty z żółtymi sztylpami. Na głowie piękny cylinder, wysoki na dziesięć cali, cóż z tego, że nienowy: kupiony wczoraj w lombardzie i śmierdzący naftaliną. Wyjechali wczesnym rankiem. Oboje chcą wrócić przed północą. Żegnając ich, Gasparo czuł się dumny i szczęśliwy, że udało mu się doprowadzić do tak potrzebnego spotkania. Poradził im wręcz, aby się nie spieszyli. „Nie ma znaczenia, jeśli nie wrócicie dzisiaj wieczorem. Lepiej jutro!" Zachęta, na którą Teresa odpowiedziała zmieszanym spojrzeniem, a Giovanni bezgłośnym bluźnierstwem „*merde!*". Zabranie jej ze sobą niepokoi go bardziej niż perspektywa spotkania węglarzy z sąsiedniego regionu. Kupiwszy ubranie śmierdzące naftaliną, zrozumiał, że ciągle poddaje się pragnieniu, aby się jej podobać, dlatego zdecydował, że jedynym ratunkiem będzie przebywać razem jak najmniej, i w Salviano był bardzo nerwowy. Przed wyjazdem powiedział jej tylko sucho: „Dzień dobry". Gorzej: wykorzystując fakt, że wnętrze zamkniętego powozu nie pozwala na bezpośredni kontakt z kozłem i niezbyt długą podróż można odbyć bez postojów, w czasie jazdy ani się nie widzieli, ani ze sobą nie rozmawiali. Ona siedziała w środku, myśląc o nim, dzierżącym lejce i smaganym w twarz przez wiatr, on nie zsiadł z kozła, dręcząc się marzeniem, aby mieć ją obok siebie, tak jak pana Shelleya, kiedy wsiadał na kozła, aby dyskutować o wolności. Dopiero gdy dojechali do rogatek, gdzie straż graniczna sprawdzała glejty woźniców i paszporty pasażerów, przerwali milczenie. Giovanni zszedł z kozła, podszedł do drzwiczek i powiedział: „Tereso, dojechaliśmy. Pokażcie mu swój dokument". Potem, po zakończeniu formalności, wsiadł znowu na swoje miejsce. Wjechali do miasta, zawiózł ją do domu klientki i pożegnał się, podając pudło.

— Będę zajęty aż do zmierzchu...

— Tak...

— Przyjadę po was koło szóstej...

— Tak...

— Powodzenia z rękawami *gigot*...

— Tak...

Nic, co zapowiadałoby wybuch miłosnej namiętności, nic, co zapowiadałoby sukces zbliżenia, do którego doprowadził Gasparo. Gdyby los tak chciał, okazja by się zmarnowała. Ale los nie chciał. Musi się urodzić ich syn. A z syna wnuk, prawnuk, praprawnuczka, czyli moja matka, a z mojej matki ja. W rezultacie spotkanie z węglarzami spoza regionu trwa dłużej, niż było przewidziane: o szóstej po południu karbonariusz Giovanni Cantini nie stawia się na spotkanie. Tak samo o siódmej i o ósmej. Zrobiło się już ciemno i Teresa nie wie, co począć. Jak oszalały motyl miota się ze swoim pudłem tam i z powrotem po trotuarze, nadsłuchuje odgłosu końskich kopyt, podskakuje na widok każdego zbliżającego się powozu, rozpacza, kiedy się oddala, i wielkie czarne oczy wypełniają się łzami. Nie tyle z powodu zimna, które wieczorem robi się dotkliwe i przenika ją do kości, nie z powodu pustego żołądka i ssącego głodu, nie z powodu nóg miękkich ze zmęczenia po wielu godzinach dopasowywania przeklętych rękawów *gigot* i wysłuchiwania wymówek klientki — ile ze strachu, że Giovanniemu coś się stało. Mój Boże, wszyscy w rodzinie wiedzą, że nienawidzi nowego reżimu. Domyślili się, że chodzi do Teatru Karola Ludwika po to, żeby rozrzucać dywersyjne ulotki, a nie po to, żeby słuchać muzyki, że chciałby zabić przyszłego króla Piemontu i Sardynii, że do Pizy pojechał w tym celu i że w Lukce też ma do załatwienia jakieś ciemne sprawy. Jest tego świadom nawet Gasparo, który czasami ma dziwne przebłyski inteligencji, i wczoraj powiedział: „Kto wie, po co mój brat jedzie do Lukki? Według mnie należy do sekty tych z zielonym parasolem. Jeśli zgarnie go policja, wróć dyliżansem". A jeśli naprawdę tak się stało? „Załóżmy, że Giovanni przyjechał do Lukki właśnie po to, żeby nawiązać kontakt z tymi, którzy nienawidzą Niemców i marzą o rewolucji — powtarza sobie Teresa. — Załóżmy, że policja przyłapała go na jakimś tajnym zebraniu..." I kiedy widzi go, jak wreszcie nadjeżdża i zeskakuje z kozła, traci panowanie nad sobą. Upuszcza na ziemię pudło, podbiega do niego z otwartymi ramionami i rzuca się w objęcia mężczyzny: „Giovanni, Giovanni, myślałam, że cię aresztowali!".

On też traci panowanie nad sobą. On też zapomina o komedii, którą odgrywa od prawie dziesięciu lat. Przeprasza miękkim głosem, wyjaśnia, że nic złego się nie stało: po prostu zatrzymano go dłużej, niż to przewidywał. Delikatnie wyplątuje się z jej objęć, prowadzi ją do powozu, opatula pledem. Zdejmuje jej trzewiki, masuje zmarznięte stopy, i do diabła z Karolem Albertem. Do diabła z karbonariuszami, z ważnymi zadaniami, z ojczyzną, z przyrzeczeniami.

— Zmarzłaś, zmarzłaś... Jesteś zmęczona, jesteś wycieńczona... Musisz się pokrzepić, odpocząć w ciepłym miejscu...

Potem wiezie ją do dobrej gospody. Tej przy małym hotelu, w którym śpi, kiedy musi się zatrzymać w Lukce: zajazd Filon d'Oro ma na parterze salę jadalną, a na wyższych piętrach pokoje gościnne. Niebezpieczny wybór, czuje to. Czują to. Lekkomyślność, która bardziej niż objęcia, niż masaż zmarzniętych stóp może unicestwić wysiłki podejmowane przez wiele lat. Ale gdy tylko się posilą, odjadą. Tak myślą oboje. Ten nawias w ich życiu zamknie się, a żeby nie pogarszać spraw, wystarczy unikać pewnych tematów, nie patrzeć sobie w oczy. Dlatego też bez ociągania się wysiadają z powozu, biorą ze sobą sponiewierane pudło i wchodzą do jadalni. Znowu sztywni, czujni, opanowani, siadają w słabo oświetlonym kącie sali. Przesuwają świecę ze środka stołu, gdzie daje zbyt dużo światła, zamawiają kolację i w upartym milczeniu, z głowami pochylonymi nad talerzem, zaczynają jeść. Na nieszczęście właściciel Filon d'Oro rozpoznał gościa z kosmykiem białych włosów i podchodzi do nich z dwoma kieliszkami wina.

— Za zdrowie waszej pięknej żony, *sor* Cantini!

— Za zdrowie waszego pięknego męża, *sora* Cantini!

Giovanni bladnie. Przyjmuje poczęstunek z półuśmiechem, nic nie odpowiadając. Teresa rumieni się i robi to samo. Przytłoczona jednak milczeniem, które ciąży teraz jak ołów, pragnąc wyjaśnienia sceny, która zaszła na ulicy, po chwili otwiera usta. Zadaje pytanie, które działa jak zapałka przyłożona do wyschniętego stosu drewna.

— Dlaczego się nie ożeniłeś, dlaczego się nie żenisz, Giovanni?

— Wiesz dobrze dlaczego — odpowiada rezolutnie Giovanni. Potem wyciąga rękę do przesuniętej świecy i stawia ją znowu na środku stołu.

Wreszcie odważają się popatrzeć sobie w oczy. Konfrontują się jak dwoje dorosłych, świadomych tego, co się zdarzy. Oczy Giovanniego z niemym wyrzutem kładą się na zwiędłej twarzy niezastąpionej kobiety, która oczarowała go, kiedy miał dwadzieścia pięć lat, i której ani wojna, ani gorączka polityczna, ani upływ czasu i liczne przygody, jakich niewątpliwie mu nie brakowało, nie zdołały wymazać z jego umysłu i serca. Oczy Teresy patrzą z nieskrywanym żalem na zahartowane oblicze niezastąpionego mężczyzny, który oczarował ją, gdy miała dziewiętnaście lat, i którego nawet sześcioro utraconych dzieci nie uczyniło jej obojętnym. I oto mur, jaki wznieśli między sobą, wali się i od dawna skrywane wyznanie wydobywa się na wierzch z gwałtownością spienionej rzeki. Chryste, w młodości oddałby duszę, aby wyznać Panno-Tereso--przypadliście-mi-do-serca! Nie pozwoliły mu na to jego chodaki, jego niezdarność i jego nędza. Chryste, dla niej zaciągnął się do wojska Nappy! Dla niej sprzedał się temu wszawemu Isaccowi Venturze, temu skąpcowi, który zamiast zapłacić raty, wolał skończyć na cmentarzu z całą rodziną! Dla niej walczył z El Verdugiem i z Castañosem, i z lordem Wellingtonem, i piętnastoma tysiącami Prusaków w Würzburgu! Odszedł, nie pożegnawszy się z nią, nie powiedziawszy jej: Niech-Teresa-na-mnie-poczeka-gdy-tylko--wrócę-pobierzemy-się. Zabrakło mu odwagi, ale mimo wszystko miał cichą nadzieję, że ona i tak będzie na niego czekać. Chryste, a jak myślała, dla kogo był przeznaczony pierścionek z diamentami i rubinami, za który kupił sobie konie i powóz: dla kogo?! Zgoda, nie można żądać, żeby dziewczyna czekała sześć lat na kogoś, kto odszedł, nie otworzywszy ust, i podświadomy lęk, że poślubi tymczasem kogoś innego, cały czas mu towarzyszył. Ale nigdy by nie przypuścił, że wyjdzie za jego brata. O Chryste, Chryste, Chryste! Dlaczego wyszła za Gaspara, właśnie za Gaspara, dlaczego?! I tutaj Teresa mu przerywa. Prawie jak gdyby nie chciała słuchać straszliwego pytania, na które nie ma odpowiedzi, wstrzymuje ten potok miłości i bólu, przeciwstawiając mu swój własny. Nie, szepcze, podczas gdy łzy padają ciężkimi kroplami na talerz, nie można żądać, żeby dziewczyna czekała sześć lat na kogoś, kto odszedł, nie otworzywszy ust. A jednak ona czekała przez sześć lat. Głucha na insynuacje Kij-na-pewno-nie-żyje, podobno-Kij--zginął, na tym czekaniu zmarnowała swoją młodość i wyszłaby za niego, choćby wrócił kulawy. Choćby i bez ręki, choćby i bez oka. Tyle że w końcu doszła do przekonania, że widocznie naprawdę zginął, a wielkie rozczarowania skłaniają do popełnienia nienaprawialnych błędów. O swoim małżeństwie z Gasparem mogła tylko powiedzieć, że to był błąd nie do naprawienia. Pomyłka, za którą gorzko płaciła na tysiąc sposobów. Poddając się ulegle niemiłym i odpychającym obowiązkom małżeńskim. Dźwigając ciężar nieznośnego współżycia. Walcząc z obsesyjnymi myślami o Giovannim... Z pragnieniem zobaczenia go, słuchania, dotykania czy choćby pogłaskania kosmyka białych włosów. A przede wszystkim płaciła za to maleńkimi trumnami, które co rok lub dwa odprowadzała na cmentarz. „Och Giovanni, Giovanni! Czy Pan Bóg zabija, żeby mnie ukarać za miłość do brata mojego męża?"

Wtedy Giovanni chwyta te piękne dłonie, których najgorsza i najniewdzięczniejsza praca nie była w stanie zniszczyć. Przesuwa je po kosmyku siwych włosów, po swojej twarzy, po sercu. Potem oświadcza, że do Livorno wrócą następnego ranka, i prosi gospodarza o pokój dla siebie i żony. Może to zrobić pomimo kontroli, jaką policja rozciąga nad moralnością społeczeństwa, bo glejty i paszporty obfitują w szczegóły co do danych osobowych, zawodu i adresu, ale nie precyzują stanu cywilnego. Jego dokument nie mówi, czy jest kawalerem, czy człowiekiem żonatym, jej paszport daje tylko informację, że nazywa się Teresa Cantini z domu Nardini. Jest prawie północ. Ale zapomnieli o zmęczeniu. Zrobiło się bardzo zimno, lecz wino ich rozgrzało, a w pokoju w kominku huczy ogień. Wchodzą do niego niczym państwo młodzi w podróży poślubnej. Tej nocy kochają się tak, jak nie ośmielili się nigdy kochać. Prapradziadek Giovanni Battista, zwany potem Giobattą, urodzi się 18 listopada 1823 roku. Dokładnie dziewięć miesięcy po podróży do Lukki.

* * *

Dziecko, które przyszło na świat dziewięć miesięcy po tej podróży, było zdrowe i silne. Żadnych wad serca, żadnej niewydolności płuc, żadnych wad wrodzonych. Na jego widok Gasparo oszalał z radości, wszyscy Cantini i wszyscy Nardini krzyknęli, że stał się cud, niektórzy pobiegli ofiarować wotum Madonnie z Montenero. Był to także piękny dzieciak. Miał wielkie czarne oczy i nieuchwytny wdzięk matki, długie nogi i rysy ojca (identyczny nos, identyczne usta, identyczne rysy twarzy) — w rezultacie w niczym nie przypominał nieszczęśnika, który był przekonany, że jest jego ojcem. Jedyną, która to zauważyła, była macocha Rita. „Dziwne, bardziej niż synem swego ojca, wydaje się dzieckiem stryja!" Inni nic nie zauważyli i nie podejrzewali nigdy, że za cudem kryło się cudzo-łóstwo. Co do Giovanniego i Teresy, no cóż... szczęsne wydarzenie nie przyniosło im bezwarunkowej radości. Przede wszystkim dlatego, że odgrywanie komedii przyjaznych powinowatych okazało się trudniejsze niż udawanie wzajemnej antypatii. Macocha Rita obserwowała każdy ich ruch, spojrzenie czy uśmiech i jeśliby się nie pilnowali na każdym kroku, z pewnością wzbudziliby jej podejrzenia. Poza tym Gasparo zawłaszczył sobie piękne dziecko i przejęty dumą, stracił swoją potulność. Jeśli Giovanni zjawiał się w Salviano, żeby zobaczyć bratanka, pohuśtać go na ramieniu, Gasparo robił się zazdrosny. Nie-całuj-go, nie-tarmoś-go, czego-chcesz, widziałeś-go-przecież-wczoraj. Albo: oddaj-mi--go-jest-mój! Na koniec dziecko odebrało rodzicom jakąkolwiek możliwość powtórzenia ekstazy przeżytej w pokoju z ogniem huczącym w kominku, spędzenia znowu razem całej nocy. Kiedy trzeba karmić, pielęgnować, przewijać niemowlę, uboga kobieta nie może pozwolić sobie na luksus miłosnych schadzek, które pod pretekstem rękawów *gigot* trwają od zmierzchu do ranka. Nie może oddawać się wyrafinowanym i romantycznym tête-à-tête. Niewolnica obowiązków macierzyńskich, które bogate kobiety cedują na niańki, nie może nawet zamienić pokoju gościnnego z zajazdu Filon d'Oro na pokój wynajmowany przez ukochanego przy via dell'Olio. Co najwyżej może wymienić z nim ukradkowy uścisk. Pospieszną pieszczotę, pozwolić sobie na przelotne spotkanie. (Noc w Lukce była z pewnością jedyną, jaką spędzili razem). A jednak, a być może właśnie dlatego, między dwojgiem kochanków powstała prawdziwa bliskość, więź silniejsza od pożądania i namiętności. W istocie, po urodzeniu Giobatty karbonariusz Cantini Giovanni nie taił przed Teresą niczego, tak jakby chciał nadrobić brak intymności fizycznej. Nie ukrywał już przed nią swej pasji politycznej, zadań, jakie otrzymywał, i niebezpieczeństw, którym stawiał czoło. I stopniowo ona stała się towarzyszką misji, depozytariuszką jego marzeń i sekretów.

Czysty lub też prawie czysty związek oparty na głębokim porozumieniu trwał przez dziesięć lat, to znaczy do 1834 roku. Wtedy to wyniszczony przez trudy i rozczarowania Giovanni porzucił walkę i zniknął z Livorno, nie zostawiając za sobą śladów. Nie zadbał nawet o spalenie dowodów swej rewolucyjnej przeszłości. Między innymi sztandaru, nawiązującego do biało-czerwono--niebieskiej barwy flagi francuskiej, który Republika Cisalpińska wystawiła w 1796 roku, żądając zjednoczonych Włoch i przeciwstawiając się federalistycznym tezom dyrektoriatu, sztandaru, który pod panowaniem Nappy utracił swe znaczenie, za czasów rewolucji został unieważniony i zakazany, a w czasie rebelii z 1821 roku pojawił się znowu w Piemoncie i w Emilii-Romanii. Także teraz wielu konspiratorów używało go jako symbolu jedności i niepodległości narodowej, wojny z cudzoziemskim jarzmem. Innymi słowy: biało-czerwono-zielony sztandar. Wyblakły i pocerowany trójkolorowy strzęp materiału, który znajdował się w skrzyni Cateriny. (Zacerowała go Teresa resztkami swoich tkanin. Łatwo się było tego domyślić, bo zielony prostokąt był z wełny, biały z płótna, a czerwony z jedwabiu).

6

Żeby zrozumieć dramat, który skłonił Giovanniego do porzucenia walki i sztandaru oraz zniknięcia bez śladu, trzeba wyjaśnić wydarzenia historyczne, jakie naznaczyły w tym dziesięcioleciu Toskanię. Były to zdarzenia, które najpierw podarowały mu nowe odkrycia i entuzjazm, a potem rozjątrzyły go niczym konia, który nie wytrzymując nieustannych razów, zrywa uprząż i ucieka. W 1824 roku Ferdynand III zmarł z powodu malarii, na którą zapadł w czasie inspekcji prac nad osuszaniem niezdrowej Maremmy. Na tron wstąpił jego równie łagodny syn Leopold, dlatego też Wielkie Księstwo, w którym nie wieszano nikogo, nie ścinano nikogo, nie rozstrzeliwano nikogo, pozostało oazą spokoju i krainą Bengodi. Wystarczy wspomnieć tolerancję, z jaką Leopold traktował intelektualistów. W tym czasie we Florencji wielką popularnością cieszył się piękny miesięcznik „Antologia", założony przez wydawcę Pietra Vieusseux z pomocą Gina Capponiego, i najlepsze umysły włoskiej kultury zamieszczały w nim eseje i artykuły, które pomimo ostrożności stylu z pewnością nie mogły się podobać władzom. Sukcesem był także salon naukowo-literacki, który Vieusseux otworzył na Piazza Santa Trinitá w pałacu Buondelmonti. Był to rodzaj wyrafinowanego klubu, gdzie osoby związane z miesięcznikiem i goście zbierali się każdego dnia, aby dyskutować i plotkować. Wśród współpracowników mediolański pisarz, przybyły do Florencji, aby przepłukać w Arno słowa powieści, którą bezustannie poprawiał i przerabiał, i której nadał tytuł *Narzeczeni*. Alessandro Manzoni. Dalmatyński uczony, który przygotowywał publikację genialnego *Słownika synonimów* i który w 1848 roku miał się stać bohaterem weneckiego risorgimenta. Niccolò Tommaseo. Garbaty literat z Recanati, który nudził wszystkich swoją melancholią, kiepskim zdrowiem i brakiem powodzenia u kobiet, ale którego bardzo szanowano za jego talent poetycki. Giacomo Leopardi. Filolog z Piacenzy, którego księżna Parmy i Piacenzy (Maria Luiza Habsburg, druga żona Nappy) kazała osądzić i wygnać. Pietro Giordani. Wśród przygodnych gości Henri Beyle, francuski uczony, który chciał zostać konsulem w Trieście lub w Civitavecchii, podpisujący swe książki pseudonimem Stendhal. A także ekscentryczna pisarka z Paryża, ubierająca się jak mężczyzna i używająca męskiego pseudonimu, George Sand, przyjaciółka patriotów i w owym czasie kochanka młodego poety Alfreda de Musseta. W salonie Vieusseux dyskutowało się o wszystkim, czy to spokojnie, czy z ferworem. Przede wszystkim zaś mówiło się źle o Austriakach, Burbonach, Sabaudczykach, o papieżu, o różnych tyranach małych i dużych, a nawet o samej dynastii lotaryńskiej. Mimo to książę Leopold nie podejmował żadnych kroków, aby ukarać czy prześladować bywalców salonu, i tak samo działo się w pozostałej części Wielkiego Księstwa. Na przykład w Pizie, gdzie studenci uniwersytetu byli uważani za buntowników, w Caffé dell'Ussero recytowali wiersze Uga Foscola, zmarłego niedawno w nędzy na wygnaniu w Londynie. Nie przypadkiem Alphonse Lamartine, ówczesny ambasador francuski we Florencji, napisał w swoich pamiętnikach: „Nigdy nie spotkałem się z tak wielkim liberalizmem, jak podczas tych lat w Toskanii".

Kraina Bengodi wydawała się w sumie spokojnym stawem, zaledwie marszczonym przez wiatr umiarkowanych idei. Dziwną oazą, obcą zuchwałym buntom i ciemnym tragediom, które wykrwawiały Włochy. Mimo wszystko coś wrzało także tutaj, a najgorętszy klimat panował właśnie w Livorno. Nie było to już miasto, które przyjęło wiwatami Ferdynanda III i obelgami weteranów 113 Regimentu Piechoty czy 28 Regimentu Strzelców Konnych. Livorno budziło się, i to nie tylko do deklamowania wierszy Uga Foscola. Nie tylko do obmawiania i atakowania rządu kwiecistymi słowami. Mimo iż Leopold obdarował miasto znaczącymi przywilejami i rozpoczął w nim ważne prace budowlane (wyburzenie starych murów i włączenie przedmieść w obręb nowych, zniesienie cła na towary dostarczane drogą morską), często słyszało się w nim słowo, które w innych miejscach uważano za bluźnierstwo. Słowo „republika". Wychodził tam także „Indicatore Livornese", dwutygodnik podobny do „Indicatore Genovese", w którym o republice mówiło się otwarcie w artykułach przesyłanych przez karbonariusza Giuseppe Mazziniego. Pismo wydawali jego trzej młodzi przyjaciele: Francesco Domenico Guerrazzi, Giovanni La Cecilia, Carlo Bini. Pierwszy był adwokatem opętanym przez polityczne i literackie ambicje, aroganckim, ale inteligentnym. Drugi dziennikarzem wygnanym z Neapolu po buntach w 1821 roku, zbyt nieostrożnym, ale pełnym szczerego entuzjazmu. Trzeci samoukiem, zdolnym tłumaczem Byrona i Schillera, nadto łagodnym, ale jednocześnie tak nieustraszonym, że każdego wieczoru ryzykował skórę w spelunkach, do których chadzał, by udzielać nauk motłochowi. Poza tym, i tu dochodzimy do interesującego nas punktu, w Livorno mieszkał uczeń Filippa Buonarrotiego. Sławnego toskańskiego rewolucjonisty, który w 1796 roku uczestniczył w spisku Babeufa, czyli w próbie obalenia dyrektoriatu i narzucenia komunistycznego reżimu zwanego Republiką Równych. Nieposkromionego rozrabiaki, który z wygnania w Brukseli nadal szerzył idee, mające pół wieku później stać się inspiracją dla marksizmu, i który w wieku siedemdziesięciu lat, wciąż żwawy jak kogucik, kontrolował lewicowe skrzydło europejskiego risorgimenta. Jego uczeń nazywał się Carlo Guitera. Był drugim synem korsykańskiego szlachcica, który w Livorno posiadał liczne cenne nieruchomości. Miał opinię lekkomyślnego młodzieniaszka i wielu uważało go za *enfant gâté*, zepsute dziecko. Nieszkodliwego synalka tatusia. Tymczasem on przestudiował uważnie pisma Buonarrotiego i miał w sobie więcej dywersyjnego zapału niż trzej młodzi przyjaciele karbonariusza Mazziniego razem wzięci. „Wrogami biedaków nie są żołnierze, którzy wzbraniają im bagnetami wolności. Są nimi możni, którzy swoimi przywilejami zagradzają im drogę do sprawiedliwości", twierdził. „Prawdziwy patriota nie ogranicza się do walki z cudzoziemcami: bije się o demokratyczną republikę, żąda porządku społecznego, którym rządzi lud, a nie arystokraci i burżuazja". Albo: „Idee umiarkowane, ograniczające się tylko do żądania konstytucji, prawa głosu i równości sądowej, są szkodliwe. Spowolniają marsz ciemiężców. Wstrzymują go. Trzeba wbić sobie do głowy, że bez równości ekonomicznej, bez sprawiedliwości społecznej zarówno wolność, jak i jedność oraz niepodległość służą tylko tym, którzy mają pełny żołądek". I Giovanni poszedł za nim z gorliwością neofity, który wreszcie odnalazł swego apostoła: „Ja jestem z nim".

Zdarzyło się to w roku 1830. Data ta wydaje mi się zaskakująca, bo był to rok, w którym paryskie barykady wypędziły Karola X i zastąpiły go liberalnym Ludwikiem Filipem Orleańskim.

Nowo obrany monarcha ogłosił, że Francja sprzeciwi się każdemu, kto będzie dławił ruchy konstytucyjne czy niepodległościowe, co zaowocowało ich odrodzeniem w krwawych buntach 1831 roku. Ale zaskakuje mnie przede wszystkim dlatego, że Carlo Guitera miał wtedy zaledwie dwadzieścia dwa lata. Niewiele, aby skłonić do zmiany drogi życiowej mężczyznę czterdziestosiedmioletniego, który marzeniu o zjednoczeniu i niepodległości oraz o konstytucji postrzeganej jako panaceum na wszelkie zło poświęcił całą swoją energię, który nie był skłonny do wiary w utopie i którego uwagę pochłaniała skomplikowana sytuacja rodzinna. Zadawałam sobie często pytanie, co w istocie skłoniło siwiejącego już mężczyznę, by zaangażować się w idee tak ekstremistyczne i dalekie od jego wcześniejszych przekonań, czyli kultu ojczyzny i wolności *tout court*. Lepianka, w której się urodził i dorastał, i gdzie wciąż mieszkał jego stary ojciec? Obraz nocnika na stole kuchennym, wspomnienie chodaków i życia sprzedanego za tysiąc lirów? To, że, z wyjątkiem Carla Biniego, zwolennicy Mazziniego trzymali plebejuszy na dystans i że co do ich uczestnictwa w ruchu wydał on dyspozycje konieczne, ale odrażające? („Odpowiedzialność za walkę nie może i nie powinna być rozciągnięta na tych, którzy nie potrafią czytać ani pisać. Z pomocy osób niewykształconych należy korzystać ostrożnie, a analfabetów nie wolno zatrudniać do szerzenia propagandy"). Świadomość, że o arystokratycznych czy mieszczańskich męczennikach za sprawę mówiono wszędzie, a o tych, którzy umierali o pustym żołądku, nigdy? Chryste!, cały kraj drżał o los Federica Confalonieriego, Silvia Pellica i Piera Maroncellego, ale o plebejuszach, których Ojciec Święty, czyli Leon XII, kazał w tym samym czasie ściąć w Rawennie, w Rzymie i w Faenzy, zachowała się ledwie pamięć ich imion? (Angelo Targhini, kucharz. Luigi Zanoli, szewc. Angelo Ortolani, piekarz. Leonido Montanari, cyrulik. Gaetano Rambelli, kapelusznik. Abramo Forti, handlarz. Domenico Zauli, chłopak do posług). Pewne jest tylko to, iż odkrycie, że do słowa „Wolność" trzeba dodać słowo „Sprawiedliwość", do słów „Jedność"i „Niepodległość" słowo „Równość", poraziło go jak świętego Pawła na drodze do Damaszku. I w 1831 roku, kiedy Mazzini założył Młode Włochy, Giovanni trzymał się z daleka. Za to kiedy Buonarroti założył Stowarzyszenie Prawdziwych Włochów, a Carlo Guitera otworzył w Livorno sekcję pod nazwą Rodzina Siedemnasta, zapisał się do niej bez wahania. Poprosił nawet, żeby powierzono mu sektor zwany Piątym Oddziałem, uzbrojoną jednostkę złożoną głównie z analfabetów, rzeźników, handlarzy winem, marynarzy, tragarzy portowych.

Nie była wiele warta ta Rodzina Siedemnasta. Carlo Guitera kierował nią w wolnych chwilach, jako swego zastępcę zatrudniał niejakiego Alessandra Foggiego, który rankami był podchmielony, a wieczorami pijany, i było mu wszystko jedno, czy Rodzina istnieje, czy nie. Za to w Piątym Oddziale — nieustanny ruch. Giovanni z wielkim zapałem zajmował się ignorantami gorszymi od siebie, ucząc ich strzelania z karabinu i z pistoletu, żeby pewnego dnia mogli wystrzelać wszystkich królów i królowe, hrabiów i hrabiny, bankierów i posiadaczy ziemskich, po czym ustanowić ziemski raj, jak Buonarroti określał Republikę Równych. Żeby wykonać swoje zadanie, zbierał ich w Folwarku Cytryn, posiadłości na szczycie wzgórz Montenero, którą wydzierżawił grecki konsul, przyjaciel i wierny towarzysz Bartolomea Pallego. Przebierał ich za myśliwych i prowadził w lasy, wznosząc do góry czerwoną chustę, drogą jego sercu, gdyż opowiadano, że na barykadach Paryża powstańcy z 1830 roku powiewali czerwonymi sztandarami, pod którym plebs maszerował na pałac Tuileries 10 sierpnia 1792 roku. Uczyli się strzelać kosztem zajęcy i bażantów. (Potwierdzają to archiwa policyjne. Zwłaszcza sprawozdanie, w którym mowa „o dziwnych typach oddających się myślistwu w eskorcie dziwnego leśniczego z jeszcze dziwniejszym czerwonym sztandarem, być może tego samego, który od dwóch dziesiątków lat uczęszcza do Ginesiego"). Sprawiało mu przyjemność uczenie tych bardziej niedouczonych od niego. Dlatego też zabierał ich na swoją łódź do połowów ostryg i wypływał z nimi daleko w morze i daleko od niedyskretnych uszu, gdzie recytował im pisma Guitery. „Zbudź się, Ludu! Rozejrzyj się wokoło. Myślisz, że liberałowie, umiarkowani, mieszczanie chcą cię wyzwolić z nędzy? Dla nich, wygodnickich nauczycieli, dobre jedzenie i honory. Dla ciebie tylko trudy, łzy i poddaństwo. Pomyśl, Ludu! Porzuć swoją Cierpliwość. Wystarczyłoby ci małe poletko, żeby przeżyć, ale jeśli odważysz się go zażądać, wyśmieją cię. Jeśli bierzesz je siłą, wrzucają cię do więzienia, i tak jedyny skrawek ziemi, na który możesz liczyć, to prostokąt twojego grobu. Zbuntuj się, Ludu...!" Albo zabierał ich do swojego pokoju przy via dell'Olio i wspomagając się flaszką wina, powiewając czerwonym sztandarem, na swój indywidualny sposób objaśniał im zasady ba-buwizmu. „Przestańcie słuchać egoistów, którzy opowiadają tylko o ojczyźnie, tylko o wolności! Na co się wam przyda wolność, która zostawia was z pustym żołądkiem, w chodakach i w spodniach pocerowanych na tyłku?!"

Tymczasem poza granicami Toskanii działy się ważne rzeczy. W Państwie Kościelnym i w księstwach ci „egoiści" rozbrajali woj-ska Grzegorza XVI, Marii Luizy, niechlubnej pamięci Franciszka IV. Zdobywali miasta, wznosili w nich trójkolorowy sztandar, nazywając go flagą narodową. Nie dbając o zasadę nieinterwencji, zadeklarowaną przez Francję, Austriacy ruszyli na pomoc wypę-dzonym tyranom. Odbili miasta i wszędzie rozpętała się nowa fala represji. Wyroki śmierci, tak jak ten na Cira Menottiego, powieszonego wraz z Vincenzem Borellim na bastionach Mo-deny, przymusowe emigracje, na przykład wygnanie Mazziniego, który uniewinniony w procesie i tak został zmuszony do wyjazdu i błąkał się teraz między Genewą a Marsylią, prześladowania, za-mykanie gazet (włącznie z „Antologią" i „Indicatore Livornese"). Giovanni myślał jednak tylko o Piątym Oddziale, o Rodzinie Siedemnastej, o chimerze ziemskiego raju, dla której Babeuf skoń-czył na gilotynie, i w tych latach nic nie mogło go odciągnąć od czerwonego sztandaru. Nic. Nawet przybycie generała Johanna Josepha Radetzkiego, przysłanego z Wiednia, by objąć dowództwo nad garnizonem stu pięćdziesięciu tysięcy żołnierzy, którym Austria okupowała Lombardię i Wenecję oraz wspierała sojuszników. Nawet wstąpienie na tron znienawidzonego Karola Alberta i beztroska, z jaką ten łajdak kazał rozstrzeliwać liberałów, na przykład kwatermistrza Giuseppe Tamburellego, oskarżonego o czytanie gazetek Młodych Włoch, i porucznika Efisia Tolę, skazanego za ich rozpowszechnianie. Nawet więź z Teresą i obecność pięknego, rosnącego zdrowo dziecka, które z biegiem czasu coraz bardziej przypominało prawdziwego ojca. Nawet śmierć ponadosiemdziesięcioletniego Natale, który 8 stycznia 1833 roku zmarł w swej nędznej budzie w San Jacopo w Acquavivie, mamrocząc okrutne podejrzenie: „Giovanni, czy to prawda, co myśli Rita? Giovanni, czyj jest Giobatta?".

Potem przyszedł kryzys. Po nim zniknięcie. I ucieczka.

* * *

Jak twierdził dziadek Augusto, kryzys wywołały rozczarowania, które gwałtownie zgasiły gorączkę polityczną Giovanniego. Źródłem pierwszego zawodu byli Buonarroti i Mazzini. Źródłem drugiego stali się towarzysze Giovanniego, analfabeci. W istocie, założywszy Stowarzyszenie Prawdziwych Włochów, Buonarroti zaproponował braterską umowę z Młodymi Włochami Mazziniego. Ten ostatni odpowiedział, że się zgadza, że trzeba stworzyć wspólny front. „Ideał republikański się jednoczy". Ale gdy tylko podpisali pakt, wybuchł spór dotyczący słowa „Równość". A właściwie nie tyle spór, ile wulgarna kłótnia, której towarzyszyło wzajemne wykradanie sobie stronników, obelgi, kalumnie i oskarżenia. Ty-jesteś-przeżytkiem-przeszłości-arogantem-tyranem-w-stylu--Robespierre'a. Ty-jesteś-typowym-produktem-teraźniejszości--tchórzem-cwanym-protektorem-arystokracji. I w lipcu 1833 roku pseudosojusz zerwano, a entuzjazm Giovanniego zaczął wygasać.

E tam, do licha, co to za walka, w której twoi przywódcy gryzą się między sobą jak wściekłe psy? Jaki sens ma poświęcanie się, skoro ci zarozumialcy ze swoich bezpiecznych kryjówek za granicą sieją niezgodę i podsycają małostkową rywalizację? Dwa miesiące później policja, zaalarmowana nieostrożnym listem, w którym Mazzini nakazywał Toskańczykom wzniecić bunt, zrobiła najście na domy podejrzanych, których *Buongoverno* nazywał „gorącymi głowami". Nic dramatycznego, sprecyzujmy. Na czele rządu stał teraz uczciwy człowiek, prawnik Gianni Bologna, który skazywał tylko wtedy, gdy istniały dowody winy, i w każdym przypadku ferował lekkie wyroki. Na nieszczęście oprócz Carla Biniego i Francesca Domenica Guerrazziego w Livorno aresztowano, jak się zdaje przez pomyłkę, także Alessandra Foggiego. Otóż Foggi był nie tylko pijakiem, ale i autentycznym kretynem. Zamiast się bronić, protestować: „A co ja mam wspólnego z Młodymi Włochami?!", wsypał Carla Guiterę. Oświadczył, że należy do ruchu powołanego, by obalić księcia Leopolda i stworzyć rząd komunistyczny. Gorzej! Zachęcił zrzeszonych, żeby to potwierdzili, i wielu tak uczyniło. „Tak, tak: ten tutaj jest cięty nie tylko na Austriaków. Chce ucinać głowy Chrystusom i Matkom Boskim, papieżom i władcom. Zabrać im pieniądze, ziemię, klejnoty i zamienić wszystkich w wielkich panów". Rezultat? Bini i Guerrazzi wykpili się dwunastoma tygodniami na Elbie. Kara jeszcze mniej bolesna dzięki wygodnie urządzonym celom, obfitym posiłkom z winem, wizytom przyjaciół i krewnych, jednym słowem — przywilejom dla gorących głów winnych pomniejszych grzeszków. Za to Guiterę zakuto w kajdany, zawieziono do Florencji, wrzucono do ponurych ciemnic Bargello, gdzie pomimo odważnych protestów nie-wiem-a-gdybym-wiedział-to-i-tak-bym-wam-nie-zdradził przez dziesięć miesięcy poddawany był wyczerpującym przesłuchaniom i trzymany o chlebie i wodzie, po czym wytoczono mu proces, na którym prokurator po raz pierwszy w historii Wielkiego Księstwa zażądał kary śmierci. Karze sprzeciwił się sam Leopold, zmuszając sędziego do wymierzenia wyroku nierównie łagodniejszego: dziesięciu lat ciężkiego więzienia w lochach Volterry. Ale dla Giovanniego to nie było wystarczające, podsumował dziadek Augusto. Oburzony i rozczarowy, ogarnięty gniewem na zdrajców, porzucił politykę. Zrezygnował z tego, co stało się celem jego życia, pocieszeniem w jego samotności, wynagrodzeniem za nieszczęścia. I to go zniszczyło. Uczyniło go jałowym i zgorzkniałym, zmieniło w mizantropa, który chciał tylko wyemigrować, zapomnieć, odejść. Zdewastowało go do tego stopnia, że kiedy jakiś były towarzysz walki próbował się do niego zbliżyć, rzucał się na niego z batem i zapierał się samego siebie: „Precz, donosicielu, tchórzu, precz! Nie chcę się już tarzać w waszym gównie! Nie chcę słyszeć waszego bełkotania o pieprzonej ojczyźnie, pieprzonej równości, pieprzonym ludzie! Czerwonym sztandarem wycieram sobie nos, trójkolorowym sztandarem czyszczę sobie buty, zrozumiano?!".

Oto prawdopodobna hipoteza. Kto poświęca się polityce w dobrej wierze, a nie dla żądzy władzy czy pragnienia sławy, kto chce realizować poprzez politykę nieosiągalne marzenie o świecie prawdziwie wolnym i sprawiedliwym, ryzykuje nie tylko więzienie czy szafot. Ryzykuje, że stanie się ofiarą nierozpoznanego oficjalnie męczeństwa, zwanego rozczarowaniem. Rozczarowanie wyjaławia. Dewastuje. Niezależnie od tego, czy jego przyczyną jest pojedyncza osoba czy cała społeczność, czy chodzi o zawiedzioną nadzieję czy niespełnioną ideę, efekt jest demoralizujący. (Szkoda, że retoryka heroizmu nigdy nie brała tego pod uwagę, szkoda, że oprócz pomników Nieznanego Żołnierza nie ma w tym kraju pomników Rozczarowanego Żołnierza). A jednak podejrzewam, że Giovanniego zniszczyła inna rzecz, coś, o czym głos dziadka nigdy nie mówił: udręka, która zżerała go od chwili urodzenia się Giobatty. Wierzę w tę przyczynę, bo podpowiada mi to pamięć zamknięta w pochodzących od niego chromosomach, wspomnienie czasów, kiedy jakaś część mnie istniała poprzez niego, była nim, i z sercem nabrzmiałym udręką patrzyła, jak rośnie syn nazywający mnie stryjem. Cierpiała tak bardzo, słysząc, jak Giobatta mówi do mnie „stryju", i nie mogąc mu odpowiedzieć: nazywaj-mnie-tatusiem. Bolało mnie to bardziej niż konieczność ukrywania miłości do Teresy, bardziej niż tłumienie urazy do Gaspara. Tępego Gaspara, który pomimo insynuacji Rity niczego nie podejrzewał, ale całkowicie zawłaszczył Giobattę. Nie posłał go jednak do szkoły. „My jesteśmy prości ludzie. Na co nam szkoła?" Na nic się zdało tłumaczenie, że nieuków nikt nie poważa, że biednym umiejętność czytania i pisania jest nawet bardziej potrzebna niż bogatym. Odpowiadał: „Ja jestem ojcem i ja decyduję. Ma ciągnąć wózek, a jak ci się to nie podoba, twoja sprawa. Postaraj się o własne dzieci". Na koniec Giovanni — ja jako Giovanni — poddał się. Popadł w depresję, która odebrała mu chęć do życia. Zdarzyło się to w 1833 roku — tym samym, w którym Natale umarł, mamrocząc swoje okrutne podejrzenie (dostał na nie odpowiedź, czy nie?), kiedy dwaj zarozumialcy pogryźli się jak wściekłe psy, kiedy ten judasz Foggi wydał Guiterę i wielu poszło jego śladem. A może się mylę? To niewykluczone. Prawdziwy kryzys mógł nadejść w 1834 roku, kiedy Guitera omal nie skończył na szubienicy, a Giovanni stwierdził, że biedacy nie są lepsi od bogaczy, że bogacze i biedacy są gówno warci, że walczyć o nich mogą tylko naiwni i głupcy. Potem nadszedł rok 1835. Miał wtedy pięćdziesiąt jeden lat i chociaż nie jest to jeszcze wiek sędziwy, od tych wszystkich trudów włosy posiwiały mu tak bardzo, że biały kosmyk już się nie wyróżniał. Do licha, wyglądał, jakby miał zaspę śniegu na głowie. Postarzał się także w duszy i w niższych częściach ciała. Teresa zdawała mu się teraz siostrą i już jej nie pożądał. Spotykając ją, podawał jej rękę. W rezultacie zaczął sobie mówić: „Co mnie trzyma w Livorno? Syn, który nazywa mnie stryjem i do którego nie mam praw? Kochanka, która stała się siostrą? Ideał, który roztrzaskał się na tysiąc kawałeczków?". I pewnego marcowego ranka pobiegł uściskać po raz ostatni Giobattę i pożegnać się z Teresą. Podczas gdy ona szlochała rozumiem-cię-najdroższy-

-rozumiem-cię, sprzedał powóz i konic, opuścił pokój przy via dell'Olio. Poszedł do portu i wsiadł na statek.

Na jaki statek, do jakiego kraju? Tego nie pamiętam. (Albo też wolę nie pamiętać: niewyjaśniona zagadka otaczająca jego zniknięcie zapewnia mu odrobinę spokoju). Według tragarza, który rozpoznał Giovanniego, bo sam należał do grupy kretynów, którym się poświęcał w czasach Marzenia, był to parowiec płynący do Bony w Algierii. Rzecz prawdopodobna, gdyż berberyjscy piraci byli już koszmarem przeszłości, legendą wieczornych opowiadań. W 1816 roku Anglicy zniszczyli ich flotę i zmusili otomańskich gubernatorów do uwolnienia niewolników, a w 1830 roku Francuzi dokończyli dzieła, zdobywając Algier. W rezultacie Husajn Pasza zamieszkał ze swoim haremem w Livorno, a do Algierii można było sobie pływać, jak się nam podobało. Miesiąc później jednak pewien marynarz z Pizy stwierdził, że widział Giovanniego przed meczetem w Rabacie w Maroku, kupiec z Lukki doniósł, że przyłapał go w burdelu w Gibraltarze (dwie hipotezy, których nie można odrzucić, bo wygnańcy zmęczeni poświęcaniem się dla sprawy często trafiali w tamte strony), a brat szwagierki Foggiego przysięgał, że został przez niego pobity w saloonie w Nowym Jorku. To jest jeszcze bardziej prawdopodobne, bo wszak wszystkich krewnych Foggiego Giovanni uważał za typy, których należało poczęstować pięścią, a w tych latach w Nowym Jorku wielu było przybyszów z Włoch. Schronił się tam na przykład przyszły wynalazca telefonu, czyli florentczyk Antonio Meucci, w 1833 roku osiedlił się tam Piero Maroncelli, karbonariusz skazany, a potem ułaskawiony wraz z Silviem Pellikiem. I właśnie w 1835 roku Ferdynand I, nowy cesarz Austrii i król Lombardii-Wenecji, ogłosił amnestię dla więźniów politycznych, którzy wyemigrują do Ameryki. Z amnestii skorzystało wiele osób, między innymi hrabia Federico Confalonieri. A być może mieli rację wszyscy czterej: tragarz, marynarz, kupiec i krewny Foggiego. Innymi słowy, to możliwe, że z Livorno Giovanni popłynął do Bony, z Bony do Rabatu, z Rabatu do Gibraltaru, z Gibraltaru do Nowego Jorku. A może nie? Ba! Jedyny pewnik to ten, że od owego dnia przepadł bez śladu. Nie wiadomo nawet, gdzie i kiedy umarł. Żaden dokument nie zawiera daty i nazwy miejsca, w którym pożegnał ten padół płaczu, na którym pozostawił, niestety, nasienie swojego nieszczęścia.

I tak oto doszliśmy do Giobatty.

7

Przechowuję portret ołówkiem piętnastoletniego Giobatty. Mały i niepokojący obrazek, który wraz z legitymacją anarchisty, glinianą fajką, binoklami, pięcioma lirami dołączonymi do karteczki dla siostry Veroniki, ściskał w rękach dziadek Augusto, umierając w brudnym szpitalu. Portret ukazuje twarz pięknego młodzieńca, młodego boga, który zszedł z Olimpu, by uwodzić bezlitośnie każdego, kogo napotka na swej drodze. Otwarte wysokie czoło, ocienione jasnymi i świetlistymi włosami. Prosty i pięknie zarysowany nos, gładkie, lekko wklęsłe policzki. Usta stworzone do całowania i cudowne oczy. Błyszczące, ogromne, jasne tak jak włosy, cudowne. Jest jednak w tej twarzy, w tych oczach, coś, co mi przeszkadza. To jest coś, co do mnie należy, w czym się rozpoznaję i co zarazem mnie odstręcza. Mój stosunek do Śmierci. Nienawidzę Śmierci. Przeraża mnie bardziej od cierpienia, od perfidii, od głupoty, od wszystkich innych rzeczy, które niszczą cud i radość przyjścia na ten świat. Brzydzi mnie patrzenie na nią, dotykanie jej, wąchanie. Nie rozumiem Śmierci. Chcę powiedzieć: nie potrafię się pogodzić z jej nieuniknionością, z jej prawomocnością, z jej logiką. Nie umiem strawić faktu, że aby żyć, trzeba umrzeć, że życie i śmierć to dwa wymiary tej samej rzeczywistości, wzajemnie sobie niezbędne, wzajemnie z siebie wynikające. Nie mogę się nagiąć do myśli, że Życie to podróż ku Śmierci, a narodziny są wyrokiem śmierci. A jednak akceptuję to. Chylę czoło przed jej nieograniczoną władzą i ogarnięta chorobliwą ciekawością studiuję ją, analizuję, nakłuwam. Odczuwając ponury szacunek, przymilam się do niej, wyzywam ją, opiewam, a w chwilach zbyt wielkiego cierpienia nawet wzywam. Proszę ją o uwolnienie od męki egzystencji, proszę o największy ze wszystkich darów, panaceum na wszelkie choroby. Pomiędzy mną a Śmiercią istnieje dwuznaczna i posępna więź. Dwuznaczne i posępne porozumienie. Tę samą więź widzę w obliczu i w oczach Giobatty. To samo porozumienie. W jego przypadku pogłębione przez bliską znajomość ze Śmiercią od czasów dzieciństwa. I być może wyostrzone świadomością, że szybko da jej okazję do podwójnego zwycięstwa. (Miał zaledwie trzydzieści osiem lat, kiedy oddał się w jej ręce na jednej z ulic Livorno. Trzydzieści siedem, kiedy zabrała mu cząstkę jego samego, praprababcię Marię Rosę). I wyjaśniwszy to sobie, wracamy do 1835 roku.

Jesteśmy w drugiej połowie 1835 roku. Giovanni zniknął przed sześcioma miesiącami, tymczasem do Livorno dotarła cholera, którą rosyjscy żołnierze zawlekli do Polski w czasie dławienia powstania w Warszawie. Z Polski przeniknęła do Niemiec, z Niemiec do Francji i do reszty Europy. Do Livorno przybyła 9 sierpnia na statku płynącym z Marsylii. W ciągu kilku tygodni skosiła setki ofiar i chociaż jej furia powoli opada, Śmierć widać wszędzie. Na trotuarach, gdzie grabarze w kapturach opuszczonych na twarze zbierają trupy i wywożą je na wózkach przykrytych czarną szmatą, w kościołach, w których zawsze stoi katafalk, a dzwony obwieszczają głuchymi uderzeniami coraz to nową śmierć, w lazaretach, gdzie zgony przyjmuje się z ulgą, bo zwalniają łóżka, na których można położyć chorych przedtem zostawionych na ziemi, w urzędach publicznych, śmierdzących octem nadaremnie używanym do dezynfekcji. Niespodziewanie łapią cię torsje, potem gwałtowna biegunka i seria ogromnie bolesnych skurczy, które wykręcają ci groteskowo ramiona i nogi, ciało lodowacieje i odchodzisz do

Stworzyciela. Zwłaszcza jeśli toniesz w nędzy i w ignorancji, które sprzyjają przenoszeniu się zarazy. Dziewięćdziesięciu dziewięciu bogaczy na stu schroniło się w Pizie, na wzgórzach Montenero lub w górach Carrary. W mieście pozostali pariasi, którzy nie myją się, nie gotują wody, nie czytają rozdawanych ogłoszeń z radami i zaleceniami Urzędu Higieny, i epidemia szerzy się przede wszystkim wśród nich. Na początku września nie żyją już zarówno Onorato Nardini, jak i jego żona: rodzice Teresy. Ta nie przestaje płakać i ma ku temu wiele powodów: wraz z ojcem i matką straciła także względny dobrobyt, w którym żyła. Na przykład dom, za który nie trzeba było płacić czynszu. A także pracę Gaspara, który, jak pamiętamy, zatrudniał się u Nardiniego jako pomocnik, mając za to także wikt i dach nad głową. Nie będąc w stanie poprowadzić samodzielnie skromnego przedsiębiorstwa teścia, biedny przygłup powrócił do rozładowywania warzyw na targu i dziękował Bogu, jeśli wieczorem wracał do domu z kilkoma główkami kapusty i paroma krajcarami w kieszeni. Gdyby Giobatta nie ciągnął wózka, nie byłoby pieniędzy na dom. No dobrze: Teresa dalej jest krawcową. Ale w czasie, gdy szaleje cholera, a bogate panie uciekły do Pizy albo do Montenero, albo do Carrary, kto będzie zamawiał suknie? Trzy uciekły, nie zapłaciwszy nawet rachunku, jedna skończyła na cmentarzu, zostawiwszy Teresie płaszcz z niebieskiego aksamitu, którego ona nie jest w stanie sprzedać nawet poniżej ceny materiału, i cała klientela skurczyła się do garstki biedaków, którzy przynoszą szmaty do zacerowania. Jakby to nie wystarczało, teraz doszła czwarta gęba do wykarmienia. Maria Rosa Mazzella, sierota w niesprecyzowanym wieku (trzynaście, czternaście, piętnaście lat?), którą w styczniu proboszcz Salviano przyprowadził z miną, jakby robił Teresie wielką przysługę. „Weźcie ją do siebie. To poczciwa, dobra, chętna dziewczyna. Nie tylko umie dobrze obrębiać, ale także doskonale ceruje". Maria Rosa jest już częścią rodziny i nie można jej wyrzucić tylko dlatego, że sytuacja finansowa stała się katastrofalna!

Tak, smutek w domu Cantinich jest tak gęsty, że da się go kroić nożem. Jedyna pociecha to Giobatta. Ach, Giobatta, Giobatta! Nie ma jeszcze dwunastu lat i już się w nim zakochują. Na przykład Maria Rosa ciągle się w niego wpatruje. Jeden szew, spojrzenie, jeden szew, spojrzenie. Nie licząc pochlebstw, jakimi go obsypuje, uprzejmości, jakich mu nie szczędzi. Łatwo ją zrozumieć. Pomijając już urodę, Giobatta jest niezwykłym chłopcem. Pomyśleć tylko, chciałby zostać rzeźbiarzem, i w tym celu próbuje odtworzyć figury Czterech Maurów. Z miąższu chleba, z wosku ze świec, z błota z pól. Nie ma sensu go ganić, Giobatta-brudzisz-się-błotem, Giobatta-chleb-jest-do-jedzenia, Giobatta-świece-kosztują. Odpowiada uśmiechem, który zapiera dech w piersiach, a spod jego rąk i tak wychodzą krępe figurki ludzi zrywających łańcuchy. Jest także bardzo ruchliwy. Teresa wciąż się boi, że odkryje kosz, w którym schowała przedmioty z via dell'Olio. Biało-czerwono-zieloną flagę, czerwoną chustę, pisma Guitery i mundur 113 Regimentu Piechoty. Gdyby je znalazł, wbiłby sobie do głowy te pomysły i jego też doprowadziłyby do ruiny. Przede wszystkim jednak jest inteligentny. Poznać to od razu po tym, jak mówi, i po uporze, z jakim usiłuje zrealizować marzenie wpojone mu przez stryja: chce się zapisać do szkoły. Tak bardzo zależy mu, żeby nauczyć się czytać i pisać! Równie mocno jak kiedyś Caterinie. Niestety Gasparo dalej udaje głuchego, istnieją także obiektywne przeszkody: na dwadzieścia siedem tysięcy mieszkańców Livorno w wieku od siedmiu do czternastu lat (tylu ich zliczono w obrębie nowych murów) tylko trzystu czterdziestu ośmiu zapisanych jest do szkoły podstawowej, a z nich jedynie dwustu uczęszcza do niej regularnie. Tutaj dzieci pracują tak jak dorośli, a kiedy się pracuje, jak znaleźć czas na chodzenie do szkoły. Szkoła trwa dwa lata. Zaczyna się 11 listopada, kończy 30 września, czyli na dwanaście miesięcy jest tylko pięć i pół tygodnia wolnego. Poza tym jest otwarta rano i po południu. Rano od ósmej do pierwszej. Po południu od drugiej do nieszporów, czyli do piątej z okładem. Każdego dnia. Z wyjątkiem tak zwanej szkoły na Starym Cmentarzu.

* * *

— Mamo, kiedy wróci stryj?
— Nie wiem, Giobatto...
— Bo stryj zawsze mówił, że nieuków nikt nie szanuje, że biednym nauka czytania i pisania jest jeszcze bardziej potrzebna niż bogatym, że szkoła to obowiązek, a tatuś mnie tam nie chce posłać!
— Wiem, Giobatto, wiem...
— Dlaczego mnie nie posyła?
— Bo kto chodzi do szkoły, nie może pracować...
— Mógłbym pójść do tej, gdzie nauka jest tylko rano!
— Nie ma takiej szkoły, w której uczą tylko rano...
— Jest mamo, jest! Szkoła na Starym Cmentarzu!
Szkołę na Starym Cmentarzu prowadzili barnabici. Nazywała się tak nie bez powodu i miała okropną opinię. Barnabici, wypędzeni przez oświeconego Piotra Leopolda i przywróceni przez bigota Ferdynanda III, powrócili w istocie do prowadzenia szkół publicznych i uzyskali pozwolenie na stworzenie szkoły na terenie tak zwanego Starego Cmentarza: przepełnionego i z tego powodu przeznaczonego do likwidacji. Gorzej. Wraz z pozwoleniem otrzymali także licencję na prowadzenie dochodowej kostnicy (pół skuda za trupa), która znajdowała się w obrębie cmentarza. W rezultacie groby zostały opróżnione, kości przeniesiono na Nowy Cmentarz, natomiast kostnica pozostała i... żeby oszczędzić na kosztach budowy, hultaje dołączyli do niej klasy szkolne. Z jakim skutkiem, łatwo sobie wyobrazić. Co więcej, jest to wyjaśnione jasno i otwarcie w jednym z listów, które pan Lombardi, nauczyciel czytania w pierwszej klasie, wysyłał każdego roku do gubernatora: „Najjaśniejsza Ekscelencjo! Cierpiąc na chroniczny ból żołądka i kacheksję, dolegliwości i wywołane przez okoliczności znane

Ekscelencji potwierdzone przez załączone świadectwo lekarskie, pozwalam sobie raz jeszcze poskarżyć się na zgniłe wyziewy, które zatruwają to nieszczęsne miejsce. Proszę mi wierzyć, Ekscelencjo: bardziej lub mniej znośne zależnie od liczby zwłok, od pory roku, od kierunku wiatru, wyziewy te są ogromnie szkodliwe dla zdrowia mojego i moich uczniów. Najjaśniejsza Ekscelencjo! Szkoła ma miejsce dla pięćdziesięciu uczniów, ale nigdy nie przychodzi ich więcej niż dwudziestu lub trzydziestu, gdyż te nieszczęsne pacholęta nie tylko nie są w stanie znieść fetoru i zwalczyć odruchu wymiotnego, ale także odczuwają wstręt niewymówiony do przebywania dnia każdego w miejscu, które ich młodemu wiekowi przypomina o nietrwałości ludzkiego żywota. Przygnębia ich, Wasza Ekscelencjo, myśl o bliskości zimnych ciał, spoczywających w pokoju zmarłych". Tego szczegółu jednak Giobatta nie znał, a biednemu dziecku złowrogie miejsce dawało mimo wszystko właśnie tę korzyść, że działało tylko rano. Innymi słowy, że od pierwszej po południu mógł iść do pracy.

— Jesteś tego pewien, Giobatto?

— Tak mamo, tak! Powiedział mi to proboszcz z Saviano.

— I gdzie jest ta szkoła?

— Tam gdzie wcześniej cmentarz. Między kościołami Świętego Andrzeja a Świętego Józefa.

— Byłeś tam, widziałeś ją?

— Widziałem ją z daleka. Wygląda na nową!

— Hmmm... a może to szkoła dla bogatych?

— Nie mamo, nie! To szkoła publiczna, za darmo! Powiedz to tatusiowi!

— Powiem mu to...

I ostatniej październikowej niedzieli, kiedy w Livorno epidemia cholery ustąpiła z dnia na dzień i bogacze powrócili z Pizy, Montenero i Carrary, co przywróciło Teresie klientelę i pozwalało znaleźć pieniądze na czynsz, Gasparo ustąpił. Naturalnie, nie poszukując dalszych informacji. Nie pytając, o jaką szkołę chodzi.

I tak zapisania chłopca na naukę, podpisania papierów podjął się przecież proboszcz.

— Tatuś się zgodził...

— Och, mamo!

— Ale tylko na rok. Dwa lata wydaje mu się zbyt długo...

— Nic nie szkodzi, mamo, nie szkodzi! Nauczę się wszystkiego w rok! Stryj nauczył się w jeden semestr.

— Kiedy zaczyna się szkoła?

— Jedenastego listopada, mamo!

I oto popatrzmy na niego: 11 listopada — jego pierwszy dzień w szkole. Popatrzmy, bo nie będzie do niej chodził przez rok. Nie będzie chodził nawet przez tydzień. Według kalendarza jest to środa i leje jak z cebra. Ulice są podtopione, to zła wróżba, a po mieście krąży ulotka podatników, którzy żądają zniesienia szkoły publicznej: zbyt droga i wymaga nakładania dodatkowych podatków. „Nie jest słuszne zmuszanie nas do płacenia pieniędzy na naukę dla motłochu! Nie jest słuszne zabieranie tym, którzy mają, dla tych, którzy nie mają! W ten sposób dojdzie naprawdę do równości". Poza tym dzisiaj rano Gasparo zrobił jeden ze swych zwykłych numerów. Zamiast cieszyć się z synem, dodać mu odwagi, poinformował go, że w szkole rządzi prawo pięści. Że nauczyciel bije uczniów. „Zobaczysz, ile kijów, ile razów! Siny wrócisz, siny!" Ale on chroni się przed deszczem pod zielonym parasolem stryja. Ulotka go nie obchodzi, nie wie nawet o jej istnieniu. W historię o kijach nie wierzy, bo nie rozumie, dlaczego naczyciel miałby go obić i narobić mu sińców. Wszystko przyczynia się do jego szczęścia. Poczucie triumfu, kiedy zbudził się z myślą dopiąłem-swego, dopiąłem-swego. Solidna kąpiel, jaką wziął w balii do prania, zgodnie z zaleceniem gminy, które precyzuje, że uczniowie z plebsu nie mogą śmierdzieć, mieć strupów ani wszy, brudnych paznokci ani pluskiew. Piękne ubranie, uszyte w pośpiechu przez mamę z błękitnego aksamitu z płaszcza nieodebranego przez klientkę zmarłą w czasie epidemii (redingot ze stójką, kamizelka zapięta na siedem guzików, rurkowe spodenki. Giobatta jest tak elegancki, tak szykowny, że dzisiaj naprawdę nie wygląda na chłopca od wózka). Na koniec dwa wspaniałe prezenty od Marii Rosy: zeszyt, prawie nowy, znaleziony nie wiadomo gdzie, i gęsie pióro, wyrwane nie wiedzieć komu.

— Weźcie to i uczcie się także dla mnie.

— Och, Mario Roso! Dziękuję!

Biedny Giobatta! Nikt mu nie wyjaśnił, że absurdalna metoda obowiązująca w szkołach oddziela naukę czytania od nauki pisania. Że przez dwa lata uczysz się tylko czytać, że dopiero w trzecim roku wsadzają ci do ręki pióro. Łudzi się, że będzie od razu pisał słowa, i wariuje z niecierpliwości, czekając na dzwony z kościoła Świętego Sebastiana, które za piętnaście ósma zwołują uczniów do szkoły. Ich brzmienie nie jest harmonijne, przypomina raczej powolny i groźny grzmot. Dun-dun... Dun-dun... Na ich dźwięk dzieci ogarnia drżenie, dorośli dają wyraz przesądnym lękom: „Zapowiadają nieszczęście, zapowiadają nieszczęście!". Ale jemu te dzwony wydają się koncertem aniołów, dźwiękiem weselszym od din-don, które na Wielkanoc obwieszcza Zmartwychwstanie, i gdy tylko wypełniają mu uszy, wybucha okrzykiem radości. „Dzwony, mamo, dzwony!"

Potem otwiera zielony parasol. Z impetem małego sokoła, który z rozpiętymi skrzydłami wyskakuje z gniazda i rzuca się w błękit, przebiega przez próg i wpada w ulewę. Din-don! Rok szkoły, Jezu, rok szkoły! Po roku szkoły będzie mógł odczytać adresy, nazwy ulic i osób. Będzie mógł przeczytać sobie *Kalendarz księżycowy Czarnobrodego*, *Almanach* Sesta Caia Bacellego, gazety, książki, ogłoszenia, dekrety, w które teraz się wpatruje, na próżno pytając, czego-chcą, co-obwieszczają. Dun-dun, dun-dun! Będzie mógł podpisywać dokumenty, które teraz podpisuje proboszcz, zapisywać wiadomości, myśli, wspomnienia: pisać. Pisać, pisać, pisać! Bo umiejętność czytania to ważna rzecz, trzeba przyznać. Dostarcza mnóstwa wiedzy, pozwala zaspokoić ciekawość, pomaga odkryć, o czym myślą i czego pragną ludzie. Służy do dawania informacji. Za to pisanie służy to tego, żeby wyrazić, co myślisz ty, czego ty chcesz. Aby powiadamiać. Aby zaspokajać ciekawość innych. I aby rozmawiać z tymi, których nie ma, zwierzać się, wywnętrzać, utrzymywać stosunki z ludźmi, których nie znasz albo są daleko. Na przykład ze stryjem, który w marcu zniknął jak kot w ciemnościach, ale przecież może da jakiś znak życia: przyśle swój adres i zapyta, co u ciebie słychać. Ach, jaka to będzie radość napisać samodzielnie list do stryja! „Drogi stryju, muszę Wam opowiedzieć, że w Livorno była cholera i zabrała wielu dobrych chrześcijan, a wśród nich dziadków Nardinich i macochę Rinę, i panią od płaszcza, ale mnie ani mamie i tacie, i Marii Rosie nic się nie stało. Nie mieliśmy nawet malutkich dreszczy ani bólu brzucha, ani płynnej kupki: tak więc szczęśliwie żyjemy, a ja rosnę. Rosnę tak szybko, że mama zrobiła podwójny rąbek przy spodniach uszytych z płaszcza pani, żeby można je było wydłużać, i tak samo przy rękawach kurtki. Chciałbym Wam ją pokazać. Drogi stryju, tęsknię za Wami. Odkąd wyjechałeś, wszyscy są smutni, jedna Maria Rosa się uśmiecha. Mama otwiera usta, tylko aby wzdychać, a tatuś, żeby mnie straszyć, że nauczyciel bije. Wróć, drogi stryju, proszę, wróć! Twój kochający się bratanek Cantini Giobatta". I snując takie marzenia i fantazje, Giobatta biegnie do swojego raju. Chlapiąc się w kałużach, spotykając po drodze innych uczniów wezwanych przez dzwony, zbliża się do szkoły, której do dnia dzisiejszego nigdy jeszcze z bliska nie widział. Wbiega na podwórze, din-don, din-don, din-don, i tutaj jego podniecenie nagle opada, zdławione przez coś, co odbiera oddech. Z okien budynku przylegającego do szkoły wydostaje się dziwny, ohydny fetor. Co też tam jest w środku?

„Pokój zmarłych", odpowiadają uczniowie.

Pokój zmarłych? Jezu! Tego się nie spodziewał, nie wyobrażał sobie. Nie podoba mu się to. Bo wie aż nadto dobrze, że Śmierć jest zła: najgorsze z nieszczęść, koniec wszystkiego. Na freskach i obrazach w kościołach jest przedstawiona pod postacią szkieletu z kosą w ręku, który goni za ludźmi, aby oddać ich diabłu. Giobatta boi się jej tak bardzo, że kiedy w czasie cholery mijał grabarzy z wózkami, odwracał głowę, aby ich nie widzieć. Kiedy umarł dziadek Natale, zrobił tak samo, i kiedy zmarli dziadkowie Nardini — także. Teraz zatrzymuje się, zdezorientowany, niepewny, czy iść dalej, czy zawrócić. Zatyka sobie nos, zastanawia się, jakie jeszcze nieprzyjemności łączą się z okropną niespodzianką. A jeśli tatuś miał rację? Jeśli tutaj oprócz zmarłych czekają na niego także razy, kije, które go posiniaczą całego, jeśli jego raj okaże się piekłem? W takim razie lepiej zrezygnować, uciec stąd i pogodzić się z nieuctwem. Ale potem odzyskuje ducha. Ganiąc się za tę chwilę słabości, wdrapuje się po schodach szkoły, wchodzi do sali nauczyciela Lombardiego, który pojmuje w lot sytuację, i podchodzi do niego. Dodaje mu odwagi. „Chodź, chłopcze, chodź. Przyzwyczaisz się powoli. Co do reszty, nie obawiaj się. Ja nie biję".

To prawda. Tylko że w szkole na Starym Cmentarzu nie rządzi nauczyciel Lombardi. Rządzi barnabita, który nazywa się don Agostino. To on gani, wymierza kary cielesne i niecielesne. Z taką perfidią, z takim okrucieństwem, że (mówią nam o tym kroniki Livorno) w poprzednim roku dziewięcioletni uczeń przywiązał sobie kamień do szyi i rzucił się do Fosso Reale. Utonął.

8

Moja matka miała na palcach rąk siatkę blizn. Długich, cienkich, różowawych, nieco zatartych przez starość, ale wciąż widocznych. Pewnego dnia spytałam, skąd się wzięły, i odpowiedziała mi smutno: „To ślady po uderzeniach linijką w szkole". O tak. Jeszcze w dwudziestym wieku nauczyciele mieli zwyczaj bić dzieci. Jeśli chodzi o dziewiętnasty wiek, trzeba przyznać, że pierwszy raz w życiu Gasparo nie powiedział głupoty: w tamtych czasach kara cielesna była synonimem szkoły. Praktykowano ją wszędzie, nie miała granic i wieku, ukształtowawszy się przed setkami lat, kiedy Kościół narzucił ją jako karę do wymierzania tym uczniom, którzy byli zbyt biedni, aby płacić grzywny za złe stopnie lub zachowanie. „W razie niezapłaconej grzywny niech preceptor pokarze chłopię rózgą. Niechaj pacholę wie, że musi znieść rózgę, jeśli nie zapłaci pieniężnej kary na nie nałożonej", powiada tekst pedagogiczny *De pueris ad Christum trahendis*, napisany w 1402 roku przez francuskiego teologa Jeana Le Charlier de Gersona. Sto lat później statut kolegium katolickiego w Tours powtarza to samo zalecenie, nawet w surowszej formie: „Niechaj chłopięta, które nie są w stanie zapłacić sumy żądanej za ich winy, zostaną pokarane rózgą. Niechaj wymiar kary zostanie podwojony, jeśli ich krzyki zakłócą spokój dzielnicy, do chwili, gdy karany zamilknie lub zemdleje". W siedemnastym wieku system kar został rozszerzony na wszystkie klasy społeczne. Łącznie z arystokracją. Angielscy preceptorzy uznali ją za jedyny sposób kształtowania charakteru i uczenia samokontroli, nauczyciele niemieccy za metodę wpajania odwagi i znoszenia życiowych znojów, a włoscy za podstawę wszelkiej dyscypliny. Dopiero w osiemnastym wieku (dzięki oświeceniu i rewolucji francuskiej) ta plaga trochę złagodniała. Restauracja przywróciła ją jednak do wcześniejszej formy i żeby zrozumieć, jak sprawy się miały za czasów Giobatty, wystarczy przeczytać *La causa dei ragazzi di Piacenza* (*Sprawę chłopców z Piacenzy*). A mianowicie oskarżenie, które Pietro Giordani opublikował w 1819 roku, żądając zniesienia „odrażającego obyczaju, w wyniku którego dzieci umierają albo pozostają okaleczone", a także listy, które wysyłał do sędziów w księstwie. „W naszych szkołach ciało ludzkie traktowane jest gorzej od mięsa świń. Świnie morduje się bowiem jednym uderzeniem i w konkretnym celu. Nasi uczniowie zaś torturowani są bez końca i dla sadystycznej przyjemności. Trzeba powstrzymać okrucieństwo podłej i ciemnej bezmyślności, które dręczy najbardziej godną szacunku część ludzkiego życia: dzieciństwo".

W Toskanii było tak samo — albo prawie. Mam przed sobą „Guida dell' Educatore", dwumiesięcznik założony przez Pietra Vieusseux, i dziewięć numerów na dziesięć otwiera się artykułem na temat kar cielesnych. Ale nie zawsze chodzi o ich potępienie, bynajmniej. Najczęściej dyskutuje się o nich. Bada się ich konieczność czy użyteczność, jakość czy częstotliwość. Czy bicie dziecka jest naprawdę barbarzyństwem, zadaje sobie pytanie w numerze ze stycznia–lutego 1836 roku anonimowy dziennikarz, czy też odzwierciedla obiektywną konieczność, jak twierdzą w Anglii? Potem konkluduje, że jeśli krnąbrność chłopca jest nieuleczalna, jeśli żadna uprzejma perswazja nie odnosi skutku ani dobroć nie przełamuje jego uporu, bicie staje się narzędziem użytecznym i pożądanym. „Wszyscy odczuwają ból fizyczny, wszyscy mu się poddają. Dopiero kiedy ciało zostanie poskromione, winowajca uznaje swą winę". W numerze z lipca–sierpnia czytamy o chłopcu, który się nie uczy, bo uważa się za prześladowanego, i o nauczycielu, który na próżno usiłuje sprowadzić go na dobrą drogę perswazją. Chłopiec go nie słucha i wtedy... „Niestety na wszelkie przemowy hultaj odpowiadał sprośnie lub ze złością. Nie chciał zmienić postępowania. Wreszcie pewnego poranka nauczyciel zamknął mu usta uderzeniem, a gest ten był tak szybki, precyzyjny, usprawiedliwiony, że niektórzy uczniowie w klasie przyjęli go z aplauzem i poparciem". W następnych numerach ton się nie zmienia. Radzi się nauczycielom, by nigdy nie wygłaszali pogróżek bez pokrycia, bo ich prestiż spadnie i uczniowie zaczną ich uważać za „zniewieścialców o miękkim sercu". Rozważa się różne typy kar, ocenia ich efekty pozytywne i negatywne, sugeruje się używanie w większym stopniu kar psychologicznych, które wpajają winnemu poczucie wstydu, ośmieszenia i strachu. „Upokarzają. A upokarzając, poprawiają charakter". To prawda, z dwumiesięcznikiem współpracowali także pedagodzy o odmiennych poglądach. Na przykład Meyer, pomysłodawca żłobków i szkół wzajemnego nauczania. W miejsce kar Meyer zalecał system nagród i pochwał. „Nagradzajcie zamiast karać. Chwalcie zamiast ganić. Zaskoczy was sukces, jaki odniesiecie". Tak przeciw sadystom napiętnowanym przez Giordaniego walczyli wszyscy, którzy wierzyli w świat dobrych obyczajów. Ale rzadko ich słuchano. I podczas gdy w Parmie i w Piacenzy uchwalono prawo zakazujące bicia uczniów, w Toskanii przemoc triumfowała, podobnie jak w pozostałej części Włoch i Europy. Przede wszystkim w Livorno, a zwłaszcza w szkole na Starym Cmentarzu, gdzie szalał don Agostino, przezwany z powodu swych ekscesów Belzebubem Oprawcą.

Był on wysoki i chudy, o bladym, suchym obliczu i głosie mrożącym jak lód. Belzebub Oprawca miał dwa rzemienie z wołowej skóry. Tak zwany rzemień angielski, bardzo elastyczny, dlatego nadający się do bicia po rękach, i tak zwany rzemień moskiewski, bardzo sztywny, dlatego nadający się do chłostania pleców i pośladków. Don Agostino miał także słabość do ładnych dzieci, do chłopców, a nie dziewczynek, i oprócz zarządzania szkołą nauczał też katechizmu. W sobotę, w pierwszej klasie. W istocie, w sobotę zamiast nauczyciela Lombardiego przychodził on i cały ranek zmuszał uczniów do recytowania psalmów, litanii, modlitw, list grzechów powszednich i śmiertelnych, i biada, jeśli jakiś nieszczęśnik zareagował na nudę ziewnięciem albo odruchem wesołości. Don Agostino chwytał do ręki rzemienie ze skóry wołu i: „Wyciągnij ręce. Opuść spodnie". Było jednak coś, co pobudzało jego okrucieństwo bardziej od ziewnięcia czy odruchu wesołości: pociąg fizyczny zrodzony przez pedofilskie skłonności, który podwajał jego i tak już duże prawdopodobieństwo skończenia w piekle. Jednym słowem, jeśli jakiś uczeń za bardzo mu się podobał, niszczył go: czy był winny, czy nie. Dręczył go zarówno karami cielesnymi, jak i torturami psychicznymi. I to właśnie stało się 14 listopada, kiedy ujrzał przed sobą Giobattę.

* * *

Okrucieństwo losu: pomimo wielkiego rozczarowania z powodu odkrycia, że przez dwa lata nie dadzą mu dotknąć pióra i wobec tego nie napisze wymarzonego listu, choćby nawet stryj przesłał mu swój adres, tej soboty Giobatta czuł się jeszcze naprawdę szczęśliwy. Smród z pokoju zmarłych nie ustawał, to prawda, w dodatku wiele innych nieprzyjemności zakłócało domniemany raj. Na przykład to, że był najstarszy w klasie i koledzy patrzyli na niego z pewną nieufnością, a nawet wykluczali go ze swoich głośnych rozmów po przybyciu do klasy. Albo że na głównej ścianie klasy straszył najbardziej przerażający krucyfiks, jaki Giobatta kiedykolwiek widział: Nazarejczyk z otwartym żołądkiem i twarzą wykrzywioną bólem. Za to nauczyciel Lombardi był rzeczywiście miły. Dobry człowiek i dobry nauczyciel. Przez te trzy dni nie wymierzył mu ani jednego policzka i nauczył go mnóstwa cudownych rzeczy. Że istnieją samogłoski i spółgłoski, że aby nauczyć się czytać, trzeba zapamiętać litery odpowiadające dźwiękom samogłosek i spółgłosek. Że samogłoski to *a, e, i, o, u*. Że *a* wymawia się, otwierając usta jak do oddechu, *e* — rozchylając wargi jak do uśmiechu, *i* — wyciągając je, jak kiedy coś się nam nie podoba, *o* — rozszerzając, jak kiedy coś nas dziwi, *u* — nadymając je jak do pocałunku... Objaśnił mu także historię ognia i koła, tłumacząc, że były to milowe odkrycia w dziejach ludzkości. A w następnych tygodniach miał mu opowiedzieć o spółgłoskach, o wielkich i małych literach, o geografii i o różnych krajach, między innymi o Ameryce. Temat, na którym Giobatcie szczególnie zależało, bo kiedy tylko mówiło się o stryju, tatuś burczał: „Według mnie pojechał do Ameryki". Ale to nie dzisiaj, niestety. Dzisiaj pana Lombardiego zastępował nauczyciel katechizmu, don Agostino, o którym opowiadano same złe rzeczy i nawet przezwano go Belzebubem Oprawcą. Ale ludzie zawsze przesadzają, a po sobocie przychodzi niedziela. Na tę jutrzejszą czekał szczególnie. Ponieważ

18 listopada, czyli dzień, w którym przyszedł na świat, wypadał w środę, jego urodziny mieli świętować właśnie jutro. Kurczak na obiad, pomyśl tylko. Kurczak i trzeci prezent od Marii Rosy. Kula z gliny do modelowania. „W ten sposób nie będziecie marnować chleba i świec!" Zatem nie oczekując niczego złego, a nawet pełen optymizmu, wszedł do klasy. Tego ranka głośniejszej niż zwykle: śmiechy, piski, elementarze rzucane od ściany do ściany. Jeden z nich trafił w Nazarejczyka, który wisiał teraz głową w dół. W tej samej chwili wysoka i chuda postać pojawiła się na progu. Brat zakonny o bladej i suchej twarzy podszedł do katedry, położył na niej dwa rzemienie z wołowej skóry, i powietrze przeszył lodowaty syk. „Kto to zrobił?"

Na chwilę zapadła przerażająca cisza. Potem podniósł się chór zaprzeczeń: nie-ja, nie-ja, nie-ja. Syk się powtórzył: „Skoro nikt tego nie zrobił, ukarzę najstarszego. Kto jest tutaj najstarszy?".

Chór zaprzeczeń zmienił się w głośne wołanie, któremu towarzyszyły palce wycelowane w Giobattę. „On, on! To on!" Giobatta, niebezpiecznie piękny w swojej kurtce i spodniach z niebieskiego aksamitu, podniósł się z ławki. Ofiarował się słabości don Agostina, który owinął go intensywnym, wygłodzonym spojrzeniem. Na chwilę syk jakby złagodniał.

— Dobrze. Zbliż się. Znasz *Confiteor*?

Znał dzięki Bogu. Nauczył się od mamy, która odmawiała go często, tak jakby miała jakąś winę na sumieniu i potrzebowała przebaczenia. I uśmiechnięty, przekonany, że tym się wywinie, zbliżył się do katedry.

— Tak, proszę księdza! *Confiteor Deo omnipotenti et vobis, fratres, quia...!*

Ale syk przerwał mu.

— Spokojnie, młodzieńcze, spokojnie. Najpierw powieś krucyfiks jak trzeba.

Powiesił. Jeszcze uśmiechnięty, jeszcze naiwny, podjął recytację na nowo w punkcie, w którym przerwał.

— ...*quia peccavi nimis cogitatione, verbo, opere et omissione: mea culpa, mea culpa, mea maxima culpa...*

Jednak syk znowu mu przeszkodził.

— Spokojnie, młodzieńcze, spokojnie. Najpierw wyciągnij dłonie. I cicho.

Zaskoczony, rozczarowany, ale pogodzony ze swoją rolą kozła ofiarnego, wyciągnął je. Dziesięć razy angielski rzemień spadł na jego palce. Każde uderzenie wyznaczone purpurową krwawiącą linią, wstrzymanym jękiem, strumieniem łez spadających na koszulę. Kap! Kap! Kap! Potem angielski rzemień wrócił na katedrę i don Agostino wziął do ręki rzemień moskiewski.

— Teraz spuść spodnie i oprzyj się o ścianę.

Czerwony ze wstydu, z zażenowania, gniewu, spuścił spodnie. Oparł się o ścianę i dwanaście razy moskiewski rzemień opadł na małe pośladki. Każde uderzenie wyznaczone kolejną purpurową krwawiącą linią, kolejnym wstrzymanym jękiem, kolejnym strumieniem łez spadających na koszulę, kap-kap-kap. Potem także moskiewski rzemień wrócił na katedrę i don Agostino uśmiechnął się z satysfakcją.

— Dobrze, piękny tyłeczku, dobrze. Ubierz się, nadeszła chwila, by odmówić modlitwę skruchy.

Ubrał się. Przekonany, że jego cierpienia się skończyły, otworzył usta, by odmówić modlitwę, ale Belzebub Oprawca mu przerwał.

— O nie, piękny tyłeczku. Nie. Nie tutaj. W pokoju zmarłych.

Potem chwycił go za ramię. Zawlókł go do kostnicy, wepchnął go do niej, zostawił tam i...

Tej soboty było tam ze dwunastu trupów. Niczym zapomniane i przewrócone na ziemię posągi leżeli nadzy na marmurowych stołach. A przecież Giobatta strasznie bał się Śmierci. Wierzył, że naprawdę jest szkieletem, który z kosą w ręku ściga ludzi, ale nie zetknął się z nią namacalnie. Dlatego gdy tylko znalazł się w środku kostnicy, zamknął oczy i przysiągł, że ich nie otworzy.

Potem jednak zwyciężyła ciekawość... i Jezu! Czy to możliwe, żeby zmarli tak wyglądali? Na freskach i obrazach wydawali się pełni życia i energii! Biegali, miotali się, szarpali z diabłami, które chciały ich spalić albo nadziać na widły, i sądząc z szeroko otwartych ust, krzyczeli tak głośno, jak tylko się dało. A ci tutaj nie robili nic, nie mówili nic. Spali i tyle, śmierdzieli i tyle. Ze spokojną twarzą, zamkniętymi powiekami, nogami i ramionami zesztywniałymi w pozie na baczność, wydawali się najnieszkodliwszymi osobami na świecie. Najbardziej bezbronnymi, niezdolnymi do zrobienia krzywdy. A jednak spod powiek zdawali się zerkać na niego z nienawiścią, ich milczenie kryło w sobie cichą wrogość, a z ich bezruchu promieniowała taka groźba, że patrząc na nich, ogarniała cię przemożna chęć ucieczki. Ucieczki? Drzwi były zaryglowane od zewnątrz, okna znajdowały się na wysokości co najmniej dwóch metrów: nie było jak uciec. Mógł zrobić tylko to, co mu kazano, to znaczy odmówić do końca modlitwę skruchy i ignorując pieczenie palców oraz pośladków, spróbował to zrobić. Rzucił się na kolana, złączył dłonie, podjął na nowo trzy razy przerwaną recytację, ale na próżno. A jeśli don Agostino przetrzyma go tu przez cały dzień, przez całą noc? Pomijając smród, przez tak długi czas zmarli mogliby się zbudzić. Mogliby zejść ze stołów z marmuru, pochwycić go jak szkielet z kosą chwyta ludzi na obrazach i freskach, a wtedy żegnaj, Giobatto. Wstał gwałtownie. Ze wzrastającą paniką zaczął szukać jakiegoś stołka, czegoś, co pozwoli mu dosięgnąć okna i uciec jedyną możliwą drogą. Nie znalazł nic i wobec tego, zdesperowany, postanowił użyć stołu stojącego najbliżej ściany z oknami. Na stole leżał staruszek, który popełnił samobójstwo trzy dni wcześniej. Giobatta zdołał wdrapać się na stół, nie dotykając ciała, wspiął się na czubki palców i pochwycił parapet, przytrzymał się go mocno i zaczął na niego włazić. Ale właśnie w tym momencie stracił równowagę. Zsunął się do tyłu, upadł na coś przerażająco miękkiego, przerażająco cuchnącego, przerażająco zimnego... i z obrzydzenia zemdlał.

366

* * *

Leżał tak wciąż omdlały na trupie samobójcy, kiedy don Agostino przyszedł po niego, i co się wtedy stało, tego nie wiem. (Prawdopodobnie nic szczególnego. Kilka policzków, żeby przywieść go do przytomności, kopniak w siedzenie, żeby się ruszył, warknięcie lepiej-się-uspokój, żeby uciszyć jego szlochanie). Wiem jednak, że Giobatta wrócił do domu z gorączką, która doprowadziła wkrótce do majaczenia, i że przez tydzień rodzina bała się, że oszalał. Co chwilę wyskakiwał z łóżka i wołając ratunku-ratunku, biegł do okna, próbował przez nie przeskoczyć, a na pytanie co-ci-się--stało reagował, recytując refren z *Confiteor*: *„Mea culpa, mea culpa! Mea maxima culpa!"*. Gasparo chciał wezwać egzorcystę, Teresa lekarza, i tylko honorarium, jakiego obaj żądali, skłoniło ich do rezygnacji. Potem, dzięki staraniom Marii Rosy, która leczyła jego duszę i rany okładami z ciepłej oliwy, następnej soboty gorączka spadła. Majaki ustąpiły i podczas gdy dzwony kościoła Świętego Sebastiana rozbrzmiewały posępnym dun-dun, z łóżka odezwał się smutny i zdecydowany głos:

— I co z tego, że dzwonią? Ja i tak do szkoły już nie pójdę.

I nie poszedł.

Jednak, jak powiada przysłowie, nie ma tego złego, co by na dobre nie wyszło. Kiedy w mieście rozniosło się, że Belzebub Oprawca przeszedł samego siebie, kilka osób ulitowało się nad biednym chłopcem. Wśród nich rzeźbiarz Paolo Emilio Demi, który zasięgnąwszy informacji o Giobatcie, posłał po niego.

— To prawda, że robisz figurki z chleba i wosku?

— Tak, proszę pana.

— Chciałbyś rzeźbić marmur i kamień u mnie?

— Och, proszę pana!

— Szukam ucznia kamieniarskiego, który pomógłby mi w warsztacie, i nie tylko uczył się zawodu, ale także woził prace na wózku. Jeśli chcesz, posada należy do ciebie.

— Och, proszę pana!

— Jesteś przyjęty za lira dziennie i zaczynasz jutro.

Jeden z ówczesnych tekstów określa Paola Demiego jako „rzeźbiarza z Livorno, cholerycznego i szczodrego, sentymentalnego i dzikiego, zdolnego w równej mierze do wielkoduszności i do gniewu". Pewien szkic współczesnego mu Pasquale Romanellego potwierdza ten osąd. Szerokie i szorstkie oblicze, któremu dodają surowości wąsy i szpiczasta kozia bródka. Uśmiech ciepły, a zarazem twardy, dziwne oczy, w których kryje się słodycz i jednocześnie chętka do zwady. W 1835 roku miał trzydzieści siedem lat, dziesięciu pomocników i warsztat złożony z czterech pomieszczeń przy via Borra. Jego współmieszkańcy nazywali go toskańskim Fidiaszem, a Stendhal prawdziwym artystą. Był u szczytu sławy. Bogacze z Livorno, pękający z wdzięczności za przywileje przyznane miastu przez Leopolda II i Ferdynanda III, postanowili każdemu z nich wznieść pomnik. Konkurs na posąg Ferdynanda III wygrał florentczyk Francesco Pozzi sześcioma głosami na dziewięć. W konkursie na figurę Leopolda zwyciężył Demi, dziewięcioma głosami na dziewięć. Co prawda po triumfie nie zabrakło krytycznych opinii dworzan, którym nie podobał się szkic przedstawiający Leopolda w pozycji siedzącej oraz bez berła i korony. Na krytykę Demi zareagował oczywiście sceną i pogróżkami, że się wycofa. Potem jednak szkic został zmieniony, wielki książę pojawił się na nim w pozycji stojącej, z berłem, w wieńcu laurowym i w monarszej todze. Kłótnie zelżały i teraz, w oczekiwaniu na przekucie projektu w marmur, w pierwszym pomieszczeniu warsztatu królował model z gipsu. Olbrzym o wysokości ponad czterech metrów, uczłowieczony dwoma szczegółami, których mało inteligentni obserwatorzy nie dostrzegli: ramionami opuszczonymi w geście zmęczenia i głową pochyloną jakby w prośbie o przebaczenie.

W pierwszym pomieszczeniu stały także dzieła, nad którymi Demi pracował w 1835 roku. Posąg Galileusza, zamówiony przez uniwersytet w Pizie na kongres naukowy, na który miały się zjechać najwybitniejsze umysły Włoch, figura Dantego Alighieri zlecona przez władze Florencji dla Loggii Uffizi, brązy zamówione przez parlament brazylijski, czyli alegorie Prawdy, Wierności, Stałości i Dyskrecji, oraz posąg uważany do dziś za arcydzieło rzeźbiarza: grupa *Matka nauczycielka*, złożona z uroczej kobiety uczącej dzieci, pięknego chłopca z elementarzem pod pachą i ślicznej dziewczynki przytulającej elementarz do serca. W drugim pomieszczeniu stała pięknie wykonana całująca się para, *Amor i Harmonia*, oraz mnóstwo wesołych figur, które zdawały się wołać: niech-żyje-życie. Bujne najady, które wypinając pierś i rozkładając nogi, zapraszały do grzechu, dumni wojownicy przyodziani tylko w hełmy i listki figowe i napinający łuki lub wyciągający miecze, wierzgające konie, uśmiechnięte pacholęta, anioły z radośnie rozpiętymi skrzydłami. I właśnie te pomieszczenia zobaczył Giobatta w dniu, w którym Demi wezwał go, by go przyjąć i pocieszyć. W trzecim i czwartym pomieszczeniu, na tyłach warsztatu, dlatego nieco w ukryciu, znajdowały się niestety zupełnie inne rzeczy. Krzyże, stele nagrobne, tablice, złamane kolumny, zgaszone pochodnie. Popiersia zmarłych, płaskorzeźby z piszczelami i czaszkami. W najlepszym razie posągi płaczących wdów i bolejące anioły ze zwiniętymi skrzydłami. Inaczej mówiąc, artykuły cmentarne. Bo warsztat przy via Borra, tak jak wszystkie mu podobne, robił najlepsze interesy na artykułach cmentarnych, a nie na radosnych posągach czy wysmakowanych pomnikach. Powód był prosty. Po zniesieniu zalecenia, by chować zmarłych w zbiorowych bezimiennych mogiłach kościelnych bez żadnego upamiętniającego ich napisu, w dziewiętnastym wieku cmentarze wróciły do mody. W rezultacie został na nowo rozbudzony kult zmarłych i posiadanie własnego grobu stało się powszechnym pragnieniem. A na grobie epitafium, upamiętniające pod imieniem prawdziwe i domniemane cnoty zmarłego oraz rozpacz niepocieszonych krewnych. Obok epitafium figury przyciągające wzrok tych, którzy wybierali się na spacer po nekropolii. W ten sposób zrodziła się nowa dochodowa sztuka, rozwinął się makabryczny przemysł, którym żaden rzeźbiarz ani kamieniarz nie odważyłby się pogardzić. Przede wszystkim w Livorno, gdzie cmentarze istniały od zawsze (cmentarze Anglików, Holendrów, Turków, Żydów, Ormian, Greków, katolików) i skąd drogą morską eksportowano niezliczone pomniki nagrobne. Do Ameryki, Anglii, Francji, Skandynawii, Rosji oraz Polski. Pominąwszy naukę, nowy pomocnik w warsztacie pracował przede wszystkim w trzecim i czwartym pomieszczeniu. Chłopcze-zawieź-czaszkę-i-piszczele--na-cmentarz. Chłopcze-zabierz-popiersie-zmarłego-na-statek--odpływający-do-Londynu.

Stoicki, bohaterski Giobatta. Przezwyciężył kolejne traumatyczne przeżycie w mgnieniu oka. Nie tyle dla lira dziennie (zawrotna suma, jeśli pomyśleć, że doświadczony dorosły zarabiał na dzień trzy liry), ile dla nadziei, jaką optymistycznie wiązał z tym zajęciem. Gdy rozwiało się marzenie o szkole, pozostała ambicja zostania rzeźbiarzem, a żeby nim zostać, nie mógł sobie wymarzyć lepszego miejsca. W warsztacie przy via Borra miał całe góry gliny do modelowania. Miał pomoc i wskazówki Demiego i jego dziesięciu pomocników, mógł codziennie dokonywać fantastycznych odkryć. Na przykład że gliny używa się do stworzenia modelu posągu albo płaskorzeźby. Że model z gliny pokrywa się płynnym gipsem i w ten sposób uzyskuje się formę do przepiłowania i ponownego wypełnienia gipsem, i że kształt, jaki się uzyska, staje się ostatecznym modelem do figury z marmuru... Że marmur ma takie same cechy jak człowiek, czasami jest ustępliwy, czasami twardy, pospolity albo wyjątkowy, poza tym może występować w wielu kolorach: białym, czarnym, żółtym, zielonym, różowym, czerwonym, kremowym... Że tak jak ludzkie ciało, on także ma żyły, które łatwo przerwać, i wtedy klops: nie da się przykleić kawałka z powrotem. Że zanim zacznie się rzeźbić marmur, trzeba go przyciąć, wyszlifować, dokonać wstępnej obróbki. Tak samo z kamieniem... Pomiędzy jednym transportem a drugim chłopcze--zawieź-czaszkę-z-piszczelami nauczył się właśnie przycinać, szlifować, dokonywać wstępnej obróbki. Do cięcia jest potrzebna tylko ręczna piła. Do szlifowania tylko ściernica uruchamiana przez koło, kręcąca się jak osioł obracający żarna młyna. Do obróbki, naturalnie, tylko ciężki młot, którym uderza się w dłuto. Boże, co za trud! Obróbka to straszliwy wysiłek. Udręka. Od uderzeń drętwieją ramiona, sztywnieją nadgarstki, puchną palce, wnętrze dłoni ociera się aż do krwi. Wieczorem Maria Rosa musi leczyć je ciepłą oliwą i świeżym octem, bandażować, i Giobatta prawie mdleje z bólu. Jednocześnie jest to jednak okres wielkiego szczęścia. Bo Giobatta ma wrażenie, że zobaczyć kształt wyłaniający się spod dłuta to jakby dać duszę kamieniowi, podarować mu myśl i oddech. Wydaje mu się, że jest Bogiem, czuje się już artystą zdolnym tworzyć cuda równie piękne jak te, które rzeźbi pan Demi. Tak jak tego wspaniałego starca, który lewą ręką przytrzymuje Ziemię, a prawicą wskazuje: a-jednak-się-porusza. Jak tę piękną panią, która uczy dwoje dzieci z elementarzem, ci to mają szczęście. Jak dorodne najady, dumnych wojowników, wierzgające konie, innymi słowy, radosne posągi z dwóch pierwszych pomieszczeń warsztatu. Posągi dla żywych.

Och, okres nauki był cudowny. Przejęty swoim szczęściem, Giobatta nie zauważył nawet, że jego edukacja postępowała właśnie dzięki przygotowaniom figur dla zmarłych, bo posągów dla żywych prawie nikt nie kupował, i stały tam, pokrywając się kurzem, tak jak olbrzymi książę Leopold, którego opuszczone ramiona i zwieszoną głowę ktoś wreszcie zauważył. Dlatego pozwolenie na przekucie go w marmur nie nadchodziło, a z nim nie nadchodziły także pieniądze. Lecz gdy tylko zakończył się czas nauki, a młodzieniec z warsztatu został pracownikiem, złudzenie, że złapał Pana Boga za nogi, niestety się rozwiało.

— Chłopcze, zrób złamaną kolumnę.

— Już się robi, panie Demi.

— Chłopcze, zrób zgaszoną pochodnię.

— Już się robi, panie Demi.

— Chłopcze, zrób krzyż koptyjski.

— Już się robi, panie Demi.

— Jeśli go nie zepsujesz, zostaniesz nagrodzony.

— Naprawdę, panie Demi?

— Tak, pozwolę ci wykonywać epitafia.

Nieszczęsny, wzruszający Giobatta. Miał piętnaście lat, wiek, który ktoś nadał przepięknej rzeźbie młodzieńca ze śmiercią w oczach (wyrzeźbionej przez samego Demiego?), kiedy zaczął wykonywać złamane kolumny i zgaszone pochodnie. Szesnaście, gdy przeszedł do krzyży (bardziej skomplikowanych od kolumn i pochodni, bo miały tendencje do łamania się na zbiegu ramion). Siedemnaście, gdy powierzono mu ambitne zadanie wykonywania epitafiów i wyrył to, które po wielu poszukiwaniach odnalazłam na grobowcu znajdującym się na cmentarzu Greków. Trzydzieści pięć słów rzymską czcionką, to znaczy wielkimi literami, zarosłych mchem i zasłoniętych gałęziami bujnego drzewa rosnącego obok.

MARGHERITA ARGISI Z LIVORNO
MAŁŻONKA ALESSANDRA PATRINA
ZAWSZE CZYNNA
MĄDRA I CZUŁA DLA MĘŻA
NAJUKOCHAŃSZA MATKA
POBOŻNA I DOBROCZYNNA
OBYCZAJÓW CZYSTYCH
ZGASŁA
CZWARTEGO KWIETNIA
TYSIĄC OSIEMSET CZTERDZIESTEGO ROKU
FIAT VOLUNTAS DEI

Oj tak, długo szukałam tego napisu. W rodzinie twierdzili, że pierwsze epitafium wykonał Giobatta dla niejakiej Margherity Argisi pochowanej na cmentarzu żydowskim, dlatego najpierw szukałam tam. Od imienia do imienia, od grobowca do grobowca, z uporem. Tymczasem znajdowało się pod drzewem cmentarza

Greków, gdzie znalazłam je przypadkiem pewnego deszczowego październikowego popołudnia, i patrząc na nie, poczułam, jak ściska mi się gardło. Tak samo jak teraz, gdy o tym piszę. Z pewnością musiał poprosić Demiego lub jednego z jego pomocników o napisanie mu tych słów. Ile upokorzenia kosztowała go praca nad nimi, bez zrozumienia ich sensu? Przecież w 1840 roku był jeszcze analfabetą. Z trudem odróżniał samogłoski, a może i nie, bo przez trzy dni nauczyciel Lombardi zdążył nauczyć go rozpoznawać tylko małe litery w zwykłej czcionce. Poza tym nie jest łatwo ryć ręcznie w marmurze czy kamieniu. Na O, U, B, C, D, G, P, Q, R, S, czyli na literach okrągłych, dłuto łatwo może się ześlizgnąć. Szybciej niż na A, E, I, F i innych literach z ostrymi kątami. Jeśli uderzysz niewłaściwie, wyjdziesz poza kontur litery narysowany przez Demiego lub jego pomocnika, nie możesz go poprawić ani zamazać. Nawet jeśli doszedłeś już do FIAT VOLUNTAS DEI, musisz wszystko skuć. Musisz wygładzić, czyli obniżyć całą powierzchnię, wypolerować ją od nowa i zacząć wszystko od początku. A w napisie pośmiertnym pani Argisi dużo jest okrągłych liter. Piętnaście O, dwanaście S i jedenaście R. Bóg jeden wie ile razy się pomylił i musiał wszystko skuć. Wygładzić, obniżyć, wypolerować na nowo, zacząć od początku. Prawdopodobnie zniszczył w końcu płytę. Oberwał za to po głowie i nasłuchał się potoku obelg, idiota-nieudacznik-kretyn, kosztowało go to nawet miesiąc płacy. Kto niszczy, musi zapłacić. A jednak napis na cmentarzu Greków jest bezbłędny. Jeśli urwie się gałązkę z drzewa i wyczyści nią mech, okaże się, że nawet na okrągłych literach nie ma ani jednej niedokładności, żadnej pomyłki. O wyglądają na wyryte za pomocą cyrkla, brzuszki B uderzają swoją precyzją, łuki S pewnością rysunku. I to wyjaśnia prestiż, jakim Giobatta cieszył się przez całe życie jako autor tablic nagrobnych. Bo niestety nigdy nie został prawdziwym rzeźbiarzem. Pomimo swobody, z jaką jako dziecko tworzył formy, i entuzjazmu, z jakim w wieku młodzieńczym przykładał się do nauki, jako rzeźbiarz ani razu się nie odznaczył. Zostało po nim kilka dość udanych płaskorzeźb, kilka w miarę dobrych popiersi, a w końcu mizerne figurki z alabastru, które sprzedawał turystom, żeby nie umrzeć z głodu. Natomiast jeśli chodzi o tablice nagrobne, to nikt nie mógł mu dorównać ani jakością, ani liczbą wykonanych prac. Całe tony nieporównanych TU SPOCZYWA, TUTAJ ODPOCZYWA, TUTAJ ŚPI SNEM WIECZNYM, kilometry nienagannych elegii i pochwał. (Mam kompletny tekst jednego z wariantów, jakich używał dla topielców: czytając go, można popaść w depresję. „O synu mój! O synu mój, który dwudziestotrzyletni, tak dobry, kochany i zaręczony, przepadłeś w morzu! Miesiącami błagałam okrutne wody, aby mi oddały twe kości i pozwoliły złożyć je w grobie, przy którym opłakuję je każdego dnia, przytulona do twego krzyża! O Panie Wszechmogący i Wszechwiedzący! Powiedz mi, dlaczego ścinasz ledwie zakwitłe pąki!"). W warsztacie przy via Borra nazywali go płaczącym Canovą i — o ile mi wiadomo — tylko raz udało mu się przećwiczyć swe zdolności na użytek żywej osoby. W 1846 roku, gdy po wyczerpaniu się polemik nad pochyloną głową i opuszczonymi ramionami gipsowego księcia Leopolda Demiemu dano wreszcie wyczekiwaną zgodę na wyrzeźbienie posągu z marmuru, to Giobatcie przypadł zaszczyt wyrycia napisu na cokole:

LEOPOLD II
Z NAJWYŻSZĄ TROSKĄ I ZNAJOMOŚCIĄ RZECZY
OTACZAŁ OPIEKĄ HANDEL
ROZSZERZYŁ I UPIĘKSZYŁ TO PAŃSTWO
UŻYŹNIŁ BŁOTNISTE ZIEMIE
OŻYWIŁ LUD, ROLNICTWO I PRZEMYSŁ.

Napis ten zresztą w wybuchu rewolucyjnej furii rozbudzonej za sprawą orędzia Mazziniego sam Giobatta uszkodził w 1849 roku i dzisiaj już nie istnieje. Na jego miejscu pojawiają się głupie i wulgarne graffiti wymalowane farbą, których władzom nie chce się ścierać. „Wiwat Juve", „Wiwat laska", „Franco dureń", „Piza do dupy", „Jenny, zadzwoń 236323", „Mario, dzwoniłam, ale cię nie było".

* * *

Co niezwykłe, bo właśnie dzięki tablicom nagrobnym Giobatta pokonał swój analfabetyzm, ziścił marzenie, z którego z winy don Agostina zrezygnował. Dzięki tym kilometrowym elegiom i pochwałom, dzięki tonom owych TU SPOCZYWA, TUTAJ ODPOCZYWA, TUTAJ ŚPI SNEM WIECZNYM oswoił się z alfabetem. Przyswoił sobie spółgłoski, sylaby, zrozumiał, jakim dźwiękom odpowiadają tajemnicze symbole, których znaczenia nie znał, i zapamiętując pisownię słów, które powtarzały się na tablicach najczęściej, nauczył się je rozpoznawać. Inaczej mówiąc, zaczął zdawać sobie sprawę z tego, co mechanicznie rył rylcem lub dłutem. Imiona, nazwiska, rzeczowniki, czasowniki. Na przykład, jeśli pytali go, w jakim jest punkcie, nie odpowiadał już: jestem--przy-trzeciej-linijce albo przy czwartej lub piątej. Odpowiadał „Jestem przy K słowa płakać. Jestem przy T słowa kwiat". Potem, w dzień swoich osiemnastych urodzin, spróbował napisać podarowanym mu przez Marię Rosę ołówkiem zdanie TU SPOCZYWA. Mniej więcej mu się udało, potem stopniowo nabierał wprawy i po kilku tygodniach nauczył się także rysować słowa do wyrycia na tablicach. Naturalnie, tylko dużymi literami, czyli tak jak na sarkofagach: z małych liter używanych w piśmie codziennym rozróżniał tylko z trudem a-e-i-o-u nauczyciela Lombardiego. Jednak z pomocą Demiego (który od czasu, gdy rozegrał się dramat ze zniszczeniem napisu na cokole pomnika Leopolda, pozostał jego opiekunem i przyjacielem) nadrobił szybko ten frustrujący brak i w 1842 roku umiał już zapisać zdanie dużymi i małymi literami. W roku 1844 potrafił przeczytać gazetę i książkę, a nawet napisać bilecik, nie popełniając zbyt wielu błędów, w 1846 zaś stworzył orędzie przechowywane w skrzyni Cateriny:

Kurewska Austrio, oddech nam zabierasz,
obyś zdechła, podła kurwo,
śmierć twoim służalcom, w błocie utytłanym.
Niech żyją Włochy,
niech żyje krew Ludu,
który w dupę dostaje, lecz w końcu zwycięży.

Jednym słowem, gdyby nie cmentarze i tablice nagrobne, nie mógłby udowodnić samemu sobie, jak prawdziwe było powiedzenie stryja: „Jeden nieuk mniej, jeden patriota więcej". Być może nie poszedłby swoją drogą, nie stałby się rewolucjonistą, którym się stał. A przyczyniła się do tego w decydujący sposób Maria Rosa. Jedyna kobieta jego życia, jedyna, którą kochał.

10

Ach, Maria Rosa! Niestety nie mam wielu informacji o mojej kochanej, sympatycznej praprababci Marii Rosie. Nawet data jej urodzenia nie jest pewna. Według pobieżnego spisu ludności, przeprowadzonego w Wielkim Księstwie w połowie wieku, przyszła na świat 17 lutego 1820 roku. Według ksiąg parafialnych 17 lutego 1821. Według świadectwa ślubu 17 grudnia 1822. (W każdym razie ja zawsze słyszałam, że była dwa czy trzy lata starsza od Giobatty, i myślę, że właściwa jest data 1821. Rok 1820 zapisali niedbale niekompetentni urzędnicy, a 1822 mogła podać sama żona, żeby wydać się prawie w wieku męża, urodzonego w 1823 roku). Nie ma także pewności co do jej panieńskiego nazwiska. W spisie ludności zapisano Mazzetti. W archiwach parafialnych Mazzelli. Na świadectwie ślubu Mazzella. „Maria Rosa Mazzella, córka świętej pamięci Pasquale Mazzellego i Lucii Mendoli". Co do tych dwojga, wiem tylko, że byli wieśniakami, którzy opuścili wioskę w Ligurii, by szukać szczęścia w Livorno, gdzie on zmarł na tyfus, a ona w połogu. Właśnie dlatego biedaczka

wyrosła w sierocińcu prowadzonym przez mniszki, z którego
w 1835 roku przeor z Salviano zabrał ją, aby powierzyć Teresie.
Nie znając nazwy sierocińca, nie mam nawet możliwości odtworzenia dzieciństwa praprababci. Wiem jednak wystarczająco dużo,
aby zrozumieć, dlaczego Giobatta tak bardzo ją kochał i dlaczego
stała się jedyną kobietą jego życia.

Ładna nie była, mówił dziadek Augusto. Wyjąwszy zdrowe
zęby i brązowe, błyszczące, żywe oczy łasiczki, jej wygląd zostawiał dużo do życzenia. Szeroka okrągła twarz, za krótki, mały
nosek, pucołowate policzki, a co najgorsze: podwójny podbródek
i gruba figura. (Dysfunkcja gruczołów sprawiała, że wszystko, co
jadła, zmieniało się w tłuszcz, i mimo niskiego wzrostu ważyła
biedaczka osiemdziesiąt kilogramów). Poza tym nad prawą skro-
nią była prawie łysa. W owych czasach małe naprawy krawieckie
wykonywało się włosami. Kłębkami białych, czarnych, siwych,
płowych lub kasztanowych włosów, które kupowało się w sklepie
z różnościami po dziesięć krajcarów za tuzin. Żeby nie wydawać
pieniędzy, a także dlatego, że Maria Rosa miała bardzo jasne
włosy, odpowiednie do różnego rodzaju materiałów, wyrywała je
sobie bez litości i robiła się coraz bardziej łysa. Ale biada temu,
kto sugerował, że powinna zakryć łysinę kosmykiem lub zmyślną
fryzurą! „To znak mojego zawodu! Nazywa się łysiną szwaczek!"
Maria Rosa nie była też studnią mądrości. W sierocińcu mniszki
nauczyły ją tylko szyć i nie umiała ani czytać, ani pisać, za podpis
wystarczała jej kreska, czyli symbol igły. Była za to inteligentna.
Miała doskonałą pamięć i mądrość płynącą ze zdrowego rozsądku
oraz intuicji. Swojej pracy poświęcała się z gorliwością artysty
i jeśli chodzi o cerowanie, zasługiwała w pełni na pochlebną ocenę
przeora: „wyjątkowa, fenomenalna". Czy zniszczony materiał był
szorstką wełną czy delikatnym jedwabiem, ona w mgnieniu oka
potrafiła naprawić go tak zręcznie, że po dziurce czy rozdarciu
nie pozostawał nawet ślad. Nie przypadkiem Teresa pozwalała
jej mieć własnych klientów, do których należeli też wymagający

turyści z hotelu Peverada, najbardziej luksusowego w całym mieście. Zresztą, czy to nie tam właśnie zdarzyła jej się miła przygoda, o której cała rodzina rozprawiała ze źle ukrywaną dumą? „Przyjechała para cudzoziemców, którzy mają mnóstwo rzeczy do zacerowania. Idź na trzecie piętro, do pokoju 38, i postaraj się ich zadowolić", kazał Marii Rosie portier. Poszła więc, i kim okazali się ci cudzoziemcy? Robert Browning i Elizabeth Barrett, świeżo po ślubie, przybyli przez Hawr, Paryż, Lyon, Marsylię, Genuę do Livorno, aby osiedlić się w Toskanii. Jeśli wierzyć opowieści, której słuchałam jako dziecko, Maria Rosa dostała od Roberta aż siedem koszul podartych w czasie miłosnych uniesień miodowego miesiąca. Siedem poprutych pantalonów i zniszczonych gorsetów dostała od Elizabeth. A jednak wystarczyło parę dni i wszystkie rzeczy były znów jak nowe. Na małżonkach zrobiło to takie wrażenie, że zaproponowali jej, żeby pojechała z nimi do Pizy, gdzie mieli zamiar spędzić zimę, i zajęła się naprawą całej ich garderoby. Ona odmówiła zaszczytu, bo nie chciała się oddalać od Giobatty, ale chwaliła się tym przez całe życie: „Jako dziewczyna byłam doceniana przez poetów i poetki".

Była także żywiołowa, jowialna, obdarowana nieodmiennie wesołą naturą, która często jest typowa dla tęgich ludzi. Jej okrągła twarz nigdy nie była smutna, na każde nieszczęście czy przeciwieństwo losu reagowała gromkim śmiechem, trzeba-brać-świat-jakim-jest, i zawsze śpiewała. Arie z Rossiniego, Donizettiego, Belliniego. Na przykład z *Kopciuszka*:

Canerentola vien qua, Canerentola va'là
Canerentola va' su,
Canerentola va' qiù...

Z *Łucji z Lammermooru*: *Verranno a te sull'aureee i miei sospiri ardeeentiii...* I z *Lunatyczki*, z której najbardziej podobało jej się to, że Amina jest szczęśliwa.

Care compagne, e voi teneri amici,
che alla gioia mia tanta parte prendete...

Albo też fragmenty z dzieł młodego kompozytora, którego krytycy uważali za beztalencie, niszczyciela melodii, a za którym publiczność szalała: Giuseppe Verdiego. Triumf święcił w tych latach jego *Nabuchodonozor*, potem skrócony na *Nabucco*. W tragedii starożytnych Żydów uciskanych przez Asyryjczyków ludzie dostrzegli metaforę Włochów cierpiących pod jarzmem obcych potęg, a chór z trzeciego aktu stał się hymnem patriotycznym, wyśpiewywanym z upodobaniem także przez Marię Rosę. *Va, pensieeero, sull'ali doraaateee...* Święcili też triumfy *Lombardczycy na pierwszej krucjacie*, opera o pierwszych krzyżowcach, którzy udają się wyzwolić Grób Pański z rąk niewiernych. Chór z czwartego aktu był równie popularny i po skończeniu *Va, pensiero* Maria Rosa przechodziła właśnie do niego: *Oh, Signor, che dal tettooo natiooo...* W istocie śpiewała pięknym lekkim sopranem, kochała muzykę niemal maniakalnie i gdy tylko uzbierała osiem krajcarów (cena biletu na galerii), biegła do Teatru Karola Ludwika albo do Teatru Avvalorati, żeby obejrzeć sobie jakąś operę. Dzięki swej rewelacyjnej pamięci od razu zapamiętywała ją całą.

Tak samo kochała naukę, odkrycia, które miały zmienić przyszłość, i z bijącym sercem śledziła ewolucję dwóch najbardziej fascynujących ją wynalazków: cudownego pojazdu, nazywanego przez Anglików *railway*, przez Francuzów *train*, a przez Toskańczyków *velocifero*, czyli pociągu, oraz niesamowitego urządzenia nazwanego przez Anglików *sewing machine*, przez Niemców *Nähmaschine*, przez Francuzów *machine à coudre*, a przez Toskańczyków żelazną krawcową. Jednym słowem: maszyny do szycia. Och, Maria Rosa wiedziała wszystko o maszynie do szycia. Że próby jej stworzenia były podejmowane już w 1755 roku przez niejakiego Karla Weisenthala i w 1790 przez niejakiego Thomasa Sainta — obaj byli zwolennikami igły o podwójnym ostrzu i obaj zostali pokonani, bo nie mogli uzyskać mocnych szwów. Że w 1830 roku niejaki Barthélemy Thimonnier opatentował projekt maszyny z igłą w kształcie szydełka i że zaczął przy jej użyciu produkować mundury wojskowe, też niestety o słabych szwach, i że w czasie gdy próbował ją udoskonalić, krawcy pozbawieni pracy przez jego wynalazek zemścili się, paląc jego laboratorium. Że od tego momentu prace przeniosły się do Ameryki, gdzie Walter Hunt, wynalazca agrafki, opracował igłę używaną poziomo, ale bez sukcesu. Wiedziała nawet, że problem igły niemal rozwiązał już pan Isaac Singer z Bostonu, i kiedy wśród turystów w hotelu Peverada zdarzał się ktoś z tego miasta, zaraz biegła do niego i dręczyła go pytaniami: „Mister, jak posuwa się praca pana Singera?", „Mister, czy już jest gotowa suin maszin pana Singera?".

Co do pociągu, o Boże: ona rosła i żyła w oczekiwaniu na przybycie pociągu. W 1826 roku przemysłowiec Ginori Lisci przedstawił księciu Leopoldowi projekt wybudowania drogi żelaznej z Livorno do Pizy i jego wysokość odpowiedział skrzywiony: „Nie marnuję pieniędzy na ekstrawagancje". W 1837 roku, kiedy Burboni otworzyli linię Neapol–Castellammare di Stabia, pierwszą linię kolejową we Włoszech, ekonomista Luigi Serristori i inżynier Carlo Dini Castelli wrócili do sprawy, przedstawiając projekt zwany „Leopoldą". Miała to być linia z Livorno do Florencji przez Pizę, Cascinę, Pontederę, Empoli. Z mapami i kosztorysami w ręku zamknęli się w gabinecie wielkiego księcia w Palazzo Vecchio i tygodniami tłumaczyli mu, jakie dobrodziejstwa wynikną z budowy drogi żelaznej. Skrócenie do zaledwie pięciu godzin podróży, która dyliżansem ciągniętym przez cztery konie trwała od świtu do zmierzchu albo wręcz do późnej nocy. Możliwość wysyłania i otrzymywania tą samą drogą towarów, które od wieków transportowano z Livorno do Florencji rzeką Arno, na powolnych barkach. Perspektywę pomnożenia wymiany handlowej i zysków. Jego

Wysokość znowu podniósł obiekcje: „Za dużo kosztuje" (przewidziany koszt wynosił trzydzieści milionów lirów, czyli cztery i pół miliona złotych skudów). Wtedy jednak wtrącili się bankier Emanuele Fenzi oraz Pietro Senn, szwagier Pietra Vieusseux, oświadczając, że są skłonni założyć spółkę handlową i znaleźć pieniądze. Na taki nieoczekiwany zwrot akcji Jego Wysokość zareagował tym razem, podpisując *motu proprio*, które dawało zezwolenie na realizację przedsięwzięcia. Rozpoczęto prace i w Toskanii o niczym innym nie mówiono. Bardzo niechętnie, powiedzmy to szczerze. Z odrazą lub gniewem, które towarzyszyły wszystkim etapom prac. Zwłaszcza w Livorno i na terenach między Livorno a Pizą były setki, a może raczej tysiące przeciwników pociągu. Flisacy, woźnice, właściciele ziemscy, wieśniacy, regionaliści. Flisacy i woźnice, bo, jak przewidział Giovanni, welocyfer miał im zabrać pracę, odjąć chleb od ust. (Nie przypadkiem nazywali go Lucyferem). Właściciele ziemscy, bo w imię dobra publicznego wywłaszczano ich lub zmuszano do sprzedawania za niską cenę posiadłości położonych wzdłuż projektowanej linii. Wieśniacy, bo wraz ze zniknięciem posiadłości tracili domy, stajnie, bydło i musieli migrować do miast albo w inne rejony. Regionaliści, bo książę powierzył prace dwóm Anglikom, Robertowi Stephensonowi i Williamowi Hoppnerowi, którzy przywieźli ze sobą dziesiątki rodaków i pod pretekstem nieznajomości języka nie zatrudniali miejscowych inżynierów. Wielu malkontentów nie ograniczyło się do protestów i narzekań. Organizowali się w bandy uzbrojone w pałki, strzelby, materiały wybuchowe i wypowiadali nowemu nieprzyjacielowi bezpardonową walkę. Napadali na robotników, bili ich i strzelali do nich. Niszczyli nasypy i tory. Albo dewastowali punkt przesiadkowy w Livorno, czyli dworzec budowany przez Hoppnera za Porta San Marco. Sabotaże na każdym kroku. Maria Rosa wpadała w furię. „Zacofańcy w perukach, odpadki po przeszłości! Kapuściane głowy, reakcjoniści, nieprzyjaciele postępu! Końskim łajnem was nakarmić, łachmaniarze!" Jednym słowem, nie wolno było naruszać jej wiary w przyszłość. Pod tym względem przypominała Caterinę.

Ale bardziej od welocyfera i od żelaznej krawcowej, od suin maszin, bardziej od muzyki i Verdiego, Rossiniego, Donizettiego i Belliniego — kochała Giobattę. Kochała go od czasów, kiedy był dwunastolatkiem w błękitnym aksamitnym ubranku, a ona czternastolatką (lub piętnastolatką, lub trzynastolatką), która dopiero co stała się członkiem rodziny Cantinich. Wiadomo, szew i zerknięcie, szew i zerknięcie. Uwielbiała go bez granic, bez miary, i to nie siostrzanym afektem. Kochała go jak kobieta. Z płomieniem, namiętnością, cielesnym pożądaniem kobiety. Czego zresztą nigdy nie próbowała ukrywać lub raczej nie uważała za konieczne. Wręcz przeciwnie, okazywała to ostentacyjnie wobec wszystkich (łącznie z Teresą), wzdychając pogodnie: „Ach, gdybym nie była taka gruba! Ach, gdybym nie była taka niezdarna! Ach, gdybym nie była taka stara! Tysiąc całusów bym ci dała, zaraz żoną twą bym została!".

Toteż trzeba tu coś sprecyzować.

* * *

Teresa nigdy nie przykładała wielkiej wagi do tych pogodnych wzdychań. Być może zbyt mało spostrzegawcza, być może zaślepiona przez przesadną dumę, uważała je zawsze za niewinne objawy bujnego temperamentu lub też hołdy należne małemu bogu, który zstąpił z Olimpu, by uwodzić każdego, kogo napotka na swojej drodze. Z tego samego powodu nigdy nie sprzeciwiła się lawinom podarków i uprzejmości, jakimi jej prawie adoptowana córka zasypywała Giobattę, nie ingerowała w czułe porozumienie, jakie nawiązało się od początku między tymi dwojgiem. Tak więc i wtedy, gdy Giobatta wyrósł na wspaniałego młodzieńca, gotowego do ożenku, wcale jej to nie martwiło. No cóż, może od czasu do czasu zaświecała jej się czerwona lampka: to prawda. Popatrywała podejrzliwie i z intuicją matki zakochanej w dziecku nie mogła się obronić przed niejasnym niepokojem. Boże drogi, a jeśli zamiast należnych hołdów i niewinnych wybuchów temperamentu chodzi o płomienie miłości? Czy to możliwe, że mimo oskarżania się o to, że jest gruba, niezdarna i stara Maria Rosa naprawdę marzy o poślubieniu Giobatty? Co gorsza: czy istnieje prawdopodobieństwo, że on jest temu przychylny i że zabawa zmieni się w niewyznaną więź uczuciową? Poszlak w istocie nie brakowało. Gorliwość, z jaką on ją wołał, szukał jej pod jakimkolwiek pretekstem. Mario-Roso-gdzie-jesteś, Mario-Roso-przyjdź--tutaj. Skwapliwość, z jaką każdej niedzieli ofiarowywał się jej towarzyszyć. Mario-Roso-odprowadzę-cię, Mario-Roso-pójdę--z-tobą-do-teatru. I choćby to, że nigdy nawet nie patrzył na inne dziewczęta. Rzecz tym dziwniejsza, że w Livorno pełno było ślicznych panienek, w Salviano te w wieku do zamążpójścia kręciły się wokół Giobatty jak pszczoły wokół miodu, a na via Borra mówiono, że nawet najstarsza córka Demiego miała do niego słabość. Zaraz potem jednak Teresa wzruszała ramionami. Potrząsała głową i stwierdzała, że to niemożliwe: Maria Rosa była dla jej syna kimś w rodzaju siostry, a poza tym jaki kawaler obdarzony dobrym gustem zauroczyłby się biedaczką do takiego stopnia pozbawioną wszelkich fizycznych powabów? Potem rozpogodzona pozwalała, by tych dwoje przebywało ze sobą, chodziło razem na mszę i do teatru, i dopiero kiedy pogodne wzdychania robiły się trochę zbyt częste albo porozumienie zbyt czułe, interweniowała. Napominała ich łagodnie:

— Mario Roso, nie mów głupstw!

— Mario Roso, nie przesadzaj!

— A ty jej nie zachęcaj, Giobatto!

Tyle tylko, że Giobatta nie widział w Marii Rosie siostry czy biedaczki, od której miałby woleć najstarszą córkę Demiego, kokietki z Salviano czy piękne dziewczyny z miasta. Widział w niej Życie. Widział optymizm, który pokonuje zniechęcenie, radość wygrywającą z melancholią, inteligencję triumfującą nad głupotą, towarzyszkę, jakiej potrzebował, aby mieć nadzieję na jutro i aby zapomnieć o wczoraj. O don Agostinich, o pokojach zmarłych, o krzyżach, o stelach nagrobnych, złamanych kolumnach, zgaszonych pochodniach, epitafiach TU SPOCZYWA, TUTAJ ODPOCZYWA, TUTAJ ŚPI SNEM WIECZNYM. I nie obchodziło go, że jest gruba, brzydka, łysawa. Nie było dla niego ważne, ile jest od niego starsza. Jemu podobała się właśnie taka, właśnie taką ją kochał. Za każdym razem, gdy słyszał tysiąc-całusów-bym-ci--dała, zaraz-żoną-twą-bym-została, radowało mu się serce i od lat czekał na właściwy moment, aby jej o tym powiedzieć.

Moment ten nadszedł (dzięki niej, nie trzeba tego podkreślać) cztery dni po inauguracji linii Livorno–Piza–Livorno. Pierwszego odcinka „Leopoldy".

11

Otwarcie linii Livorno–Piza–Livorno odbyło się w środę 13 marca 1844 roku. Był to pojedynczy tor, na którym pociąg mógł rozwinąć niewiarygodną szybkość dwudziestu pięciu mil na godzinę, i pomimo spowolnień na zakrętach pokonać jedenaście mil w zaledwie piętnaście minut. Rzecz zapierająca dech w piersiach. Welocyfer (niektórzy nazywali go już z cudzoziemska *treno*, pociągiem) wyruszył po raz pierwszy z Pizy prowadzony przez samych Roberta Stephensona i Williama Hoppnera. Wiózł ośmiuset starannie dobranych gości i składał się z czterech wagonów pierwszej klasy, ośmiu drugiej i jednego trzeciej. W wagonach pierwszej klasy dygnitarze polityczni i religijni. W wagonach drugiej klasy szanowani obywatele. W wagonie trzeciej klasy amatorski zespół miejski, który grał fragmenty *Sroki złodziejki* i *Semiramidy* Rossiniego. Podróż przebiegła doskonale, bez wypadków. Aby uniknąć ryzyka ataków ze strony malkontentów, Leopold nakazał, by cała trasa była pilnowana przez wojska książęce, na odcinku jedenastu mil stacjonowało prawie trzy tysiące żołnierzy i nikt nie mógłby nawet rzucić kamieniem. Znakomicie wypadł także przyjazd na dworzec Porta San Marco. Tutaj, żeby przeszkodzić ewentualnym tumultom, gubernator ustawił tysiąc strażników miejskich z szablami i kiedy lokomotywa się zatrzymała, wielu zaczęło krzyczeć: „Niech żyje welocyfer, niech żyje postęp!". Następnego dnia pociąg zaczął regularne kursy. Wyjazd z Pizy o siódmej i o dziewiątej rano, potem o drugiej i o czwartej po południu. Z Livorno o ósmej i o dziesiątej rano i o czwartej po południu (łącznie z niedzielą). Cena biletu — tylko trzy paole, czyli osiem krajcarów pierwszą klasą. Tylko dwa paole drugą, tylko jeden trzecią. Kiedy jednak pociąg zaczął kursować regularnie, niski koszt przejazdu okazał się oszustwem. Podział klas był w istocie bezlitosny. Żeby go podkreślić, pociąg pierwszej klasy ruszał pięć minut przed pociągiem drugiej klasy, pociąg drugiej klasy pięć minut przed pociągiem trzeciej klasy, a zakupienie biletu za trzy paole wcale nie gwarantowało ci miejsca w pierwszej klasie. Kupienie biletu za dwa paole nie gwarantowało miejsca w drugiej klasie. Dlaczego? Bo do pierwszej wpuszczano tylko tych, którzy byli „stosownie odziani". To znaczy jeśli oprócz ubrania dobrej jakości i butów mieli rękawiczki, kapelusz, laskę i teczkę. Do drugiej, jeśli brakowało im tylko rękawiczek, laski i teczki. Każdy, kto miał na nogach chodaki i wyglądał na plebejusza, lądował w trzeciej klasie. Jakby to nie wystarczało, wagony pierwszej klasy były zamknięte, miały okna z szybami i pluszowe siedzenia. Na siedzeniach — brukselskie koronki i hafty. Wagony drugiej klasy były zamknięte, ale z drewnianymi ławkami i bez szyb w oknach. Wagony trzeciej były otwarte i miały żelazne ławki. Tak więc dojeżdżałeś do celu cały zdrętwiały, a jeśli padało, przemoczony. Żeby ochronić się trochę przed deszczem, musiałeś siedzieć pod otwartym parasolem. Zresztą i tak największa niewygoda nie wiązała się z ewentualnym przemoczeniem, ale z deszczem iskier, które padały z kotła podgrzewanego drewnem, a nie węglem. Niekiedy prowadziły do poważnych oparzeń albo podpalały włosy, wąsy, brodę. Nawet to jednak nie odstraszyło Marii Rosy, która następnej soboty kupiła dwa bilety tam i z powrotem właśnie w trzeciej klasie. Jeden dla siebie, drugi dla Giobatty. „Jutro pojedziemy we dwoje do Pizy".

Pojechali pociągiem, który wyjeżdżał z Pizy o ósmej z planowym opóźnieniem i wracał z Pizy o czwartej po południu. (Szczegół ten znam dzięki dwóm kwitom znalezionym w skrzyni Cateriny, wielkości mniej więcej dzisiejszych amerykańskich banknotów, z pięknie zdobionym rąbkiem i napisem: „Dzień 17 marca 1844. Droga żelazna «Leopolda». Wagony trzeciej klasy. Wagon numer jeden. Livorno, godzina 8 przed południem. Piza, godzina 4 po południu"). Jezu, jaka przygoda, jaka przygoda! Bo tego dnia nie padało. Niebo było błękitne jak nigdy. W rezultacie nie groziło, że się przemoczą, i stacja pękała w szwach od ludzi. Mężczyzn, kobiet, dzieci. Całe rodziny, które korzystając z niedzieli, chciały przetestować nieznany pojazd, grupy przyjaciół, którzy korzystając z pięknej pogody, mieli zamiar zwiedzić pobliskie miasto, poza bramkami zaś, chronionymi przez strażników uzbrojonych w szable, rozjuszone hordy domagały się podróży za darmo. „Jaki bilet, jaki bilet?! Chcemy wejść!" Maria Rosa i Giobatta przedarli się z trudem przez tłum, obrzuceni obelgami i przekleństwami przez tych, którzy wzięli ich za pasażerów drugiej klasy. By uczcić wydarzenie, ubrali się odświętnie. On miał na sobie piękne palto z szarego sukna, czapkę tegoż koloru i skórzane buty. Ona uroczy niebieski komplet z wełenki, z krynoliną i płaszczykiem z wysokim kołnierzem, a na głowie żółty słomkowy kapelusz związany pod brodą na kokardę. Po przebiciu się przez tłum dotarli do wagonów trzeciej klasy i przepychając się łokciami i kopniakami, zdołali zdobyć dwa miejsca z boku, czyli z widokiem, i tutaj doświadczyli pierwszych emocji. Każda podróż musiała być w istocie poprzedzona próbą lokomotywy, nie doczepionej jeszcze do konwoju. Nie uprzedzając nikogo, maszynista uruchomił maszynę i oddalił się w obłoku czarnego dymu, napędzając im strachu, że juz po nich nie wróci. „Odjechał sam! Zapomniał o nas!" Ale po przebyciu stu metrów lokomotywa się zatrzymała. Maszynista wrzucił wsteczny bieg, wrócił, przyczepił wagony i „taaa-tarataaa!". Kierownik pociągu zatrąbił w trąbkę, która dawała sygnał do odjazdu. W odpowiedzi podniósł się chór radosnych pokrzykiwań, okrzyków do-widzenia-żegnajcie-do-widzenia, i rozpoczęło się entuzjastyczne powiewanie chusteczkami. Welocyfer wydał z siebie przeciągły gwizd, po czym wyruszył w chmurze czarnego dymu i podczas gdy rozjuszony tłum ludzi nie ustawał we wrzaskach, wyjechał ze stacji. Wpadł między pola, gdzie zaczął obsypywać ich iskrami tak gęsto, że jedna trafiła od razu w żółty kapelusz, zostawiając w nim dziurę nie do naprawienia. Inna spadła na palto z szarego sukna, które zniszczyło się raz na zawsze. Ale naturalnie żadne z nich się tym nie zmartwiło. On był za bardzo przejęty rozkoszowaniem się krajobrazem, który przesuwał się przed oczami, wiatrem świszczącym za uszami, ogłuszającym hałasem, ona wyśpiewywaniem swego szczęścia.

Care compagne, e voi, teneri amici,
che alla gioia mia tanta parte prendete...

Nigdy nie byli jeszcze w Pizie, nigdy nie ruszyli się poza mury Livorno. Wiedzieli jednak, że przez Pizę przepływa Arno, rzecz niezwykle istotna, gdyż w Livorno były tylko kanały, i oboje bardzo chcieli zobaczyć, jak wygląda prawdziwa rzeka. Wiedzieli, że na placu zwanym Piazza dei Miracoli, czyli Plac Cudów, jest wspaniała katedra, wspaniałe baptysterium, sławna Krzywa Wieża i słynny Cmentarz Monumentalny, że na dziedzińcu uniwersytetu można podziwiać marmurowego Galileusza dłuta Demiego i że w hotelu Tre Donzelle stryj Giovanni poznał sympatycznego angielskiego poetę o imieniu Percy Bysshe Shelley. Wysiedli więc z wagonu pełni entuzjazmu: czarni od sadzy i w przypalonych ubraniach wskoczyli do dorożki, która za dziesięć krajcarów woziła turystów na przejażdżki i pokazywała im uroki miasta. Z wyjątkiem Cmentarza Monumentalnego, do którego nie chcieli się zbliżyć, zgłaszając stanowcze: „Nie, tylko nie cmentarz", zobaczyli wszystko. I Jezu, jakie niespodzianki, Jezu! Kto by sobie wyobraził, że rzeka to rodzaj długiego jeziora i że w porównaniu z nią kanały Livorno wydają się strumykami? Kto mógłby przypuszczać, że Piazza dei Miracoli jest tak imponująca, a Krzywa Wieża taka krzywa? Za kilka dodatkowych krajcarów fiakr zawiózł ich także do hotelu Tre Donzelle i do marmurowego Galileusza, a potem na posiłek do zajazdu, w którym podawali wino, już po drugim kieliszku prowadzące prosto do raju. Była to niezapomniana przejażdżka. Wielka Okazja, chwila, na którą czekał Giobatta, nadeszła jednak potem. Maria Rosa, podniecona winem, zapomniała o swojej tuszy i po przejażdżce zapragnęła wejść na wieżę: wdrapać się po dwustu dziewięćdziesięciu czterech stromych stopniach siedmiu pięter spiralnych schodów. Sapiąc i dysząc, pokonując każdy kolejny stopień z wysiłkiem, który odbierał jej oddech i paraliżował nogi, zdołała dotrzeć na szczyt i... Na szczycie wieży jest taras. Balkon otoczony niską barierką i w najbardziej pochyłym miejscu dość niebezpieczny. Być może z wyrachowania, być może z lekkomyślności Maria Rosa zatrzymała się, aby odzyskać oddech właśnie tam. Zapiszczała dwuznacznie: „Jestem naprawdę grubaską, nie zasługuję na ciebie, chyba się rzucę z wieży" — Giobatta pochwycił okazję w lot. Odciągnąwszy ją od balustrady i objąwszy bynajmniej niebraterskim uściskiem, powiedział jej, nieważne, czy gruba, czy chuda dla niego jest Życiem. Najpiękniejszą kobietą na świecie, co więcej, jedyną kobietą na świecie, samym Życiem. Powiedział, że kocha ją całym ciałem i całą duszą, że jej potrzebuje, że bez niej umarłby z nudy i melancholii. I zaraz się zaręczyli.

— Chcesz za mnie wyjść, Mario Roso?

— Co za pytanie, Giobatto! Od razu.

Od razu? W tych czasach bez pozwolenia rodziców mężczyzna mógł się żenić po ukończeniu trzydziestu lat (kobieta czterdziestu). W marcu 1844 roku Giobatta skończył dopiero dwudziesty pierwszy rok życia i kiedy Teresa dowiedziała się o tym, co zaszło na szczycie Krzywej Wieży, wpadła w szał. Na-rze-cze-ni?! Narzeczeni, ci dwoje, światło jej oczu i stukilogramowa brzydula, którą przyjęła do siebie i trzyma w domu z chrześcijańskiego miłosierdzia? A zatem nie myliła się, żywiąc podejrzenia, obawiając się, że wodzą ją za nos. Nie oszukiwał jej instynkt ostrzegawczy, przeczucie, że coś jest nie w porządku! I pomyśleć, że udających się do Pizy żegnała z uśmiechem na ustach, jedźcie, jedźcie, bawcie się dobrze, tylko się nie przeziębcie! Głupia, szalona idiotka! „Ja wam zgody nie dam, zrozumiano? Nie dam, nie daaaam!" Źle zareagował także Gasparo, w tym czasie zupełnie już skretyniały i pod pantoflem żony. „Mama ma rację, chłopcze. Tyle ślicznych panien dookoła, trzeba upaść na głowę, żeby sobie wybrać takiego łysego tłumoka. Śpiewającą gęś". Przez kilka dni łysemu tłumokowi groził wręcz ostracyzm. „Wracaj do swoich mniszek, bezwstydnico!" „Wracaj do swojego sierocińca, niewdzięczne dziewuszysko!" Żeby temu przeszkodzić, Giobatta musiał wystąpić z groźbą: „Jeśli ją odeślecie, jeśli wyrzucicie ją z domu, to ja pójdę za nią".

W rezultacie o ślubie nie mówiono więcej do 1847 roku.

* * *

Tak. Musiały minąć trzy lata, by Teresa zrozumiała, że jej sprzeciw jest bezużyteczny i niesprawiedliwy. Trzy lata tym trudniejsze, że przeżyte w absolutnej czystości, jakiej wymagano wtedy od narzeczonych („Dziewica jak Giobatta, zanim poślubił Marię Rosę, dziewica jak Maria Rosa, zanim poślubiła Giobattę!", mawiał dziadek Augusto, aby opisać nieużywany przedmiot lub nieskalaną osobę). A jednak nawet i to ich nie zniechęciło. Wręcz przeciwnie — umocniło ich wyśmiewaną, upokarzaną miłość i sprawiło, że wspólnie przeżywali oczekiwanie na ślub. Oczekiwanie osładzały im różne ekscytujące wydarzenia. Na przykład przedłużenie «Leopoldy», która z Pizy posuwała się ku Florencji, z odnogami do Lukki, Montecatini i Pistoi. Każdy nowy odcinek stawał się pretekstem, by pobiec na stację Porta San Marco, powtórzyć przygodę, i kto by się przejmował, że Teresa wzdychała gdzie-znowu-jedziecie-nieszczęśnicy-gdzie-jedziecie... Wprowadzenie telegrafu elektrycznego, fascynującego wynalazku, który dzięki palom ustawionym wzdłuż drogi żelaznej przekazywał w mgnieniu oka dziwne wiadomości zwane telegramami, i cóż z tego, że oni telegramów do nikogo nie wysyłali. Cóż z tego, że i do nich nikt ich nie wysyłał... Wprowadzenie oświetlenia gazowego, fantastyczne czarodziejstwo, które pozwoliło zapomnieć o śmierdzących pochodniach i ponurych świecach... Och, oświetlenie gazowe! W lecie 1844 roku inżynier Eugène du Plessis z francuskiego przedsiębiorstwa Cottin-Tumel-Montgolfier-Bodin rozpoczął prace nad zastąpieniem dwustu pięćdziesięciu lamp oliwnych tysiącem sześciuset latarniami gazowymi, które w bezksiężycowe noce oświetlały ulice Livorno. Oświadczywszy, że przy oświetleniu gazowym będzie można czytać książkę z odległości szesnastu łokci, 10 kwietnia 1845 roku uruchomił eksperymentalne dziesięć latarni właśnie w Salviano, i łatwo zgadnąć, kto przewodził tłumowi gapiów niewierzących własnym oczom. Żeby sprawdzić, czy *sor* Duplessì opowiada bajki, czy mówi prawdę, Maria Rosa kupiła nawet książkę: powieść, która wedle osób dobrze poinformowanych opowiadała perypetie pary młodych, niemogących się pobrać. Niejakich Renza i Łucji, narzeczonych z Lombardii. Kiedy zapaliło się dziesięć latarni, podała książkę Giobatcie. Giobatta otworzył ją na pierwszej stronie i Jezu! Bez żadnego wysiłku przeczytał: „Ta odnoga jeziora Como, która pomiędzy dwoma nieprzerwanymi pasmami gór skręca ku południowi..."*. Przede wszystkim jednak Giobatta i Maria Rosa ramię w ramię wkroczyli na drogę, którą kroczył stryj Giovanni. Drogę, którą odkryli w 1846 roku, i nigdy nie sądzili, że przyjdzie im ją przemierzyć.

* Alessandro Manzoni, *Narzeczeni*, przeł. Barbara Sieroszewska.

12

Nigdy o tym nie pomyśleli, bo jarzmo, pod którym jęczały Włochy, wydawało się im zawsze rodzajem klęski żywiołowej, tak samo jak choroby i trzęsienia ziemi. Nieuleczalnym nieszczęściem, tak jak bieda i śmierć. W tej klęsce, w tym nieszczęściu przyszli na świat. Dorośli. Co gorsza, dorośli, nie wiedząc, że można z nią walczyć: w 1846 roku nie zdawali sobie nawet sprawy, że stryj Giovanni był karbonariuszem i że w skrzyni z resztkami tkanin leżał ukryty trójkolorowy sztandar. W istocie, w domu nie mówiono o polityce. Obawiając się, że zabierze jej ona także syna, Teresa unikała wymawiania słowa ojczyzna, a tępy Gasparo, chcąc się jej przypodobać, protestował nawet przeciwko niewinnemu wyśpiewywaniu *Va, pensiero, sull'ali dorate* przez Marię Rosę. „Uff, co to za pienia? Co to ma znaczyć?" Tak samo na via Borra. Posąg księcia Leopolda miał być dopiero wykuty i pomimo swoich liberalnych poglądów Demi bardzo zważał, aby nie dostarczyć wrogom jakiegoś pretekstu, dlatego gdy ktoś wspominał o jarzmie, o razu był uciszany: „Zamknij dziób, kretynie! Nie wiesz, że żyjemy w krainie Bengodi?". Innymi słowy, i Giobatcie, i Marii Rosie zabrakło bodźca potrzebnego, by rozbudzić w nich świadomość, poza tym nie zapominajmy, że w krainie Bengodi nie było wielu powodów, aby się buntować. Na ogół żadnych szubienic. Żadnych szafotów, żadnych plutonów egzekucyjnych. W ich miejsce wielki książę, który wydawał się wysłannikiem niebios. Leopold nie uważał się nawet za Austriaka. „Jestem florentczykiem, a Toskania to moja ukochana ojczyzna, włoski to mój język", twierdził. W głębi duszy nienawidził ziemi swoich przodków i w tych latach naprawdę nie odczuwało się jego bliskiego pokrewieństwa z Habsburgami z Wiednia. Jego parenteli z cesarzem Ferdynandem I. Poza tym, przyznajmy to, był dobrym człowiekiem. Poczciwcem niezdolnym do życia w przepychu i do traktowania ludzi z wyniosłością. Chodził po ulicach Florencji na piechotę i bez eskorty, odprowadzał żonę na mszę, odwiedzał

teatr, gdzie zamiast w loży królewskiej, siadał na widowni z publicznością. Z nieskończoną cierpliwością przyjmował każdego,
kto chciał przedstawić mu jakiś protest albo poprosić o przysługę,
a jego rozrywki były równie proste jak jego dusza. Na przykład
lubił bawić się w drukarza, samodzielnie wydrukował wyśmienitą
serię dzieł Wawrzyńca Wspaniałego, a jeszcze bardziej cieszyło
go stolarstwo. Gdy tylko mógł, wychodził z Palazzo Pitti, po cichutku przemykał się na via Maggio, wchodził do warsztatu swego
przyjaciela ebenisty Lorenza Parriniego i siedział tam godzinami, robiąc meble i wycinając ramy. Intelektualiści, to prawda, nie
znosili go. Oskarżali o niekompetencję, tępotę, brak charakteru,
miernotę. „Dwa skrzywione kolana wystające z czarnego palta,
a nad kołnierzem głowa, którą można wkładać i zdejmować wedle
swej chęci", opisywał go okrutnie Carlo Collodi, przyszły autor
Pinokia. Nadawali mu drwiące przezwiska: Wielka Gęś, Wielki
Osioł, Konopczysko (to ostatnie wynikające z jego dwumetrowego
wzrostu i włosów żółtych jak konopie). Wyrzucali mu nieśmiałość,
łagodność, krytykowali go za podatki nakładane dla finansowania
robót publicznych.

> Spójrzcie na toskańskiego Morfeusza,
> jak mu w tej warzywnej koronie ładnie,
> wieczną chwałą filut okryć się pragnie,
> więc nam bagna i kieszenie wysusza

— zaczynał się jeden z łagodniejszych wierszy Giustiego. Natomiast lud był przywiązany do wielkiego księcia. Szanował go,
nazywał Ojczulkiem i nie pozwalał go atakować. „Nam Ojczulek
podoba się taki, jaki jest".

Jakby to nie wystarczało, po 1835 roku ruch, któremu służył
niegdyś stryj Giovanni, stracił przywódców i impet. Prawdziwi
Włosi poszli w rozsypkę, rozwiązały się Młode Włochy. Filippo
Buonarroti zmarł ze starości, Carlo Bini na zawał. Carlo Guitera
został zwolniony z więzienia, ale zmuszony do emigracji do Francji,

gdzie wegetował w zapomnieniu. Francesca Domenica Guerraz-ziego wyeliminowały z działalności jego osobiste ambicje i kariera prawnicza. A Giuseppe Mazzini przebywał w Londynie, przez długi czas zmagając się z kryzysem, który nazwał burzą zwątpienia. Co prawda w 1840 roku Mazzini odtworzył, jak potrafił najlepiej, Młode Włochy, a w 1843 doszło do trzech epizodów powstańczych. Jednego w Salerno, drugiego w Savigno, trzeciego w Imoli. W marcu 1844 pięćdziesięciu zuchwałych patriotów ogłosiło konstytucję w Cosenzy, a w czerwcu dwaj oficerowie marynarki austriackiej, bracia Attilio i Emilio Bandiera, wylądowali w Kalabrii, aby rozniecić republikańskie powstanie. Jednak próby te doprowadziły tylko do wyroków śmierci przy wtórze pieśni kto-dla-Ojczyzny-umiera-dość-życia-użył, tak więc także bracia Bandiera zostali rozstrzelani wraz z siedmioma towarzyszami broni, co nie tylko nie rozpaliło płomienia buntu w innych, ale obudziło wręcz niechęć do jedynego pozostałego przywódcy. „Ten fanatyk, który z Londynu nie przestaje zawiązywać spisków i posyła na śmierć naszą młodzież. Ten egzaltowany wichrzyciel, który chce nami kierować z zagranicy i który swoimi listami, swoim gadaniem, swoimi błędami prowadzi nas jedynie do więzień i na szafot. Dość z bezużytecznymi ofiarami! Dość z męczeństwem za wszelką cenę!" Po wznieceniu nowych powstań i przelaniu na nowo krwi nadeszła w sumie chwila refleksji. Teraz rewolucjonistom, określanym jako egzaltowani fanatycy, przeciwstawiała się partia tak zwanych umiarkowanych, którzy chcieli podejmować działania pokojowe, a na scenie wielkiej tragedii deklamowali nowi aktorzy. Bardzo dalecy od biednego świata Giobatty i Marii Rosy. Filozof Vincenzo Gioberti, który w swoim traktacie *Primato morale e civile degli Italiani* (O moralnym i politycznym prymacie Włochów) proponował konfederację niezależnych krajów, której przewodziłaby dynastia sabaudzka, markiz Massimo d'Azeglio popierał go, reklamując wątpliwe cnoty Karola Alberta... A we Florencji hrabia Gino Capponi, markiz Cosimo Rodolfi, prawnik

Vincenzo Salvagnoli, równie zmęczeni bezużytecznymi klęskami, nawoływali do ostrożnych reform wprowadzanych w życie za przyzwoleniem Leopolda.

W Toskanii nie używano już trójkolorowego sztandaru. Nawet liberałowie uważali go za niebezpieczny i szkodliwy. „Boże święty, zdurnieliście? Nie zdajecie sobie sprawy, że używaniem go prowokuje się Austrię, podwaja się jej zakusy wobec Wielkiego Księstwa?", pisał Pietro Vieusseux do przyjaciół, którym marzyła się ekshumacja flagi. W Toskanii tylko w Pizie i w Livorno coś jeszcze gotowało się pod pokrywką. Ale tylko na tyle, by nie stracić pary. W Pizie profesorowie i studenci uniwersytetu zbierali się w Caffé dell'Ussero, żeby deklamować wiersze Uga Foscola i krzyczeć precz-z-cudzoziemcem. W Livorno krewki wędliniarz nie tylko marzył o wypędzeniu Austriaków, ale także o pozbyciu się bogaczy, i kierował partyjką ochrzczoną Towarzystwem Postępu. Nazywał się Enrico Bartelloni o przewisku Kot (ponoć z racji smukłej i kociej sylwetki, bezszelestnego kroku i oczu błyszczących w ciemnościach jak oczy kota).

Jednak z profesorami i studentami Giobatta i Maria Rosa nie mieli kontaktu, z Bartellonim tym bardziej. „To Chrystus, któremu pisane skończyć na krzyżu, a wraz z nim jego zwolennikom. Lepiej trzymać się od niego z daleka", mówił Demi. Potem nadszedł rok 1846, a dokładniej lato 1846 roku. Grzegorz XVI, papież, który kazał wieszać i ścinać patriotów, wyzionął ducha. Pomimo protestów Wiednia na jego następcę pod imieniem Piusa IX został wybrany łagodny i dobroduszny kardynał Mastai Ferretti z Emilii-Romanii, któremu nie były obce idee Giobertiego. Zaraz po elekcji ogłosił amnestię dla więźniów politycznych, wezwał do powrotu do kraju wygnańców, ogłosił reformy, które w następnych miesiącach skłoniły Leopolda i Karola Alberta do pójścia w jego ślady. W rezultacie wszyscy się w nim zakochali, nie mając pojęcia o dwulicowości i niemiłych niespodziankach, które kryły się za maską jego łagodności i dobroduszności. Pijani entuzjazmem, ukołysani mitem papieża liberalnego i łagodnego, którego nawet poplecznicy Mazziniego zaakceptowali z zamkniętymi oczami, zaczęli wołać chórem: niech-żyje-Pius-Dziewiąty. Wszyscy pospieszyli wymachiwać biało-żółtymi chorągiewkami Państwa Kościelnego. Laicy, antyklerykałowie, dewoci. Egzaltowani, umiarkowani, obojętni. Także w Pizie. Także w Livorno, gdzie Giobatta i Maria Rosa po raz pierwszy zrozumieli, że jarzmo, pod którym jęczały Włochy, nie było klęską żywiołową ani nieuleczalnym nieszczęściem, tylko złem, które należało zwalczać, hańbą, którą należało zmazać. Pomiędzy chorągwiami Państwa Kościelnego pojawił się nawet trójkolorowy sztandar. Niebezpieczna trójkolorowa flaga, której dzięki zwolennikom ostrożności już nie używano. A pewnego jesiennego wieczoru Maria Rosa, szukając materiału na biało-żółtą kokardę, odkryła tamtą starą, uszytą przez Teresę w czasach wielkiej namiętności. „Giobattaaaa! Chodź zobaczyć, co znalazłam!"

Podziurawiona przez mole i nadgryziona przez myszy kokarda spoczywała w głębi kosza z resztkami wraz z innymi rzeczami z via dell'Olio. Była tam czerwona chusta, ulotki przeciw Austriakom, orędzia Guitery, no i w rodzinie wiedzieli wszyscy, że Giovanni nosił mundur 113 Regimentu Piechoty. Chcąc nie chcąc Teresa musiała przyznać, że były to rzeczy stryja. Wyznanie to sprowokowało lawinę pytań, mamo-opowiedz-mamo, więc ona, bardzo uważając, żeby nie zdradzić się i nie wzbudzić podejrzeń na temat przyczyn, z których była tak dobrze zaznajomiona z historią nieszczęśliwego szwagra, opowiedziała im. Ujawniła, że stryj był karbonariuszem, że tą trójkolorową kokardą prowokował policjantów i szpiegów, że pod czerwoną chustą prowadził do lasu towarzyszy walki, których uczył strzelać. Opowiedziała, jak przyczepiał te ulotki do drzwi kościołów i burdeli albo rozrzucał je z powozu i z galerii Teatru Karola Ludwika. Wyjaśniła, że orędzia czytał analfabetom na łodzi poławiacza ostryg. Nie zmilczała niczego, toteż zdarzyło się nieuniknione. Giobatta i Maria Rosa zrozumieli, że walka oznacza nie tylko wiwatowanie na cześć Piusa IX, odszukali Enrica Bartelloniego, stali się jego stronnikami i w 1847 rok wkroczyli jako rewolucjoniści. On — wznosząc do góry stary sztandar, pocerowany i połatany, ona — wyśpiewując pieśń, którą rozpoczęła nowy repertuar muzyczny.

> Biały to wiary naszej łańcuchy,
> czerwony nasze serca radosne,
> listek werbeny ja dla otuchy
> mu podaruję w zieloną wiosnę.
> Te trzy kolory, tak mu objaśnię,
> to są zwycięstwa symbole właśnie!

* * *

Rok 1847 był tym, który oboje przeżyli ogarnięci rewolucyjną gorączką. W którym razem walczyli, wspólnie porwani tym samym entuzjazmem. Demonstracje, prowokacje, pochody. Spory, kłótnie, bijatyki. A dzięki cudowi, jakiego dokonał Giobatta, nauczywszy się czytać na epitafiach, dzięki inteligencji, jaką Maria Rosa nadrabiała swój analfabetyzm, stawili też czoło wyzwaniu słowa pisanego. W lutym Bartelloni włączył ich do Niedzielnej Orkiestry: wojowniczej grupki, która każdej niedzieli rozsypywała się po ulicach, aby podsycać nastroje w mieście, rozdawać dywersyjne ulotki, rzucać kamieniami w siedzibę austriackiego konsula Tauscha. Rozdając druki, mogli się przekonać, że słowo pisane ma większą moc od rzucanych kamieni, i wtedy to popełnili pamiętne grafomańskie dzieło, przechowywane w skrzyni Cateriny:

> Kurewska Austrio, oddech nam zabierasz,
> obyś zdechła, podła kurwo,
> śmierć twoim służalcom, w błocie utytłanym.
> Niech żyją Włochy,
> niech żyje krew Ludu,
> który w dupę dostaje, lecz w końcu zwycięży.

W sierpniu kanclerz Klemens von Metternich wysłał do hrabiego Dietrichsteina słynny list, w którym oświadczał, że Włochy są po prostu regionem geograficznym, pojęciem używanym tylko w odniesieniu do języka, pozbawionym jakiegokolwiek znaczenia politycznego. Rzecz się rozniosła i w odpowiedzi powstała grafomańska, ale przekonująca inwektywa, którą w 1848 roku skandowali toskańscy ochotnicy, maszerujący w stronę pól bitewnych w Lombardii:

Chciałbym, by Metternichowi
z brzucha bebechy wycięli,
świetne szelki by z nich mieli
do spodni jego króla;
Chciałbym, by Metternichowi
równo jaja oderżnęli,
dobre guziki by mieli
do kurtki jego króla;
Chciałbym, by Metternichowi
z głupiej szyi spadła głowa,
byłaby zupa gotowa
na obiad jego króla.

W maju książę Leopold dał zgodę na wdrożenie reform. Głuchy na pełne niepokoju listy z Wiednia — najjaśniejsza-wysokość-nie-słuchajcie-tych-wichrzycieli-którzy-chcą-obalić-monarchię-i-stworzyć-ohydę-zwaną-demokracją — złagodził prawo o cenzurze i pozwolił wydawać prasę polityczną. Na wydarzenie to Livorno zareagowało hałaśliwą demonstracją, którą w końcu rozpędzili szablami żołnierze, co zaowocowało genialnym apelem, odnalezionym przeze mnie w archiwach *Buongoverno*.

„Żołnierze, nie bijcie nas, prosimy! Nie płazujcie nas szablami! Na Boga, nikt wam nie powiedział, że też jesteście Włochami, też należycie do Ludu, i że wkrótce u waszego boku będziemy walczyć z nieprzyjaciółmi naszej Ojczyzny?"

Lipiec był pamiętny z racji sloganów. Kiedy w lipcu Pius IX zgodził się na stworzenie w Rzymie straży obywatelskiej, czyli milicji powierzającej obywatelom zbrojną ochronę porządku publicznego, na co dowódca austriackich sił zbrojnych we Włoszech generał Radetzky odpowiedział zajęciem Ferrary — to kto rozpowszechnił wierszyk, którym Niedzielna Orkiestra rozpętała rozruchy zarządzone przez Bartelloniego?

Jeśli Ferrary nie zostawi
ten Austriak nierozumny,
wsadzimy go do trumny,
nie ucieknie, o nie!

W sierpniu to samo. Bo w sierpniu Livorno powstało, aby żądać tego, co uzyskali rzymianie. I kto ukuł hasło, które przez wiele dni rozpłomieniało miasto: „Pal się, pal się, pal! Zwycięstwo albo śmierć!"?

Także w 1847 roku został wreszcie ustawiony na Piazza Voltone pomnik Leopolda wyrzeźbiony przez Demiego i przez dwanaście niezapomnianych godzin naiwni wierzyli, że już odnieśli zwycięstwo. Ceremonia odbyła się w istocie 8 września, siedemdziesiąt dwie godziny po otrzymaniu zgody na stworzenie straży obywatelskiej, i wszyscy skorzystali z okazji, by świętować. O Jezu, ależ to było szaleństwo! Ulice wypełnione rzeszą ludzi, którzy przybyli nawet z okolicznych wsi, bijące bez ustanku dzwony, kwiaty, ciasteczka i konfetti sypane z okien, najrozmaitsze flagi, w tym żółto-czerwone Lotaryńczyków i biało-czerwono-zielone marzycieli.... Na placu bezmierny tłum. Na trybunie wzniesionej obok pomnika, ukrytego od tygodnia pod wielką płachtą, dygnitarze i zaproszeni goście. Burmistrz, gubernator, biskup, arcybiskup, wysocy urzędnicy przybyli z Florencji, różni konsule, z wyjątkiem Tauscha. No i oczywiście Demi, płaczący z radości, wreszcie-się-zdecydowali, oraz dwaj panowie z trójkolorowymi szalikami na szyi, którzy dołączyli po cichu do towarzystwa:

profesor Giuseppe Montanelli i profesor Francesco Ferrucci, znani wichrzyciele z pizańskiego uniwersytetu. U stóp pomnika Giobatta, który wraz z dwoma innymi kamieniarzami mieli odsłonić posąg. A w tłumie Maria Rosa, która pękając z dumy, wrzeszczała: „Napis wyrył mój narzeczony! Popatrzcie, jakie cudo, jakie arcydzieło!".

Płachta opadła o szóstej po południu, kiedy zapaliło się tysiąc sześćset latarni gazowych wraz z dwoma tysiącami pochodni podarowanych przez florentczyków, i gdy tylko marmurowy kolos ukazał się oczom zebranych w całej swej sugestywnej wspaniałości, wybuchł taki aplauz, że gubernator z trudem zdołał wygłosić swoją mowę, a arcybiskup swoje błogosławieństwo. Niech--żyje-Ojczulek, niech-żyje-Ojczulek, niech-żyje-wielki-książę. Wtedy jednak wystąpili naprzód dwaj panowie w trójkolorowych szalikach. Ściągnęli je i szybko zarzucili na prawe ramię posągu, a raczej na dłoń trzymającą berło. Bartelloni ryknął: Niech-żyją--Włochy!, co zmieniło charakter manifestacji, biało-czerwono--zielone flagi przyćmiły żółto-czerwone dynastii lotaryńskiej, święto przekształciło się w rewolucyjne bachanalia. Wrzaski: precz--z-Radetzkim-precz-z-Metternichem, precz-z-cudzoziemcem, Jedność-i-Niepodległość. Całusy, uściski, machanie rękami. Zaimprowizowane tańce, ognie sztuczne, lampiony. Na koniec pełen rozmachu marsz z pochodniami pod przewodem młodzieńca, który wyrył napis, i sympatycznej grubaski, która wyśpiewywała na całe gardło:

Trójkolorowy sztandar —
wszyscy go kochamy,
niech zostanie zawsze z nami.
My chcemy wolności!
Wolności, wolności!

Przede wszystkim jednak w 1847 roku Teresa zrozumiała, że przeciwstawianie się miłości Giobatty i Marii Rosy nie ma sensu. Poddała się i dała im wyczekiwaną zgodę. „Dobrze, pobierzcie się".

W obecności jej i Gaspara, całej Niedzielnej Orkiestry, mając za świadków Bartelloniego i Demiego, który po odsłonięciu pomnika mógł sobie pozwolić na luksus przyznania się do liberalnych poglądów, pobrali się w sobotę 9 października w kościele Świętych Piotra i Pawła. Nie była to spokojna ceremonia. Maria Rosa stawiła się przed ołtarzem w najbezczelniej patriotycznej sukni, jaką kiedykolwiek widziano w Livorno. Zielona spódnica, biała koszula, czerwony serdak, do tego we włosach białe i czerwone kamelie w girlandzie zielonych liści. Giobatta pojawił się z trójkolorową kokardą wielką jak obwarzanek i z czerwoną chustą stryja Giovanniego. Nie spodobało się to proboszczowi, który zaczął krzyczeć: „Co to za przebieranki, nie jesteśmy na manifestacji, jesteśmy w domu Bożym, w takim przyodziewku ja was nie złączę węzłem małżeńskim!", po czym zabarykadował się w zakrystii. „Poszukajcie sobie innego księdza!" Pomimo błagań Teresy, protestów świadków, obelg gości musieli rzeczywiście znaleźć innego księdza. Musieli nawet zdobyć dyspensę biskupa zezwalającą na zastąpienie kapłana i w końcu zaślubił ich młody buntowniczy ksiądz, który w sekrecie odwiedzał Towarzystwo Postępu, a więc był przyjacielem Bertelloniego. Don Battista Maggini. Jednak z trzygodzinnym opóźnieniem i bez mszy. Bez muzyki organowej, bez żadnej liturgii. Z zakrystii dochodziły wściekłe wrzaski: „Pospieszcie się łachudry, zmiatajcie z mojego kościoła, nowe Robespierre'y!", i tak długo wyczekiwana ceremonia trwała zaledwie kilka minut. Tyle, by zadać sakramentalne pytanie: „Chcesz ty, Giobatto Cantini, pojąć za żonę pannę Marię Rosę Mazzellę, chcesz ty, Mario Roso Mazzella, pojąć za męża Giobattę Cantiniego?", by odpowiedzieć tak, wymienić się w pośpiechu pierścionkami, podpisać szybko rejestr. (Ona — kreśląc podłużny znak wyobrażający igłę). Potem nie było nawet ślubnego obiadu. W poprzednim tygodniu księstwo Lukki zostało włączone do Wielkiego Księstwa Toskanii, czemu sprzeciwił się książę Modeny, który sam miał na nie chrapkę. Leopold zatem przyrzekł mu w zamian kawałek terytorium przylegającego do granicy Modeny, czyli miasteczka Pontremoli i Fivizzano, z nadzieją, że tym go ułagodzi. Nie mogąc się doczekać, by objąć w posiadanie nowe ziemie, łotr z Modeny zwrócił się o pomoc do Austriaków, i właśnie w chwili, gdy don Maggini wymawiał *Ego vos coniungo in nomine Patris et Filii, et Spiritus Sancti*, ktoś przyniósł wiadomość, że Radetzky szykuje się do interwencji zbrojnej. Żegnaj obiedzie. Pod wodzą Bartelloniego i wraz z Niedzielną Orkiestrą pobiegli na plac rzucać kamieniami. „Pontremoli i Fivizzano są nasze i nikomu ich nie oddamy". „Nie doceniasz nas, Radetzky, spróbuj tylko przyjść tu ze swoimi Niemcami". Pobiegli także pod siedzibę konsula Tauscha, gdzie poturbowali żandarmów, zerwali i podpalili żółto--czarną flagę z dwugłowym orłem austriackim. Wieczór przeszedł jeszcze gorzej. Bo w sobotę 9 października w Teatrze Avvalorati przedstawiano nową operę Verdiego, *Makbet*, i oboje wiedzieli, że *Makbet* opowiada historię tyrana, przeciw któremu zbuntowali się szkoccy poddani. W marcu w Teatrze Pergola we Florencji odbyła się premiera przygotowana przez samego Verdiego i chór otwierający czwarty akt stał się znany prawie tak samo jak chóry z *Nabucca* i *Lombardczyków*. *Patria oppressa, patria oppressa, il dolce nome no, di madre aver non puoi.* Poza tym repertuar Marii Rosy obejmował też teraz hymn, którego słowa, napisane przez niejakiego Goffreda Mamelego, ucznia Mazziniego, były jakby stworzone po to, by rozniecić niezłe zamieszanie w teatrze. Tak więc wieczorem Giobatta i Maria Rosa kupili jak zwykle dwa bilety na galerię, na początku czwartego aktu skoczyli na równe nogi, odchrząknęli i ryknęli:

Bracia Włosi!
Italia się budzi!
Hełmem Scypiona
zdobi swą głowę!

Zostali z miejsca aresztowani za zakłócanie spokoju publiczne-go, rozpoznani jako para, która po południu spaliła flagę konsula, i zamknięci w kazamatach Starej Cytadeli. On ze złodziejami, ona z prostytutkami. Pozostali tam przez pięć dni, dopóki Demi nie zdołał wyjednać ich uwolnienia, i w rezultacie małżeństwo skon-sumowali dopiero w następny czwartek. (Wzruszający szczegół, jeśli pamiętamy, że w czasie trzech lat narzeczeństwa nigdy nie pozwolili sobie na nic więcej niż nieśmiałe uściski wymieniane w tajemnicy przed Teresą). Potem jednak nastąpił intensywny miesiąc miodowy, w którego trakcie Maria Rosa zaszła w ciążę, i w czasie gdy na Włochy i na Europę zwalił się rok 1848, pradzia-dek Tommaso był już sześciotygodniowym embrionem. Pamiętny 1848 rok, w którym rewolucyjna burza miała zmieść porządek ustanowiony przez kongres wiedeński i rozpocząć okres wojen o niepodległość. Szalony rok 1848, który zapisał się w pamięci jako czas zawieruchy i chaosu. Heroiczny rok 1848, o którym mój nauczyciel w liceum opowiadał, wrzeszcząc: „Zdejmijcie kapelusze i odetkajcie sobie uszy, nieuki! Mówimy o 1848 roku!". I biada, jeśli nie nauczyłeś się na pamięć dat, jeśli nie umiałeś wyrecytować płynnie wszystkich wydarzeń. Środa, 12 stycznia: rewolucja w Pa-lermo, gdzie powstańcy zamykają żołnierzy burbońskich w cytadeli i zmuszają Ferdynanda II do nadania konstytucji, którą podpisze 7 lutego. Wtorek, 8 lutego: przestraszony tym, co zdarzyło się w Palermo, Karol Albert zleca swoim ministrom przygotowanie konstytucji, którą ogłasza 4 marca pod nazwą statutu fundamen-talnego. Piątek, 11 lutego: Leopold przyznaje z własnej inicjatywy konstytucję. Wtorek, 22 lutego: rewolucja w Paryżu, gdzie Ludwik Filip Orleański traci tron i zostaje ogłoszona Druga Republika, której prezydentem zostaje Lamartine. Poniedziałek, 13 marca: rewolucja w Wiedniu, gdzie Metternich podaje się do dymisji i opuszcza kraj, by schronić się w Londynie. Środa 15 marca: re-wolucja w Berlinie, gdzie król Prus przyrzeka konstytucję. Dzień wcześniej w Rzymie podpisał ją Pius IX. Sobota, 18 marca: zaczyna się pięć dni Mediolanu, gdzie lud, uzbrojony tylko w napoleońskie arkebuzy, kije, noże kuchenne, szpady ukradzione z muzeów, zdoła wygnać na ponad cztery miesiące Austriaków. Poniedziałek, 20 marca: przestraszony rozruchami książę Modeny ucieka z Modeny, a książę Parmy z Parmy. Środa, 22 marca: opuściwszy Mediolan, Radetzky wycofuje się do czworoboku między Peschierą, Mantuą, Legnago i Weroną. Karol Albert ustawia wojska wzdłuż rzeki Ticino i przezwyciężywszy swe zwykłe niezdecydowanie, przygotowuje się do wkroczenia do Lombardii. Także 22 marca: w Wenecji straż obywatelska zajmuje arsenał, Austriacy wycofują się, a Daniele Manin ogłasza Republikę Świętego Marka. Wciąż w środę 22 marca: Leopold rezygnuje z tytułów arcyksięcia Austrii, księcia Węgier i Czech i w niewiarygodnym orędziu wzywa poddanych do walki z krajem swoich przodków.

Toskańczycy, Święta Sprawa niepodległości Włoch decyduje się na polach Lombardii! Ludu Toskanii, mediolańczycy już wywalczyli sobie wolność własną krwią, Piemontczycy ruszają do boju! Włosi i potomkowie chwalebnej historii, nie trwajcie w haniebnej bezczynności!

Tak więc w Wielkim Księstwie otwierają podwoje punkty werbunkowe i stawiają się w nich pierwsi wolontariusze. Czwartek, 23 marca: Karol Albert podejmuje decyzję. Wypowiada wojnę Austrii, przekracza Ticino i...

* * *

O tych dniach dziadek Augusto nigdy nie opowiadał, a archiwa policji nie dostarczają materiałów, które pomogłyby mi wyobrazić sobie bieg wypadków. Wiem jednak, że 23 marca Giobatta zaciągnął się z don Magginim (ten drugi w charakterze kapelana) do oddziału wolontariuszy toskańskich, że 2 kwietnia znajdował się już w pół drogi do Lombardii i że uczestniczył tam w straszliwych bitwach pod Curtatone i pod Montanarą.

Wiadomo o tym z listów. Z cennych listów przechowywanych w skrzyni Cateriny, których treść na szczęście przetrwała, bo na rok przed katastrofą i zniszczeniem skrzyni przyszedł mi do głowy dobry pomysł, aby przepisać je do szkolnego zeszytu.

13

Oto one. Wszystkie adresowane do Marii Rosy, która prosiła chyba za każdym razem o ich przeczytanie Demiego. Niestety skażone herezjami gramatycznymi oraz fantazyjną interpunkcją, której nie było w oryginale (Przestępstwo popełnione za przyzwoleniem, a nawet przy zachęcie ze strony mojej matki. „Co powiesz, mamo, jak dodam kilka kropek i przecinków? Co powiesz, mamo, jak poprawię to zdanie, to słowo? Użyję trybu przypuszczającego?" „Tak, tak, popraw je trochę. Wyczyść je. Jeśli nie, będzie jasne, że nauczył się pisać, pracując dłutem, i zrobi to złe wrażenie"). Jeden wysłano z Pontremoli, jeden z Marcarii nad Oglio, trzy z Curtatone, ostatni z Brescii. Żeby w pełni zrozumieć tragedię, jaką opowiadają, potrzebny jest krótki wstęp.

Uzbrojeni w pordzewiałe szable i nędzne karabiny skałkowe, dysponując wsparciem artyleryjskim w postaci dziewięciu armatek i ze dwudziestu kartaczy, ochotnicy w liczbie trzech tysięcy stu sześćdziesięciu jeden wyruszyli w pole po kilku godzinach bez najmniejszego przeszkolenia. Większość z nich nie umiała nawet celować i nacisnąć spustu. Wyruszyli także bez prowiantu, bez kocy, bez wełnianych swetrów, bez wojskowych butów. W większości nawet bez plecaków i mundurów. Zamiast plecaków nieśli wieśniacze tobołki albo worki na zakupy, zamiast mundurów mieli na sobie stare austriackie lub francuskie kurtki, z których zdarto naramienniki. Giobatta maszerował w mundurze stryja Giovanniego z odznakami 113 Regimentu Piechoty. Sześćdziesięciu zdezerterowało w czasie marszu. Dwustu poprosiło o zwolnienie i uzyskało je, gdy znaleźli się w Mantui oraz gdy nadeszła wiadomość, że Pius IX odmówił przyłączenia się do wojny przeciw Austrii i nakazał odwrót ochotnikom z Państwa Kościelnego. Innymi słowy, zdradził. (Pozostało ich dwa tysiące dziewięciuset). Dowodził nimi kompletny dureń, generał d'Arco Ferrari, zbyt późno zastąpiony przez świetnego de Laugiera. Odbierała im ducha miejscowa ludność, która na wsi opowiadała się za Austriakami i pluła na trójkolorowy sztandar. Ich cierpienie pogłębiała źle skrywana pogarda, z jaką traktował ich piemoncki sztab. Umieszczono ich pod samym nosem nieprzyjaciela, czyli w Curtatone i Montanarze, nie dano nawet jednego naboju, w czasie bitwy nie przysłano obiecanych posiłków i dowódcy, przyglądając się im z bezpiecznej odległości przez lunetę, pozwolili, aby zmasakrowano ich jak bydło podczas rzezi. Jest jednak także prawdą, że spisali się fantastycznie, że ich bohaterstwo doczekało się pochwały samego Radetzkiego: „Sądziłem, że jest ich co najmniej dziesięć albo piętnaście tysięcy", że ich poświęcenie pozwoliło Karolowi Albertowi zwyciężyć pod Goito, a potem pod Peschierą. Swoją daninę spłacił sprawie narodowej także Giobatta, który spod Curtatone i Montanary wrócił z oszpeconą na zawsze piękną dotąd twarzą.

* * *

„2 kwietnia, niedziela. Żono moja ukochana, która nosisz w łonie nasze dziecko, dzisiaj przybyliśmy do Pontremoli i jako że jutro przekraczamy Apeniny, major Belluomini powiedział: «Chłopcy, dzisiaj odpoczywamy». Święte słowa, bo byliśmy w marszu przez wiele dni. W Fivizzano wielu protestowało, «Panie majorze, nogi nas bolą, chcemy się zatrzymać», i nagle zatrzymali się naprawdę. Rzucili się na ziemię, a do Pontremoli dotarli na własną rękę, po trochu. Ja nie. Chciałem być godny stryja Giovanniego, który w Hiszpanii maszerował prawie do śmierci, i żeby zapomnieć o bolących nogach, zacząłem śpiewać. Najpierw twoje obelgi na Metternicha, które dobrze odmierzają krok, potem nową pieśń, którą pewnie znasz lepiej ode mnie. «Żegnaj, moja miła, żegnaj, wojsko całe rusza w drogę, więc i ja stchórzyć nie mogę». Żono droga, znalezienie się tu w Pontremoli zrobiło na mnie wielkie wrażenie. Przypomniało mi, jak w szczęśliwy dzień naszego ślubu wołaliśmy na placu: «Pontremoli i Favizzano są nasze, biada temu, kto wyciąga po nie ręce!», a potem jak pobiegliśmy do willi Tauscha spalić żółto-czarną flagę tych habsburskich świń, później w teatrze śpiewaliśmy hymn Mamelego *Fratelli d'Italia, l'Italia s'è desta* i zamiast do łóżka trafiliśmy do oddzielnych cel w Starej Cytadeli. Pontremoli to piękne miasto. Ma mury starsze niż te w Livorno i ludzie są poczciwi. Kiedy wkroczyliśmy, rzucali nam kwiaty i cukierki, wołali: «Niech żyją toskańscy wolontariusze, niech żyje Pius Dziewiąty» i poczułem się taki dumny, że idę walczyć za Ojczyznę: gotowy, by połączyć się z sojusznikami z Piemontu i zrywać peruki Niemcom. Tutaj stacjonujemy blisko gór i jest zimno. Pod pretekstem, że 21 marca zaczęła się wiosna, nie dano nam kocy ani wełnianych ubrań, a kurtka stryja Giovanniego ogrzewa mi tylko serce. Dobrze chociaż, że jest don Maggini. W nocy przytulam się plecami do jego pleców i trochę mi mniej zimno. Jedyna niedogodność jest taka, że on, zamiast spać, modli się za Bartelloniego. Nie dali nam także żołnierskich butów. Te, które mieliśmy przy wymarszu, rozpadają się i wczoraj widziałem jednego takiego, który maszerował z palcami wystającymi na zewnątrz. Jedzenia jest mało. W dzień płat dorsza z chlebem, wieczorem wodnista zupa, tak więc wielu żałuje, że odpowiedzieli na wezwanie. Inni zmykają po cichu i ten list też posyłam ci przez jednego z Livorno, który ma zamiar wrócić do domu. Nie ma sensu mu wyjaśniać, że trzeba mieć dużo cierpliwości, aby kochać Ojczyznę. Teraz jednak muszę zostawić cię, żono kochana, bo pisanie bardziej męczy niż rzeźbienie w marmurze. Proszę, abyś pozdrowiła moich rodziców i abyś uważała na łono, w którym nosisz nasze dziecię — a właśnie, jeśli urodzi się chłopiec, chciałabyś nazwać go Pius? Twój oddany i kochający mąż Cantini Giobatta.

Post Scriptum. Dziękuję panu, *sor* Demi, za przeczytanie moich słów Marii Rosie i przesyłam ukłony. Niech żyją Włochy!".

„15 kwietnia, sobota. Żono kochana, matko naszego dziecka, także tym razem otrzymasz list dzięki jednemu, który ucieka, i proszę, nie potraktuj go źle. Biedny chłopiec, sądził, że to będzie spacerek, i przybędziemy tu wołać: «Niech żyje!, uwolniliśmy Włochy od barbarzyńców, hurra!». Potem zrozumiał, że na wojnie pieczone gołąbki nie lecą same do gąbki, zniechęcił się i powiedzmy uczciwie: gdyby nie miłość do Ojczyzny i nienawiść do wroga, wszyscy wrócilibyśmy do domu. Bo sprawy wcale nie mają się dobrze, wiesz. Wielu z nas zdarło podeszwy butów i maszerują na nogach owiniętych szmatami, inni podarli przenicowane już spodnie i chodzą w gaciach, mundurów nam jeszcze nie dali, strzelać nas jeszcze nie nauczyli i ostatnie dwa tygodnie były piekłem. Pomyśl, że z Pontremoli trzeba było iść prosto do Parmy, przechodząc przez Apeniny przełęczą Passo della Cisa. Ale rząd Parmy dał znać, że w Parmie nas nie chce, i mój pułkownik musiał skierować się na Reggio Emilia, to znaczy pokonać Apeniny przez przełęcz Passo del Cerretto, a żeby to zrobić, musieliśmy wrócić do Favizzano. Trzydzieści mil jednym ciągiem. W Favizzano posiłek zjedliśmy o północy i dziękować Bogu, że wielkoduszni mieszkańcy pozwolili nam przespać się w ich domach. Passo del Cerretto była męczarnią. Tak się strudziłem, że podejrzewam, iż stryj Giovanni tak nie cierpiał, przekraczając Pireneje. Ścieżki były tak strome, że nie dawaliśmy rady ciągnąć do góry wozów, a jeszcze padało, wiał okropny wiatr i wielu poczuło się źle. Don Maggini zemdlał i musiałem zbudować dla niego rodzaj sań, a potem ciągnąć je na sznurze aż do Castelnuovo. Teraz jesteśmy w Reggio, mieście, w którym kobiety przywitały nas kawą z mlekiem, a mężczyźni trójkolorowymi sztandarami. Dobrzy z nich ludzie. Każdego dnia wzmacniają nas tutejszym serem i makaronem, a ponieważ nie ma namiotów, żeby rozbić obóz, dają nam nocleg w kościołach, i gdy tylko mogą, przynoszą dobre wieści. Na przykład taką, że Mazzini już nie jest na wygnaniu, od 7 kwietnia przebywa w Mediolanie i ludzie stoją cały czas przed jego hotelem i wiwatują. Ale my mamy się tak, jak opisałem, i jeśli nie przybędziemy niedługo do Lombardii, nie dostaniemy mundurów i nie nauczymy się strzelać, będzie źle. Tu kończę, ściskając cię mocno, posyłam jak zwykle pozdrowienia dla rodziców i podziękowania dla pana Demiego, twój zawsze oddany i kochający mąż Cantini Giobatta.

Post Scriptum. Zważywszy na to, jak nas serdecznie przyjęto w Reggio, mieście Państwa Kościelnego, jeśli urodzi się chłopiec, trzeba mu naprawdę nadać imię Pius".

„22 kwietnia, wigilia Wielkanocy. Żono ukochana, ten, który bierze list dzisiaj, to wielki obibok. Strasznie mu się spieszy, żeby nawiać, «szybciej — mówi mi — szybciej pisz», jakby mu pieprzu na tyłek posypali. Muszę więc streścić ci krótko wiele rzeczy, które mam ci do opowiedzenia, a pierwsza jest taka, że dotarliśmy do Lombardii. Tak, jesteśmy w Lombardii, wreszcie w Lombardii! Wszyscy pod Mantuą. Dwa bataliony z Florencji, dwa z Livorno, jeden ze Sieny, jeden z Lukki, jeden złożony ze studentów z Pizy, a razem z nami 4615 żołnierzy z regularnego wojska, którzy wyruszyli oddzielnie. Druga wiadomość jest taka, że dostaliśmy mundury. Tak, nareszcie mundury, mundury! Niebieskie kurtki z białym pasem i białymi wyłogami, niebieskie zwężane spodnie, czapki z daszkiem, płytkie buty. Tak więc nie wyglądamy już jak gromada łachmaniarzy, tylko jak prawdziwi żołnierze. A trzecia wieść jest taka, że zaczęli nas szkolić. Teraz umiemy naładować karabin, podnieść do ramienia, wycelować, a także ruszyć do ataku na bagnety. Ergo, jestem szczęśliwy i pełen entuzjazmu. Czuję się jak krzyżowiec, który wyprawia się, aby wyzwolić Jerozolimę. Marcaria nad Oglio, miasteczko, w którym zakwaterowano nas wraz z ochotnikami z Viareggio i ze studentami z Pizy, jest interesujące. Przechodzą tędy żołnierze lombardzcy, którzy zdezerterowali z austriackiego wojska, a ponieważ chętnie wdają się w pogawędki, zebrałem mnóstwo informacji. Że w wojsku austriackim najgorsi są Chorwaci, na początek. Że w czasie, gdy wycofywali się do Mantui, Peschiery, Werony i Legnago, czworoboku, w którym okopał się Radetzky, wyprawiali najgorsze rozboje. Podpalenia, morderstwa, gwałty, rabunki. Że Węgrzy są lepsi, że wielu z nich nie chce być w Cesarstwie Austro-Węgierskim, i że Radetzky ich nie znosi. Że Austriacy, ci prawdziwi, nienawidzą nas, Toskańczyków, bo uważali nas prawie za krewnych z powodu Leopolda, i nie mogą nam przebaczyć przystąpienia do wojny. Że nas, wolontariuszy, nazywają czarnymi brygantami, a regularne wojsko białymi brygantami. Poza tym dowiedziałem się, że tutejsi wieśniacy w niczym nie przypominają wieśniaków mediolańskich i że trójkolorowy sztandar mało ich obchodzi. Ale w to nie chce mi się wierzyć, bo inaczej mój entuzjazm by się rozwiał. I na tym kończę, moja żono, bo obibok ciągnie mnie za kurtkę. Chce się zmyć, nie pozwala mi pisać dalej i mam czas dodać tylko jedną rzecz: zgadnij, kto tu jest ze studentami z Pizy! Profesorzy Ferrucci i Montanelli, to znaczy ci, którzy zarzucili biało-czerwono-zielone szaliki na berło Leopolda w czasie inauguracji pomnika i dali znak do rozruchów. Odkryłem to przypadkiem i wierz mi: wzruszyłem się. Całusy i uściski od twojego oddanego i kochającego męża, Caniniego Giobatty.

Post Scriptum. Miejmy nadzieję, że entuzjazm się utrzyma. Powiedziałem to także don Magginiemu, który na dobrą wróżbę odmówił *Zdrowaś Mario*".

„3 maja, środa. Żono kochana, piszę do ciebie z miejsca, które nazywa się Curtatone, i daję list jednemu, który wraca do domu za zgodą pułkownika. Pomimo mundurów tych, którzy chcą wrócić do domu, jest coraz więcej, więc żeby uniknąć dezercji, pułkownik podpisuje kartkę z oświadczeniem: «Zwolniony z powodu ważnych problemów rodzinnych». To i lepiej, bo inaczej, jak dałbym radę przesyłać ci listy? Normalną pocztę nam cenzurują i za każdym razem, gdy chcę do ciebie napisać, pytam: «Jest tu ktoś, kto się zmywa, kto ma dość?». Curtatone to maleńkie miasteczko, kilka wiejskich domów i tyle. Jest położone o strzał z muszkietu od Mantui, około czterech kilometrów, i znajduje się nad stawem zarośniętym trzciną, dlatego komary żrą nas żywcem. Dobrze chociaż, że to nie lato. W lecie trzciny gniją, z wody unoszą się szkodliwe wyziewy i można się nabawić gorączki malarycznej, która trwa pięć lub sześć lat. Powiedział mi o tym jeden ze Sieny, których zakwaterowali tu razem z nami z Livorno. Naturalnie gorączkę łapie się też z powodu szerokiego, długiego i głębokiego kanału, o nazwie Osone, który znajduje się za nami, z powodu licznych trzęsawisk od strony jeziora. Nie od strony Mantui, tam trzęsawisk nie ma. Ale tam znowu są pola pszenicy, za którymi mógłby się ukryć wróg i nas zaatakować. Tak samo w Montanarze. Montanara to inne miasteczko zajęte przez Toskańczyków. Znajduje się dwa kilometry na południe od Curtatone i stacjonują w nim bataliony z Florencji, z Lukki i stu pięćdziesięciu ochotników z Neapolu. Natomiast studentów z Pizy umieścili razem ze sztabem w Grazie: osadzie położonej półtora kilometra dalej, nad rzeką Mincio. Dali ich tam, bo są biedacy zbyt młodzi. Niektórzy mają po szesnaście lat i rodzice bardzo za nimi prosili. Żono kochana, to miejsce nikomu się nie podoba i tak naprawdę nie planowaliśmy tu być: z Marcarii nad Oglio mieliśmy ruszyć prosto do Mantui i odbić ją z rąk cudzoziemców. Ale na rozstajach ostrzelali nas z dział i generał Ulisse d'Arco Ferrari, czyli nasz wódz, narobił w gacie. Nakazał odwrót, przyprowadził nas do Curtatone i do Montanary. Ten generał to kompletna klęska. Po pierwsze jest tchórzliwy. Wie, że w czworoboku Radetzky nie ma wystarczająco dużo ludzi ani broni, ani prowiantu, wie, że czeka na posiłki z Wiednia, że bez posiłków trudno mu się bronić, a mimo to nie wysyła nas do ataku. Trzyma nas tu i każe robić okopy, i jego jedyna troska to mieć karetę gotową do ucieczki, jeśli zjawi się wróg. Po drugie jest głupi.

Dość powiedzieć, że wystarczyłoby skosić pola i wyciąć gaje, tak samo niebezpieczne, ale on nie daje nam zgody, bo boi się gniewu właścicieli. Z tego samego powodu nie pozwala nam wybudować mostu na kanale Osone, gdzie jest tylko wąska kładka, i na nic się zdaje tłumaczenie mu, że w razie odwrotu trzeba się będzie wycofać właśnie tamtędy. Po trzecie jest stary. Nie stary na sposób Radetzkiego, który w wieku osiemdziesięciu dwóch lat, niech go piekło pochłonie, ma jeszcze energię dwudziestolatka i w siodle siedzi lepiej niż młodzieniaszek. Jest stary na sposób prawdziwych starców. Zawsze chce mu się spać, chwieje się w siodle, a jeśli go nie podtrzymają, spada. Co do Piemontczyków, kto ich widział? Są blisko — to prawda. Król Niezdecydowany, czyli Karol Albert, stacjonuje nad Mincio, między Goito i jeziorem komarów. Ale myślą tylko o tym, jak zdobyć Peschierę, a my ich gówno obchodzimy. Traktują nas, jak gdybyśmy nie istnieli, albo jak gdybyśmy służyli tylko za tarczę między nimi a Mantuą. I tutaj się uciszam, żono moja. Reszty ci nie opowiem, bobyś się zapłakała. Podziękuj Demiemu, pozdrów rodzinę, całusy i uściski od twojego oddanego i kochającego męża Cantiniego Giobatty.

Post Scriptum. Otwieram list, żono kochana, aby cię przestrzec z największym naciskiem: jeśli urodzi się chłopiec, nie ośmielaj się nazwać go Pius. Właśnie kiedy do ciebie pisałem, nadeszła wiadomość, że 29 kwietnia papież oświadczył, że nie chce brać udziału w wojnie z Austrią i nakazał generałowi Durandowi, dowódcy swoich ochotników, puścić ich do domu. Chociaż Durando tego nie zrobił, ja i tak jestem wściekły nie do opowiedzenia. To ci judasz, nikczemny zdrajca! Kto by to podejrzewał, kiedy wrzeszczeliśmy do utraty tchu «Niech żyje Pius Dziewiąty!»? Teraz już żadnemu władcy nie ufam, łącznie z królem Niezdecydowanym, który, mogę się założyć, nad Ticino okopał się, aby przywłaszczyć sobie całe Włochy: postawić Sabaudów na miejsce Austriaków, Burbonów i tak dalej, przerobić nas na Piemontczyków, zfrancuzić, oszukać. Bo ja mu wcale nie zapomniałem łajdactw, które popełniał do wczoraj na liberałach! Żono kochana, w tej chwili zadaję sobie wręcz pytanie, czy można w ogóle ufać Włochom, i ponieważ potrzebuję się wyżalić, opowiem ci to, co zamierzałem zmilczeć. To prawda, to prawda, że wieśniacy lombardzcy nie przypominają mediolańczyków! To prawda, to prawda, że trójkolorowy sztandar ich nie obchodzi! Kiedy prosimy, żeby nam sprzedali jajko, plują nam w twarz, kiedy im mówimy «dzień dobry», odpowiadają pierdnięciem. Zbliżają się do nas tylko po to, żeby szpiegować, donieść Austriakom, ilu nas jest, jaką mamy broń, a wiesz, co śpiewają? «Niech żyje Radetzky, niech żyje Metternich, oby Radetzky mi uratował życie, a Metternich kieszeń». Co z nich za Włosi?! Za kogo przyszliśmy tu umierać?!"

„27 maja, sobota. Żono ukochana, nie pisałem do ciebie więcej, bo nikt już nie ucieka. Obiboki się zmyły i ten list przesyłam ci przez don Magginiego, który nabawił się gorączki malarycznej. Nie zdrowieje, jest ciężarem i pułkownik powiedział mu: «Kapelanie, wracaj do Livorno, my i tak mamy dość kłopotów, a z Panem Bogiem porozmawiamy sami». Biedny don Maggini. Przykro mu było i mnie też. Swoją obecnością zastępował mi po trosze Bartelloniego. Ukochana żono, mam ci wiele do opowiedzenia, a pierwsza rzecz jest taka, że czwartego rankiem odbyliśmy chrzest bojowy. Zdesperowani głodem Austriacy zaatakowali nas, żeby zrabować nam prowiant, i zabiłem jednego Chorwata. Rozciągnąłem go strzałem z muszkietu i jeśli chcesz wiedzieć, jak się poczułem, to ci powiem. Najpierw mi ulżyło, bo on chciał zabić mnie, i gdybym ja nie zrobił tego pierwszy, tobym już nie żył. Potem rodzaj wstydu i przykrości, bo Chorwat czy nie, przecież człowiek, taki jak ja. Nawet był do mnie podobny, uwierzysz? Ten sam wzrost, budowa ciała, wiek. Ze dwadzieścia pięć lat. Tak więc widząc go zabitego z mojej ręki, poczułem się, jakbym popełnił samobójstwo. W każdym razie atak odparliśmy, a potem schwytaliśmy rannego Węgra, który bardzo dobrze mówił po włosku. Prosił po włosku:

«Nie zabijajcie mnie, nie zabijajcie mnie, miejcie litość, ja nie jestem Niemcem, jestem Węgrem, ja w moim domu też Niemców nie chcę, a moja narzeczona jest z Monzy». Tak więc zamiast go zabić, opatrzono mu rany. Dano zupę fasolową i pozwolono odejść: «Idź do Monzy, idź». Druga rzecz jest taka, że o świcie trzynastego znowu nas zaatakowali. Ponownie ich odparliśmy, ale od tego dnia nic tylko nas ostrzeliwują z armat i od czasu do czasu ktoś kończy w grobie albo w lazarecie. Trzecia wiadomość jest taka, że wczoraj generał Ulisse d'Arco Ferrari został zastąpiony przez generała z Elby, de Laugiera, i że ten Cesare de Laugier bardzo nam się podoba. Jest pełen energii, wszystko chwyta w lot, na wojnie się zna, bo on też walczył w Hiszpanii, gdzie mu dali wiele medali, a z wieku to nie ma jeszcze sześćdziesiątki. Bardzo się nam także podoba odpowiedź, jaką zamknął gębę generałowi, kiedy d'Arco Ferrari warknął, że zobaczymy, co pan będzie umiał zrobić, zobaczymy. Posłuchaj tylko, co mu odpowiedział: «Na pewno więcej od pana i lepiej od pana, szanowny kolego». Czwarta wiadomość, no cóż, czwarta wiadomość jest taka, że niestety Radetzky otrzymał posiłki z Wiednia. Ma teraz czterdzieści pięć tysięcy dobrze odżywionych i dobrze uzbrojonych ludzi, gotowych skoczyć nam na kark w każdej chwili, i jesteśmy dość zmartwieni. Bo w Curtatone i w Montanarze nas, ochotników, nie ma nawet trzech tysięcy, rozumiesz? Regularnego wojska jest dwa i pół tysiąca piechoty, ale żołnierze stacjonują w Grazie, a Piemontczyków dalej gówno obchodzimy. Nie dają nam nawet jednego karabinu kapiszonowego, nawet jednego pocisku, i uzbrojenie nasze jest strasznie nędzne. Pomyśl tylko, że wciąż mamy te same szable i karabiny skałkowe, z którymi ruszaliśmy. Z artylerii — tych dziewięć armat i dziesięć kartaczy. Do tego stu wyfiokowanych kawalerzystów wielkiego księcia, którzy moim zdaniem nawieją przy pierwszej okazji. Dodaj do tego te pieprzone pola pszenicy i zagajniki, których duren d'Arco Ferrari nie pozwolił nam wyciąć, żeby nie urazić właścicieli. Dodaj Osone, czyli długi, głęboki i szeroki kanał za naszymi plecami, nad którym przerzucona jest tylko wąska kładka. Dodaj, że nie ma już czasu, by coś naprawić, że nawet de Laugier nic nie da rady zrobić... Po obozowisku krążą pogłoski, że wkrótce będzie bitwa, może jutro albo pojutrze, i dzisiaj porucznik powiedział nam: «Chłopcy, to będą nasze Termopile». Potem wyjaśnił, że Termopile to takie miejsce ze starożytności, w którym trzystu Greków pod dowództwem niejakiego Leonidasa stawiło opór trzem tysiącom Persów dowodzonych przez takiego, co się nazywał Kserkses, i wszyscy zginęli. No tak. W takim razie miejmy nadzieję, że przyszłe pokolenia będą o nas mówić z wdzięcznością i szacunkiem. Że zdadzą sobie sprawę, jak drogo kosztowało nas zjednoczenie Włoch, odzyskanie dla nich wolności i niezawisłości. A jeśli chodzi o nas dwoje, żono kochana, jeśli umrę, pamiętaj, jak wielkim uczuciem cię darzyłem. Że nigdy nie istniała dla mnie inna kobieta, że zawsze podobałaś mi się taka, jaka jesteś. Śliczna tłuścioszka, dobra jak chleb, silna, i zawsze ze śpiewem na ustach. A naszemu dziecku powiedz, że moje serce płacze na myśl, że umrę, nie poznawszy go, ale kiedy chodzi o Ojczyznę, nie można uciekać ani prosić o zwolnienie z powodu ważnych powodów rodzinnych. Całuję Ciebie i dziecko, całuję tatę i mamę, i Demiego, i podpisuję się: twój wierny mąż Cantini Giobatta, który mimo wszystko ma nadzieję, że pozostanie żywy.

Post Scriptum. Niech żyją Włochy!"

„12 czerwca, poniedziałek, Brescia. Żono kochana, piszę do ciebie, żeby ci donieść, że jeszcze żyję. Mam twarz poparzoną i zeszpeconą przez pocisk rakietowy, który spadłszy na prochownię, zmasakrował dziesiątki z nas, ale żyję. Bardzo rozczarowany i przygnębiony, ale żyję. W istocie bitwa się odbyła i przegraliśmy ją. Tutaj, żeby nas pocieszyć, mówią, że jej nie przegraliśmy; że wygraliśmy, bo powstrzymaliśmy Radetzkiego, który myślał, że przegoni nas kopniakiem, po czym od razu ruszy zaskoczyć Piemontczyków i odeśle ich do Turynu. Mówią, że byliśmy dzielni jak ci Grecy Leonidasa pod Termopilami, i kiedy dotarliśmy do Brescii, takiego miasta na północny wschód od Mediolanu, przyjęli nas konni gwardziści i burmistrz na progu ratusza, rzucali nam kwiaty, dali ciepłą zupę, a także piękną trójkolorową flagę z następującym napisem: «Mediolańskie Kobiety Heroicznym Wolontariuszom z Toskanii». To prawda: Radetzkiego naprawdę zatrzymaliśmy. Zatrzymaliśmy go na siedem godzin i dzięki temu król Niezdecydowany mógł zająć Goito i Peschierę. Jednak bitwę i tak przegraliśmy i wielu zginęło. Na przykład profesor Francesco Ferrucci, ten od szalika. Wielu zostało okaleczonych, dostało się do niewoli, wielu zaginęło, także profesor Montanelli, a ja jestem w takim stanie, w jakim jestem. Stało się to dwa dni po tym, jak posłałem ci list przez don Magginiego, szczęściarz z niego, że tego nie widział. Pogłoski krążące po obozie były prawdziwe i w poniedziałek 29 maja Radetzky zwalił się na nas z czterdziestoma trzema batalionami i pięćdziesięcioma czterema szwadronami. Jedni mówią, że było to dwadzieścia tysięcy żołnierzy, inni, że trzydzieści pięć, a oprócz tego sto pięćdziesiąt jeden armat szesnastek i grad rakiet Congrève'a, które są nowym wynalazkiem. To taki rodzaj ogni sztucznych, wybuchających za sprawą fosforu. Teraz opowiem ci wszystko po kolei. Nagle, o dziewiątej trzydzieści, usłyszeliśmy okropne wrzaski. «Świńskie Włochy, świńskie Włochy! Bryganci, bryganci!» I zobaczyliśmy, jak wybiegają z pól pszenicy, gdzie się ukryli. Setkami. Setkami. A jednak nie straciliśmy ducha. Bo kiedy usłyszeliśmy, jak obrażają Ojczyznę i nazywają nas zbójami, krew uderzyła nam do głów. Wspięliśmy się na gliniany wał, za którym się skrywaliśmy, i odpowiedzieliśmy: «Skurwysyny, niech żyją Włochy, skurwysyny!», i ostrzelaliśmy ich z karabinów skałkowych. Co prawda de Laugier nie chciał, żebyśmy tak strzelali. Czerwony z wściekłości, nie dbając o kule, które świszczały wokół niego, galopował tam i z powrotem na koniu i wrzeszczał: «Durnie! Strzelajcie zza wału, durnie!». Ale my byliśmy za bardzo oburzeni, za bardzo wściekli, i wróciliśmy do

okopu dopiero po odparciu ataku. Żeby czekać na posiłki piemonckie, które na początku szturmu generał Bava, czyli zaufany człowiek króla Niezdecydowanego nam przyrzekł następującymi słowami: «Trzymajcie się dzielnie, a ja poślę wam znaczną pomoc».
Tymczasem znaczna pomoc nie nadeszła, a w południe Austriacy
znowu wypadli z pól pszenicy. «Bryganci, bryganci!» Znowu ich
odparliśmy, «skurwysyny, skurwysyny», i ileśmy ich wybili, żono
kochana! Zwłaszcza oficerów. Wiesz, de Laugier powiedział nam,
mierzcie w oficerów, to ci w płaszczu i z szablą, dlatego my mie-
rzyliśmy głównie do nich i ja sam kilku trafiłem. Ale nie przeżyłem tego tak, jak wtedy 4 maja, gdy zabiłem Chorwata, uwierzysz?
Po zabiciu pierwszego wroga można się przyzwyczaić, a w bitwie
człowiek nie wydaje się człowiekiem. Wydaje się celem, przedmiotem. Potem, ponieważ zabiliśmy ich mnóstwo, pozwoliliśmy,
żeby niemieccy księża wywieźli ich na taczkach razem z rannymi.
I dalej czekaliśmy na Piemontczyków. I znowu Piemontczycy się
nie zjawili. W miejsce wojsk Bava przysłał nam kapitana, który
na pytanie de Laugiera o posiłki odpowiedział: «Jakie posiłki?!
Mnie kazano tylko przekazać, że macie utrzymać pozycję. Trzymajcie, jak długo dacie radę». Trzeci atak Austriacy przypuścili
o drugiej po południu i zaczął się od tak strasznego bombardowania, że gdy je wspomnę, żołądek mi się kurczy. Namioty i sto-
gi w płomieniach, drzewa rozłupywane na wykałaczki. Ogłuszający huk, jęki «mamo, trafili mnie, mamo». Nogi i ramiona
odrywające się jak gałęzie, ludzie zmienieni w żywe pochodnie,
którzy turlali się, płacząc: «Zgaście mnie, zgaście mnie na litość
boską». Nasza artyleria rozbita w pył. Trzydzieści strzałów na
minutę, rozumiesz, i trzydzieści rakiet Congrève'a na sekundę.
W istocie właśnie wtedy pieprzony pocisk trafił w prochownię
i zmasakrował dziesiątki ludzi, a mnie oszpecił twarz. Co za podmuch żaru, żono kochana, nie masz pojęcia! Dobrze chociaż, że
uratowałem oczy. Zamknąłem je instynktownie, dlatego spaliły
się trochę tylko powieki. Bombardowanie skończyło się o trzeciej

i zaraz potem Austriacy znowu ruszyli do szturmu. Niektórzy mówią dziesięć tysięcy, inni piętnaście. Tym razem posuwali się po cichu. Żadnego wykrzykiwania «świńskie Włochy», żadnego «bryganci, bryganci». Ale co się potem zdarzyło, tego dobrze nie pamiętam. Przypominając sobie ten milczący rój, czuję, jak krew zastyga mi w żyłach, i przed oczami przesuwają mi się tylko oderwane sceny. De Laugier, który staje w strzemionach i krzyczy: «Bronić pozycji! Bronić, aż do śmierci!». Pułkownik Campia, który biegnie na nieprzyjaciela z pistoletem w ręku i po kilku krokach pada na ziemię, charcząc: «Przekleństwo! Przekleństwo, umieram!». Kwatermistrz Gaspari, cały nagi i czarny od sadzy, bo pocisk zerwał z niego ubranie, strzela z ostatniej armatki, wrzeszcząc przy każdym wystrzale: «W dupę niech was trafi, wy niemieckie sukinsyny!». Pułkownik Chigi, machający krwawym kikutem i mamroczący: «Moja ręka, moja ręka, straciłem rękę». Ochrypły głos wołający: «Gdzie tych stu pięknisiów z kawalerii?». I gorzka odpowiedź: «Wycofali się do zagajnika! Porucznik powiedział, że on do tej rzeźni nie pójdzie!». Znowu de Laugier, który każe swojemu ordynansowi, żeby udał się po studentów zakwaterowanych na tyłach w Grazie ze względu na rodziców: «Chcę ich tutaj mieć!». Ordynans, który odjeżdża na koniu galopem i wraca za chwilę, mówiąc: «Generale, już ich tam nie ma! Pół godziny temu profesor Ferrucci i profesor Montanelli przyprowadzili ich tutaj i siedmiu już zginęło, razem z Ferruccim, biedacy!». Walczyliśmy w chaosie, rozumiesz. Każdy, jak mógł, jak mu pierdolnęło. Także ja, ogłupiały od bólu z poparzeń, chybiałem prawie wszystkie strzały i tylko marnowałem amunicję. I pamiętajmy, że byliśmy zdziesiątkowani, wyczerpani ze zmęczenia i głodu, bo nie jedliśmy od wielu godzin. I że często trzeba było bronić się bagnetem. Tymczasem Piemontczycy się przyglądali. O czwartej byliśmy otoczeni. O piątej dostaliśmy rozkaz odwrotu w jedynym możliwym kierunku, to znaczy przez kanał Osone, i odwrót zmienił się w koszmar. Wiesz dlaczego? Bo pięknisie z kawalerii rzucili się na kładkę pierwsi i ich konie wszystkich stratowały. Nawet de Laugiera, który z wyciągniętą szablą ryczał: «Tchórze, tchórze!» i usiłował przebić porucznika. Stratowali go, zostawili tam omdlałego i dobrze chociaż, że Radetzky nas nie ścigał! Zamiast maszerować, wlokłem się, i w Grazie nie miałem nawet siły poszukać pielęgniarza. Zasnąłem pod jakimś drzewem i twarz opatrzyli mi dopiero następnego wieczoru w forcie Goito, który tymczasem zdobył król Niezdecydowany. Oczyścili mi ją. Nasmarowali maścią, obandażowali, zostawiając tylko dwie dziury na oczy i jedną na usta, tak więc teraz wyglądam jak mumia. Potem z Goito przenieśli nas do Brescii, gdzie znajduję się w szpitalu i pokarmy przyjmuję przez rurkę. Czuję się lepiej. Gorzej, że przez opóźnienie w opatrunku oparzenia się zakaziły. Od czaszki do szyi jestem jedną wielką raną, i rany cuchną. Ludzie mnie unikają. Poza tym nocą śnią mi się umarli, znienawidziłem wojnę, a ponieważ tych, którzy mają się lepiej, odsyłają na front, wczoraj zerwałem bandaże. Bez bandaży poszedłem do kwatermistrza, który zajmuje się zwolnieniami, i zażądałem zwolnienia z ważnych powodów rodzinnych. «Jakich konkretnie?», zapytał, zatykając sobie nos i wlepiając wzrok w mur. «W połowie lipca rodzi mi się dziecko — odpowiedziałem — i patrz na moją twarz». Popatrzył, zaczerwienił się i powiedział: «Na co ci zwolnienie? Medyk ci nie wyjaśnił, że z taką twarzą potrzebujesz roku, żeby wyzdrowieć, i że w takim stanie nie mogą cię odesłać na front? Myśl lepiej, żeby się kurować». Więc myślę. Rok, żono kochana, rok. Całusy i uściski od twojego męża Cantiniego Giobatty, który wraca do domu, uprzedzam, z wielkim gniewem w ciele".

* * *

Do Livorno wiadomość o przegranej bitwie dotarła o świcie w czwartek, telegramem z Florencji, który w mgnieniu oka obiegł miasto. „To dzień powszechnej żałoby. Rząd właśnie otrzymał wiadomość, że w poniedziałek pod Curtatone i Montanarą nasze wojska zostały zaatakowane przez znacznie większe siły i że nasi ochotnicy zostali straszliwie zmasakrowani". Niemal jednocześnie dzwony zaczęły bić na żałobę, na wszystkich gmachach publicznych pojawiły się czarne chorągwie i flagi opuszczone do połowy masztu, w każdym kościele postawiono olbrzymi katafalk z napisem: „Żegnajcie męczennicy, żegnajcie", a z balkonu prefektury burmistrz ogłosił, że nikt nie przeżył. Następnego dnia, co prawda, „Corriere Livornese" zamieścił sprostowanie, informując, że straty wynosiły tysiąc ośmiuset sześćdziesięciu dwóch żołnierzy, to znaczy że przeżyło około tysiąca. Nikt jednak nie podał listy zabitych i przez mniej więcej miesiąc rząd ją ukrywał, a normalne listy wysłane z Brescii podróżowały w ślimaczym tempie. Tak więc do końca czerwca także Maria Rosa, Gasparo i Teresa szaleli z rozpaczy. A kiedy Giobatta wrócił ze wściekłością w ciele...

Biedny Giobatta. Z twarzą wciąż owiniętą jak oblicze mumii, pod bandażami pokryty ranami, strupami, bolesnymi pęcherzami nie przypominał w niczym pięknego dwudziestopięciolatka, który wyruszył w marcu, łudząc się, że idzie wyzwolić ojczyznę. (Zresztą nigdy już nie miał go przypominać. Na policzkach i nosie pozostały mu na zawsze blizny tak okropne, że dziadek Augusto, starając się je obrazowo opisać, mawiał: „gorsze od trądu"). Ale przede wszystkim nie przypominał uroczego młodzieńca, przesyłającego w listach całusy i uściski. „Jeśli was brzydzę, pójdę sobie mieszkać na własny rachunek i nie zawracajcie mi dupy lamentami!", powiedział na przywitanie, przekroczywszy próg domu. Nawet narodziny pięknego syna, którego Maria Rosa powiła 18 lipca i którego w następnym tygodniu don Maggini ochrzcił podwójnym imieniem Tommaso Temistocle, potem skróconym tylko do Tommaso, nie poprawiły mu humoru. Kilka dni później pokłócił się z Gasparem, który wymamrotał jedno ze swoich głupich powiedzonek: Co-tam-Austriacy-albo-Hiszpanie-byle-coś-było-na--śniadanie, i głuchy na błagania Teresy, wyprowadził się z domu w Salviano. Załadował żonę, dziecko i dobytek na wózek, po czym przeprowadził się do dwóch pokoi przy via San Carlo 15. Była to ulica za portem, więc daleka od spokoju peryferii i bliska placów, gdzie towarzysząca Giobatcie wściekłość mogła się wyładowywać w codziennych rozruchach, które wstrząsały miastem. W istocie, w czasie jego nieobecności temperatura nastrojów w Livorno osiągnęła stan wrzenia. Już przed Curtatone i Montanarą cena chleba podskoczyła z jednego solda do dwóch za funt, cena soli z dwóch soldów do trzech. Demokraci z Guerrazzim na czele odzyskali przewagę, Bartelloni założył Koło Ludowe — i to już było zupełnie coś innego niż Niedzielna Orkiestra! Koła Ludowe to poważna sprawa. Coś nowego. Do patriotycznych zapałów dołączyły postulaty społeczne, a Bartelloni miał prawdziwy talent do zarządzania swoim kołem. Urządzał tam wieczorne zebrania, zbierał rzemieślników i robotników, pouczał ich o prawach biedaków, czytał im opozycyjne dzienniki, które od chwili, gdy książę Leopold zniósł cenzurę, podgrzewały nastroje w Księstwie. „Stenterello” na przykład. „Popolano”, „Vespa”. Zwłaszcza zaś „Albo”, który tłumaczył i publikował artykuły z „Neue Rheinische Zeitung”, czasopisma redagowanego przez niejakich Karola Marksa i Fryderyka Engelsa, autorów książki wydanej w Anglii pod tytułem *Manifest Partii Komunistycznej*. Nie przypadkiem na zebraniach tych wymieniano się dziwnymi słowami, nigdy jeszcze nie słyszanymi terminami, takimi jak „proletariusze, masy pracujące, walka klas, strajk”. Nie przypadkiem na fasadzie siedziby Koła Ludowego widniał groźny znak, pod którym w 1792 roku jakobini poszli do ataku na pałac Tuileries, a powstańcy lutowi wdrapali się na barykady Drugiej Republiki Francuskiej. Czerwony sztandar.

Zaczęło się dziesięć miesięcy, podczas których Giobatta przemienił się w bezwzględnego rewolucjonistę, człowieka nieszanującego swoich przeciwników, fanatyka zdolnego w imię ojczyzny i ucisku bić, niszczyć i zabijać. W kogoś, kogo się wstydzę. Maria Rosa zaś w postać przygaszoną i bezbarwną. W biedną kobietę ograniczoną do roli matki i żony, która przestała śpiewać i straciła

swoją bojowość. W kogoś, kto nie ma już nic do powiedzenia.
„A ona, co robiła w tym czasie?", spytałam pewnego dnia dziadka
Augusta, który opowiadał od tego momentu tylko o Giobatcie.
Odpowiedź: „No, co miała robić? Karmiła dziecko i szyła, szyła
i płakała. Z niemowlęciem na ręku nie możesz iść walczyć na plac.
A przy mężu, który zmienił się w czerwonego faszystę, przechodzi
ci chęć do śpiewu".

14

Boże, ileż archiwów przejrzałam, ile bibliotek, ile starych dokumentów, żeby zrozumieć Giobattę, którego się wstydzę! Wchodzi-
łam do tych zastygłych i niemych sal, w których szelest kartki zdaje
się wystrzałem z armaty, siadałam przed stosami kart pokrytych
stupięćdziesięcioletnim kurzem i nie ustawałam w szukaniu Giobatty w tych smutnych zdarzeniach, które od lata 1848 roku do
wiosny 1849 podsycały jego gniew i sprzyjały jego gwałtowności.
25 lipca Karol Albert został pokonany pod Custozzą. Ścigany
przez Radetzkiego wycofał się na terytoria zajęte po bitwach pod
Curtatone i Montanarą, w Mediolanie został znowu pokonany
i 9 sierpnia podpisał rozejm. Upokarzający rozejm w Salasco, który
praktycznie zakończył pierwszą wojnę o niepodległość. (Wkrótce
zaprzestał walki także Garibaldi, który przybywszy z Montevi-
deo, objął dowództwo batalionu lombardzkiego. Okrążony przez
piętnaście tysięcy Austriaków, schronił się w Szwajcarii, i opór
stawiali już tylko Wenecjanie). Wtedy wojska Radetzkiego zajęły Modenę, Bolonię i Reggio Emilię, gotowe przekroczyć Alpy
i najechać Toskanię. Aby temu zapobiec, książę Leopold zgodził
się na podpisanie traktatu, w którym obiecywał, że nie będzie
atakować ponownie Austrii. Guerrazzi skorzystał z pretekstu, by
podsycić powszechne niezadowolenie, a Bartelloni, aby przejść do
akcji. W Livorno rozpętało się piekło, w które Giobatta rzucił się

bez wahania. Naturalnie zapisał się do Koła Ludowego. Artykuły Marksa i Engelsa znał na pamięć, a czerwonym sztandarem powiewał chętniej niż trójkolorowym.

W Livorno piekło zaczęło się 25 sierpnia, a we Florencji 30 września. Ataki na więzienia i na nowo wybrany parlament, starcia z żołnierzami, krzyki: precz z reakcją, precz z Lotaryńczykami. Toteż rząd konserwatysty Cosima Ridolfiego upadł, zastąpiony przez umiarkowanego Gina Capponiego. Jednak we Florencji protestujący nikogo nie zabili ani nie popełnili jakichś strasznych wandalizmów. Za to w Livorno! Giobatta brał czynny udział w zniszczeniu dworca kolejowego, zatopieniu kutrów, podpaleniu urzędów. (Wynika to z policyjnego raportu, w którym mowa o „młodym szaleńcu z obandażowaną twarzą"). Demonstranci zdemolowali Nową Cytadelę, gdzie zawłaszczyli pięć tysięcy strzelb, koszary gwardii obywatelskiej, gdzie zgarnęli trzy tysiące gwardzistów, arsenał Porta Murata, skąd wynieśli całą amunicję i beczułki z prochem. Potem rozdali broń wszystkim, którzy chcieli ją brać. Miasto oszalało, Bartelloni stracił kontrolę nad tłumami, a wartownicy... zarżnięci. Żandarmi zlinczowani. Urzędnicy zastrzeleni jak kaczki na polowaniu. Pochody, które ciągnęły za sobą trupy przywiązane do krzeseł, gnijące w upale... Nie zdołał opanować sytuacji także Leonetto Cipriani, odważny oficer spod Curtatone i Montanary, który siódmego dnia wpadł ze swoim regimentem do miasta. Gdy tylko przybył, został pochwycony, regiment po utracie stu szesnastu żołnierzy poszedł w rozsypkę i ku wielkiej uciesze „Neue Rheinische Zeitung", gdzie w pewnym artykule Engels nazwał Livorno „jedynym włoskim miastem, w którym lud powstał z walecznością równą mediolańskiej", okrucieństwa trwały aż do 8 września. To znaczy do chwili, kiedy Capponi mianował gubernatorem Montanellego, który powrócił z więzienia i przyłączył się do partii demokratów. Mimo to na początku października rozruchy zaczęły się znowu. Tym razem towarzyszyły im okrzyki: „Lewica do władzy! Chcemy republiki! Precz z umiarkowanymi!". Capponi podał się do dymisji, zdezorientowany Leopold zastąpił go Montanellim, Montanelli wezwał do swego boku Guerrazziego, urząd gubernatora przejął ich przyjaciel Carlo Pigli: kretyn nieodmiennie spity rumem i ponczem, dzięki czemu zyskał przezwisko Carlo Ponce Rum. Rozpalone codziennymi przemowami, które Carlo Ponce Rum wygłaszał z balkonu prefektury, miasto popadło w jeszcze większą anarchię, i właśnie wtedy Giobatta pokazał, co potrafi. Stał się czerwonym faszystą. Czasu mu nie brakowało. Nie podjął na nowo pracy w warsztacie Demiego, bo pył z marmuru przeniknąłby przez opatrunki i podrażnił wciąż otwarte rany, bandaże mumii pozwalały mu uchodzić za inwalidę, a zatem bezrobotnego, tak więc mógł spędzać dni wedle własnego upodobania. Nie brakowało mu nawet środków do życia. Czynsz za mieszkanie przy via San Carlo 15 opłacała miłość Teresy, jedzenia dostarczała wędliniarnia Bartelloniego, a na życie codzienne wystarczało łatanie Marii Rosy. Nieszczęśliwej Marii Rosy, która karmiła i szyła, szyła i płakała...

„Do diabła z ojczyzną! Do diabła z ludem! Do diabła z Marksem! Do diabła z Mazzinim! Do diabła z Garibaldim! Do diabła ze wszystkimi! I do diabła ze mną, com znalazła tę szmatę na dnie kufra i odetkałam latrynę polityki, która mi zmarnowała męża!"

* * *

Dziadek Augusto obwiniał Garibaldiego, który po drodze z Genui do Palermo, gdzie chciał rozpętać rewolucję, 24 października zatrzymał się z siedemdziesięcioma siedmioma legionistami i ze swoją żoną Anitą w Livorno. A raczej w porcie w Livorno. Niektórzy twierdzą, że dla uzupełnienia zapasów wody. Inni uważają, że chciał złożyć gratulacje sprawcom piekła, które doprowadziło do władzy lewicę. Plotka przechowywana w archiwach utrzymuje zaś, że chciał wysondować możliwość udania się do Florencji i poproszenia Montanellego i Guerrazziego o dowództwo nad wojskiem toskańskim. Jakkolwiek było, mieszkańcy Livorno w lot dowiedzieli się o wizycie. Powiewając czerwonymi flagami, pobiegli do portu, wrzeszcząc zejdź-obywatelu-generale, błagali go, aby opuścił statek, i ten rzeczywiście, jakby zapomniał o palermianach, zszedł na ląd. Wraz z Anitą i siedemdziesięcioma siedmioma legionistami pozwolił się zaprowadzić do hotelu Grande Bretagne przy via Grande, gdzie Carlo Ponce Rum skłonił go, aby przemówił do tłumów, stamtąd zaś przeniósł się na via Borra, do domu bogatego kupca Carla Notariego, który zaoferował mu gościnę. Wielbiony przez tłumy i chroniony przez szesnastu strażników przysłanych przez Bartelloniego, pozostał w Livorno przez tydzień. Wśród tych szesnastu był młodzieniec z obandażowaną twarzą, który nawet na chwilę nie oddalał się od jego boku. Nie-nie, nie-idę-spać. Nie-nie-potrzebuję-odpoczynku. Aż wreszcie, ostatniego ranka...

— Kim jesteś, chłopcze, jak się nazywasz?

— Cantini Giovanbattista, obywatelu generale.

— Co się stało z twoją twarzą?

— Podmuch od rakiety Congrève'a pod Curtatone, obywatelu generale.

— *Por Dios*, brałeś udział w bitwie 29 maja!

— Tak jest, obywatelu generale.

— Dzielny, *por Dios*, dzielny. Brałeś także udział w rozruchach piętnaście dni temu?

— Tak jest, obywatelu generale. I w buncie z sierpnia i września.

— Dzielny, *por Dios*, dzielny. Jesteś solą tej ziemi, Cantini Giovanbattisto. Tylko tak dalej. Nie zrażaj się.

Potem uścisnął mu rękę, objął go, i dziadek Augusto, za każdym razem, gdy opowiadał o tym epizodzie, mruczał: „To jego wina, to jego wina. Te słowa doprowadziły go do ruiny. Zresztą zawsze właśnie takie typy robią w konia biednych Giobattów".

Być może. W 1848 roku Garibaldi był już mitem z powodu wojen o niepodległość, w których uczestniczył w Brazylii i w Urugwaju. Toskańscy rewolucjoniści uwielbiali go i chociaż Montanelli uważał go za niebezpiecznego rozrabiakę, a Guerrazzi za prostackiego awanturnika, to jego słowa potrafiły zmienić anioła w szatana. Teza dziadka Augusta nie uwzględnia jednak gwałtów popełnionych bez zachęty tylko-tak-dalej, nie-zrażaj-się, i nie mam odwagi przypisać bohaterowi dwóch światów odpowiedzialności za to, co Giobatta zrobił w następnych miesiącach. Ze wzrastającym, nieubłaganym rytmem cyklonu, który pędzi przed siebie z coraz większą gwałtownością i zmiata wszystko po drodze... 15 listopada został zamordowany w Rzymie Pellegrino Rossi, premier Państwa Kościelnego. Morderstwo pociągnęło za sobą barbarzyńskie rozruchy — zamordowano pięciu strażników szwajcarskich, a *monsignor* Palma, sekretarz papieża, dostał kulę w serce. Koło Ludowe zachęciło swoich członków, by urządzili manifestację radości, i oto Giobatta biegnie pierwszy, by rozkołysać świątecznie dzwony, po czym wiesza na latarniach siedem zrobionych przez siebie kukieł. Jedną Pellegrina Rossiego, z wąsami i we fraku, drugą *monsignora* Palmy, w sutannie i z krzyżem, pięć w mundurach straży szwajcarskiej. 24 listopada Pius IX uciekł do Gaety. W Toskanii demokraci znowu zaczęli krzyczeć precz--z-umiarkowanymi i Giobatta zaczyna robić najścia na domy. Tak jak faszyści, którzy sto lat później prześladować będą jego prawnuki, bije, demoluje, terroryzuje. 1 stycznia Pius IX ogłosił w Gaecie dekret, w którym groził, że ekskomunikuje każdego, kto będzie wspominać o republice. W Livorno krzyki precz-z--umiarkowanymi zmieniły się w krzyki śmierć-umiarkowanym i Giobatta organizuje karną ekspedycję na Empoli: miasto umiarkowanego Vincenza Salvagnolego, nieskazitelnego patrioty, który w 1833 roku był w więzieniu z Guerrazzim, ale teraz naraził się, krytykując go. Odmówiwszy zapłacenia za bilet, Giobatta wsiada do wagonu pierwszej klasy wraz ze swoją bandą i po przybyciu do Empoli zaczyna podpalać sklepy. Dźga nożem stronników Salvagnolego, terroryzuje jego rodzinę... A przecież w styczniu 1849 roku rany twarzy się wyleczyły, bandaże mumii nie podsycały już jego wściekłości. Co zatem zatruwało jego myśli? Okropna sieć blizn, które oszpecały jego twarz? Jakobińskie kazania Bartello-niego, markistowskie podjudzania „Neue Rheinische Zeitung", spadek inteligencji? Czy też trucizna, o której mówił dziadek Augusto, czyli nieodparty wpływ, który autorytet liderów wywiera na Giobattów, wykorzystując ich i wysyłając na zatratę? Pomiędzy pożółkłymi kartami znalazłam portret Mazziniego, narysowany w czasie przemowy, którą 8 lutego wygłosił z balkonu Carla Ponce Rum, i do licha! To Mazzini całkiem inny niż ten z fotografii zrobionych w latach, gdy był czarującym starcem o smutnych oczach, uświęconym sławą poniesionych klęsk. Tutaj oczy są zimne, bezlitosne. Twarz, której powagi dodają czarne wąsy à la Stalin, jest nieubłagana, emanuje z niej hipnotyzująca władczość. Przeraża. Biada-jeśli-nie-będziesz-mi-posłuszny. W tych samych dokumen-tach znalazłam krytyczną opinię jakiegoś pizańczyka, i do diaska! Pominąwszy stronniczość, daje on trafny komentarz do portretu. „Dzisiaj słuchałem adwokata Mazziniego, podstawową przyczynę naszych niepokojów i nieszczęść, i muszę przyznać, że trudno się oprzeć sile jego słów. Jest charyzmatycznym mówcą, nadzwyczaj-nym demagogiem. Jego głos płynie niczym śpiew syreny, jego gesty zdają się pieszczotą zakochanej kobiety, i gdybym nie miał się na baczności, ja też dałbym się porwać. Ja też oddałbym się na jego rozkazy". Czyż zresztą nie po tym właśnie przemówieniu Giobatta zniszczył napis na pomniku księcia Leopolda?

Swój piękny napis. Jedyny napis, który Demi zlecił mu dla osoby żywej, a nie na cmentarz, cenny napis, który w dzień trójko-lorowego święta Maria Rosa pokazywała zgromadzonym ludziom, piszcząc: „Ten napis wyrył mój narzeczony! Zobaczycie, jakie to arcydzieło!". Leopold, nie będąc w stanie kontrolować rządu Montanellego i Guerrazziego, wycofał się do Sieny, na próżno ścigany ich listami proszę-wrócić-najjaśniejsza-wysokość, proszę--nas-nie-zostawiać-samych. Ze Sieny 7 lutego uciekł do Porto Santo Stefano: był to pierwszy etap ucieczki, która miała go za-prowadzić do Gaety, na wygnanie razem z papieżem. Montanelli i Guerrazzi, znalazłszy się na łasce rozjątrzonych buntowników, którzy chcieli zająć Palazzo Pitti, 8 lutego stworzyli triumwirat z republikaninem Mazzonim, tymczasem Mazzini, chcąc przejąć kontrolę nad wydarzeniami, przybył drogą morską do Livorno, i była to całkiem inna wizyta niż ta Garibaldiego! Pizański przeciwnik nie mówi, czego zażądał mesjasz o głosie syreny i wąsach à la Stalin przemawiający z balkonu Carla Ponce Rum, ale kroniki urzędowe informują, że jego oratorski zapał nikogo nie oszczędził. Ostre inwektywy przeciw Szwajcarii, którą Mazzini oskarżył (nie bez racji, przyznajmy) o dostarczanie nieprzyjacielowi najemników i o wypędzenie emigrantów politycznych z niemieckiego kantonu. Wściekłe obelgi na Piusa IX, którego chciałby wysłać na gilotynę. Chłoszczące słowa krytyki dla poczciwego Leopolda, którego określił jako skorumpowanego hipokrytę, przestępcę zdolnego do najgorszej podłości, włącznie ze zgwałceniem własnej córki. Dlatego też po obiciu dziesięciu księży i kilkunastu Szwajcarów buntownicy pobiegli na Piazza Voltone, aby obalić pomnik. „Obwiążmy go sznurami! Zwalmy go na ziemię!" Byli tak zdecydowani, żeby go zniszczyć, że Mazzini, przebłagany łzami i prośbami Demiego, *sor*-Mazzini, zatrzymajcie-ich, zainterweniował. Pomimo lodowatej odpowiedzi: panie-Demi, sprawiedliwy-gniew-ciemiężonych--trzeba-zrozumieć, zasugerował, aby owinąć pomnik czarnym prześcieradłem i zawiesić na nim napis ostrzegawczy „Szanujcie dzieło artysty". Zadanie to wykonali dwaj ochotnicy, którzy z braku czarnego prześcieradła użyli szarego żagla, zrabowanego z muzeum statków korsarskich. Na nieszczęście żagiel był przykrótki. Zasłaniał posąg, ale już nie cokół z napisem:

LEOPOLD II
Z NAJWYŻSZĄ TROSKĄ I ZNAJOMOŚCIĄ RZECZY
OTACZAŁ OPIEKĄ HANDEL
I ROZSZERZYŁ I UPIĘKSZYŁ TO PAŃSTWO
UŻYŹNIŁ BŁOTNISTE ZIEMIE
OŻYWIŁ LUD, ROLNICTWO I PRZEMYSŁ.

Wciąż jeszcze rozwścieczony tłum nie ustawał w krzykach, wymachując pięściami i wrzeszcząc: my-tych-pochwał-dla-zbereźnika, który-gwałci-własną-córkę-i-okrada-nam-sakiewkę, nie--chcemy-widzieć, i nagle z gwaru podniósł się rodzaj ryku: „I już go nie zobaczycie! Ja go zrobiłem i ja go zniszczę!". Następnie Giobatta wszedł po stopniach cokołu. Zażądał kategorycznie, żeby znaleziono mu młot i puszkę czerwonej farby. Uderzeniami młota skuł dwadzieścia pięć słów swojego arcydzieła, a w pustym miejscu napisał czerwoną farbą epitet, który rozpoczął moralny lincz księcia Leopolda:

HIPOKRYTA.

Następnego dnia Konstytuanta rzymska ogłosiła republikę. Mazzini natychmiast udał się do Florencji, aby nakłonić Montanellego, Guerrazziego i Mazzoniego, by zrobili to samo, a kiedy usłyszał odpowiedź, że równało się to sprowadzeniu sobie na kark Austriaków, przeszedł do czynu. Wykorzystując bankiet urządzony pod loggiami Palazzo Uffizi dla sześciuset obywateli Livorno ze strzelbami i czerwonymi sztandarami, wygłosił kolejną płomienną mowę. Kolejny nalot dywanowy. Tym razem nie oszczędził nawet de Laugiera. Naiwnego de Laugiera, który w daremnej nadziei powstrzymania nieuniknionego już ataku Radetzkiego ustawił się na granicy ze swoim maleńkim wojskiem i wystosował apel, a w nim podkreślając wprawdzie swoją wierność wielkiemu księciu, przede wszystkim zachęcał prawicę i lewicę do zjednoczenia. Prawica-czy-lewica-wszyscy-jesteśmy-Toskańczykami-i-razem--musimy-bronić-naszej-ojczyzny. Mazzini zaczął krzyczeć z megafonem przy ustach, że de Laugier to zdrajca, zaprzedał ojczyznę, że trzeba wyznaczyć nagrodę za jego głowę. Leopolda znowu obrzucił błotem, nazwał go złodziejem, wyrzutkiem, wszetecznikiem oddającym się perwersyjnym uciechom, po czym oświadczył, że nadeszła pora, aby ogłosić republikę, i oddał megafon aktorowi Gustavowi Modenie, który ogłosił ją w imieniu zwycięskiego ludu. Oświadczył nawet, że połączy się ona z Republiką Rzymską, i triumwirat znalazł się pod ścianą. Tego samego wieczoru Mazzoni podał się do dymisji, Montanelli oznajmił, że ogłoszenia pana Modeny to odzwierciedlenie jego życzeń, a nie faktów, gdyż decyzje tego typu należą do Zgromadzenia Narodowego i muszą być ratyfikowane w referendum, a Guerrazzi pobiegł do hotelu Porta Rossa, w którym zatrzymał się Mazzini, i okropnie się z nim pokłócił. Oskarżył go, że jest despotą, tchórzem kryjącym się za plecami komediantów, nieodpowiedzialnym intrygantem. Naplul mu w twarz słynnym zdaniem: „Zawsze byłeś najgorszą klęską Włoch". Jednak następnego dnia poprosił go o wybaczenie, Montanelli ukontentował go, nakładając nagrodę tysiąca pięciuset skudów za głowę de Laugiera, obaj pozwolili, aby Carlo Ponce Rum proklamował Niezależną Republikę Livorno, i żegnaj, Giobatto. Znęcony wizją tysiąca pięciuset skudów, przez tydzień polował na człowieka, z którym przeżył wspólnie męczarnię pod Curtatone i Montanarą. Nikt go już nie mógł znieść. Nawet jego mentor Bartelloni, nawet jego przyjaciel don Maggini. A już zwłaszcza Demi, który obraził się śmiertelnie za historię z pomnikiem i nie chciał z nim nawet rozmawiać, oraz Maria Rosa, która bezradnie ograniczała się do powtarzania mu wyzdrowiałeś-wróć-do-pracy. (Pracować? Teraz, gdy władza należała do niego i nic nie stało na przeszkodzie, aby się nią rozkoszował wedle własnego uznania?) Pamiętam to doskonale... Mimo iż nie rozpoznaję się i nie chcę rozpoznać w tej fazie moich wielu egzystencji, nie zapomniałam bynajmniej, kim byłam, gdy byłam Giobattą, którego się wstydzę... Na przykład w ostatnich dniach lutego Koło Ludowe powierzyło mu Operację Drzewa Wolności: głupotę, która polegała na posadzeniu drzewek przed zakrystiami kościołów, ozdobieniu ich czerwonymi sztandarami i frygijskimi czapkami, po czym domaganiu się od przechodniów, aby oddawali im cześć. Kobiety, dygając. Mężczyźni, zdejmując czapkę. Tak więc spędzał czas, pilnując, by przestrzegano rytuału, a wobec odmawiających stosował karę. Kobiety zmuszał do klęknięcia, mężczyzn do lizania pnia. „Liż go, reakcyjny bydlaku, liż go!"

Potem nadeszła wiosna. Nieszczęsna wiosna, w czasie której Austriacy pomaszerowali na Livorno, aby je zniszczyć, zmiażdżyć niczym mrówkę przygniataną nogami tysiąca słoni. Tragiczna wiosna, w czasie której banda pijaków rozochoconych napisem na cokole zniszczyła pomnik Demiego. I przestał, przestał być tym Giobattą. Ale za jaką cenę, za jaką cenę?!

* * *

Aby odpowiedzieć sobie, za jaką cenę, muszę zatonąć w bezsensownej plątaninie, której na imię Historia, wkroczyć znowu do zastygłych i niemych sal, gdzie szelest kartki wydaje się wystrzałem z armaty. 12 marca Karol Albert wypowiedział po raz kolejny wojnę Austrii. 23 marca został ponownie pokonany, tym razem pod Novarą. Tego samego dnia abdykował na rzecz najstarszego syna (Wiktora Emanuela II), który musiał zgodzić się na kolejne upokarzające zawieszenie broni, a Radetzky tymczasem mógł podwoić liczebność wojska zgromadzonego przez Konstantina d'Asprego wzdłuż granicy z Toskanią. Toskanią, którą idiotyczna nagroda za głowę de Laugiera pozbawiła nawet maleńkiego książęcego wojska. W tej sytuacji Montanelli, nie dbając, co powiedzą o nim ludzie, uciekł do Paryża. Guerrazzi, pozostawszy sam, przejął pełną władzę z tytułem dyktatora i zaczął szukać ochotników. Zrobił to, wygłaszając gwałtowną przemowę, z niewiadomych powodów z ambony katedry, zwracając się przede wszystkim do czerwonego Livorno: „Nieodpowiedzialni głupcy! Co to za pierdolone pomysły z drzewkami wolności?! Lepiej oddajcie mi broń zrabowaną z koszar i arsenałów! Przyślijcie mi ją do Florencji z waszymi pieprzonymi synami, przygotujcie się do walki z nieprzyjacielem, którego za chwilę będziemy mieć na karku, kretyni!".

I pożegnawszy drzewka, przemoc, sadystyczne rytuały, Giobatta zaciągnął się znowu. Wyruszył z kompanią weteranów zebranych przez majora Giovanniego Guarducciego. Niestety wraz z tymi ochotnikami wyruszyły hordy nieszczęśników. Bosych i obdartych chłopców, biedaków, dla których wojna z Austrią była zwykłym pretekstem, aby podróżować za darmo i dostać żołd, ale także uciekinierów z więzienia i osławionych rzezimieszków. Nie licząc stu pięćdziesięciu bandziorów — sami nazwali się Niesławną Kolumną — którzy gdy tylko wysiedli z pociągu, zaczęli prześladować ludzi. Był to rzeczywiście motłoch najgorszego rodzaju, powiada w swoich pamiętnikach Giuseppe Giusti. Ze strzelbą na ramieniu i sztyletem za pasem szabrowali sklepy, rekwirowali karety, zaczepiali i gwałcili kobiety. Albo też rozkładali się w zajazdach i pili, nie płacąc, jedli, nie płacąc. Zaczynali bijatyki, prowokowali ludzi obelgami i przekleństwami, od których uszy więdły. Toteż 11 kwietnia Florencja się zbuntowała.

Jeśli wierzyć dziadkowi Augustowi, to właśnie Giobatta podpalił lont. Wymknąwszy się spod kurateli majora Guarducciego — który przezornie zakwaterował swoich ludzi w Cytadeli da Basso i zabronił im stamtąd wychodzić, żeby nie mieszali się z motłochem — wieczorem 10 kwietnia udał się na kolację do zajazdu Piękna Gigia. Nędznego lokaliku, który upodobała sobie Niesławna Kolumna. Piękna Gigia, być może zdegustowana straszliwą siatką blizn, podała Giobatcie najgorsze potrawy z kuchni, po czym wystawiła mu rachunek na dwadzieścia pięć lirów, sumę, za którą można było ucztować przez miesiąc w najlepszej restauracji przy szykownej via Tornabuoni. Stało się to powodem karczemnej bijatyki (złamane nosy i porozbijane flaszki wina), którą Giobatta zakończył powrotem do Cytadeli da Basso, ale z kolei Niesławna Kolumna przeniosła awanturę na ulice miasta, doprowadzonego tym do ostateczności. Awantura? Wraz z pomocą innych opryszków tej nocy stu pięćdziesięciu wandali rozhulało się jak nigdy. Kradzieże, podpalenia, rabunki. Ci najbardziej rozjuszeni wpadli nawet do domów nierozważnych florentczyków, którzy ośmielili się obrażać ich z okna lub bronić Pięknej Gigii, i zgwałcili im żony, siostry, córki. „Zhańbimy ich kobiety. Zapłodnimy je prawdziwymi rewolucjonistami". Ergo, o świcie ulice wypełniły się mieszkańcami miasta, którzy krzyczeli: Dość! Tym-rozrabiakom-z-Livorno-trzeba-dać-nauczkę-dość-tego! Pouczeni przez tych, którzy chcieli przywrócić na tron Leopolda, krzyczeli także: Precz-z-Guerrazzim, precz-z-komunistami, chcemy-Capponiego, chcemy-Ojczulka! I od razu przeszli do czynu. Tym razem oni rozjuszeni, zaatakowali napastników, którzy bronili się, strzelając, po czym na próżno rozproszyli się, by szukać schronienia w klasztorach i kościołach. Przy wtórze krzyków chwytaj-go--to-liworneńczyk, odciągano ich nawet od ołtarzy, z zakrystii, z konfesjonałów, i każdy przedmiot był odpowiednim narzędziem mordu. Widelce, garnki, nożyce. Na via Gora ciskali w nich kotami, które z przerażenia były rozwścieczone i swą agresję wyładowywały na głowach liworneńczyków: „Wydrap mu oczy, kiciu, oślep go!". Na via Goldoni oblewali ich kwasem solnym. „Naści trochę ognia, naści!" Na via de'Banchi, poleciały na nich kamienie brukowe. Kamieniem dostało się nawet samemu Guerrazziemu, który nadjechał galopem z dwoma szwadronami żandarmów. Na via de'Banchi burzyli się tragarze i robotnicy, proletariusze oddani partii demokratów, i trafiony przez nich Guerrazzi krzyknął: „Mnie?!". „Tak, ciebie, skurwysynu!", odpowiedzieli, ciskając w niego kamieniem, który strącił go z konia, „i niech żyje Leopold!". Potem od Porta Romana i Porta San Frediano zwalili się wieśniacy z Chianti, wysłani z kosami, motykami i widłami, by dokończyć dzieła. Masakra skończyła się odesłaniem do Fratelli della Misericordia dziesiątek sponiewieranych ciał. W praktyce uratowała się tylko kompania Guarducciego, czyli grupa zamknięta w cytadeli, gdzie Giobatta wrócił po rozpoczęciu bijatyki, oraz ci, którzy zdołali tam dołączyć. Około północy specjalny pociąg wywiózł ich po cichu z miasta. Następnego ranka Guerrazzi został aresztowany. Był to początek jego długiej gehenny i wieloletniego pobytu w więzieniu. Carlo Ponce Rum nawiał, umiarkowani wrócili do rządów i pomimo nieobecności księcia Leopolda powoli wskrzeszono porządek habsbursko-lotaryński. Z wyjątkiem Livorno, skazanego już na nieuniknione wkroczenie Austriaków.

Nieuniknione, gdyż w lutym i marcu coraz bardziej zagubiony Leopold wysłał trzy liściki do Franciszka Józefa: nowego osiemnastoletniego cesarza Austrii, któremu w czasie rozruchów w Wiedniu ojciec Ferdynand zmuszony był przekazać tron. Jeden list ze Sieny, jeden z Porto Santo Stefano, jeden z Gaety, a każdy, żeby biadolić pomóż-mi-kochany-bratanku-pomóż-mi. I za każdym razem spotykał się z upokarzającym brakiem odpowiedzi. Jednak na kilka dni przed tym, jak Florencja wypędziła liworneńczyków, cesarz na koniec odpowiedział. Nie szczędząc co prawda kąśliwych pytań, jak to możliwe, że Habsburg-Lotaryński „oddał się żałosnym złudzeniom rewolucyjnym", zaparł się własnej dynastii, zapomniał o więzach krwi i traktatach międzynarodowych, wypowiedział wojnę „swojej prawdziwej ojczyźnie", Franciszek Józef obiecał pomóc. Oczywiście, że będzie strzec praw rodziny do posiadłości toskańskich! Oczywiście, że opanuje sytuację, wysyłając wojsko! Z lodowatym sarkazmem przypomniał także Leopoldowi, że wojska generała d'Asprego nie są zgromadzone na granicy, żeby grać w kulki, tylko że oczekują na właściwy moment i pretekst, by podjąć działanie, a jaki pretekst mógł być lepszy od tego, którego Livorno dostarczyło w połowie kwietnia? Oprócz absurdalnego statusu niezależnej republiki, to znaczy odłączonej od reszty Toskanii, panował tu chaos, przy którym zwykła anarchia zdawała się wzorem porządku i prawa. Codzienne strajki, codzienne przemowy i pochody. Puste stocznie, zamknięte fabryki, sparaliżowany port. Napady na piekarnie bez chleba, na rzeźnie bez mięsa, na sklepy rybne bez ryb, i nie znalazł się nikt, kto umiałby położyć temu kres, kto umiałby powiedzieć: „Dość!". Odkąd Carlo Ponce Rum zwiał, rządzili wszyscy i nie rządził nikt. Rząd nie istniał i miasto było zdane na łaskę każdego, kto chciał rządzić. Niestrudzonego Bartelloniego, który dla podtrzymania temperatury nastrojów sprzedał wędliniarnię i założył „Bandiera del Popolo", maleńki dziennik kierowany przez komunistę Stefana Cipriego i czytany przez każdego, kto choć trochę umiał składać litery. (Dziennik kosztował tylko krajcara i używał niezwykle prostego języka). Naiwnego don Magginiego, który idąc wzorem Bartelloniego, tworzył koła parafialne, dziwne zgromadzenia, na których zamiast *Pater Noster* i *Ave Maria* recytowano stare artykuły Karola Marksa. Mazzinisty Giovanniego La Cecilii, odwiecznego factotum „Corriere Livornese", który, by utrzymać się na fali, publikował najokropniejsze kłamstwa i podjudzał bardziej od Cipriego. Na koniec, miasto było też zdane na dwóch nowych chamów w sutannie, opata Zacchiego i ojca Meloniego, którzy zazdrośni o don Magginiego, głosili kazania o proletariackiej apokalipsie, czyli fizycznym zniszczeniu przeciwników. A nawet na łaskę Giobatty, bo ten rozjuszony florenckimi represjami kreował się na trybuna i chciał budować szubienice... W prefekturze zainstalowała się co prawda junta miejska pod przewodnictwem Paola Emilia Demiego i Giovanniego Guarducciego. Żaden z nich jednak nie miał doświadczenia ani energii potrzebnych, by stawić czoło sytuacji, i 30 kwietnia Konstantin d'Aspre przekroczył granicę. Dotarł do Pontremoli i szlakiem Carrara–Pietrasanta–Viareggio 5 maja wtargnął do Pizy.

Zwalił się tam z dwudziestoma pięcioma tysiącami ludzi, w większości Chorwatami, którzy byli sprawcami rzezi po upadku Mediolanu, i z sześćdziesięcioma ciężkimi armatami, oraz jak zwykle setkami moździerzy i tysiącami rakiet Congrève'a. W Pizie założył sztab generalny i wydał proklamację, w której informował, że przybył, aby przywrócić porządek i spokój publiczny, po czym przeciął druty telegraficzne, zablokował ruch kolejowy oraz drogowy i wezwał do siebie arcybiskupa. Nakazał mu powiedzieć liworneńczykom, że są oblężeni: jeśli w ciągu pięciu dni nie poddadzą się i miasto nie stanie się na powrót częścią Wielkiego Księstwa, będą mieli do czynienia z armią jego cesarskiej mości. Ultimatum, na które Guarducci odpowiedział rozkazem kopania na gwałt okopów, budowania barykad, pomostów bojowych, przygotowania się do obrony. Bartelloni zaś dostarczył obrońców. I właśnie wtedy, twierdził dziadek Augusto, Giobatta odnalazł samego siebie. Właśnie wtedy? Czy naprawdę przybycie posłańca generała d'Asprego odwiodło Giobattę od jego fanatycznego zaślepienia, czy stało się to w następnych godzinach, gdy z jego winy (lub również z jego winy), pijacy zniszczyli pomnik Demiego, a zrozpaczony Demi przeklął Giobattę, po czym oszalał? Stosy pożółkłych kartek, opowiadające o tych dwóch wydarzeniach, sugerują, by skłonić się ku tej drugiej hipotezie. Ponieważ, jak mówią kroniki, wielu nie uwierzyło arcybiskupowi. Jakie-oblężenie, jacy-Austriacy, to-pewnie-karczochy-albo-umącznieni (żołnierzy toskańskich, z racji ich białych mundurów, zwano umącznionymi, najemników w służbie pomocniczej karczochami, od zielonych mundurów). Jednak o zmierzchu jakiś woźnica, który sowicie płacąc, zdołał przejechać przez blokady, wrócił z Pizy i powiedział: „Nie łudźcie się, ludzie. To nie są karczochy ani umącznieni. Na Piazza dei Miracoli pełno jest Niemców mówiących po niemiecku". Jemu uwierzono, i w kilka chwil oberże opustoszały, po czym banda kretynów uformowała pochód, zdecydowana odzyskać Piazza dei Miracoli i uwolnić ją od cudzoziemców.

Dalej, towarzysze!
Jesteśmy młodzi i silni,
zabijać Niemców
nam nie strach!

Wyśpiewując na całe gardło, skierowali się ku Porta San Marco, która prowadziła na drogę do Pizy, po czym, przybywszy na Piazza Voltone, znaleźli się przed pomnikiem owiniętym szarym żaglem. Przed cokołem zachlapanym napisem Giobatty. Małego kartoniku z napisem „Szanujcie dzieło artysty", wyblakłego już i zawieszonego zbyt wysoko, praktycznie nie było widać. Natomiast na odpowiedniej wysokości świecił ogniście wielki napis „HIPO-KRYTA" z czerwonej farby. Tak więc nagle pochód zatrzymał się. Hymn zmienił się w gwar głosów, ryczących: „Hipokryta, hipokryta, hipokryta!". Potem najbardziej zawzięci zaopatrzyli się w pochodnie, drabiny, żelazne pałki. Pochodniami podpalili żagiel i napis „Szanujcie dzieło artysty", wspięli się po drabinach na posąg i zaczęli okaleczać go żelaznymi pałkami. Zadanie nie było łatwe, gdyż fałdy odpornej na zniszczenie chlamidy więziły lewą nogę do kostki, prawą do kolana, lewe ramię do przegubu, a prawe ramię od pachy do łokcia przylegało do tułowia. Wandale okaleczyli w istocie najbardziej bezbronne części posągu. Lewą rękę, berło, lewą stopę, prawe przedramię, połowę prawej nogi. A ponieważ głowa stawiała opór i nie dawała się strącić z szyi, po trochu zmasakrowali twarz. Skuli brodę, usta, nos, policzki, oczy, czoło przyozdobione wieńcem laurowym... Potem zmiażdżyli w proch odłupane kawałki, bo-jeśli-nie-to-Demi-je-przyczepi--z-powrotem i uwieńczyli swój trud, wieszając nową tabliczkę:

KARA NALEŻNA HIPOKRYCIE.

Demi dowiedział się o tym następnego ranka i natychmiast pobiegł na plac. Miał nadzieję, że szkoda okaże się powierzchowna, biedak, i biegnąc, powtarzał: „Naprawię go! Doprowadzę do porządku! Wystarczy pozbierać odłupane kawałki!". Kiedy jednak znalazł się przed swoim zlinczowanym dziełem i przekonał, że kawałki były rozbite w pył, wydał z siebie nieludzki krzyk i oszalał. Pożółkłe karty donoszą, że tarzał się po ziemi jak zwierzę. Podnosił się, padał, płakał, wyrywał sobie włosy i wskazując już to na napis „HIPOKRYTA", już to na tabliczkę „KARA NALEŻNA HIPOKRYCIE", mruczał coś, czego nikt nie rozumiał. Słowa niemające sensu dla ludzi obecnych przy scenie. „Przeklęty! To on, on ich przyciągnął, przeklęty! On ich wezwał, on ich natchnął, bandyta! Barbarzyńca! Niewdzięcznik! To po to wyciągnąłem go z rynsztoka, uwolniłem od wózka, nauczyłem go zawodu, uratowałem! Mnie to zrobił, a ja go wyciągnąłem z żoną z więzienia, uważałem go za syna!" Na nic było pytać go, o kim mówi, kogo ma na myśli. Głuchy na pytania, na słowa pociechy, zaślepiony wściekłością na tajemniczego winowajcę, wskazywał niestrudzenie na tabliczkę albo na napis i wołał: „W nim jest zło, jest zło! Miał rację don Agostino, że go bił! Miał rację, że zamknął go w pokoju zmarłych! Nigdy mu nie wybaczę! Nigdy! Nigdy!". Potem zaczął majaczyć i zemdlał. Zanieśli go do domu, położyli do łóżka, gdzie przeleżał dwa dni, rzucając się w gorączce, trzeciego zaś usiłował zabić się dłutem. Czwartego dnia, w wigilię ataku Austriaków, uspokoił się. Wymruczał smutno „Niech się lud pocałuje w dupę!" i porzuciwszy juntę miejską, warsztat przy via Borra, Włochy, walkę, wsiadł na parowiec do Marsylii. Z Marsylii udał się do Paryża, gdzie miesiącami dręczył wszystkich wkoło historią o przepięknym pomniku, zniszczonym z winy niewdzięcznego kamieniarza. Z Paryża powędrował do Kairu, gdzie oszalał do szczętu, stał się włóczęgą i żył z jałmużny. Nigdy już nie wrócił do rzeźbiarstwa. W Livorno pojawił się z powrotem w 1862 roku, kilka miesięcy po śmierci Giobatty i około roku po śmierci Marii Rosy. Gdy tylko zszedł na nabrzeże, zaczął ryczeć:

— Gdzie jest ten bandyta Cantini, ten barbarzyńca, któremu nigdy nie wybaczę?!

— Pod ziemią — odpowiedziano mu. — Tak samo jak jego żona.

Zamilkł na chwilę, po czym, nie zarejestrowawszy tak-samo-jak-jego-żona, wzruszył pogardliwie ramionami.

— I tak mu nie wybaczę.

W tym miejscu szykuję się, aby ich pożegnać, tę niewygodną parę pariasów, poniewieranych za życia i po śmierci. Szykuję się, by pożegnać tych szczególnych prapradziadków, zagnieżdżonych w jakimś sekretnym zakątku mojego Ja. Najpierw jednak muszę zobaczyć ich (zobaczyć siebie) w huraganie, który zdecyduje o ostatnich latach ich życia. Huragan, w którym poruszają się jako dwie zupełnie anonimowe, pozbawione znaczenia postaci. Nieistotne listki niesione wiatrem ludzkiej perfidii i głupoty.

15

Wiatr podniósł się w niedzielę 6 maja. Kiedy d'Aspre zamknął także drogi prowadzące do Florencji i na południe, opuścić Livorno można już było tylko drogą morską, więc statki, które zakotwiczyły nocą w porcie, zaczęły się wypełniać uciekinierami. Statki francuskie, angielskie, rosyjskie, amerykańskie, które po skandalicznie zawyżonych cenach wynajmowały kabiny, hamaki i kuszetki. Zapewniały azyl polityczny, a za podwójną cenę prawo do opuszczenia kraju. W istocie w tym momencie sytuacja wymknęła się całkowicie spod kontroli, a durnie rozpaleni odmową Guarducciego na austriackie ultimatum nie pozwolili ocalić tego, co jeszcze dałoby się ocalić. Opat Zacchi i ojciec Meloni zawłaszczyli na przykład koła parafialne. Zmienili je w chaotyczne Komitety Obrony, których hasłem było: „Lepiej umrzeć, niż się poddać", a wysadzony z siodła don Maggini przejął kontrolę przy wtórze krzyku: „Będziemy się bić do ostatniego naboju!". W „Bandiera del Popolo" Stefano Cipri wydrukował wielkimi literami: „Biada tym, którzy się poddają, biada tym, którzy uciekają!". Giovanni La Ccilia przebił go w „Corriere Livornese" dumnym: „Nie boimy się niczego, zwyciężymy!". Wojowniczość wśród ofiar demagogii sięgnęła takiego poziomu, że uczciwy Bartelloni oburzył się. Wygłosił przemówienie, w którym powiedział: „Ludzie, ten, kto się niczego nie boi, jest głupcem, kto wierzy, że możemy wygrać, jest naiwny. Tutaj nie chodzi o nieodczuwanie strachu czy o zwycięstwo, tylko o to, by nie utracić twarzy. Spuścić spodnie teraz, gdy odrzuciliśmy ultimatum, byłoby hańbą, blamażem i utratą honoru. Przestańmy gadać głupoty i bądźmy gotowi bronić się, jak długo się da". Potem, we wtorek rano, konsulowie różnych krajów udali się do Pizy poprosić d'Asprego, by nie bombardował rezydencji cudzoziemców. Zarówno Guarducci, jak i Bartelloni zmienili zdanie i dołączyli do konsulów pięciu delegatów z zadaniem rozpoczęcia negocjacji. We wtorek wieczorem pięciu posłańców wróciło z odpowiedzią d'Asprego. Żadnych negocjacji. Albo poddadzą się bezwarunkowo, albo o siódmej rano w czwartek 10 maja wojska austriackie zaatakują. W środę rano obaj zdecydowali się zaakceptować ultimatum, biskup Livorno, *monsignor* Gavi, wskoczył do karety, by pojechać do Pizy i poinformować o tym nieprzyjaciół, ale przy Porta San Marco rzesze głupców zatrzymały biskupa. Pobili go, uwięzili i... nie licząc Demiego, kto zwinął się pierwszy? Giovanni La Cecilia, ten sam od „Nie boimy się niczego, zwyciężymy!". Kto uciekł po nim? Stefano Cipri, ten od „Biada tym, którzy się poddają, biada tym, którzy uciekają!". Kto uciekł trzeci i czwarty? Opat Zacchi i ojciec Meloni, ci od „Lepiej umrzeć, niż się poddać". Wraz z nimi prawie wszyscy więksi i mniejsi dygnitarze czerwonej republiki. Niemal wszyscy paladyni oporu do ostatniego tchu. Intelektualiści, dziennikarze. Uczniowie Mazziniego, Garibaldiego i Marksa. Żeby zapewnić sobie miejsce na statkach, które po skandalicznie wysokich cenach gwarantowały azyl i opuszczenie kraju, od niedzieli 6 maja załatwiali paszporty. Niektórzy postarali się nawet o listy polecające i o świadectwa lekarskie! „Patriota Taki a Taki jest chory i wymaga leczenia za granicą". W środę zwinęli się już zresztą wszyscy, którzy mieli pieniądze, aby kupić sobie przewóz na jakiejkolwiek łajbie. O zmierzchu przystań wypełniona była szalupami, łodziami, łódkami, łodziami płaskodennymi, barkami rybackimi, kutrami. Mała flotylla, która za trzy skudy od łebka gościła połowę Livorno. Na lądzie z obrońcami pozostali tylko najbiedniejsi z biednych. Wśród nich Gasparo i Teresa, odcięci w Salviano. A przy via San Carlo 15, nie ma potrzeby tego podkreślać, Tommaso i Maria Rosa. Nieszczęśliwa Maria Rosa z dzieckiem na ręku wychodziła co chwilę, aby szukać Giobatty, który nie odstępował Bartelloniego, a od chwili, gdy zniszczono pomnik, tym bardziej nie pamiętał o istnieniu swojej rodziny. „Widzieliście mojego męża? Od pięciu dni nie przychodzi do domu, już nie wiem, co robić, do jakich świętych się modlić".

Obrońców było sześciuset, broni mieli tyle, co kot napłakał. Trochę starych karabinów skałkowych, niecelnych i wolnych w ładowaniu, trochę zardzewiałych szabli, kartacze, do tego trzy stare działka, które strzelały od święta, i dwa żałosne działa pamiętające jeszcze czasy Napoleona. Jedno było przyśrubowane na platformie Nowej Cytadeli, drugie ruchome, więc przesuwano je tu i tam. Oba były mało skuteczne z powodu defektu zasuwy. Co gorsza, dwudziestu pięciu tysiącom Austriaków z sześćdziesięcioma działami ciężkiej artylerii, setkami moździerzy, tysiącami pocisków rakietowych, na zewnętrznej linii obrony mogli przeciwstawić tylko starą wieżę Torre del Marzocco. Bastion położony na skałach północnego wybrzeża, obsadzony przez ośmiu niedoświadczonych strzelców. W samym mieście znajdowały się tylko fortyfikacje przygotowane w dzikim pośpiechu i często bez żadnego planu przez Guarducciego. Bezużyteczne barykady u wylotu głównych ulic, niepotrzebne okopy wykonane gdzie popadło, chwiejne pomosty bojowe na wewnętrznych murach. Poza tym fortyfikacje wzniesione w 1838 roku tak, aby objąć również przedmieścia, były zbyt długie. Ciągnęły się od skraju portu po dziewięciokilometrowym łuku i żeby zapewnić obronę całości, potrzeba by było dziesięciu tysięcy ludzi. Sześciuset wystarczało zaledwie na obsadzenie miejsc, na których d'Aspre miał przypuścić największy atak. Porta a Mare, to znaczy bramy południowej, prowadzącej do basenów portowych i do wylotu via Grande. Porta Maremmana (zwanej także Barriera Maremmana), czyli bramy południowo-wschodniej, prowadzącej do dzielnicy Salviano. Porta Fiorentina (zwanej także Barriera Fiorentina), czyli bramy północno-wschodniej, strzegącej linii kolejowej i drogi z Livorno do Pizy. Giobatta stacjonował przy Porta San Marco wraz z Bartellonim, i tam znalazła go wreszcie Maria Rosa, kiedy około północy po raz kolejny poszła go szukać z dzieckiem na ręku. Było to krótkie, chłodne spotkanie, w czasie którego on ograniczył się do kilku rad i zaleceń, a ona przytakiwała potulna dobrze-dobrze. Potulna? Nie, to niewłaściwe słowo. Nieustraszona. I dodam: na placach naszej ojczyzny brakuje jeszcze jednego pomnika. Pomnika nie mniej zasadnego, nie mniej sprawiedliwego od tych, które powinniśmy wznieść dla Rozczarowanego Żołnierza, towarzysza i rywala Nieznanego Żołnierza. Pomnika wszystkich kobiet, takich jak Maria Rosa. Nieustraszonych niewiast, które walczą na wojnach bez strzelby, uciekając pod gradem bomb z dzieckiem na ręku. Heroicznych żon, bohaterskich matek, które wygrywają bitwy, walcząc samotnie z lękiem i udręką. Męczennic, które pozostawione samym sobie, odpowiadają dobrze-dobrze. Dobrze-dobrze...

— Zaatakują jutro rano. Ultimatum mówi, że o siódmej. W każdym razie zobaczymy ich z pomostów bojowych i zaraz przekażemy wiadomość. Was w mieście ostrzegą bijące dzwony.

— Dobrze...

— Przygotuj kosz z flaszką wody, kocem, prowiantem, i gdy tylko usłyszysz dzwony, chwyć go i biegnij z Tommasem do portu.

— Dobrze...

— Portu nie będą ostrzeliwać, bo są tam zacumowane obce statki. Spróbuj wsiąść na jakąś łódź, a jeśli ci się nie uda, schroń się pod pomnikiem Czterech Maurów i zostań tam, dopóki nie skończy się zamieszanie. Długo i tak nie potrwa. Nie wytrzymamy dłużej niż dzień lub dwa.

— Dobrze...

— Wkroczy tu ogromne wojsko i żołnierze nie będą mieć litości dla nikogo. Wróć wtedy do domu, zamknij drzwi na zasuwę i cokolwiek by się działo, nie wychodź. Nie próbuj mnie szukać.

— Dobrze...

— Jeśli nie zginę, będę się musiał ukrywać. Być może nie będę mógł wyjść z kryjówki przez miesiąc lub dwa.

— Dobrze...

* * *

D'Aspre z teutońską punktualnością rzeczywiście zaatakował o siódmej i pierwszy rozdzwonił się na alarm dzwon prefektury. Ten sam, który bił na trwogę w czasach piratów. Do jego konwulsyjnych din-don dołączyły się ciężkie din-don dzwonnic katedry, złowieszcze dun-dun dzwonów Świętego Sebastiana, a wtedy już z wszystkich kościołów podniosło się chaotyczne bicie dzwonów. Don-don-don, don! Don! Don! Don! Z kościoła Świętego Benedykta, Świętego Józefa, Świętych Piotra i Pawła, Świętego Antoniego, Anglików, Holendrów, Koptów, Greków, Ormian... Potem na huk dzwonów nałożył się przerażający chór jęków, szlochów, krzyków: „Austriacy! Austriacy wkroczyli!". Rzeka oszalałych ze strachu ludzi wylała się na ulice. Niektórzy, aby schronić się w katedrze, większość, aby skierować się ku morzu. Nędzarze, którzy dźwigali ze sobą żywność i dobytek, nędzarki ciągnące za sobą dzieci i mleczne kozy, żebracy o kulach. „Morze, morze! Lepiej do morza!" Był wśród nich także don Maggini. Zapomniawszy o wojowniczych zapowiedziach (Będziemy-się-bić-do-ostatniego--naboju), podążał via del Giardino, równoległą do via Grande, z godłem kapelana Wielkiego Księstwa przyczepionym do trójgraniastego kapelusza i herbem Habsburgów-Lotaryńskich na sutannie. W ręce torba pełna pieniędzy. Fundusze kół parafialnych. Szedł spiesznie, niecierpliwy, by dołączyć do opata Zacchiego i ojca Meloniego, którzy czekali na niego na pokładzie francuskiego parowca, ze spuszczoną głową, by go nie rozpoznano. Na nabrzeżu rybackim pozwolił sobie jednak na krótki odpoczynek, by zaczerpnąć tchu. Podniósł głowę, dwóch młodzieniaszków rozpoznało go i: „Patrzcie, kogo tu mamy!". Skoczyli na niego, zerwali mu herb Habsburgów-Lotaryńskich i odznakę kapelana. Skonfiskowali torbę i otworzyli, wrzeszcząc: „To dopiero bandyta! Uciekał z łupem, zmywał się z pieniędzmi ludu!", ogłuszyli go gradem ciosów i policzków. Rzucili go na tratwę pozostawioną na kanale, zawieźli go na niej do Starej Cytadeli i głusi na jego skomlenia pomocy, chcą-mnie-zabić, pomocy, wysadzili go przed południową bramą. Tą, która wychodziła na basen portowy przylegający do morza. Oddali go w ręce profesa Baroncellego, strażnika więzienia. Tego samego, który wieczorem 9 października 1847 roku zabawił się wrzuceniem do celi ze złodziejami i prostytutkami dziewiczej pary nowożeńców, winnych spalenia austriackiej flagi i odśpiewaniem hymnu Mamelego.

— Macie tu złodzieja do powieszenia, ekscelencjo. Złodziej, zajęcze serce, który po zapędzeniu tuńczyków do sieci, chciał nawiać z łupem.

Śmiertelne oskarżenie, na które Baroncelli odpowiedział, wrzucając winnego do celi w kazamatach:

— Teraz ty jesteś tuńczykiem, klecho. I mojej patelni nie opuścisz inaczej jak usmażony.

Gdy to się działo, Maria Rosa znajdowała się w pobliżu. Ostrzeżona przez din-don dzwonka prefektury, pochwyciła Tommasa i kosz, po czym porwana przez ludzką rzekę znalazła się właśnie przy basenie portowym przylegającym do morza, o jakieś czterdzieści metrów po linii wody od miejsca, gdzie don Maggini został przekazany do więzienia. Ale armaty zaczęły już ostrzeliwanie murów i jej spojrzenie było skierowane na kolumny dymu podnoszące się z trafionych miejsc, więc nie zobaczyła tratwy płynącej od kanału, która zatrzymała się przed południową bramą Starej Cytadeli, aby przekazać Baroncellemu zdobycz schwytaną na nabrzeżu rybackim. Nie zauważyła, jak wysiada z niej nieszczęsny kozioł ofiarny, biedny tuńczyk szamoczący się w sieci dwóch młodzików. Ogłuszona hukiem wybuchów, wrzaskami uciekinierów, dźwiękami dzwonów, które absurdalnie nie przestawały bić, nie usłyszała nawet skomleń pomocy, chcą-mnie-zabić. A może usłyszała i nie posłuchała? Być może zobaczyła nieszczęsnego więźnia i nie skojarzyła go z nieustraszonym kapłanem, który zgodził się udzielić jej ślubu, walczył z wolontariuszami spod Curtatone i Montanary, głosił kazania podżegające do buntu, zagrzewał z takim ogniem do stawienia oporu. I odwróciwszy się plecami do ponurego gmachu, który przypominał jej o pięciu dniach spędzonych w celi z prostytutkami, zbliżyła się do nabrzeża, gdzie kotwiczyły ostatnie łodzie. Tutaj nieprzenikniony mur ludzkich ciał uniemożliwił jej wejście na jedyną, która brała pasażerów gratis, wobec tego zawróciła. Idąc brzegiem akwenu, zdecydowała się szukać schronienia na stopniach pomnika Czterech Maurów. Skuliła się na nich z koszem w ręku i Tommasem na kolanach. Pozostała tam. Zapewne przeklinać swój los pariasa. Przysłuchiwać się wzrastającym z minuty na minutę odgłosom walki, płakać, zadawać sobie pytanie, czy Giobatta jest zdrowy i cały... Był. Stał na pomostach bojowych i strzelał, strzelał, razem ze swoimi towarzyszami próbował powstrzymać hordy, które opanowały od razu linię kolejową, i ich kule się nie imały. Niestety, trafiały innych. O dziewiątej Porta San Marco zdawała się magazynem zmarłych i umierających. Tak samo działo się przy Barriera Fiorentina, Barriera Maremmana, Porta San Leopoldo, Porta a Mare. Nie przypadkiem w mniej opustoszałych dzielnicach sztafety Guarducciego przebiegały ulice, krzycząc: „Pobudka, bando tchórzy, pobudka! Chodźcie pomóc tym, którzy giną na murach, cholerne skurwysyny! Pokażcie jaja, durne cykady, potraficie tylko wrzeszczeć!". Zewnętrzny bastion, Torre Marzocco, milczał. O siódmej czterdzieści pięć angielski okręt wojenny podpłynął do skał i trzydziestu sześciu marynarzy królowej Wiktorii wyskoczyło na brzeg, aby rzucić się na ośmiu strzelców. Ostrzegli ich płynnie po włosku: „Nasz dowódca informuje, że jeśli nie przestaniecie strzelać do Austriaków, zbombarduje Livorno. Zrówna je z ziemią!". Potem, udając, że poczuli się obrażeni odpowiedzią co-ma-do-tego-wasz--dowódca, jakim-prawem-wtyka-nos-we-włoskie-sprawy, rozbroili ich i zabrali na pokład okrętu. „Prawem silniejszego. Naszemu kapitanowi podoba się d'Aspre".

Pomimo ataku z dwóch stron, niedostatecznych sił, wielkich strat, szpitali pękających w szwach od rannych obrońcy trzymali się aż do zapadnięcia zmierzchu, kiedy d'Aspre zawiesił bombardowanie. (Zrobił to nagle, na całej długości murów, i nikt nie wie, czym się kierował. Czy uważał, że dostatecznie uzasadnił swoje ultimatum? Czy miał nadzieję, że miasto się podda, chciał uniknąć masakry, którą splamił się następnego dnia? Niektórzy historycy tak twierdzą i dodają, że książę Leopold błagał go, by w swej surowości nie przebrał miary). Zaraz potem zaczęła się jednak ulewa. Burza, jakiej nie pamiętano, zwaliła się na miasto. Bezużyteczne okopy zmieniły się w zbiorniki wodne, słabe barykady rozpadły się, pomosty bojowe zawaliły, i wszyscy opuścili swe posterunki. Wycofali się, pozostawiając bramy bez straży. „Lepiej się zwinąć, chłopcy, trochę się osuszyć i przespać". Wielu, wyczerpanych, przybitych, przekonanych, że Ojciec Niebieski sprzymierzył się z Austriakami, wróciło wręcz do rodzin. „Ja mam dosyć. Do diabła z republiką i tymi, którzy ją nam wbili do głowy!" Na zachowaniu honoru zależało już tylko Bartelloniemu. Nieustraszonemu Bartelloniemu, który zebrał dwudziestu trzech jeszcze żywych obrońców Porta San Marco, w tym Giobattę, i zaprowadził ich na dzwonnicę pobliskiego kościoła Świętego Józefa, aby tam poczekać na ewentualny atak w nocy. I kiedy o tym myślę, ściska mi się gardło. Bo kościół Świętego Józefa znajdował się obok szkoły na Starym Cmentarzu, obok kostnicy, w której don Agostino zamknął niewinnego dwunastolatka w ubranku z niebieskiego aksamitu. W 1849 roku szkoła na Starym Cmentarzu już nie istniała, zamknięto także kostnicę. Budynki jednak jeszcze stały i szperając w starych dokumentach, odkryłam, że o zmierzchu rakieta Congrève'a zapaliła ich dach. Z dzwonnicy Giobatta miał więc dobry widok na złowieszcze pomieszczenie, w którym czternaście lat wcześniej zajrzał śmierci w oczy: ściany, które widziały jego próby odmówienia *Confiteor*, marmurowe stoły, z których trupy zesztywniałe w absurdalnej pozycji na baczność przeraziły go swym milczeniem i bezruchem. Okno, z którego ześlizgnął się i upadł omdlały na cuchnącego trupa... Zresztą, mógł też widzieć z góry inne rzeczy. Inne etapy swej burzliwej przeszłości i niepewnej teraźniejszości. Przedmieścia Salviano, dom, w którym się urodził i gdzie Gasparo i Teresa żyli od roku niczym zapomniane, porzucone przedmioty. Piazza Voltone, pomnik zniszczony z jego przyczyny. Nową Cytadelę, arsenał, z którego pewnego sierpniowego dnia zrabował broń i zaczął sezon przemocy. A w oddali Starą Cytadelę, w której don Maggini gnił w oczekiwaniu na egzekucję, przystań z małą flotyllą goszczącą na pokładzie połowę Livorno, port ze statkami dającymi schronienie tchórzom i zdrajcom, pomnik Czterech Maurów, pod którym Maria Rosa siedziała od rana z Tommasem na kolanach. Przemoknięta do cna, wyczerpana głodem, zimnem i strachem, tak samo pokonana jak on, który tej nocy czuł się najbardziej przegranym człowiekiem na świecie, a jednak nie poddawał się. On, także głodny, zziębnięty, przestraszony, stał tam, aby odkupić swe winy. Aby czekać na ewentualny nocny atak. (O tak. Z tego Giobatty jestem dumna. Podziwiam go).

O piątej rano, gdy Bartelloni zrozumiał, że atak nastąpi za dnia, kazał zejść swym dwudziestu trzem ludziom z dzwonnicy. Zaprowadził ich do wylotu via Augusta Ferdinanda, jednej z ulic rozchodzących się promieniście od Porta San Marco. Ustawił ich za tym, co pozostało z barykady, i powiedział: „Przyjmiemy ich tutaj. Strzelajcie, dopóki wystarczy wam nabojów, potem wyrzućcie strzelby i uciekajcie stąd. Zwłaszcza ty, Cantini, bo z tą maską blizn nawet ślepy by cię rozpoznał". Natomiast Guarducci wezwał sztafety, które poszły krzyczeć pobudka-bando-tchórzy, pobudka i kazał im roznieść po dzielnicach ostrzeżenie: „Nieprzyjaciel wkrótce wkroczy do miasta. Nie wychodźcie z domów i nie strzelajcie z okien, żeby nie sprowokować akcji odwetowej". O szóstej rano część z tych, którzy zwinęli się wieczorem, żeby się wysuszyć i przespać, wróciła na stanowiska zdewastowane przez burzę. O szóstej piętnaście bombardowanie zaczęło się na nowo i na kilku budynkach wywieszono białą flagę. Na to było jednak zbyt późno i o siódmej siły austriackie skoncentrowane wzdłuż muru południowo-wschodniego wyważyły bramę Barriera Maremmana. Żołnierze wpadli do przedmieścia San Jacopo w Acquavivie, stamtąd rozlali się na Salviano i zaskoczyli od tyłu obrońców Porta San Leopoldo. O ósmej Chorwaci zmasowani wzdłuż murów północnych i północno-wschodnich wyważyli bramę Barriera Fiorentina i zajęli trasę prowadzącą do kościoła Świętego Józefa. Jednocześnie zrobili wyłom w Porta San Marco, masywne wrota otworzyły się i działom na platformie Nowej Cytadeli zostało zaledwie tyle czasu, by oddać ostatni bezużyteczny strzał. U wylotu via Augusta Ferdinanda dwudziestu trzech ludzi Bartelloniego nie zdążyło nawet wystrzelić wszystkich nabojów. Z impetem rzeki występującej z brzegów tysiące białych mundurów wlały się na promieniście rozchodzące się ulice. I podczas gdy Giobatta rzucał strzelbę i biegł schować się do jedynej dostępnej kryjówki, czyli pozbawionej dachu kostnicy, zaczęła się masakra.

* * *

Masakra godna rzezi dokonanej w Mediolanie w 1848 roku, a może nawet gorsza. „Widziałem krew płynącą strumieniami jak woda, Ekscelencjo. Widziałem bezbronnych ludzi zarzynanych jak bydło w rzeźni. Ja sam zostałem zaatakowany z taką gwałtownością, że gdyby nie znalazł się w pobliżu pułkownik przyjaźnie nastawiony do naszego kraju, mój mózg roztrzaskałby się na chodniku", miał później pisać do swojego ministra spraw zagranicznych angielski wicekonsul Henry Thompson. Pietro Martini zaś, kronikarz, któremu zawdzięczamy cenne *Cronache Livorniensi* (Kroniki Livorno), wspominał: „Chorwaci nie brali jeńców, mordowali cię, choćbyś był bezbronny. Dlatego na nic się nie zdawało porzucenie strzelby, poddanie się, nieposiadanie broni. Oparzenie na palcu wskazującym, trochę sadzy na twarzy, woń prochu strzeleckiego czy choćby zwyczajne naddarcie koszuli wystarczały, by zabili cię na miejscu. Pistoletem, bagnetem, szablą. Poza tym szabrowali magazyny i sklepy, rabowali domy, gwałcili kobiety, torturowali je, by dowiedzieć się, gdzie ukrywają się obrońcy. «Gdzie być bryganta, gdzie? Móf głupia krofo, albo ja podrzynać twoje gardło»". W ciągu kilku minut zamordowali ze trzy dziesiątki domniemanych brygantów. Przy Barriera Fiorentina trzy rodziny domniemanych wspólników. Najgorsze jednak zdarzyło się już po tym, gdy większość wojsk rozłożyła się na Piazza d'Arme. Dziewięciu głupców uzbrojonych w strzelby i dowodzonych przez kretyna o nazwisku Bordigheri, głuchych na ostrzeżenia Guarducciego nie-strzelajcie-z-okien-i--dachów, ukryło się za okiennicami na strychu domu po wschodniej części placu, czyli od strony katedry. „Trzeba wziąć odwet, przejść do kontrataku!" Powodowany tymi samymi pobudkami i tą samą głupotą, kolejny kretyn o nazwisku Bucalossi ukrył się z pistoletem na tarasie domu wychodzącego na zachodnią część placu, po stronie prefektury. O pierwszej po południu Bucalossi wystrzelił, nie wiedzieć po co, w powietrze, Bordigheri wziął to za sygnał do akcji odwetowej, okiennice strychu otworzyły się na oścież, strzelby zaczęły pluć kulami, i cud, że nikt nie zginął ani nie został ranny...

Pierwszymi ofiarami akcji odwetowej padli oportuniści, którzy w nadziei na pozyskanie sobie przychylności nowych panów krążyli wokół namiotów, pozdrawiając żołnierzy po niemiecku i uchylając kapelusza. „*Guten Morgen*, dzień dobry. *Willkommen*, witamy. *Ich Freund*, ja przyjaciel". (Tamci wyeliminowali ich od razu strzałami z rewolweru). Potem przyszła kolej na nieszczęśników, którzy schronili się w katedrze. Starców, chorych, kaleki, którzy nie będąc w stanie dotrzeć do łodzi, zawierzyli swój los Bogu Ojcu. (Zarżnięto ich czternastu, z tego kilku na głównym ołtarzu). Na następny ogień poszli nieświadomi niczego ludzie wracający z portu, którzy przez via Grande albo via del Giardino docierali na plac, potem mieszkańcy centrum, na koniec całe miasto. Mam przed sobą sprawozdania napisane przez Braci Miłosierdzia, litościwych grabarzy, którzy wśród tysięcznych trudności zajmowali się zwożeniem trupów. Pokazują one, że rozpętało się prawdziwe polowanie na ludzi. Oto opis z piątku: „Dzisiaj wieczorem członkowie naszego Bractwa uzyskali pozwolenie na zwiezienie ciał obywateli zabitych przez Austriaków i pozostawionych na miejscu egzekucji, których nie zidentyfikowano z braku dokumentów. Pięciu na Piazza Voltone, szesnastu w Borgo Reale, siedemnastu na via Augusta Ferdinanda, trzech w Orto del Mainardi, trzech na via delle Ancore, jednego na piątym piętrze via dell'Oriolo 4, sześciu na via dell'Olio, sześciu w stajniach gubernatora...". A oto sprawozdanie z soboty: „Dzisiaj zgromadzono w naszej kaplicy cmentarnej kolejne czterdzieści cztery ciała obywateli zabitych przez Austriaków w domach i na ulicach, niektóre zidentyfikowane, inne nie. Dziesięć z Piazza Voltone, sześć z via del Gigante, siedem z Piazzetta della Comunità, jedno z via Giulia przed kawiarenką Bruni, jedno z trzeciego piętra via degli Asini, jedenaście z parku Villa Vivoli, jedno w mundurze Gwardii Miejskiej z via Tettrazzini, jedno w sutannie z basenu portowego przylegającego do morza, jedno z drugiego piętra via Giardino 2...". Trupem z via Giardino był Bucalossi, zabity w oknie strzałem w czoło. (Natomiast Bordigheriego i jego dziewięciu głupców nigdy nie schwytano i zmarli ze starości we własnych łóżkach). Trupem znalezionym w basenie portowym był don Maggini. Zabito go w piątek po południu, kiedy kompania, mająca za zadanie zajęcie Starej Cytadeli i wywieszenie na niej flagi austriackiej, przybyła tam pod dowództwem chorwackiego porucznika z listą buntowników, których należało wyeliminować. „Mam tu pod strażą jednego z przywódców czerwonej republiki, sławnego złodzieja, który nazywa się don Maggini", oświadczył Baroncelli. Porucznik skontrolował listę, zobaczył na niej to nazwisko i powiedział: „Przyprowadź go *hier*, tutaj". Przyprowadzono go. Półomdlałego, pokrytego sińcami i zadrapaniami po cięgach, jakie oberwał od dwóch młodzieniaszków — doskonale zdawał sobie sprawę z tego, co go czeka. „Nie! Nie chcę umrzeć w taki sposób!", skamlał. „Chcę procesu, chcę księdza!" W pewnej chwili ukląkł i objął nogi porucznika. „*Bitte*, Najjaśniejsza Ekscelencjo,

bitte! Ein Priester, ein Priester". Najjaśniejsza Ekscelencja odepchnęła go jednak kopniakiem, przewracając don Magginiego na
plecy. Porucznik nie zadał sobie nawet trudu, aby stworzyć pluton
egzekucyjny, i po prostu podziurawił kulami leżącego na ziemi don
Magginiego. *„Keine Zeremonien für briganta*, żadnych ceremonii
dla brygantów. Teraz wrzucić go do wody, *schnell*, szybko!"

Na liście buntowników do wyeliminowania widniało także
imię Giobatty, i za jakiego świętego sprawą zdołał się on uratować, naprawdę nie wiem. O tych dniach dziadek Augusto opowiadał zwięźle: „Przez czterdzieści osiem godzin siedział w byłej
kostnicy. Skulony pod marmurowym stołem, bez jedzenia, bez
picia, nie ruszając się. Wreszcie wymknął się na zewnątrz. Popędził na pola w Salviano i przesmyknąwszy się przez wyłom
w północno-wschodniej części muru, uciekł z miasta. Dotarł do
lasów Montenero, gdzie przez trzy tygodnie żył jak zwierzę. Spał
pod drzewami, żywił się czym popadło, nie mając pojęcia o losach
swojej rodziny i towarzyszy walki". Wiem za to, dlaczego nie
uratował się figurujący na czele listy buntowników Bartelloni,
i jaki udział (nieumyślny, rozumie się) w jego rozstrzelaniu miała
Maria Rosa. Powróciwszy do domu, Maria Rosa nie usłuchała
rady zamknij-drzwi-na-zasuwę-i-cokolwiek-by-się-działo-nie-
-wychodź-nie-próbuj-mnie-szukać. Na via San Carlo ludzie
wrzeszczeli, że w centrum dokonała się rzeź, że maskara objęła
też resztę miasta, że miasto tonie w morzu krwi, i w obawie, że
Giobatta znalazł się wśród ofiar represji, Maria Rosa o zmierzchu
wyszła z domu. Z Tommasem na ręku poszła szukać męża wśród
zmarłych. Szukała go przez całą noc, opowiadał dziadek Augusto,
nic nie mogło jej powstrzymać. Nic. Nawet wołanie kto-idzie
strażników, strzelających do kogo popadnie. Nawet świadomość
niebezpieczeństwa, na jakie wystawiała dziecko potrząsane bardziej
niż tobołek. Nawet widok morza krwi. Gdy tylko widziała jakiegoś trupa, biegła do niego, żeby upewnić się, czy to nie Giobatta,
a kiedy natykała się na stos ciał, kładła Tommasa na chodniku

i rozdzieliwszy trupy, sprawdzała po kolei. Gdy jakiś strażnik strzelał, wołała *bitte*-proszę-*bitte* i wciąż szukała. Także w sobotę. Poszła nawet do kostnicy Braci Miłosierdzia, gdzie potknęła się o ciało don Magginiego i zrobiło jej się słabo. Jednak w niedzielę wieczorem zdecydowała, że może lepiej szukać Giobatty wśród żywych i poszła na via Campanella 16. Była to jedna z tajemnych kryjówek, których Bartelloni używał w czasach, gdy nazywano go Kotem, przezwisko nadane mu z powodu błyszczących oczu i kociego sposobu poruszania się. Naturalnie, żadna logika nie dawała jej prawa mieć nadziei, że Bartelloniego tam znajdzie. Od piątku Austriacy polowali na niego bez ustanku i właśnie tego dnia poszukiwania przybrały na sile z rozkazu samego d'Asprego, rozwścieczonego informacją, że amerykański konsul uratował Guarducciego, przebierając go w mundur oficera amerykańskiej marynarki i wsadzając na okręt, który odpłynął od razu do Bostonu. Poszukiwania były skrupulatne, prowadzono je ulica po ulicy, wypytując po kolei wszystkich mieszkańców. „Ty znać Partellone, *nichts*? Ty fiedzieć, gdzie mieszkać Partellone?" A jednak był tam. Porzuciwszy strzelbę, zamknął się ze swoją goryczą, i wielu sądziło, że jeśli nie wychyli nosa z kryjówki, uratuje skórę. Tylko zaufani przyjaciele znali adres przy via Campanella 16. Na nieszczęście na widok Marii Rosy, oszalałej z niepokoju, płaczącej, proszącej ze szlochem Kocie, pomóżcie-mi, Kocie, powiedzcie-mi-chociaż, czy-żyje, czy-zginął, jego gorycz wzrosła w dwójnasób. Do tego stopnia, że zgasiła w nim wszelką wojowniczość i instynkt przeżycia. „Odejdź kobieto, ja nie mogę pomóc ani tobie, ani sobie samemu", odpowiedział i zatrzasnął drzwi. Potem wypił całą butelkę bimbru i porzucił kryjówkę. Niczym samobójca szukający śmierci zaczął krążyć po najgęściej patrolowanych przez wroga ulicach. Niedaleko szpitala miejskiego zatrzymał go patrol najemników.

— *Halt!* Kim jesteś, dokąd idziesz?

— Jestem Enrico Bartelloni, zwany Kotem — odpowiedział. — A idę gdzie mi się, kurwa, podoba.

Dał się zaprowadzić do prefektury, gdzie niezwłocznie obudzono d'Asprego, po czym między nimi dwoma nawiązał się następujący dialog:

— Naprawdę jesteś Bartellonim?!

— Naprawdę. I jako dobry Włoch i dobry republikanin, nienawidzę nieprzyjaciół ojczyzny. Zwłaszcza ciebie, generale.

— Zdajesz sobie sprawę z tego, co mówisz?

— Zdaję sobie sprawę, zdaję sobie sprawę.

— Sam się zabijasz, Bartelloni.

— Robię właściwą rzecz, generale.

Rozstrzelano go następnego wieczoru o siódmej na zachodnim bastionie Starej Cytadeli, tym, z którego w osiemnastym wieku strzelano salwy na powitanie cudzoziemskich statków, i na polecenie d'Asprego egzekucja odbyła się zgodnie z przewidzianym ceremoniałem. Poświadcza to raport toskańskiego porucznika Jacomolego i dowódcy gwardii Pratesiego, którzy wraz z trzema austriackimi oficerami byli przy niej obecni. Obaj zeznają, że Bartelloni przybył eskortowany przez pluton żołnierzy, który oświetlał drogę pochodniami, oraz przez drużynę doboszy, i został powitany przez stojący na baczność pluton egzekucyjny. Był w samej koszuli, bez kajdan, i uśmiechał się szyderczo. Z tym uśmiechem stanął plecami do niskiego murku i wtedy zapytano go, czy chce księdza. Propozycja, na którą zareagował z pogardą: „Nie potrzebuję pośredników, żeby pójść do nieba". Przeczytano mu więc wyrok, najpierw po niemiecku, potem po włosku. Rozległy się werble i jeden z żołnierzy zbliżył się z opaską, aby zasłonić skazańcowi oczy. On jednak odepchnął go i rozpiąwszy koszulę, pokazał wątłą pierś plutonowi egzekucyjnemu. „Dalej, świstaki! Celujcie w serce!".

Upadł, krzycząc Niech-żyją-Włochy, nie kończąc ostatniego słowa. Kule (cztery w pierś, jedna w prawe oko, jedna w środek czoła) powaliły go ułamek sekundy wcześniej. „Niech żyją Wło..."

Ciało wrzucono do zbiorowego grobu. (Grobowiec, który wzniesiono mu dziesięć lat później, jest pusty). Mniej więcej taki sam pochówek miał w 1861 roku stać się udziałem jego ucznia, zabitego przez nędzę, upokorzenia i cierpienie. Tak oto doszłam do przygnębiającego epilogu trudnej egzystencji, jaką przeżyłam za pośrednictwem Marii Rosy i Giobatty.

* * *

Przygnębiającego, niestety. Tak bardzo, że nie mam ochoty opowiadać o nim, przypominać rozkładu, w którym pogrążyłam się w latach poprzedzających ich śmierć. Tę moją podwójną, nędzną, przedwczesną śmierć. Streszczę więc go pospiesznie. Z zażenowaniem, bo chcą zapomnieć o koszmarze sprzed stu pięćdziesięciu lat.

16

Giobatta wrócił z lasów Montenero 8 czerwca, schowany na wozie z kapustą. Wysiadł na Piazza delle Erbe. Nie mógłby wybrać bardziej niebezpiecznej chwili. Pomimo próśb księcia Leopolda, codziennych listów, w których ten błagał, by nie zajmować stolicy, 25 maja Konstantin d'Aspre wkroczył do Florencji. Jarzmo narzucone na Livorno stało się jeszcze bardziej dławiące, a dla tych, którzy mieli skłonność do buntu, prawdopodobieństwo, by uniknęli kar dyktowanych przez prawo wojenne, zmalało niemal do zera. Zabroniono chodzenia po ulicach w grupach i uczęszczania do oberży, zajazdów, teatrów. Zabroniono przyjmowania gości i spotykania się z przyjaciółmi w domu. Zabroniono zamykania okiennic, tak w dzień, jak i w nocy, oraz otwierania okien między zmierzchem a świtem. Zabroniono posiadania trójkolorowych sztandarów. („Flagą Wielkiego Księstwa jest wyłącznie biało-czerwony sztandar Habsburgów-Lotaryńskich. Można do niej dodawać tylko żółto-czarny sztandar z dwugłowym orłem cesarstwa. Niezastosowanie się do tych poleceń będzie karane egzekucją *in loco* i *ipso facto*"). I naturalnie zabroniono śpiewania pieśni patriotycznych.

A także drukowania książek i dzienników, czytania starych pism rewolucyjnych, wyrażania krytycznych opinii o rodzinie cesarskiej, rzucania nieprzyjaznych spojrzeń na żołnierzy, i nawet wdawania się w bijatyki. (Pewien młody kucharz został rozstrzelany, bo bronił nożem kuchennym narzeczonej, którą chciało zgwałcić dwóch zbójów). Z rządem wojskowych współpracowała policja miejska, która miała za zadanie tropić winnych obrazy majestatu. Członków Koła Ludowego i kół parafialnych. Liberałów, republikanów, demokratów, którzy pokazywali się z Montanellim, Guerrazzim i Carlem Ponce Rum. A także niektórych weteranów spod Curtatone i Montanary. Dzięki rozbudowanej siatce szpiegów bydlak o nazwisku Casastini wyłapywał ich i skazywał na publiczną kaźń. Tortura ta polegała na biciu pałką w podeszwy stóp, była wykonywana przez kata z austriackiego wojska i odbywała się w obecności czterech toskańskich funkcjonariuszy. Casastiniego, prokuratora, notariusza i lekarza odpowiedzialnego za kontrolę stanu pacjenta (skazańca nazywano „pacjentem").

Giobatta wrócił i od razu dał się złapać. Od razu! Ponieważ 9 czerwca osiemdziesięciotrzyletni już Radetzky przybył do Livorno, aby zaszczycić swoją obecnością paradę wojsk i uroczystości na jego cześć. Uroczystości, z których powodu pozwolono obywatelom zgromadzić się na ulicach. Pokonany przez ciekawość, chcąc przyjrzeć się z bliska sławnej postaci, która od 1831 roku trzęsła całym krajem, Giobatta wmieszał się w tłum i gdy zamiast straszliwego wojownika zobaczył staruszka chwiejącego się w siodle, wykrzyknął: „Kiedy wreszcie wyciągniesz kopyta, ty brzydki strachu na wróble, zapluta mumio?!". Usłyszał to jakiś donosiciel. Rozpoznał Giobattę, poinformował Casastiniego i odnalezienie winnego nie było trudne. Kto nie znał najważniejszego pomocnika Bartelloniego, który w czasie Niezależnej Republiki zmuszał obywateli do klękania przed drzewami wolności i lizania pni? Kto nie przypominał sobie szaleńca, z którego winy zniszczono pomnik, jednym słowem Cantiniego, sabotażysty z popaloną twarzą?

Aresztowano go tej samej nocy. W czasie gdy spał z Marią Rosą i dzieckiem, wpadli do trzech pokoików przy via San Carlo 15, i nie szukali nawet trójkolorowych czy czerwonych sztandarów. Nie dali mu nawet czasu, by założył buty: „W twoim przypadku dowody winy i tak nie są potrzebne, a tam, gdzie cię prowadzimy, buty się nie przydadzą!". Boso zabrali go do koszar, które Austriacy nazywali *Schläger*, czyli miejsce bicia, i tortura odbyła się następnego ranka na podwórzu pełnym motłochu, który dla przypodobania się nowym panom wyzywał go po niemiecku. „*Schmutzig*, brudas! *Verbrecher*, przestępca! *Lump*, łachmaniarz!" Podręcznikowa kara, wykonana skrupulatnie i z całą powagą. Rozciągnięto go brzuchem do dołu na ławce szerokiej na pół metra i długiej na dwa metry, a żeby mu uniemożliwić szarpanie się, przygwożdżono go do niej na wysokości pasa metalową obręczą, przystosowaną do ciała różnych rozmiarów. Ramiona wyciągnięto mu nad głowę i unieruchomiono, przywiązując w nadgarstkach do ławki. Nogi unieruchomiono na wysokości kostek kolejną metalową obręczą, zostawiając stopy zwisające poza ławką. Następnie kat w mundurze, niejaki Pavelič z Zagrzebia, zaczął pałować stopy kijem, licząc uderzenia. *Eins... zwei... drei... vier... fünf... sechs...* Uderzeń miało być osiemdziesiąt. Jednak mało komu udawało się tyle znieść. Każde uderzenie było niczym wstrząs elektryczny, który przechodził wprost do mózgu, ból był tak straszny, że nie zostawiał nawet siły, aby wydać krzyk lub jęk, dlatego skazańcy mdleli na długo przed zakończeniem kary i lekarz orzekał konieczność przerwy lub zakończenia chłosty. Giobatta zemdlał przy czterdziestym uderzeniu i lekarz zalecił zakończenie egzekucji. Kazał nawet, by odniesiono skazanego do domu na noszach, i żeby pozostał przez miesiąc w łóżku. Jednak stęp, śródstopie i kość piętowa prawej stopy, uderzanej z większą siłą kijem, skruszyły się bezpowrotnie. Miesiąc później, gdy „pacjent" wstał i próbował chodzić, zdał sobie sprawę, że nie jest w stanie nawet oprzeć się na prawej nodze. Od tej chwili poruszał się tylko o kulach. W rezultacie zaczęto go nazywać Kulawym. „Idź do Kulawego. Zapytaj Kulawego. Tam mieszka Kulawy".

Czy właśnie to go załamało, zniszczyło, zatruło ostatnie dwanaście lat jego życia? Czy też sprawiła to tragiczna śmierć Bartelloniego i don Magginiego, klęska, rozczarowanie, które zniszczyły jego stryja? Jak było, tak było, jedna rzecz jest pewna: dwudziestosześciolatek, którego 10 czerwca 1849 roku zniesiono na noszach ze *Schläger*, był człowiekiem skończonym, złamanym na zawsze. Duchowo był ludzkim wrakiem. Drugim Giovannim, który o ojczyźnie, zjednoczeniu, niepodległości, o wolności i sprawiedliwości nie chciał już nawet słuchać. 19 lipca Garibaldi opuścił Rzym (gdzie Republika upadła pod naporem dział Francuzów, którzy wtrącili się we włoskie sprawy, aby oddać tron Piusowi IX) i przybył do Montepulciano, skąd miał zamiar ruszyć na pomoc broniącej się jeszcze Wenecji. Z Montepulciano zwrócił się do Toskańczyków z apelem, aby do niego dołączyli, i wielu posłuchało wezwania. Giobatta jednak potrząsnął głową i powiedział: „Nawet gdybym był w stanie chodzić, tobym nie poszedł". Zakończywszy wygnanie w Gaecie, 24 lipca zdziadziały Leopold wylądował w Viareggio. Stamtąd udał się do Florencji i wspomagany obecnością Austriaków, zaczął na nowo podpisywać dekrety, używając tytułów, z których wcześniej zrezygnował: cesarski książę Austrii, książę Węgier i Czech, arcyksiążę Austrii i tak dalej. Dekrety, które uprawomocniając stan wojenny, czyli przemoc, aresztowania, zabójstwa, rozwiązywały parlament i znosiły wolność prasy, czyli potwierdzały feudalną zależność Leopolda od bratanka Franciszka Józefa. Giobatta jednak wzruszył ramionami i powiedział: „Nic mnie to nie obchodzi". Tego lata arystokracja florencka sięgnęła dna poniżenia, liżąc buty d'Asprego, tak jak pięćdziesiąt lat wcześniej lizała buty Bonapartego. Arystokraci i tak zwani arystokraci, którzy otwierali przed najeźdźcami swe pałace, swe wiejskie siedziby, łoże w Teatrze Pergola i podejmowali ich wystawnymi obiadami. Balami godnymi Sardanapala. (Pradziadowie i prapradziadowie asekurantów, którzy w 1938 roku mieli zakładać fraki na przyjęcie Hitlera, przybyłego do Florencji z Mussolinim). Arystokratki i tak zwane arystokratki, które konwersowały, flirtowały, cudzołożyły z nieprzyjacielem, podlejsze od umierających z głodu prostytutek (prababki i praprababki kretynek wyzbytych godności, które w 1938 roku miały się obwiesić biżuterią, żeby pobiec do teatru miejskiego i piszczeć do Hitlera *Führer, mein Führer*). I spora część ludu, tego ludu, który w imię nieświadomości jest zawsze rozgrzeszany i usprawiedliwiany, okryła się hańbą równie wielką albo i większą, wrzeszcząc: „Niech żyje Franciszek Józef, który nam oddał Ojczulka". Ale Giobatta znowu potrząsnął głową, wzruszył ramionami i powiedział: „A ja co na to poradzę?". Powiedział to zresztą także w 1850 roku, kiedy rząd nad Livorno przeszedł w ręce generała Folliota de Crenneville'a: próżnego i okrutnego człowieczka, syna paryskiego arystokraty, który przybył do Wiednia, uciekając przed gilotyną. Nowy gubernator lubił wyrywać swoim ofiarom brodę i wąsy lub wybijać im zęby kolbą pistoletu. Giobatta powiedział to także w 1851 roku, kiedy bracia Stratford d'Albourough, trzej młodzi Anglicy oddani sprawie Włoch, zostali osądzeni wraz z czterdziestoma sześcioma liworneńczykami przez sąd wojskowy, który wydał trzydzieści osiem wyroków szubienicy. A także w 1853 roku, kiedy skończył się wieloletni proces Montanellego i Guerrazziego; nieobecnego Montanellego skazano na dożywocie, a zatrzymanego już Guerrazziego na piętnaście lat ciężkiego więzienia. A w 1856 roku, kiedy wojska austriackie opuściły Toskanię, powiedział coś jeszcze gorszego: „Też coś. Zostają czy odchodzą, dla mnie to nic nie zmienia".

Drugi Giovanni? Nie, w tym apatycznym i zrezygnowanym nędzarzu nie widzę nawet drugiego Giovanniego, który przeklinając marzenia i ideały, roztopił się w nicości. Widzę tylko cień, który ciągnie swe okaleczone ciało na kulach i zgaszonego ducha, któremu odebrana została nawet świadomość cierpienia, niosącego znowu w oczach śmierć. Jestem wstrząśnięta, czytając w rejestrach cywilnych o tym, o czym dziadek Augusto zawsze zapominał mi opowiedzieć: po chłoście urodziło się jeszcze pięcioro dzieci. 8 marca 1850 roku Assunta — wyeliminowana od razu przez atak kaszlu. 10 maja 1851 roku Alfredo — przeżył. 10 grudnia 1853 roku Ermenegilda — przeżyła. 21 października 1855 roku Egidio — zmarł z powodu zapalenia płuc, przeżywszy jedynie dziesięć dni. 16 września 1857 roku Giuseppe — zabity po trzech tygodniach przez dyfteryt. Pięcioro, do licha, pięcioro! Gdzie też znajdował Giobatta wystarczająco dużo energii, potrzebnej do zapładniania żony? W rozpaczliwej seksualności pariasów, którzy w spółkowaniu szukają pociechy w nieszczęściach, nawiązki za swe ubóstwo, którzy chorzy i wzgardzeni produkują bez ustanku istoty skazane, jeśli nie zdarzy się jakiś cud, tak samo jak oni na życie jako nędzarze, chorzy, wzgardzeni? Giobatta był już w tym czasie rzeczywiście prawdziwym łachmaniarzem. Nędzarzem takim jak Natale w czasach, gdy Cantini z San Jacopo w Acquavivie mieszkali w lepiance z nocnikiem na kuchennym stole. Na pewno był biedniejszy niż wtedy, gdy nie pracował, bo zajmował się robieniem rewolucji, a rodzina utrzymywała się z łatania Marii Rosy, datków Teresy, kiełbas dawanych przez Bartelloniego. Nie było tak, że teraz nie pracował... pracował, a jakże. W domu. Straciwszy Demiego, a wraz z nim warsztat przy via Borra, rzeźbił w alabastrze. Z tego miękkiego kamienia, który nie wymaga specjalnych narzędzi ani wielkiej siły do obróbki, wykonywał figurki dla turystów. Piersiaste nagie nimfy, Madonny, pary zakochanych, głowy Dantego Alighieri. Albo małe kopie pomnika Czterech Maurów i Krzywej Wieży w Pizie. Potem wsadzał je do stożkowego kosza, dwiema taśmami przymocowywał kosz do pleców i szedł szukać klientów na molo lub przed hotelami. „*Souvenirs* z Livorno, panowie, *souvenirs!* Czysty alabaster, jeden lir za sztukę! Kupujcie, panowie, *bitte! Please, por favor, s'il vous plaît!*". W mieście jednak było mnóstwo rywali, których nie spowalniały kule i którzy mogli biec za klientem i zachęcać do kupna takiego samego towaru. Dlatego jeśli Giobatcie nie towarzyszył Tommaso, teraz już spory chłopak o szybkich nogach i dużym sprycie, odpowiedź prawie zawsze była odmowna. *„Nein, gehen Sie weg, nein! I have already bought it, go away! Je viens de l'acheter, ne m'emmerde pas!* Już-kupiłem, nie--zawracaj-mi-dupy, idź-stąd". Zresztą, gdyby nawet nie był kaleką, to czy mógłby sobie znaleźć inne, bardziej dochodowe zajęcie? Wobec winnych zbrodni obrazy majestatu obowiązywało w tych latach niepisane prawo. Głupie i perfidne prawo, które w następnym stuleciu miało się nazywać czystkami i które faszyści zastosowali wobec antyfaszystów, a antyfaszyści i rzekomi antyfaszyści wobec faszystów: „Skoro cię nie zabijam, to zabiorę ci pracę. Zabraniam ci, uniemożliwiam ci pracować".

Maria Rosa zaś była teraz praczką. I gdy o tym myślę, znowu ściska mi się gardło. Bo nie zapomniałam jeszcze upokarzającego codziennego trudu, którego doświadczyłam, kiedy nią byłam i zarabiałam na życie jako praczka. Nie wymazałam z pamięci, o nie, tych koszy z brudną bielizną, które nosiłam do pralni przy via de'Lavatoi. Tych śmierdzących prześcieradeł, zasranych majtek, zasmarkanych chustek, które tarłam, mydliłam, płukałam, strzepywałam, wyciskałam po pół lira za kosz... Szyć? Ech! Wynaleźli maszynę do szycia. Na wystawie światowej w Paryżu w 1855 roku Isaac Singer dostał pierwszą nagrodę za cud zwany grzbietem żółwia i jego firma wdrożyła seryjną produkcję. Eksportowała maszyny także do Livorno, gdzie sklepy przy via Grande trzymały ją na wystawie z dobrze widoczną ceną. Tysiąc pięćset lirów, czyli trzysta skudów, równowartość dwóch wołów. Ale nawet gdyby Ojciec Niebieski podarował mi jedną za darmo, powiedziałabym: „Nie, dziękuję". Kobiece suknie, przynajmniej te, które nosiły bogate kobiety, stały się diabelskimi urządzeniami. Staniki podtrzymywane przez dziesiątki drutów i zasznurowane tak ciasno, że zmniejszały obwód talii do czterdziestu centymetrów. Płaszcze ze skosów, drapowane dekolty. Podszewki na podszewkach, falbanki na falbankach, spódnice przypominające kopuły katedry. Tak szerokie, Jezu, takie przesadne, że w dolnym obwodzie mierzyły nie mniej niż siedem metrów i nawet krynolina nie była ich w stanie utrzymać. Pod spodem trzeba było montować rusztowanie z metalowych kół, zwane *cage*, czyli klatką, i wszystko to wymagało maestrii dla mnie niedostępnej oraz zakładu pełnego pomocnic. Więc przestałam szyć. Pomiędzy jednym a drugim praniem łatałam jeszcze ubrania. Ale tylko nędzne łachmany z łatami na tyłku, a nie faramuszki obcokrajowców, którzy zatrzymywali się w hotelu Peverada. Do łatania trzeba pewnych rąk, a moje stale się trzęsły. Zapewne z powodu niedożywienia. (Wiesz, w tych latach nie byłam naprawdę gruba. Z powodu przymusowych postów schudłam do sześćdziesięciu kilogramów i skóra wisiała na mnie w fałdach, jak to się dzieje u słoni). A może ręce trzęsły się z powodu zmartwień, smutku, które mnie zjadały? Boże święty, zakochałam się w Adonisie, a znalazłam się obok kulawego kaleki z potwornie oszpeconą twarzą. Poślubiłam młodego lwa, który na wojnie stawiał czoło hordom Austriaków, a w czasie pokoju przewodził tłumom w atakach na arsenały lub nawracał pięścią wszystkich, którzy myśleli inaczej niż on — a teraz żyłam z apatyczną larwą. Z cieniem, który potrafił tylko mnie zapładniać, zmuszać do rodzenia dzieci, a te nic mnie nie obchodziły. I na próżno protestowałam Giobatta-nie-dotykaj-mnie, jestem-zmęczona, nie-mam-ochoty. (Czy przestałam go kochać? Ta wątpliwość często mnie nachodziła). Ale rozdrażnienie i smutek były także spowodowane obecnością mojej byłej nieprzyjaciółki Teresy. W 1853 roku Gasparo oddał ducha Bogu, Teresa została sama i Giobatta sprowadził mi ją na via San Carlo 15, gdzie prawie od razu zachorowała na kataraktę. Żyła biedaczka w ciemnościach, w zupełnych ciemnościach! Trzeba ją było ubierać, rozbierać, karmić, pomagać jej w siadaniu na urynał, myć ją, i za każdym razem zadawałam sobie pytanie: czy to możliwe, że kiedyś czułam się taka szczęśliwa? Czy to możliwe, że kiedyś się śmiałam, kiedyś śpiewałam i że kochałam życie? Potem, nie zastanawiając się, co stanie się z moimi dziećmi, modliłam się: „Boże, pozwól nam umrzeć szybko. Mnie, jemu i ślepej".

Prośba, którą z wielką uprzejmością Wszechmogący zaczął spełniać w 1859 roku. Bo w przeciągu kilku sezonów wszyscy znaleźli się w raju.

* * *

Teresa powędrowała tam pierwsza, zmarła o świcie 26 kwietnia 1859 roku. (Dzień, w którym wybuchła druga wojna o niepodległość i Florencja powstała, wygnała na zawsze księcia Leopolda i Habsburgów-Lotaryńskich. Rok, w którym Piemontczycy pod wodzą nowego geniusza Camilla Bensa hrabiego Cavour i nowego Sabaudczyka, czyli Wiktora Emanuela II, w sojuszu z Francuzami i Napoleonem III pokonali Austriaków pod Magentą. Zmusili ich do wycofania się do Wenecji i do podpisania rozejmu w Villafranca, Napoleon III jednak oszukał ich i spotkawszy się potajemnie z Franciszkiem Józefem, przywłaszczył sobie Lombardię). Biedna Teresa zmarła na skutek ataku astmy, tak szybko, że zaledwie zdążyła wyjawić Giobatcie, kto go począł. „Nie mogę odejść, nie wyznawszy ci prawdy, synku. Twój ojciec nie był twoim ojcem. Twoim ojcem był twój stryj". Słowa, które usłyszał jedenastoletni Tommaso i które na starość powtórzył swojemu najstarszemu synowi, czyli dziadkowi Augustowi. Giobatta odpowiedział na nie wzruszającym zdaniem: „Dziękuję, mamo. To mnie pociesza".

Maria Rosa zmarła jesienią 1860 roku. (To rok, w którym Cavour, by zdobyć Lombardię, ugiął się przed szantażem i odstąpił Francji zarówno Niceę, jak i Sabaudię. Rok, w którym także Toskania, Emilia-Romania, Marche i Umbria wybrały zjednoczenie i po serii plebiscytów oddały się pod władanie potomka Karola Alberta, w którym widziano jedyną osobę zdolną do zjednoczenia kraju. I rok, w którym Garibaldi wylądował ze swoim tysiącem czerwonych koszul w Marsali, zmiótł niemrawe wojska burbońskie i uwolnił południowe Włochy, które podczas nieszczęsnego spotkania w Teano podarował Wiktorowi Emanuelowi). W przypadku Marii Rosy mówię: jesienią 1860 roku i tyle, bo data jej śmierci jest równie niekompletna, jak niepewna jest data jej urodzin. Księga zgonów nie podaje ani dnia, ani miesiąca. Wiem jednak, że zmarła, mając trzydzieści osiem czy może trzydzieści dziewięć lat, na gruźlicę. I pod koniec życia wyglądała jak szkielet. Ważyła czterdzieści kilogramów. Wiem też, że umarła w wielkim stylu, wygłaszając pogardliwą opinię o Sabaudczykach i zaskakujące proroctwo o ich przyszłości, pokazując w ten sposób, że nie zgasła w niej gorączka polityczna. „Wrobili nas w gówno, Giobatto. Zamiast republiki sprowadziliśmy sobie na kark potomków króla Niezdecydowanego. Oj tak, trzeba będzie stu lat, żeby ich wygonić, tych miłośników szubienic". Na koniec wiem też, że została pochowana na Cimitero de'Lupi i że nie mogąc sobie pozwolić na zakupienie dla niej płyty nagrobnej, Giobatta ozdobił jej grób niewielkim blokiem z alabastru, na którym wyrył małymi literami następujące epitafium:

Maria Rosa Cantini
patriotka
szczodre i nieustraszone serce
skłońcie się jej pamięci
wy, którzy przechodzicie.

Giobatta zakończył życie w 1861, roku, w którym gorączka mózgowa zabiła Cavoura, a Wiktor Emanuel II został ogłoszony królem Włoch. Umarł 17 listopada, w wigilię swoich urodzin, potrącony przez dwukonną karetę. Nie zamierzał wychodzić z domu tego dnia. Padało, panował ziąb. Ale w domu nie było nic do jedzenia, Ermenegilda i Alfredo jęczeli jestem-głodny, tatusiu, jestem-głodny, i pod wieczór powiedział do Tommasa: „Zostań z nimi. Może uda mi się sprzedać jakąś Krzywą Wieżę i zarobić kilka groszy, żeby kupić coś na kolację". Potem wypełnił kosz figurkami, założył go sobie na plecy i wspierając się na kulach, zostawił via San Carlo. Skierował się w stronę hotelu Grande Bretagne. Kareta najechała na niego na skrzyżowaniu via delle Commedie i via San Sebastiano. Woźnica, przejechawszy po nim, nawet się nie zatrzymał, zniknął w ciemnościach, jak gdyby zamiast człowieka przejechał worek śmieci, i przez całą noc ciało leżało tam, przemoczone na wskroś. Kosz jeszcze przywiązany do pleców, kule pod pachami, potłuczone figurki. Dopiero o świcie zabrali go zamiatacze ulic, żeby zostawić go w kostnicy Bractwa Miłosierdzia, gdzie następnego dnia Tommaso znalazł go z karteczką przywiązaną do kostki stopy skruszonej przez kata Pavelicia z Zagrzebia. Na karteczce napisano: „Tożsamość nieznana. Przypuszczalny wiek: pięćdziesiąt lub sześćdziesiąt lat. Domniemany zawód: rzeźbiarz w alabastrze. Domniemany stan społeczny: nędzarz". I na nic nie zdały się płacze Tommasa to-jest-mój-tatuś, proszę-pochowajcie--go-z-mamą. Żeby otworzyć grób Marii Rosy, trzeba było zapłacić, dlatego Giobattę pochowano na cmentarzu Bractwa Miłosierdzia, w bezimiennym grobie oznaczonym zwykłym drewnianym krzyżem: „Tu czy tam, nie robi różnicy, chłopcze, Bóg zna jego imię".

Tommaso miał trzynaście lat i cztery miesiące, gdy został sierotą. Alfredo, dziesięć lat i sześć miesięcy. Ermenegilda prawie osiem lat. Z braku krewnych, którzy mogliby się nimi zająć, urząd miejski w Livorno powierzył ich sierocińcowi w Pizie i w istocie tam już pozostali. W Pizie Tommaso stał się, tak jak ojciec, kamieniarzem i rzeźbiarzem w alabastrze, zaangażował się w politykę, działając w Partii Czynu Mazziniego i uczestnicząc z Garibaldim w trzeciej wojnie o niepodległość. W Pizie również się ożenił. W 1873 roku, z dwudziestojednoletnią Augustą Ciliegioli, która zaraz uczyniła go wdowcem. W 1875 roku z jej osiemnastoletnią siostrą Zairą. Z tego drugiego małżeństwa urodził się dziadek Augusto.

Teraz mogę wreszcie wymazać z pamięci koszmar, który trwał od stu pięćdziesięciu lat. Mogę zwrócić milczeniu te bolesne duchy siebie samej i poszukać się w egzystencjach, które przeżyłam z inną gałęzią rodziny. Zaczynając od fascynującej prababki Polki i od arystokratycznego do szpiku kości turyńskiego pradziadka, których historia rozwija się, przynajmniej przez jakiś czas, w otoczeniu bogactwa, elegancji i luksusu. Alleluja. Alleluja, alleluja!

CZĘŚĆ CZWARTA

1

Miałam nosić imię mojej prababki ze strony ojca, Anastasii. Tak chciała moja babcia Giacoma, mimo iż Anastasia zrobiła jej dwa afronty nie do wybaczenia: porzuciła w sierocińcu w Cesenie zaraz po urodzeniu, a dwadzieścia lat później uwiodła jej przyszłego męża, czyli dziadka Antonia. „Cierpliwości. Nie zrobiła tego złośliwie". Tak chciał również mój dziadek Antonio (Fallaci), który po pół wieku wciąż jeszcze był zakochany w Anastasii i wcale tego nie ukrywał. „Tak, proszę państwa. Nigdy nie przestałem myśleć o tej czarownicy". Tak chcieli także moi rodzice, którzy podziwiali Anastasię bezgranicznie, i zdecydowani, aby uwiecznić pamięć o niej, zastanawiali się tylko nad problemem akcentowania imienia: czy akcent powinien padać na *a*, czy na *i*? Gdy odkryli powód, dla którego babcia Giacoma jej wybaczyła, to znaczy kiedy dziadek Antonio wyjawił im, że czarownica popełniła samobójstwo, zmienili jednak zdanie. Zadowolili się aluzją do Prousta i nazwali mnie po księżnej de Guermantes, a imię Anastasia (bez akcentu nad *i*) dali mi jako drugie, do którego dołożyli jeszcze imię mojej babci ze strony matki. Oriana Anastasia Talide. Szkoda. Zawsze żałowałam, że nie nazywam się tak jak ta osobliwa przodkini o biografii nieprzypominającej niczyjej innej, niezwykła prababka, w której legendarnym cieniu przeżyłam swoją ostatnią egzystencję.

O Anastasii wiem dużo. Babcia Giacoma i dziadek Antonio często opowiadali o jej perypetiach i ekscesach, o przygodach i osobliwych przypadkach, z których zwierzyła się im, zanim popełniła samobójstwo. Wiem na przykład, że nie mówiła po francusku, lecz po włosku, że paliła jak mężczyzna, tańczyła walca, że była inteligentną feministką *ante litteram*. Wiem, że nosiła nazwisko Ferrier i była owocem miłości waldejskiej dziewczyny z Turynu (właśnie dlatego mówiła po francusku, językiem, którym od siedemnastego wieku posługiwali się wszyscy waldensi z Piemontu) i młodego Polaka z Krakowa, że nigdy nie poznała ojca, zabitego przez Austriaków w powstaniu w 1846 roku, i słabo pamiętała matkę, zmarłą wkrótce potem z żalu. Wiem, że wyrastała w Turynie na via Lagrange, wychowywana przez ciotkę, *Tante* Jacqueline, otoczona opieką również przez Giudittę Sidoli, przyjaciółkę Mazziniego. Wiem, że nie była nieśmiała w stosunkach z mężczyznami i że w wieku szesnastu lat połączył ją flirt z rówieśnikiem, Edmunem de Amicisem. W wieku lat siedemnastu miała przygodę z szefem policji, który aresztował ją w czasie antyrządowych rozruchów. Jako osiemnastolatka przeżyła namiętny romans i zaszła w ciążę ze sławnym arystokratycznym do szpiku kości mężczyzną, którego imienia w rodzinie nie wolno było nawet wspominać. „Cisza. On się nie liczy". (Ale przecież się liczy. Czy mi się to podoba, czy nie, jest moim pradziadkiem. I chociaż mam zamiar dochować strzeżonego tak długo sekretu, to nie mogę nie brać pod uwagę, że wśród moich chromosomów są także jego chromosomy). Wiem też, że porzuciwszy owoc tej namiętności, czyli babcię Giacomę, Anastasia uciekła do Nowego Jorku, do którego przybyła na dwa miesiące przed zamordowaniem Lincolna. Tam dołączyła do pionierów wyruszających na Dziki Zachód i wraz z nimi, strzelając do Indian, przemierzyła prerie Missouri, Kansas, Kolorado, zatrzymała się w Utah, gdzie mało brakowało, a zostałaby żoną mormona mającego już sześć żon. Z Utah udała się do Newady i z równą beztroską związała się z hazardzistą i szulerem. Z Newady dotarła do Kalifornii, gdzie przez długi czas kierowała saloonem (a może burdelem?) w San Francisco — jednym słowem, była kimś, kogo nazywa się *Madame*. Wiem na koniec, że wróciła z Ameryki w 1879 roku i wtedy wzięła do siebie córkę, z którą mieszkała przez dziesięć lat, to znaczy do czasu ślubu babci Giacomy z dziadkiem Antoniem... Pamiętam także fotografię Anastasii (zaginęła potem w czasie którejś przeprowadzki), zrobioną na początku 1864 roku w atelier Henriego La Lieure w Turynie. Przedstawiała niezapomnianą dziewczynę, uosobienie fascynującego uroku, któremu nie można się oprzeć. Cudowna twarz, wysokie słowiańskie kości policzkowe. Nieruchome oczy, niezwykle jasne, być może zielonkawe albo jasnobłękitne. Idealny nos, pełne i nieco pogardliwie wydęte wargi, figura raczej krzepka, ale proporcjonalna i wysmuklona przez wytworną czarną suknię. (Spódnica z falbankami, stanik zapięty na malutkie guziczki, rękawy do łokcia i dekolt w kształcie trapezu). Długa kaskada złocistoblond włosów pod olbrzymim, założonym nieco na bakier kapeluszem, ozdobionym czarnymi strusimi piórami. Na piersi żółta róża. W takim samym kolorze jak parasol do osłony przed słońcem. Fascynujący wdzięk nie brał się jednak z jej urody i elegancji. Wyrażał się w spojrzeniu, w zaczepności, w pozie, jaką przybrała. Nie dbając o etykietę, zalecającą, aby kobiety portretowały się w pozycji siedzącej, ona stała, prostując ramiona i rozstawiając nieco nogi. Także parasola nie trzymała tak, jak czyniły to dobrze wychowane panie, to znaczy wspierając się jedną dłonią na rączce i opierając szpic o podłogę. Trzymała go poziomo, prawą dłonią za rączkę, lewą za szpic, i ściskała tak wojowniczo, że wydawał się raczej strzelbą niż parasolem. Tylko-spróbuj-nie-okazać-mi--szacunku-a-popamiętasz. Z tych nieruchomych jasnych oczu wyzierała tak prowokacyjna i wyzywająca bezczelność, że przyglądając się fotografii, odczuwałam rodzaj lęku i zapominałam, że mam przed sobą tylko obraz mojego przemijania w Czasie.

Nie mam jednak nic, aby udowodnić samej sobie, że Anastasia istniała i jestem jej prawnuczką. W rejestrach cywilnych babcię Giacomę zapisano jako „córkę nieznanego ojca i nieznanej matki" i nie zachował się nawet dokument, który w 1879 roku, kiedy Anastasia wróciła z Ameryki, podpisała, aby odebrać dziecko.

(Spalił się? W czasie drugiej wojny światowej w Cesenie spalono wiele archiwów sierocińców. W zimie alianckie wojska używały ich do podpałki w piecach). Co gorsza, nie istnieje nawet dowód, że jej nazwisko naprawdę brzmiało Ferrier. Jedyną wskazówką jest anonimowy bilecik znaleziony w woreczku włożonym przez Anastasię na szyję niemowlęcia, zanim porzuciła je w przytułku Świętego Krzyża. *„Elle est née a minuit. Je vous demande la courtoisie de l'appeler Jacqueline Ferrier*. Urodziła się o północy. Proszę nazwać ją Jacqueline Ferrier". Woreczek ocalał z płomieni, bilecik nie, ale jest faktem, że nazwisko dane córce-nieznanego-ojca-i-nieznanej- -matki brzmiało Ferrier (potem zniekształcone przez pomyłkę jakiegoś urzędnika na Ferreri). I faktem jest, że Ferrieri to włoska wersja nazwiska Ferrier, Giacoma imienia Jacqueline, i że Jacqueline było imieniem *Tante*, która przy via Lagrange wychowywała Anastasię. I jest wreszcie faktem, że jej mama nazywała się Marguerite Ferrier i urodziła ją, siedemnastoletnia, w 1846 roku, nie zdążywszy poślubić młodego Polaka zabitego przez Austriaków. Tak twierdziła babcia Giacoma, dodając kategorycznym tonem, że Ferrierowie z Turynu należeli do społeczności waldensów z Ville Sèche, miasteczka z doliny Val Germanasca w Piemoncie. I o ile nie chodzi o przypadek homonimii, w rejestrach Ville Sèche, dzisiaj Villasecca, znalazłam potwierdzenie tej informacji. *„Marguerite Ferrier, fille de Thomàs et de Judith Jahiers, neé le 14 Mai 1829, le 24 du même mois a reçu le Saint Baptème*. Marguerite Ferrier, córka Thomàsa i Judith Jahiers, urodzona 14 maja 1829, ochrzczona 24. tego miesiąca". Problem w tym, że to mi nie wystarcza. Pomimo potwierdzenia tożsamości Marguerite pozostaje mi pustka, brakujące ogniwo w łańcuchu... Och, szukałam go, i to długo. Z uporem i desperacją. W Turynie, w Cesenie. W innych dolinach społeczności waldensów, w Ameryce. Szukałam go nawet na listach emigrantów, którzy w 1865 roku przybyli do Nowego Jorku, w spisach mormonów mieszkających w Salt Lake City, w rubrykach *Madames* prowadzących biznes w San Francisco.

Tysiące przekartkowanych i przestudiowanych stron w poszukiwaniu tego ogniwa. Ale przypominało to uganianie się za cieniem czy szukanie igły w stogu siana. I czytając o tym, co Kościół katolicki robił w Piemoncie z nieślubnymi dziećmi waldensów, a potem zastanawiając się nad dzieciństwem Anastasii i nad tym, że do Nowego Jorku popłynęła z fałszywym paszportem, zrozumiałam wreszcie przyczynę tego stanu rzeczy. Jej narodziny nie zostały nigdy zarejestrowane ani zgłoszone. Jej danych nie zalegalizował żaden ksiądz, pastor ani urzędnik miejski. Cielesny duch, przez osiemnaście lat nie miała żadnego strzępka papieru, który poświadczałby jej istnienie. Ten fałszywy paszport był jej pierwszym dokumentem, a później zawsze posługiwała się wymyślonymi tożsamościami i skradzionymi nazwiskami. Na przykład w Cesenie, po powrocie z Ameryki, używała nazwiska Brighi* — rozpowszechnionego w Emilii-Romanii, a zwłaszcza w samej Cesenie. Ale jedyna prawdziwa Anastasia Brighi odnotowana w spisach mieszkańców to wieśniaczka urodzona w 1799 roku, zamężna z niejakim Amadorim Giuseppe, zamieszkała na via Carpineta i zmarła w wieku niemal dziewięćdziesięciu lat w 1887 roku.

Być może w skrzyni Cateriny znajdowały się jakieś ślady prawdziwej tożsamości Anastasii. Być może zawierała ona także namacalne dowody jej fikcyjnych tożsamości i niewiarygodnych przygód. Może jakieś listy bardzo sławnego i bardzo arystokratycznego pradziadka, skalp Siuksa, pozwolenie na otwarcie saloonu (lub burdelu) w San Francisco, prawdę o jej związku z dziadkiem Antoniem? Pamiętam bardzo dobrze wielką kopertę przewiązaną zieloną tasiemką, leżącą obok cymeliów Fallacich, Cantinich, Launaro, na kilka dni przed tym, zanim skrzynię zaczęto przenosić z jednego zakątka Florencji do drugiego, aby uchronić ją przed

* W dalszych rozdziałach zamiast nazwiska Brighi pojawia się nazwisko Le Roi. Prawdopodobnie niedopatrzenie autorki (przyp. tłum.).

bombardowaniami. Nigdy nie otworzyłam jednak tej koperty. Aby odtworzyć sagę Anastasii, muszę więc zadowolić się wspomnieniem fotografii oraz opowiadaniami dziadka Antonia i babci Giacomy (jego głos był dźwięczny i wesoły, jej niski i smutny). Zrobię to, zaczynając od dwojga młodych i tragicznych kochanków, którzy poczęli Anastasię, prapradziadka Stanisława i praprababci Marguerite. On zginął w wieku dwudziestu jeden lat z rąk Austriaków, ona w wieku lat dziewiętnastu — utopiła się w jednym ze strumieni Alp Kotyjskich.

2

Moja pamięć błąka się jakby we mgle, kiedy powraca do dni, w których nazywałam się Marguerite Ferrier, miałam szesnaście lat, mieszkałam w Turynie i należałam do Ewangelickiego Kościoła Waldensów. Kościoła, który wcześniej od Lutra i Kalwina, wielkich reformatorów, podał w wątpliwość katolicyzm i odrzucił papieża, kardynałów, biskupów, księży, Matkę Boską, świętych i święte. A wraz z nimi mszę, eucharystię, czyściec, posty, spowiedź. („Chrystus mieszka w niebie, nie w katedrach, i aby się do niego modlić, wystarczy Biblia. Matka Boska była kobietą jak wszystkie inne, święta hostia to tylko kawałek chleba, a czyściec jest kłamstwem. Mięso można jeść także w piątek, grzechy wyznaje się Panu Bogu i nikomu więcej...”) O tym, kim byłam w roku Pańskim 1845, mogę tylko powiedzieć, że nie brakowało mi fizycznego wdzięku. Ani też lekkomyślności. Miałam ciało drobne jak ptaszek i na swój sposób ponętne. Delikatne rysy, wielkie rozmarzone oczy, proste włosy zaplecione w warkocz i urokliwie skromny strój. To znaczy tradycyjny ubiór waldensów. Na plecach biały fałdzisty płaszczyk: *pèlerine vaudoise*. Na czarnej, sięgającej stóp spódnicy biały fartuszek: *tablier vaudois*. Na głowie sztywny czepek, także biały, i ozdobiony z tyłu długimi wstążkami: *coiffe vaudoise*. Na dłoniach niciane rękawiczki:

les mitaines vaudoises. A w moim biednym mózgu pustkę pustego orzecha. Mimo iż umiałam czytać i pisać, bo analfabetyzm wśród waldensów był rzadki, nigdy nie spojrzałam na powieść czy inną książkę, która nie była Biblią. (Gdybym to zrobiła, popełniłabym grzech śmiertelny). Tak więc nie zdawałam sobie sprawy z tego, co się dzieje poza granicami mojego małego świata, nie miałam pojęcia, co znaczą słowa „ojczyzna", „wolność" czy „sprawiedliwość", a moje marzenia były niewymownie banalne: wyjść za mąż, wydać na świat pobożne dzieci i pójść do raju. Nigdy się nie buntowałam, nie byłam nieposłuszna i uważałam się za szczęśliwą. Pamiętam jednak, że sto lat później, kiedy miałam dziesięć lat i waldejska krewna, zwana ciotką Febe, prowadziła mnie do swojej kaplicy we Florencji, ogarniała mnie przygnębiająca melancholia. Nie tyle dlatego, że kaplica była pustym pokojem, na którego umeblowanie składały się jedynie ławki, krucyfiks i mównica, z której pastor w todze pouczał wiernych tonem nauczyciela, i nie było tam zapalonych świec ani złota, ani posągów, fresków z aniołami, ani ołtarza z księdzem ubranym jak czarodziej czy król z bajki, jednym słowem brakowało teatralnych rekwizytów Kościoła katolickiego. Bardziej dlatego, że miałam wrażenie, iż znajduję się w miejscu, w którym wiele przecierpiałam. „Śpiewaj", rozkazywała mi co chwilę ciotka Febe, podając Księgę Psalmów i wskazując tekst żądany przez mężczyznę w todze. Śpiewałam z wiernymi: „Zmiłuj się nade mną, Boże, w swojej łaskawości, w ogromie swego miłosierdzia wymaż moją nieprawość! Obmyj mnie zupełnie z mojej winy i oczyść mnie z grzechu mojego!". (Czy coś w tym stylu). To jednak nie uspokajało mnie, przeciwnie, pobudzało do płaczu: miałam dziwną świadomość, że znów przeżywam coś traumatycznego, wracam do bolesnych i nigdy nie zapomnianych czasów. Czasów (teraz to rozumiem), gdy byłam Marguerite Ferrier i nosiłam waldejski fartuszek, waldejski czepek, waldejskie niciane rękawiczki, symbol mojej kalwińskiej herezji i pośrednią przyczynę mojego nieszczęścia.

To prawda, w Piemoncie waldensi nigdy nie mieli łatwego życia. Od kiedy przybyli tu w trzynastym wieku, uciekając przed krwawymi krucjatami nakazanymi przez Innocentego III w Langwedocji i innych regionach Francji, a zwłaszcza od kiedy przyłączyli się do reformacji Kalwina, przeżywali niekończącą się kalwarię. Zanim Emanuel Filibert przyznał im terytorium u stóp Alp Kotyjskich, to znaczy doliny Torre Pellice i San Martino, katoliccy królowie sabaudzcy prześladowali ich na wszelkie wymyślone przez inkwizycję sposoby: aresztowaniami, torturami, stosami na placach publicznych, szubienicami. Później było tak samo. W 1655 roku Karol Emanuel zamordował ich tylu, że aby go powstrzymać, trzeba było gróźb Cromwella, w 1686 roku Wiktor Amadeusz II wymordował szesnaście tysięcy waldensów i wygnał trzy tysiące innych, którzy zdołali wrócić do Piemontu dopiero po interwencji protestanckich władców. W osiemnastym wieku żyli w czymś na kształt limbusu, oblężonego przez księży, którzy zakładali swoje parafie na ich terytorium. Jedyne, co łączyło ich z ludnością katolicką, to język, którego używali zamiast włoskiego: francuski. Tylko w okresie napoleońskim, kiedy przyznano im bezwarunkową wolność religii i wielu z nich przeprowadziło się do Turynu, gdzie podejmowali pracę jako urzędnicy państwowi, mogli żyć jak zwyczajni obywatele. Po kongresie wiedeńskim ten nawias wolności się jednak zamknął i w 1845 roku, kiedy rozpoczyna się historia Marguerite, sprawy nie miały się dobrze. Pamiętajmy, że w 1845 roku rządził dwulicowy Karol Albert. Jego ministrem spraw zagranicznych był bezlitosny hrabia Solaro, ojcem duchowym perfidny arcybiskup Franzoni, a z punktu wiedzenia religii państwowej, czyli religii katolickiej, waldensi byli wciąż heretykami. W dolinach traktowano ich jak niepożądanych poddanych, w Turynie jako niemile widzianych gości. Zabraniano im uczęszczania do szkół powszechnych i na uniwersytety. (Żeby nauczyć się czytać i pisać, musieli się zwracać do członków rodziny lub współwyznawców. Żeby otrzymać dyplom, udać się do Lozanny albo Genewy). Nie wolno im było chować zmarłych na cmentarzu miejskim, to znaczy w poświęconej ziemi. (Musieli się zadowalać grzebaniem swoich zmarłych na odgrodzonym terenie przeznaczonym dla samobójców i skazańców, albo też wieźć ich na cmentarze waldejskie w dolinach. Za przewóz trzeba było wnieść wysoką opłatę administracyjną). Nie wolno im było zatrudniać się na stanowiskach państwowych, wykonywać zawodów lekarza, inżyniera czy adwokata, wyrażać opinii i żądać praw politycznych. Niewskazane było udawanie się do szpitala, gdzie personel traktował ich jak najgorzej, dlatego zamiast zdrowieć, bardzo szybko umierali. Zważywszy, że praktyki religijne były dozwolone tylko w granicach terytorium przyznanego im przez Emanuela Filiberta, w Turynie nie mieli nawet świątyni, w której mogliby odprawiać niedzielne nabożeństwa. Żeby śpiewać razem hymny i komentować Biblię, wybierali się, rzecz jasna potajemnie, do Chapelle de Prusse. To znaczy do kaplicy, którą dekretem królewskim z 1825 roku zezwolono stworzyć w pomieszczeniach ambasady pruskiej dla dyplomatów metodystów i anglikanów. Pastora nazywano tam dla ostrożności kapelanem legacji. Co do małżeństw z katolikami, to były one przestępstwem zarówno w dolinach, jak i w Turynie. Żeby zawrzeć ślub z katolikiem lub katoliczką, waldensi musieli wyprzeć się swojej religii, zrywając jednocześnie wszelkie stosunki ze swoją rodziną i społecznością.

Zarówno w Turynie, jak i w dolinach w najtrudniejszej sytuacji znajdowały się jednak kobiety. Jeśli policja arcybiskupia otrzymywała informację, że jakaś niezamężna waldenska zaszła w ciążę, to księża roztaczali nad nią kontrolę i zaraz po porodzie zabierali dziecko. Dosłownie wyrywali matce niemowlę z ramion i przekazywali do sierocińca katechumenów w Pinerolo, gdzie wychowywano je w doktrynie Kościoła katolickiego, rzymskiego i apostolskiego. Jeśli matka nie wyrzekła się swojej wiary, nigdy więcej nie widziała już dziecka. I nie było żadnej nadziei na znalezienie jakiegoś kruczka prawnego. W 1828 roku François Gay, pastor z Villar Bobbio, miasteczka w dolinie Val d'Angrogna, ochrzcił dziecko niezamężnej dziewczyny Anne Catalin. Władze sądowe zostały o tym od razu poinformowane i moderator Pierre Bert wystosował następujący list to ministra spraw wewnętrznych, hrabiego Rogera de Cholex. (Streszczam). „Panie ministrze, proszę mi pozwolić na poczynienie kilku spostrzeżeń. Wszelkie pozamałżeńskie stosunki cielesne są, jak wiadomo, niedozwolone i potępione przez prawa boskie i ludzkie także wtedy, gdy nie są owocem nieprawości, lecz ignorancji lub pokus, do których chaotyczne królestwo zmysłów przywodzi słabe dusze. Właśnie dlatego słuszna praktyka policyjna roztacza kontrolę nad brzemiennymi kobietami i próbuje nie dopuścić do przypadków dzieciobójstwa. Jednak z donosu na pastora François Gaya wynika, że wszystkie nieślubne dzieci należą do Kościoła katolickiego, rzymskiego i apostolskiego, że żaden protestancki pastor nie może ani nie powinien ich chrzcić, i uczciwie powiedziawszy, nie rozumiem, na jakim prawie oparta jest ta zasada. W ciągu trzydziestu lat, jakie spędziłem w tych dolinach, nie natknąłem się na nic, co by ją usprawiedliwiało. Oto zatem moja opinia na temat sytuacji. Jeśli matka z własnej woli oddaje dziecko do przytułku, w oczywisty sposób zrzeka się praw do nowo narodzonego i my nie możemy go ochrzcić. Jeśli jednak z miłości macierzyńskiej lub innego ważnego powodu pragnie zatrzymać dziecko, nie rozumiem, jak można jej tego zabraniać, a nam nie pozwalać na udzielenie chrztu. Dziewczyna, która ma odwagę zatrzymać owoc swego grzechu, spełnia tym samym akt pokuty, i odbieranie jej dziecka jest okrucieństwem. Z całym szacunkiem proponuję więc pokornie, by nieślubne, lecz nieporzucone przez matki dzieci traktować na równi z dziećmi z prawego łoża i aby mogły otrzymywać nasz chrzest". Roger de Cholex zwrócił się do Ferrariego di Castelnuovo, generalnego adwokata Jego Wysokości przy Królewskim Senacie Piemontu, i Ferrari di Castelnuovo odpowiedział, nie bawiąc się w subtelności. (Streszczam). „*Monseigneur*, przeczytałem list, w którym moderator Pierre Bert domaga się, aby matce nieślubnego dziecka pozwolić na ochrzczenie i wychowanie go w wierze tak zwanego Kościoła reformowanego. Żądanie oparte na domniemaniu, że matka ma prawo wychować dzieci w takiej religii, jaka się jej podoba: fałsz. Każdemu wiadomo, że matka nie ma praw rodzicielskich. Dzieci zrodzone poza małżeństwem należą do suwerena. Suweren sprawuje nad nimi władzę rodzicielską. A jako iż suweren wyznaje religię katolicką i ta religia dominuje w państwie, którego takie dzieci są poddanymi, jest słuszne, aby w tej wierze zostały one ochrzczone i wychowane..." Ergo: Anne Catalin dziecko zostało odebrane na zawsze.

Sprawa Marii Barboux, dwudziestopięcioletniej wdowy Fontana z Torre Pellice, potoczyła się jeszcze gorzej. Mniej więcej w tym samym okresie Maria wydała na świat nieślubne dziecko. Proboszcz dowiedział się o narodzinach, zainterweniował biskup Charvaz, sędzia z trybunału w Pinerolo nakazał karabinierom zabrać dziecko i oddać je do sierocińca katechumenów, ale matka zdołała uciec z niemowlęciem tajemnym przejściem. Tygodniami błąkała się po górach i dolinach, czasami w lesie, czasami prosząc o gościnę wieśniaków, śpiąc w ich stajniach i oborach, w rozpaczliwej ucieczce przed prześladowcami, którzy polowali na nią ze sforą psów. W pewnej chwili jej pastor wysłał do sędziego prośbę, powołując się na zapis prawny. „Ekscelencjo, to prawda, że nieślubne dzieci waldejskich matek muszą uznać prawa rodzicielskie suwerena i wychowywać się w wierze państwowej. Artykuł 15 kodeksów łaski stanowi jednak, że nie wolno odbierać matce nieletnich dzieci, a wskazana tam niepełnoletność trwa u chłopców do lat dwunastu, u dziewcząt zaś do dziesięciu. Syn wdowy Fontana jako nowo narodzone dziecko jest nieletni i błagam Ekscelencję o łaskę. Nieszczęsna matka z powodu lęku, rozpaczy i nędzy, w jakiej żyje, jest o krok od szaleństwa. Mimo to pragnie zatrzymać dziecko i powinniśmy jej pomóc". Sędzia, poruszony, wstrzymał polowanie i przekazał prośbę do wspomnianego Rogera de Cholex. Ówże znowu zwrócił się do adwokata generalnego, adwokat generalny tym razem skonsultował się z Jego Wysokością, i ostatecznie wydano werdykt taki sam, jak w przypadku Anne Catalin. „Katolik przekonany, że zbawienie pochodzi tylko od Świętego Kościoła, stłumi bez wahania odruchy litości i współczucia, gdyż ufając nieprzeniknionej mądrości Bożej, nie pozwala sobie na interpretowanie prawa i Ewangelii zgodnie z własnymi upodobaniami. Winna ma zostać schwytana". Karabinierzy wrócili więc do polowania ze sforą psów. Przez następnych sześć tygodni ścigali ją od góry do góry, od doliny do doliny. Na koniec osaczyli w chacie w Conca del Pra, i aby nie stracić syna, musiała wyrzec się swojej wiary. „Zrodziwszy się z kalwińskich ojca i matki i przez nich wychowana w herezji Kalwina, herezji, której zawsze przestrzegałam, wierząc, że czyściec nie istnieje, że jedynymi sakramentami są chrzest i wieczerza, że wolno jeść mięso także w piątek, że wstawiennictwo Madonny i świętych jest nic niewarte, że papież nie jest wikariuszem Chrystusa na ziemi, i będąc teraz przekonana o prawdach głoszonych przez Kościół katolicki, rzymski i apostolski, i o fałszywości nauk waldejskiej sekty Kalwina, wyrzekam się ich na zawsze. Przeklinam wymienioną wyżej herezję, przysięgam, że nie będę utrzymywać więcej kontaktów z jej wyznawcami, włącznie z moimi krewnymi. A gdyby zdarzyło mi się (niech Bóg zachowa!) odstąpić od moich przyrzeczeń i przysiąg, od dziś poddaję się kornie wszelkim karom przewidzianym przez prawo kanoniczne za takie przestępstwo, amen. *Praedicta abiuratio pronunciata fuit a praefatio, de verbo ad verbum et lecturam mei infrascripti notarii*". Niestety, miesiąc później dziecko zmarło, wycieńczone trudnymi warunkami życia w czasie ucieczki.

„*Ta faute!* Twoja wina!"

Kobietom ciążyło także jarzmo sztywnej kalwińskiej moralności. Przed nadejściem reformacji kobiety w społecznościach waldensów cieszyły się dużym prestiżem. Miały nawet prawo być kaznodziejami, to znaczy czytać i komentować Biblię.

Po przyjęciu doktryny Kalwina sytuacja się zmieniła. Zabroniono im noszenia eleganckich ubrań i biżuterii, zabroniono frywolnych fryzur i malowania twarzy, zabroniono nazbyt swawolnych uśmiechów do mężczyzn (kończyło się to więzieniem). Czy to zresztą nie Kalwin twierdził, że żona powinna być czysta, cierpliwa, posłuszna, oszczędna, uprzejma, troskliwa, niepiękna? Czy to nie on stworzył pojęcie libertynizmu, nie on powiedział, że cudzołóstwo jest najcięższym z grzechów, nie on zabronił wszelkiej swobody i rozrywki, nie on widział w każdej ludzkiej przyjemności rozpustę i pokusę szatana? Wychowywane przez stulecia w takim duchu, w takich zasadach, waldenski nawet w osiemnastym wieku, kiedy w całej Europie złagodniały obyczaje, nie zdołały odzyskać dawnej wolności. A teraz, kiedy znowu modna stała się oportunistyczna moralność, było im jeszcze trudniej niż katoliczkom kontrolowanym przez Charvaza. Anne Catalin, Marie Barboux Fontana? Można zadać sobie pytanie, jak znalazły okazję do nieposłuszeństwa i grzechu. W mieście nigdy nie wychodziły na ulicę same, a w domu zawsze je nadzorowano jako potencjalne wspólniczki szatana. Wychodziły za mąż tylko za kogoś wybranego przez rodzinę, najlepiej kuzyna lub kuma z rodzinnej wioski, a w czasie nabożeństw w Chapelle de Prusse nie wolno im było nawet stać obok mężczyzn. Musiały się tłoczyć w wydzielonej dla nich części, w swoistym gineceum. Zwłaszcza jeśli były ładne, jak Marguerite, i miały takiego ojca jak Thomàs.

* * *

Kiedy próbuję odtworzyć twarz Thomàsa, widzę typa nienawistnego i posępnego. Niewyraźne rysy, na wpół schowane za szarymi wąsiskami, siwe baczki, biała wełnista broda, blade jak popiół policzki, złośliwie wygięte wargi, lodowate oczy i zawsze nasrożona mina. Koścista postać, której chudość podkreślało jeszcze wiecznie czarne ubranie, czarny krawat, czarne rękawiczki i czarny kapelusz. Babcia Giacoma, która wiedziała o nim dużo dzięki Anastasii, poinformowanej z kolei przez *Tante* Jacqueline, określała go jako „coś pośredniego między zdechłą rybą a wściekłym psem". W młodości przyłączył się do dysydenckiej grupy Momiers. Nazwa pochodzi od *momie*, czyli mumia, a ja przetłumaczyłabym ją jako skamieniali czy zasuszeni. Ślepo zapatrzeni w teologię kalwińską, w ideę predestynacji, uczniowie Feliksa Neffa, kaznodziei z Genewy, który założył Ruch Przebudzenia, Momiers powstali 1825 roku, stawiając sobie za cel przywrócenie w Kościele waldejskim pierwotnej dyscypliny, i pod pewnymi względami przypominali *piagnoni* (płaczków) Savonaroli. Lubowali się w napominaniu, przestrzeganiu i uświadamianiu bliźnim niebezpieczeństw grzechu. Potępiali wszelkie poszukiwanie szczęścia, żądali zniesienia nawet najbardziej niewinnych rozrywek i oburzali się na tych, którzy w niedzielę tańczyli na klepisku taniec *bohémienne*, grali w *bocce* albo zabawiali się strzelaniem do tarczy zwanej *toulas*. „To hańba, że w niedzielę niektórzy bracia spędzają czas na zabawianiu się tańcem, grą w *bocce* czy w *toulas*. Dzień Pański powinien być poświęcony na odpoczynek i modlitwę, a nie na rozrywki towarzyskie". W 1840 roku Tavola Valdese, czyli główny organ administracyjny Kościoła, zdołał się od nich uwolnić, ale w domu Thomàs mógł dalej się wyżywać: „Pamiętajcie, że miecz Boga wisi nad waszymi szyjami! Nie zapominajcie o brzemieniu waszych grzechów! Pamiętajcie o ogniu piekielnym!". Albo też prześladował ich godzinami *Livre de famille*, książeczką, którą każdy odpowiedzialny ojciec rodziny musiał trzymać w domu, aby powtarzać z żoną i dziećmi historię Kościoła waldensów, najważniejsze punkty jego doktryny, śpiewać przed posiłkami i po nich święte hymny. Hymn, by podziękować dobremu Bogu za zboże. Hymn, by podziękować Mu za kukurydzę. Hymn, by podziękować Mu za konopie, winogrona, jabłka, orzechy, kasztany, siano, warzywa, winobranie, sianokosy. I, naturalnie, za obiad i kolację stojące na stole.

Unissons-nous pour bénir notre Père / Dont la bonté ne nous laisse jamais / Ouvrant sa main Il verse sur la terre / Mille trésors qui *comblent nos souhaits / C'est à toi, Père de toute grâce / Que nous devons chacun de nos repas (...)**.

Nudził także wszystkich, chełpiąc się swoim nazwiskiem, Ferrier, które na początku siedemnastego wieku w Nîmes nosił sławny pastor Jérémie Ferrier, wróg jezuitów i Klemensa VIII. I mniejsza z tym, że dla kariery Jérémie przeszedł na katolicyzm i został przyjacielem kardynała Richelieu. Mniejsza z tym, że przodkowie Thomàsa wcale nie pochodzili z Nîmes. Pochodzili z Abriès, wioski w Val Queyras w Górnej Sabaudii. Około połowy piętnastego wieku przeprowadzili się do doliny San Martino, a ściślej mówiąc, do Ville Sèche i przecierpieli to wszystko, co inni ich współwyznawcy w dolinach. Na przykład w 1630 roku dżumę, o której mówi Manzoni w *Narzeczonych*. W 1686 roku okrucieństwa popełnione przez hordy żołnierzy przysłane przez Wiktora Amadeusza II, a potem wygnanie w Genewie. W 1689 powrót, który ponownie zamknął ich w getcie dolin, w 1789 wybuch rewolucji francuskiej, w 1798 ucieczkę Sabaudów i przybycie Napoleona. Inaczej niż Jérémie, nie zyskali nigdy sławy ani nie odznaczyli się szczególnymi talentami czy dokonaniami, a jedynym osobliwym wydarzeniem w ich historii było to, że wiosną 1801 roku niejaki Thomàs Ferrier (w Ville Sèche ośmiu na dziesięciu chłopców z rodu Ferrier nosiło imię Thomàs) wyemigrował z żoną Suzanne do Turynu, gdzie został urzędnikiem państwowym i gdzie tego samego roku Suzanne urodziła kolejnego Thomàsa, czyli ojca Marguerite: dlatego też mieszkał on przez całe życie w stolicy Piemontu przy ulicy Dora Grossa 5, na czwartym piętrze domu stojącego prawie na rogu Piazza Castello.

Przede wszystkim jednak Thomàs dręczył rodzinę swoją małodusznością i skąpstwem: to były chyba jego najgorsze wady. Był

---

* Zjednoczmy się, aby błogosławić naszego Ojca, / Którego dobroć nigdy nas nie opuszcza. / Otwierając dłoń, spuszcza na ziemię / Tysiąc skarbów, które zaspokajają nasze potrzeby. / Tobie, łaskawy Ojcze, i Twojej łasce / zawdzięczamy każdy nasz posiłek.

takim dusigroszem, opowiadała babcia Giacoma, że zapaliwszy zapałkę, odkładał ją na bok. A wiesz, dlaczego ożenił się z Judith? Bo oprócz stu złotych franków Judith wniosła mu w posagu trzy- dziestopięcioletnią siostrę, czyli *Tante* Jacqueline, która aby tylko wyrwać się z dolin i przenieść do Turynu, gotowa była prowadzić mu dom i płacić za wikt i mieszkanie. Gorzej: nie chcąc brać na siebie ciężaru finansowego utrzymania licznego potomstwa i nie wiedząc, jak można uniknąć czynienia żony brzemienną, po urodzeniu Marguerite Thomàs zaprzestał wszelkich stosunków małżeńskich z żoną i oboje żyli w czystości. „Dla nas, kalwinistów, celem małżeństwa i tak nie jest wszak prokreacja, jeno wspólnota dwóch dusz". A przecież nie był biedny. Po rodzicach odziedziczył nie tylko dom, ale także zasobne konto w banku. Z zawodu był księgowym, pracował w hotelu Feder, co zapewniało mu bardzo dobrą pensję, a po cichu udzielał pożyczek na czterdzieści pro- cent. Działalność, którą niech mi wolno będzie nazwać zwykłym lichwiarstwem. Nie, nie lubię Thomàsa, nienawidzę go bardziej niż Gerolama, ojca Montserrat. I na myśl, że w moich żyłach płynie także strużka jego krwi, przechodzi mnie dreszcz.

Nie lubię także Judith. Kiedy próbuję ją sobie wyobrazić, zno- wu widzę kogoś antypatycznego. Twarz bez wyrazu, chmurne spojrzenie, tchórzliwa natura. Być może była stłamszona przez męża, którego się bała i któremu nie umiała się przeciwstawić. Ze sposobu, w jaki poparła, a nawet pochwaliła zachowanie męża w stosunku do Marguerite, z jej wkładu w kalwarię córki wniosku- ję, iż była złą kobietą i że miłość macierzyńska nie miała dla niej żadnego znaczenia. Za to bardzo podoba mi się *Tante* Jacqueline: osoba, o której babcia Giacoma opowiadała same dobre rzeczy. *Tante* Jacqueline nie była piękna, nie da się ukryć. Na twarzy miała fioletowe znamię, na nosie brodawkę, z której wyrastały czarne włoski, a w wyniku jakiejś choroby przebytej w dzieciństwie (po- lio?) jej prawa noga była krótsza od lewej. Innymi słowy, kulała. Dlatego też marzyła o opuszczeniu Ville Sèche, gdzie nazywano ją *avorton*, wyskrobkiem, i nikt nigdy nie poprosił jej o rękę. Była za to dobra, inteligentna i dość wykształcona. W wiejskiej szkole uczyła się z zapałem historii i geografii, języka włoskiego i arytmetyki, w tajemnicy czytała powieści francuskie i doskonale znała *Pustelnię Parmeńską*. Poza tym nie była fanatyczką religijną. Nie przyjmowała doktryny Kalwina z tępotą szwagra i posłuszeństwem siostry. I uwielbiała Marguerite. Uwielbiając, chroniła ją, pomagała jej, i gdyby nie Jacqueline, w 1845 roku nic by się nie zdarzyło. Anastasia nie zostałaby nigdy poczęta, nie narodziłaby się, a w konsekwencji nie przyszłaby na świat także babcia Giacoma. Nie urodziłby się mój ojciec, nie urodziłabym się ja...

W stosunku do miasta, w którym żyły moje poprzednie Ja, mam za to mieszane uczucia. Między mną a Turynem istniał zawsze dziwny związek i za każdym razem, gdy tam wracam, te emocje są coraz mocniejsze. Z jednej strony mam wrażenie, jakbym była tam w domu. Niemal z czułością rozpoznaję ulice, gmachy, bruk, po którym chodziłam, domy, w których mieszkałam. Odczuwam nostalgię, oddychając powietrzem przepełnionym tęsknotą za dawnymi czasami. Z drugiej strony jednak czuję się nieswojo, ogarnięta tą samą melancholią, która dręczyła mnie w kaplicy waldejskiej we Florencji, kiedy ciotka Febe kazała mi śpiewać psalmy.

3

Ach, Turyn, kiedy byłam Marguerite i kochałam mojego pięknego Polaka z Krakowa! Mapa wydrukowana w 1840 roku przez braci Bousard, księgarzy Ich Królewskiej Wysokości, przekazuje mi obraz Turynu jako miasta surowego, sztywnego i ceremonialnego. Miasta, które nie ma nic wspólnego z innymi miastami mojej przeszłości. Poza tym jest maleńkie. Zabudowane na planie bardziej symetrycznym niż szachownica, zamknięte kordonem ulic prostych jak strzał z karabinu, przerywanym z rzadka przez kwadratowe lub prostokątne place. Żadnego okrągłego placyku, żadnego zaułka bez ostrych kątów, żadnej krzywej czy ukośnej ulicy. Każdy szczegół podporządkowany jest surowej geometrii, ulice rozchodzą się równolegle lub prostopadle do siebie, jedyne wklęsłe elementy krajobrazu to dwie rzeki płynące poza kordonem, czyli Dora i Pad. Ten sam pejzaż wyłania się z obrazu namalowanego w 1850 roku przez Alberta Payne'a. Wszystkie budynki wydają się na nim takiego samego kształtu i tej samej wysokości, z tej przygnębiającej monotonii form wyłamuje się tylko kilka kopuł i pięć czy sześć dzwonnic, brak zaś kolorów sprawia, że odnosisz wrażenie, iż masz przed sobą nie tyle miasto, ile jakieś olbrzymie więzienie czy staw. Szare domy, szare pałace, dachy, klomby, szare drzewa ustawione w rzędach jak żołnierze na paradzie. Szara panorama wzgórz na horyzoncie, szare okoliczne pola, szare niebo przecinane przebłyskami błękitu, przygaszonego jednak wielkimi chmurami napęczniałymi deszczem. To wszystko sprawia, że miasto wydaje mi się niemal cudzoziemskie, bliskie Francji i dalekie Włochom. Również językowo. Turyn mówił po francusku. I to nie od czasu, gdy Napoleon zaanektował Piemont, zrobił z niego Republikę Cisalpińską, a potem filię swojego imperium. Od zawsze. Zanim jeszcze wojska króla Słońce przekroczyły Alpy, by umocnić swą władzę i przypomnieć dynastii sabaudzkiej, że jest rodem francuskim, byłymi lennikami Francji. Wystarczy pomyśleć o Emanuelu Filibercie, który w 1568 roku daremnie próbował wprowadzić język włoski do systemu sądowego, przypomnieć sobie Vittoria Alfieriego, który w 1776 roku udał się do Toskanii, aby się „odfrancuzić". Co prawda po upadku Napoleona przywrócony na tron Wiktor Emanuel I narzucił swoistą dwujęzyczność. Prawa i dekrety były teraz redagowane zarówno po włosku, jak i po francusku. Począwszy zaś od Jego Wysokości i królewskiego dworu po duchownych, od szlachty i mieszczan po sklepikarzy, od żołnierzy i policjantów po prostytutki, wszyscy mówili dalej po francusku. Wszyscy. Także Camillo Benso di Cavour, który w razie potrzeby, zwracał się o pomoc do ludzi mówiących lepiej po włosku. „*On dit comme ça? Ça va bien comme ça?* Jak to się mówi? Jak to będzie?" Włoskiego używali tylko pisarze. I zazwyczaj tylko do pisania książek. Ale już nie w rozmowach, dyskusjach, prywatnych i urzędowych listach. Co do plebsu, ten mówił po piemoncku: w dialekcie zrodzonym ze zmieszania się dwóch języków, ale jednak bliższym francuskiemu niż włoskiemu.

Przede wszystkim mapa i obraz pozwalają mi odzyskać pamięć miejsca, w którym nawet nie będąc wyznawcą kalwinizmu i nie mając rodziców takich jak Thomàs i Judith, mało da się znaleźć powodów do radości. W tych czasach Turyn był prowincjonalnym miastem. Stolicą na peryferiach, miejscem bardzo odmiennym od tego, jakim miał się stać w czasach drugiej wojny o Niepodległość i w pierwszych latach po Zjednoczeniu. Nie przypadkiem cudzoziemscy podróżni zatrzymywali się tam tylko na zmianę koni i aby przygotować się do Grand Touru, czyli podróży do Florencji, Rzymu, Neapolu, Wenecji. Massimo d'Azeglio przyznawał, że dusi się tam, a jego szwagierka Constanza określała Turyn jako *monotone et ennuyeuse*, monotonny i nudny. (Zresztą, czy w czasie swoich krótkich pobytów Chateaubriand i Stendhal, madame de Staël, Liszt, Michelet i Balzac nie powiedzieli tego samego?) Przede wszystkim Turyn był sercem królestwa przytłoczonego władzą Kościoła katolickiego i monarchii sabaudzkiej, kołyską państwa zatrutego idiotyzmami biurokracji i militaryzmu, produktem człowieka, którego karbonariusz Giovanni Cantini chciał zasztyletować w Pizie ciosem w plecy lub w brzuch. Bo z pewnością nie można powiedzieć, aby ten król Niezdecydowany, czyli Karol Albert, stawał się z wiekiem lepszy, jak to się dzieje z dobrym winem. W 1845 roku wydawał się wciąż tym samym słabym i chwiejnym władcą, który w 1821 przyłączył się do powstańców, a potem zdradziwszy ich, przekazał władzę stryjowi Karolowi Feliksowi, a raczej Austriakom wezwanym przez Karola Feliksa, pozwolił ich rozstrzeliwać i wieszać, odwołał świeżo ustanowioną konstytucję, po czym zrezygnował z regencji i uciekł do Florencji, by skryć się pod skrzydłami teścia Ferdynanda III. Był także tym samym zarozumiałym dziedzicem, który w 1823 roku zaciągnął się, aby walczyć z hiszpańskimi konstytucjonalistami, i który w 1824 roku podpisał przyrzeczenie, że nie dokona żadnych zmian po wstąpieniu na tron, wstąpiwszy zaś nań w 1831 roku, rozczarował przyjaciół i nieprzyjaciół. W końcu to ten sam bezlitosny monarcha, który w 1833 roku wypędził swego kapelana Vincenza Giobertiego, winnego napisania listu do czasopisma „Młode Włochy", i posłał na szubienicę porucznika Efisia Tolę, winnego rozpowszechnienia dwóch egzemplarzy tego samego pisma, a w 1834 roku skazał na śmierć osiemnaście osób, między innymi Garibaldiego. Nie kochał swojego ludu. Nie dbał nawet o posyłanie go do szkół i o to, by choć trochę ulżyć jego nędzy. Naukę uważał za zaproszenie do ateizmu oraz rewolucji: „Władca potrzebuje poddanych posłusznych, a nie poddanych wykształconych i zuchwałych" — powiadał. Miłosierdzie było jego zdaniem błędem i zachęcaniem plebsu do lenistwa. W istocie pozwalał, aby jezuici karali tych, którzy rozdawali jałmużny, i aby Franzoni grzmiał przeciw czytającym książki: „Mania czytania jest szkodliwa dla porządku publicznego i dla moralności niższych klas". Poza tym Karol Albert stał się większym bigotem i hipokrytą niż ktokolwiek. W dzień zawsze w kościele, w nocy zawsze w burdelu. Pomimo swej nienawiści do Austrii, kraju zagrażającego stabilności jego państwa, po cichu podziwiał skuteczność, z jaką Metternich trzymał żelazną ręką Włochy, i zamienił Turyn w twór, który każdy rozsądny człowiek miał mu za złe: coś pośredniego między klasztorem a koszarami.

Tam do diaska! W Turynie miałeś przecież na karku pięć rodzajów policji. Cywilną, która podlegała ministrowi spraw wewnętrznych, wojskową, pod komendą Ministerstwa Wojny, miejską, przynależną do ratusza, arcybiskupią, podległą kurii, oraz karabinierów, zarządzanych przez samego króla. Jeśli wierzyć świadectwom epoki, najgorsi byli karabinierzy. Ale to kuria była siłą przewodnią, prawdziwą głową tego pięciogłowego potwora, bo nawet karabinierzy słuchali poleceń księży. W ich imieniu wkraczali do domów, przeprowadzali rewizje, konfiskaty, dokonywali aresztowań, a żeby to zrobić, nie musieli przyłapać cię z egzemplarzem „Młodych Włoch" w kieszeni czy pod dywanem. Wystarczyło, że dostrzegli zabronioną powieść albo nakryli cię na jedzeniu mięsa w piątek. *„Vous êtes en train de manger de la viande pendant le Carême: suivez-nous. Vous possédez un livre licencieux: venez avec nous.* Je pan mięso w czasie postu: pójdzie pan z nami. Ma pan nieprzyzwoitą książkę: pójdzie pan z nami". Inni stróże porządku mieli podobne prawa. Dlatego też biada ci, jeśli na widok procesji, konduktu pogrzebowego, pochodu z krzyżem, grupy zakonników nie zatrzymałeś się i nie ukląkłeś. Biada, jeśli na widok karety arcybiskupa, gubernatora czy dygnitarza dworskiego nie uchyliłeś kapelusza, albo chociaż nie zrobiłeś gestu, jakbyś chciał przyklęknąć. W najlepszym razie musiałeś zapłacić grzywnę w wysokości dziesięciu lirów: równowartość tygodniowej płacy robotnika. (To kolejny powód, dla którego waldensi mieli w Turynie trudniejsze życie niż w dolinach). Tyrania Kościoła zjednoczonego z państwem nie oszczędzała zresztą nikogo. Na uniwersytetach wykłady profesorów i teksty studentów były kontrolowane przez jezuitów. Pozwolenie na podjęcie nauczania i na uczęszczanie na lekcje było wydawane przez proboszczów. W akademiach wojskowych, gdzie nawet brak palca wskazującego nie zwalniał od służby, działo się tak samo. Wystarczy pomyśleć, że kadeci musieli każdego ranka chodzić na mszę, każdego popołudnia na nieszpory, a do tego co najmniej raz w roku uczestniczyć w rekolekcjach. Naturalnie nie istniała wolność prasy: każda książka, każdy dziennik, każda kartka były skrupulatnie sprawdzane przez cenzurę kościelną i rządową. (W 1846 roku fanatyczny Franzoni miał zabronić nawet druku niektórych przemówień Piusa IX). Słowa „demokracja" i „republika" były uważane, rzecz jasna, za bluźniercze, każdy postęp za niebezpieczeństwo, każda nowinka za groźbę. (Z nowości telegraf i pociąg: narzędzia szatana, gdyż ułatwiały kontakt z resztą świata. W Toskanii, jak pamiętamy, pierwszą linię kolejową otwarto w 1844 roku. W Turynie pierwszy odcinek drogi żelaznej do Genui zaczął działać dopiero w 1848 roku). Nie koniec na tym — w Turynie, wyraźniej niż w jakiejkolwiek innej części Włoch, społeczeństwo dzieliło się na trzy warstwy: arystokrację, burżuazję i plebs. I nie było nadziei na pokonanie barier między nimi. Z arystokracji (starej i dumnej, feudalnej) pochodzili wszyscy przedstawiciele władzy: ministrowie, sędziowie, dyplomaci, oficerowie, doradcy królewscy. Z burżuazji wszyscy przedstawiciele wolnych zawodów: lekarze, adwokaci, inżynierowie, przemysłowcy, kupcy, właściciele sklepów. Z plebsu wszyscy nieszczęśnicy wycieńczeni pracą, wyrzeczeniami, nędzą.

A jednak było w tym Turynie coś, czego nie znalazłoby się w innych miastach mojej przeszłości. Coś, co czyniło go wyjątkowym i co jeszcze dzisiaj mnie oczarowuje. Być może dziwny urok jego prostych ulic, identycznych domów, ustawionych w rzędach drzew. Godność i przyzwoitość będące rekompensatą za szarość i nudę. Oraz zasługi sławnych osobistości, które na dobre czy na złe miały dokonać zjednoczenia Włoch. Bo oprócz arystokracji tępej i dewocyjnej istniała także arystokracja godna podziwu i szacunku. Dumna, dlatego niezbyt skłonna, by ustąpić miejsca tak zwanym niższym warstwom i zmieszać się z nimi, uparcie monarchiczna, dlatego też zdecydowana popierać dynastę sabaudzką, otwarta jednak na nowe idee i niepozbawiona wartościowych cech. Taki na przykład markiz Roberto d'Azeglio, mąż Constanzy i brat Massima. W 1821 roku Roberto przyłączył się do karbonariuszy, został aresztowany, po czym wydalony do Francji, dlatego też był źle widziany na dworze. Mimo to dalej postępował zgodnie z nakazami swojego sumienia. Wraz z żoną prowadził szkołę wieczorową, w której uczył dzieci oraz dorosłych analfabetów czytania i pisania, założył także zakład dobroczynny, a po cichu starał się przekonać władcę do emancypacji waldensów: przyznania im takich samych praw obywatelskich, jakie mieli katolicy. Co do Massima, to w tych latach był malarzem-który-pisze i przebywał prawie cały czas w Mediolanie, w Rzymie lub w Toskanii. Jego powieści stały się jednak ważnym wkładem w sprawę narodową. W 1833 roku wydał *Ettore Fieramosca*, w 1841 roku *Niccolò de' Lapi*, a teraz kończył książkę o bohaterskim powstaniu w Rimini: *Gli ultimi casi di Romagna* (Ostatnie wypadki w Romanii). Albo taki hrabia Cesare Balbo di Vinadio, kuzyn rodziny d'Azeglio i przyjaciel Vincenza Giobertiego, czy hrabia Cesare Alfieri di Sostegno, kuzyn Costanzy i zaprzysięgły nieprzyjaciel ojca Brescianiego, czyli generała jezuitów. Po stłumieniu rozruchów w 1821 roku Balbo zapłacił za swój udział w węglarstwie wygnaniem, ale nie złamało go ono i w 1844 roku poruszył cały kraj ważną książką *Le speranze d'Italia* (Nadzieje Włoch). Co do Alfieriego, to w 1832 roku odmówił przyjęcia urzędu dworskiego (w służbie księcia Carignano) i poświęcił się studiom ekonomicznym, oświadczywszy: „Przyszłość należy do liberalizmu!". Na koniec — Camillo Benso, hrabia Cavour, i Giulia Colbert, markiza Barolo. Niezwykle inteligentny Camillo, który nikomu nie pozwalał przejrzeć swoich planów i od najmłodszych lat głęboko pogardzał starym porządkiem, już wtedy dokładnie wiedział, do czego dąży. „Gdyby wybuchła u nas rewolucja podobna do tej we Francji, co zrobiliby nasi arystokraci, wspierający się na arogancji zrodzonej ze starożytności rodu, a nie ze swoich prawdziwych cnót? Powiem wam: utonęliby w błocie, które próbują zakrywać medalami, wstęgami, haftami". Wrażliwa Giulia po przeczytaniu *Moich więzień* Silvia Pellica udzieliła autorowi gościny w swoim domu i zamiast używać życia, poświęcała swe dni i majątek na pomaganie więźniom, chorym, sierotom oraz upadłym dziewczętom, które uczyła w swoim pałacu. Obok tych arystokratów burżuazja pod wodzą Lorenza Valeria, postępowego przemysłowca, którego Balbo, Alfieri i rodzina d'Azeglio przyjęli do swego grona i na którego na dworze patrzono jak na nowego Robespierre'a. Valerio założył miesięcznik pod tytułem „Letture Popolari" (Ludowe czytania). A kiedy Franzoni zamknął pismo, Valeriowi udało się otworzyć je na nowo jako „Letture di Famiglia" (Czytania rodzinne), z mottem „Ignorancja jest najgorszym ubóstwem". Co więcej, pokrywając koszty z własnej kieszeni, otworzył publiczne ogrzewalnie, przytulne pomieszczenia, w których zimą pariasi mogli schronić się, pracować i pokrzepić się ciepłą zupą. Oprócz tych mieszczan była też para świętych, którzy nazywali się don Cottolengo i don Bosco, oraz grupa niezbyt odważnych, ale pełnych determinacji zwolenników Mazziniego. Wszyscy ci łagodni buntownicy nie ustawali w wysiłkach, aby coś zmienić na lepsze. Wiercili dziurę w brzuchu Karolowi Albertowi, który pomimo swych wad nie był ślepy i pewnego razu powiedział do ministra sprawiedliwości: *„Mon cher comte, j'ai peur qu'à un moment, donné nous serons obligés de marcher avec le temps.* Drogi panie hrabio, obawiam się, że nadejdzie chwila, gdy będziemy musieli pomaszerować ku nowym czasom". (Proroctwo, które miało się spełnić w 1848 roku, wraz z przyznaniem statutu fundamentalnego).

W Turynie, który Jego Królewska Mość zmienił w coś pośredniego między klasztorem a koszarami, można było jednak spotkać także inne godne pochwały zjawiska. Na przykład niezwykłą czystość w obrębie murów miejskich. Nie znalazłoby się tam żadnego brudnego chodnika, żadnych końskich odchodów na ulicach, ani jednego brudnego kąta czy śmierdzącego zaułka. Miejscy sprzątacze od świtu do nocy zamiatali ulice, zbierali końskie łajno, zakopywali je wraz z innymi śmieciami poza obrębem murów, a mieszkańcy zachowywali się równie wzorowo. Niezależnie od tego, z jakiej warstwy społecznej pochodzili. Poza tym byli tacy eleganccy! Nikt nie ubierał się tam wulgarnie, ostentacyjnie lub po łachmaniarsku albo bez smaku, nikt nie wkładał niechlujnych ubrań. Nawet prostytutki nosiły się z wyrafinowaną elegancją, mężczyźni z plebsu mieli zawsze krawat, garnitur, wąskie spodnie i skórzane buty. Kobiety zaś nosiły nawet kapelusze, a w niedzielę zabierały ze sobą parasolkę i torebkę. Zresztą na przykład do kościoła nie wpuszczano ludzi w łachmanach czy bardzo nędznym odzieniu, a w teatrze także na galerii trzeba było mieć odpowiednio elegancką toaletę. W królewskich ogrodach, które Sabaudowie otwierali dla publiczności od maja do września, *idem*. Kontrolą zajmowali się dwaj strażnicy z karabinem i nadzorca z pistoletem. Turyńczycy byli do tego bardzo dobrze wychowani, powściągliwi tak w języku, jak i w manierach. Niezwykle uprzejmi, przestrzegający savoir-vivre'u, lubili się certować. *„À votre disposition, Monsieur, Madame, je vous en prie. Vous servir est pour moi un honneur. A su' disposisiòn, Monsù, Madamin, per piasì. Servila a l'è dabùn un oner*. Panie, Pani, jestem do dyspozycji. Służyć pomocą to dla mnie zaszczyt". W rezultacie nigdy nie bluźnili, nie rzucali przekleństwami, a kiedy już koniecznie chcieli wyrazić swoją dezaprobatę, używali niewinnego mediolańskiego określenia: *barabba* (barabasz). Poza tym — doskonała kuchnia. Do licha, w Turynie dobrze się jadło i jeszcze lepiej piło! Wyborne wina, pasztety, trufle, smakołyki godne Brillata-Savarina. I wyrafinowane słodycze: wyroby cukiernicze przewyższały *patisseries* z Paryża, a czekolada nie miała sobie równych na świecie. (Kto wymyślił *gianduiotti*, pralinki, czekoladki migdałowe, orzechowe, cedrowe, pistacjowe, pomarańczowe, z koniakiem, z winem maraschino? Kto udoskonalił biszkopty i karmelki, kto wymyślił *bicerin*, czyli napój na bazie kawy, mleka i kakao z domieszką likieru?) Na koniec fakt, że każdy mógł mieszkać tam, gdzie mu się podobało. Rzecz niezwykła, prawie nie do wiary w mieście tak bardzo podzielonym wskutek skłonności do dyskryminacji. Tymczasem jeśli nie liczyć żydowskiego getta, utrzymywanego i bronionego przez samych Żydów, bo pozwalało im ono lepiej chronić własne prawa i obyczaje, nie istniały osobne dzielnice czy części miasta przeznaczone dla danej grupy społecznej albo religijnej. To znaczy dzielnice dla katolików, dla waldensów, ulice dla szlachetnie urodzonych i dla plebsu, domy dla bogaczy i domy dla nędzarzy. Wszyscy mieszkali obok siebie. Chyba że chodziło o pałac zamieszkiwany przez jedną rodzinę i jej służbę, tak jak w przypadku Palazzo Cavour. W każdym innym budynku żyli ludzie najrozmaitszej proweniencji — i mniejsza z tym, że ta mieszanina zajmowała miejsca według ściśle wytyczonych reguł. Na parterze kupcy i ich sklepy albo rodziny odźwiernych lub woźniców opiekujących się powozami parkowanymi na dziedzińcu. Na półpiętrze służba. Na pierwszym piętrze (często także na drugim) właściciel domu, którym zwykle był jakiś arystokrata lub mieszczanin z czcigodnego rodu. Piętro wyżej — zamożni najemcy. Jeszcze wyżej, na piętrze podzielonym na dwa mieszkania, pośledniejsi lokatorzy. Na ostatnim piętrze, czyli na strychu, mieszkali ubodzy. Czasami, co prawda, biedni i niezbyt zamożni najemcy używali schodów dla służby i przechodzili przez dziedziniec. Właściciel i dobrze sytuowany lokator wchodzili zaś głównym wejściem i korzystali ze schodów od frontu. Jednak w większości przypadków wszyscy posługiwali się tym samym wejściem i tymi samymi schodami. Co więcej: każdy lokator mógł podnająć jeden ze swoich pokoi, a nawet wywiesić ogłoszenie na dziedzińcu: *„Au quatrième étage, chambre à sous-louer.* Na czwartym piętrze pokój do podnajęcia".

Zgodnie z tym, co mówił niski i smutny głos babci Giacomy, Ferrierowie mieszkali na czwartym piętrze przy via Dora Grossa 5 — prawie na rogu z Piazza Castello, placu, na którym wznosi się Palazzo Madama i pałac królewski, i o parę kroków od Piazza San Carlo. Był to więc szacowny adres, a do tego nie zapominajmy, że w 1845 roku via Dora Grossa była piękną ulicą. Stały przy niej stare kościoły, historyczne gmachy. Wyróżniała się też wyrafinowaniem. Nie było tam na przykład sklepów spożywczych. Żadnych podrzędnych oberży. Były za to zakłady jubilerskie i słynne kawiarnie, takie jak Café des Alpes czy Caffè Barone. Ta ostatnia w południe zmieniała się w restaurację, do której uczęszczali sędziowie i adwokaci. (Dzisiaj via Dora Grossa nazywa się via

Garibaldi i wraz z elementami współczesnej wulgarności przybyło jej także ohydnych gmaszysk, powstałych na miejscu budynków zbombardowanych w czasie drugiej wojny światowej). Piękna była także kamienica stojąca pod numerem 5. Kamienne ściany, balustrady balkonów z kutego żelaza, kunsztownie zdobiona brama wejściowa, a w środku marmurowe schody, z których właściciel, czyli markiz Cacherano d'Osasco, pozwalał korzystać wszystkim mieszkańcom. Także rodzinie Ferrier. W istocie markiz nie traktował ich jak niepożądanych poddanych, niemile widzianych gości. Tak samo zachowywali się sąsiedzi (jak wynika z archiwów, na drugim piętrze mieszkał dyplomata z francuskiej ambasady, na trzecim właściciel cukierni i dyrektor szkoły tańca, na czwartym zegarmistrz, na ostatnim praczka i niewydarzony malarz). Jeśli wierzyć opowiadaniom babci Giacomy, wszyscy lokatorzy byli tak tolerancyjni, że kiedy w piątek dochodząca pomoc domowa gotowała mięso, ograniczali się do cichego ostrzeżenia: „*Attention, bonne femme*, czuć zapach". Nie protestowali, kiedy Thomàs ogłuszał ich swymi hymnami. Mieszkanie było duże: dwa razy większe od mieszkania zegarmistrza, który zajmował dwie izby. Składało się z obszernego salonu, w którym wieczorem czytano Biblię i *Livre de famille*, z kuchni, gdzie przed rozpoczęciem posiłku odmawiano modlitwy dziękczynne, z łazienki z wanną z mosiądzu oraz z czterech sypialni. Jednej dla małżonków, jednej dla *Tante* Jacqueline, jednej dla Marguerite i ostatniej, którą Thomàs podnajmował przejezdnym obcokrajowcom. Szczególnie takim, którzy zdawali się mieć coś do ukrycia. Fałszywy paszport, jakąś tajną misję, cichą potrzebę, by nie dać się zauważyć przez policję. Powodem takich preferencji Thomàsa, podwójnie niebezpiecznych w przypadku heretyka, czyli człowieka nielubianego przez władze, było to, że tacy goście płacili bez sprzeciwu wygórowane kwoty za pokój. Zwykle osiemdziesiąt lirów za miesiąc lub dwadzieścia za tydzień — cena dobrego hotelu w centrum. Od Polaków, ultrakatolickich Polaków, żądał jednak jeszcze więcej. Na nic się zdawały wyrzuty *Tante*

Jacqueline, nazywającej go *usurier*, lichwiarzem, *vous-n'avez-pas--honte*, jak-wam-nie-wstyd. Judith stawała po stronie męża: *„Nous avons besoin d'argent pour la dot de notre fille!* Potrzebujemy pieniędzy na posag dla naszej córki!".* I tak oto pewnego sierpniowego wieczoru służąca wprowadziła do salonu rodziny Ferrier pięknego młodzieńca, mówiącego po francusku ze słowiańskim akcentem. Stanisława Gurowskiego, czy też Rogowskiego albo Żakowskiego. Mojego polskiego prapradziadka.

„*Bonsoir Monsieur, Mesdames. C'est ici qu'on loue la chambre pour les étrangers?* Czy tutaj jest do wynajęcia pokój dla cudzoziemców?"

O tak, był to urodziwy młodzieniec. Wysoki i szczupły nerwową chudością, o jasnych włosach, brodzie i wąsach barwy zboża, wklęsłych policzkach, wyrazistych kościach policzkowych (kości policzkowe Antastasii), błękitnych oczach, zmysłowych ustach. Elegancki z domieszką wyniosłości. Zadając pytanie, stuknął obcasami, skłonił się lekko, a kiedy to czynił, jego oczy napotkały wzrok Marguerite, która spojrzała na niego, jak gdyby pojawił się przed nią książę z bajki.

4

Mówię Gurowski, Rogowski albo Żakowski, bo dokładnej pisowni nie umiem odtworzyć. Dla tych, którzy nie znają języków Europy Wschodniej, te wszystkie nazwiska pełne W, K, Z, potrójnych i poczwórnych spółgłosek, niewymawialnych zbitek, brzmią podobnie. Zresztą nie mam nawet dowodu, że było to jedno z tych trzech. Jeśli podróżował z fałszywym paszportem, to prawdziwe nazwisko mogło brzmieć Pietkiewicz, Cymbryziekiewicz czy Marzulewicz. Na imię miał Władysław, Maksymilian lub Leon. (Hipotezy, które odbierają sens wszelkim próbom poszukiwań. Dla mnie zresztą pozostał on na zawsze po prostu prapradziadkiem Stanisławem). Niski i smutny głos opowiedział mi za to wystarczająco dużo, bym mogła zrozumieć krótką egzystencję, jakiej doświadczyłam poprzez niego i u boku sławnego Edwarda Dembowskiego. Stanisław pochodził ze średnio zamożnej szlacheckiej rodziny z Krakowa, opowiadała babcia Giacoma, która uzyskała te informacje od Anastasii, poinformowanej z kolei przez *Tante* Jacqueline. Rodzina składała się z rodziców i czterech sióstr, posiadała niewielki majątek ziemski w Galicji i mieszkała w kamienicy przy ulicy Floriańskiej, gdzie wśród służby byli nawet ochmistrz i woźnica. Jednym słowem, pochodził raczej z zamożnego domu. Mógłby prowadzić wygodne życie paniczyka. Zamiast tego był rewolucjonistą i pełnił obowiązki emisariusza, czyli tajnego agenta w ruchu oporu. Bo Polakom nie wiodło się lepiej niż Włochom. W 1772 roku Austria, Prusy i Rosja zaczęły rozczłonkowywać Polskę, pożerać ją, a w 1795 roku nawet zniknęła ona z map Europy. W okresie napoleońskim na chwilę można było wierzyć, że się odrodzi, ale po Waterloo nadzieje te zgasły i kongres wiedeński zatwierdził rozbiory. Część południowa, czyli Galicja i Lodomeria, przypadły Austrii. Część północno-zachodnia, czyli Wielkopolska, Prusom. Część północno-wschodnią, to znaczy byłe Księstwo Warszawskie, dostała Rosja. A historyczne miasto Kraków wraz z najbliższą okolicą, około tysiąca dwustu kilometrów kwadratowych i dziewięćdziesięciu pięciu tysięcy mieszkańców, zostało tak zwanym wolnym miastem, które wolne nie było w żaden sposób. Kontrolowały je „państwa opiekuńcze", car rosyjski, król pruski i cesarz Austrii, a jego istnienie było po prostu wybiegiem politycznym, mającym uniemożliwić jednemu z tych trzech mocarstw przyłączenie go do własnego terytorium. (Głównym pretendentem była Austria. Nie przypadkiem Mazzini twierdził, że kwestia polska jest ściśle powiązana z kwestią włoską, dlatego też polscy i włoscy patrioci powinni walczyć razem. W rezultacie w 1834 roku przyczynił się do powstania organizacji Młoda Polska — wraz z Młodymi Włochami najważniejszej komórki założonej przez niego Młodej Europy).

Babcia Giacoma nie mówiła, czy rodzice Stanisława podzielali jego poglądy, czy to oni wpoili mu patriotyczny zapał. Jedyny szczegół na ich temat przekazany poprzez opowieść *Tante Jacqueline*, to ich imiona: ojciec nazywał się Piotr, a matka Nastka. Zdrobnienie od Anastazja. W każdym razie podejrzewam, że opowieści o ojczyźnie Stanisław słuchał od dzieciństwa. Czyli od roku 1830, kiedy kadeci ze szkoły wojskowej w Warszawie zapoczątkowali powstanie, które przekształciło się w regularną wojnę trwającą prawie rok, lecz w końcu przegraną. W 1831 roku Rosjanie na nowo wkroczyli do Warszawy i narzucili tam reżim jeszcze surowszy niż wcześniej. Masowe rozstrzeliwania, wywózki na Syberię, rozwiązanie wojska polskiego, zakaz używania języka polskiego w szkołach, na uniwersytetach i w urzędach, nakaz mówienia i pisania wyłącznie po rosyjsku. Co do części pruskiej i austriackiej, z których wyruszyli liczni ochotnicy na pomoc powstańcom, to także bezlitośnie przykręcono tam śrubę. Aresztowania, procesy, konfiskaty. Tysiące emigrowały za granicę. Oficerowie, którzy brali udział w powstaniu, generałowie, tacy jak Chłopicki, Mierosławski i Chrzanowski, którzy nim dowodzili. Poeci, tacy jak Mickiewicz, Słowacki i Krasiński, którzy je opiewali. Muzycy, jak Chopin, historycy, jak Lelewel, arystokraci, jak książę Adam Czartoryski. W większości udali się do Paryża. Inni wyjechali do Szwajcarii, do Belgii, do Anglii, do Toskanii, gdzie w swoim czasie mieszkał Aleksander Walewski, syn Napoleona i Marii Walewskiej. Wielu jednak schroniło się w Krakowie, mieście, które dzięki swej pseudoautonomii stało się ośrodkiem ideologicznym ruchów niepodległościowych. I pozostali tam także wtedy, gdy od 1836 do 1841 roku okupowały je wojska austriackie. W 1838 roku Stanisław miał już czternaście lat. W 1841 miał lat siedemnaście i studiował literaturę (europejską) na Akademii Krakowskiej, będącej kolebką buntowników, którzy odrzucali nie tylko obcą okupację Polski, ale i jej feudalne zacofanie: z jednej strony arystokracja ciesząca się wszystkimi przywilejami bogactwa, z drugiej ciemny plebs umierający z głodu, a pomiędzy tylko nieliczni rzemieślnicy i sklepikarze. Sądzę więc, że właśnie w tym okresie, w czasie studiów uniwersyteckich, Stanisław stał się rewolucjonistą i emisariuszem. Wzrusza mnie to, gdyż emisariusze odgrywali szczególną rolę w ruchach rewolucyjnych. Inteligentni i odważni, przebrani za wieśniaków udawali się na wieś, by szerzyć propagandę wśród chłopów pańszczyźnianych, przebrani za wielmożów podróżowali za granicę, by przemycić tajne przesyłki, szukać pieniędzy, politycznego poparcia, namawiać do powrotu do ojczyzny wygnańców gotowych do walki, i nierzadko skazani za szpiegostwo kończyli życie na szubienicy lub ginęli w ciemnym zaułku.

„Znacie Morawca, starca, górala / Znacie żebraka, kominiarczyka / Węgra, Cygana, Włocha, Moskala, / Co ledwie przyjdzie, natychmiast znika, / Co dziś jak flisak do Gdańska płynie, / Jutro jak handlarz do Węgier zmierza, / Co dziś w Stambule, jutro w Londynie / Dziś u wieśniaka, znów u Papieża / dziś w głębi Litwy, jutro w Poznaniu, / A wszędzie mówi o zmartwychwstaniu. / Znacie człowieka, co zaparł siebie / Co dla ojczyzny, braci, wolności / Przebiegł pół świata o suchym chlebie / Wyrzekł się żony, dziatek miłości / Co mu wiatr zesiekł wychudłe lica, / Chlebem powszednim — cierpienia, troski, / Uściskiem stryczek, grób, szubienica; / To emisariusz Edward Dembowski / Co za to wszystko w chwili skonania / Chce tylko słyszeć dzwon zmartwychwstania", pisze w wierszu *Emisariusz* poeta Władysław Ludwik Anczyc, aby wycisnąć czytelnikowi łzy z oczu.

Podejrzewam też, że do Turynu wysłał Stanisława właśnie Dembowski. Bo w Krakowie działały co najmniej trzy tajne partie. Konserwatywna Czartoryskiego, który ze swej słynnej rezydencji Hôtel Lambert w Paryżu rządził polską emigracją we Francji. Umiarkowana Lelewela, wydalonego z Francji w 1834 roku i kierującego teraz z Brukseli ruchem Młodej Polski, oraz radykalna partia Dembowskiego, czyli Towarzystwo Demokratyczne Polskie.

Jestem jednak pewna, że Stanisław nie współpracował z frakcją Czartoryskiego: konserwatysty, byłego ministra spraw zagranicznych w Petersburgu, wysługującego się Rosjanom, oskarżanego nie bez podstaw o ambicję zajęcia tronu wakującego po wymuszonej abdykacji Stanisława Augusta Poniatowskiego. Nie wydaje mi się także, by Stanisław należał do partii Lelewela, potępianego przez wszystkich za swoją współpracę z Mazzinim (Młoda Polska straciła wiarygodność zarówno w kręgach prawicowych, jak i lewicowych oraz umiarkowanych. W Mazzinim widziano mistyka bez pojęcia o rzeczywistości, generała bez żołnierzy, fanatyka, który nie potrafi nic zrealizować — i wszystko to odbijało się negatywnie także na Lelewelu). Dembowski natomiast był uważany, zwłaszcza przez swoich rówieśników, za kogoś w rodzaju świętego i geniusza. W 1843 roku miał zaledwie dwadzieścia trzy lata, ale już od co najmniej pięciu lat pisał ważne rozprawy filozoficzne, obracał się w kręgach intelektualnych i mimo iż wywodził się z arystokratycznej rodziny, nie oszczędzał się w pracy dla sprawy. Za własne pieniądze założył w Warszawie miesięcznik „Przegląd Naukowy", który po wydaniu kilku numerów stał się głównym organem myśli postępowej i który o mały włos nie kosztował Dembowskiego wywózki na Syberię. Po ucieczce przed aresztowaniem schronił się w Poznaniu, gdzie sprzymierzył się z Walentym Stefańskim, liderem Związku Plebejuszy, ruchu jeszcze bardziej lewicowego niż Towarzystwo Demokratyczne, i z jego przyjacielem Kamieńskim, który z okrzykiem „Niech żyje Madonna!" prowadził działalność propagandową wśród biedaków na wsi. Wydalony z Poznania, Dembowski zaczął podróżować po Europie i walczyć tak, jak opisał to Anczyc. Potem osiedlił się w Galicji i często udawał się do pobliskiego Krakowa, gdzie — jak szeptano — od jakiegoś czasu pewien student z ulicy Floriańskiej zastąpił go w wypełnianiu zadań emisariusza. (Stanisław Gurowski czy Rogowski lub Żakowski, albo może Pietkiewicz...?) No cóż, w lecie 1845 roku Stanisław miał ważny powód, by wymienić Dembowskiego w realizacji ważnej misji emisariusza. Na wiosnę Stefański i Kamieński oświadczyli, że chcą podburzyć masy chłopskie przeciw panom, toteż aby przeszkodzić wybuchowi wojny domowej w miejsce wojny narodowej zarówno konserwatyści, jak i umiarkowani oraz radykałowie zdecydowali o rozniecieniu jednoczesnego powstania we wszystkich trzech zaborach. Za namową Dembowskiego przyłączył się do nich Związek Plebejuszy, i głusi na rady Mazziniego nie-róbcie-tego, jeszcze-za-wcześnie, nie-jesteście-gotowi, razem ustalili datę tak wczesną, że zakrawała na samobójstwo. Koniec stycznia lub połowa lutego 1846 roku. Gorzej: z powodu przedwczesnych zamieszek, wewnętrznych kłótni i wynikłego z nich chaosu dziwny alians wydał wielu plotkarzy, niezdolnych do zachowania tajemnicy. Szykujemy-powstanie, wypędzimy-najeźdźcę, na-początku-przyszłego-roku-będzie-gorąco. Ostrzeżone Austria, Rosja i Prusy były gotowe do zdławienia rozruchów, ale ponieważ już wrzało, powstańcy nie mogli się wycofać. A zwłaszcza główny twórca dziwnego sojuszu. W rezultacie Dembowski rozpaczliwie potrzebował pomocy. Ludzi, pieniędzy, wsparcia politycznego, dyplomatycznego, wojskowego...

Z Turynu? No tak. Jeśli przeczytamy dokumenty z epoki, przede wszystkim relacje z ambasad, od razu staje się jasne, że dla polskich powstańców skromne królestwo Sabaudów stanowiło jedyną nadzieję. Wierzyli, że gdy tylko wybuchnie powstanie w Warszawie, Krakowie i Poznaniu, zbuntują się także Lombardia i Wenecja, a Piemont pospieszy im ze zbrojną pomocą. W rezultacie Austria będzie zmuszona walczyć na dwóch frontach. Nie oznacza to, że Polacy kochali Karola Alberta — nic takiego. Dla sprawy polskiej nigdy nie ruszył on palcem, nielicznych wygnańców z Polski trzymał pod ścisłym nadzorem, a jego absolutyzm nie miał nic wspólnego z ideałami Dembowskiego, Stefańskiego czy nawet Lelewela. Jednakże Karol Albert nienawidził Rosjan, nie znosił Prusaków i mimo iż jego żona pochodziła z dynastii Habsburgów-Lotaryńskich, miał na pieńku z Austriakami. (Czy to nie Austriacy wezwani przez jego stryja Karola Feliksa upokorzyli go i zmusili do zrezygnowania z regencji w 1821 roku?) Nienawidził ich do tego stopnia, on, filofrancuski, wychowany we Francji, mówiący, piszący i myślący po francusku, że odstręczał go nawet dźwięk niemieckiej mowy. „C'est la langue barbare d'un peuple barbare. To barbarzyński język barbarzyńskiego narodu". A o swojej żonie mówił przy każdej okazji: „Elle ne connaît pas allemande. Elle est Florentine. Nie zna niemieckiego. Jest florentynką". Poza tym dysponował sprawną armią, która była w stanie stawić czoło Radetzkiemu, i pomijając jego osobistą antypatię do Austriaków, był jedynym włoskim władcą, dla którego korzystne byłoby wdanie się z nimi w wojnę. Czyż to nie oczywiste, że dzięki interwencji w Lombardii i Wenecji Sabaudowie mogliby rozszerzyć swoje wpływy poza Piemont, Ligurię i Sardynię, staliby się przywódcami ruchu niepodległościowego i zjednoczeniowego i na koniec nałożyliby na głowę koronę Włoch? Jakby tego było mało, w Turynie mieszkali hojni liberałowie, którzy stali po stronie uciśnionych i wytrwale próbowali przekonać o swoich racjach Jego Królewską Mość. Nie mam wątpliwości, że Stanisław przybył do Piemontu z jakimś listem do nich, zawierającym prośbę o poparcie, tak rozpaczliwie potrzebne w Krakowie, Warszawie i Poznaniu. Kiedy w rodzinie była mowa o polskim prapradziadku, rozmowa schodziła zawsze na Silvia Pellica, Cesare Balba czy Roberta i Massima d'Azegliów albo Lorenza Valeria. Napełniało mnie to wielką dumą, bo w szkole czytaliśmy Moje więzienia Silvia Pellica i I miei ricordi (Moje wspomnienia) Massima d'Azeglia. Balba nie czytało się co prawda nic, a o Valeriu nawet się nie wspominało. Mój ojciec miał jednak w swojej bibliotece książkę Pensieri ed esempi (Myśli i przykłady) Balba oraz jeden numer „Lektur ludowych". Ergo: jeśli chodzi o pamiętną podróż, będącą ogniwem niekończącego się łańcucha, który doprowadził do mojego przyjścia na świat, pozostaje tylko pytanie, dlaczego przy tak dużej liczbie turyńczyków wynajmujących pokoje przyjezdnym emisariusz Gurowski czy Rogowski lub Żakowski trafił właśnie do domu kalwinisty, nienawidzącego katolickich Polaków tak bardzo, że żądał od nich paskarskich cen za nocleg. Czy też, mówiąc ściślej, do domu człowieka mającego córkę prawie w wieku do zamążpójścia.

Ale próba odpowiedzi na takie pytanie byłaby równie trudna jak próba zrozumienia, dlaczego 25 sierpnia 1773 roku niejaki Masi z Ponte a Rifredi przeszedł właśnie przez Piazza della Signoria. Swoją historyjką o gwiazdach spadających w Wirginii na głowy wieśniaków doprowadził do dezercji grupki zwerbowanej przez Filippa Mazzeiego i w rezultacie Carlo czekał na próżno pod Loggią dei Lanzi. Zamiast wyjechać do Ameryki i ożenić się z Amerykanką, wrócił do Vitigliano di Sotto i poślubił Caterinę. Równie dobrze można by próbować zrozumieć, dlaczego Montserrat wsiadła właśnie na żaglowiec, na którym płynął Francesco. Albo dlaczego Giovanni musiał udać się do Lukki właśnie w ten sam dzień, w który jego szwagierka Teresa jechała tam do klientki na przymiarkę sukni z rękawami *gigot*. Albo dlaczego Maria Rosa trafiła właśnie do domu Giobatty. Dlaczego, przedtem i potem, inni moi przodkowie, inne ogniwa w łańcuchu, spotkali się lub mieli spotkać. Wracam zatem na via Dora Grossa, gdzie przystojny młodzieniec mówiący po francusku ze słowiańskim akcentem wynajął *la-chambre-pour-les-étrangers*. Sto lirów za miesiąc, bo paszport opisuje go jako Polaka, czyli katolika, ponadto dziesięć lirów tygodniowo za *petit déjeuner*, śniadanie, i ewentualne kolacje jedzone wraz z rodziną Ferrier po wyrecytowaniu za każdym razem stosownych psalmów. I w chwili, gdy jego oczy spotkały oczy Marguerite, a ona odwzajemniła mu się takim, a nie innym spojrzeniem, wiemy, że zdarzyło się coś, co nie miało nic wspólnego z powstaniem w Polsce, z Rosjanami, Prusakami, Austriakami, Piemontczykami, waldensami, dynastią sabaudzką, papieżem, Kalwinem, wolnością, ze sprawiedliwością, z ojczyzną. Rozpaliło się tajemnicze, nieprzeniknione, nieprzewidziane, nieopanowane, ślepe i często niepożądane uczucie, które nazywamy Miłością. Krótko mówiąc, zakochali się od pierwszego wejrzenia!

* * *

„Unissons-nous pour bénir notre Père dont la bonté ne nous laisse jamais. Zjednoczmy się, aby błogosławić Ojca, którego dobroć nigdy nas nie opuszcza". Spojrzenie... *„Ouvrant sa main, Il verse sur la terre mille trésors, qui comblent nos souhaits.* Otwierając dłoń, spuszcza On na ziemię tysiąc skarbów, które zaspokajają nasze potrzeby". Spojrzenie... *„C'est à toi Père de notre grâce, que nous devons chacun de nos repas.* Tobie łaskawy Ojcze zawdzięczamy każdy nasz posiłek". Spojrzenie...

Przypuszczam, że na początku tajemne uczucie wyrażali właśnie w ten sposób, kiedy spotykali się na *petit-déjeuner* lub na kolacji albo gdy wymieniali grzeczności, mijając się w korytarzu. *„Bonjour, Monsieur". „Bonsoir Mademoiselle".* W owych czasach zakochani nie zachowywali się z brutalną bezpośredniością typową dla współczesności. Nie decydowali się od razu na szybki numerek za drzwiami czy pod ścianą. Już pocałunek był wstrząsającym i kompromitującym aktem zuchwałości, cielesne obcowanie brzemienną w skutki decyzją, a miłość potrafiła wyrazić się nawet bez dotyku. Nie sądzę zresztą, by młodzieniec taki jak Stanisław i dziewczę takie jak Marguerite mogli łatwo pokonać przeszkody stojące na drodze do mniej platonicznego związku. W jej przypadku przeszkody wynikające z nieubłaganej surowości Thomàsa i Judith oraz z czułej opieki *Tante* Jacqueline. W jego przypadku obowiązki związane z powierzoną mu misją i z wynikającymi z niej rozczarowaniami. Tajni agenci risorgimenta byli ludźmi odpowiedzialnymi i podchodzili do swoich zadań z iście żołnierską powagą. To jednak nie wystarczało, by wypełnić je pomyślnie, i podejrzewam, że w ciągu pierwszych tygodni emisariusz Gurowski czy Rogowski albo Żakowski miał na głowie inne sprawy niż uwodzenie małej waldenski. Musiał na przykład stawić czoło rozczarowaniom swej podróży. Widzę go, jak spędza dnie i noce z wygnańcami mieszkającymi w Turynie, głównie oficerami rozwiązanego wojska polskiego, czyli z ludźmi, którzy na wojennym rzemiośle znają się jak mało kto. W suterenie na via Porta Nuova, jak wynika z raportów kwestury przechowywanych w Archiwum Państwowym, mieszka stroiciel fortepianów Lew Ospeziewski, który w 1830 roku był w Warszawie porucznikiem 4 pułku piechoty. Poddasze na via Po zajmuje tapicer Karol Froziński, który w 1831 roku jako wolontariusz z Krakowa uczestniczył w bitwie pod Ostrołęką. W nędznym mieszkaniu na via Emanuele Filiberto mieszkają Józef Kiaruwski, Florian Popowski i Leon Dewnerowski: trzej tragarze, którzy jako oficerowie kawalerii w tej samej bitwie stawiali heroicznie czoło hordom Kozaków. Wszyscy oni w tajemnicy przed policją pięciu rodzajów zbierali się od czasu do czasu, by wymienić wieści lub marzyć o zemście i dalszej walce. Dlatego też Dembowski chciał ich widzieć z powrotem w kraju, by dać im do rąk karabiny i wykorzystać ich doświadczenie wojskowe. Problem w tym, że mieszkali tu często od dziesięciu lat, niektórzy założyli rodziny, innym urósł brzuch. Pogodzili się z szarością przegranej, ugięli się przed smutną rzeczywistością i przekonanie ich do powrotu nie było łatwym zadaniem.

Widzę także Stanisława w Palazzo Barolo, czyli u Silvia Pellica, który w 1845 roku ma pięćdziesiąt sześć lat i jest podziwianym przez wszystkich weteranem walki niepodległościowej. Legendą znaną nawet w Ameryce, mitycznym bohaterem, któremu turyści oddają hołd z kapeluszem w ręce. Niestety bohaterowie nie są wieczni. Jeśli nie umierają, tyją i leniwieją. Po napisaniu słynnej książki były więzień Spielbergu zmienił się w bojaźliwego i nudnego bigota, człowieczka pragnącego tylko służyć Kościołowi i być godnym markizy Giulii. Dwa lata wcześniej zerwał przyjaźń z Vincenzem Giobertim, który na wygnaniu zadedykował mu książkę *Del primato morale e civile degli Italiani* (O moralnym i politycznym prymacie Włochów) i w pochwalonym przez arcybiskupa artykule podjął obronę jezuitów, polemizując z opinią Gobertiego, że należy odsunąć ich od władzy. „Drogi Vincenzo, odrzucam twoją dedykację". Dlatego też Pellico niechętnie, tylko z czystej uprzejmości, przyjmuje młodziutkiego gościa, który przybył z Krakowa i przywiózł mu list od rewolucjonisty. Tłumiąc rozdrażnienie, prowadzi go do swojego pokoju, ciemnego i spartańskiego, w którym króluje surowy klęcznik. Zakłada okulary i w pośpiechu czyta to, o czym wolałby nie wiedzieć. Potem wydaje z siebie dźwięk, który zdaje się ćwierkaniem umierającego wróbla, i komentuje: *„Jeune homme, la politique ne m'intéresse plus*. Młody człowieku, polityka już mnie nie interesuje". Stanisław odchodzi pokonany, z pochyloną głową. Widzę go także na corso San Maurizio, w domu Lorenza Valeria, który dzięki Bogu zachowuje się zupełnie inaczej. Valerio ma trzydzieści pięć lat, piękną głowę rozgniewanego lwa i odwagę godną swego wielkiego ducha. Poza tym, zanim został przemysłowcem i właścicielem tkalni jedwabiu, która uczyniła go bogatym, przez długi czas przebywał w krajach słowiańskich. Dobrze zna Polaków, wie nawet, że chcą rozniecić nowe powstanie, i przyjmuje *jeune homme* z otwartymi ramionami. Rycząc gromko *„venez-venez*, proszę wejść", popycha go do pokoju pełnego słońca, zakazanych ksiąg i źle widzianych pism. Na stole leży oświetlona dwiema lampami gazowymi (gazu jeszcze nikt w Piemoncie nie używa) czaszka, którą Valerio pokazuje Stanisławowi ze złośliwym uśmiechem: „Uwielbiam wyobrażać sobie, że należy do Metternicha. Ale mogłaby też być czaszką cara". List Dembowskiego czyta z uwagą i entuzjazmem, po czym obiecuje, że przekaże na cel sprawy dużą kwotę, potrzebną na zakup broni w Stambule, a następnie przemycenie jej przez Morze Czarne i lasy Mołdawii do Galicji. Swemu nowemu protegowanemu obiecuje również, że przedstawi go Cesare Balbowi i braciom d'Azeglio. Zwłaszcza Massimowi, który nie podziela stanowiska Pellica, chce włączyć się do polityki i ma posłuch u władcy. Massimo nie mieszka w Turynie, mieście, które nazywa miejscem-gdzie-można-się-zaziewać-na-śmierć. Pod pretekstem zajmowania się pisarstwem i malarstwem, a w rzeczywistości po to, by być na bieżąco z ważnymi zdarzeniami, wałęsa się po całych Włoszech. Obecnie znajduje się w Rzymie, gdzie Grzegorz XVI stoi nad grobem i gdzie wkrótce będzie się wybierać nowego papieża. We wrześniu jednak przyjedzie, by dokonać renowacji niektórych obrazów w pałacu królewskim, zobaczy się z Karolem Albertem i po raz kolejny będzie go urabiać do swoich racji. Do sprawy Polski, Królestwa Lombardzko-Weneckiego, wojny z Austrią. *N'est-pas?* Tak więc widzę też Stanisława, jak zanosi list do Cesare Balba i przygotowuje się do spotkania z wpływowym Massimem d'Azeglio. Wszystkie te zadania są zbyt ważne, zbyt delikatne, by został mu czas na związek miłosny wykraczający poza ukradkowe spojrzenia w czasie kolacji i śniadań. A jednak, a jednak, ten platoniczny okres nie trwał długo. Gdyż *chambre--pour-les-étrangers* znajdowała się między pokojem Marguerite i pokojem *Tante* Jacqueline, a nie obok sypialni Thomàsa i Judith. Gdyż *Tante* Jacqueline miała miękkie serce i twardy sen. Inaczej mówiąc, nie sprzeciwiała się sielance siostrzenicy, nie pilnowała jej wcale. I pod koniec października Marguerite wiedziała już, że oczekuje dziecka. *J'attends un enfant, mon amour.*

Przechodzi mnie dreszcz, gdy o tym opowiadam. A wraz z nim także żal do Stanisława. Tak, był niezbędnym ogniwem w nieskończonym łańcuchu, ale to nie cyrenaik zmuszony wyrzec się uczuć! Nie męczennik, dla którego ostatnim uściskiem jest sznur na szyi, szubienica! Kto jest tutaj ofiarą: piękny młodzieniec, który zginie za sześć miesięcy, czy dziewczątko, które urodzi dziecko za miesięcy osiem czy dziewięć? W ciąży w wieku szesnastu lat, mój Boże! W dodatku niezamężna, heretyczka zdana na okrutnego ojca i bezlitosny nadzór kurii! Czyżby melancholia, którą jako dziecko odczuwałam w kaplicy waldensów we Florencji nie była zrodzona z ponurości nagiego pomieszczenia umeblowanego tylko twardymi ławkami i wielkim krucyfiksem, ale wywodziła się ze wspomnienia czasów, gdy zaszłam w ciążę w wieku szesnastu lat, nie mając męża i będąc heretyczką? O ślubie z młodzieńcem odpowiedzialnym za mój stan nie mogło być mowy. Choćby nawet nie był przejezdnym cudzoziemcem, tajnym agentem podróżującym prawie na pewno z fałszywym paszportem, każdy ksiądz i każdy pastor odmówiłby udzielenia ślubu katolikowi i protestantce, heretyczce. Było to niezgodne z prawem. Było niedopuszczalne, niemożliwe, nie do pomyślenia. Dla jednych i dla drugich. Nawet liberałowie byli w tej sprawie nieubłagani. Costanza d'Azeglio, ta niezwykle inteligentna Costanza, która potępiała krynolinę, protestując — przecież-to-epoka-kolei-żelaznej, trzeba-być-nowoczesnym — i ona nie pozwalała i nigdy nie miała pozwolić swemu synowi Emanuelowi na poślubienie protestantki. Biedak był dyplomatą i dlatego spędzał długie okresy w takich protestanckich miastach, jak Monachium, Haga czy Londyn. Zakochiwał się tam co rusz w jakiejś luterance, anglikance, metodystce czy kalwinistce, ale kiedy pisał „*Maman-je-veux-la-marier*, chcę się ożenić", *Maman* nieodmiennie odmawiała: „*Mon cher fils, il me coûte de devoir contrarier tes idées*. Drogi synu, z przykrością muszę przeciwstawić się twoim projektom". Albo: „*Mon cher fils, tu n'as pas rencontré celle qui t'est destinée*. Nie spotkałeś jeszcze tej, która jest ci przeznaczona". A w 1856 roku: „*Que dans toute l'orbe catholique il n'y ait pas une femme qui te convienne, cela me semble bien fort*. To, że w całym katolickim świecie nie ma żadnej kobiety, która cię pociąga, wydaje mi się bardzo smutne". W istocie potulny Emanuele nigdy się nie ożenił: ta gałąź rodu d'Azeglio wygasła z jego śmiercią. A Thomàs rozumował tak samo jak Costanza. Aborcja? Na miłość boską! W tych czasach aborcję przeprowadzały prymitywnymi metodami brudne znachorki, które dziewięć na dziesięć razy wysyłały cię swoim zabiegiem na cmentarz, dlatego kobiety wolały już pogodzić się z ciążą i zatrzymać-owoc-swego-grzechu lub porzucić go w sierocińcu. Ale dla waldenki, jak wiemy, oznaczało to kalwarię taką jak ta, którą przeszły Anne Catalin i Marie Barboux Fontana.

Albo-wyprzesz-się-swojej-wiary-i-zgodzisz-się-wychować-
-dziecko-w-obrządku-katolickim-albo-ci-je-zabierzemy. Po tragedii tych dwóch biednych kobiet nie zmieniono nawet przecinka
w regulacjach prawnych. Jeśli już, to polowanie na heretyckie
grzesznice wręcz się wzmogło: w Pinerolo sierociniec katechumenów pękał w szwach od dzieci zabranych niezamężnym matkom.

Zdanie *j'attends un enfant mon amour* zostało wypowiedziane
przez Marguerite w tym samym tygodniu, w którym Stanisław
zrozumiał, że jego misja skończyła się fiaskiem. Pomijając pieniądze przekazane przez Valeria, wszystkie projekty spaliły na
panewce. Nie udało się zwerbować do walki polskich emigrantów
mieszkających w Turynie, przede wszystkim pięciu byłych oficerów,
na których Dembowskiemu szczególnie zależało. Pomimo długich
dni i nocy spędzonych na rozmowach Ospeziewski, Froziński,
Kiaruwski, Popowski i Dewnerowski w końcu odmówili przyłączenia się do powstania, być może nieprzekonani także z powodu
młodego wieku emisariusza. „Mam żonę, mam rodzinę, nie chcę
teraz umierać". Byli powstańcy, do których Stanisław udał się później, odpowiedzieli tak samo. „Czuję się zmęczony, czuję się staro,
wolę zostać tutaj". Nie na wiele zdało się też spotkanie z Cesare
Balbem, człowiekiem, który lepiej niż ktokolwiek inny rozumiał,
że sprawy na pozór niemające nic wspólnego z Włochami w rzeczywistości wpływały w istotny sposób na walkę o zjednoczenie.
Balbo, wielki pan, uprzejmie potraktował młodego protegowanego
Valeria. Przeczytał z sympatią list Dembowskiego. Potem jednak
powtórzył tylko to, co powiedział już paryskiemu wysłannikowi
księcia Czartoryskiego: „Aby Królestwo Lombardzko-Weneckie
powstało do walki, potrzebny jest jakiś impuls tutaj, we Włoszech.
A żeby nasz władca zdecydował się na interwencję, ktoś musi to
zrobić przed nim". (Analiza bardzo trafna, zważywszy że Wiosna
Ludów w Mediolanie i Wenecji wybuchła po powstaniach w Palermo i Neapolu, w wyniku nadziei obudzonych przez Piusa IX.
Proroctwo spełnione co do joty, zważywszy że Piemont wypowie-

dział wojnę Austrii dwadzieścia cztery godziny po tym, jak zrobiła to Toskania). Co do Massima d'Azeglia, to przybył do Turynu w październiku i odbył rozmowę z Karolem Albertem. W czasie tej rozmowy przekazał mu błagania włoskich patriotów, a pośrednio także prośby Polaków. „Wasza Wysokość, są przekonani, że nie można podjąć działań bez pomocy armii, że we Włoszech armię posiada tylko Piemont, lecz nawet ona nie może nic zdziałać, jeśli w Europie będzie zachowany obecny porządek". Przemowa, na którą Karol Albert odpowiedział: „Proszę dać znać tym panom, że na razie muszą przycichnąć, nie podejmować żadnych działań. *Pour le moment il n'y a rien à faire*, nie można nic zrobić. Mogą być jednak pewni, że gdy tylko nadarzy się okazja, moje życie, życie moich synów, moje wojsko, moje bogactwa, wszystko, co posiadam, zostanie oddane dla sprawy Włoch". Piękne słowa kryły jasną treść — na razie nie ma mowy o działaniach zbrojnych. I kiedy Massimo d'Azeglio poinformował o tym zainteresowanych, emisariusz Gurowski czy Rogowski lub Żakowski musiał przełknąć także i tę gorzką pigułkę.

„Król wam sprzyja, ale dziś nie możecie liczyć na jego pomoc".

Świadomość fiaska misji zbiegła się z decyzją natychmiastowego powrotu do Polski. Wyznaczony dzień wybuchu powstania zbliżał się szybko, lecz dzięki donacji Valeria można było przynajmniej rozwiązać problem uzbrojenia. Poza tym bohaterowie nie tylko nie żyją długo, ale są też egoistami. Ideałom, o które walczą, potrafią oddać wszystko, do ostatniego tchu. Pojedynczym zaś osobom, a zwłaszcza osobie, która ich kocha, na przykład szesnastolatce będącej przy nadziei za ich przyczyną, nie dają nic. Gorzej: zmuszają kochającą osobę do dzielenia ich ofiary, wloką ją ze sobą do męczeństwa i często ją przy tym niszczą. Bez litości, bez wyrzutów sumienia. Nie mogą sobie pozwolić na litość. Nie mogą sobie pozwolić na wyrzuty sumienia. Jeśli zastanowić się nad tym głębiej, nie mogą sobie także pozwolić na miłość, tę smycz nad smyczami, hamulec silniejszy od wszystkich. (Chociaż nie mogłabym przysiąc, czy ze strony Stanisława była to prawdziwa miłość. Być może chodziło tylko o romans, o pragnienie zapomnienia o udrękach i zabawienia się z dziewczyną, która patrzyła na niego jak na księcia). Świadomość, że Marguerite nosi w łonie jego dziecko, nie skłoniła więc Stanisława do zrezygnowania ze swoich projektów i bohaterskich obowiązków. Nie doprowadziła go do opóźnienia powrotu, nie pobudziła do szukania środków zaradczych, a zwłaszcza do stawienia czoła Thomàsowi: do przyjęcia na siebie piorunów jego gniewu, by w zamian ochronić przed nimi grzesznicę. „Byłem szalony, *Monsieur*, ale biada wam, jeśli będziecie ją źle traktować". Ograniczył się do przyrzeczenia Marguerite, że pewnego dnia zabierze ją z dzieckiem do Krakowa, gdzie będą wieść szczęśliwe życie w kamienicy przy Floriańskiej. Potem zawierzył ją opiece ciotki, *„soyez une mère pour elle*, bądźcie dla niej jak matka", i opuścił via Dora Grossa 5 z tymi słowami: „Jeśli urodzi się chłopiec, nazwij go Piotr. Jeśli urodzi się dziewczynka, nazwij ją Nastka: Anastazja. To imiona moich rodziców. *Attends-moi, je reviendrai*. Czekaj na mnie, wrócę".

Nie powrócił nigdy. Poniżej opowiadam historię jego śmierci. Zawdzięczam ją *Tante* Jacqueline, która w 1849 roku usłyszała ją od Polaka przybyłego do Włoch, by wstąpić do piemonckiego wojska i uczestniczyć w pierwszej wojnie o Niepodległość.

* * *

Z Turynu Stanisław udał się do Genui, gdzie wsiadł na statek do Stambułu. Znalazł się w Turcji w połowie listopada, kupił broń, którą następnie przemycił do Galicji przez Morze Czarne i Mołdawię. Niebezpieczna misja, którą spełnił dzięki pomocy tureckich rewolucjonistów, najpierw ukrywszy skrzynie ze strzelbami i nabojami na statku handlowym, płynącym do Odessy, potem załadowawszy je na grzbiety dwunastu mułów, z którymi później przedarł się przez mołdawskie lasy, wymykając się z narażeniem życia Kozakom patrolującym szlaki. Do Krakowa dotarł na początku nowego roku — w sam raz, by 12 stycznia uczestniczyć w spotkaniu trzech przywódców zbliżającego się powstania. (Edwarda Dembowskiego dla zaboru austriackiego. Bronisława Dąbrowskiego, syna Henryka Dąbrowskiego, który w okresie napoleońskim stworzył legiony polskie we Włoszech, dla zaboru rosyjskiego. Dla zaboru pruskiego Ludwika Mierosławskiego: jednego z generałów, którzy w 1831 roku, po upadku Warszawy, wyemigrowali z Czartoryskim do Paryża). Przybył także w porę, by zorientować się, że sprawy źle się mają: w czasie gdy on wiózł broń do Galicji, poznańska policja aresztowała Stefańskiego i Kamieńskiego, a także trzy czwarte członków Związku Plebejuszy. Był to prawdziwy dramat, gdyż Stefański i Kamieński byli jedynymi, którzy mieli wpływ na chłopów i umieliby ich przekonać do włączenia się do walki. Bez tych ludzi powstańcom groziło, że chłopi obrócą się przeciw nim, ponieważ to szlachtę, a nie okupantów, uważali za główną przyczynę swojej niedoli. Poza tym w Krakowie studenci biorący udział w przygotowaniach do powstania, rozpłomienieni obecnością Dembowskiego, stracili wszelką rozwagę, i w mieście wszyscy wszystko wiedzieli. A najlepiej poinformowany był Klemens von Metternich, który wkrótce miał napisać do cesarza: „Wasza Wysokość, od początku stycznia wśród młodych ludzi z dobrych krakowskich rodzin szerzą się niepokojące rebelianckie nastroje. Prawomyślni obywatele nie wychodzą z domów, obawiając się zamachów, władze są zastraszone otrzymywanymi pogróżkami i jak się zdaje, powstanie ma wybuchnąć w karnawale. Młodzieńcy z dobrych rodzin otrzymali rozkaz, by byli gotowi do działania 18 lutego. Nakazałem w związku z tym generałowi Collinowi, dowódcy sił cesarskich w Podgórzu, miasteczku graniczącym z Krakowem, aby przygotował się do wkroczenia do Rzeczpospolitej Krakowskiej, zanim zimowe wylewy Wisły uniemożliwią nam przemieszczenie wojsk". A do swego wodza naczelnego miał powiedzieć: „Zamiast Collina lepiej użyć wieśniaków. Nienawidzą z całego serca panów szlachty i ruszą na nich z większą zaciekłością niż nasi żołnierze. Będzie to nas kosztować co najmniej trzy dni rzezi, ale dzięki tym trzem dniom zapewnimy sobie sto lat pokoju".

To, że powstanie jest skazane na klęskę, było zresztą jasne od początku. 14 lutego Prusacy schwytali Mierosławskiego, który załamał się na przesłuchaniu i wyjawił wszystkie szczegóły spisku. Jego uczestnicy musieli się poddać. Także w Warszawie Towarzystwo Demokratyczne odwołało ustalony plan. Dąbrowski, zapomniawszy o honorze rodziny, po prostu uciekł, i z chaosu, jaki w rezultacie zapanował, wyłoniła się grupka partyzantów, którzy pragnąc zmazać ten niechlubny postępek, popełnili niewybaczalny błąd: zaatakowali Rosjan w doskonale obwarowanych Siedlcach, gdzie zostali rozbici, zakuci w kajdany i oddani pod sąd wojskowy. (Ich kapitana, Pantaleona Potockiego, powieszono w Siedlcach. Poruczników Zarskiego i Kociszewskiego w Warszawie. Pięciu skazanych na dożywocie umarło po kilku miesiącach zsyłki na Syberii). W tej sytuacji próbę rozpoczęcia powstania, które miało wybuchnąć w trzech zaborach, mogły podjąć już tylko Galicja i Kraków, czyli tereny, za które odpowiadał Dembowski. A Dembowski nie miał zamiaru wycofać się z planowanej akcji. Tak jak ustalono, 18 lutego jego ludzie zaatakowali Pilzno i zablokowali wojska Collina w Podgórzu. Tyle tylko, że rozkaz Metternicha zamiast-Collina-lepiej-użyć-mas-chłopskich wykonali gorliwi kolaboranci, którzy tygodniami krążyli po wsiach, przekonując: „Otwórzcie uszy, kutasy. Panowie szlachta chcą przepędzić Austriaków, żeby podwoić wam pańszczyznę i zwiększyć podatki!". Byli uczniowie Stefańskiego, uzbrojeni w kosy, noże i motyki, otoczyli powstańców kordonem wozów ciągniętych przez woły i na nic się zdały próby przemówienia do nich i objaśnienia im idei sprawiedliwości i wolności, powtarzanie: walczymy-dla-was. W odpowiedzi wieśniacy podnieśli kosy, noże, motyki i wyrżnęli po kolei stu czterdziestu sześciu powstańców. Potem okaleczyli ich w okrutny sposób: obcięli im nosy, ręce, nogi, jądra i penisy. Rzucili ich na wozy ciągnięte przez woły i zawieźli do komisarza w Tarnowie, Josepha Breinla von Wallersterna, który nakazał swemu totumfackiemu podpułkownikowi Benedekowi, by wypłacił im nagrodę 1460 srebrnych guldenów. Po dziesięć guldenów za trupa. Co gorsze, poirytowany rosnącym stosem zwłok Benedek stwierdził, że nie ma potrzeby, by pokazywali mu całe ciała. Wystarczy obcięta głowa, i w przyszłości za same głowy wypłaci im taką samą kwotę. Czterdzieści osiem godzin później Collin wysłał wojska do Krakowa. Jednak z jakiegoś powodu, być może z racji następnej diabelskiej kalkulacji Metternicha, pozostał tam tylko jeden dzień i jedną noc, zabrał urzędników państwowych i zamieszkałych w mieście cudzoziemców, po czym wycofał się za Wisłę, pozostawiając miasto w rękach buntowników. Manewr, w wyniku którego Dembowski, genialny, lecz niedojrzały Dembowski, podpisał na siebie wyrok śmierci. I wyrok śmierci na Stanisława.

Podpisał go z powodu stworzonego naprędce nieudolnego rządu, zawierzonego bliżej nieznanemu adwokatowi Janowi Tyssowskiemu, który zażądał dla siebie od razu tytułu dyktatora i zaczął działać tyleż arogancko, co głupio. Podpisał ten wyrok Dembowski swym płomiennym, lecz bezużytecznym apelem skierowanym do zaborów ujarzmionych już przez Prusaków i Rosjan, dlatego głuchych na wymowę jego słów. „Polacy! Godzina powstania wybiła [...] wołają na nas z grobu prochy ojców naszych, męczenników za sprawę narodową, abyśmy ich pomścili, wołają na nas niemowlęta, abyśmy im utrzymali Ojczyznę od Boga nam powierzoną [...] jest nas dwanaście milionów, powstańmy razem jak mąż jeden, a potęgi naszej żadna nie przemoże siła". Podpisał go orędziem, w którym głosił swój nierealistyczny i naiwny program: zniesienie klas społecznych i własności prywatnej, oddanie ziemi tym, którzy ją uprawiają, amnestia dla wieśniaków, którzy dokonali i dalej dokonywali rzezi szlachty. Którzy mordowali, wyrzynali, obcinali nosy, ręce i nogi, a przede wszystkim głowy do sprzedania Benedekowi. Na tym etapie nie ograniczali się już do masakrowania powstańców, którzy chcieli oddać im ziemię na własność. Za dziesięć guldenów zabijali każdego, kto był dobrze ubrany, jechał karetą czy mieszkał w wygodnym domu i dobrze się odżywiał. Młodych, starych, kobiety i dzieci, nawet niemowlęta. W wielu wioskach i miasteczkach ulice dosłownie zapełniały się stosami okaleczonych i bezgłowych ciał. W ciągu tygodnia ci rzeźnicy zamordowali dwa tysiące osób. W Dębicy pozostawili przy życiu zaledwie trzech mieszkańców. A to wszystko nie licząc (czterystu) dworów i pałaców, które pod pretekstem szukania broni splądrowali, zburzyli do fundamentów i spalili, mimo iż zawierały cenne dzieła sztuki. Stare freski, wspaniałe obrazy. A jednak Dembowski im wybaczał. Bez wahania, *tout court*. Ze ślepotą (czy też fanatyzmem) idealisty, który wszystkie zbrodnie przypisuje tylko jednej stronie, dlatego zawsze gotów jest potępić tych, którzy je zlecają, a nigdy tych, którzy je wykonują, uważał chłopów nie za katów, lecz za niewinne ofiary. Za zwykłe narzędzia Austriaków, a zatem za braci zasługujących na przebaczenie i szansę odkupienia. By dać wyraz tej postawie, ustanowił nawet nagrodę za głowę Breinla, będącą tysiąckrotnością zapłaty dziesięciu srebrnych guldenów. „Ja, niżej podpisany Edward Dembowski, nakładam nagrodę dziesięciu tysięcy złotych guldenów na starostę tarnowskiego i przysięgam na swój honor, że wypłacę tę sumę w gotówce temu, kto mi go dostarczy żywego lub martwego". Nikt jednak nie potraktował go poważnie. W oczach wieśniaków bezbożny Breinl był dobroczyńcą, przyjacielem. Dlatego też 27 lutego Dembowski postanowił stawić czoło masom. Stanąć na czele pochodu złożonego z pobożnych kobiet, księży, ludzi pragnących pokoju i wyjść z miasta bez broni. Udać się na galicyjską wieś, wyjaśnić chłopom, że nie mają racji. „Chcę ludzi bez broni. Niech nikt się nie waży rzucać kamienia czy choćby gróźb".

Jeśli wierzyć Polakowi, który w 1849 roku przybył do Włoch, by uczestniczyć w pierwszej włoskiej wojnie o Niepodległość, i opowiedział wszystko *Tante* Jacqueline, Stanisław nie zawahał się ani chwili i posłuchał tego wezwania. Od dnia, gdy wrócił do Krakowa, stał przy Dembowskim niczym wierny pies, i tak jak wierny pies ruszył wraz z nim popełnić to ostatnie szaleństwo. Wraz z nim, dzierżącym wysoko biało-czerwony sztandar Polski, stanął na czele procesji pięciuset niewinnych dusz, które niosąc krzyże, świece, ostensoria, wizerunki Matki Boskiej, intonowały *Ave Maria*. U jego boku wyszedł z miasta i skierował się do najbliższej wsi. I gdy tak patrzę na niego, jak maszeruje, wysoki i nerwowy, jasnowłosy, z tak samo jasnymi wąsami i brodą, elegancki i odrobinę wyniosły, zadaję sobie pytanie, o czym myślał w czasie tego bezsensownego pochodu. O ojczyźnie, sprawiedliwości, wolności, pięknych marzeniach, które po spełnieniu zostają zawsze zdradzone przez ludzką głupotę lub złość, czy o małej Włoszce, którą na via Dora Grossa 5 wziął do łóżka, mam nadzieję, że z miłości? O pułapce słowa „lud", o motłochu, który według idealistów nie ponosi winy i musi być rozgrzeszony także wtedy, gdy morduje i okalecza, by dostać nagrodę za obciętą głowę, czy też o dziecku, które jego mała waldenska nosiła w łonie? Kto to wie?! Być może dlatego, że tak mało wiem o tym prapradziadku z kraju mi nieznanego, a może z nieufności, jaką budzą we mnie bohaterowie, nie potrafię przeniknąć duszy Stanisława. Nie umiem wniknąć w pamięć tego, co odczuwałam, o czym myślałam, gdy byłam Stanisławem Gurowskim lub Rogowskim czy Żakowskim. I za każdym razem, gdy próbuję sobie przypomnieć swoją śmierć, umiem tylko przywołać świadomość, że żyłam zbyt szybko, zbyt krótko. Pamiętam za to wiele innych szczegółów, innych członków procesji i otaczający mnie krajobraz. Szare niebo, nagie drzewa, Wisłę skutą lodem, przypominającą niekończącą się lodową wstęgę. Równinę pokrytą śniegiem, procesję podążającą powoli i niemal gęsiego przez zaspy. Głosy, powtarzające za moimi plecami monotonne

Zdrowaś-Maryjo-łaskiś-pełna-Pan-z-Tobą-błogosławionaś-ty-
-między-niewiastami-i-błogosławion-owoc-żywota-Twojego.
Dziecko płaczące mamo-wracajmy-do-domu-mamo, starca mam-
roczącego zimno-mi-zimno-mi, a na horyzoncie kogoś zastygłego
w oczekiwaniu. Chłopi? Myśleliśmy, że to chłopi. Tymczasem
były to dwa szwadrony huzarów i kompania piechoty. Austriacy, uprzedzeni przez chłopów o procesji. Huzarzy wyprostowani
w siodle, z szablami w rękach. Piechurzy wyciągnięci na śniegu,
z karabinami gotowymi do strzału. Chcieli nas nastraszyć, zmusić
do odwrotu? „Idźcie dalej, nie zatrzymujcie się, w ten sposób zobaczą, że jesteśmy bezbronni, nieszkodliwi!", krzyknął Dembowski.
Szliśmy więc dalej, i jako że ten, kto znajdował się na czele procesji,
był najlepiej wystawiony na cel, on właśnie zginął pierwszy. Biedny
Edward dostał kulę prosto w serce. Padł na ziemię martwy, razem
ze sztandarem. Drugi zginąłem ja, kiedy podniósłszy sztandar,
podjąłem marsz, krzycząc jak wcześniej Dembowski: „Idźcie dalej,
nie zatrzymujcie się!". Bo gdy tylko piechurzy przestali strzelać,
nadjechali galopem huzarzy i zwalił się na mnie jakiś porucznik
z obnażoną szablą, który jednym ciosem odciął mi głowę.

Trofeum, które kilka godzin później zabrał z ziemi jakiś wygłodniały obdartus z nogami obwiązanymi szmatami, a potem
zgłosił się z nim do Benedeka. Ten jednak, podejrzewając oszustwo,
wypłacił za nie tylko pięć miedzianych guldenów.

5

— *Je viens d'une famille honorable, moi!* Pochodzę z szanowanej
rodziny!

— *Oui, papa...*

— *Le mien aussi est un nom honorable!* Ja też noszę szanowane
nazwisko!

— *Oui, maman...*

515

— *Et ce ne sera pas une dévergondée de ton espèce à nous déshonorer!* I nie będzie taka bezwstydnica jak ty okrywać nas hańbą!

— *Oui papa... Oui, maman...*

Właśnie pod koniec lutego, gdy Stanisław miał umrzeć lub umierał już na zaśnieżonej równinie, a jego głowa miała zostać zabrana i sprzedana za pięć miedziaków, państwo Ferrier dokonali sądu nad córką. Do czwartego miesiąca Marguerite udało się w istocie ukrywać ciążę niemal bez problemu. Jej brzuch rósł proporcjonalnie do całej drobnej sylwetki, tylko nieznacznie, i można było ukryć jego napęcznienie pod *tablier vaudois*, waldejskim fartuszkiem.

Był też *pèlerine vaudoise*, waldejski płaszczyk, oraz spryt *Tante* Jacqueline, która desperacko próbowała chronić siostrzenicę. *„Et bien, elle engraise. Tant mieux.* No tak, przybiera na wadze. To i lepiej". W piątym miesiącu wymówka przestała być jednak wiarygodna. Do Judith dotarła prawda i to oznaczało dramat. Dramat? Ten, kto żyje w dwudziestym pierwszym wieku, w tym bezmiernym i napawającym niepokojem liberalizmie naszych czasów, nie może sobie wyobrazić, co oznaczała w dziewiętnastym (ale jeszcze i w dwudziestym) wieku ciąża niezamężnej kobiety, urodzenie tak zwanego nieślubnego dziecka. Najgorszy grzech, najgorszy skandal, najgorsze wstyd i hańbę, jakie można sobie wyobrazić. Beztroska etyka osiemnastowiecznego oświecenia i seksualna swoboda okresu napoleońskiego ustąpiły miejsca konserwatywnej hipokryzji restauracji, której nawet nowatorskie idee ruchów risorgimenta nie były w stanie podważyć i przezwyciężyć. Triumfował purytański moralizm królowej Wiktorii, która nosiła wtedy koszulę nocną ze specjalnym otworem na wypełnianie obowiązków małżeńskich. Kobiece majtki sięgały kostek, niektórzy w trosce o przyzwoitość posuwali się nawet do zasłaniania nóg stołowych, na nagie posągi nakładano listki figowe. Nowocześni mężczyźni zaś mogli się dać rozstrzelać za wolność, ale nie byli skłonni zaakceptować hańby takiego grzechu. Takiego skandalu, takiej plamy na honorze. A co dopiero kalwińscy rodzice należący do Kościoła, który praktycznie wynalazł purytanizm, a zwłaszcza taki ojciec jak Thomàs: kalwinista należący do sekty przebudzonych, czyli szaleńców, dla których zwykła gra w *bocce* czy niewinny taniec w kręgu były grzechami zasługującymi na wysłanie do piekła.

— *Avec qui as-tu taché ton corps et ton âme, avec qui?* Z kim skalałaś swoje ciało i duszę?

— *Avec personne*, z nikim,

— *Personne?!? Où est-il, l'infâme, où?* Z nikim?! Gdzie ten bezwstydnik?!

— *Il n'est pas infâme*, nie jest bezwstydnikiem, *maman...*

— *Tiens! Elle fait même l'avocat défenseur, l'efrontée.* Jeszcze go broni, bezczelna!

— *Il faut chercher quelqu'un d'autre alors!* Trzeba więc poszukać kogoś innego!

— *Je ne comprends pas, maman... Je ne comprends pas papa...*

— *Tu ne comprends pas qu'il faut réparer*, nie rozumiesz, że trzeba zaradzić złu?

Naturalnie podejrzenia od razu padły na przystojnego Polaka, który w październiku, czyli w okresie, gdy Marguerite poczęła dziecko, spał w *chambre-pour-les-étrangers*. I zdając sobie sprawę, że małżeństwo z katolikiem nie wchodziłoby w grę, nawet gdyby odpowiedzialny za zdarzenie pozostał w Turynie, Thomàs i Judith początkowo postanowili znaleźć waldensa gotowego wybawić rodzinę z kłopotu, poślubiając ich grzeszną córkę. Rozwiązanie niepozbawione szans na sukces, zważywszy, że mogli przekupić męża znacznym posagiem, że w rejestrach Torre Pellice chrzciny dzieci urodzonych kilka miesięcy po ślubie nie były rzadkością i że cynizm nie ma religii ani światopoglądu. Kilka godzin później mieli już nawet gotową listę kandydatów, obejmującą niedorozwiniętego kuzyna i nieżonatego staruszka. Ale kiedy poruszyli ten temat, nieśmiała, łagodna Marguerite stawiła opór. Poślubić kogoś innego? Zrezygnować ze swojej miłości, ze swojego księcia z bajki, który pewnego dnia powróci i zabierze ją do Krakowa, gdzie wraz z dzieckiem będą żyć długo i szczęśliwie w kamienicy przy ulicy Floriańskiej? Nigdy! *Plutôt je me tue.* Prędzej się zabiję". Tak więc sąd zamilkł i wydano wyrok. Wyrok, który oburza mnie nie tyle ze względu na Thomàsa, człowieka, po którym nie można się było spodziewać niczego dobrego, ile na Judith. Posłuszna żona, tak. Tchórzliwa wspólniczka. Ale przecież matka. (O Boże, czy naprawdę w moich niezliczonych egzystencjach byłam kiedyś także Judith?) Matki zwykle nie wypędzają dzieci, nastoletniej brzemiennej córki. Honor nie honor, sekta przebudzonych czy inna, biorą jej stronę. Bronią jej, chronią przed każdym, łącznie z ojcem. Tymczasem ona podzieliła we wszystkim stanowisko Thomàsa. „Masz tydzień, żeby znaleźć sobie jakiś dach nad głową, wyprowadzić się z tego domu i od tej rodziny. I żebyś się tu więcej nie pokazywała, żebrząc o pieniądze, albo żebyś nie zaczęła się prostytuować, okrywając jeszcze większą hańbą rodzinę Ferrier, dostaniesz okrągłą sumę pieniędzy. Ale od dzisiaj chcemy zapomnieć, że w twoich żyłach płynie nasza krew. Nie próbuj więc z nami rozmawiać czy prosić o cokolwiek. Nie próbuj jeść przy naszym stole czy przyłączać się do naszych modlitw. A kiedy się już wyprowadzisz, nie próbuj się znowu z nami kontaktować ani wciągać nas w jakikolwiek sposób w swoją hańbę. W hańbę twojego bękarta!" Tu jednak wkracza do akcji *Tante* Jacqueline. Poczciwa, brzydka *Tante* Jacqueline, którą w Ville Sèche nazywano *avorton*, gdyż miała jedną nogę krótszą, na czole nieprzyjemne fioletowe znamię, na nosie wielką brodawkę, z której sterczały sztywne włoski. Wykształcona, inteligentna *Tante* Jacqueline, która uczyła się historii i geografii, czytała w tajemnicy francuskie powieści i doskonale znała Stendhala. Buntownicza, wolna *Tante* Jacqueline, która kochała Marguerite bardziej niż rodzona matka i która usłyszawszy te okrutne słowa, rozwścieczyła się niczym lwica. Starła się ze szwagrem i z siostrą i rozwiązała problem.

„Et moi je vous laisee avec elle, espèce de salauds. Wyprowadzę się z nią z waszego parszywego domu. *Nous irons ensemble.* Odejdziemy razem".

Wyprowadziły się, kiedy z zaciśniętymi ustami i odwróconym wzrokiem Thomàs przekazał córce obiecane pieniądze — tysiąc sześćset lirów. Równowartość posagu, który w przypadku zaaranżowanego małżeństwa oddałby niedorozwiniętemu kuzynowi lub nieżonatemu staruszkowi, suma wystarczająca, by Marguerite nie musiała liczyć tylko na pomoc ciotki. (Gest ten łagodzi odrobinę okrucieństwo Thomàsa, pozwala mu zachować choć szczyptę przyzwoitości). O świcie 8 marca wsiadły do karety powożonej przez woźnicę z Chapelle de Prusse, zaufanego współwyznawcę, a dla *Tante* Jacqueline wyjazd ten zbiegł się z pierwszymi wiadomościami, pozwalającymi domyślać się śmierci Stanisława. Dzień wcześniej turyńskie dzienniki podały, że 27 lutego zmasakrowano w Galicji procesję składającą się z bezbronnych ludzi, że w rezultacie rząd Jana Tyssowskiego uciekł i Austriacy wkroczyli do Krakowa. Mimo że Stanisław dbał o to, by nie zdradzić się ze swymi poglądami politycznymi, wszyscy w domu przy via Dora Grossa zrozumieli, że jest patriotą, dlatego przeczytawszy o tych wydarzeniach, *Tante* Jacqueline doszła do wniosku, że istnieje duże prawdopodobieństwo, że on także już nie żyje. A jeśli nawet żyje, to wkrótce umrze w więzieniu lub na zsyłce. W każdym razie Marguerite na próżno będzie oczekiwać jego powrotu. Teraz bardziej niż kiedykolwiek trzeba będzie ją chronić, pomóc, by nie zabrano jej dziecka i nie oddano go do sierocińca katechumenów, myślała *Tante* Jacqueline, gdy opuszczały miasto. Potem z głębokim westchnieniem zaciągnęła zasłony w powozie, który kierował się w głąb zaśnieżonych Alp. Oczywiście, najlepszym rozwiązaniem byłoby zawiezienie biednej Marguerite do Toskanii, Francji czy Anglii. Ale by wyjechać z Piemontu, potrzebny był paszport, żeby otrzymać paszport, niepełnoletnia musiała pokazać zgodę rodziców, a o tym nie było mowy. Nie-próbuj-nas-o-nic-prosić, nie-

-wciągaj-nas-w-swoją-hańbę, w-hańbę-swojego-bękarta. Jedynym schronieniem było więc to, które *Tante* Jacqueline już wybrała i do którego teraz zdążały. Rodoretto, czyli Rodoret, wioska zagubiona w waldejskich dolinach.

* * *

Istnieją trzy doliny waldensów i dzisiaj noszą nazwy rzek, które nimi płyną: Val Pellice, Val Chisone, Val Germanasca. W dziewiętnastym wieku było inaczej. Nazywały się wtedy jeszcze tak samo jak od sześciuset lat, to znaczy od czasów, gdy uczniowie Walda osiedlili się tam, uciekając przed prześladowaniami w Langwedocji: Val Luserna, a raczej Louserne, Val Perosa, czyli Perouse, Val San Martino, czyli Saint Martin. Tę ostatnią nazywano często Ciemną Doliną, Valle Oscura lub Vallée Sombre z powodu charakteryzujących ją ciasnych i mrocznych jarów. (Te różne nazwy wynikają stąd, że w dolinach mieszkało także wielu katolików, w każdej wiosce była parafia katolicka i parafia waldejska, ksiądz katolicki i pastor waldejski, a katolicy mówili po włosku). Doliny znajdują się na południowy zachód od Turynu. Mają powierzchnię zaledwie osiemdziesięciu hektarów i tworzą trójkąt, którego podstawa graniczy z Francją, a szczyt muska Pinerolo. Stanowią część Alp Kotyjskich i każda z nich składa się z mniejszych dolin i kotlin, przez które płyną strumienie i rzeczki, wpadające następnie do Pellice, Chisone czy Germanasco, a ostatecznie do Padu. Doliny zamknięte są pomiędzy wzniesieniami i szczytami nierzadko przekraczającymi trzy tysiące metrów wysokości. Krajobraz widziany z lotu ptaka wydaje się szorstkim płaszczem, miejscem nieprzyjaznym, wprawiającym w depresję, zwłaszcza zimą. Budzącym lęk. Za to w lecie oczarowuje. Są tu wspaniałe lasy kasztanowców, modrzewi, topoli, świerków i wiązów, po których śmigają kozice, daniele i wiewiórki. Są tu urokliwe polany pachnące lawendą i werbeną, całe łąki porośnięte narcyzami, fiołkami i anemonami, krzewy malin i jagód. A w Valle Oscura dużo jest także przejrzystych stawów i jeziorek, w których dawniej kąpały się wróżki. W Rodoretto są też jaskinie, gdzie mieszkały one wraz z elfami i gnomami. W poprzednim stuleciu bowiem Valle Oscura, a zwłaszcza Rodoretto, były królestwem czarownic i wróżek, można je było spotkać wszędzie, i biada ci, jeśli okazałeś się sceptykiem. Czy chcesz w to wierzyć, czy nie — czarownice i wróżki naprawdę istnieją. Wróżkę można rozpoznać po złotych włosach, delikatnej twarzyczce, maleńkich stopach i lekkiej postaci. (Tak lekkiej, że waży niewiele więcej niż niezapominajka, również w czasie ciąży, która też się przydarza wróżkom, bo często zakochują się w pięknych młodzieńcach i zachodzą w ciążę jak zwykłe śmiertelniczki). Czarownicę rozpoznaje się po fioletowym znamieniu szpecącym jej czoło, po brodawce na nosie, po prawej nodze krótszej od lewej. Poza tym potrafi ona czynić czary dla dobra ludzkości i często podróżuje w towarzystwie wróżki.

Z jakiego powodu czarownice i wróżki tak lubią Valle Oscura, a zwłaszcza Rodoretto, tego nie umiem powiedzieć. Na dobrą sprawę te stawy nie mają w sobie nic szczególnego, a jedyną charakterystyczną cechą jeziorek jest to, że zamieszkują je raki, niezbyt lubiane tak przez czarownice, jak i wróżki (jedne i drugie jedzą owoce, kwiaty, warzywa, nabiał). Także jaskinie nie są zbyt atrakcyjne. Obfitują w nietoperze, śmierdzą pleśnią, a ich jedyny urok bierze się z legendy, że w 1686 roku, to znaczy w czasie wielkich prześladowań waldensów, gdy Sabaudowie wygnali ich z Piemontu, zostawili oni w nich swoje skarby. (Szkatuły z klejnotami i dzbany pełne srebrnych monet, które jeśli wierzyć bajaniom starców, były schowane razem z papierami Walda, lecz tylko czarownice i wróżki wiedziały gdzie dokładnie). Poza tym piękna pora roku trwa na tych wysokościach bardzo krótko. Od czerwca do sierpnia. Co najwyżej od połowy maja do połowy września. Zima pochłania prawie całą wiosnę, prawie całą jesień, i przez dziewięć miesięcy zmienia te ziemie w ponurą pustynię. Gęste mgły, w które nie odważyłbyś się zapuścić, bo zgubiłbyś się na dobre po kilku krokach.

Ulewy, które by cię topiły, pioruny, które by porażały, zamiecie, które przysypywałyby cię dwu- i trzymetrowymi zaspami śniegu, dlatego jeśli nie miałbyś uzbieranego zapasu jedzenia i drewna, umierałbyś z głodu i zimna. Temperatura, która spadała do piętnastu stopni poniżej zera, tak że śnieg zmieniał się w twardy lód, lawiny zmiatające z drogi wszystko i wszystkich, których spotkały na swej drodze. I spokój jak na cmentarzu. Zdając sobie sprawę, że lawinę może spowodować choćby lekkie poruszenie powietrza, niegłośny dźwięk, w ciągu zimowych miesięcy mieszkańcy unikali nawet trzaskania drzwiami czy przybijania gwoździ. Wszyscy poruszali się tu powoli, dzieciom nie wolno było krzyczeć i śmiać się, Biblię czytano po cichu, psalmy śpiewano, nie poruszając ustami, pastor rezygnował z odprawiania niedzielnego nabożeństwa, proboszcz nie bił w dzwony. Jednym słowem, żyło się w letargu, w stanie półsnu, i to czyniło z mieszkańców Valle Oscura zupełnie osobną rasę. Milczącą, mizantropijną społeczność, przeniknię-tą pesymizmem i pogodzoną z losem. *„L'om al ê na për süfrir, la donno cò*. Mężczyzna zrodził się do cierpienia, tak samo kobieta". *„La vitto l'è mëc uno tribulasioùn.* Życie to pasmo udręk". *„Qui meur à finì dë tribulà.* Kto umiera, przestaje cierpieć". *„Lo Monsiùr nën vol pâ gî de countënt sû quetto terro.* Pan nie chce, aby człowiek był szczęśliwy na tym świecie". (Język dolin nazywa się *patois.* Jest to tajemnicza mieszanka włoskiego, francuskiego i języka *d'oc,* średniowiecznego dialektu prowansalskiego). Co do Rodoretto, mój Boże! „Nędzne, brudne, odrażające miasteczko"— tymi słowami zaczyna w swoich pamiętnikach rozdział poświęcony Rodoret teolog Amadeo Bert, i pomimo bezlitosnej przesady osąd ten nie jest pozbawiony podstaw. Schronienie wybrane przez *Tante* Jacqueline leżało w najwyższej i najbardziej nieprzyjaznej dolinie całego regionu. Znajdowało się u stóp stromej góry Apenna. Dlatego też piętnaście stopni poniżej zera tutaj zmieniało się w dwadzieścia, dwa lub trzy metry śniegu rosły do czterech lub pięciu, a w czasie pierwszych roztopów lawiny schodziły każdego tygodnia. W marcu

1844 roku jedna z nich zwaliła się na zbór Daniela Buffy, pastora mieszkającego tam z żoną, służącą i synkiem, i dopiero w czerwcu odnaleziono ich ciała na dnie jaru zwanego Gola della Scalaccia. Miejscowość obejmowała zaledwie kilka kamiennych domków, bez latryn, pokrytych prymitywnym dachem z łupków. Nie miała wójta i liczyła trzystu mieszkańców. Prawie wszyscy byli niepiśmiennymi pasterzami, prostaczkami opętanymi nadzieją, że natkną się na czarownicę lub wróżkę, które pomogą im odnaleźć szkatuły z klejnotami lub dzbany pełne srebrnych monet. W dodatku leżała tak daleko od innych wiosek, tak trudno było do niej dotrzeć, że nikt jej nigdy nie odwiedzał. Nawet siodlarze, szlifierze, blacharze i parasolnicy — ludzie, którzy docierali wszędzie.

Tante Jacqueline, wychowawszy się w stolicy Valle Oscura, czyli w Ville Sèche (Villasecca), znała doskonale wady wybranej przez siebie kryjówki. Równie dobrze jednak znała jej zalety. Z tych trzystu mieszkańców tylko pięćdziesięciu należało do Świętego Kościoła rzymskiego, a ich duszpasterzem był Don Stefano Faure, kapłan, który pozostawał w dobrych stosunkach z Danielem Buffą. Poczciwy człowiek, którego w nędznej-brudnej-odrażającej--mieścinie kuria trzymała za jego tolerancję wobec heretyków, czyli za karę. Co więcej: od kiedy lawina zabiła Buffę, duszami heretyków zajmował się pastor Michel Morel. Inteligentny i odważny dwudziestosiedmiolatek z dyplomem uzyskanym w Genewie, który swym zachowaniem prowokował nawet synod waldejski. „Jesteśmy zrodzeni do nieposłuszeństwa", „reguły należy łamać", „wstrzymywanie się od jedzenia mięsa w piątek służy zdrowiu". Morel był tak buntowniczo nastawiony, że zniszczony przez lawinę zbór odbudował w pobliżu parafii Faurego. A mówić o dobrych stosunkach między nim a proboszczem to zbyt mało. Ci dwaj okazywali sobie wielką przyjaźń, pokazywali się razem publicznie, mówili do siebie po imieniu *mon-cher-Stephan*, mój-drogi-Michele, a jeśli jakaś niezamężna dziewczyna zaszła w ciążę, Faure udawał, że o niczym nie wie. Michel rozwiązywał problem, ukrywając grzesznicę i owoc jej grzechu. Jakby tego nie było dość, wszyscy wierni Morela należeli do czterech spokrewnionych między sobą rodów: klanu Tronów, klanu Ponsów, klanu Pascalów i klanu Jahierów. Każdy z nich bronił innych zębami i pazurami, i jeśli jakiś Tron, Pons, Pascal czy Jahier wpadał w kłopoty, cała społeczność wznosiła wokół niego lojalny mur milczenia, do którego przełamania potrzebne byłoby całe piemonckie wojsko i cała policja arcybiskupa: *„Ni a tort, ni a razùn fai-te pâ butâ en prizoùn.* Czyś winny, czy bez grzechu, do mamra nie miej pośpiechu".

Tak więc w ciągu ośmiu dni zwłoki przyznanych przez Judith i Thomàsa, *Tante* Jacqueline opracowała dokładny plan działania. Za pośrednictwem Amadea Berta, zaciekłego wroga sekty przebudzonych, w tych latach pełniącego funkcję kapelana Chapelle de Prusse, przesłała do Morela pytanie, czy w dolinie Rodoret znalazłaby się jakaś rodzina gotowa (za sowitą opłatą, naturalnie, powiedzmy pięciuset lirów rocznie) udzielić w ścisłej tajemnicy gościny dwóm współwyznawczyniom, ciotce i siostrzenicy, które muszą się tam udać w największym pośpiechu. Ciotka jest starą panną. Siostrzenica młodziutką wdową, noszącą w łonie dziecko zmarłego męża. Morel, rzecz jasna, zrozumiał w lot sytuację i po przeprowadzeniu szybkiego wywiadu wśród członków czterech klanów odpowiedział twierdząco: znalazł takich ludzi. Była to rodzina Jacques'a i Jeanne Tronów, prostaczków o czystej duszy, którzy wraz ze swoimi rodzicami i teściami, to znaczy ze starym François i starą Jeanne, mieszkali w domu z trzema sypialniami. Domostwo miało świetne położenie, nie tyle dlatego, że mogło dostarczyć dwóch mamek przyzwyczajonych trzymać buzię na kłódkę. Znajdowało się blisko domu rodziny Ponsów, a Jeanne była z domu Pons. Dom Ponsów z kolei stał blisko domu Jahierów, a jedna z kuzynek starego François wyszła za mąż za Jahiera. W razie potrzeby młoda wdowa będzie mogła przenosić się po cichu do jednych albo drugich. Poza tym w razie potrzeby czy czystej ostrożności Jacques i Jeanne są także gotowi zgłosić dziecko jako należące do rodziny Tronów. Innymi słowy, podać się za jego rodziców.

Podróż była ciężka. Może nie aż tak jak ta, którą w 1769 roku María Isabel Felipa odbyła z Madrytu do Barcelony z Montserrat w łonie, ale mimo wszystko trudna. Żeby nie narażać dwóch kobiet na nieprzyjemności wiążące się z podróżą wynajętą karetą, pastor Morel przyjechał po nie własnym jednokonnym powozikiem. Na dojechanie do Rodoret wehikułem ciągniętym przez jednego konia trzeba było wytrząść się piętnaście godzin na wyboistej i nierównej drodze. Z Turynu jechało się do Pinerolo, bezlitosnego Pinerolo, gdzie szpiedzy opłacani przez sierociniec katechumenów z wielką wprawą wyłapywali grzesznice. Z Pinerolo do Saint Germain, czyli San Germano, gdzie zaczynała się jazda pod górę po zlodowaciałym śniegu. Z Saint Germain do Pomaret, czyli Pomaretto, potem do Ville Sèche, gdzie *Tante* Jacqueline groziło, że ktoś ją rozpozna. („Co robicie w dolinach, Jacqueline? A ta blondyneczka to kto? *Parbleu*, oczekuje dziecka!") Z Ville Sèche do Perrier, czyli Perrero, wsi całkowicie katolickiej, dlatego równie niebezpiecznej jak Pinerolo. A za Perrier trzeba było jechać przerażającą drogą zwaną *vio di mort*, drogą śmierci. Bardziej niż o drogę chodziło o ścieżkę wijącą się pod górę na krawędzi urwisk. Był to niezwykle stromy szlak, na którym nawet przy dobrej pogodzie pasażerowie musieli zsiadać, zdejmować bagaże i przez pół kilometra iść pieszo, bo inaczej powozowi groziło, że się przewróci i spadnie w przepaść... Nieszczęsne kobiety. Ściska mi się serce, gdy je tak widzę, jedną kulawą, drugą w ciąży, jak zsiadają na *vio di mort* z powozu pastora Morela i podczas gdy on trzyma na wodzy konie, wyładowują walizy, a następnie, potykając się w swoich długich niewygodnych spódnicach, brodząc w śniegu, ślizgając się po lodzie, ciągną je przez pół kilometra. Są wyczerpane, przestraszone, zesztywniałe z zimna, i z pewnością zadają sobie pytanie, czy warto znosić takie męki, byle tylko nie zaprzeć się swojej wiary i dochować wierności wierze Kalwina. Czują się pokonane, przytłoczone ludzką perfidią i głupotą, które zmusiły je do udania się w takie miejsce, i niewątpliwie przychodzi im do głowy, że każdy Kościół to takie samo oszustwo. Takie samo kłamstwo, by cię usidlić i podporządkować. Tak więc chciałyby wrócić, klęknąć przed biskupem, poddać się. *Praedicta abiuratio pronunciata fuit a praefatio, de verbo ad verbum et lecturam mei infrascripti notarii.* Gdy jednak dotarły do Rodoret, w ciemnościach ich nieszczęścia zapaliło się wreszcie światło. Bo ci Tronowie byli prostymi ludźmi o naprawdę czystej duszy. We wróżki i w czarownice wierzyli bardziej niż w raj, piekło, w Walda czy Kalwina. I Marguerite wzięli za wróżkę. *Tante* Jacqueline za czarownicę podróżującą z wróżką. W dodatku z wróżką zapłodnioną przez inną wróżkę. *Boeundieu!* Pomijając już ich wygląd, popatrz, jak chciwie piły ciepłe mleko z miodem. Czyż nie jest prawdą, że mleko osłodzone miodem nazywają napojem wróżek i winem czarownic? *Boeundieu!* Popatrz, jak się martwiły, czy ktoś nie zauważył ich przyjazdu, i jak ostrożnie, podejrzliwie zachowywały się w stosunku do Ponsów i Pascalów, i Jahierów! Czyż nie jest prawdą, że wróżki i czarownice nie lubią być widziane przez obcych, że to dlatego ukrywają się w grotach wraz z gnomami i elfami, a jeśli już proszą ludzi o gościnę, to wymagają od nich zachowania tego w tajemnicy? O tak, trzeba dobrze strzec sekretu. I dać im najlepszy pokój, dogadzać im, okazywać im grzeczność, pamiętać, że wróżki i czarownice są bardzo drażliwe. Najmniejsza niedyskrecja, najmniejsze potknięcie wystarczą, by je zirytować, a wtedy cię porzucą. W mgnieniu oka wyfruną przez dymnik od kominka. Za to jeśli traktujesz je w białych rękawiczkach, spełniasz ich życzenia i rozkazy, stają się członkami twojej rodziny i świadczą ci wiele uprzejmości. Pilnują, by twój ogień zawsze płonął, a ser był świeży, oddalają pioruny, wiatr i mgłę, chronią twe owce zagubione w lesie i leczą twoje choroby. A czasami pomogą ci nawet znaleźć skarby ukryte przez przodków w 1686 roku.

Nie, to nie hojna zapłata obiecana i wypłacona przez *Tante* Jacqueline zapewniła jej i Marguerite dyskrecję i gościnność

Tronów oraz przychylność Ponsów, Pascalów i Jahierów. Sprawiło to przekonanie, że goszczą oni pod swym dachem wróżkę (w dodatku brzemienną) i czarownicę. Przekonanie, które tylko umocniło się w następnych miesiącach. Na przykład don Stefano prawie przestał się pojawiać. *Boeundieu!* Zanim te dwie baśniowe istoty wychynęły spośród śniegu, często można go było spotkać na terytorium czterech klanów. Za domem Jahierów była ścieżka, prowadząca na skróty do wąwozu, i ksiądz chodził tamtędy, kiedy udawał się na połów pstrągów. Czasami nawet zatrzymywał się i podkreślał swoją przyjaźń z heretyckim kolegą. Tymczasem teraz chodził drugą stroną albo zupełnie okrężnie. Tylko raz odwrócił się na moment, żeby zawołać do Jeanne Tron dziwne zdanie: „Gratulacje, Jeanne, wiem, że oczekujecie dziecka", a jak wiadomo wróżki mają czarodziejską moc trzymania na dystans tych, którzy chcąc nie chcąc mogą je wpędzić w kłopoty. Albo też to, że pod pretekstem zimna Marguerite i *Tante* Jacqueline nigdy nie wychodziły z domu. Wymawiając się koniecznością zachowania milczenia, by nie sprowokować lawiny, nigdy nie odpowiadały na pytania. Z jakiej-jesteście-groty, jakie-gnomy-i-elfy-znacie. Zawsze były cichutkie. Wróżka wyszywała czepeczki, starsza czytała książki, które ze sobą przywiozła. A jak wiadomo, wróżki lubią haftować, a czarownice czytać tajemnicze dokumenty, z których czerpią wskazówki i magiczne formuły, jedne i drugie źle znoszą zimno i nie cierpią rozmawiać z ludźmi. Na koniec to, że przez jakiś dziwny kaprys ciąża Marguerite żywiła się potrawami z kwiatów i że gdy skończyła się zima, *Tante* Jacqueline przygotowywała jej posiłki, jakie tylko czarownice potrafią robić. Zupy z nasturcji i z ogóreczników, placuszki z czarnego bzu i głogu, sałatki z róż i fiołków, sosy z pierwiosnków i lilii. A jak wiadomo, kwiaty są ulubioną potrawą wróżek, które wolą je nawet od malin i jagód. Jednak najważniejsze było to, że przynosił je im pastor Morel. Tak, proszę państwa, Morel. Nie zadowolił się tym, że przekonał don Stefana do rozpowszechnienia bajki o ciąży Jeanne Tron, ale zjawiał się każdego dnia z przepięknym bukietem nasturcji, bzu, róż i innych. Podawał go z szerokim uśmiechem Marguerite i *„Pour votre déjeuner*, to dla was na obiad. *Pour votre dîner*, na kolację". *Boeundieu, boeundieu, boeundieu!* Czyżby w wyniku jakiegoś czaru, rzuconego przez czarownicę, zakochał się we wróżce? Tronowie nie mogli się powstrzymać od spekulacji. Tak samo Ponsowie i Pascalowie, i Jahierowie. A po upływie półtora wieku ja też zadaję sobie to pytanie.

W porządku: wiemy, kim był Morel. Człowiekiem niezwykłym. Nie przypadkiem dwanaście lat później znalazł odwagę, by udać się do urugwajskich, a potem peruwiańskich Indian i założyć wśród nich dwie pierwsze kolonie waldejskie w Ameryce Łacińskiej. Nie przypadkiem dwadzieścia dwa lata później jego przełożeni udzielili mu oficjalnej nagany za podejmowane przez niego inicjatywy i zmusili do odejścia na emeryturę, na której umarł rozczarowany i zgorzkniały. Jednak rzeczy, które robił dla Marguerite, są aż nadto czytelne. Nieostrożności, szaleństwa, które popełnił, aby oszczędzić jej tragedii, jaka spotkała Marię Fontanę i Anne Catalin. Chcę powiedzieć: jego zachowanie przekraczało granicę ewangelicznej dobroci, chrześcijańskiej miłości. I tak oto dochodzimy do narodzin mojej prababci, po której prawie otrzymałam pierwsze imię.

6

O czwartej nad ranem w piątek, 10 lipca 1846 roku (data uzyskana z jedynego dokumentu, do którego udało mi się dotrzeć), Marguerite urodziła małą wróżkę, bo co do tego, że także jest wróżką, nie było żadnych wątpliwości. Owoc grzechu, który z krzykiem wyszedł z jej łona, był najdziwniejszą i najbardziej czarującą dziewczynką, jaką kiedykolwiek widziano w dolinach. Miała oczy przejrzyste jak lodowcowe jeziorka, skórę białą jak świeżo wydojone mleko, włosy złote jak złoto skarbów ukrytych w grotach.

Pachniała różami, liliami, konwaliami, wszystkimi kwiatami, które jej matka jadła w ciąży, i już potrafiła czynić czary. Kiedy zgodnie ze zwyczajem dwie kobiety z rodziny Tron zawinęły ją ciasno od stóp do głów, żeby nie urosły jej krzywe nogi i krzywe plecy, w mgnieniu oka uwolniła się z zawoju. A kiedy zdumione owinęły ją drugi raz, uwolniła się ponownie. Potem leżała sobie naga, patrząc na nie tak wyzywająco, że Marguerite szepnęła: *„Elle ressemble à son père*. Przypomina swojego ojca". *Tante* Jacqueline wykrzyknęła *„Je crois que elle nous donnera beaucoup de problèmes*. Podejrzewam, że będzie z nią wiele problemów". Narodziny stały się powodem do hucznego święta. Zapominając o wszelkiej ostrożności, Jeanne i Jacques przyozdobili cały dom zielonymi, żółtymi, czerwonymi i fioletowymi wstążkami, będącymi dla ludzi z dolin symbolem radości, stara Suzanne upiekła koziołka, stary François otworzył sześć butelek wina. Zarówno Ponsowie, jak i Pascalowie oraz Jahierowie przynieśli w darze sery, masło, twaróg, a po toaście, lub raczej po tęgim opiciu wydarzenia, odśpiewali na łące Ósmy Psalm. *„C'est a Noé ce digne patriarche / et conservateur du genre humain dans l'arche / que nous devons cet arbre précieux / dont nous taillons la grappe merveilleuse...* To Noemu, czcigodnemu patriarsze / zbawcy ludzkości w arce / zawdzięczamy tę cenną winorośl / z której zrywamy cudowne grono". Naturalnie przyszedł też pastor Morel i gdy usłyszał te śpiewy na łące, ugięły się pod nim kolana. *Parbleu!* Cały ten hałas mógł ściągnąć uwagę pierwszego lepszego sąsiada, który zaraz zorientowałby się, że to nie Jeanne urodziła dziecko, a domniemana wdowa nie ma żadnego dokumentu poświadczającego jej małżeństwo z domniemanym zmarłym waldensem. Gdyby sprawa doszła do uszu biskupa Charvaza, nawet przyjaźń don Stefana Faure nie uchroniłaby niemowlęcia przed zabraniem do sierocińca katechumenów. Trzeba było więc czym prędzej zbawić jego duszę, ochrzcić je w wierze Walda i Kalwina, zanim jeszcze zarejestruje się fałszywe dane rodziców. I odprawiwszy Ponsów, Pascalów, Jahierów, dość-tych-hałasów, idźcie-już-sobie, Morel napełnił wodą dzban. Nie dbając o zasadę, nakazującą odprawienie rytuału w niedzielę i w kościele, a nie w domu, zamknął się z Tronami i z *Tante* Jacqueline w pokoju, w którym wyczerpana Marguerite leżała obok kołyski.

— Jak chcecie ją nazwać?

— Nastka, Anastasia Ferrier... — odpowiedziała Marguerite.

— Dobrze. Kto chce być matką chrzestną Anastasii Ferrier?

— Ja — odpowiedziała *Tante* Jacqueline.

— Kto chce być ojcem chrzestnym?

— Ja — odpowiedział stary François.

— Przyrzekacie wychować ją według nakazów naszego Kościoła, Protestanckiego Kościoła Waldensów, nauczyć ją kochać Pana naszego całą duszą, iść za przykładem Jezusa Chrystusa naszego zbawcy, odpędzać pokusy i tłumić grzeszne pragnienia?

— Tak — odpowiedziała *Tante* Jacqueline.

— Tak — odpowiedział stary François.

Wtedy Michel Morel wsunął palce do dzbana i wylał trzy krople wody na głowę małej wróżki, która przyglądała mu się szyderczo. (Odpędzać pokusy, tłumić grzeszne pragnienia? O czym mówi ten dziwak, czy nie wie, że to właśnie pokusy i grzeszne pragnienia nadają życiu sens?)

— Anastasio Ferrier, ja cię chrzczę w imię Ojca i Syna, i Ducha Świętego. I niech Bóg ci sprzyja.

Dziewięć dni później, gdy zapewniono sobie całkowitą przychylność wszystkich Ponsów, Pascalów i Jahierów, Anastasia została ochrzczona po raz drugi jako Jeanne Tron. (Mieszkańcy dolin lubili, by mylić ich z rodzicami, i przypadki homonimii były bardzo częste. *Marie-fille-de-Marie, Madeleine-fille-de-Madeleine, Barthélemy-fils-de-Barthélemy*). Oszustwa dopuszczono się w świątyni w Rodoret, w obecności czterech klanów i bez żadnych przeszkód. Tak wynika z aktu urodzenia, który w efekcie wytrwałych poszukiwań znalazłam wśród pożółkłych kart. Głosi on, że w niedzielę 19 lipca 1846 roku Jacques Tron i Jeanne Tron z domu Pons, górale wyznania protestanckiego, połączeni sakramentem ślubu, zarejestrowali pod imieniem Jeanne i nazwiskiem Tron córkę urodzoną o czwartej nad ranem 10 lipca. Na spisanym po francusku, w urzędowym języku parafii waldejskich, dokumencie, na dole po lewej stronie widać krzyżyk analfabety i obok słowa: „podpis Jacques'a Trona". U dołu po prawej pełen zawijasów podpis „Michel Morel, pastor". Po oszukańczej ceremonii nastąpiło odkrycie skarbu, to znaczy nagroda *Tante* Jacqueline, która w przebłysku genialnej intuicji schowała w jaskini zwanej kryjówką gnomów naszyjnik z pereł, bransoletkę z ametystów, kameę z profilem księżnej Luisy i poinformowała o tym starego François: „Dzisiaj w nocy wiatr zdradził mi, że w kryjówce gnomów znajduje się skarb. Idźcie go poszukać. Znajdziecie go pod głazem". Stary François poszedł, poszukał pod głazami i *boeundieu!* Naprawdę go znalazł! Po odnalezieniu skarbu nadszedł piękny sierpień, w czasie którego mała wróżka o dwóch imionach, mająca dwie matki i matkę chrzestną, która w praktyce była jej trzecią matką, potwierdziła swą zadziwiającą inteligencję, puszczając bączki przy każdym, kto nazywał ją Jeanne. Potem spadł śnieg, lato się skończyło i o tym, jak spędziły osiem milczących miesięcy, nic nie umiem powiedzieć. Wiem jednak, że to tej zimy Marguerite zaczęła mieć pierwsze symptomy tajemniczej choroby, która — co prawda w pośredni sposób — miała ją wkrótce zabić. Stałe zmęczenie, słabość. Brak tchu, utrata równowagi, powtarzające się omdlenia. Wada serca? Wypytywałam różnych lekarzy i wszyscy odpowiedzieli, że niemal na pewno Marguerite miała wrodzoną wadę serca, uszkodzenie przedsionka, które utrudniało sercu pompowanie krwi do płuc i w rezultacie dostarczanie wystarczającej ilości tlenu do mózgu. Defekt, który ujawnia się dopiero w wieku dorosłym i który pogłębia się w miejscach zimnych, położonych powyżej tysiąca pięciuset metrów nad poziomem morza, a w tym przypadku pod wpływem różnych dodatkowych czynników, takich jak ciąża, poród, stres. Biedna Marguerite. Niespodziewanie podnosiła dłoń do piersi, szeptała „*je-ne-peux-pas-respirer*, nie-mogę-oddychać" i traciła równowagę. Osuwała się na ziemię omdlała. Poza tym zmęczenie i uczucie słabości sprawiały, że była senna, apatyczna, a wobec pięknego niemowlęcia, które tak heroicznie wyrwała z pazurów biskupa Charvaza, niemal obojętna. Chłodna. Nie kołysała go, nie śpiewała mu nigdy kołysanek, często pozostawiała je opiece dwóch kobiet z rodziny Tronów, męczyło ją karmienie piersią. „*Ce petit vampire qui me suce l'âme*. Ten mały wampir wyssie mi duszę". Albo „*Ça suffit*. Wystarczy, Nastka". Zresztą nie oczekiwała już nawet powrotu Stanisława. Mimo iż nie wiedziała o rzezi dokonanej przez Austriaków w Galicji, wzdychała zawsze „*Il est mort, je sens qu'il est mort*. Nie żyje, wiem, że nie żyje". Ożywiała się jedynie na przechadzkach do jaru, w którym don Stefano lubił łowić pstrągi. „*C'est tellement beau*, tak tu pięknie". Tak samo następnego lata i następnej zimy. Niestety nikt (nawet Morel) specjalnie się tym nie przejął. Także wróżki mdleją i bywają w złym humorze, prawda? Przyznawała to nawet czarownica. „*Ça passe. Il ne faut pas s'inquiéter*. Zdarza się. Nie ma się czym martwić".

Tante Jacqueline nie zorientowała się, że choroba jest bardzo poważna. Sądziła, że dolegliwości Marguerite wynikają z melancholii, na którą część kobiet cierpi w okresie karmienia, poza tym było wiele spraw odwracających jej uwagę. Miłość, którą do pewnego stopnia przeniosła na Anastasię, odpowiedzialność za opiekowanie się dzieckiem w tej lodowatej chacie, wystawionej na niebezpieczeństwo lawin. Obawa, że ktoś je zdradzi lub odkryje oszustwo z aktem urodzenia wystawionym na Jeanne Tron, córkę Jeanne Tron. Namiętne zainteresowanie tym, co działo się poza dolinami... Dzięki uprzejmości Pierre'a Bonjoura, pastora z Val Perosa, a także swego przyjaciela i szwagra Amadea Barta, kapelana Chapelle de Prusse, Morel dostawał wiele dzienników, wychodzących teraz w Turynie. „Mondo Illustrato", „Letture di Famiglia", „Risorgimento", dziennik założony i kierowany, przy udziale Cesare Balba, przez nową gwiazdę — Camilla Bensa di Cavoura.

A także wojowniczą „Concordię" Lorenza Valeria, demokratyczną „Gazzetta del Popolo" Giambattisty Bottera, umiarkowaną „Opinione" Giacoma Duranda. Po przeczytaniu Morel przekazywał je Jacqueline, która chciwie je pochłaniała. *Mes journaux*, moje dzienniki, *mes journaux!* W rezultacie wiedziała o wszystkim, co działo się poza dolinami. Że z przyzwoleniem Rosji i Prus w listopadzie 1846 roku Wolne Miasto Kraków zostało włączone do Cesarstwa Austriackiego. W tym samym roku amnestia udzielona przez papieża wygnańcom i więźniom politycznym rozbudziła wszędzie pełne nadziei poruszenie. Niech-żyje-Pius-Dziewiąty, niech-żyje-Pius-Dziewiąty! Że następnego roku, czyli w 1847, poruszenie rozszerzyło się na królestwo sabaudzkie, gdzie oprócz niech-żyje-Pius-Dziewiąty piemontczycy zaczęli krzyczeć precz--z-jezuitami. „Precz z Franzonim, precz z Charvazem, dość z wpływem, jaki ci dwaj hultaje mają na Sabaudów, z ich władzą nad sędziami, policją, wojskiem i urzędnikami!" Że w Asti i Alessandrii demonstracje rozpędzono bagnetami i w rezultacie Karol Albert musiał zwolnić kilku ministrów, między innymi znienawidzonego hrabiego Solara, a następnie wprowadzić kilka niewielkich, ale znaczących reform, takich jak nowe prawa miejskie i prowincjonalne, oraz ustanowić sąd apelacyjny. Przede wszystkim jednak, dzięki Morelowi poinformowanemu przez Bonjoura, który z kolei czerpał wiadomości od Amedea Berta, *Tante* Jacqueline wiedziała, że Roberto d'Azeglio przygotowywał się do rozwiązania problemu waldensów. Żydów i waldensów. Bo mieli rację ci, którzy nazywali męża Costanzy i brata Massima prawym człowiekiem i twierdzili, że dla uciśnionych robi on więcej niż wielu rewolucjonistów. Czy to nie on każdego lata krążył bez rozgłosu po wsiach i rozmawiał z pastorami i księżmi, odwiedzał szkoły, pocieszał pasterzy? Czy to nie on pod pretekstem otwarcia szkoły Świętego Maurycego w 1844 roku udał się z Jego Królewską Mością do Torre Pellice, po czym skłonił go do odesłania eskorty karabinierów i wypowiedzenia słynnego zdania *je-n'ai-pas-besoin-de-gardes-au-milieu-des-*

-vaudais. „Nie potrzebuję straży, gdy jestem pośród waldensów".
Czy to nie on, usłyszawszy krzyki precz-z-jezuitami, wysłał do
kleru list, w którym stwierdzał, że niekatolicy mają prawo, by
traktować ich jak innych obywateli, i błagał o pomoc w uzyskaniu dla nich praw obywatelskich? *„On va s'amuser*, będziemy się
dobrze bawić", powtarzała *Tante* Jacqueline, nie przejmując się
omdleniami Marguerite.

I nie myliła się. 15 listopada Roberto d'Azeglio udał się do
Amedea Berta i powiedział mu, że ma powody przypuszczać, iż
jego starania odniosą wreszcie skutek. Mimo iż Franzoni i Charvaz
zareagowali na jego list jak na obelgę i oświadczyli, że jest szkodliwy, bezwstydny i bluźnierczy, blisko sześćdziesięciu duchownych uznało jego racje i zobowiązało się poprzeć walkę o sprawę.
„Emancypacja izraelitów i protestantów jest aktem miłosierdzia
i postawy obywatelskiej, dlatego też Kościół katolicki, rzymski
i apostolski nie powinien się jej sprzeciwiać". Słowa, pod którymi
podpisali się wszyscy liberałowie i nad którymi sam władca zaczął
się zastanawiać. Zaraz potem, wraz z Cavourem, Balbem, Valeriem
i Alfierim di Sostegno, d'Azeglio zredagował oficjalną suplikę,
podpisaną przez nich i przez sześćdziesięciu pięciu duchownych
oraz pięciuset trzydziestu szacownych obywateli Turynu. Włożył ją
do koperty i 23 grudnia przekazał Karolowi Albertowi. Na koniec,
27 grudnia, Amedeo Bert został zaproszony na sympozjum, na
pozór po to, aby pochwalić niewielkie, ale znaczące reformy, które
sygnatariusze supliki narzucili izbie handlowej. Kiedy wzruszony
Bert im dziękował, sześćset pucharów podniosło się w toaście, od
którego o mało nie pękły lustra, szyby i żyrandole: „Za wolność
kultu! Za emancypację protestantów i izraelitów! Za prawdziwy włoski postęp!". Potem nadszedł rok 1848. Szalony, fatalny
rok 1848. Ściągnijcie-czapki-i-przetkajcie-sobie-uszy-durnie!
Mówimy-o-1848! 5 stycznia Karol Albert spotkał się z członkami
Tavola Valdese i wygłosił do nich następne słynne zdanie *„Assurez
mes regnicoles vaudois, que je les aime comme les autres et que pour eux je*

ferai tout mon possible. Zapewnijcie moich waldejskich poddanych, że kocham ich tak samo jak innych i że zrobię dla nich wszystko, co możliwe". Niechętnie, bo niechętnie, 8 lutego przyrzekł jednak nowy statut, który miał być ogłoszony 4 marca. 12 marca zwołał ministrów i ponieważ w kraju religia katolicka w dalszym ciągu określana była jako urzędowa, oświadczył: „Znajdźcie sposób, by ująć tam także waldensów". Znaleźli. 17 lutego Patenty Królewskie Emancypacji Waldensów były już gotowe. 24 lutego „Gazzetta Piemontese" poinformowała czytelników, że następnego dnia opublikuje ich tekst, i Jezu kochany, czy ktoś sobie wyobrażał, że ta wiadomość ucieszy tyle osób, że Franzoni i Charvaz byli aż tak znienawidzeni? W mieście przebywało zaledwie sześciuset waldensów. Jeśli dodać do nich ze stu szwajcarskich kalwinistów, około czterdziestu niemieckich i holenderskich luteranów oraz trzydziestu francuskich hugenotów, dwudziestu anglikanów, łączna liczba protestantów, którzy mieszkali w Turynie i mogli świętować swoją radość z dekretu, sięgała może ośmiuset osób. Tymczasem tysiące wylęgły na ulice i na place, przed pałac królewski i rezydencję d'Azegliów, przed dom Amedea Berta, przed ambasady protestanckich państw — Anglii, Holandii czy Prus. Tysiącami okazali swą niechęć do biskupa i arcybiskupa, podnosząc pochodnie i świece, machając zabronioną trójkolorową flagą, przypinając do płaszczy i kurtek sabaudzką kokardę i wychwalając dynastię sabaudzką, która wreszcie uczyniła coś słusznego.

„Błękitną kokardę przypinamy / bo dziś nam dobrą nowinę głosi / Karol Albert, nasz ojciec kochany. / Jesteśmy dumni, my — jako Włosi / w krzyku radosnym wznosimy szyje / wiwat król nasz, niech żyje, niech żyje!"

Do dolin wieści dotarły 25 lutego rankiem. Przywieźli je dwaj konni wysłańcy, absolwent teologii Jean Jacques Parander i wytwórca czekolady Stefano Malan, z pospiesznie nagryzmolonym liścikiem od Amedea Berta do pastora Bonjoura i innych kolegów. *„Mon cher beau-frère, mes chers confrères! Je vous envoie un exprès,* *pour que vous le sachiez très vite et pour que demain vous puissiez allumer les feux sur nos montagnes.* Drogi szwagrze, drodzy bracia! Przesyłam wam wiadomość kurierem, abyście dowiedzieli się tego jak najszybciej i mogli zapalić ogniska w naszych górach". Obyczaj rozpalania ognisk na znak radosnej nowiny czy wydarzenia był starą tradycją. Dobrych nowin waldensi z dolin otrzymywali jednak mało i od dwóch stuleci ogień rozpalali tylko w domu, żeby się ogrzać lub ugotować strawę. Tak więc Parander i Malan galopowali przez całą noc. Nie poddając się ogarniającej ich senności, nie dbając o przenikliwy ziąb. Wyczerpani i zlodowaciali o świcie oddali bilecik Bonjourowi, który od razu przekazał wiadomość do innych parafii i wiosek. I o zachodzie ogniska płonęły już na każdym szczycie, na każdym wzniesieniu, na każdym pagórku. Setki ogni, które rzucały na śniegu odblask niczym olbrzymie rubiny czy topazy, miała potem opowiadać Anastasia babci Giacomie, i przecinały mrok jak wielka zorza polarna. 25 lutego 1848 roku Anastasia miała dziewiętnaście miesięcy i piętnaście dni. Mimo swych magicznych mocy i wrodzonej inteligencji była zbyt mała, aby zdać sobie sprawę, co się dzieje, i przechować to w pamięci. A jednak najwyraźniej to właśnie się zdarzyło. I czterdzieści lat później, kiedy była rozczarowaną kobietą, której nic już nie dziwiło, bo w swym szalonym życiu wszystko zdążyła przeżyć, wciąż jeszcze wspominała o tym ze wzruszeniem. Twierdziła, że nawet konwoje pionierów, kierujące się na Dziki Zachód, nawet walki z Apaczami i Siuksami, prerie Kansas ani frywolne uroki San Francisco nie zrobiły na niej takiego wrażenia jak widok tych rubinów, topazów, tej zorzy polarnej roznieconej przez płonące ogniska. Pamiętała wiele innych szczegółów niezapomnianego zdarzenia. Pastora Morela, który pijany z radości wdrapywał się na grzbiet góry, krzycząc w *patois*: „Jesteście wolni, jesteśmy wolni! Dziękujcie Panu, rozpalcie ogniska!", Tronów i Ponsów, i Pascalów, i Jahierów, którzy biegli po drwa, gałęzie, szczapy używane do ogrzewania domów i gotowania strawy, po czym układali je w stosy wysokie na metr lub dwa. „Nieważne, że zostaniemy bez zapasów, nieważne". Płomienie trzaskające wysoko i sypiące iskry, starego François wznoszącego toasty, starą Suzanne płaczącą z radości, *Tante* Jacqueline, która śmiała się z całego serca, siebie samą w objęciach Jeanne, jak woła „*Maman, les feux!* Ogniska, *les feux!*" I zagubioną, zmieszaną *maman*, jeszcze bardziej zagubioną i zmieszaną niż zwykle, która rozglądała się wokół, jak gdyby nie rozumiała, co się właściwie stało.

— *Qu'est-ce que ça veut dire*, co to znaczy? *Ça veut dire, qu'à la fonte des neiges, tu rentreras à Turin, ma belle au bois dormant!* To znaczy, że gdy stopią się śniegi, wrócisz do Turynu, moja śpiąca królewno — odpowiedziała *Tante* Jacqueline.

Myliła się jednak.

* * *

W następnych tygodniach wiele się działo. Nadchodziła pierwsza wojna o Niepodległość, w Paryżu barykady obaliły monarchię Ludwika Filipa Orleańskiego i doprowadziły do powstania drugiej republiki, w Wiedniu rozruchy zmusiły do ucieczki Metternicha, w Berlinie przyczyniły się do powstania liberalnego — lub też prawie liberalnego — rządu. We Włoszech bunt w Palermo, Pięć Dni Mediolanu, wypędzenie Austriaków z Wenecji, konstytucja w Królestwie Dwojga Sycylii, w państwie kościelnym, w Księstwie Parmy, w Wielkim Księstwie Toskanii, gdzie Leopold odrzucił tytuły i swój habsburski rodowód, by wystąpić przeciw własnej rodzinie, a w Piemoncie... w Piemoncie też dużo się działo. 2 marca wypędzono jezuitów. 4 marca Karol Albert ogłosił obiecany 8 lutego statut. 16 tego miesiąca powierzył misję kierowania rządem Cesare Balbowi, 19 zgromadził swoje wojska na granicy z Lombardią, gotowy do zaatakowania Radetzkiego, 23 wypowiedział wojnę Austrii i przekroczył rzekę Ticino. 29 marca żydzi otrzymali prawa obywatelskie, przyznane już waldensom i, *dulcis in fundo*, rozruchy zmusiły arcybiskupa Franzoniego do poszukania schronienia w Szwajcarii. W Valle Oscura najbardziej pamiętnym zdarzeniem było jednak nieoczekiwane roztopienie się śniegów. Zupełnie jakby setki ognisk rozgrzały powietrze i przegoniły zimę, 31 marca temperatura podniosła się do jedenastu stopni. A ponieważ śniegu było dużo, na Rodoret spłynęła ogromna ilość wody. Strumień w wąwozie, który upodobała sobie Marguerite, rozlał się do niewiarygodnej szerokości i stał się tak rwący, że don Stefano przestał chodzić na pstrągi. Rzeczki wylały z brzegów, pastwiska zamokły, drogi rozmokły, a wychodzenie z domu stało się tak ryzykowne, że pastor Morel prosił *Tante* Jacqueline, by odłożyła wyjazd. „Lepiej poczekać do lata". *Tante* Jacqueline jednak na koniec zaczęła się poważnie niepokoić chorobą Marguerite i poczuwszy się pewniej w nowej sytuacji, w klimacie tolerancji modnym już w Turynie, chciała wracać jak najszybciej: zawitać bez zapowiedzi na via Dora Grossa 5, przyprzeć Thomàsa i Judith do muru i zmusić ich do przyjęcia z powrotem córki. „Jeśli to coś poważnego, nie można tracić czasu, i ja tu nie wystarczę, Michel. Żeby ją leczyć, potrzebni są także rodzice". Wyznaczono więc wyjazd na 15 kwietnia i tego dnia wróżka z czarownicą, żegnane łzami Tronów, Ponsów, Pascalów i Jahierów, wsiadły do tego samego powozu, który w 1846 roku je tu przywiózł. *„Au revoir, au revoir*, nie-zapomnijcie-o-nas, uważajcie-na-*vio-di-mort*, dobrze-że-nie-musicie-przebyć-strumienia-w-jarze". Jar? Ach, jar, jej jar! I właśnie w chwili, gdy Morel miał śmignąć konia batem, Marguerite zeskoczyła na ziemię. Głucha na protesty i nawoływania skierowała się ku ścieżce.

— Marguerite, Marguerite! *Qu'est-ce tu fais*, co robisz?! *Il y a le ravin au fond de ce sentier!* Ta ścieżka prowadzi do jaru!

— *Je le sais*, wiem, *Tante* Jacqueline. *Je vais lui dire adieu, le remercier.* Idę się z nim pożegnać i mu podziękować.

— Marguerite, Marguerite! Zatrzymaj się! *Ne m'obligez pas à lâcher les rênes et vous suivre*, nie zmuszaj mnie, żebym porzucił zaprzęg i poszedł za tobą!

— *J'ai dix-neuf ans*, mam dziewiętnaście lat, Michel. *Je peux bien me promener une minute toute seule.* Mogę się przejść przez chwilkę sama.

— Marguerite, Marguerite!

— *Maman, maman!*

— *Je reviens immédiatement*, zaraz wrócę, Nastko.

Gdy tylko zorientowali się, że nie wraca, wszyscy rzucili się jej szukać. Tronowie, Ponsowie, Pacalowie, Jahierowie. Szukali wszędzie. W krzakach, pod drzewami, w kałużach, za skałami. Nie znaleźli jej jednak i łatwo się było domyślić, że po zejściu do jaru musiała dostać zawrotu głowy, wpadła do wody i rwący nurt porwał ją ze sobą. W nadziei, że szybko odzyskała przytomność i być może zdołała się uczepić jakiejś gałęzi czy skały, przebiegli wzdłuż jaru i dalej, wzdłuż coraz szerszego strumienia, który na koniec, w Perrier, wpadał do rzeki Germanasca. Nigdzie jej jednak nie znaleźli, więc ufając, że znajdą chociaż ciało, zaczęli przepatrywać rzekę. Przetrząsnęli teren aż do miejsca, gdzie bystrza wyznaczają punkt, w którym Germanasca wpływa do Chisone. Pod wodzą Morela, Jacques'a Trona i starego François szukali nawet w korycie Chisone. Ale za Pinerolo Chisone wpada do Padu, a Pad jest tak długi... Sześćset pięćdziesiąt dwa kilometry, na Boga! Z Piemontu przepływa do Lombardii, z Lombardii do Emilii-Romanii, z Emilii-Romanii do Wenecji, a potem dzieli się na pięć dopływów delty, które — rozszczepiając się na czternaście kanałów wodnych — wpływają do Adriatyku. Jak odnaleźć w Padzie kruche ciało wróżki?

— Nie ma sensu dalej szukać — załkał za Pinerolo pastor Morel. — *Il s'est envolé avec son âme au paradis.* Wraz z duszą uleciało do raju.

Potem wrócił do Rodoret i od tej chwili *Tante* Jacqueline stała się jedyną mamą, a raczej mamą i tatą Anastasii. Otrząsnąwszy się z rozpaczy i odmówiwszy namiętnym prośbom Tronów: zostańcie-z-nami-albo-zostawcie-ją-u-nas, postanowiła mimo wszystko wrócić do Turynu. Do pomocy przy dziecku zabrała ze sobą dwie siostry z Prarustin, Suzanne i Marianne Gardiol, po czym wraz z nimi wyjechała w połowie czerwca. Zerwała na zawsze kontakty z Valle Oscura i z poczciwymi ludźmi, którzy dali Anastasii własne nazwisko.

— *Moi, je ne veux la partager avec personne.* Nie chcę się nią z nikim dzielić.

Nawiasem mówiąc, Thomàs i Judith nigdy się nie dowiedzieli, że ciało i dusza Marguerite uleciały do raju. Gdy Morel pojechał przekazać im tę wiadomość, odkrył, że na czwartym piętrze via Dora Grossa 5 mieszka nauczyciel tańca. Zegarmistrz z sąsiedztwa powiedział, że w 1847 roku państwo Ferrier przeprowadzili się za granicę. Do którego kraju? Kto to wie?! Może do Francji? Może do Holandii? Dokładny adres znał tylko Bóg.

7

Dom, w którym Anastasia spędziła dzieciństwo i mieszkała do osiemnastego roku życia, jeszcze istnieje. I za każdym razem, gdy zatrzymuję się przed nim, wzruszenie ściska mnie za gardło. Zamglonymi oczami widzę, jak dziewczynka, potem nastolatka, potem młoda kobieta, wychodzi przez masywną bramę, teraz zamkniętą. Jako dziecko, pod rękę z dwiema innymi dziewczynkami, ubranymi w strój waldejski. Jako nastolatka, podając ramię starej kulawej pani. Jako młoda kobieta, szybkim krokiem, niemal wyzywająco, dumna ze swych złotych włosów, słowiańskiej urody, odziana w szeleszczące krynoliny, którymi zastąpiła *jupe vaudoise* i *châle vaudois*, przystrojona w impertynenckie kapelusiki noszone zamiast *coiffe vaudoise*. Nic dziwnego, że mężczyźni patrzyli na Anastasię jak sroka w gnat i nierzadko zaczynali za nią iść. *Madamin... Mademoiselle...*

Wojny i stulecia obeszły się z tym domem łagodnie. Został wybudowany w okresie napoleońskim, a mimo to wygląda jak nowy. W czasie bombardowań w 1943 roku uderzyły w niego liczne odłamki samozapalające, wnętrze spłonęło, bryła pozostała jednak nietknięta. Nie zwaliły się nawet balustrady z kutego żelaza. Ma pięć pięter. Znajduje się w połowie via Lagrange (w tym czasie była to via dei Conciatori), gdzie zajmuje działkę oznaczoną numerem 12 (wtedy 23), to znaczy odcinek na rogu z via dell'Ospedale i przylegający do piazza San Carlo. Dzisiaj jest to budynek komunalny. Mają tu siedzibę strażacy z sekcji centrum, którzy zamiast przechodzić przez potężną bramę, korzystają z brzydkiego tylnego wyjścia od via dell'Ospedale. W dziewiętnastym wieku gmach należał do hrabiego Ottavia Thaona de Revela, firmatariusza statutu, ministra Karola Alberta, posła, a potem senatora prawicowych liberałów, który urodził się w nim i zajmował tam drugie, trzecie i czwarte piętro. (Na parterze trzymał woźnicę, na pierwszym piętrze albo wysokim parterze służbę, na piątym lokatorów). Był to więc prestiżowy adres, potwierdzający zasobność *Tante* Jacqueline, znajdujący się w szykownej części miasta. Kamienica nie tylko przylegała do piazza San Carlo, ale była oddalona zaledwie o dwa budynki od piazza Castello, gdzie znajdował się Palazzo Madama, czyli siedziba senatu, pałac Rady Ministrów i pałac królewski. I tylko jeden gmach oddzielał ją od rezydencji Camilla Bensa di Cavoura, położonej na skrzyżowaniu via Lagrange z via dell'Arcivescovado. Nie przypadkiem opowiadania babci Giacomy nie mogły się obejść bez wspomnienia Cavoura, który udając się do parlamentu, senatu, do pałacu ministrów lub do króla, szedł pieszo przez via Lagrange, i przechodząc pod oknami Anastasii, podnosił głowę. Zdejmował kapelusz, pozdrawiał ją uprzejmie.

— *Bonjour, ma très belle!*

— *Bonjour, monsieur le comte.*

Wynajęte mieszkanie składało się z trzech sypialni, salonu, jadalni oraz kuchni i łazienki z mosiężną wanną. Wchodziło się do niego po schodach dla służby, to znaczy od dziedzińca, na którym woźnica trzymał konie i powozy, kosztowało dwieście lirów miesięcznie i administrator hrabiów Thaon de Revel wynajmował je z umeblowaniem. Włącznie z żyrandolami i z gazem. Poza tym przy podpisaniu umowy nie wymagał pokazania rodzinnych dokumentów, co groziłoby ujawnieniem oszustwa popełnionego w Rodoret. Wystarczyło mu, by wynajmujący był osobą poważną, dobrze wychowaną i wypłacalną. Tak więc *Tante* Jacqueline otrzymała mieszkanie bez problemów, wprowadziła się do niego latem 1848 roku z Anastasią i siostrami Gardiol, a kiedy zastanawiam się, czy ich przyjazd wzbudził ciekawość w sąsiedztwie, dochodzę do wniosku, że chyba nie. Hrabia Ottavio mógł nawet nie zauważyć małego gineceum, które administrator zainstalował mu na piątym piętrze. Tak samo jego rodzina. 27 kwietnia odbyły się pierwsze wybory w królestwie sabaudzkim, 8 maja zaczął obrady pierwszy parlament, 18 maja pierwszy senat. 29 maja rozegrała się bitwa pod Curtatone i Montanarą, 30 maja Karol Albert pokonał Austriaków pod Goito, 31 maja opanował fortecę w Peschierze. W tych zawirowaniach wojny, polityki, zwycięstw, cóż mogły obchodzić Thaonów de Revelów śliczna dziewczynka, kulawa pani i dwie służące w waldejskich strojach, które zamieszkały nad ich głowami? Potem, 25 lipca, wojska piemonckie zostały pokonane pod Custozą, pod naporem armii Radetzkiego zaczęły wycofywać się z uwolnionej Lombardii, 4 sierpnia Karol Albert porzucił Mediolan na pastwę losu, 9 sierpnia zaakceptował rozejm w Salasco. Potem nastąpił katastrofalny rok 1849, kiedy — wypowiedziawszy rozejm i powierzywszy dowództwo armii polskiemu generałowi Chrzanowskiemu — Karol Albert zaczął na nowo wojnę, ale został od razu pokonany pod Novarą. To rok, w którym abdykował, udał się na emigrację do Portugalii, umarł tam, a dwudziestodziewięcioletni Wiktor Emanuel II wstąpił na tron. A także rok, w którym Leopold II Lotaryński uciekł do Gaety, gdzie przebywał już Pius IX, rok, w którym Austriacy zajęli Florencję i zdławili bohaterskie powstanie w Livorno, w którym Rzym został ogłoszony Republiką Rzymską i Mazzini ustanowił tam triumwirat, lecz bratanek Nappy, czyli nowy prezydent Republiki Francuskiej, interweniował zbrojnie, aby oddać koronę papieżowi. Jego wojska obległy miasto i po ciężkich bombardowaniach, w których wyniku zginęły setki obrońców, między innymi Goffredo Mameli, zdobyły je. Na koniec rok, w którym bombardowana z lądu, morza i powietrza (z powietrza z aerostatycznych balonów) Wenecja poddała się. Poddały się całe Włochy, wszędzie poza Piemontem obce jarzmo stało się cięższe niż kiedykolwiek, i w oczach hrabiego Ottavia i jego rodziny małe gineceum na piątym piętrze musiało być mało istotne. Czemu zresztą mieliby się nim interesować albo dociekać, czy wszystkie papiery są w porządku? Lokatorki płaciły regularnie, nikomu nie przeszkadzały, zachowywały się uprzejmie, kulawa pani nigdy nie przyjmowała gości. O ile wiem, pomijając Michela Morela, który zajeżdżał od czasu do czasu swoim powozikiem, przez całe dzieciństwo Anastasii tylko jeden gość wszedł po schodach na piąte piętro: gospodarz Gardiol, czyli ojciec Marianne i Suzanne, dwóch sióstr najętych przez Jacqueline, który w 1853 roku przyjechał zabrać je z powrotem do Prarustin.

Mam skąpe informacje o czterech latach, które Anastasia spędziła na via Lagrange z siostrami Gardiol: w tej chwili to postaci bez wyrazu, ale w przyszłości odegrają ważną rolę w jej historii. O Suzanne babcia Giacoma nie opowiadała nigdy. O Marianne tylko wtedy, gdy wspominała o okresie spędzonym przez Anastasię w Salt Lake City jako kandydatka na siódmą żonę mormona Johna Daltona.

Niewiele danych dostarczają także archiwa. Tylko tyle, że Marianne urodziła się w 1834 roku, a Suzanne w 1830, czyli że gdy poszły na służbę do *Tante* Jacqueline, miały odpowiednio czternaście i osiemnaście lat, należały do jednego z najbiedniejszych klanów, obie ważyły po czterdzieści kilogramów i miały metr pięćdziesiąt wzrostu. Że w 1850 roku protestancki misjonarz Lorenzo Snow odwiedził doliny w poszukiwaniu prozelitów Kościoła Jezusa Chrystusa Świętych w Dniach Ostatnich, czyli mormonizmu: dziwnej sekty założonej w 1830 roku przez niejakiego Josepha Smitha, zakotwiczonej ze swym prorokiem Brighamem Youngiem na terytorium Utah i propagującej poligamię. Że omamiony mirażem Ameryki, to znaczy nadzieją na zyskanie bogactwa i licznych żon, gospodarz Gardiol był jednym ze stu osiemdziesięciu siedmiu waldensów, którzy ochoczo nawrócili się na nową wiarę. Że z tego powodu w 1853 roku przyjechał po córki i wkrótce potem Marianne wyemigrowała do Salt Lake City, gdzie została szóstą żoną Johna Daltona... Nie wiem zatem nic, co dotyczy bezpośrednio Anastasii i co mogłoby mi pomóc w wyobrażeniu sobie tej fazy jej dzieciństwa. (Żeby wyobrazić je sobie, muszę patrzyć na sławny obraz Moneta. Ten, który przedstawia uroczą dziewczynkę siedzącą przy stole z łyżką w ręku i otoczoną przez trzy adorujące ją kobiety: matkę, służącą i niańkę). Natomiast o latach po wyjeździe sióstr Gardiol wiem dużo więcej. Na przykład, że jesienią 1853 roku Anastasia została zapisana do waldejskiej szkoły podstawowej pastora Amedea Berta, gdzie zaczęła ujawniać swój nieposkromiony charakter, który objawiał się już w kołysce, kiedy popełniła bluźnierstwo uwolnienia się od pieluszek. Szkoły turyńskie były bardzo cywilizowane. Żadnego bicia, żadnej chłosty bykowcem, żadnego dręczenia takiego jak to, którego doświadczył Giobatta w Livorno. Regulamin miejski zabraniał używania kar cielesnych i największą sankcją była ośla ławka. To znaczy posadzenie nieposłusznego ucznia czy uczennicy w osobnej ławce, z reguły stojącej obok tablicy czy pod samą katedrą. W szkołach zarówno katolickich, jak i waldejskich ważną rolę odgrywała religia. Pierwszą modlitwę odmawiało się o dziewiątej, drugą o dwunastej, trzecią o czwartej, do tego każdego popołudnia była przewidziana godzina katechizmu i historii biblijnej. Poza tym klasy dla dziewcząt obejmowały naukę prac kobiecych. Robienie na drutach, szycie, haftowanie. No cóż, robót domowych Anastasia nie znosiła. Modlitw i katechizmu jeszcze bardziej. (*Ça m'ennuie*, to mnie nudzi — protestowała, gdy *Tante* Jacqueline namawiała ją do śpiewania jakiegoś hymnu). Dlatego też po każdej odmowie lądowała w oślej ławce, która w jakimś czasie stała się nawet jej stałym miejscem. Po wejściu do klasy od razu w niej siadała i jeśli jej na to nie pozwalali, obrażała się.

— *C'est mon banc privé*, to moja prywatna ławka. *Moi j'aime le déshonneur*, lubię hańbę.

Wiem, że za sprawą nauczyciela Varisca, wygnańca z Wenecji, nawróconego na kalwinizm i odpowiadającego za lekcje włoskiego, Anastasia nauczyła się tam wreszcie języka kraju, w którym się urodziła. Języka, który pozostał dla niej obcy — dlatego zawsze miała mówić nim źle i z silnym cudzoziemskim akcentem o charakterystycznym podwójnym *r*. *Buonase*rr*a-ca*rr*o-signo*rre. Wiem, że dzięki Variscowi i nauczycielom kaligrafii, czytania, arytmetyki, geografii odkryła w szkole nieznaną rasę, widywaną dotąd tylko z daleka na ulicy. Rasę tajemniczych osobników z brodą, wąsami i w spodniach — rasę mężczyzn. Wiem, że gdy ich poznała, zafascynowali ją, i zaczęła ich uwodzić jak wytrawna mała kokietka. Swoją urodą, swoją bezczelnością, swoją elegancją. Tak, elegancją, gdyż tradycyjnego waldejskiego stroju nie chciała nosić. Jeśli zmuszałeś ją do założenia *coiffe vaudoise* czy *tablier vaudois*, zaczynała wrzeszczeć „*ça-ne-me-plaît-pas*, nie podoba mi się", i *Tante* Jacqueline musiała ubierać ją zgodnie z wymogami mody. Obcisłe gorsety, spódnice podtrzymywane przez krynolinę, pod spódnicą pantalony, czyli koronkowe majtki długie do kostek, buciki z getrami. I wiem przede wszystkim, że w tych latach Anastasia odkryła, że jest osobą pozbawioną jakiejkolwiek tożsamości prawnej. Po powrocie do Turynu *Tante* Jacqueline nie podjęła ryzyka uregulowania kwestii swojej opieki nad dzieckiem czy zarejestrowania sieroty. Administratorowi Thaonów de Revelów przedstawiła ją po prostu jako siostrzenicę, do szkoły zapisała ją pod imieniem wybranym przez Marguerite, to znaczy Anastasia Ferrier, zresztą spisy mieszkańców jeszcze wówczas nie istniały. W razie wątpliwości trudno byłoby określić, czy miała prawo do tego imienia, czy nie. Dowód urodzin tej istoty pozbawionej tożsamości prawnej jednak istniał. Był to dokument przechowywany w waldejskiej parafii w Rodoret, który określał ją jako Jeanne Tron, córkę Jacques'a Trona i Jeanne Tron z domu Pons. Oszustwo podpisane krzyżykiem analfabety przez Jacques'a i ozdobnym zawijasem przez Michela Morela. A dowód ten, którego nie można było usunąć, gdyż na drugiej stronie zawierał potwierdzenie chrztu dwojga innych noworodków, był fałszerstwem aktu publicznego. Przestępstwem nieulegającym przedawnieniu, umorzonym dopiero po śmierci winnego, takim, który mógł wpędzić w kłopoty wszystkich odpowiedzialnych. Między innymi tę, która przywłaszczyła sobie domniemaną Jeanne Tron. Zabrała ją ze sobą i teraz trzymała u siebie, bez zgody sądu.

Czy byłyby to tylko kłopoty? Kodeks karny definiował sprawę jednoznacznie. „Kto pełniąc funkcję urzędową, dopuści się oszustwa w akcie publicznym, dokonując zamiany czy podstawienia osób, zostanie ukarany czasowym lub dożywotnim skazaniem na ciężkie roboty", informował w odniesieniu do oszustwa dokonanego przez Morela. „Kto oszukańczymi deklaracjami czy kłamliwym podpisem dopuszcza się fałszerstwa w akcie publicznym, zostanie skazany na pięć lat więzienia lub dziesięć lat ciężkich robót", głosił kodeks w odniesieniu do postępku Tronów. „Kto przywłaszcza sobie dziecko, zmienia lub zataja jego tożsamość, zostanie ukarany siedmioletnim więzieniem lub dziesięcioma latami ciężkich robót", zarządzał w odniesieniu do matactw popełnionych przez *Tante* Jacqueline. Ale Morel nie przejmował się tym, małżonkowie Tron nie zdawali sobie z tego sprawy, a *Tante* Jacqueline nie myślała o tym i nie chciała myśleć. Pomijając samą Anastasię, zbyt wiele spraw odciągało jej uwagę od tego miecza Damoklesa wiszącego nad jej szyją. Przemiana Turynu, który pod rządami liberałów i Wiktora Emanuela II przestał być szarym i nudnym miastem, zmieniając się szybko w nowoczesną stolicę: eksperymenty z oświetleniem elektrycznym, linie kolejowe prowadzące do Genui i do Susy, kawiarnie wypełnione dyskutantami, którzy bez obaw wymieniali swe opinie, wesołe obchody karnawału, a dla waldensów wielki zbór wzniesiony na viale del Re. Dojście do władzy Cavoura, teraz pierwszego ministra, tak potężnego, że mógł sobie pozwolić na irytowanie króla. Co sprawiało, że było podwójną przyjemnością zobaczyć go, jak wychodzi z gmachu na rogu via dell'Arcivescovado i w swoim cylindrze, drucianych okularkach, z ironicznym uśmieszkiem powoli podąża wzdłuż via Lagrange. *Bonjour-ma-très-belle, bonjour-monsieur-le-comte*. Dramat Włoch, jęczących ponownie pod jarzmem Austriaków i reakcyjnych polityków, rozruchy inspirowane przez Mazziniego, szubienice w Mediolanie i Mantui, gdzie patriotów wieszano po pięciu i dziesięciu naraz, procesy we Florencji, w której Leopold przywrócił karę śmierci, a wojska Radetzkiego panoszyły się w najlepsze. Problem wschodni, wojna krymska... W 1853 roku car zajął Mołdawię i Wołoszczyznę: naddunajskie księstwa należące do sułtana Stambułu, czyli do Turcji. Spiesząc jej z pomocą, Francja i Anglia wypowiedziały wojnę Rosji, a następnie zajęły Półwysep Krymski. Żeby zapewnić sobie poparcie przeciwko Austrii (tradycyjnej sojuszniczki Rosji), Cavour przyłączył się do nich. W 1855 roku także małe królestwo sabaudzkie włączyło się do wojny, piętnaście tysięcy Piemontczyków wylądowało w Bałakławie — czy można przejść do porządku dziennego nad czymś takim? Oblężenie Sewastopola. Epidemia cholery, która niemal od razu zaatakowała korpus ekspedycyjny i zabiła tysiąc trzystu żołnierzy, w tym generała Alessandra Lamarmorę. Bohaterska bitwa pod Cernaią. Końcowe zwycięstwo. A w 1856 roku kongres w Paryżu: Cavour zasiadający obok przedstawicieli wielkich mocarstw europejskich, by dyskutować jak równy z równym o warunkach traktatu pokojowego...

Potem jednak nadeszło lato 1857 roku i 4 lipca Wiktor Emanuel II nakazał realizację dekretu wydanego w 1855 roku w czasie wojny na Krymie. Chodziło o spis powszechny, który miał na celu policzenie poddanych, opisanie ich i skatalogowanie. Miał się odbyć w nocy z 31 grudnia 1857 roku na 1 stycznia 1858.

* * *

Najbardziej drobiazgowy i skrupulatny spis powszechny, jaki kiedykolwiek zaplanowano we Włoszech. A zarazem najniebezpieczniejsza, najbardziej podstępna i śmiertelna pułapka, jaką *Tante* Jacqueline mogłaby sobie wyobrazić. Ponieważ w ciągu dwóch lat, kiedy ona śledziła losy oblężenia Sewastopola, bitwy pod Cernaią i kongresu w Paryżu, Ministerstwo Spraw Wewnętrznych przestudiowało wszystkie rejestry katastralne, które — przy braku spisów mieszkańców — dostarczały list siedzib i rezydencji. Na ich podstawie sporządziło dokładny plan wszystkich ośrodków miejskich, wsi, dzielnic, gospodarstw, siedzib zamieszkiwanych lub nadających się do zamieszkania. Następnie wydrukowało formularze do wypełnienia, które dostarczano w taki sposób, że nie można było spisu uniknąć. Zwłaszcza w zdyscyplinowanym i uporządkowanym Turynie. Spis przeprowadzali w istocie urzędnicy, którzy w wielu przypadkach znali już tożsamość osób zamieszkujących na danym piętrze danego budynku na danej ulicy. W eskorcie straży miejskiej lub policjanta zjawiali się w mieszkaniu z rejestrem, w którym zaznaczali odbytą wizytę, i udawanie nieobecnych na nic się nie przydawało. Jeśli drzwi pozostawały zamknięte, wracali tak długo, aż im otworzono. Albo też przepytywali właściciela budynku. A co zrobisz, gdy właściciel nazywa się Ottavio Thaon de Revel? Wyjaśnisz mu, że jesteś na bakier z prawem, że odpowiadając na pytania spisu, ryzykujesz, że wyda się oszustwo z 1846 roku i popełnione później szachrajstwa? Będziesz go błagać, żeby nie poinformował, że mieszkasz na piątym piętrze, poprosisz, żeby cię schował w piwnicy albo za zasłonami salonu? Odmówienie wypełnienia formularza spisowego lub uchylenie się od tego było zresztą wykroczeniem karanym aresztem. Podanie nieścisłych lub fałszywych informacji — przestępstwem takim samym jak popełnienie oszustwa w akcie publicznym. Zresztą próba zrobienia czegoś takiego była właściwie skazana na nieuchronną porażkę: niedyskretny dokument zawierał bardzo precyzyjne pytania.

Liczba zajmowanych pomieszczeń, liczba członków rodziny, osób żyjących z rodziną jako goście lub służba. Należało wymienić wszystkich z imienia i nazwiska, podać wiek, miejsce urodzenia i stałego zamieszkania, przynależność religijną, język ojczysty, stopień wykształcenia, wady wrodzone (ślepota, głuchota). To samo dotyczyło gości, nawet przejezdnych, którzy zatrzymali się, aby świętować sylwestra. „Niniejszy formularz obejmie także obcych, którzy nocą z 31 grudnia 1857 na 1 stycznia 1858 roku znajdą się przypadkowo w danym lokalu", precyzował przypis na dole strony. Jednym słowem, próba wymknięcia się procedurze poprzez udanie się do kogoś z wizytą, nie miała sensu: jedyną ucieczką przed pułapkami pytań byłby wyjazd z królestwa sabaudzkiego. Aby z niego wyjechać, potrzebny jest jednak paszport. Aby uzyskać paszport, trzeba się zwrócić do kwatery policji i poddać się jeszcze bardziej szczegółowemu przesłuchaniu, krótko mówiąc, wpaść z deszczu pod rynnę. Kiedy *Tante* Jacqueline dostała formularz spisu, oprzytomniała w jednej chwili. Zrozumiała, że niebezpieczeństwo więzienia lub ciężkich robót stało się nagle bardzo realne i ogarnięta paniką postanowiła ostrzec Anastasię: wyznać jej prawdę o jej rodzicach.

— *Il faut que je te parle*, muszę z tobą porozmawiać, *ma petite...*

W 1857 roku Anastasia miała jedenaście lat. W tym wieku można już wiele zrozumieć, a Anastasia była bystra i pojęła wszystko w lot aż nazbyt dobrze. Z charakterystyczną dla siebie odwagą i instynktem przeżycia zasugerowała nawet jedyne możliwe rozwiązanie.

— *Veux-tu dire, que le mien est un nom abusif Tante Jacqueline, que je ne suis pas vraiment Anastasie Ferrier?* Chcesz powiedzieć, że mam fałszywe imię, że nie jestem naprawdę Anastasią Ferrier?

— *Oui, ma petite...*

— *Veux-tu dire, que malgré ça, je ne suis Jeanne Tron non plus?* Chcesz powiedzieć, że mimo to nie jestem również Jeanne Tron?

— *Oui, ma petite...*

— *Veux-tu dire, que pour le monde je n'existe pas, je ne suis jamais née?* Chesz powiedzieć, że dla świata nie istnieję, nigdy się nie urodziłam?

— *Oui, ma petite. Pourtant je dois t'enregistrer quand même*, mimo to muszę cię zarejestrować...

— *Non. Tu ne dois pas*, nie musisz, *Tante* Jacqueline. *On ne peut pas enregistrer une personne, qui n'est jamais née*, nie można zarejestrować kogoś, kto nigdy się nie urodził..

— *Mais la loi*, ale prawo...

— *Moi je m'en fiche de la loi*, gwiżdżę na prawo, *Tante* Jacqueline.

— *Et le bon Dieu.*

— *Moi je m'en fiche du bon Dieu*, gwiżdżę na Pana Boga. *Quelle espèce de bon Dieu est un Dieu, qui laisse tuer mon père et noyer ma mère, qui te fait pleurer et m'oblige à vivre en contumace?* Co to za Bóg, który pozwolił zabić mojego ojca, utopić się mojej matce, który doprowadza cię do płaczu, a mnie zmusza do życia bez dokumentów?

— *Oh, ma petite!!*

Po zakończonym spisie miejscy pisarze skopiowali do dwudziestu czterech rejestrów dane 179 635 mieszkańców, którzy zgodnie z zebranymi informacjami zamieszkiwali w Turynie w 1858 roku. Oprawione w masywne okładki z bordowej skóry tomiszcza zamknięto w jednej z kas pancernych archiwum miejskiego. I wydawało się, że będą tam spoczywać bezpiecznie przez wieki. Tymczasem, kiedy poszłam je przewertować, znalazłam ich tylko szesnaście. Ośmiu brakuje, w tym także tomu z danymi z via Lagrange. (Zgubione w czasie jakiejś przeprowadzki? Zetlałe, rozpadły się w proch? Bardziej prawdopodobna wydaje się ta druga przyczyna. Papier pozostałych szesnastu ksiąg jest w bardzo złym stanie. Został wyprodukowany z marnej celulozy i z upływem czasu stał się tak kruchy, że rozpada się w rękach, gdy się go kartkuje). Nie mam zatem dowodów, że *Tante* Jacqueline poszła za gorzką radą Anastasii. Ale ponieważ nie skończyła w więzieniu ani na ciężkich robotach, przypuszczam, że to zrobiła, i że nikt się nie zorientował. Wiem jednak, że odkrycie, iż jest sierotą, nieślubnym dzieckiem urodzonym po kryjomu i pozbawionym wszelkich praw obywatelskich, że istnieje nielegalnie, bo kodeks karny zabrania jej ujawnienia własnej egzystencji, było dla Anastasii wielkim wstrząsem. Traumatycznym przeżyciem, którego konsekwencje nie ograniczyły się do przedwczesnego odrzucenia wiary w Boga. Ponieważ właśnie to odkrycie, a nie jej przekorny charakter, uczyniło z niej buntowniczkę i zaprowadziło ją na drogę, na której miała spotkać swego mężczyznę. Czyli pradziadka, o którym nie wolno mi wspominać.

8

Pierwszy obraz tej nowej Anastasii to czarująca nastolatka w baletkach i w *tutù*, uczennica Królewskiej Szkoły Baletowej, rwąca się do występów: sposób, jaki wybrała, aby wybić się z anonimowego tłumu. Nie było łatwo wstąpić do Królewskiej Szkoły Baletowej. Na kurs przygotowawczy przyjmowano tylko dziesięciu nowych uczniów rocznie i żeby zjawić się na egzaminie wstępnym, trzeba było spełnić ściśle określone wymagania. Wdzięk ruchów, szczupła sylwetka. Mocne, ale drobne mięśnie, doskonałe zdrowie. Żelazne łydki, stalowe kostki, giętkie stopy. Słuch muzyczny, zdolności aktorskie, miłość do sztuki oraz odpowiedni wiek, który dla dziewczynek wynosił od ośmiu do dziesięciu lat. Co więcej: badania były przeprowadzane z bezlitosną dokładnością przez lekarza, chirurga, skrzypka, baletmistrza, nauczyciela pantomimy i nauczyciela francuskiego (w auli używano wyłącznie francuszczyzny). Jeśli oblało się egzamin, nie można było do niego przystąpić powtórnie. Niełatwo było także uzyskać zgodę *Tante* Jacqueline, kobiety o światłych poglądach, która mimo wszystko żywiła pewne przesądy i trapiły ją uzasadnione niepokoje. *Tutù*, jak wiadomo, to nie habit nowicjuszki. Gorset odsłania ramiona i plecy, przezroczysta tiulowa spódniczka pozwala dostrzec uda, a przy skokach unosi się do góry. Odkrywa nawet majtki. Poza tym taniec żywi się zmysłowością, patosem, subtelnym pożądaniem... Wystarczy sobie uprzytomnić jego miękkie i aluzyjne gesty, niemal onanistyczne poruszenia w występach solo, erotyczne muśnięcia w *pas à deux*. Partner, który pomagając w wykonaniu piruetu, obejmuje tancerkę w pasie, unosząc ją w locie anioła, chwyta ją za nogi, przytrzymując w powietrzu, ściska jej łono. Dewoci uważali więc tancerki za kobiety bezwstydne, prawdziwe ucieleśnienie grzechu. Mężczyźni szukający przygód popatrywali na nie łakomie, a już zwłaszcza uczennice z Królewskiej Szkoły Baletowej były dla nich niczym misa miodu postawiona pośród roju gzów (tych natrętnych much, które nie dają ofierze spokoju, dopóki jej nie ukąszą, nie wyssą). Teatr znajdował się naprzeciwko Palazzo Madama, to znaczy na piazza Castello. Po prawej wznosiło się Ministerstwo Spraw Wewnętrznych, kilka kroków dalej Klub Szlachecki. Zaraz za rogiem liczne kafejki, lubiane przez dygnitarzy. W rezultacie przy wejściu roiło się zawsze od fraków i mundurów. Posłowie, senatorowie. Wysocy urzędnicy, ministrowie. Oficerowie, generałowie, zawodowi podrywacze. Najbardziej wygłodniali przekraczali próg szkoły, pod pretekstem przyglądania się próbom wkradali się do foyer... i jak można było uniknąć ich zalotów? Czasami chodziło przecież o tak wybitne osobistości! Massimo d'Azeglio zalecał się do uczennic, częstując je karmelkami, schowanymi w kieszeni. *Un bonbon mignonne?* Camillo Cavour, który jako kawaler nie musiał się obawiać skandali, rozdawał hojnie przyjacielskie klepnięcia w pupę. „*Quel joli derrière*, jaki śliczny tyłeczek!" Carlo Alfieri di Sostegno, który miał bardzo brzydką żonę, żebrał o pocieszenie. Urbano Rattazzi, z małżonką aż nazbyt żwawą, szukał sposobu zemszczenia się. A z Genui, gdzie dowodził regimentem kawalerii, przyjeżdżał fascynujący Ulrico di Aichelburg, bohater wojny krymskiej i autor słynnego powiedzenia: „Szpadę wsuwa się do pochwy, a pochwa jej na to pozwala". Z Paryża przybywał zjawiskowy Costantino Nigra, wielki przyjaciel Cavoura i kochanek cesarzowej Eugenii. A z pałacu królewskiego przychodził Jego Królewska Mość Wiktor Emanuel II, który był bardzo demokratycznym monarchą. Mówił po piemoncku, to znaczy dialektem swego ludu. Chodził po mieście bez eskorty, zatrzymywał się na pogawędki i zabierał do łóżka wszystkie poddane, które nawinęły mu się pod rękę. Blondynki, brunetki, grube, szczupłe. Arystokratki, mieszczki, plebejuszki. W *tutù* i bez *tutù*. Jednak na korzyść szkoły tańca przemawiało to, że nie żądała aktu urodzenia ani innych niedyskretnych dokumentów. Do zadeklarowania wieku i tożsamości wystarczył podpis rodzica lub opiekuna, który towarzyszył kandydatowi i kandydatce, a czy zdarzyło się kiedykolwiek, by *Tante* Jacqueline zdołała czegoś odmówić uwielbianej siostrzenicy? W marcu 1858 roku Anastasia zdała egzamin i teraz uczęszczała na trzyletnie kursy baletu. *„Je montrerai au monde, que je suis née, que j'existe.* Pokażę światu, że się urodziłam, że istnieję".

Wzruszam się, widząc ją w *tutù*. I prowadzi mnie to do lat poprzedzających fatalne spotkanie z pradziadkiem, o którym nie wolno mi opowiadać, z dostojnym gzem, który przesądził o jej życiu. O tamtym moim życiu. („Urodziłam się z winy *tutù*", mawiała cierpko babcia Giacoma). Bo z okresu, gdy byłam Anastasią dzieckiem i chodziłam do szkoły podstawowej pastora Berta, nie chciałam nosić ubioru waldejskiego i lubiłam siedzieć w oślej ławce, pamiętam bardzo mało. Z miesięcy po spisie powszechnym — zupełnie nic. Natomiast o latach spędzonych w szkole baletu zachowałam dokładne wspomnienia. Pamiętam aulę na ostatnim piętrze teatru, zbyt zimną zimą i zbyt gorącą latem, nienawistne zwierciadła, odbijające wszystkie moje błędy. Nauczyciela baletu, byłego tancerza, złośliwego i drażliwego, który pomimo zakazu stosowania kar cielesnych bił nas trzcinką, by odmierzać tempo, i obsypywał obelgami. Upokarzał nas. „Idiotka, *balourd!* Leniwa, *paresseuse*". Albo też kontrolował szczupłość naszych mięśni bolesnymi uszczypnięciami w biceps. „*Qu'est-que c'est ce gras?* Co to za tłuszcz? *Vous devez manger des légumes, des légumes, des légumes!* Macie jeść warzywa!*"* Panowała bezlitosna dyscyplina, którą szkoła narzucała nawet w drobiazgach. Wzbronione było spóźnianie się choćby o minutę, ozdabianie stroju kokardami czy wstążkami, wzbronione noszenie kolczyków i naszyjników, wzbronione pogawędki z kolegami i koleżankami z klasy, nawet śmianie się. Nuda ćwiczeń przy pręcie, tak zwane *pliés*, rozciągania, i udręka wykonywania ich w gorsecie umocnionym fiszbinami. Trud ćwiczeń wykonywanych na środku sali, bez pręta, przed lustrem, zaczynając od niewdzięcznego *en-dehors*. Głowa podniesiona, proste plecy, ramiona uniesione w geście trzymania wyimaginowanego kosza na wysokości piersi. Wciągnięty brzuch, ściśnięte pośladki, nogi złączone aż do kostki, stopy rozsunięte od pięty, tak aby stworzyły kąt stu osiemdziesięciu stopni, i biada ci, jeśli stracisz równowagę! „*Mollasson!* Niezdara! *Qu'est-ce que tu as à la place des muscles?!* Co masz zamiast mięśni?! *Du beurre?* Masło?" Tortura *écart*, czyli szpagatu, figury polegającej na rozłożeniu ud pod kątem prostym, aż obie nogi przylegają do podłogi na całej długości, a każde ścięgno zdaje się błagać o litość. Męczarnia *grand-jeté*, szpagatu w powietrzu: skoku w górę z rozwiedzionymi, naciągniętymi nogami, i biada, jeśli przygniesz choć odrobinę kolana. „*Bête*, bydlę, *bête!*" Udręka tańca na czubkach palców, na przykład wykonywania *arabesque*: niemożliwej pozycji, w której ciało rozciąga się horyzontalnie, jedna noga uniesiona jest do góry pod kątem co najmniej dziewięćdziesięciu stopni, druga utrzymuje się w chwiejnej równowadze na czubkach palców, dlatego jeśli duży palec jest krótszy od innych palców (mój był), miażdży się na wkładce do baletek. Zniekształca całą kość śródstopia, i co za ból! Chryste, kto by przypuszczał, że tańczenie na czubkach palców okaże się tak trudne i bolesne? Na początku robiły mi się na nich bąble i nie mogłam nawet chodzić. Kulejąc, wychodziłam z auli i schodziłam do foyer, gdzie gzy we frakach pożerały mnie wzrokiem. Kulejąc, wychodziłam z teatru, kierowałam się pod portyk piazza Castello, gdzie gzy w mundurach deptały mi po piętach i prześladowały lubieżnymi propozycjami. Kulejąc, przemierzałam via Accademia delle Scienze, piazza Carignano, wracałam do domu, gdzie *Tante* Jacqueline opatrywała mi stopy i masowała je, wzdychając. *„Mon petit soldat*, mój mały żołnierzu..."

Drugi obraz, równoległy do pierwszego, ale zarazem bardzo od niego odmienny, to wizja zadumanej dziewczynki pogrążonej w lekturze książek, które za osiemnaście lirów na miesiąc *Tante* Jacqueline pożycza z objazdowej biblioteki braci Reycend na via Po. Taka na przykład *Dama kameliowa* Dumasa syna. *Pani Bovary* Flauberta, *Kwiaty zła* Baudelaire'a. Rzeczy, na które niewinna panienka nie powinna nawet spoglądać. (Czy masz pojęcie, kim jest Dama Kameliowa?! Utrzymanką, *parbleu*. Luksusową dziwką, która sprzedaje się najlepszemu oferentowi, przepuszcza pieniądze na orgie, deprawuje młodzieńca z dobrej rodziny i którą Bóg karze śmiercią na suchoty! Wiesz, kim jest pani Bovary?!? Nieszczęśnicą, która przyprawia rogi mężowi, nie chce wypełniać swoich obowiązków macierzyńskich i małżeńskich, nudzi się uczciwym życiem, a w końcu popełnia samobójstwo! Nie przypadkiem Flauberta podano do sądu, gdzie cudem wykręcił się od wyroku skazującego. A *Kwiaty zła*? To tak skandaliczne wiersze, że żadne kruczki prawne tu nie pomogły. Baudelaire został uznany za winnego obrazy moralności publicznej i skazany na trzysta franków grzywny). Naturalnie zakazane powieści i skandaliczne wiersze *Tante* Jacqueline pożycza dla siebie, nie dla wnuczki. Rozkoszuje się nimi po cichu i trzyma je pod poduszką. Anastasia jednak wie, że jej opiekunka ma mocny sen, i gdy tylko rozlega się chrapanie, wykrada je. Zabiera do swojego pokoju i czyta przy świetle lampy gazowej, ucząc się dzięki temu rzeczy bardziej interesujących od *écart*, *grand-jeté* czy *arabesque*. Na początek dowiaduje się z nich, że stosunki między mężczyznami a kobietami komplikują się z powodu trudnego problemu zwanego seksem. Że seks jest powodem, dla którego Massimo d'Azeglio wypełnia sobie kieszenie cukierkami, Cavour rozdaje klepnięcia w pupę, a ona sama odczuwa mrowienie, gdy padają na nią pożądliwe męskie spojrzenia i gdy zaczepiają ją oficerowie. Że kobiety mają takie same pragnienia jak mężczyźni, takie same zdolności umysłowe, takie same potrzeby fizyczne i intelektualne. Że mimo to uważane są za istoty niższego rzędu i żyją z powrozem na szyi. Nie mogą się zbuntować przeciw tyranii ojca czy męża, nie mogą się bronić przed przemocą. Nie mogą głosować ani piastować urzędów publicznych, tak samo jak więźniowie, niedorozwinięci i analfabeci. Nie mogą zapisywać się na uniwersytet, nie zostają lekarzami, adwokatami czy inżynierami. Dostępne im zawody to: nauczycielki, guwernantki, śpiewaczki, baletnice, prostytutki, służące, poetki i powieściopisarki. (Te ostatnie najlepiej incognito. To znaczy pod męskim pseudonimem, tak jak siostry Emily, Charlotte i Anne Brontë, które opublikowały pierwszą książkę jako Ellis, Currer i Acton Bell. Albo jak Mary Ann Evans, która podpisuje się George Eliot, jak Aurore Dupin, podpisująca się George Sand). Anastasia czyta także George Sand. Zuchwałą George Sand, której nie wystarcza męski pseudonim i która ubiera się także jak mężczyzna, w spodnie, surdut, krawat i cylinder, pali cygara, chodzi do łóżka, z kim jej się podoba, a wśród swoich licznych kochanków ma także polskiego kompozytora Chopina. Anastasia czyta „Le Tour de Monde": pismo drukujące artykuły o wielkich podróżach i niemal w każdym numerze opowiadające o wielkim kraju, w którym można sobie wymyślić taką tożsamość, na jaką się ma ochotę, gwiżdżąc na spisy powszechne. O Stanach Zjednoczonych Ameryki. Na koniec odmawia zagłębiania się w minione czasy, nie chce czytać Biblii, śpiewać psalmów i utrzymywać stosunków z Ojcem Niebieskim. Budzi też zazdrość *Tante* Jacqueline swą przyjaźnią z siwowłosą panią z czarnym parasolem, która mieszka na via Borgonuovo 12, ulicy w głębi via Lagrange. Z Giudittą Sidoli, kobietą kochaną przez Giuseppe Mazziniego.

— *Où vas-tu*, Anastasia? Dokąd idziesz?

— *Chez madame* Giudittà, *Tante* Jacqueline.

— *Où as-tu été*, Anastasia? Gdzie byłaś?

— *Chez madame* Giudittà, *Tante* Jacqueline.

Poznały się przypadkiem na piazza Castello. Pewnego dnia, gdy gzy w mundurze męczyły świeżo upieczoną uczennicę Królewskiej Szkoły Baletowej przesadnymi komplementami, na kark największego natręta spadł nieoczekiwanie czarny parasol. „*N'avez-vous pas honte de molester une mineure?*, Nie wstydzi się pan molestować nieletniej?" Sidoli była wyjątkową kobietą. Kimś, kto aby się wyróżnić, nie potrzebuje palić cygar ani ubierać się w spodnie, surdut, krawat i cylinder. Patriotka i uczestniczka ruchów risorgimenta, od 1828 roku wdowa po karbonariuszu Giovannim Sidolim, a także więziona, prześladowana i wypędzana z różnych królestw i księstw, w 1852 osiedla się w Turynie i naturalnie także tutaj jest inwigilowana przez policję, która często wpada do jej domu i przeszukuje jej papiery. To jednak nie wytrąca kobiety z równowagi i z anielskim spokojem przyznaje się do swoich republikańskich przekonań. Bez obaw podtrzymuje stosunki z londyńskim wygnańcem, człowiekiem, z którym w młodości łączyła ją niepohamowana namiętność. Pisze do niego, wysyła mu czekoladki, spotyka się nim za każdym razem, gdy odwiedza on Turyn. (A dzięki fałszywym paszportom, doświadczeniu w konspiracji, robi to dość często. Może to potwierdzić Cavour, który go nienawidzi, ale nie chce go aresztować. „Zrobiłbym z niego męczennika, oddałbym mu przysługę"). Anastasia poddaje się jej czarowi, przywiązuje się do Giuditty, tak samo jak ona do niej, gdyż... w 1831 roku dwudziestoletnia wówczas Giudittà została wydalona ze swego miasta, Reggio Emilia. Wraz z grupą republikanów z Romanii, którym przewodził Luigi Amadeo Lelegari, schroniła się w Genewie, a potem w Marsylii. Tutaj poznała dwudziestosześcioletniego wtedy

Mazziniego, została jego kochanką, zaszła z nim w ciążę, i tylko jej najbliżsi przyjaciele wiedzą, że 11 sierpnia 1832 roku urodziła dziecko. Które 14 sierpnia zastępca burmistrza Pierre Marius Massot zapisał w rejestrach miejskich Marsylii pod imieniem Joseph Démosthène Adolphe Aristide, dziecko nieznanych rodziców, dlatego też pozostawione bez nazwiska. Nieznani rodzice pozbyli się kłopotu, powierzając noworodka nieodpowiedzialnej mamce z Montpellier. Dziesięć miesięcy później, gdy Mazzini pojechał do Genewy, a Giuditta szykowała się do potajemnego powrotu do Włoch, oddali niemowlę radcy miejskiemu, Démosthène'owi Ollivierowi, ojcu przyszłego premiera Emile'a Olliviera, a on ze swej strony uwolnił się od niego, przekazując je kolejnej nieodpowiedzialnej mamce. W rezultacie 21 lutego 1835 roku biedne zaniedbane dziecko zmarło na cholerę. Minie sześćdziesiąt lat, zanim Emile zdradzi tajemnicę w swoich pamiętnikach: „Mazzini oddał memu ojcu pod opiekę dziecko, które miał z piękną kobietą z Reggio, swoją towarzyszką wygnania". I minie kolejny wiek, zanim uczeń Gaetana Salveminiego znajdzie w archiwach Marsylii akt urodzenia zmarłego chłopczyka, poprzez listy kochanków odtworzy dramat brutalnego porzucenia i spróbuje je usprawiedliwić (Oboje-byli-poszukiwani-dlatego-nie-mogli-się-pobrać, nie-mogli-go-uznać-ani-zatrzymać). Jednak siwowłosa pani z czarnym parasolem wie: prawda tak nie wygląda, porzucili dziecko, obawiając się skandalu, żeby nie przysłonić włosiennicą aueroli apostoła risorgimenta. I teraz odwzajemniając uczucie sieroty, zajmując się nią, odkupuje w jakiś sposób dręczące ją wyrzuty sumienia.

Zajmując się nią — właśnie. Przede wszystkim ich domy znajdowały się tak blisko od siebie. Wyszedłszy z via Lagrange 23, idzie się prosto do końca ulicy, po czym skręca się w lewo, przechodzi piazza Bodoni — i już jest się na via Brogonuovo 12. Giuditta często zaprasza Anastasię do swego salonu, w którym dyskutuje się o polityce i mówi po włosku. „Żadnej francuszczyzny w tym miejscu, panno Ferrier!" I gdzie w porze herbaty zbierają się najrozmaitsi pisarze, wygnańcy, patrioci wszystkich frakcji. W wielkim tyglu jest także Luigi Amedeo Melegari, który został tymczasem centroprawicowym posłem oraz doradcą Cavoura i który uważa, że zjednoczone Włochy to mrzonka, ale oddałby duszę, by uwolnić kraj od obcej dominacji. Kiedy indziej Giuditta idzie po Anastasię do szkoły i aby ochronić ją przed gzami, prowadzi ją do Palazzo Carignano na posiedzenia parlamentu (bilety umożliwiające wstęp na galerię albo na ławki dla pań daje im Melegari). Jednym słowem, edukuje ją. Uczy ją tego, czego ciotka nigdy nie nauczyła, gdyż w oczach waldensów ojczyzna była zawsze raczej macochą niż matką i od pewnych spraw trzymali się z daleka. W istocie, jeśli wierzyć babci Giacomie, pierwsza młodość Anastasii rozkwitła w cieniu Giuditty Sidoli, a nie w cieniu *Tante* Jacqueline.

9

Oto pierwsza młodość, bez której trudno zrozumieć legendę Anastasii i w czasie której zetknęła się ona z najważniejszymi wydarzeniami swojej epoki. Pierwsze z nich to druga wojna o Niepodległość. 14 stycznia 1858 roku mazzinista Felice Orsini dokonał w Paryżu zamachu na życie Napoleona III. Wraz z trzema wspólnikami rzucił bombę na jego karetę. 13 marca skończył wraz z Giuseppe Andreą Pierim z Lukki na gilotynie, przed śmiercią zdążył napisać natchniony list, w którym wyrażał skruchę za swój czyn i apelował do byłego nieprzyjaciela o poparcie sprawy włoskiej. Ze zwykłym sobie sprytem Cavour wykorzystał okazję, aby wygnać Austriaków z Lombardii i Wenecji, rozszerzyć królestwo sabaudzkie aż po Emilię-Romanię i Marche, po czym w lipcu spotkał się z niedoszłą ofiarą zamachu w Plombières. Przekonał Napoleona, by włączył się do wojny jako sojusznik Piemontu, a jako rekompensatę za przysługę obiecał mu Niceę i Sabaudię. Zobowiązał się także doprowadzić do małżeństwa Klotyldy, szesnastoletniej córki króla, z kuzynem Napoleona III Gerolamem Bonaparte. Tęgim trzydziestosiedmiolatkiem, którego przezywano Plon-Plon. I po wymyśleniu *casus belli* (powstanie w Masie i Carrarze, wciąż jeszcze zajętych przez Austriaków), po podpisaniu tajnego porozumienia, rozpoczęto matactwa, od których osiwiałby nawet łysy. W grudniu Napoleon III osobiście przejrzał tekst przemowy, w której Wiktor Emanuel II miał zadeklarować swe intencje wobec Austrii. Własną ręką dopisał zdanie: *„Nous ne pouvons pas rester insensibles aux cris de douleur, qui vienent jusu'à nous de tant de points de l'Italie.* Nie możemy pozostać obojętni na krzyki cierpienia, które dobiegają nas z różnych stron Włoch". Po wprowadzeniu minimalnych zmian, na przykład zastąpieniu „krzyków" „krzykiem", 10 stycznia 1858 roku Wiktor Emanuel wygłosił mowę na otwarciu posiedzenia obu izb parlamentu i...

Przyglądać się temu i tyle? Te wydarzenia zrobiły na Anastasii takie wrażenie, że jeszcze pod koniec życia przypominała sobie z dreszczem ów dzień. Szum tłumu, który po przeczytaniu informacji w gazetach oczekuje czegoś doniosłego i wypełnia piazza Castello. Nauczyciela tańca, który przerywa ćwiczenia przy drążku i wraz z uczennicami tłoczy się przy oknie. Króla, który przy werblach i wtórze trąb wkracza do Palazzo Madama, siebie samą, jak patrzy na niego oczarowana, bo jest dzisiaj tak inny niż zwykły człowieczek, który lubi wpadać do foyer Baletu Królewskiego, by zaczepiać dziewczęta w *tutù*. Jest ubrany w galowy mundur kawalerii: turkusowa sukienna kurtka, błękitne spodnie, hełm z turkusowym pióropuszem. Na piersi liczne medale i wstęgi orderowe. Jego oczy miotają strzały męskiej wojowniczości. Jego komiczne czarne wąsiki zdają się rozpiętymi skrzydłami kruka, gotowego do ataku na gromady habsburskich orłów. Grzmot oklasków, który w pewnej chwili przechodzi przez plac. Tłum szlochający z radości, nauczyciel tańca, który powtarza podniecony *„c'est-la-guerre, c'est-la-guerre!* Wojna!"*. Anastasia pamiętała także oficjalne ogłoszenie sojuszu z Francją i pospieszne małżeństwo Klotyldy z Plon-Plonem.

Orszak weselny przechodzący po południu 30 stycznia pod domem Thaonów de Revelów i *Tante* Jacqueline, która na widok smutnej twarzyczki panny młodej mówi ze współczuciem: „*Pauvre agneau, ils l'ont sacrifié sur l'autel de la patrie.* Biedna owieczka, poświęcili ją na ołtarzu ojczyzny". Zaraz potem przygotowania do wojny, której chcieli wszyscy z wyjątkiem Mazziniego, piszącego z Londynu rozgniewane artykuły i grzmiącego: „Wolności nie zdobywa się z obcą pomocą!". (Sidoli jednak potrząsa głową i odpowiada: „Pippo się myli, tym razem się myli"). Wolonatariuszy, którzy dziesiątkami tysięcy przybywają z Lombardii, Wenecji, Toskanii, Emilii-Romanii, Umbrii, Królestwa Obojga Sycylii. W rezultacie zajazdy i pokoje do wynajęcia pękają w szwach, zarząd miejski nie wie, gdzie ich pomieścić. Brata Felice Orsiniego, który przybywa z Nowego Jorku, Giuseppe Montanelego, który przyjeżdża z Hawru i pomimo zaawansowanego wieku (zbliża się do pięćdziesiątki) zaciąga się jako prosty żołnierz. Giuseppe Garibaldiego, który przybywa z wyspy Caprery, gdzie zamknął się w dumnym samowygnaniu, i który teraz, zatrzymawszy się w hotelu Feder, zdejmuje poncho, zakłada frak, biegnie do Wiktora Emanuela i otrzymuje dowództwo nad strzelcami alpejskimi. A Anastasia, zamiast iść na lekcję tańca, zaczaja się przed hotelem. (Tak przysięgała babcia Giacoma, i ja jej wierzę). Głucha na protesty *Tante* Jacqueline i ostrzeżenia *madame* Giuditty, chodzi sama po ulicach wypełnionych teraz gzami gotowymi umrzeć za Włochy i jak zwykle uroczo zmiękczając *r*, śpiewa: „Niech żyją bohaterscy żołnierze / niech żyją nasze sztanda*r*y / już idą pełni wia*r*y / by *r*azem w*r*oga bić". O północy zaś 31 marca (ulubiona opowieść babci Giacomy) schodzi z piątego piętra via Lagrange 23 i dołącza do pięciuset entuzjastów zebranych wokół palazzo Cavour, by wiwatować na cześć premiera, który właśnie wrócił z Paryża z wiadomością, że wojska francuskie są już w drodze. Kiedy krzyczy niech-żyje-Cavou*r*, jakaś ciężka dłoń ciągnie ją za włosy, mężczyzna w berecie robotnika i o twarzy półzakrytej brudnym szalikiem mówi do niej coś w dialekcie. To król, który krąży po kryjomu wśród poddanych, by słuchać, co mówią. Wyczuć ich nastroje.

— A król to nie, *bela tousa*? *E l'è nen brau chiel*? Jemu nie wiwatujesz?

— Tak, Wasza Królewska Mość...

— Pst! Ależ ja cię znam, '*t ses la citina valdeisa dël Reggiu, parbleu*! Ależ ja cię znam, jesteś tą waldejską dziewuszką z Królewskiego, do licha!

19 kwietnia Cavour otrzymał ultimatum od Franciszka Józefa: natychmiastowe rozbrojenie wojsk, zwolnienie ochotników, rozwiązanie prowokacyjnego sojuszu. 26 dał odpowiedź negatywną, 27 Massa i Carrara powstały. Ku powszechnemu zaskoczeniu tego samego dnia zbuntowała się też Florencja, i poczciwy Leopold odszedł, porzucając tron należący do Habsburgów Lotaryńskich od stu dwudziestu dwóch lat. Żegnany przez dwa kordony mieszkańców, z których część kłaniała mu się ze wzruszeniem, a część wydawała szydercze pierdnięcia, opuścił na zawsze uwielbiane miasto, które nazywał „swoją ojczyzną", i skromny warsztat na via Maggio, gdzie zostawił swoje narzędzia stolarskie wraz z niedokończonym krzesłem. Rezygnując z roli, jaką Toskania odgrywała przez prawie tysiąc lat, a wraz z nią ze wszelkich ambicji republikańskich, prowizoryczny rząd zwrócił się do syna Karola Alberta, by objął dyktaturę i podarował byłe Wielkie Księstwo dynastii sabaudzkiej. 29 kwietnia dwieście tysięcy Austriaków pod wodzą feldmarszałka Gyulaia, przypominającego zmarłego Radetzkiego tak, jak kurczak przypomina sokoła, przekroczyło granicę. Jednocześnie sto dwadzieścia tysięcy Francuzów pod wodzą samego Napoleona zaczęło schodzić z przełęczy Moncenisio, by połączyć się z pięćdziesięcioma sześcioma tysiącami Włochów dowodzonymi przez samego Wiktora Emanuela. I wybuchła wojna. Krótka wojna, która w przeciągu miesiąca doprowadziła do zwycięstwa pod Magentą, odwrotu Gyulaia, upadku Mediolanu, gdzie Napoleon III i Wiktor Emanuel II wjechali karetą („Nie

mnie powinni go poświęcić, ale Gyulaiowi!", wykrzyknął ten drugi, gdy dowiedział się, że mediolańczycy chcą wznieść mu łuk triumfalny). Krwawa wojna, która 24 czerwca zapisała się strasz-liwą jatką pod Solferino i San Martino, gdzie Austriacy stracili dwadzieścia trzy tysiące żołnierzy, Francuzi dwanaście tysięcy, a Włosi pięć tysięcy. I którą 11 lipca dwulicowy Napoleon III, nie mówiąc nic sojusznikom, zakończył, proponując Austrii rozejm w Villafranca. Przewidywał on, że Franciszek Józef odda Napoleonowi Lombardię, która zostanie następnie ustąpiona króle-stwu sabaudzkiemu, ale zatrzyma Wenecję oraz fortece w Mantui i Peschierze. W rezultacie oburzony Cavour podał się do dymisji, na murach Turynu pojawił się portret Felice Orsiniego, a Giuditta Sidoli powiedziała: „Pippo się nie mylił...". Pamiętna wojna po-mimo tej zdrady doprowadziła do rozpadu państw pozostających wciąż pod obcym władaniem i do plebiscytów, w wyniku których w 1860 roku Toskania, Emilia-Romania, Parma, Piacenza, Mo-dena i Reggio postanowiły się przyłączyć do Piemontu. W związ-ku z tym Cavour wrócił do kierowania rządem i podczas gdy Nicea i Sabaudia przechodziły pod władzę Francji (dług zaciąg-nięty w Plombières), Garibaldi rozpoczął niewiarygodną wyprawę, która miała się zakończyć zjednoczeniem Włoch na dobre i na złe. Z tysiącem szaleńców w czerwonych koszulach popłynął na kilku parowcach, skradzionych sprzed nosa karabinierów, na Sycylię i wylądował na wyspie. W imieniu Wiktora Emanuela II został dyktatorem, uwolnił Palermo, stworzył armię ochotniczą, która dzięki napływowi chętnych, sterowanemu przez mazziniańską Par-tię Czynu, w ciągu pięciu miesięcy urosła do pięćdziesięciu tysięcy. I pomimo protestów Cavoura, który obawiał się nie tylko nowej wojny europejskiej, ale także szerzenia anarchii, Garibaldi przebył Cieśninę Messyńską, wkroczył do Kalabrii i Bazylikaty, zdobył Neapol, wypędził Burbonów, a wtedy w mistrzowskim manewrze Cavour wysłał swoje wojska do Umbrii i Marche. Trzydzieści tysięcy zawodowych żołnierzy, którzy w mgnieniu oka rozprawili się z najemnikami papieża. Potem w dzikim pośpiechu zarządził plebiscyty, konieczne, aby przyłączyć do Włoch te dwa byłe państwa kościelne oraz byłe królestwo burbońskie, i 26 października dwie armie spotkały się w Teano. Garibaldi przekazał południowe Włochy Wiktorowi Emanuelowi II, którego 27 lutego 1861 roku pierwszy parlament narodowy proklamował królem Włoch, choć wciąż jeszcze bez Rzymu i Wenecji.

„Pani Giuditto, proszę, niech pani się zwróci do pana Melegari o bilety i pójdziemy zobaczyć". Anastasia miała prawie piętnaście lat i kończyła trzyletni kurs w szkole tańca, przygotowywała się do przejścia do zespołu Teatru Królewskiego, kiedy w prowizorycznej sali Palazzo Carignano (wybudowanej w pośpiechu, aby mogła pomieścić trzystu sześćdziesięciu posłów wybranych we wszystkich regionach) przyglądała się, jak wąsaty czterdziestojednolatek, który 31 marca 1859 roku raczył jej powiedzieć „ależ ja cię znam, jesteś tą waldejską dziewuszką z Królewskiego", zostaje proklamowany królem Włoch. To znaczy wtedy, gdy zaczęła rozumieć, że na tym świecie wszystko jest możliwe, i lepiej o tym nie zapominać. I taka była zresztą nauka, którą wyciągnęła z niezwykłych wydarzeń. 18 kwietnia w tej samej auli miała w istocie okazję być świadkiem niesłychanego afrontu wyrządzonego przez Garibaldiego Cavourowi: zaczęła rozumieć, że także bohaterowie potrafią być niesprawiedliwi i w końcu zawsze cię rozczarowują. W 1861 roku Garibaldi ślepo nienawidził Cavoura. Nienawidził go za oddanie Francji Nicei, jego rodzinnego miasta. Nienawidził go za sprzeciwy wobec wyprawy Tysiąca i za to, że Cavour wykonał mistrzowski manewr, wykorzystując to, czego dokonał Garibaldi. Nienawidził go, bo Cavour odmówił jego żądaniu, by zostawić mu władzę cywilną i wojskową nad Neapolem, i tym samym skazał go znowu na wygnanie na Caprerę. Nienawidził go, bo Cavour zmusił go do rozpuszczenia armii pięćdziesięciu tysięcy ochotników, bo nie uznał ich za prawdziwych żołnierzy, bo nie wypłacał im nawet żołdu... Obecny rząd określał Garibaldi jako „bandę tchórzy, oportunistów, zgromadzenie służalców", a posiedzenie 18 kwietnia dało mu idealną okazję, by się zemścić. Po raz pierwszy wchodził do Palazzo Carignano jako poseł. Garibaldczycy gromadzili się licznie już od rana i galeria dla publiczności była przepełniona. Podobnie galerie dla prasy, dla ministrów, korpusu dyplomatycznego, dla pań. Z aktorskim wyczuciem gwiazdy, która potrafi wykorzystać możliwości sceny, Garibaldi przybył z półgodzinnym opóźnieniem, w swej odwiecznej czerwonej koszuli, w poncho i czarnej chustce. Wzbudzając wielkie poruszenie, usiadł w sektorze na skraju lewej strony, wygłosił samodzielnie przysięgę, którą wcześniej posłowie złożyli chórem, po czym poprosił o głos i początek jego przemowy był dość żenujący. Nie miał dobrych okularów i nie był w stanie odczytać swoich notatek, co chwilę się zacinał i przerywał. Nagle jednak odrzucił kartki, zdjął okulary i wskazując ręką na Cavoura, który patrzył na niego ironicznie z prawego sektora, zaryczał: „Powinienem opowiedzieć o cudach męstwa armii południa. Armii znieważonej przez zimnego i złowieszczego ministra, który uczynił mnie cudzoziemcem we własnej ojczyźnie, który sprzedał mój kraj nieprzyjacielowi, który podżegał i podżega do bratobójczych walk". Czy Anastasia może nie wyciągnąć nauki z takiego wydarzenia? Cavour, który zrywa się na równe nogi blady i drżący, i również wskazując ręką, krzyczy: „Proszę się wstydzić!". Posłowie z centrum i z prawicy, którzy wyją: „Błazen! Hultaj! Stary głupiec! Gówniany bohater! Wyzywam cię na pojedynek!". Posłowie lewicy wychodzący z ławek i wrzeszczący obelgi: „Gówniani arystokraci! Tchórze! Rogacze!", i wygrażający pięściami. Wiwatujący garibaldczycy, francuscy dyplomaci plujący na Garibaldiego, panie mdlejące w ławkach. Przewodniczący obradom marszałek Rattazzi, który błaga: spokój-panowie-spokój, po czym zmyka. Głos łkający po toskańsku „Metternich miał rację!". I wstrząśnięta Sidoli, osuszająca łzy „stworzyli Włochy i od razu je niszczą".

Potem Anastasia była świadkiem śmierci Cavoura, zdaniem niektórych zabitego właśnie przez to traumatyczne przeżycie.

Człowiek z natury namiętny i gwałtowny, Cavour nadludzką siłą woli zachował kontrolę nad sobą i nie rzucił się, by spoliczkować swego oszczercę. Ale gdy wrócił do domu, źle się poczuł i pomimo kilkakrotnego puszczania krwi nie odzyskał sił. Po pięciu tygodniach wyglądał jak cień samego siebie. On, który zawsze się chwalił, że jest nienasyconym epikurejczykiem i że praca nigdy go nie męczy, teraz jadł niewiele i bez apetytu, apatycznie zajmował się sprawami państwowymi. Nie mógł spać, spędzał noce na czytaniu i chodzeniu po swoim gabinecie. Mamrotał nigdy-mu-nie-wybaczę i nie pocieszała go nawet myśl, że po skończonej awanturze jeden z najbardziej oddanych garibaldczyków, Nino Bixio, przepraszająco usprawiedliwiał Bohatera. Nie-trzeba-brać-wszystkiego--dosłownie. Garibaldi-to-żołnierz-a-nie-mówca. W każdym razie w sobotę 1 czerwca Cavour dostał wysokiej gorączki. Położył się do łóżka, podczas gdy lekarze debatowali, co mu jest. Zapalenie opon mózgowych, tyfus, malaria? W swoim nieuctwie upierali się przy kurowaniu go puszczaniem krwi i w poniedziałek 3 czerwca gorączka jeszcze wzrosła. Jego stan był tak krytyczny, że aby nie przeszkadzać mu stukotem kopyt, wstrzymano ruch pojazdów na via Lagrange i via dell'Arcivescovado, a przed jego pałacem zaczął się zbierać milczący tłum, z niepokojem oczekujący na komunikaty medyczne. W tłumie stała także zrozpaczona Anastasia. Ten tęgawy pan, który od lat odpowiadał na jej *bonjour-monsieur-le--comte*, unosząc kapelusz i wołając: *bonjour-ma-très-belle*, zawsze budził jej sympatię i nie obchodziło jej, że przez lojalność wobec Mazziniego Sidoli uważała go za nieprzyjaciela. W środę 5 czerwca tajemnicza choroba jeszcze się nasiliła. Rankiem zjawiła się smętna procesja zakonników, potrząsających dzwonkami dla śmiertelnie chorych, a ojciec Jacques, mnich z pobliskiego kościoła Madonna od Aniołów, udzielił choremu ostatniego namaszczenia. Wieczorem przyszedł król, piechotą i sam. Zatrzymał się na dziesięć minut, tyle, aby się pożegnać, i Anastasia zauważyła, że płakał, gdy wychodził. Przez otwarte okna słyszała majaczenia Cavoura, wysoki i donośny głos wołający „*Pas de siège!* Tylko nie oblężenie! *L'empereur, l'empereur! Ah, l'Italie!* Włochy, Włochy!". Zmarł nad ranem, szepcząc słowo „Włochy". Wśród pięciu tysięcy turyńczyków, którzy ustawili się tego dnia w kolejce, by oddać hołd przed katafalkiem znajdującym się w gabinecie, była także Anastasia. W czwartek 6 czerwca 1861 roku w Turynie lało jak z cebra. Do gabinetu wchodziło się po długim oczekiwaniu w ulewie. Dziewczyna jednak nie zrezygnowała i gdy znalazła się przed katafalkiem, skłoniła się nad Cavourem i pocałowała go w usta.

— *Adieu, monsieur le comte.*

Dla dorastającej duszy niektóre zdarzenia nie przechodzą bez trwałych skutków. Na dobre czy złe pozostawiają ślad. A jednak wyjątkowość młodości Anastasii nie wynika z obserwowanych przez nią nadzwyczajnych wydarzeń ani ze szczególnych doświadczeń, które ją wzbogacały. Bierze się z paradoksu, o którym jeszcze nie mówiłam. Otóż i on. Pomimo erotyzmu baletowego, *tutù* i natręctwa gzów, pomimo zakazanych lektur i coraz mniejszej kontroli ze strony *Tante* Jacqueline do ukończenia siedemnastego roku życia Anastasia pozostała czysta i niewinna jak mniszka. Nie przeżyła nawet flirtu, żadnego platonicznego romansu i ów pocałunek złożony na ustach martwego Cavoura był pierwszym, jaki kiedykolwiek ofiarowała mężczyźnie. Co do drugiego, to dała go w nieznanym mi miejscu temu, który w następnym roku zapoczątkował serię jej nieszczęśliwych miłości. Był nim jej rówieśnik Edmondo de Amicis, narzeczony, o którym babcia Giacoma wspominała, wzdychając: „Ach, gdyby go poślubiła! Mogłabym dzisiaj wymawiać głośno imię swojego ojca i chwalić się, że jestem córką sławnego pisarza".

* * *

Ja też mam o nim wspomnieć? No dobrze, to było tak. Szesnastoletni Edmondo de Amicis, nie do końca pewny swego talentu literackiego, postanowił wybrać karierę wojskową i w grudniu

1862 roku przeprowadził się ze swego rodzinnego miasta Cuneo do Turynu. Zapisał się do Istituto Candellero na via Saluzzo, czyli do kolegium przygotowującego przyszłych kadetów do egzaminów wstępnych na akademię wojskową. W Turynie znalazł schronienie pod skrzydłami republikanina Vittoria Bersezia, przyjaciela Giuditty Sidoli, tak więc od razu poznał Anastasię i od razu się w niej zakochał. Rzecz wcale mnie nie dziwi: czysta czy nie, w 1862 roku Anastasia nie była już dziewczynką do częstowania cukierkami. Należała do zespołu baletowego Teatro Regio, każdego wieczoru występowała na scenie i stałe ćwiczenia fizyczne oraz ścisła dieta obowiązująca tancerzy uwydatniły jej urodę. Jeśli już, można sobie zadać pytanie, co ona, przyzwyczajona do wyszukanych komplementów dojrzałych i wyrafinowanych mężczyzn, zobaczyła w żółtodziobie dopiero co przybyłym z prowincji. Co ją pociągnęło? Urok młodości, niedoświadczenia? Tajemnicza aura emanująca zazwyczaj z ludzi, którym pisana jest sława? Świeża cera, czarne kędziory? Fotografia zrobiona w 1863 roku pokazuje raczej niezręcznego i zarozumiałego młodzieńca, który usiłuje wyglądać jak dorosły mężczyzna. Na głowie homburg, dość już gęsty wąsik, w lewej dłoni wielkie cygaro. W prawej laseczka, na której opiera się z miną ruszę-palcem-i-będziesz-moja. Jednak nawet w hagiograficznej biografii Bersezio opisuje de Amicisa jako nieśmiałego i niezdarnego. Jego gładka twarz wyrażała niemal kobiecą łagodność, usta prawie dziewczęcą nieśmiałość, a przenikliwe oczy dodają uroku interesującej bez wątpienia fizjonomii. Poza tym był wysoki, szczupły i miał piękne czarne loki.

Miłość trwała sześć miesięcy i naturalnie w pamiętnikach Osobistości, której babcia Giacoma chciałaby być córką, szukałam jakiegoś potwierdzenia. Stronice jednak, na których de Amicis wspomina o swoich przygodach uczuciowych, są majstersztykiem dyskrecji. Z wielką starannością przemilcza imiona kobiet, które kochał i dręczył, zaciera tropy, kieruje na fałszywe tory podejrzenia, a na temat okresu spędzonego w Turynie ogranicza się do jednozdaniowej znaczącej wzmianki: „Potem wydało mi się, że przeżyłem sześć lat w sześć miesięcy". Aby odtworzyć historię tej miłości trzeba mi się więc uciec do opowieści, którą słyszałam jako dziecko — do wersji Anastasii. I jeśli jest ona wiarygodna, to bardziej niż o miłość chodziło o idyllę, najpierw płomienną, potem letnią, wreszcie szkodliwą. Początkowo spotykali się prawie każdego dnia. Jako że via Saluzzo znajduje się o kilka kroków od via Lagrange, o piątej po południu, czyli po zakończeniu zajęć, niecierpliwy zakochany zjawiał się w domu pań Ferrier. Zostawał tam do siódmej, kiedy ona musiała stawić się w teatrze, a on wrócić do Candellero. Albo też szli razem na spacer pod portykami, zatrzymywali się na filiżankę *bicerin* w Caffè Florio, i nigdy nie posunęli się dalej niż do wymiany pocałunków. Edmondo nie robił zamachów na niewinność swojej cennej zdobyczy. (Wstrzemięźliwość, o której mówi Bersezio? Nieśmiałość, często towarzysząca miłosnym zadurzeniom?) Wymieniali za to zwierzenia. Ona wiedziała o nim wszystko, on, z wyjątkiem tajemnicy aktu urodzenia i faktu, że z prawnego punktu widzenia Anastasia nie istnieje, też wiedział o niej wszystko. Że jest naznaczona piętnem nieślubnego dziecka, że jej matkę porwał wezbrany potok, że jej ojciec został zabity przez Austriaków pod Krakowem. Dawali sobie także męczące dowody uczucia. Na przykład na wiosnę on dedykował jej jeden z dwóch okropnych wierszy napisanych na cześć Polaków, którzy 22 stycznia 1863 roku rozpoczęli nowe powstanie. I to nie ten zatytułowany *Ode alla Polonia* (*Oda do Polski*), który jest trochę lepszy, ale ten prawdziwie grafomański, pod tytułem *Italia e Polonia* (*Włochy i Polska*): „Nie dbasz o swoje złote warkocze, / i od łez mokre są twe jagody, / czemu się smucisz, dziewczę urocze, / i na strapieniach tracisz wiek młody? / Proszę cię, zapleć swe piękne włosy, / przestań już płakać, porzuć cierpienie, / bo ja w obrońcę twego się zmienię". Ona zamiast wrzucić wiersz w ogień, oświadczyła, że to arcydzieło i nauczyła się go na pamięć. Sto dziewiętnaście wersów podzielone na dwadzieścia dziewięć tetrastychów.

Jednym słowem, byli do siebie przywiązani. Mówili zresztą, że uważają się za narzeczonych, że pobiorą się, gdy tylko dojdą do pełnoletności, i ich intencje wydawały się tak poważne, że *Tante* Jacqueline gorączkowała się: „*Ah, ma petite! Comment feras-tu pour te marier sans acte de naissance et les autres papiers?* Jak wyjdziesz za mąż bez metryki i innych dokumentów?". W maju jednak wizyty de Amicisa na via Lagrange zaczęły być rzadsze, tak samo jak przechadzki pod portykami, wizyty w Caffè Florio i pisemne hołdy. Nie-wczoraj-nie-przyszedłem, miałem-spotkanie-z-Berseziem. Nie-jutro-nie-przyjdę, idę-poznać-krytyka-z-„Gazzetta". W czerwcu Anastasia zrozumiała, że za Berseziem i krytykiem z „Gazzetta" kryje się uczuciowa niestałość. A konkretniej: niejaka Gianna Milli: cudowne dziewczę i poetka, która improwizowała sonety i epigramy na scenie Teatro Carignano. W rezultacie stosunki uległy ochłodzeniu. W lipcu on wstąpił do Akademii Wojskowej w Modenie. Po cichutku wyjechał z Turynu i zniknął. Ona odkryła, że wyjechał, nawet się z nią nie pożegnawszy, z jakiejś uwagi Giuditty Sidoli. „Kto wie, czy Edmondo znalazł już nowych przyjaciół w Modenie".

Czy trzeba to podkreślać? Nic tak nie rani, nie zatruwa, nie pognębia serca jak rozczarowanie. Bo rozczarowanie to ból zrodzony z rozwianej nadziei, porażka wynikająca ze zdradzonego zaufania, z odmiany zachowania kogoś, komu wierzyliśmy. Kiedy go doświadczasz, czujesz się oszukany, wyśmiany, upokorzony. Jesteś ofiarą nieoczekiwanej niesprawiedliwości, niezasłużonego bankructwa. Czujesz się także obrażony, śmieszny, aż zaczynasz szukać zemsty. A ona może co prawda czasem dać ci ulgę, ale rzadko towarzyszy jej radość, często kosztuje więcej niż przebaczenie. No cóż, Anastasia tak właśnie postąpiła. Żeby się zemścić, zaczęła uwodzić każdego, kto nawinął się jej pod rękę. Tancerza, który przytrzymywał ją przy piruecie i w *arabesque*. Skrzypka, który posłużył do odprawienia tancerza. Pianistę, który posłużył do odprawienia skrzypka. Porucznika, który posłużył do odprawienia pianisty. Pułkownika, który posłużył do odprawienia porucznika. Od sierpnia do stycznia pięć kozłów ofiarnych. I w dodatku żadnemu się nie oddała. Zabawiała się zostawianiem ich z pustymi rękami, ze ślinką w ustach... W styczniu jednak karta się odwróciła i to ona straciła głowę dla tego, kogo w rodzinie nazywają Bezimiennym. Dla sławnej osobistości, o której nie chcę, nie mogę, nie mam prawa mówić. Dla mojego utajonego pradziadka.

10

Wiem, kim był, wiem. Mam przed sobą jego portret, jeden z wielu. I kiedy na niego patrzę, zadaję sobie pytanie: „Czy to możliwe, że kropla mojej krwi pochodzi z twoich żył? Że jeden z moich chromosomów dostałam od ciebie? Że także tobie muszę dziękować za to, że istnieję, że się urodziłam?". Jest dla mnie obcy. Nie czuję go pod skórą tak, jak czuję Lucę i Apollonię, Carla i Caterinę, Francesca i Montserrat, Giovanniego i Teresę, Marię Różę i Giobattę, Marguerite i Stanisława, Anastasię. Ta część mojego ja dryfuje w ciemnościach, milczy w całkowitej amnezji, i z egzystencji, jaką w nim przeżyłam, nie pozostało mi żadne wspomnienie. Dlaczego? Być może dlatego, że wyrosłam, nie wiedząc, o kogo chodzi, mając tylko podejrzenie, że to był ktoś bardzo ważny. Ktoś w rodzaju Gerolama Grimaldiego, markiza i diuka, ministra króla Hiszpanii. Nieprzenikniony mur milczenia otaczał to imię. Cisza, wobec której dyskrecja de Amicisa wydawała się gadatliwością, tajemnice mafii orgią plotek, i nie wolno było zadawać żadnych pytań. Cicho, to-cię-nie-dotyczy, cicho, to-nie-są-sprawy-dla-dzieci. Pewnego razu, co prawda, wujkowi Brunonowi wymknęła się jakaś wzmianka. Było to w dniu, gdy przytłoczony autorytarnym i stanowczym charakterem babci Giacomy mruknął przez zęby: „Moja matka połknęła szpadę swego ojca". Aż się zatrzęsłam z podniecenia. Czyją szpadę? Garibaldiego, Nina Bixia, Massima d'Azeglia, Ulrica di Aichelburga, króla, Alfonsa Lamarmory, innego generała, polityka czy bohatera, którzy odwiedzali Teatro Regio? Żeby wykryć winnego, zrobiłam sobie nawet listę sławnych Włochów, którzy w połowie wieku używali szpady. Jednak, wyjąwszy Mazziniego, który pewne narzędzia wolał oglądać w cudzych rękach, nosili ją i używali jej wszyscy. W pierwszej wojnie o Niepodległość, w drugiej, w trzeciej. W wojnie krymskiej, wyprawie Tysiąca, ataku na Porta Pia. I każdy z nich mógłby się zadurzyć w Anastasii, być tym Bezimiennym. Żeby ustalić, który z nich wchodził grę, sprawdziłam także, ilu znajdowało się w Turynie wiosną 1864 roku. Lecz poza Garibaldim, który w tym okresie przebywał w Londynie, na wiosnę 1864 roku w Turynie byli wszyscy. Poddałam się. Potem, gdy dorosłam i odkrycie, kim był Bezimienny, przestało mnie pasjonować, prawie dziewięćdziesięcioletnia babcia Giacoma złamała sobie kość udową. Ktoś mi uświadomił, że złamanie kości udowej w wieku dziewięćdziesięciu lat zwykle kończy się śmiercią, płacząc, pojechałam więc do niej od razu — i tajemnica się rozwiała. Niewiarygodna babcia Giacoma. Starość jakby zjadła jej kości. Wydawała się ptaszkiem złożonym z samych piór. A mimo to szpada jej ojca wciąż ją podtrzymywała i dodawała sił. Na mój widok otworzyła swoje jedyne oko (od czasów młodości była ślepa na jedno oko, nie tu miejsce, aby o tym mówić) i...

— Po co tu przyszłaś?

— Żeby cię zobaczyć babciu i życzyć ci wyzdrowienia...

— Kłamczucha. Przyszłaś spytać, kim był twój pradziadek.

— Nie babciu, nie...

— Oj tak, tak. A ponieważ wkrótce umrę, mogę ci to powiedzieć. Ale pod jednym warunkiem.

— Tak, babciu...

— Nigdy nikomu tego nie wyjawisz.

— Tak, babciu...

— Nikomu. Przysięgnij.

— Przysięgam.

Oto dlaczego nie chcę, nie mogę, nie mam prawa o nim mówić. Dlaczego jestem zmuszona zapomnieć o nim, odrzucić go, wyłączyć z historii, która bez niego wydaje mi się kaleka. I w związku z tym, z obawą, że się zdradzę, że dostarczę jakiejś wskazówki, koniecznego, ale niebezpiecznego szczegółu, zabieram się do opowiedzenia o tym, jak powstało także to ogniwo łańcucha. W jaki sposób nasienie tego mężczyzny, do którego nie czuję nic, z którego nie pamiętam nic, przyczyniło się do powstania matki mego ojca. Przyczyniło się do mojego istnienia w Czasie.

* * *

Anastasia miała siedemnaście i pół roku, prawie trzydzieści lat mniej od niego, gdy w lutym 1864 roku pojawił się w jej życiu. Romansowała wtedy z piątym kozłem ofiarnym, a w teatrze grała rólkę, która przyciągnęłaby spojrzenie ślepca. Innymi słowy, wyłaniała się z anonimowego tłumu. Wcześniej jej się to nie udało. Baletnice w scenach zespołowych nie przyciągają spojrzeń. Są wszystkie takie same. Poruszają się tak samo, synchronicznie i jednakowo, a ich imiona nie pojawiają się na plakatach. Pomimo obietnicy danej samej sobie w dniu, w którym odkryła, że dla społeczeństwa nie istnieje, że nigdy się nie urodziła, Anastasia pozostała jedną z wielu. Daremnie wymyślała manewry, by przyciągnąć uwagę. Takie jak odmienna fryzura albo niedozwolone kolczyki, które w światłach sceny błyszczą i skłaniają, by popatrzeć na czwartą od prawej czy trzecią od lewej. Równie daremne były marzenia, by solistka skręciła sobie kostkę czy nadwerężyła śródstopie, dając tym samym innej tancerce szansę, zwaną Nocą Gwiazd. Anastasia nie wyróżniała się szczególnym talentem. Kiedy solistce zdarzało się zachorować, zastępowano ją inną baletnicą. Jednak w czasie karnawału w Teatro Regio wystawiono nowy balet: *Kleopatra*. I w ostatnim akcie, w którym Kleopatra umiera od ukąszenia żmii, Anastasia grała rolę żmii. Drugoplanowa rólka, nic wielkiego. Nawias trwający dwie minuty, który nie był przecież przepustką do pozycji primabaleriny. Żmija nawet nie musiała zrobić żadnego kroku ani stanąć na czubkach palców. Przybywała zwinięta w kłębek w koszu, który niewolnicy kładli u stóp Kleopatry, po czym wyłaniała się z niego wężowym ruchem. Podnosiła się do góry, nie wychodząc z kosza, ze złączonymi nogami pochylała się w stronę ofiary i błyskawicznie zadawała królowej jadowite ukąszenie. Tyle tylko, że choreograf nie chciał, żeby żmija występowała w *tutù*. Protestując: „nigdy jeszcze nie widziano węża w *tutù*", zażądał obcisłego trykotu, stroju uważanego w przypadku kobiety za szczyt bezwstydu. Nie wiadomo, dzięki jakim manewrom Anastasia zdołała otrzymać tę rolę, i nie było chyba ciała, które lepiej prezentowałoby się w trykocie. Smukłe, giętkie, nieco androgyniczne. Poza tym ruchy żmii miały być falujące, pokrętne, i ona wykonywała je z zapierającą dech w piersiach zmysłowością. Podnosząc się do góry, unosiła ręce nad głową, ukazując dokładniej niewielkie piersi, miała wciągnięty brzuch i napięte pośladki. Złączone nogi ściskała ciasno i poruszała torsem w dwuznacznych ponętnych pozach, które zdawały się naśladować akt seksualny. Potem nagle nieruchomiała. Odwodząc ręce do tyłu, przygotowywała się do ukąszenia, i jej ruch był taki niespodziewany, zwierzęcy i zachłanny, że całą publiczność przechodził dreszcz. Ergo: przez dwie minuty wszyscy patrzyli tylko na nią. A kiedy zwijała się na nowo w swoim koszu, wybuchała burza oklasków. „Brawo! Wspaniała, cudowna, bis! Bis, bis!"

On pojawił się w jej życiu właśnie dzięki tej roli. W turyńskich salonach rozprawiano o tym balecie, a szczególnie o żmii, idź-zobaczyć-żmiję, warto-go-zobaczyć-dla-żmii. I na koniec poszedł. Z lornetką. O tak. Od chwili, gdy na scenę wniesiono kosz, lornetka była utkwiona w jeden punkt. Bardziej niż widza w loży przypominał Napoleona, obserwującego z końskiego siodła ruchy nieprzyjaciela, by zwalić mu się na kark. Unicestwić go. Następnego dnia żmija otrzymała wielki kosz róż. Pomiędzy różami bilecik, bez podpisu, ale przyozdobiony herbem, pod którym napisano: „Zazdroszczę Kleopatrze". Po skończonym spektaklu nadeszło zaproszenie na kolację: niezbędny etap w rytuale uwodzenia. Oddał je z głębokim ukłonem ponury woźnica i Anastasia wsiadła do karety, która zawiozła ją za Turyn, do pięknej willi, gdzie majordom przygotował tête-à-tête z truflami, kawiorem i szampanem. On wręczył jej na powitanie cenną diamentową broszę, którą ona przyjęła. Lekkomyślność, ciekawość, próżność, nie umiała oprzeć się pochlebstwu? Cynizm, masochizm, nienasycone pragnienie, by zmyć afront wyrządzony jej przez rówieśnika? W każdym razie tej nocy *Tante* Jacqueline na próżno czekała na powrót lekkomyślnej wychowanki. Od tego dnia *madame* Giudittà daremnie oczekiwała na wizyty swej młodej przyjaciółki i jej prośby o bilety wstępu na posiedzenia parlamentu: Anastasia stała się kimś w rodzaju faworyty na usługach swego pana i władcy. Nigdy nie odrzucała zaproszeń do willi. Biegła do niego za każdym razem, gdy ją wezwał. Rano, po południu, wieczorem, zawsze w karecie, która zabierała ją z teatru, z pobliskiego placu albo nawet z via Lagrange, to znaczy na oczach rozpaczającej *Tante* Jacqueline. *„Mais qui est-ce qui t'envoie ce carosse?* Kto przysyła po ciebie tę karetę? *Qui est-ce, qui te couvre de cadeaux et de mystère?!?* Kto cię obsypuje w tajemnicy prezentami?!?" *„L'homme, que j'aime.* Mężczyzna, którego kocham". *„Tu l'aimes?" „Qui je l'aime.* Kocham go". Jeśli wierzyć babci Giacomie, kochała go naprawdę. To było coś więcej niż tylko namiętność czy wyrachowanie. Nie obchodziło jej nawet, że jest od niej dużo starszy, że ma zazdrosną żonę i gromadkę potomstwa, nie liczyła na prezenty. *„Sa famille ne me regarde pas, son âge me plaît et des ses bijoux, je m'en fiche.* Jego rodzina mnie nie obchodzi, jego wiek mi się podoba i gwiżdżę na podarunki". Zastanawiam się w istocie, czy nie widziała w Nim raczej ojca niż uwodziciela. Bo matek, poza *Tante* Jacqueline, miała przecież wiele. Jeanne Tron, siostry Marianne i Suzanne Gardiol, niańki i służące przyjęte po siostrach Gardiol, nawet Giudittà Sidoli była kimś w rodzaju figury matczynej. Ale żadnego ojca. Jedynym mężczyzną, który przez jakiś czas odgrywał w jakimś sensie rolę ojcowską, był pastor Morel...

Chciałabym także wiedzieć, czy zwierzyła się ukochanemu z tego, z czego nie zwierzyła się nikomu, to znaczy z oszustwa w Rodoret i z problemów prawnych towarzyszących jej statusowi nieślubnego dziecka. A na koniec zadaję sobie pytanie, czy rzucając się w tę miłość, być może o posmaku freudowskim, zdawała sobie sprawę, że ryzykuje to samo, co zdarzyło się Marguerite ze Stanisławem. Czasy się zmieniły, to prawda. W 1864 roku Kościół katolicki nie zabierał niezamężnym waldenskom ich dzieci. Jednak nieślubne dziecko wciąż było hańbą, nieszczęściem. Czy to możliwe, że o tym nie pomyślała?

Dość późno się zorientowała, że jest w ciąży. Zważywszy, że babcia Giacoma urodziła się 31 grudnia, a ciąża trwa od trzydziestu ośmiu do czterdziestu jeden tygodni, najczęściej zaś czterdzieści, poczęcie nastąpiło na pewno na początku kwietnia (według rachunków położniczych, opartych na miesiącach księżycowych, a nie słonecznych, między drugim a ósmym dniem miesiąca). W maju lub najpóźniej w czerwcu powinna się więc była zorientować, że czeka ją ten sam los, co Marguerite. Tymczasem nie. Babcia Giacoma twierdziła, że chcąc się dowiedzieć, za sprawą jakich machinacji dobry Bóg przywiódł ją na tę ziemię, a raczej na ten padół łez, wypytała Anastasię o wszystkie szczegóły. Tak jak wiele kobiet, które uprawiają intensywne ćwiczenia fizyczne i narzucają sobie ścisłe diety, mówiła babcia Giacoma, Anastasia cierpiała na zatrzymania miesiączki. Miała nieregularny cykl. Dolegliwość, która nie wpływa na płodność, ale, rzecz jasna, utrudnia jej kontrolowanie. Tak więc przez wiele miesięcy Anastasia nie zdawała sobie sprawy ze swego stanu i nie przywiązywała wagi do symptomów. Mdłości, odruchów wymiotnych, zaburzeń równowagi. Przypisywała je męczącym podróżom w karecie, namiętnym nocom w willi, trudom dzielenia czasu między romans a pracę, stresom, które zawsze mącą potajemny związek. Zmylona takim rozumowaniem, nie zaniepokoiła się nawet tym, co zdarzyło się pod koniec lipca, kiedy dostała silnego zawrotu głowy za kulisami i baletmistrz zabronił jej udziału w scenie zbiorowej. Pod koniec lipca jej piękne ciało pozostawało niezmienione. Nogi wciąż szczupłe, małe piersi, płaski brzuch. W sierpniu jednak nogi zaczęły puchnąć, piersi nabrzmiewać, zarys brzucha zaokrąglił się. Nękana krytyką jesz-za-dużo-tłuszczy, nie była już w stanie wcisnąć się w trykot, musiała zrezygnować z roli żmii — i wreszcie zrozumiała. Wyznała wszystko *Tante* Jacqueline, która płacząc *toi-aussi, toi-aussi*, ty-także!, uciekła się do metod używanych w dziewiętnastym wieku do sprowokowania skurczów macicy i spędzenia płodu. Napary z pietruszki i ruty, mikstury z terpentyny i chlorku rtęci, ołowiane pigułki, gorące kąpiele. Tymczasem Anastasia dalej występowała w *tutù* i coraz mocniej ściskała gorset z fiszbinami. Zamknięta w tym pancerzu i osłabiona kuracjami, gorącymi kąpielami, obawiała się wyjść na scenę i każde *en-dehors, arabesque* czy piruet stawały się koszmarem. Każdy skok — bohaterstwem. Jednak tak pietruszka, jak ruta, terpentyna, chlorek rtęci, ołowiane pigułki czy gorące kąpiele na nic się zdały i na początku września stało się coś strasznego. Tym razem nie za kulisami, lecz na scenie, przed publicznością. W czasie wykonywania *pas-de-bourrée* poślizgnęła się i zemdlała. Przerwano nawet z tego powodu przedstawienie. Opuszczono kurtynę. Łatwo sobie wyobrazić, co to był za skandal! Bo publiczność w lot zrozumiała przyczynę omdlenia. Z widowni podniósł się szmer szyderczych śmieszków, panie w lożach wymieniały znaczące spojrzenia, na galerii złośliwcy zaczęli naśladować płacz noworodków „Łe! Łe! Łe!". Następnego dnia dyrektor wezwał Anastasię do swego gabinetu. Popatrzył na nią z odrazą, zauważył okrągłości, które przez dwa miesiące tak starannie skrywała, po czym przedstawił jej ultimatum. „Regio to przyzwoity teatr, panno Ferrier, i pewnych zachowań tu się nie toleruje. Albo pójdzie pani do położnej i pozbędzie się tego żenującego problemu, na co daję pani dwadzieścia cztery godziny, albo będę zmuszony panią zwolnić". Tyle tylko, że „pozbycie się problemu" było już niemożliwe. Po zbadaniu Anastasii położna potrząsnęła ze smutkiem głową. „Za późno, kochaneczko.

Na moje oko jesteś w szóstym miesiącu i urodzisz na Boże Narodzenie albo na sylwestra. Gdybym je wyjęła teraz, zabiłabym cię".

A On? Kiedy on zauważył, że uczynił ją brzemienną? A raczej, kiedy mu to powiedziała Anastasia? Kiedy nie mogła się już wcisnąć w trykot i musiała zrezygnować z roli żmii? Kiedy zawiodły sposoby *Tante* Jacqueline, kiedy usłyszała wyrok położnej? Jak zareagował, jak przyjął wiadomość? Przestraszył się, zaklął, czy też wzruszył się i obiecał wziąć odpowiedzialność za dziecko? O tym babcia Giacoma nigdy nie mówiła. Nawet w czasie spotkania, kiedy ujawniła jego tożsamość, nie dostarczyła mi szczegółów. Opowiedziała jednak coś istotnego, co pozwala mi przypuszczać, że On nie był złym człowiekiem. W dzień, gdy dowiedziała się, że jest już za późno na aborcję, Anastasia zrobiła to, na co wcześniej nigdy się nie odważyła. Odesłała karetę. *Tout court*. Żadnych wyjaśnień. W następnych dniach tak samo. Wtedy, otulony peleryną zakrywającą go od stóp do głów, pewnego wieczoru On wdrapał się na ostatnie piętro na via Lagrange 23. (Akt pokory i odwagi, za który bardzo go podziwiam). Wyniosłym gestem odsunął na bok służącą, która onieśmielona przez wysokiego nieznajomego bez oblicza, próbowała go zatrzymać, i wkroczył do salonu. Przedstawił się *Tante* Jacqueline, która ze zdumienia omal nie dostała ataku serca, i: „Gdzie ona jest? *Je vous en prie*, bardzo proszę". Była w swoim pokoju. Od kiedy wyrzucili ją z Regio, prawie nie wychodziła. Leżała na łóżku i wpatrywała się w swój brzuch. Na próżno jednak ją wołał. Gdy tylko usłyszała słowa *il-est-venu-ici*, przyszedł tutaj, *mon Dieu*, zamknęła się w środku na łańcuch. Potem przez zamknięte drzwi odpowiedziała. „*Dis-lui, de me ficher la paix*. Powiedz mu, żeby mnie zostawił w spokoju. *Je ne veux plus le voir, il ne doit plus me chercher*. Nie chcę go więcej widzieć, niech mnie nie szuka". I On odszedł z pochyloną głową. Nie próbował się z nią więcej spotkać, posłał jej tylko ostatni kosz róż i kopertę z szesnastoma tysiącami lirów (co w przeliczeniu na dzisiejsze stawki odpowiada mniej więcej trzydziestu pięciu tysiącom euro), sumą na owe czasy bardzo znaczną, oraz anonimowy bilecik, w którym informował ją, że zlecił jednemu ze swoich przyjaciół, by zadbał o potrzeby jej i dziecka. Niech się z nim skontaktuje. Podał jego imię, nazwisko i adres. (Dziwnym zrządzeniem losu czy przypadku było to imię i nazwisko florenckiego markiza, którego babcia Giacoma poznała już jako dorosła osoba, wynajmując dom, gdzie miałam się urodzić. „Moja matka mieszkała w Turynie". „Naprawdę? Jak się nazywała?" „Anastasia Ferrier"). Jednak Anastasia nie zrobiła tego. Wzięła tylko dziesięć tysięcy lirów. Gdyby skontaktowała się z markizem, pozostałaby niewolnicą związku, który już odrzuciła, bo jej miłość umarła. Zabita przez upokarzające omdlenie na deskach sceny, jak sądzę, przez szydercze śmieszki i złośliwe łe-łe, które doszły jej uszu. Przez lęk pożerający ją przez cały sierpień, a teraz przez równie niszczący gniew. Gniew z powodu utraty pracy, marzenia, któremu podporządkowała całe swoje życie od czasów, gdy była dziewczynką. Gniew, że znowu ktoś ją rozczarował, i tym razem nie młodzieniec marzący o sławie, lecz mężczyzna władczy i dojrzały. Złość, że nie może się pozbyć tego stworzenia rosnącego nieubłaganie w jej łonie. Tego intruza, który uczynił ją grubą, spuchniętą i brzydką. Tego pasożyta, dla którego nie żywiła żadnego zainteresowania ani uczucia i z którym nie wiedziała, co począć. Zatrzymać go czy porzucić?

Zresztą nie wiedziała nawet, co zrobić z sobą. Jak zaplanować swoją przyszłość po porodzie. Przekonać dyrektora Teatro Regio, by przyjął ją z powrotem, wrócić do baletu? Poszukać nowego kochanka, który będzie skłonny utrzymywać ją pomimo nieślubnego dziecka, czyli iść w ślady Damy Kameliowej? Rozejrzeć się za poczciwcem, który pomimo oszustwa w Rodoret będzie skłonny ją poślubić, to znaczy zmienić się w drugą panią Bovary? A może wyjechać z Turynu? To ostatnie rozwiązanie byłoby bez wątpienia najlepsze. Tak sądziła także *Tante* Jacqueline, zbyt już sędziwa, by chronić ją, tak jak chroniła jej matkę. „*Tu dois partir*, musisz wyjechać, *ma petite. À quoi ça sert de rester avec moi?*, Na co ci się zda ze mną zostać?" Byłoby to także rozwiązanie najbardziej logiczne. Po zjednoczonym królestwie można się było poruszać swobodnie, a za dziesięć tysięcy lirów i pogardzane klejnoty Anastasia mogłaby pojechać, gdzie zechce: oddalić się na zawsze od świata, nad którym Bezimienny królował swym prestiżem i swoją władzą. Tyle tylko, że nie znała nikogo, kto mieszkał poza Turynem. Pomijając cienie dzieciństwa, Tronów, Ponsów, Jahierów, pastora Morela, który od 1860 roku mieszkał w Urugwaju, z dala od domu nie miała nikogo. I nie czuła się na siłach ruszyć w podróż, nie mając celu, gdzie czekałby ktoś znajomy, jakaś przyjazna dusza. Poza tym trudno jej się było rozstać ze swoim otoczeniem. Z miastem, w którym wyrosła, które kochała i do którego była przyzwyczajona.

Potem jednak coś się zdarzyło. Było to pod koniec września, gdy gazety doniosły, że Napoleon III narzucił Włochom nienawistny traktat pokojowy. Ugodę, w której rząd włoski dopuszczał obecność wojsk francuskich na terytorium Państwa Kościelnego (obejmującego już tylko Lacjum) i przeniesienie stolicy z Turynu do Florencji. Oburzeni tymi wieściami, wieczorem 21 września turyńczycy pobiegli protestować na piazza San Carlo, 22 na piazza Castello, gdzie zostali zmasakrowani w niewytłumaczalnej rzezi dokonanej przez policję, wspartą przez karabinierów. W ciągu dwóch dni sześćdziesięciu zabitych i stu pięćdziesięciu ciężko rannych. Dzieci, kobiety przechodzące tamtędy przypadkiem. Staruszkowie o lasce, niedorostki, które przyłączyły się do manifestacji dla zabawy. Studenci i rzemieślnicy, których jedyną zbrodnią było wołanie tchórzliwy-rząd, zdradziecki-rząd oraz rzucenie kilku kamieni. Z okien, które od północnego zachodu wychodziły kątem na piazza San Carlo, od północnego wschodu na via Accademia delle Scienze, to znaczy na niewielki czworobok (przedłużenie via Lagrange) przechodzący w piazza Castello, Anastasia mogła to wszystko albo prawie wszystko zobaczyć. Karabinierów ustawionych pod portykami i strzelających na oślep do bezbronnego tłumu. Policjantów uzbrojonych w szable, rozłupujących czaszki, podcinających gardła, odcinających ramiona i nogi, ścigających ludzi, którzy uciekali w pobliskie uliczki. Rannych jęczących litości-pomocy-litości, trupy na chodnikach i wokół pomnika Karola Alberta... wśród nich także grupkę waldensów z trójkolorowym sztandarem, między innymi piekarza z Prarustin, który razem z pastorem Morelem sondował rzekę Germanasca w poszukiwaniu ciała Marguerite, Jeana Costantina. I tak w jednym momencie przestała kochać Turyn. Ogarnęła ją przemożna chęć, by zaraz opuścić miasto, niezwłocznie udać się gdzieś, gdzie znajdzie jakąś przyjazną duszę. I zwykłym zarządzeniem Losu czy za sprawą Przypadku na uroczystościach żałobnych Costantina, które osiem dni później odbyły się w świątyni waldejskiej, odnalazła Suzanne Gardiol. Swoją niańkę. Jedną z dwóch sióstr, które w 1848 roku *Tante* Jacqueline zabrała z Prarustin na via Lagrange i które w 1853 roku gospodarz Gardiol odebrał, aby nawrócić je z resztą rodziny na religię mormonów i zawieźć do Ameryki.

— Suzanne! Nie poznajesz mnie, Suzanne?

— *Non, mademoiselle. Qui êtes-vous?*, Kim Pani jest?

— Anastasia, Nastka! Anastasia Ferrier!

— Och, Nastka! Anastasia, Nastka! Na jaką piękną kobietę wyrosłaś! I taką dorodną!

Anastasia okryła się szczelniej szalem, który maskował jej brzuch, daremnie ściskany przez gorset, i zmieniła temat rozmowy.

— Mam osiemnaście lat, Suzanne... Ale co ty tu robisz w świątyni, co robisz w Turynie? Nie miałaś wstąpić do tej amerykańskiej sekty i wyemigrować do Utah?

— Zabrakło mi odwagi, *mademoiselle*.

— A Marianne?

— Och, Marianne tak. Ona się nawróciła i wyjechała. W 1856 roku, wraz z dwiema innymi dziewczętami z dolin. Teraz mieszka w miejscu, które nazywa się Salt Lake City, i jest żoną mormona.

— Ach!... A jak się nazywa ten mormon?

— John Dalton. Marianne jest panią Dalton.

— A jaki to adres?

— Dlaczego, *mademoiselle*? Chce pani tam pojechać?

— Być może, Suzanne.

— Ależ tam jest wojna!

Wojna trwała od trzech i pół roku. Krwawa, okrutna, bratobójcza wojna domowa, zwana secesyjną, która niszcząc najpiękniejszą część kraju, doprowadziła już do śmierci setek tysięcy osób. (Tylko w bitwie pod Gettysburgiem zginęło pięćdziesiąt cztery tysiące żołnierzy). Anastasia wiedziała o tym lepiej od Suzanne: także włoskie gazety były pełne doniesień o konfederatach i jankesach, o prezydencie Lincolnie, generale Lee, Wirginii, Karolinie, Georgii, Luizjanie, Alabamie, o emancypacji czarnych niewolników, czyli o przyczynie czy też pretekście wojny. Wiedziała nawet, że w 1861 roku Lincoln zaproponował Garibaldiemu dowództwo nad swoim wojskiem i że Garibaldi odpowiedział „nie, dziękuję", że niektórzy Włosi przyłączyli się do wojsk Północy, inni do wojsk Południa, że konflikt wchodził właśnie w najtragiczniejszą fazę: w sierpniu generał Grant zablokował całe wybrzeże Południa, we wrześniu generał Sherman posuwał się w stronę Savannah i Charlestonu... Do Ameryki nie wyjeżdżał teraz prawie nikt. Tylko nieliczni śmiałkowie mieli tyle odwagi, by przepływać Atlantyk i docierać do Bostonu lub Nowego Jorku, czyli do dwóch najbezpieczniejszych portów. I chociaż walki nie objęły terenów, przez które biegł szlak prowadzący z tych dwóch miast do Utah, nikt nie doradziłby Anastasii podjęcia takiej podróży. Jednak na słowa „ależ tam jest wojna" Anastasia odpowiedziała wzruszeniem ramion.

— Nie szkodzi. Skończy się.

* * *

Naturalnie, aby wyjechać z Włoch i udać się do Ameryki, potrzebny był paszport, którego bez aktu urodzenia i zezwolenia z urzędu policji nie można było dostać. By poradzić sobie z tą przeszkodą, trzeba zdobyć fałszywy paszport. Dlatego też następnego dnia

Anastasia udała się do jedynej osoby, która była w stanie sprokurować go dla niej — do Giuditty Sidoli. Wszyscy wiedzieli, że jej przyjaciel Mazzini zawsze posługiwał się fałszywymi dokumentami, a w swojej burzliwej rewolucyjnej przeszłości ona sama także wielokrotnie miała glejty wystawione na Pauline Gérard, Louise Parmentier czy Marie Braun... Anastasia szła do Giuditty z bijącym sercem. Na wiele miesięcy przecież o niej zapomniała, odepchnęła ją, i teraz obawiała się, że sama zostanie odesłana albo będzie musiała odpowiedzieć na szereg niedyskretnych pytań. Kim-jest-ten-drań, kto-jest-za-to-odpowiedzialny. Tymczasem niewiele znalazłoby się kobiet będących w stanie zrozumieć Anastasię równie dobrze jak ta surowa siwowłosa dama. Nieszczęśliwa matka, która trzydzieści dwa lata wcześniej przeżyła taki sam dramat, straciła synka i przez resztę życia ubierała się tylko na czarno ze względu na pamięć o tym dziecku. I kiedy Anastasia zdjęła obszerny szal, pokazała napęczniały brzuch, na próżno ściskany gorsetem, czuła dłoń wyciągnęła się, by pogłaskać delikatnie jej łono. Kiedy stanowczym tonem oświadczyła „potrzebuję fałszywego paszportu, zaświadczenia, żebym mogła wyjechać", wzruszony głos nie zadał żadnych pytań. „Dobrze. Dostaniesz go. Pomówmy o dziecku". Bo problemem nie był paszport, dodała Giudittà. Co prawda w Piemoncie nie znała nikogo odpowiedniego, ale w swej rodzinnej Emilii-Romanii miała wielu przyjaciół gotowych pomóc. Republikanów, socjalistów, anarchistów, ludzi, którzy umieli oszukiwać władze, tym bardziej że paszporty nie miały fotografii. Problemem było dziecko.

— Potrzebujesz dokumentu tylko dla siebie czy również dla dziecka?

— Tylko dla mnie, *madame* Giudittà.

— Jesteś pewna?

— Jestem pewna.

— Pamiętaj, że potem będą cię dręczyć wyrzuty sumienia. Gdyby coś mu się stało, gdyby zachorowało, umarło...

— Już zdecydowałam, *madame*. Po porodzie chcę wsiąść na statek do Ameryki, a do Ameryki nie mogę jechać z noworodkiem w ramionach.

Sidoli zrozumiała, że nie powstrzyma Anastasii przed zrobieniem tego, co ona sama zrobiła, i nie zadając dalszych pytań, zaczęła się zastanawiać, która z dwóch możliwości w Emilii-Romanii będzie lepsza. Cesena czy Forlì? Za pozwoleniem Ministerstwa Spraw Wewnętrznych wydawanie paszportów leżało w gestii burmistrzów stolic regionalnych. Żeby zdobyć formularz i wypełnić go wymyślonymi danymi, wystarczyło mieć tupet. Żeby przekonać burmistrza, aby wydał zgodę na wyjazd bez otrzymania żądanych dokumentów, potrzebny był ktoś wpływowy. W Forlì mieszkał Aurelio Saffi: oddany przyjaciel Mazziniego, wraz z nim i z Armellinim był jednym z członków triumwiratu stojącego w 1849 roku na czele Republiki Rzymskiej, w 1861 roku wybrano go na posła do parlamentu. Na początku 1864 roku, czyli kilka miesięcy wcześniej, zrezygnował ze swej funkcji wraz z grupą lewicowych posłów i teraz mieszkał w rodzinnym mieście. Za to w pobliskiej Cesenie przebywał Eugenio Valzania: dobroduszny hultaj, który w 1860 roku walczył z Garibaldim, w 1861 roku został postawiony przed sądem za zabójstwo w afekcie, a teraz reprezentował mazziniańską Partię Czynu i nie miał skrupułów, gdy trzeba było komuś w czymś pomóc. Oprócz Valzanii, zwanego także Łomem, z powodu galicyjskiej kurtki, którą nosił na cześć poległych w Polsce (z niebieskiego płótna, krótka, bez klap i z haftkami zamiast guzików), w Cesenie było także hospicjum Świętego Krzyża. Zarządzane co prawda przez Kościół katolicki, ale dające schronienie utajnionym ciężarnym (termin używany wobec niezamężnych brzemiennych kobiet), które mogły tam w sekrecie urodzić dziecko albo pozbyć się go, kładąc je na kole przy furcie. Osławionym (czy błogosławionym) kole noworodków, które od siedmiu wieków stanowiło alternatywę dla dzieciobójstwa, ale jednocześnie skłaniało do porzucania dzieci. Tragiczna kołyska z okienkiem w murze, wystająca za mur sierocińca, na której mozna było położyć niechcianego noworodka, a następnie zadzwonić „din-don" i obrócić koło. „Łe-łe".

Sidoli zostawiła w odwodzie Saffiego, na wypadek gdyby Valzanii nie udało się ukraść formularza paszportowego, tymczasem wybrała Cesenę. I tak pod koniec listopada Anastasia na zawsze opuściła Turyn, jej świat, świat Bezimiennego. Dźwigając brzuch w ósmym miesiącu, pojechała rozwiązać swój dramat w miejscu położonym blisko Adriatyku. Morza, do którego wody Padu wyrzuciły niegdyś ciało Marguerite.

11

W całej historii Anastasii nie ma niczego, co byłoby dla mnie bardziej wstrząsające niż ów wyjazd do Ceseny. To porzucenie, to koło, które na dźwięk dzwonka obraca się i połyka babcię Giacomę. Din-don, łe-łe. To prawda: macierzyństwo nie jest obowiązkiem ani przymusem. Jest wyborem. To prawda: nawet chciane dziecko jest ciężarem, przeszkodą, zniewoleniem i budzi lęk. To prawda: nieślubne dziecko oznaczało skandal, wstyd, udrękę, a Anastasia nie miała nawet nazwiska, które mogłaby mu nadać. Ale jak można porzucić istotę, która dopiero co wyłoniła się z twojego brzucha, maleńką, kruchą i bezbronną, poczętą bez jej pozwolenia, twoje ciało i krew?!? Naprawdę istnieje instynkt macierzyński? Rzeczywiście istnieje impuls, przed którym nie można uciec, gen zapisany w naturze i zawierający w sobie miłość nad miłościami, miłość macierzyńską? To prawda: instynkt macierzyński jest przyczyną bezgranicznych poświęceń, nadludzkiego bohaterstwa, desperackich zbrodni. Najwierniejsze suczki mogą ukąsić, najbardziej przywiązane kotki skoczyć ci do oczu, nieśmiałe królice rzucić się do ataku. W pewnych jednak okolicznościach zwierzęta zjadają swoje małe. A kobiety zabijają je. Duszą, ćwiartują, porzucają na śmietniku. W najlepszym razie sprzedają temu, kto ofiaruje najwięcej, albo oddają do sierocińca. Być może instynkt macierzyński jest mitem, wymysłem. Być może to tylko hipoteza, idea. Albo też odruch biologiczny, niemający nic wspólnego z miłością, kapryśny instynkt, który czasami się objawia, a czasami nie. Impuls, bodziec do przedłużenia gatunku. Cokolwiek by o tym sądzić, jedna rzecz jest pewna: ze wszystkich moich żeńskich Ja z dalekiej przeszłości, z niezliczonych egzystencji, które przeżyłam, zanim narodziłam się jako Ja dzisiejsza, żadne nie miało mniej instynktu macierzyńskiego niż Anastasia. Żadne nie było mniej niż ona przygotowane do odegrania roli matki. Dopiero po czternastu latach ten instynkt w jakiś sposób się obudził i zapragnęła podjąć tę rolę. Podczas ciąży, porodu i połogu nic takiego się nie zdarzyło. Ale mimo to nie czuję się na siłach postawić Anastasię pod pręgierzem. I za każdym razem, gdy próbuję zrozumieć, kim byłam, kiedy byłam nią, a raczej kim byłam, gdy przeniosłam się do Ceseny i porzuciłam babcię Giacomę, zamiast oburzenia czuję dziwną pobłażliwość. Niemal z tkliwością patrzę na kolejne etapy egoistycznego wyboru.

Na pożegnanie z *Tante* Jacqueline, na przykład. Dorastając, Anastasia oddaliła się nieco od *Tante* Jacqueline — nad kontakt z nią przedkładała przyjaźń z Giudittą Sidoli — sprawiła *Tante* Jacqueline wiele trosk. Swoim przedwczesnym ateizmem, odmową uczęszczania do świątyni waldejskiej, czytania Biblii, śpiewania psalmów, jednym słowem — przestrzegania reguł wiary, która przez wieki była podporą Ferrierów. Swoim przekornym charakterem, miłosnymi kaprysami, namiętnością do Bezimiennego, ciążą... Biedna staruszka. Anastasia niemal zabiła ją tego dnia, gdy wróciła i oświadczyła „jestem w ciąży". I tej nocy, gdy zamknęła się w swoim pokoju, nie chcąc się widzieć z Bezimiennym. Nie zrobiła tego jednak umyślnie, lecz z bezmyślności młodych, którzy zrzucają wszystkie kłopoty na rodziców, nie zdając sobie sprawy ze swego okrucieństwa i niewdzięczności. Kochała *Tante* Jacqueline.

Nie żywiła żadnych uczuć do eterycznej dziewczyny, lekkomyślnej wróżki, która wydała ją na świat. Nawet jej nie pamiętała. We wspomnieniach pozostał tylko niewyraźny zapach kwiatów, zatarty obraz, cień podobny do cienia nigdy niepoznanego ojca. Za to godna podziwu kobieta, która wyrwała ją ze szponów arcybiskupa, łagodna czarownica, która ją adoptowała, wychowała, wykształciła... Kochała nawet jej ohydną brodawkę na nosie, brzydkie fioletowe znamię, krótszą nogę, marudzenia, wyrzuty *toi-aussi, toi-aussi*. Było to pożegnanie rozdzierające serce. Poza tym długie i powolne. Trwało trzy tygodnie. Trzy tygodnie, których Sidoli potrzebowała na skontaktowanie się z przyjaciółmi i załatwienie fałszywego paszportu, *Tante* Jacqueline spędziła, obracając nóż w ranie. Będzie do niej pisać z Ameryki? Zatelegrafuje z Ceseny? Powie jej, czy urodził się chłopczyk czy dziewczynka? Ogromnie się martwiła, że sierociniec jest katolicki, że dziecko zostanie ochrzczone w obrządku katolickim! Pocieszała się tylko myślą, że otrzyma tam legalne imię i nazwisko, będzie miało tożsamość prawną i nie będzie się potem musiało ukrywać jak jego matka! Czasami też zmieniała postanowienie, groziła, że pojedzie do Ceseny albo weźmie noworodka, i uspokoiła się dopiero kilka godzin przed wyjazdem Anastasii. Zrezygnowana, przygotowała ją nawet do podróży. Ubrała ją w suknię z niebieskiego aksamitu z szeroką spódnicą podtrzymywaną przez krynolinę, w płaszcz z szarej wełny ozdobiony szenilowym rąbkiem, czepek przystrojony jedwabnymi konwaliami, dodała parasolkę ze srebrną rączką. „*Il faut que tu sois bien habillée*. Musisz być dobrze ubrana. *On respecte toujours une dame bien habillée*. Dobrze ubraną kobietę zawsze traktuje się z szacunkiem". Założyła jej na palec pierścionek wyglądający jak obrączka *ainsi-à-Cesène-ils te croireront-mariée*, dzięki temu w Cesenie będą myśleć że jesteś mężatką, i pojechała z nią na dworzec. Kiedy się tam znalazły, pomiędzy ludźmi żegnającymi się do rychłego zobaczenia, obie wybuchnęły jednak rozpaczliwym płaczem. Obie zdawały sobie sprawę, że było to rozstanie na zawsze, że już nigdy się nie spotkają. (*Tante* Jacqueline umarła następnej jesieni. Na zawał. Anastasia przebywała wtedy w Salt Lake City i dowiedziała się o tym od Marianne, którą poinformowała w liście Suzanne. „Wczoraj byłam na pogrzebie *madame* Ferrier, którą w zeszłym tygodniu zabrali do szpitala, bo zachorowała na serce, i tam zmarła. Jeśli spotkasz się z *mademoiselle*, powiedz jej, że *madame* pogrzebano na cmentarzu w Villasecca i że służąca wszystko sobie zabrała").

Potem podróż w ósmym miesiącu ciąży. W 1864 roku linie kolejowe funkcjonowały już bardzo dobrze. Po drugiej wojnie o Niepodległość rząd Cavoura rozszerzył je na byłe tereny Państwa Kościelnego, a po zjednoczeniu Włoch zainaugurowano linię łączącą miasta wzdłuż Adriatyku. Z Turynu do Ceseny można było dojechać bardzo dobrym pociągiem, który wyruszał o siódmej czterdzieści pięć rano. Przez Asti–Alessandrię–Piacenzę–Parmę–Reggio-Emilię docierał o drugiej czterdzieści po południu do Bolonii, tutaj trzeba było się przesiąść do pociągu jadącego przez Imolę–Faenzę–Forlì–Cesenę do Rimini, i docierało się do celu o szóstej po południu. Komfortowe były także wagony pierwszej klasy, wybudowane na wzór pociągów British Railways. Bardzo eleganckie. W każdym przedziale, odizolowanym od innych, bo dostępnym tylko z zewnątrz, znajdowały się cztery miękkie czerwone fotele z podgłówkami, ozdobionymi brukselską koronką. Przed każdym fotelem stoliczek z dzbankiem świeżej wody, szklankami i serwetką. Na wykładzinie w stylu Aubusson szkandela z gorącą wodą, aby złagodzić zimno, i błyszcząca mosiężna spluwaczka. Na ścianach wyszukana mahoniowa boazeria. U sufitu żyrandol. W oknach muślinowe firanki. Jednym słowem, żadnego podobieństwa z prymitywnym wagonem trzeciej klasy, którym w 1844 roku Giobatta i Maria Rosa pojechali do Pizy. I już trudno, że bilet pierwszej klasy z Turynu do Ceseny kosztował czterdzieści sześć lirów i dziesięć centów: według tego samego przelicznika, którym posłużyłam się przy szacowaniu daru

Bezimiennego, jest to odpowiednik stu sześćdziesięciu euro. I trudno, że samotna kobieta musiała zakupić cztery bilety, to znaczy zająć cały przedział, aby uniknąć zaczepek fircyków i zakusów złodziei. Dzięki dziesięciu tysiącom lirów i pieniądzom za biżuterię, Anastasia mogła sobie pozwolić na luksus, dlatego pod tym względem podróż nie nastręczyła kłopotu. Ale ludowa mądrość, że „lepiej płakać w pałacu niż w lepiance", to bzdura. I jeśli zapytasz, która podróż z tych, które odbyłam w moich niezliczonych egzystencjach, w mojej przeszłości, była najsmutniejsza, nie odpowiem: ta, którą odbyłam jako Carlo, wracający do Panzano po daremnym oczekiwaniu na piazza Signoria. Nie odpowiem: ta, którą odbyłam jako María Isabel Felipa w karecie eskortowanej przez żołnierzy księcia Gerolama Grimaldiego, kiedy jechałam do Barcelony, by zamieszkać tam z Montserrat. Nie odpowiem: ta, którą odbyłam jako Francesco, gdy wróciłam do Livorno, by powiedzieć Montserrat „zginęli". I nie odpowiem nawet: ta, gdy jako Marguerite jechałam powozikiem pastora Morela do Rodoret, by ukryć się z Anastasią. Odpowiem: ta, którą odbyłam jako Anastasia, jadąc do Ceseny w komfortowym wagonie pierwszej klasy, by zdobyć paszport i urodzić niechciane dziecko. Dziecko, które wypełniało już cały mój brzuch, aż po pachwiny. Ciążyło mi, kopało mnie, prześladowało mnie swoją obecnością. Jestem-tutaj, jestem-tutaj. Za muślinowymi firankami okien przesuwały się tysiące nowych obrazów. Pola, lasy, rzeki, miasta. Nowe pejzaże. Ja jednak nie widziałam niczego. Nic mnie nie interesowało. I pomimo tego jestem-tutaj, jestem-tutaj, czułam się bardzo samotnie. Czułam się tak osamotniona, tak wykluczona i odrzucona przez społeczeństwo, że tylko jedna myśl kołatała się w mojej głowie: „Co ze mną będzie, co ze mną będzie?".

Wreszcie miasto, gdzie miała zostać (miałam zostać) do chwili rozwiązania i dostać paszport. Giudittà Sidoli wyjaśniła Anastasii, że Cesena to osobliwe miasto. Uczestniczyło w powstaniach z lat 1831 i 1832, a potem w rozruchach zapowiadających Wiosnę

Ludów w 1848 roku. W 1849 roku przyłączyło się do Republiki Rzymskiej i ludzie mieszkający tu od zawsze dążyli do społecznej sprawiedliwości, z niechęcią odnosili się do monarchii, a rządziła w nim lewica, która angażowała się w boje o szlachetne cele. Na przykład o zniesienie kary śmierci, o anulowanie prawa nadającego religii katolickiej status wyznania państwowego, o wprowadzenie powszechnego głosowania, to znaczy przyznanie prawa głosu kobietom, biedakom i analfabetom. Nie przypadkiem Pippo (Mazzini) uważał Cesenę za jeden ze swych najmocniejszych ośrodków. Najaktywniejszy teren działania Partii Czynu i jego nowej sekty, Świętej Falangi. Ale bohaterskie czyny risorgimenta wywołały u Mazziniego pewien kompleks. Nie umiał działać legalnie, odnaleźć się w normalności, to znaczy włączyć się w system parlamentarny. I pomijając boje o szlachetne cele, w Cesenie panował też niewiarygodny burdel. Nietolerancja i brak zgody gorsze niż w Livorno za czasów Carla Ponce Ruma. Szajki hultajów, którym nie podobały się zjednoczone Włochy, którzy, niepomni, ile stworzenie kraju kosztowało cierpienia, łez, szubienic, chcieli podzielić go znowu. Grupki bezrobotnych garibaldczyków rwących się do bitki, szalejące na placach z okrzykiem: Zwycięstwo-lub-Zemsta! Bandy rozbijaków, którzy mieli pretensje nawet do Pippa i Garibaldiego, nazywali ich dwoma-dyktatorami-demokracji. Fanatyczni komuniści napadający na tych, którzy myśleli inaczej niż oni. Nie brakowało bogatych arystokratów, wygrywających kartę czerwonego sztandaru — aby utrzymać się na fali albo uzyskać wybór na posła uczęszczali do spelunek i wdawali się w bijatyki. Były też zgniłe odgałęzienia Świętej Falangi: rozwydrzone klany agitatorów, którzy wycierając sobie usta świętymi słowami Bóg-Lud-Braterstwo-i-tak-dalej, wysyłali cię na cmentarz. Banda Rewolwera, banda Sztyletu, banda Garłacza. Było jak na Dzikim Zachodzie. Każdego miesiąca jakieś morderstwo. Osiemnaście zabójstw w ciągu roku. Ostatnio zginął nieszkodliwy brygadzista popijający kawę z mlekiem w Caffé Commercio. Brygadzista

Poczciwiec. A trzeba jeszcze pamiętać o spryciarzach, którzy pod pretekstem zdobywania pieniędzy dla Sprawy okradali ludzi. I o pospolitych przestępcach, którzy dla pierścionka potrafili obciąć ci palec. Po zmierzchu ulice stawały się tak niebezpieczne, że nawet przywódcy różnych frakcji chodzili pod ochroną prywatnej straży. O tak, Anastasia musiała bardzo uważać. Wieczorem nie wolno jej było wychodzić bez Eugenia Valzanii.

Sidoli powiedziała jej także, że w czasach renesansu Cesena była wspaniałym ośrodkiem i z okresu jej świetności pozostały ślady, takie jak słynna Biblioteka Malatestiana. Pomimo panującego obecnie zamieszania także teraz miasto miało do zaoferowania wiele atrakcji. Dobry klimat, który zawdzięczało bliskości morza, smaczną kuchnię i wyśmienite wędliny oraz ryby, doskonały teatr, z baletem dorównującym poziomem Teatro Regio. A poza tym, jeśli pominąć zabójstwa, mieszkali tam poczciwi ludzie. Szczerzy, szczodrzy, gościnni. Rzadko ulegający złudzeniom. To wszystko nie zmieniało jednak faktu, że Cesena była tylko skromną prowincjonalną mieściną. W obrębie murów żyło niespełna siedem i pół tysiąca mieszkańców, nawet nie jedna dwudziesta tego co w Turynie, i stolicę Piemontu Cesena przypominała tak jak kurczak łabędzia. Żeby to zrozumieć, wystarczyło się przyjrzeć, jak się witali i ubierali jej mieszkańcy. Żadnych rewerencji, ceremonii, całowania w dłoń. O dobrych manierach niewiele tam wiedziano i jeśli na powitanie ktoś warknął „cześć" albo poklepał cię po ramieniu, to i tak było już dużo. Żadnych krynolin, kapelusików, parasolek czy modnych fryzur. I żadnych fraków, cylindrów i monokli. Kobiety nosiły szorstkie barchanowe spódnice, wiejskie gorsety, szale z surowej wełny. Na głowę zakładały chustki zawiązywane pod brodą, włosy czesały w kok przytrzymywany długą żelazną szpilą, która była nie tylko wyrazem największego szyku, ale i poręcznym narzędziem obrony. Mężczyźni nosili nieforemne kraciaste spodnie, symary w wiejskim stylu, na głowie berety, takie jak bryganci, i od ogółu odstawał tylko Valzania ze swoją kurtką w stylu polskim. Co do stosunków na co dzień, konwersacji, no cóż: w Romanii używano dziwnej mieszanki dialektów i żeby ją zrozumieć, trzeba się było mocno wysilić.

Wysłuchawszy tych rewelacji, przestraszona Anastasia pobiegła do biblioteki objazdowej na via Po. Tej samej, z której *Tante* Jacqueline pożyczała zakazane książki. W nadziei na znalezienie mniej niepokojących wiadomości przekartkowała mnóstwo gazet i dzienników i w rezultacie w „Gazzetta Bolonese" przeczytała artykuł, który mógł przyprawić o atak serca. Cesena, mówiono tam, ma osobliwy kształt urbanistyczny. Przypomina skorpiona. Na północ, to znaczy od strony Rawenny, znajduje się ogon z żądłem, na południowy zachód, od strony Florencji, prawy kleszcz. Na południowy wschód, od strony Rimini, lewy. W centrum, czyli na obszarze starego miasta, odwłok. To porównanie budziło odrazę, skorpion to złośliwe stworzenie, które zabija dla przyjemności zabijania. Na przykład, gdy atakuje pająki, rzadko robi to z głodu: po unieruchomieniu ofiar kleszczami i przebiciu żądłem miażdży je, rozrywa na drobne kawałki i odchodzi, nic nie zjadłszy. Tak samo zachowuje się wobec ludzi. Nie żądli ich, aby wyssać krew, zdobyć pożywienie: żądli dla przyjemności wstrzyknięcia swej straszliwej trucizny. Toksyny, na którą w dziewiętnastym wieku nie znano antidotum, i dziecko albo chory umierali od niej w ciągu trzydziestu minut. Najgorsze jest jednak co innego, konkludował artykuł. Oto gdy skorpion znajdzie się w obliczu nieprzezwyciężonej przeszkody, gdy nie ma żadnej drogi ucieczki, zabija się. Wbija sobie żądło w odwłok, wstrzykuje truciznę we własne ciało. I czy to przypadkiem Cesena dzierżyła przygnębiający rekord największej liczby samobójstw we Włoszech? W drugiej połowie 1864 roku odebrało tam sobie życie aż trzynaście osób. Dwie przebiły się nożem, dwie zastrzeliły się, trzy powiesiły, a sześć utopiło — najpopularniejszy sposób. Czasami rzucano się do Adriatyku. Kiedy indziej do rzeki Savio albo do kanału Verzalia, dwóch szlaków wodnych poza obrębem murów. Niekiedy, a właściwie najchętniej, do kanału przecinającego miasto: Rio Cesuola.

Anastasia wysiadła w Cesenie z poczuciem zagubienia. Była zmęczona po dziesięciu godzinach podróży, zmiana pociągu w Bolonii była stresująca, wyobrażenie skorpiona oraz pamięć o trzynastu samobójstwach osłabiały pewność siebie. Tam jednak oczekiwał na nią sympatyczny wielkolud z czarną brodą, w kapocie w stylu polskim, o spojrzeniu zarazem groźnym i łagodnym. Na widok pięknej damy w krynolinie, w kapeluszu i z parasolką zrozumiał w lot, że musi chodzić o brzemienną uciekinierkę, i wyszedł jej naprzeciw z otwartymi ramionami. *„Salve, 'a 'so Valzania. Cla 'nn paura sgnurèna.* Dzień dobry, jestem Valzania. Niech się panienka nie obawia. *I amig 'ad Giudittà son mi ami, e i amig femmi piô tant.* Przyjaciele Giuditty są moimi przyjaciółmi, a przyjaciółki tym bardziej". Potem wziął od niej bagaż, troskliwie umieścił ją w powoziku ciągniętym przez białego konia, tego samego, na którego grzbiecie walczył u boku Garibaldiego, i zawiózł ją do wynajętej kwatery. Niewielkiego domku pod numerem 5 na vicolo Madonna del Parto, tuż za przytułkiem Świętego Krzyża, a zarazem o kilka kroków od złowieszczego kanału Cesuola.

* * *

Vicolo Madonna del Parto jeszcze istnieje. Przytułku natomiast już nie ma. Wyburzono go w 1892 roku, a na jego ruinach wzniesiono schronisko dla starców, które po drugiej wojnie światowej zmieniono w siedzibę urzędów. Nie ma już także ulicy, na którą wychodził przytułek: via Dandini. Topografia centrum uległa znacznym zmianom, wraz z nią nazwy ulic, tak więc w miejscu dawnej via Dandini jest teraz bardzo brzydki plac, a nazwa przeszła na ulicę niegdyś biegnącą wzdłuż zachodniej ściany przytułku: via Fattiboni. Za to vicolo Madonna del Parto przetrwał nietknięty — i gdy na niego patrzę, przechodzi mnie dreszcz. Nie tyle dlatego, że jest to ślepy zaułek i znajduje się w samym sercu skorpiona, czy też dlatego, że do osiemnastego wieku utajnione ciężarne rodziły w tym miejscu dzieci i porzucały niechciane noworodki, ile dlatego, że prowadził do miejsc budzących grozę. Jeśli skręciło się w lewo, dochodziło się do Rio Cesuola, ulubionego kanału samobójców. Jeśli skręciło się w prawo, trafiało się od razu na via Fattiboni — „koło noworodków" znajdowało się właśnie tam, przy bocznej ścianie przytułku. Było to łukowate okno, sześćdziesiąt na sześćdziesiąt centymetrów, pod którym na wysokości metra od ziemi znajdował się mechanizm obrotowy i napis „*In dolore pietas. Położyć dziecię tutaj*". Anastasia musiała przechodzić tamtędy przez miesiąc. Codziennie widziała koło i od nowa czytała napis. Tam do licha, czy o tym Valzania nie pomyślał? A może wybrał dom pod numerem 5 właśnie z powodu bliskości tego miejsca?

Nie mam żadnych wspomnień z tego miesiąca, który spędziłam w vicolo Madonna del Parto. Być może z powodu poczucia winy, które dręczy mnie do dzisiaj, grudzień 1864 roku zatarł się w mojej pamięci, i nawet gdy bardzo się wysilam, odnajduję jedynie echo zimnej determinacji, odkupionej skrywaną udręką. A także niewyraźny obraz młodej kobiety zajętej szyciem woreczka, który teraz leży przede mną. Patrzę na niego, powstrzymując łzy. To coś w rodzaju małej sakiewki w kształcie trapezu, długiej na jedenaście centymetrów i szerokiej na dziewięć, zrobionej z trzynastu pasków czystego jedwabiu. Dwóch koloru zgniłej zieleni, dwóch groszkowozielonych, dwóch różowych i brązowych, trzech żółtych i pomarańczowych, a po bokach biegnie długa jaskrawoczerwona wstęga. Barwy, którymi waldensi ozdabiali kołyski noworodków i którymi 10 lipca 1846 roku Tronowie przystroili chatę w Rodoret. (Woreczek posłuży, aby włożyć do niego bilecik, który zwykle zostawia się przy porzuconym dziecku na wypadek, gdyby matka zmieniła decyzję. A ponieważ widać, że niewprawna szwaczka włożyła dużo trudu w jego wykonanie, widzę w nim wyraz wewnętrznej udręki tłumionej determinacją. Zapowiedź instynktu macierzyńskiego, który za czternaście lat skłoni Anastasię do powrotu). Ów brak wspomnień rekompensuje mi jednak bogactwo szczegółów, które babcia Giacoma opowiedziała mi tego wieczoru, gdy zdradziła, kim był Bezimienny. Szczegółów usłyszanych, jak przysięgała, bezpośrednio od samej Anastasii, które dobrze oddają jej, mój stan ducha. Babcia Giacoma powiedziała, że daty przewidziane przez położną z Turynu, jesteś-w-szóstym-miesiącu-urodzisz-na--Boże-Narodzenie-albo-na-sylwestra, bardzo martwiły Anastasię. Kto czuje się na siłach zostawić noworodka na kole w samo Boże Narodzenie, w dzień symbolizujący narodziny i czczący je obrazem Dzieciątka Jezus, aniołów, Trzech Króli, komety, szopki? Tak więc pewnego ranka Anastasia weszła do katedry i zapominając, że jest ateistką i heretyczką, uklękła przed głównym ołtarzem, błagając: *„Seingeur, si tu existes, ne me laisse pas accoucher à Noël.* Panie, jeśli istniejesz, nie daj mi urodzić w Boże Narodzenie". Irytowało ją także kopanie dziecka, jego wiercenie się w brzuchu i za każdym razem jęczała: *„C'est inutile.* To daremne. *Je ne te veux pas et je ne te garderai pas.* Nie chcę cię i nie zatrzymam cię". Potem babcia dodała, że przez ten miesiąc Anastasia nie spotykała się z nikim poza Valzanią, jego żoną oraz służącą, która sprzątała skromną kwaterę. Wychodziła rzadko i spędzała większość czasu na lekturze gazet. (Wydaje mi się to prawdopodobne, gdyż w grudniu 1864 roku wiele się działo. Niereformowalny Pius IX opublikował encyklikę *Syllabus errorum*, w której potępiał nacjonalizm, laicyzm oraz liberalnych katolików, postęp naukowy, wolność myśli, sumienia, prasy, prowadzenia badań naukowych. W Bolonii piętnastu wybitnych uczonych odmówiło przysięgi na wierność monarchii i zostało wyrzuconych z uniwersytetu. W Turynie zaczęły się przygotowania do przeniesienia stolicy do Florencji. W Wiedniu zaczęto rozważać możliwość ustąpienia Wenecji Włochom. W Londynie zebrała się Międzynarodówka Socjalistyczna. A w Cesenie dwoje kochanków utopiło się w kanale). Od gazet odrywała się tylko po to, by planować swoją ucieczkę do Ameryki, najeżoną trudnościami i znakami zapytania. Wojna domowa weszła tam w decydującą fazę. Konfederaci przegrali bitwę pod Spring Hill i Savannah i tym samym rozwiały się wszelkie nadzieje na ich zwycięstwo. Lincoln został wybrany na drugą kadencję, siły Północy przygotowywały się do rozpoczęcia oblężenia Charlestonu i podjęcia ostatecznej ofensywy, tak więc bratobójcze walki rozgrywały się już z dala od miast, w których zamierzała wysiąść na ląd: Bostonu lub Nowego Jorku. Mimo to wyjazd i tak był problemem z powodu nielicznych połączeń między portami śródziemnomorskimi a wybrzeżem północnoatlantyckim. Zarówno z Włoch, jak i z południowej Francji oraz Hiszpanii wypływały tylko wolne żaglowce handlowe. Żeby znaleźć szybszy parowiec, trzeba się było udać do Hawru, Glasgow lub Liverpoolu, co znacznie komplikowało podróż. Stawiało ją wręcz pod znakiem zapytania. Dlatego jedyne, co było pewne, to otrzymanie paszportu, który Valzania miał jej dostarczyć na początku stycznia. *„Stasì tranquèla*. Proszę być spokojną. *Aiò zà rubè modul.* Już ukradłem formularz”.

Z samego porodu i porzucenia pamiętam natomiast dużo. Przede wszystkim to, że moja suplika *Seingeur-si-tu-existes-ne-me-laisse-pas-accoucher-à-Noël* została wysłuchana i Bóg oszczędził mi dobrej nowiny w Boże Narodzenie. Wybrał frywolny 31 grudnia. Tego roku była to zaśnieżona sobota. Kazał mi jednak cierpieć bardziej, niż to zwykle bywa. Poród był bardzo bolesny. Długi. Zaczął się o świcie, kiedy odeszły wody, i służąca pobiegła wezwać żonę Valzanii — mimo ich połączonych wysiłków trwał aż do północy. To znaczy do chwili, gdy przestraszone wzrastającym opóźnieniem obie położyły się na moim brzuchu. Popychając, naciskając, rozrywając mnie i kalecząc, zdołały rozszerzyć szyjkę macicy, wydałam z siebie zwierzęcy krzyk i coś śliskiego wyleciało mi spomiędzy nóg. Coś odpychającego, brudnego, co od razu wybuchło gniewnym płaczem. „Nie, nie, nieee”. O tak: urodziłam dokładnie o północy, w chwili gdy mieszkańcy Ceseny odkorkowywali butelki prosecco i musującej słodkiej albany, wznosili toast za nadejście nowego roku, wymieniali zwyczajowe formułki. Wszystkiego--najlepszego, dużo-szczęścia, szczęśliwego-Nowego-Roku. *„L'è una burdèla*. To dziewczynka”, powiedziała bez entuzjazmu żona

Valzanii. Potem odcięła pępowinę, umyła dziecko, położyła obok mnie na łóżku, i *parbleu!*... To była najbrzydsza dziewczynka, na jaką kiedykolwiek padło moje spojrzenie. Być może w wyniku męczarni doznanych w brzuchu, kuracji, przeczyszczeń, gorących kąpieli, puszczania krwi, postów, nadmiernych wysiłków, *arabesque* i *pas-à-deux*, innymi słowy trudów baletu i nadmiernie ściśniętego gorsetu, urosła jej prawidłowo czaszka, ale nie reszta ciała, i miała tak nieproporcjonalną głowę, że wydawała się głową dorosłej osoby, a nie dziecka. Co do twarzy, to wyglądała jak twarz staruszki. Wysuszona, pomarszczona, o cienkiej skórze. Korpus był wychudzony jak u gruźlika, nogi krótkie jak łapy jamnika. Za to ramiona długie. Paluszki u rąk także. Odepchnęłam dziecko z odrazą, a ono zareagowało na ten gest, otwierając szeroko zdumione oczy, te same oczy, jakimi patrzyła na mnie *Tante* Jacqueline, gdy sprawiałam jej przykrość, i tak mną to wstrząsnęło, że wyskoczyłam z łóżka. Nie dbając o trwające jeszcze skurcze i głucha na protesty *s'n-val'in-tla-ment*, co w was wstąpiło, *sa-fasiv*, co robicie, pochwyciłam kawałek papieru. Zanurzyłam pióro w atramencie, napisałam bilecik. „*Elle est née a minuit. Je vous demande la courtoisie de l'appeler Jacqueline Ferrier*. Urodziła się o północy. Proszę was o nazwanie jej Jacqueline Ferrier". Następnie włożyłam karteczkę do wielobarwnej sakiewki, którą przywiązałam niemowlęciu do szyi, owinęłam dziecko w kocyk i znowu głucha na protesty *duv--andasiv*, gdzie idziecie, *aspiti-aspiti*, poczekajcie, poczekajcie, wyszłam z domu. Poszłam położyć noworodka na kole.

„*Maintenant ou jamais plus*. Teraz albo nigdy".

Na dworze panował ziąb i śnieg był zlodowaciały. Groziło, że się poślizgnę. Poza tym na znak powitania nowego roku ludzie wyrzucali przez okna rozwalone krzesła, dziurawe garnki, stare buty, i gdy tylko wyszłam na ulicę, jeden taki but spadł na mnie. O mały włos nie uderzył zawiniątka. Ale nawet to mnie nie zniechęciło, i ostrożnie, walcząc z wyczerpaniem, od którego uginały mi się kolana, nie dbając, że krwawię, przemierzyłam niewielką odległość dzielącą mnie od via Fattiboni. Dotarłam do zachodniego muru przytułku i choć ulica była pogrążona w ciemnościach (nie było tam lamp gazowych, bo porzucenia odbywały się po zapadnięciu zmierzchu i mrok chronił anonimowość matek), rozpoznałam od razu łukowate okienko z napisem „*In dolore pietas*". Do tej pory widziałam to okienko zawsze zamknięte i teraz, po otworzeniu go, o mało nie zwymiotowałam. Wnętrze miało kształt okrągłej tacy, mój Boże. Wyglądało jak platforma do podawania potraw i położenie tam małej istoty ludzkiej wydawało się jakimś potwornym rytuałem kanibali. A jednak zrobiłam to. Po zdjęciu kocyka położyłam dziecko na kole tak, aby przy obrocie nie uderzyło główką o ścianę. Zdziwione, odwróciło głowę. Po raz drugi otworzyło szeroko oczy pełne zdumienia i wyrzutu, potem wyciągnęło rączkę, tak jakby chciało mnie zatrzymać. Wtedy szybko zamknęłam drzwiczki. Zadzwoniłam, żeby uprzedzić strażnika, i uciekłam. Niczym złodziejka ścigana przez karabinierów wróciłam na vicolo Madonna del Parto, gdzie żona Valzanii, płacząc, położyła mnie znowu do łóżka. „*Pora sgnurèna, pora burdèla*. Biedna panienka, biedna dziewczynka". Ja nie płakałam. Byłam zmęczona, wyczerpana i chciałam jedynie spać. Zasnęłam, kiedy tylko zgasiły świeczkę, i zbudziłam się dziesięć godzin później, gdy zgodnie z przyrzeczeniem Valzania przyszedł oddać mi paszport. Wielką płachtę papieru ze znakiem wodnym wielkości czterdziestu jeden centymetrów na dwadzieścia osiem. Na górze widniał herb sabaudzki w obramowaniu gronostajowego płaszcza, z sześcioma trójkolorowymi sztandarami na drzewcach halabardy po bokach i z dwoma pędami dębu. Pod tym bombastycznym ornamentem następujące wielosłowie: „W imieniu Wiktora Emanuela II, króla Włoch, Minister Spraw Zagranicznych zwraca się do Władz Cywilnych i Wojskowych Jego Królewskiej Mości i do Państw Zaprzyjaźnionych i Sprzymierzonych, aby pozwoliły na przejazd pani Anastasii Ferrier, która przez Anglię jedzie do Stanów Zjednoczonych Ameryki, oraz prosi, aby w razie potrzeby udzielić jej pomocy. Niniejszy paszport został wystawiony w Forlì, jest ważny przez rok i z upoważnienia Jego Ekscelencji Ministra został podpisany przez naczelnika Policji tego regionu". Poniżej nieczytelny kulfon, czyli podpis podrobiony przez Valzanię, a po lewej kolumna fałszywych danych. „Wiek: pełnoletnia. Wzrost: 168 centymetrów. Włosy: złocisty blond. Brwi: jasne. Oczy: błękitne. Stan majątkowy: dostatni. Miejsce urodzenia: Cesena. Miejsce zamieszkania: *idem*".

* * *

Był to pierwszy dokument w moim, w jej życiu. Pierwszy (i ostatni) pisemny dowód jej egzystencji, istnienia na świecie. Dlatego też pochwyciła go tak jak wygłodniały pies i od razu zapomniała o wyciągniętej rączce i oczach pełnych smutku i wyrzutu. Teraz była wolna. Mogła robić to, co chciała, pojechać, dokąd chciała, być sobą, bez ukrywania się. I tak oto zaczyna się podróż do Ameryki, czternaście lat legendy.

12

W 1865 roku na pokładzie statku parowego płynęła do Ameryki pewna pani. Tylko biedacy wciąż jeszcze wybierali kruche drewniane statki używane w czasach Francesca i Montserrat, stare brygantyny, które na dopłynięcie do Nowego Świata potrzebowały tyle samo czasu, ile „Triumph" Filippa Mazzeiego. Parowce były solidnymi, pływającymi szybko konstrukcjami z żelaza, które ważyły co najmniej tysiąc pięćset ton, dopływały do Nowego Jorku, Filadelfii czy Bostonu zaledwie w dziesięć lub dwanaście dni. Miały też trzy maszty, bo zdarzało się dość często, że rozpinano żagle, by zaoszczędzić na węglu. Czas podróży wydłużał się wówczas do piętnastu czy osiemnastu dni. Co prawda, płynąc wzdłuż Morza Arktycznego i z prądami wybrzeży Labradoru, parowce czasami jeszcze tonęły. W zderzeniu z górą lodową lub w morskiej nawałnicy w czasie ostatniego dziesięciolecia utonęło aż siedem parowców z setkami pasażerów, z których nikt nie przeżył. Wydaje się jednak, że liczba zatonięć nie przewyższała liczby katastrof lotniczych w dzisiejszych czasach, a sama podróż była nie tylko krótka, ale także wygodna. Wojna secesyjna doprowadziła do drastycznego obniżenia się liczby podróżnych, od 1861 roku imigracja ograniczała się do kilku tysięcy Niemców i Irlandczyków, turystyka do nielicznych aferzystów, dyplomatów i awanturników, tak więc aby znaleźć klientów, linie żeglugowe proponowały warunki komfortowe jak nigdy przedtem. Łącznie z bieżącą wodą. W pierwszej klasie przepych luksusowego hotelu. Salony i saloniki z boazerią intarsjowaną palisandrem albo lustrzane ściany, obicia z adamaszku i aksamitu, kryształowe żyrandole. Kabiny z łazienką i umeblowane jak normalne pokoje, palarnie i sale muzyczne, biblioteki wypełnione książkami i gazetami w różnych językach. Zastępy kelnerów, wyśmienite wina, menu przyprawiające o zawrót głowy. (Mam jedno, które oferuje sześć rodzajów zup, siedem typów potraw gotowanych, osiem odmian pieczeni, dziewięć wyrafinowanych przystawek i niekończącą się listę deserów). W specjalnych zagrodach trzymano żywe kurczęta, przepiórki, jagnięta i świnie przeznaczone pod nóż, a także dwie mleczne krowy — cóż, czasami było trochę smrodu. W prymitywnych chłodziarkach przechowywano jajka, masło, warzywa, owoce. W drugiej klasie było naturalnie nieco skromniej. Mimo to obsługa także znakomita, godna hotelu dobrej klasy. A w trzeciej, w której do połowy wieku dosłownie umierało się z głodu, brudu i zaniedbania, podawano trzy posiłki dziennie. Spało się na materacu, do dyspozycji były ubikacje i umywalnie. Można było także zasięgnąć porady lekarza chirurga i *dulcis in fondo*: zarówno w pierwszej, jak i w drugiej oraz trzeciej klasie samotne kobiety nie były już narażone na gwałty i niechciane ciąże. W 1834 roku nowojorczycy, zirytowani płaceniem podatków na nieślubne dzieci, które często za przyczyną oficerów zostały poczęte w czasie podróży, zwrócili się z interpelacją do Kongresu, który uchwalił nowe prawo. „Ktokolwiek groźbami, przemocą, pochlebstwami, obietnicą małżeństwa lub nadużyciem władzy zgwałci pasażerkę, uczyni ją brzemienną, będzie musiał ją poślubić lub zapłacić tysiąc dolarów grzywny i spędzić pięć lat w więzieniu o zaostrzonym rygorze".

Taryfy różniły się, zależnie od kraju i linii. Płynąc z Anglii z Cunard Line, w pierwszej klasie płaciło się trzydzieści gwinei, czyli siedemset pięćdziesiąt lirów. (Przeliczając jak zwykle według parametrów Instytutu Statystyki, dwa tysiące sto dwadzieścia pięć euro). W drugiej klasie szesnaście gwinei, czyli czterysta lirów (tysiąc czterysta euro). W trzeciej sześć gwinei, czyli sto pięćdziesiąt lirów (pięćset dwadzieścia pięć euro). Inman Line, bardziej spartańska i nieposiadająca drugiej klasy, liczyła sobie piętnaście gwinei, czyli trzysta siedemdziesiąt pięć lirów za pierwszą klasę (tysiąc trzysta dwadzieścia pięć euro). Cztery gwinee, to znaczy sto lirów za trzecią (trzysta pięćdziesiąt euro). Za podróż parostatkiem kursującym z Francji płaciło się kwoty sytuujące się pomiędzy cenami Cunard Line a cenami Inman Line. Na statkach wyruszających z Włoch żądano śmiesznie niskich sum. Znalazłam broszurkę reklamową proponującą pierwszą klasę za sto pięćdziesiąt lirów, a trzecią za sto. Tyle tylko, że z Włoch nie pływały parowce. W 1859 roku Transatlantycka Spółka Nawigacji Parowej zbankrutowała, co doprowadziło do upadku infrastruktury morskiej, i do włoskich portów nie zawijały nawet cudzoziemskie parowce. Do Nowego Jorku i Bostonu oraz Filadelfii (a także Charlestonu i Nowego Orleanu) pływały wyłącznie jednostki o małym tonażu, wolne i przestarzałe statki handlowe. Jednym słowem, jeśli ktoś nie chciał gnić trzy czy cztery miesiące pod pokładem, musiał się zaokrętować w Hawrze, w Southampton lub w Glasgow, a najlepiej w Liverpoolu, największym ośrodku podróży transatlantyckich. Było to dość niewygodne, bo do Hawru drogą morską docierało się z Marsylii albo też, przebywszy dyliżansem Moncenisio, trzeba było przejechać przez całą Francję koleją.

Do Liverpoolu można było dopłynąć promami Mediterranean z Genui albo też jednostkami linii angielskiej, która zmonopolizowała szlaki między Morzem Tyrreńskim a Morzem Irlandzkim. Te łajby z kominem zaledwie zresztą zasługiwały na miano prawdziwych statków. Gruchoty, które zabierały na pokład pasażerów kolejno w Livorno, w Neapolu, w Messynie, w Palermo, w Gibraltarze, a nawet w Lizbonie, i w rezultacie potrzebowały szesnastu czy osiemnastu dni, by dopłynąć do Morza Irlandzkiego. Anastasia wiedziała o tym: w czasie pobytu w Cesenie dokładnie przestudiowała wszystkie możliwe trasy. Przeglądając broszurki reklamowe Mediterranean, zrozumiała, że kabiny pierwszej klasy nie liczyły sobie nawet trzech metrów kwadratowych (powierzchnia obecnych przedziałów sypialnych w pociągu), że łazienka składała się z miski i dzbanka ze słoną wodą, ubikacja z nocnika, który należało opróżniać przez bulaj, a obsługa ograniczała się do nielicznych stewardów zapalających i gaszących świece. To jej jednak nie odstraszyło. Pewna, że nie zmieni decyzji, postanowiła zaokrętować się w Livorno i tam postarała się o nowego anioła stróża. Giuseppe Pastacaldiego, byłego garibaldczyka, a zatem byłego towarzysza broni Valzanii, doświadczonego podróżnika i kawalera z bogatej rodziny, który zajmował się eksportowaniem do Ameryki produktów żywnościowych. W połowie grudnia Valzania napisał do niego, pytając o rejsy do Liverpoolu w pierwszym tygodniu nowego roku, a stamtąd o rejsy do Nowego Jorku, i...

Opowieść dziadka Antonia, a raczej legenda przekazana mu przez Anastasię, zaczyna się właśnie tutaj. Jeśli wierzyć tej opowieści, odpowiedź Pastacaldiego przyszła po południu 2 stycznia: trzydzieści sześć godzin po oddaniu babci Giacomy. List informował, że w środę odpływa z Livorno „Alexandria", która do Liverpoolu powinna dotrzeć 18 lub 19 stycznia. Czyli na czas, by w Liverpoolu zaokrętować się na „Africę", bardzo szybki parowiec Cunard Line, który 21 stycznia odpływał do Nowego Jorku. Idealna okazja, której nie można przegapić. Niech *mademoiselle*

Ferrier przyjedzie jak najszybciej. Wtedy, w jednej chwili, Anastasia otrząsnęła się z apatii. Nagle odnalazła w sobie nadludzką energię, zimną krew i do licha! Z Ceseny do Livorno jeździły tylko dwa pociągi: poranny i nocny. Na poranny było już za późno, nocny zaś oznaczał niezwykle uciążliwą jedenastogodzinną podróż z przesiadkami w Bolonii, Pistoi, Lucce i Pizie. Dla położnicy tuż po porodzie impreza, która mogła zaprowadzić ją do szpitala albo na cmentarz. Nie przypadkiem żona Valzanii nie zamierzała puścić Anastasii, Valzania ofiarowywał się, że będzie jej towarzyszył. Nie chciała o tym słyszeć i wyjechała o północy, pełna energii. Sama. Samodzielnie przesiadła się cztery razy, sama dotarła do nieznanego miasta i przedstawiła się Pastacaldiemu, który od razu padł ofiarą jej wdzięku i pomógł jej załatwić wszystko w jeden dzień. Zaprowadził ją do konsula Stanów Zjednoczonych, który, również oczarowany, podstemplował paszport, nie kontrolując go zbyt uważnie. Załatwił jej miejsce na „Africe" i na „Alexandrii", pomógł jej sprzedać część biżuterii, wymienił włoską walutę na dolary i list kredytowy do zrealizowania w American Exchange. (Ten ostatni na mniej więcej czterdzieści tysięcy dzisiejszych dolarów. Po wydatkach związanych z przejazdem do Ceseny, miesięcznym pobytem w tym mieście, podróżą do Livorno, zakupieniem biletów, z sumy zostawionej jej przez Bezimiennego zostało dziewięć tysięcy lirów. Przy wymianie z 1865 roku trzy liry za dolara dało to trzy tysiące dolarów, czyli mniej więcej czterdzieści tysięcy według dzisiejszego kursu). Biedny Pastacaldi. Nie wiedział o dramacie Anastasii i jej umiejętności pokonywania przeszkód, które zatrzymałyby stado bizonów, widział w niej słabe i bezbronne dziewczę, emigrujące do Nowego Świata, by uciec przed Bóg wie jakimi prześladowaniami i groźbami. Zatroszczył się nawet o jej przyjazd do Ameryki i zakwaterowanie w Nowym Jorku. Bo poruszanie się po Nowym Jorku nie jest łatwe, wyjaśnił. Na nabrzeżach czają się bandy rzezimieszków i jeśli jakiś przyjaciel nie czeka przy zejściu ze statku, mogą cię okraść ze wszystkiego w mgnieniu oka. W przypadku

Anastasii niełatwo byłoby znaleźć także kwaterę. Wiele hoteli nie wynajmowało pokoi samotnym kobietom, a w innych narażone one były na różne zaczepki. Anastasia nie musiała się jednak martwić. Zmarły brat Pastacaldiego, Michele, mieszkał przez dwadzieścia lat w Nowym Jorku i zostawił tam dom. Piękny *brownstone* pod numerem 24 przy Irving Place, gdzie Louise Elisabeth Nesi, jego ukochana towarzyszka życia, mieszkała wraz z dziewiętnastoletnim synem Johnem Derekiem, który dopiero co wykręcił się od poboru dzięki zastępstwu (a tak, tam też istniała taka możliwość) i studiował teraz literaturę na New York University. John będzie szczęśliwy, mogąc spotkać Anastasię w porcie i ochronić ją przed hultajami, a Louise, goszcząc ją w swoim domu. Trzeba tylko ich uprzedzić i chociaż kabel transatlantycki był uszkodzony od lat, można to zrobić, wysyłając telegram przez Shannon. Każdego tygodnia z Shannon w Irlandii wypływał parowiec pocztowy, który w ciągu tygodnia docierał do Halifaksu w Kanadzie, a stamtąd list przekazywano do Nowego Jorku.

Następnego dnia Anastasia zaokrętowała się na „Alexandrię". Dziadek Antonio opowiadał o tej podróży z Livorno przez Neapol–Messynę–Palermo–Gibraltar do Liverpoolu, że aż do Gibraltaru miała ataki wysokiej gorączki z powodu nawału mlecznego, co nie przeszkodziło jej oczarować kapitana w takim samym tempie, w jakim oczarowała Pastacaldiego, to znaczy w mgnieniu oka. Zgodnie z rejestrami „Corriere Mercantile" kapitan nazywał się Ingram, a jeśli wierzyć dziadkowi Antoniowi, był nieuleczalnym mizoginem. Typem, który unikał kobiet, jakby były zadżumione. W istocie, gdy doniesiono mu, że jedna z pasażerek źle się czuje, odpowiedział, że pozbędzie się jej na następnym postoju. „Niech sobie radzi, niech jedzie do szpitala". Kiedy jednak poszedł na inspekcję i w ciasnej kabinie znalazł Anastasię, wstrząsaną dreszczami i osuszającą sobie mokre i bolące piersi, jego nieprzyjazne nastawienie rozsypało się jak zamek z piasku. Przeniósł ją do jedynej obszernej kabiny na statku, wyleczył gwałtowne ataki gorączki zimnymi kompresami, chininą, puszczaniem krwi, po czym stał się jej niewolnikiem. Żeby nie straciła połączenia do Ameryki, zrezygnował nawet z przystanku w Lizbonie, bo przy wybrzeżach Portugalii ryzykowali wpłynięcie w burzę morską. I wyciskając pełną moc z motorów, zużywając niesłychaną ilość paliwa, pomimo przeciwnych wiatrów, zdołał dopłynąć do Liverpoolu w przewidzianym terminie, to znaczy wieczorem 20 stycznia. Tam zaprosił Anastasię na romantyczną kolację pożegnalną, następnego ranka pomógł jej zaokrętować się na „Africę" i zarekomendował ją swemu koledze Williamowi Ryriemu. Czy czarownica uwiodła także i jego, tego nie potrafię powiedzieć: o podróży z Liverpoolu do Nowego Jorku dziadek Antonio opowiadał niewiele. Przypuszczam jednak, że tak było, od pobytu w Cesenie historia Anastasii to bowiem niekończąca się lista podbojów, i za każdym razem, gdy próbuję sobie wyobrazić ją w czasie tej podróży, moja wyobraźnia zatrzymuje się na tej samej scenie. Tej, którą przedstawia obraz z tamtej epoki *The lady and the officer*, na którym młoda dama i przystojny oficer stoją obok siebie przy balustradzie na rufie statku. Ona ma na sobie ciemną krynolinę, na głowie wielki kapelusz zawiązany pod brodą wstążką i jest piękna. Idealna figura, piękne rysy. Przystojny oficer, oparty o balustradę i przedstawiony z profilu, patrzy na nią z uwielbieniem graniczącym z bałwochwalstwem. Ona natomiast patrzy na morze. Jej nieruchome spojrzenie wyraża całkowitą obojętność, tak jakby była przyzwyczajona do hołdów i myślała o czymś innym. (O czym, o kim? O brzydkiej dziewczynce, którą zostawiła na kole? O starej ciotce, którą porzuciła na via Lagrange? O sławnej osobistości, którą kochała i odepchnęła, zachowując dziesięć tysięcy lirów? A może o Irving Place, o Salt Lake City i Marianne Gardiol, o przyszłości czekającej ją w Nowym Świecie i o podstawowym fakcie, że nie zna angielskiego?)

Z powodu milczenia, jakim moja pamięć odpowiada na próby odtworzenia wspomnień z tych czternastu lat legendy, nie wiem nawet, czy podróż potoczyła się gładko. Ale jestem o tym przekonana. Nawał pokarmowy przeszedł po tygodniu, na chorobę morską Anastasia nie cierpiała, a „Africa" była naprawdę wygodnym statkiem. Dużym, szybkim, pewnym. Ważyła dwa tysiące dwieście pięćdziesiąt ton, co pozwalało jej na przewożenie stu czterdziestu klientów w pierwszej klasie, trzydziestu w drugiej i dwustu pięćdziesięciu w trzeciej. Miała trzy pokłady, cztery kotły, zużywała siedemset sześćdziesiąt kwintali paliwa dziennie i z dodatkowym wsparciem żagli mogła rozwijać szybkość dwunastu lub trzynastu węzłów. Poza tym posiadała dwa działka do strzałów ostrzegawczych w razie mgły, a luksusowym wyposażeniem mogła rywalizować ze swymi najsłynniejszymi rywalkami. Wspaniałe kabiny wychodzące na kryty pokład, gdzie nie słychać było ryku motorów ani nie dochodził smród od zwierząt do uboju. Salony urządzone z przepychem, restauracja oferująca rzecz jasna menu mogące przyprawić o zawrót głowy, srebra Charlesa Lewisa Tiffany'ego. A także kabiny ogrzewane w zimie kaloryferami i obsługa obejmująca krawca, szewca, balwierza oraz fryzjera damskiego.

Statek wyruszył w południe, przy bezchmurnym niebie, oddawszy dwa radosne wystrzały armatnie (tak wynika z rejestrów morskich). Po przebyciu kanału Świętego Jerzego zatrzymał się w porcie Queenstown, po czym wypłynął na ocean i żadna góra lodowa, huragan czy awaria nie zakłóciły podróży, która dobiegła końca w rekordowym czasie. Dziesięć dni, dwadzieścia jeden godzin, dwadzieścia dziewięć minut. Do Nowego Jorku „Africa" zawinęła we wtorek 31 stycznia, przy wtórze kolejnych dwóch wystrzałów z armaty, a dla Anastasii przybycie do portu nie wiązało się z żadnymi uciążliwymi formalnościami. W kraju, który głosił równość, tylko pasażerowie trzeciej klasy byli poddawani, jak Rzymianie po bitwie pod Forche Caudine, upokorzającemu rytuałowi w biurze imigracyjnym: wysiadali przy Castle Garden, ośrodku dla biedaków, gdzie ustawiali się w kolejce do przesłuchania, przepytania, a następnie poddania się bezdusznej kontroli medycznej, w trakcie której lekarze sprawdzali, czy nie mają chorób zakaźnych, a policjanci, czy nie są zbiegłymi przestępcami. Po postoju przy Castle Garden statek ruszał dalej, wpływał na wody rzeki Hudson, gdzie znajdowało się czterdzieści osiem przystani dla transatlantyków. Rzucał kotwicę w jednej z nich, po czym na pokład wchodził oficer z urzędu celnego. Z szacunkiem zapraszał pasażerów, by zasiedli na wyścielanej sofie w jednym z salonów, bez zadawania niedyskretnych pytań sprawdzał ich paszporty i bagaże, po czym żegnał się z ukłonem. „*Welcome, Madam. Welcome, Sir*". Problemów nie napotkała zresztą Anastasia także przy wysiadaniu na ląd. Telegram przez Shannon–Halifax dotarł na miejsce na czas, po nim przyszedł także list z wyjaśnieniami i na Liverpool Wharf (molo dla statków przypływających z Liverpoolu) czekał przystojny młodzieniec z odstającymi uszami. John Nesi, syn Louise. Wszedł zaraz na pokład, odszukał Anastasię, pomógł jej wysiąść, energicznie przepchał się z nią przez tłum hultajów, doprowadził ją do Canal Street i wsadził do dorożki, a następnie zawiózł na Irving Place.

* * *

Zadaję sobie pytanie, co czuła Anastasia, gdy John wiózł ją na Irving Place, a jednocześnie próbuję wyobrazić sobie miasto, w którym miała przeżyć prolog swej amerykańskiej przygody. Z wyglądu Nowy Jork był bardzo odmienny od dzisiejszej metropolii. Nie istniały jeszcze nawet słynne mosty, od stu lat łączące Manhattan z Brooklynem i New Jersey. Żeby przebyć Hudson lub East River, trzeba było wsiąść na prom. I naturalnie nie było jeszcze drapaczy chmur. Nie było świecących szyldów, migoczących świateł, elektryczności. Nie istniały Times Square, Park Avenue ani Statua Wolności. Budynki nie były wyższe niż na sześć lub siedem pięter, Edison nie wymyślił jeszcze żarówki, dlatego też używano wciąż oświetlenia gazowego, a na miejscu Times Square znajdował się zbiornik wodny. Na miejscu Park Avenue tunel kolejowy tak zwanej Hudson Line. Tam, gdzie dziś wznosi się Statua Wolności, znajdowała się wysepka usypana ze śmieci wyrzucanych przez przepływające obok statki. Jednak była to już budząca szacunek metropolia, która liczyła osiemset tysięcy mieszkańców, dużo więcej niż Filadelfia, gdzie żyło ich wówczas pięćset czterdzieści tysięcy. Cztery razy większa od Bostonu czy Chicago i szesnaście razy większa od stolicy konfederatów, Richmond, które w czasie wojny rozrosło się do pięćdziesięciu tysięcy mieszkańców, i dziesięć razy większa od Waszyngtonu, zaledwie osiemdziesięciotysięcznego. Zarazem była to połowa ludności Paryża, w którym mieszkało milion sześćset tysięcy osób, i jedna trzecia ludności Londynu, liczącego wtedy dwa miliony trzysta tysięcy mieszkańców. Daremnie szukać by śladów bohaterskiej przeszłości miasta z czasów, gdy nazywało się Nowy Amsterdam i holenderscy pionierzy zabierali je Indianom: nawet siedemnastowieczne cmentarze zostały usunięte, by zrobić miejsce pod domy. Było to także miasto bardzo bogate. Centrum finansowe kraju, kolebka Wall Street, siedziba dziewięćdziesięciu jeden banków, w których złoto płynęło strugami, niczym lawa po erupcji wulkanu. A także miasto brudne, niebezpieczne, niespokojne, o wysokim wskaźniku przestępczości. Śmieci rosły tygodniami w sterty wysokie na trzy metry, nikt nie zbierał psich i końskich odchodów, od szkodliwych wyziewów można było zachorować na świerzb, cholerę lub tyfus, i pomimo zniesienia niewolnictwa w porcie przemycano jeszcze wielu niewolników. Praktyka, za którą prawo teoretycznie przewidywało karę szubienicy, ale na którą skorumpowani urzędnicy przymykali oko. Nie przypadkiem rok 1864 zamknął się smutnym bilansem stu tysięcy zabójstw, ataków nożowniczych, oszustw i porwań. Nie bez powodu konfederaci uważali Nowy Jork za siedlisko hipokryzji, miasto bez serca, bez zasad, bez moralności i bez Boga.

Z drugiej strony, być może właśnie z tego powodu, była to najbardziej frywolna metropolia Ameryki, a być może i całego świata. Lunapark dla dorosłych. Oprócz dziewięćdziesięciu jeden banków było tam również czterysta sześćdziesiąt burdeli, pięćdziesiąt dwa domy uciech, setki barów, piwiarni, palarni opium. Były także baseny publiczne dla panów i dla pań (baseny, w których można było pływać bez ubrania), korty tenisowe, pola golfowe, boiska do strzelania z łuku, tory wrotkowe i łyżwiarskie, dwa hipodromy, stadion do gry w polo, drugi do gry w baseball, klub jachtowy organizujący zawody żaglówek oraz niezliczona liczba *dance houses*, czyli sal tanecznych. Istniały tam także dziesiątki teatrów, między innymi Academy of Music, Winter Garden oraz Barnum's American Museum: gigantyczny cyrk, w którym obok klownów, akrobatów, iluzjonistów, lwów, tygrysów i słoni pokazywano także wybryki natury w rodzaju braci syjamskich czy cieląt o dwóch głowach, Żywego Szkieletu (niewiarygodnie chudego człowieka) i miss Jane Campbell — dziewczyny ważącej prawie pół tony, która sama określała siebie jako „największą górę mięsa istniejącą kiedykolwiek w ciele kobiecym". Na przybyszów czekały tuziny hoteli — w porównaniu z nimi najbardziej luksusowe transatlantyki wydawały się kurną chatą. Między innymi bajeczny hotel Astor, gdzie kurczaka przygotowywano na szesnaście różnych sposobów, a szampan lał się strumieniami, albo ultranowoczesny Fifth Avenue Hotel, w którym na wyższe piętra wjeżdżało się *perpendicular railway*, pionową kolejką, innymi słowy: windą. Urządzeniem gdzie indziej nieznanym. Zresztą jeśli nie umarłeś z głodu i nędzy, w Nowym Jorku wszystko mogło stać się źródłem rozrywki. Wszystko! Obłąkany ruch uliczny na Broadwayu, gdzie setki karet, powozików, wozów, dwukółek pędziło pomiędzy tramwajami ciągniętymi przez sześć koni i omnibusami: zabawne dorożki z woźnicą siedzącym na dachu, zatrzymujące się na żądanie. (Żeby wysiąść, trzeba było pociągnąć za sznurek przywiązany do lewej stopy dorożkarza i krzyknąć „Stop!"). Skandaliczne sklepy przy Bowery, w których można było kupić każdy najbardziej fantastyczny przedmiot lub lek, włączając w to słynną maść do przedłużania stosunku miłosnego. Niedyskretne rozprawy w aulach Sądu Cywilnego, gdzie każdego roku przeprowadzano dziesiątki rozwodów. Chamstwo Vanderbiltów, Stewartów, Pierpontów, Morganów, którzy w swoich magnackich rezydencjach mieli złote nocniki i służbę w liberii (składały się na nią: kaftan z adamaszku, atłasowe szelki, jedwabne pończochy, koronkowa koszula, a czasem nawet turban). Arogancja sufrażystek, które paliły w towarzystwie, gardłowały za antykoncepcją, a w razie konieczności dokonywały aborcji w klinice *madame* Restell (działającej za zezwoleniem burmistrza). Co prawda wojna, mimo iż toczyła się daleko na Południu, nieco przykróciła te niebywałe ekscesy i pociągnęła za sobą inflację. W 1865 roku płaszcz mógł w Nowym Jorku kosztować pięćdziesiąt dolarów – równowartość miejsca w trzeciej klasie na transatlantyku. Obowiązkowy pobór do wojska i praktyka zastępstwa, przeciwko której najbiedniejsi daremnie organizowali burzliwe protesty, sprawiła, że śmierć zebrała obfite żniwo. W rezultacie na ulicach licznie pojawiły się kobiety w żałobie, matki i wdowy w czarnych welonach. Wojna nie zmieniła jednak obyczajów bezbożnego miasta, a wręcz przeciwnie, zdwoiła jego cynizm. Dlaczego? Bo dzięki dostawom wojskowym bogacze stali się jeszcze bogatsi, sprzedając swe towary zarówno wojskom Północy, jak i konfederatom. Tym drugim, dzięki statkom płynącym na Bahamy. *Business is business, my dear, and favours neutrals.* Interesy to interesy, mój drogi, i najlepiej służą tym, którzy zachowują neutralność.

Włochów było niewielu. Na całym kontynencie może z piętnaście czy szesnaście tysięcy. Masowa imigracja miała się zacząć dopiero w 1889 roku i początkowo kierowała się przede wszystkim do Argentyny i Brazylii, gdzie Włosi nie musieli rywalizować z grupami etnicznymi, kierującymi się do Ameryki Północnej. Irlandczykami, Szkotami, Walijczykami, Holendrami, Niemcami, Skandynawami. Ci z Włochów, którzy przybyli jeszcze w siedemnastym wieku, czyli w czasach „Mayflower", osiedlili się w Massachusetts. Zanglicyzowali swoje nazwiska (Ross zamiast Rossi, Martin zamiast Martini, Church zamiast Chiesa, Ironcut zamiast Tagliaferro) i zasymilowali się. Tak samo ci, którzy przybyli do Ameryki w osiemnastym wieku, za czasów Filippa Mazzeiego. Ich potomkowie nie wiedzieli już nawet, że zdanie otwierające amerykańską konstytucję napisał Mazzei, a nie Jefferson, i że Manhattan odkrył Giovanni da Verrazzano, a nie Henry Hudson. W pierwszej połowie dziewiętnastego wieku Włosi wybierali głównie Filadelfię, Baltimore lub Nowy Orlean, dlatego włoska społeczność w Nowym Jorku nie przekraczała trzech tysięcy osób. W przytłaczającej większości byli to pogardzani pariasi. Plebejusze wykonujący najpodlejsze zawody i zamieszkujący wraz z wyzwolonymi niewolnikami w Five Points, obskurnej dzielnicy, w której przestępczość pleniła się bujniej niż pokrzywa na polach, a same nazwy ulic mogły przyprawić o zawał serca. *Murderer's Alley*, Aleja Morderców, *Thieves' Den*, Zaułek Złodziei, czy *Whores' Lane*, Ulica Dziwek. („*That's a shame!* To prawdziwa hańba!" – miał wykrzyknąć Lincoln, dokonując inspekcji tej okolicy). Włosi bogaci i szanowani, z którymi miała się zapoznać Anastasia, należeli do nielicznej mniejszości. Byli to przedstawiciele wolnych zawodów zamieszkujący w eleganckich dzielnicach, uczeni związani z miejscową inteligencją, kupcy handlujący marmurem z Carrary albo kulinarnymi specjałami. A także wygnańcy polityczni z okresu risorgimenta. Karbonariusze, którym Metternich zamienił karę śmierci na dożywocie, a potem ułaskawił pod warunkiem, że wyemigrują do Ameryki, czyli najdalej, dokąd można, patrioci zmuszeni do ucieczki po porażkach Wiosny Ludów i upadku Republiki Rzymskiej, bojownicy zmęczeni nieustannymi poświęceniami... W 1833 roku przybył tam, jak pamiętamy, Piero Maroncelli, przyjaciel Silvia Pellica, męczennik, któremu oprawcy ze Spielbergu amputowali nogę bez znieczulenia. W 1835 roku nieustraszony hrabia Federico Confalonieri, a w 1836 Felice Foresti, również wypuszczeni ze Spielbergu. W 1837 roku dwunastu Lombardczyków, skazanych na szubienicę, ułaskawionych i niezwłocznie zaokrętowanych na austriacką brygantynę, płynącą do Nowego Jorku. W 1846 roku, tym samym, w którym umarł Maroncelli, poplecznik Mazziniego, Francesco Secchi de Casali. W 1849 roku generał Giuseppe Avezzana i jego prawa ręka, Giovanni Morosini. W 1850 roku, jak wiadomo, Garibaldi. W 1851 roku jego młody lekarz, Giovanni Ceccarini, w 1853 historyk Vincenzo Botta... I chociaż większość z nich wróciła potem do Włoch, by kontynuować walkę, niektórzy pozostali na stałe. Botta wykładał na New York University jako profesor emerytowany, Ceccarini otworzył renomowaną klinikę oftamologiczną, Secchi de Casali kierował prestiżowym dziennikiem „L'Eco d'Italia", a Morosini był bankierem na Wall Street. Do uprzywilejowanej mniejszości można też doliczyć wolonatriuszy, którzy napłynęli po wybuchu wojny secesyjnej. Właśnie w Nowym Jorku powstały dwie włoskie formacje wojskowe, tak zwane Garibaldi Guard i Italian Legion. Pierwsza składała się z garibaldczyków i z przedziwnej mieszaniny Francuzów, Anglików, Szwajcarów, Hiszpanów, Węgrów, zjednoczonych pod sztandarem federacji z napisem „Zwyciężyć lub zginąć". Druga, złożona z siedmiuset pięćdziesięciu strzelców alpejskich, walczyła pod sztandarem „Bóg i Lud". Po połączeniu z Legionem Polskim oraz z Legionem Holenderskim w niesamowitą wieżę Babel powstał 39 Regiment Piechoty Wojsk Północy. W Nowym Orleanie zdarzyło się dokładnie to samo. Tam także Włosi utworzyli Garibaldi Guard i Italian Legion, które pod trójkolorowym sztandarem i chorągwią konfederacji (z takimi samymi napisami) przystąpiły do walki wraz z armią Południa. Trudno się dziwić, że Bohater Dwóch Światów odmówił w tej sytuacji Lincolnowi, proponującemu mu objęcie wysokiego stanowiska w armii północnej. „Proszę przyjąć tę propozycję, panie generale, a pana sława przewyższy sławę La Fayette'a. Nasi żołnierze będą dumni, walcząc pod przywództwem włoskiego Waszyngtona".

Próbuję sobie także wyobrazić Irving Place w 1865 roku, to znaczy w chwili, gdy Anastasia wysiada z karety przed domem pod numerem 24. No cóż, prawdopodobnie była to jedna z najprzyjemniejszych ulic na Manhattanie. Oaza dobrego gustu na pustyni kiczu. Stały przy niej tylko *brownstones*: czteropiętrowe kamienice z piaskowca, zwane także domami wiktoriańskimi, uważane wtedy za symbol zamożności i elegancji. Obejmowała sześć segmentów między Czternastą a Dwudziestą Ulicą i na końcu wychodziła na Gramercy Park: uroczy placyk, na którym znajdował się niewielki skwer ogrodzony żelazną balustradą z bramkami zamykanymi na klucz, dostępny tylko dla okolicznych mieszkańców. Można tu było zawsze spotkać ludzi z elity: intelektualistów, dyplomatów i artystów. Na Dziewiętnastej mieszkał Edwin Thomas Booth, sławny aktor szekspirowski, brat mniej znanych Juniusa Brutusa juniora i Johna Wilkesa (tak, tego samego, który w kwietniu miał zamordować Lincolna), z którymi trzy miesiące wcześniej grał w *Juliuszu Cezarze* w Winter Garden. Na Siedemnastej Winslow Homer, niezrównany rysownik, wykonujący ilustracje do „Harper's Weekly", zwłaszcza szkice z wojny domowej. Na Dziesiątej Henry Theodore Tuckerman, znany pisarz i przyjaciel Włochów, którego esej *America and Her Commentators* został uznany za dzieło geniusza. Na Dwudziestej Szóstej Henry Melville, autor *Moby Dicka*. (Wydana w 1851 roku powieść dostała miażdżące recenzje od krytyków. Czytelnicy zignorowali ją, niesprzedane egzemplarze spłonęły podczas pożaru. Rozczarowany Melville popadł w melancholię i inercję twórczą. Jego sława trwała jednak dzięki innym książkom). *Brownstone* pod numerem 24 należał do segmentu między Piętnastą a Szesnastą ulicą. Michele Pastacaldi kupił ją w 1842 roku, gdy jako dwudziestotrzylatek przybył do Nowego Jorku, by założyć filię firmy, którą Giuseppe zarządzał w Livorno, i mieszkał w niej do 1862 roku (kiedy zmarł na zawał), przyjmując gościnnie w domu wygnańców i przyjaciół. Na przykład Felice Forestiego, który zatrzymał się tu na piętnaście lat. Avezzanę, Ceccariniego, Garibaldiego, przed jego przeprowadzką do Staten Island do Anonia Meucciego. No i Louise. Była to Niemka z Hamburga, nieszczęśliwa w małżeństwie z Toskańczykiem Augustem Nesim, pochodzącym, tak jak Pastacaldi, z bogatej rodziny z Livorno, jak on przybyłym do Ameryki w 1842 roku i również zajmującym się handlem artykułami spożywczymi. Nie mogąc rozwieść się z mężem, który miał włoskie obywatelstwo, uciekła od niego wraz z dziećmi, Elvirą i Johnem, dlatego też Michele zaoferował jej wspaniałomyślnie schronienie. Z gościnności zrodził się afekt, z afektu miłość, a z miłości testament, który dla sprawdzenia opowieści dziadka Augusta wygrzebałam z archiwów *Surrogate's Court* w Nowym Jorku. „W pełni władz zdrowotnych i umysłowych ja, Michele Pastacaldi, ustanawiam moją spadkobierczynią Louise Elisabeth Nesi, żonę Augusta Nesiego z hrabstwa Nowy Jork. Zostawiam jej, do wyłącznego użytku, poza kontrolą i wszelkimi roszczeniami wyżej wymienionego męża lub ewentualnych przyszłych małżonków, sumę pięciu tysięcy dolarów oraz dom pod numerem 24 przy Irving Place, ze wszystkim, co zawiera. Meblami, srebrem, porcelaną, obrazami, książkami, winami..."

Dom pod numerem 24 już nie istnieje. Na początku dwudziestego wieku wyburzono go wraz z całym segmentem zabudowy i w tym miejscu wznosi się dzisiaj nowoczesny gmach, zajmujący także działki 28 i 26. Wiem jednak, jak wyglądał. Liczył jedenaście metrów wysokości i osiem szerokości, miał piękną fasadę, przysłoniętą bluszczem, i zarówno z tyłu, jak i z przodu po jedenaście okien. Po dwa na parterze i trzy na pierwszym, drugim i trzecim piętrze. Do drzwi wejściowych wiodły niewielkie schodki, charakterystyczne dla *brownstones*, i po przekroczeniu progu wchodziło się do obszernego hallu, a następnie do dużego salonu wychodzącego na niewielki zadrzewiony ogród pełen ptaków. Po lewej stronie od hallu kuchnia, przylegająca do jadalni i z zejściem do piwniczki z winami i drewnem opałowym. Po prawej, wzdłuż ściany, schody prowadzące na wyższe piętra. Na każdym piętrze znajdował się korytarz i dwa pokoje: jeden wychodzący na ulicę, drugi na ogród. Światło padało na schody przez wielobarwny witraż... Wiem także, że przybycie Anastasii było triumfem, i nie mam żadnych problemów z wyobrażeniem sobie jej pobytu u Nesich. Oni także sądzili, że przybyła do Ameryki, uciekając przez jakimiś prześladowaniami i nieszczęściami, a Louise była taka poczciwa. Miała złote serce. Dała Anastasii pokój pierworodnej córki Elviry, teraz już żony niejakiego Petera Krugera, więc mieszkającej gdzie indziej, troszczyła się o nią, traktowała ją jak córkę. Co do Johna, żeby się oprzeć czarowi Anastasii, musiałby być z żelaza, toteż nic dziwnego, że jego serce rozpuściło się jak masło już wtedy, kiedy odwozil ją na Irving Place. Podziwiał ją, ubóstwiał, traktował jak królową. Łatwo mi także wyobrazić sobie sukces, jaki odniosła Anastasia w środowisku elitarnej włoskiej kolonii i wśród sławnych sąsiadów. Zaraz po przybyciu poznała Henry'ego Tuckermana, zaprzyjaźnionego ze świętej pamięci Michelem Pastacaldim, i tak opętała biedaka, że aby mieć pretekst do częstych spotkań, zaproponował, że będzie ją uczył angielskiego. Po Tuckermanie oczarowała Melville'a, który obiecał pokazać jej blaski i nędze miasta bez Boga. Po Melville'u Edwina Bootha, który zakochał się bardziej niż inni i zalecał, zapraszając ją stale do Winter Garden, teatru, w którym grał tej zimy... Przede wszystkim jednak mogę sobie wyobrazić bez trudności, że Anastasia szybko zapomniała w tym bezbożnym mieście o brzydkiej dziewczynce, porzuconej na kole przytułku Świętego Krzyża. A wraz z nią o Cesenie, o Turynie, Teatrze Regio, via Lagrange, Bezimiennym, Giuditcie Sidoli, *Tante* Jacqueline. Bo nie tylko Louise Nesi, John, śmietanka włoskiej kolonii i sławni sąsiedzi odciągali jej uwagę od wspomnień, tęsknot i potajemnych wyrzutów sumienia. Trwała przecież wojna. Straszliwa, bratobójcza wojna domowa, która toczyła się co prawda daleko, ale mówiono o niej każdego dnia. Siły Południa, zdziesiątkowane przez epidemie chorób i przegrane bitwy, topniejące z powodu dezercji, uzbrojone w przestarzałe karabiny, które oddawały tylko po jednym strzale, pozbawione prowiantu, koni, mundurów, butów, stopniały do zaledwie stu tysięcy żołnierzy, których heroiczna odwaga na nic już mogła się zdać. Wojska Północy, dobrze odżywione, w ciepłych mundurach, doskonałych butach, mając do dyspozycji trzydzieści pięć tysięcy koni, szybkostrzelne armaty oraz karabiny oddające siedem strzałów w serii, liczyły dziewięćset osiemdziesiąt tysięcy żołnierzy i rozwijały ofensywę na wszystkich frontach z okrzykiem *kill-kill-kill!* Zabij!

Kto zresztą mógłby zapomnieć o wojnie? Co chwilę zdarzało się coś, co odsuwało na dalszy plan osobiste sprawy. 17 lutego poddał się Charleston. W tym samym dniu Sherman zdobył i spalił Columbię, stolicę Karoliny Południowej, gdzie w 1861 roku zaczęła się secesja. 22 lutego zajął Wilmingston, ostatni port pozostały w rękach Roberta Lee. 19 marca Bentonville, jedyny działający jeszcze węzeł kolejowy. 2 kwietnia padł Petersburg, ostatni szaniec konfederacji. 3 kwietnia Ulysses Grant pomaszerował na Richmond, stolicę Południa, a 4 także przy Irving Place dał się słyszeć okrzyk: *„Richmond is ours!* Jest nasze!". 10 kwietnia rozległ się następny krzyk: *„The rebels surrendered!* Rebelianci się poddali!". Potem, 15 kwietnia, Louise zbudziła Anastasię, podając jej w milczeniu dziennik z czarną obwódką, obwieszczający wielkimi literami: *LINCOLN ASSASINATED.* Te dwa słowa zapełniały całą stronicę, w miejsce artykułu zaś widniała tylko krótka notka: „Oddajemy numer do druku i nie czujemy się na siłach skomentować wiadomości ani nie dysponujemy bliższymi szczegółami". Następnego dnia pojawiły się jednak dokładne informacje i tam do licha! Lincolna zabił John Wilkes Booth, brat Juniusa i Edwina! Zrobił to w Ford's Theater w Waszyngtonie, w loży prezydenckiej, wychodzącej na samą scenę. Dzięki swej zawodowej sławie zdołał tam wejść niezatrzymywany przez nikogo, strzeliwszy prezydentowi w potylicę, skoczył pomiędzy aktorów sparaliżowanych w szoku, złamał sobie nogę, ale pomimo to zdążył krzyknąć *sic-sempre-*

-tirannis! i zbiec. Teraz polowano na niego w Wirginii, gdzie widziano go przejeżdżającego konno, a jednocześnie szukano jego wspólników. Ustanowiono nagrody w wysokości stu tysięcy dolarów, aresztowano Juniusa, który znajdował się w Filadelfii i nie miał z tym wszystkim nic wspólnego, przesłuchiwano Edwina, który przebywał w Bostonie, czyli jeszcze dalej... Następne dni były dramatem Edwina, który po powrocie z Bostonu zabarykadował się w swoim *brownstone* na Dziewiętnastej i wychodził tylko ciemną nocą, aby zaczerpnąć powietrza. Siadał na ławce w Gramercy Park lub chodził po Irving Place, rozpaczliwie szlochając. „*Oh God, Help us, help us!* Boże, pomóż nam!" Jednocześnie niepamiętni swego cynizmu nowojorczycy oddawali niebywały hołd zmarłemu Lincolnowi. Po zakończeniu uroczystości żałobnych w Waszyngtonie, zabalsamowane ciało zostało załadowane do pociągu, który przez Baltimore–Harrisburg–Filadelfię–Nowy Jork–Albany–Buffalo–Cleveland–Chicago miał je zawieźć do Springfield w Illinois, rodzinnego miasta prezydenta. Do Nowego Jorku trumna przybyła 24 kwietnia, na Central Railroad Ferry Boat, promie dającym połączenie z New Jersey, i cóż za porównanie z pięcioma tysiącami turyńczyków żegnających z okien Cavoura! Z każdego okna zwisała czarna draperia, na każdym budynku powiewała czarna chorągiew spuszczona do połowy masztu, wszystkie urzędy zamknięto, a wzdłuż trasy konduktu zgromadziło się milion osób. Więcej, niż mieszkało ich na Manhattanie. Przed otwartą trumną, wystawioną w Governor's Room w City Hall, przemaszerowało w hołdzie czterysta tysięcy ludzi.

Potwierdzają to fotografie zrobione na placu przepełnionym ludźmi, które oglądam wciąż od nowa, gdyż... na jednej z nich widać na pierwszym planie przystojnego młodzieńca i przepiękną dziewczynę. Młodzieniec ma na sobie cylinder i *stiffelius*, palto bogaczy, jego uszy są odstające, a spojrzenie wydaje się rozmarzone jak u zakochanych. John Nesi? Piękna dziewczyna jest ubrana w obszerną krynolinę, a zarzucony na ramiona miękki szal kryje idealną figurę. Ma na sobie wyzywający kapelusik z kwiatami, który raczej odkrywa, niż przykrywa gładkie złociste włosy. Jej kości policzkowe są wysokie, typowo słowiańskie. Oczy niezwykle jasne. Jak u wróżki. Spojrzenie nieruchome, twarde. Jak u czarownicy. Anastasia? Jestem o tym przekonana. Zanadto przypomina uwodzicielkę z fotografii zgubionej przy przeprowadzce.

* * *

Zapomniawszy o Utah, Salt Lake City, Marianne Gardiol, Anastasia spędziła w Nowym Jorku większą część lata. I nie wydaje mi się, żeby zajmowała się w tym czasie czymś szczególnym oprócz śledzenia wydarzeń, które nastąpiły po śmierci Lincolna. (W ostatnim tygodniu kwietnia zginął John Wilkes Booth, odszukany w spichlerzu w Wirginii i zastrzelony w tajemniczych okolicznościach przez sierżanta Thomasa „Bostona" Corbetta z 16 Regimentu Kawalerii. W maju i w czerwcu proces ośmiu wspólników Bootha. W lipcu powieszenie czterech skazanych na śmierć, wśród nich Mary Surratt, właścicielki pensjonatu, której pomimo zaleceń samego Trybunału Wojskowego nowy prezydent Johnson odmówił zamiany kary śmierci na dożywocie). Gościnność Nesich i pieniądze złożone w American Exchange pozwalały Anastasii nie podejmować pracy zarobkowej i myśl o powrocie do baletu nawet nie przemknęła jej przez głowę. Pokazanie się znowu na scenie oznaczało ryzyko, że ktoś rozpozna w niej żmiję, która w Turynie zemdlała przed publicznością i która do Ameryki przybyła z fałszywym paszportem. Lepiej trzymać się w cieniu. Nie wydaje mi się także, by ktoś zakłócił ciekawością lub złymi wieściami te wysiłki Anastasii, by ukrywać się i zapomnieć o przeszłości. W bezbożnym mieście nikt jej o nic nie pytał, a we Włoszech nikt poza Giuseppe Pastacaldim nie znał jej adresu. Nawet *Tante* Jacqueline i Giudittà Sidoli. W połowie lipca zdarzyło się jednak coś nieprzewidzianego. Przyszedł list od Valzanii, który wyjaśniwszy, że dostał adres do Pastacaldiego, ostrzegał Anastasię w zawoalowany sposób, żeby uważała, bo w Forli zauważono brak formularza i policja prowadzi dochodzenie w różnych konsulatach. Jeśli konsul w Livorno zauważy, że numer formularza jest taki sam jak numer paszportu podbitego *mademoiselle* Ferrier, władze za oceanem mogłyby otrzymać powiadomienie i aresztować ją lub deportować. Niemal jednocześnie zjawił się w Nowym Jorku jakiś dziennikarz z Turynu. Secchi di Casali, redaktor naczelny „Eco d'Italia", przedstawił mu Anastasię i.... „Anastasia Ferrier! Baletnica z Teatro Regio, czarująca osóbka, która w *Kleopatrze* grała rolę żmii! Ach, co za przyjemność! Co za zaszczyt! Od niemal roku zastanawiałem się, gdzie się pani podziała. Chciałbym przeprowadzić z panią wywiad".

John i Louise nie chcieli, żeby wyjeżdżała. Kiedy obwieściła im swój zamiar, Louise wybuchnęła płaczem, dlaczego-w-imię-Boga--dlaczego, a nieświadomy niczego John rzucił się na kolana. „Niech mnie pani nie zostawia, błagam. Proszę wyjść za mnie. Kocham panią, a w ten sposób otrzyma pani amerykańskie obywatelstwo. Nie będzie się już pani musiała niczego obawiać". Ona jednak była nieustępliwa i łamiąc im obojgu serce, wyjechała w następnym tygodniu. Do Salt Lake City. Do Utah. Na Dziki Zachód.

13

Bezkresne i słabo zaludnione obszary rozciągające się od Missisippi do Pacyfiku, znane pod nazwą Dzikiego Zachodu, przyciągały nie tylko poszukiwaczy złota i srebra, awanturników, zabójców, zdesperowanych nędzarzy. Były one zbawieniem dla wszystkich, którzy mieli coś do ukrycia. A dla tych, którzy mieli coś do ukrycia, nie istniała kryjówka bezpieczniejsza od Utah: rajskiej oazy na drodze do Newady i Kalifornii, wspaniałej ojczyzny Gór Skalistych i Jeziora Słonego. Tak jak pobliskie Kolorado, Nowy Meksyk, bardziej odległa Kalifornia oraz dzisiejsza Oklahoma, Utah nie było jeszcze stanem. Miało status terytorium, to znaczy nie stanowiło części Stanów Zjednoczonych, i zajęli je wyznawcy Kościoła Jezusa Chrystusa Świętych w Dniach Ostatnich: osobliwa sekta, która głosiła i praktykowała poligamię. Potocznie nazywa się ich mormonami. Żeby nie stracić swoich licznych żon, nie chcieli się podporządkować prawom unii, przestrzegali własnych praw i słuchali tylko swego papieża i gubernatora, Brighama Younga — sprytnego blagiera, który w 1846 roku, po śmierci proroka Josepha Smitha, stanął na czele pionierskiej grupy piętnastu tysięcy świętych. W 1857 roku prezydent Pierce, zirytowany nieposłuszeństwem mormonów i zdecydowany stawić kres praktyce wielożeństwa, nielegalnej i potępianej przez pozostałą część kraju, wysłał do Utah prawdziwego gubernatora i trzech sędziów. Potem dwa i pół tysiąca żołnierzy. Tych pierwszych Young po prostu kazał zignorować i procesy dalej odbywały się w sądach zarządzanych przez Kościół. Gubernatorem-jestem-ja-i-lepiej-ze-mną-nie-zadzierać. Przeciwko tym drugim wysłał swoją straż obywatelską, rozpętując w ten sposób wojnę domową *ante litteram*. Zarówno czterej funkcjonariusze, jak i dwa i pół tysiąca żołnierzy wróciło do Waszyngtonu z podkulonym ogonem i od tego czasu na tym terytorium rząd federalny nie miał żadnej jurysdykcji. Wszystko to Anastasia doskonale wiedziała, gdyż po spotkaniu z Suzanne w Turynie pobiegła do biblioteki, by poznać więcej szczegółów na temat miejsca, w którym znalazła się Marianne. Wiedziała, że wielożeństwo wśród mormonów nie było ograniczone do czterech żon, jak u muzułmanów, i że status Marianne, jako szóstej pani Dalton, nie był czymś wyjątkowym. Birgham Young poślubił dwadzieścia siedem kobiet i dorobił się pięćdziesięciorga sześciorga dzieci. Jego prawa ręka, Heber Kimball, miał aż czterdzieści trzy żony i sześćdziesięcioro pięcioro dzieci. Prawie nikt nie zadowalał się dwiema lub trzema małżonkami i Anastasia zdawała sobie sprawę, że uniknikając aresztowania lub deportacji za posługiwanie się fałszywym paszportem, miała realną perspektywę, że może zostać którąś z rzędu żoną jednego ze świętych.

Dotarcie do Utah było nie lada przedsięwzięciem. Można było przypłacić je życiem i wymagało ogromnego hartu, odwagi, a także stoickiego spokoju. Inaczej mówiąc, umiejętności znoszenia bez skargi głodu, pragnienia i nadludzkich trudów podróży. Jeśli ruszało się z wybrzeża atlantyckiego, na przykład z Nowego Jorku, trzeba było przejechać pociągiem cały Wschód i Środkowy Wschód do Missouri, a raczej do Saint Joseph, miasta, w którym w 1865 roku kończył się ostatni odcinek kolei. Potem dyliżansem lub z karawaną wozów trzeba było się skierować ku Górom Skalistym, podążając przez Wielkie Równiny: puste, niezaludnione, pozbawione dróg i miast. Znajdowały się tam tylko forty, które wzniósł rząd federalny, aby zachować przynajmniej w teorii zwierzchność nad tymi ziemiami. (Badziej niż forty, były to obozowiska otoczone murkiem lub palisadą, obsadzone niewielkimi załogami). Zamiast dróg istniały tylko *trails*, czyli szlaki wytyczone z grubsza przez dyliżansy, konie oraz słynne *wagoons* — ciągnięte przez woły wozy pionierów, udających się do Newady i Oregonu. Oregon Trail, Mormon Trail, Overland Trail, Pony Express Trail.

Przede wszystkim jednak na Wielkich Nizinach żyli Indianie. Apacze, Siuksowie, Arapaho, Komancze, Lakoci, Czejenowie. Przewodzili im słynni wodzowie: Czerwona Chmura, Siedzący Byk, Czarny Kocioł, Chudy Niedźwiedź, Biała Antylopa... wojownicy, którzy nie tylko zabijali swe ofiary, ale i skalpowali. Po wybuchu wojny secesyjnej niemal wszyscy żołnierze z fortów zostali zastąpieni przez ochotników bez żadnego doświadczenia wojskowego i Indianie skorzystali z okazji, by nasilić opór przeciw intruzom. Przeciw „bladym twarzom", które wypędziły ich ze Wschodu i nie zadowoliwszy się tym, posuwały się coraz bardziej na Zachód, odbierając Indianom kolejne ziemie, podpisując z nimi oszukańcze traktaty napisane tajemniczym językiem, rozpijając ich „wodą ognistą", czyli whisky, zamykając, albo przynajmniej starając się ich zamykać w rezerwatach. Wkrótce potem ojciec „bladych twarzy", Lincoln, oświadczył, że zostanie zbudowana kolej żelazna, która przecinając prerie, będzie prowadzić do Pacyfiku. Na wieść, że „koń ognisty", czyli pociąg, ma zbezcześcić także te tereny, wystraszyć stada bizonów, zająć nowe obszary, wybuch gniewu Indian spowodował eskalację wzajemnych rzezi i okrucieństw. Na przykład w 1862 roku Siuksowie napadli na osadę New Ulm i zabili oraz oskalpowali czterystu osadników, wśród nich dwieście kobiet i dzieci. W odpowiedzi rząd pojmał czterystu wojowników i powiesił trzydziestu ośmiu z nich w najbardziej spektakularnej egzekucji w historii Stanów Zjednoczonych. W 1863 roku Lincoln zaprosił do Białego Domu ośmiu wodzów, wśród nich Czarnego Kotła i Chudego Niedźwiedzia. Wygłosiwszy do nich obłudne przemówienie, że muszą się pogodzić z postępem i zająć rolnictwem, podarował im amerykański sztandar, medal ze swoją podobizną i w rezultacie przekonał ich, by oddali wszystkie ziemie Czejenów, z wyjątkiem maleńkiego obszaru Sand Creek nad rzeką Kolorado. Wtedy Siedzący Byk stracił głowę: ze swoimi Lakotami napadł na osadę Kildeer i wymordował oraz oskalpował wszystkich trzystu kolonistów. 29 listopada 1864 roku „blade twarze" zemściły się w Sand Creek.

To, że latem 1865 roku przejazd przez Wielkie Równiny był tak bardzo niebezpieczny, stanowiło bezpośredni efekt właśnie masakry w Sand Creek, najbardziej haniebnej i odrażającej zbrodni, którą Ameryka splamiła się w tych latach. Dwa miesiące wcześniej Czarny Kocioł, obawiając się reakcji białych na atak Siedzącego Byka, udał się do gubernatora Kolorado, Johna Evansa, by oddać mu na znak pokojowych intencji czterech zakładników i przypomnieć, że jego ludzie zamieszkują w Sand Creek za przyzwoleniem ojca „bladych twarzy", pana Lincolna. Po spotkaniu John Evans skomentował: „Tak, ale co zrobię z trzecim regimentem? Wyszkolono ich do zabijania Indian, więc muszą to robić". Potem wezwał dowódcę, pułkownika Johna Chivingtona, i nakazał mu:

„Proszę robić, co do pana należy". Pułkownik Chivington wybrał 29 listopada, bo tego dnia wszyscy wojownicy z Sand Creek znajdowali się w Fort Weld, aby dyskutować o kolejnym traktacie z Johnem Evansem. W wiosce pozostało tylko dwudziestu ośmiu starców, trzydzieści pięć kobiet i czterdzieścioro dwoje dzieci. (W tym co najmniej siedmioro niemowląt). Chivington zebrał siedmiuset pięćdziesięciu uzbrojonych po zęby żołnierzy i powiedział im: *Nits breed lice. Kill them all*. Z gnid rodzą się wszy. Zabijcie wszystkich". Na widok nadjeżdżającej kawalerii starcy podnieśli do góry sztandar podarowany im przez Lincolna. Nikt nie przeżył. A po masakrze zostali okaleczeni, poćwiartowani, oskalpowani. (Ich skalpy wystawiono w teatrze w Denver, gdzie można je było oglądać za opłatą jednego dolara). O tym wszystkim Anastasia również wiedziała, bo przeczytała w „Harper's Weekly" i w innych nowojorskich dziennikach. Wiedziała także, że Indianie nie byli lepsi od Chivingtona i jego regimentu, że skalpowali jeszcze chętniej, z większą wprawą i maestrią niż „blade twarze". Posiadanie wielu skalpów było dla Indianina świadectwem jego odwagi i dawało mu nadzieję na otrzymanie godności wodza. Nie przypadkiem już nastolatki uczyły się sztuki skalpowania i każdy chłopiec z plemienia Apaczów, Siuksów czy Komanczów mógł wyjaśnić, że jest to bardzo prosty zabieg. Wystarczy mieć ostry nóż, naciąć koliście skórę głowy, złapać za włosy i szarpnąć. Skóra wraz z włosami odrywa się bez trudu. Poza tym Anastasia wiedziała, że najcenniejsze są skalpy z długimi i jasnymi włosami, takimi jak jej, i że nie zawsze skalpowanie kończy się śmiercią. W Omaha, w Nebrasce, mieszkał niejaki William Thompson, za drobną opłatą zdejmujący perukę i pokazujący swoją oskalpowaną czaszkę, pamiątkę po pewnym Komanczu, który w przypływie wspaniałomyślności darował mu życie. Anastasia zdawała też sobie sprawę, że Indianie wolą atakować dyliżansy niż karawany, gdyż te ostatnie umiały się lepiej bronić. Były to dziesiątki wozów, setki osób, a w każdym wozie znajdował się co najmniej jeden karabin.

W razie ataku tworzyły koło i ostrzeliwały na całym obwodzie. Dyliżansy przewoziły natomiast niewielu pasażerów, najwyżej dwunastu, plus woźnica i konduktor, jedyny uzbrojony w karabin. Podróżowały pojedynczno, dlatego gdy je atakowano, mogły tylko pędzić przed siebie najszybciej jak się da, podczas gdy konduktor prowadził ostrzał. Nie przypadkiem, gdy po masakrze w Sand Creek wzrosła liczba ataków ze strony Indian, zalecano pasażerom, by zabierali ze sobą rewolwer i dużo amunicji.

Do dyliżansu do Salt Lake City wsiadało się w Missouri: w Saint Joseph, w Independence lub w Saint Louis. W 1865 roku był jedyną alternatywą dla podróży z karawaną pionierów. Działał od 1857 roku, kiedy to były woźnica John Butterfield, właściciel różnych firm przewozowych na Wschodzie, założył Overland Mail Stage-Coach. Linię, której dyliżansy przez Wielkie Równiny, Góry Skaliste i Utah przewoziły pocztę do Kalifornii. A wraz z pocztą każdego, kto skłonny był zapłacić dziesięć centów amerykańskich za milę drogi. Czyli sto pięćdziesiąt dolarów za podróż do Salt Lake City, a dwieście do San Francisco czy Los Angeles, plus cena posiłków (półtora dolara za obiad) oraz bagaż ograniczony do dziesięciu kilogramów na osobę. Dyliżans wyglądał dokładnie tak samo jak te, które ogląda się w westernach. Duży zamknięty powóz o trzech oknach po każdej stronie, ciągnięty przez trzy pary koni, które pozwalały mu osiągnąć szybkość pięciu mil, to znaczy ośmiu kilometrów na godzinę. Konie zmieniano co dziesięć mil, a dwa lub trzy razy dziennie przewidziany był postój na posiłek dla pasażerów. Zmiana koni jednak trwała zaledwie sześć czy siedem minut, a przerwa na posiłek tylko pół godziny. A ponieważ woźnica powoził także nocą, na dotarcie do Salt Lake City potrzeba było dwóch tygodni — o ile nie zdarzył się jakiś wypadek lub atak Indian. Powożenie było niezwykle trudne ze względu na nierówną drogę, sześć lejców, długi i ciężki bat. W nocy także z powodu ciemności, rozjaśnianych tylko odrobinę przez dwie latarnie olejne, zawieszone po bokach dyliżansu.

Zmęczony woźnica zamieniał się z kolegą co dwadzieścia cztery godziny. (Konduktor ze strzelbą rzadziej, co pięć dni). Dla pasażerów podróż była istną torturą, z powodu kurzu oraz obijania się i podskakiwania w ciasnym wnętrzu. W środku były tylko trzy rzędy siedzeń, każde dla trzech osób, ale często cisnęły się na nich i cztery. Środkowe siedzenia nie miały poręczy, dlatego trzeba się było trzymać rzemieni zwisających z sufitu. Poza tym w okienkach nie było szyb, a niekiedy nawet zasłon. Nie mówiąc już o ryzyku dodatkowych nieprzyjemności, takich jak śmierć czy oskalpowanie. Nie wspominając o takich drobiazgach, jak to, że przez dwa lub trzy tygodnie nie spało się w łóżku, nie można było się umyć, a swoje potrzeby załatwiało się tylko w czasie rzadkich postojów. A także o spędzaniu czasu niemal zawsze w towarzystwie nieokrzesanych chamów, dla których Butterfield na próżno stworzył cały podręcznik dobrych manier. „Wzbronione plucie pod wiatr. Wzbronione pierdzenie i drapanie się po genitaliach. Wzbronione molestowanie pań, opieranie się o nie lub dotykanie ich. Wzbronione używanie rewolweru przeciw towarzyszom podróży zamiast przeciw Indianom". Co do pociągów, no cóż, pęd na Dziki Zachód zwiększył liczbę pasażerów w kierunku środkowego Wschodu, a w czasie wojny secesyjnej sieć kolejowa rozrosła się do tego stopnia, że stała się jednym z głównych czynników zwycięstwa unii. Pociągi były także stosunkowo szybkie. Nie miały ani pierwszej, ani drugiej klasy – był tylko jeden rodzaj wagonów z drewnianymi ławkami. Prymitywne wyposażenie rekompensowały wygodne toalety, zewnętrzne pomosty, gdzie można było zaczerpnąć świeżego powietrza, oraz obecność uprzejmych konduktorów, troszczących się o bezpieczeństwo kobiet. Linie kolejowe miały jednak również niebagatelną wadę: nie tworzyły linii ciągłej, lecz dzieliły się na wewnątrzstanowe odcinki. Każdy stan wybudował własną sieć o różnym rozstawie szyn. Czasami były one szerokie na cztery stopy i dziesięć cali, czasami na cztery stopy i osiem i pół cala, niekiedy na całe pięć stóp. W rezultacie co chwilę trzeba było wysiadać i jechać powozem na następną stację, a to ogromnie wydłużało podróż.

Trzeba nadmieniać, że i o tym Anastasia wiedziała. W tygodniu poprzedzającym jej ucieczkę z Nowego Jorku dokładnie sobie to wszystko przestudiowała. Zebrała informacje, oceniła trudności i na tej podstawie zaplanowała podróż z sumiennością i zimną krwią stratega przygotowującego się do skomplikowanej bitwy. Gdy tylko odkryła, że Indianie polują na jasne skalpy, uznała, że wobec tego najlepiej nie mieć włosów. To znaczy ogolić sobie głowę przed rozpoczęciem podróży. W związku z tym kupiła perukę, oczywiście czarną i brzydką, aby przykryć zaplanowaną łysinę. Następnie rewolwer do obrony przed napastnikami. Gdy przeczytała, że Overland Mail Stage-Coach zaleca pasażerom zabranie ze sobą broni, kupiła siedmiostrzałowego smitha-wessona, paczkę naboi oraz nóż, który wzbudziłby zawiść w dzielnicy przestępców Five Points. Zaniepokojona wieściami o pięćdziesięciorgu sześciorgu dzieciach Brighama Younga i sześćdziesięciorgu pięciorgu jego adiutanta Hebera Kimballa, zaopatrzyła się także w pigułki *madame* Restell, ówczesny środek antykoncepcyjny. Potem zajęła się pozostałymi sprawami. Na przykład pieniędzmi zdeponowanymi w American Exchange. Zamieniła je na banknoty, srebrne monety i drobne, a żeby zmniejszyć do minimum ryzyko, że zostanie okradziona, uszyła sobie pas z dwoma woreczkami do schowania pieniędzy w pantalonach. Na koniec przygotowała walizkę, która nie mogła ważyć więcej niż dziesięć kilo i w związku z tym trzeba było wyeliminować z niej wszystko, co zbyteczne: krynoliny, kapelusiki, parasolki, suknie z trenem, buty na obcasach. Zamiast tego walizeczka, dwie czy trzy spódnice do kostek, para bluzek, wełniany koc, by przykrywać się w zimne noce, oraz jedno męskie ubranie. Spodnie, kurtka, koszula i długie buty. Żadnego wahania, wątpliwości, poczucia winy wobec dwojga naiwnych przyjaciół, którzy nic nie rozumieli i na próżno pytali, dokąd jedzie. Dowodzi tego suchy i lakoniczny liścik, jaki zostawiła o świcie w dniu, gdy po cichu wymknęła się na zawsze z domu pod numerem 24 przy Irving Place. Według dziadka Antonia brzmiał on mniej więcej tak: „Kochana Louise, drogi Johnie, moje serce przepełnione jest wdzięcznością, ale nie znoszę pożegnań i wolę odejść po cichu. Nie martwcie się o mnie. Wyprawa w nieznane jest dla mnie rozrywką, ożywia mnie i nie obawiam się niczego. Serdeczne uściski od Anastasii, która kocha was, tak jak umie. Post Scriptum. W moim pokoju zostawiłam bagaż, z którym przyjechałam. Nie jest mi potrzebny. Wyrzućcie go. Należy do przeszłości, a przeszłość jest zawsze kulą u nogi".

* * *

Mam przed sobą mapę linii kolejowych, które w 1865 roku prowadziły z Nowego Jorku do Missouri, a konkretnie do Saint Joseph. Podczas gdy Anastasia ze swoją walizką, smithem-wessonem i dolarami schowanymi w pantalonach opuszcza Irving Place, jedzie dorożką w stronę rzeki Hudson, dopływa promem do stacji Jersey City, mogę odtworzyć awanturniczą podróż, która po tygodniowej jeździe pociągiem pozwoliła jej dotrzeć do Wielkich Równin. A zrobiwszy to, zadać sobie pytanie, czy była istotą z krwi i kości, czy z żelaza. Ponieważ niemal na pewno w Jersey City wsiadła do Hudson River Line, czyli kolei, która omijała Południe i jego plątaninę szyn o rozstawie pięciu stóp albo czterech stóp i dzięsięciu cali, albo czterech stóp i ośmiu i pół cala, i biegła od północy do Albany. Była to trasa prostsza i krótsza. Jednak także z tej strony rozstaw szyn często się zmieniał i w Albanie Anastasia musiała się przesiąść na New York Central Line, to znaczy linię skręcającą na zachód do Syracuse, potem do Rochester i wreszcie do Buffalo. W Buffalo trzeba się było przesiąść do State Line, biegnącej wzdłuż jeziora Erie do Erie w Pensylwanii. W Erie Anastasia musiała się przesiąść po raz trzeci i pojechać Cleveland Painesville Ashtabula Line, prowadzącą wzdłuż jeziora do Cleveland w Ohio. W Michigan czekała ją czwarta przesiadka, na Michigan and Southern Line, która oddalając się od jeziora, a potem przybliżając się do niego znowu na jego krańcu, prowadziła do Toledo. W Toledo piąta przesiadka na Toledo Western Line, biegnącą do Saint Joseph przez trzy stany, w czternastu odcinkach: cztery w Indianie, osiem w Ilinois, dwa w Missouri.

A może Anastasia wybrała Central Michigan Line, prowadzącą do dalekiego Chicago, a stamtąd do Saint Joseph przez dwa stany i w jedenastu odcinkach: dziewięć w Illinois i dwa w Missouri? I nie zatrzymywała się nigdy na postój, nie spała nigdy w łóżku. Nie wiedziała, gdzie się dokładnie znajduje, oglądała jedynie monotonny pejzaż przesuwający się za oknem pociągu, kobiety w żałobie i inwalidów wojennych. Dodajmy do tego niewygodną drewnianą ławkę, uciążliwości braku podziału na klasy, ciekawość i gadulstwo konduktora, który dla zabicia nudy dręczy ją pytaniami i przerażającymi opowieściami.

— *I see from your ticket that you are going to St. Joseph.* Widzę z pani biletu, że udaje się pani do Saint Joseph.

— *Yes.*

— *And from there to the prairies, I guess.* A stamtąd na prerię, jak się domyślam.

— *Yes.*

— Dyliżansem, wzdłuż Overland Trail?

— *Yes.*

— *All alone?* Sama?

— *Yes.*

— *With those long and blond and beautiful hair?* Z tymi długimi, jasnymi, pięknymi włosami?

— *Yes.*

— *Aren't you afraid?* Nie boi się pani?

— *No.*

— *Well, you should, because...*

Powinna się bać, bo kobieta ryzykuje tam nie tylko oskalpowanie. Grozi jej, że zostanie porwana. Czy Anastasia zna przypadek pani Lucindy Eubanks? Nie? A przecież ostatnio dzienniki wiele pisały o tej historii. 11 czerwca zeszłego roku pani Lucinda Eubanks, piękna, dwudziestoczteroletnia, pochodząca z Pensylwanii, została porwana przez Czejenów ze swojej farmy nad Blue River. Wraz z nią kilkumiesięczny synek, trzyletnia córeczka oraz sześcioletni siostrzeniec i szesnastoletnia siostrzenica: Laura Roper. No cóż, Miss Laurę Roper wziął dzikus, który zabrał ją na koniu. Ten sam los spotkał siostrzeńca i córeczkę. Natomiast Mrs. Eubanks wraz z niemowlęciem została zawleczona do obozowiska na terytorium indiańskim, gdzie porywacz podarował ją wodzowi Podwójna Twarz, który uczynił ją swą żoną, a raczej niewolnicą. Upokarzające prace, bicie, poszturchiwanie. Potem Podwójna Twarz sprzedał ją Czarnej Stopie, Siuksowi z Terytorium Nowy Meksyk. Tam było jeszcze gorzej z powodu zazdrości kobiet z obozowiska. Biły ją dotkliwie i nie dawały jej jedzenia. Potem na jesieni Czarna Stopa sprzedał ją innemu Czejenowi o imieniu Brunatny Niedźwiedź, który nie tylko ją bił, ale też dręczył pokazywaniem jeszcze krwawiących skalpów zdartych z pionierów i groźbami, że spali jej maleńkiego synka. Wszystko to trwało, dopóki nie uwolnili jej żołnierze z Fort Kearny, którzy opowiedzieli jej także, co się stało z pozostałymi ofiarami porwania. Czejenowie nie wiedzieli, co zrobić z dziećmi, podarowali więc dziewczynkę i siostrzeńca majorowi Wynkoopowi z Fortu Laramie, ale tam oboje zmarli z wycieńczenia i na skutek przeżytych udręk. Dziewczynka w połowie października, chłopczyk pod koniec grudnia. Natomiast Laurę Roper zabiły *squaws* i niech Anastasia zapamięta sobie, że *squaws* trzeba się bać nawet bardziej niż wojowników. Bo to właśnie one, a nie wojownicy, torturują jeńców. Wyrywają im paznokcie, obcinają nos i uszy, wydłubują oczy, a na koniec rozpalają ogień na ich brzuchu, żeby powoli się upiekli. Właśnie z obawy, by nie skończyć w ich szponach, kilka tygodni temu pani Snyder, pasażerka dyliżansu napadniętego przez Apaczy, strzeliła sobie w serce. Na tym nie koniec. Bo za Wielkimi Równinami, tam, gdzie zaczynają się Góry Skaliste, szlak biegnie przez wąwozy, idealne na zasadzki, można się więc natknąć na bandytów. Wyjętych spod prawa, którzy najchętniej napadają na banki, ale czasami zadowalają się dyliżansem, i po zakryciu twarzy chustką zatrzymują powóz i odbierają ci wszystko. Są to często weterani wojny secesyjnej, desperaci, którzy nie umieją wrócić do normalnego życia i którzy przyzwyczaili się do rywalizacji z Indianami. Wie pani, jak nazywają Overland Trail? *The Route of All Evils*. Drogą Wszystkich Nieszczęść.

„*My dear, after St. Joseph it begins the end of civilization*. Moja droga, za Saint Joseph kończy się cywilizacja".

Pomimo tych opowieści i twardej drewnianej ławki po tygodniowej podróży pociągiem Anastasia przybyła do Saint Joseph świeża jak róża. Zatrzymała się w hotelu Charles, najlepszym w mieście, i przez dwa dni czekała na jeden z trzech odjeżdżających w tygodniu dyliżansów. O tych dwóch dniach dziadek Antonio podawał dużo cennych informacji. Po pierwsze, w hotelu Anastasia zmieniła tożsamość. Amerykańskie hotele nie wymagały okazania dokumentów, wystarczył podpis w rejestrze gości, dlatego Anastasia Ferrier podpisała się jako Eva Demboska — nazwisko, którym na Dzikim Zachodzie miała się często posługiwać, dodając, że jest Polką z Krakowa. Po drugie, w Saint Joseph poznała Jamesa Butlera Hickocka, zwanego Wild Bill, czyli Dzikim Billem, słynnego rewolwerowca, wówczas dwudziestoośmioletniego, który w 1865 roku był szeryfem w Kansas, ale polował także na przestępców z Missouri. („Ilu białych ludzi pan zamordował?", miał go zapytać kilka lat później dziennikarz Henry Stanley. On na to: „Co najmniej stu. Przysięgam na Biblię"). Naturalnie Wild Bill od razu zakochał się w Anastasii i by dowieść swego uczucia, nauczył ją strzelać, a ona podziękowała mu, rozpocząwszy zażywanie pigułek *madame* Restell. Innymi słowy, przerwała celibat, w którym żyła od dnia, gdy zorientowała się, że jest w ciąży. Po trzecie, w Saint Joseph zrealizowała pomysł, na który wpadła w Nowym Jorku: obcięła długie jasne włosy, ogoliła głowę i założyła czarną perukę, kupioną u Coiffeur pour dames w Fifth Avenue Hotel. O dwudziestu jeden dniach, które zajęła podróż do Salt Lake City, dziadek August opowiadał natomiast tylko tyle, że była jedyną kobietą w dyliżansie. No i naturalnie przypominał o legendarnym wyczynie, którym uratowała sobie życie. Ale żeby odtworzyć tę podróż, mam rozkład jazdy Overland Stage-Coach, kroniki z tych czasów, opowieści podróżników udających się na Dziki Zachód dyliżansem oraz westerny i wspomnienie tego, co ujrzałam, gdy pojechałam jej (siebie) szukać na tych obszarach... Te puste i bezmierne równiny, na których nigdy nie pada, nie rośnie nic poza krzakami szałwi i chwastami i gdzie do dzisiaj nie da się niczego uprawiać. Nie można hodować tam bydła, tak więc napotykasz tylko komary, węże, jaszczurki, kruki, a czasami dzikiego psa lub kojota. Ten szary i smętny step, który rozciąga się aż po horyzont bez żadnego pagórka, skały, wzniesienia, które urozmaiciłyby jego monotonię, i który wzdłuż South Platte (rzeczka głęboka na dwadzieścia centymetrów) zmienia się w jedno wielkie trzęsawisko, wciągające nie gorzej niż ruchome piaski. Po tysiącu dwustu kilometrach pejzaż się co prawda zmienia. Ukazują się Góry Skaliste, szlak biegnie pod górę i pojawia się zieleń. Drzewa, lasy. A w nich antylopy, daniele, jelenie. Panoramy zapierają dech w piersiach. Za Górami Skalistymi, a raczej w wielkiej kotlinie rozdzielającej ich dwa łańcuchy, rozciąga się jednak znowu pustynia, jedno bezmierne słone jezioro (pozostałości morza z okresu plejstocenu). I koszmar powraca. Koszmar ciszy, monotonii, melancholii, samotności...

All on board and the soldiers on the roof! Wszyscy do środka, żołnierze na dach!" Dyliżans wyruszył o ósmej rano, potwierdza to rozkład z 1865 roku, z dziesięcioma ochotnikami rozpłaszczonymi na dachu i uzbrojonymi w karabiny wielostrzałowe. (Od jakiegoś czasu zaczęły się prace przy Union Pacific, w lipcu z pobliskiego Omaha biegły już dwa rzędy torów, zaślepieni wściekłością Indianie atakowali coraz częściej. Niekiedy ich śladem szli bandyci, dlatego też na najbardziej zagrożonych szlakach wojsko przydzielało dyliżansom eskortę). Wyruszył także ze zwykłą liczbą pasażerów i licznymi workami z pocztą, rzuconymi pomiędzy siedzenia. Po przebyciu Missouri River dyliżans wjechał na szlak prowadzący przez północno-wschodnią część Kansas do Fortu Kearny w Nebrasce, potem do Julesburga w Kolorado, do Fortu Laramie w Wyoming, stamtąd do South Pas, Fortu Bridger i wreszcie do Salt Lake City. Na pierwszym odcinku podróży Anastasia na pewno dobrze się bawiła. Sześć koni kłusowało w tempie ośmiu kilometrów na godzinę i z każdą chwilą oddalało się od niej nie-bezpieczeństwo, że zostanie odkryta i aresztowana. Osądzona lub deportowana. Woźnica w lewej ręce ściskał dwanaścioro lejców i w jakiś sposób potrafił utrzymać kontrolę nad każdym koniem, w prawej ściskał bat, którym potrząsał, wołając na całe gardło: *Haiah haiah, goo!* Konduktor siedział obok niego na koźle ze strzelbą w garści i wpatrywał się w horyzont, by w razie potrzeby ostrzegać ochotników: *„Something there!* Coś tam jest!". Towarzysze podróży, ośmiu niezręcznych i milczących typów, gapili się na nią, zadając jej nieme pytanie kim-jesteś-śliczna-brunetko-kim-jesteś. Poza tym przyjemność bycia jedyną kobietą w towarzystwie, zaba-wa z noszenia peruki, chociaż każdy podskok czy szarpnięcie niosło z sobą ryzyko, że spadnie jej ona z głowy, odsłaniając ogoloną czaszkę. Poczucie dumy, że uwiodła Dzikiego Billa, że nauczyła się strzelać, że jest gotowa, by stawić czoło Indianom. Po przebyciu pierwszego odcinka drogi stwierdziła jednak, że problemem nie są jedynie Indianie. Było nim słońce, które prażyło bezlitośnie przez cały dzień. Duchota, pot przylepiający ubrania do ciała i zmienia-jący perukę w żelazny kask przyspawany do czaszki. Kurz, który wpadał przez okienka pozbawione szyb, zatykał, dusił. Albo błoto South Platte pryskające spod kół i obryzgujące pasażerom twarze, które zmieniały się wówczas w maski płynnego brudu. Worki pocztowe obijające się między nogami, przymusowy bezruch, od którego puchły nogi, drętwiało ciało, ćmił się umysł, otępiały, bo nie można zmienić pozycji, pójść do toalety, umyć się. (Na zmianę koni dyliżans zatrzymywał się tylko na siedem minut. Wystarczyło to najwyżej na rozprostowanie nóg, dlatego na zaspokojenie potrzeb pozostawały zaledwie dwa lub trzy dzienne postoje na stacjach. Nędzne rudery, w których ubikacją był dół wykopany w ziemi. Łazienka ograniczała się do drewnianego koryta z mętną wodą, kawałka starego mydła i brudnej szmaty do wycierania się. Na obiad i kolację dawano suszone mięso z fasolą albo *Son of the Bitch Stew*. Skurwysyński gulasz, ohydztwo ugotowane z nerek, mózgu, ozora i flaków bizona. Do picia obrzydliwa mieszanka herbaty z kawą, wszystko to za półtora dolara, czyli cenę obiadu w dobrej restauracji w Nowym Jorku). Na koniec to, że dyliżans podróżował także nocą, kiedy piekący żar ustępował ostremu zimnu, które nie pozwalało zasnąć. I wreszcie widok, którego Anastasia się nie spodziewała. Szkielety jeszcze przebite strzałą, leżące pośród krzaków, i małe pagórki z bezimiennym krzyżem wzdłuż szlaku.

— *Driver, Conductor, Sir...*

— *Yes. Graves left by the caravans*, groby po przejeździe karawan, *Miss Demboska. Bones of poor wretches killed by the Indians*, kości biedaków zabitych przez Indian.

Po trzech dniach i przebyciu czterystu osiemdziesięciu kilometrów, nie atakowani przez nikogo, dotarli do Fortu Kearny, obsadzonego przez dwie kompanie zdziesiątkowane po niedawnych atakach Czejenów. Właściwie był to tylko prymitywny budynek otoczony byle jaką palisadą. Tam dziesięciu ochotników zostało zastąpionych przez dziesięciu żołnierzy pod rozkazami porucznika kawalerii. Wraz z nimi wyruszyli w dalszą drogę do Julesburga w Kolorado i na tym odcinku zrodził się romans, który dziadek Antonio streszczał następująco: „Powodem były bizony. W połowie drogi spłoszone stado bizonów wpadło na szlak, stwarzając niebezpieczeństwo, że wszystkich stratują, i aby uratować Anastasię, porucznik posadził ją z sobą na siodle. I odjechał z nią galopem, wyrażam się jasno? Jadąc razem na tym samym koniu, trzeba się objąć. W którejś chwili doszło do pocałunku i historia trwała, dopóki on nie został zabity przez Siuksów". Do Julesburga dotarli po następnych dwóch dniach i dwustu siedemdziesięciu kilometrach drogi, również przez nikogo nieatakowani. Była to osada powstała w czasie gorączki złota. Składała się z setki domów, hotelu, urzędu szeryfa i poczty. Dyliżans Overland robił tam dłuższy postój, dlatego Eva Demboska mogła skorzystać z okazji, by uprzedzić Marianne. Wysłać jej telegram, który na wszelki wypadek, nie chcąc zostawiać za sobą śladów, podpisała zdrobnieniem, jakim nazywały ją siostry Gardiol: Bebè. *„On my way to Utah. Arriving soon.* W drodze do Utah. Przyjadę wkrótce. Bebè". Miała nawet czas, żeby się przebrać, włożyć męskie ubranie, wiezione w walizce razem z długimi butami. Była to rozsądna decyzja, bo po tym, jak opuścili Julesburg, woźnica wjechał na szlak, który oddalał się od South Platte, skręcał do Nebraski i wzdłuż North Platte prowadził do Fortu Laramie w Wyoming. Ten odcinek drogi był bardzo trudny z powodu bagien, w których tonęło się jak w ruchomych piaskach. Jedno z kół ugrzęzło w błocie i odpadło od osi. Naprawa zajęła całe popołudnie. Do Fortu Laramie dotarli po następnych trzech dniach i czterystu pięćdziesięciu kilometrach drogi. Także i tym razem nieatakowani, ale na końcowym odcinku szlaku przejeżdżali obok osobliwych stożkowatych namiotów, obok których można było zobaczyć przystojnych młodzieńców z włosami uczesanymi w warkocze, takie jak warkocze kobiece, smutne kobiety z dziećmi trzymanymi na plecach w płótnach na kształt plecaka, surowych starców w różnobarwnych pióropuszach. (Osada Crows, Wron, Indian, którzy żyli w zgodzie z „bladymi twarzami", dostarczali im informacji i przewodników, często nawet walczyli u ich boku, dlatego byli uważani przez inne plemiona za zdrajców). Fort Laramie był placówką szczególną. Składał się z solidnych kamiennych zabudowań, załoga liczyła sześciuset żołnierzy, dysponował armatami i od lat nie był celem ataków. Zarazem jednak był ostatnim posterunkiem dającym poczucie bezpieczeństwa. I kiedy jeden z pięciu pasażerów, wspominając o spokojnej podróży, zawołał „według mnie te opowieści o Indianach to bajka", komendant od razu go uciszył. *„Don't delude yourself, the worst is to come.* Niech się pan nie łudzi. Najgorsze dopiero przed wami". „Ponieważ, dodał zaraz, dopiero teraz zaczynają się naprawdę wrogie obszary". Za Fortem Laramie wjeżdża się między wzgórza, doliny, góry, wąwozy, gdzie pułapki i zasadzki organizować było dużo łatwiej niż na prerii. To tam mają siedzibę wojownicy sławnych wodzów: Czerwonej Chmury, Tatanki Yotanki, czyli Siedzącego Byka, Szarego Niedźwiedzia, Ostrego Noża, Wydrzego Pasa, innymi słowy Arapaho, Czejenowie i Komancze, którzy zawarli sojusz, aby pomścić masakrę w Sand Creek i przeciwstawić się budowie linii kolejowej. „Zawrzyjmy pakt", przesłał do nich w lipcu wiadomość gubernator Wyoming. „Ja wam pozwolę przebywać poza rezerwatami, polować, a wy pozwolicie mi budować w spokoju kolej żelazną". Ale Czerwona Chmura, najwyższy wódz Siuksów, odpowiedział mu: „Nie potrzebujemy waszych pozwoleń. Jesteśmy we własnym domu i więzienia, które wy nazywacie rezerwatami, porzucamy, kiedy chcemy, a udajemy się na łowy, gdy my o tym zdecydujemy. Nie chcemy waszych dróg żelaznych i waszego «konia ognistego», a wasze traktaty to zawsze kłamstwa, oszustwa zachłannych i agresywnych pijawek. Dlatego wojna będzie trwać i jeśli chcecie doczekać starości, wracajcie, skąd przyszliście". W tym samym czasie Siedzący Byk, wódz plemienia Unkpapa z grupy Siuksów, zaatakował trzy posterunki, które na szlaku Bozeman chroniły pionierów kierujących się do Montany, i zabił wielu żołnierzy. Ostry Nóż, wódz Czejenów, zdziesiątkował dwie karawany na Oregon Trail. Wydrzy Pas, wódz Komanczów, wymordował całą rodzinę kolonistów żyjącą nad Błękitnym Strumieniem. Ojca, matkę i dwoje dzieci. Sześcioletniego chłopca i czteroletnią dziewczynkę. Natomiast Czarny Kocioł, wódz Arapaho, aby pokazać, że szlaki są nieprzejezdne, nasilił ataki na dyliżansy. Jego wojownicy napadali na nie małymi grupkami w najbardziej nieoczekiwanych momentach i trzeba się było z nimi liczyć. Ci dzikusi niczego się nie bali. Niczego.

* * *

Niebezpieczeństwo stało się realne jakieś sto kilometrów za Fortem Laramie, w dolinie prowadzącej do Fortu Caspera, a potem w Góry Skaliste. Dwadzieścia sześć cieni na koniach, ustawionych w rzędzie na grzbiecie jednego ze wzgórz. Każda sylwetka uzbrojona w strzelbę albo w łuk i kołczan ze strzałami. Byli jednak nieruchomi jak posągi, jak gdyby chcieli tylko się przyglądać i nie mieli zamiaru atakować powozu wiozącego białe pijawki. W istocie konduktor ograniczył się do wskazania ich palcem: „*Up there*, tam". Porucznik do postawienia żołnierzy w stan gotowości. „*On guard*, baczność". Woźnica do mocniejszego potrząśnięcia długim batem: *Haiah go! Haiah, go! Goo!* I pomimo zasłyszanych opowieści pasażerowie nie przestraszyli się jakoś przesadnie. Zresztą o zachodzie cienie rozpłynęły się i tylko z czystej ostrożności Anastasia czuwała ze swym smithem-wessonem w ręce. Nie usłuchała porucznika, który powtarzał „*Try to sleep*, proszę spróbować usnąć, Miss Demboska. *It was a false alarm*, to był fałszywy alarm". Niestety, taka właśnie była taktyka Arapaho: pokazać się z daleka, przestraszyć, a potem zniknąć i poczekać, aż podróżni się uspokoją, po czym pojawić się znowu i ruszyć. Atak nastąpił o świcie. Mogę odtworzyć go szczegółowo dzięki opowieści snutej przez dziadka Antonia, który chciał nią usprawiedliwić swoją namiętność do Anastasii, udowodnić, że pokochał naprawdę wyjątkową kobietę. Wysunęli się zza skał, za którymi czuwali od poprzedniego wieczoru, opowiadał. Niespodziewana szarża półnagich ciał, włosów powiewających na wietrze, twarzy wymalowanych w czerwone, żółte lub zielone pasy (Arapaho znaczy wytatuowany). Prowadził ich wojownik z głową ozdobioną dwoma rogami bizona i z pękiem skalpów na szyi (może sam Czarny Kocioł?), jechali na oklep. Wielu z nich nie trzymało nawet wodzy, bo dzierżyli już w rękach strzelbę lub łuk. Wyjąc coś niezrozumiale, rzucili się w pogoń za dyliżansem, który na próżno zwiększył szybkość i odpowiedział deszczem kul, bo wkrótce go dopędzili. Stosowali strategię uderzenia i ucieczki. *Hit-and-run.* Po dopędzeniu pojazdu otaczali go, oddawali salwę ze strzelb i wypuszczali strzały, próbowali go zatrzymać, po czym nie dbając o własne straty, oddalali się. Ukrywali się na chwilę dla zaczerpnięcia oddechu i gdy tylko wypoczęli, wracali. Wszystko zaczynało się od nowa. Atak trwał cały ranek i była to prawdziwa masakra. W czasie drugiego ataku zginęli dwaj żołnierze. W czasie trzeciego trzej. Potem konduktor. W piątym jeden z pasażerów. W szóstym porucznik, trafiony strzałą w pierś, tak iż zdołał tylko wymamrotać: „Miss Demboska, Eva...". Inni żołnierze byli już ranni, a ponieważ woźnica nie mógł puścić lejców, walczyć dalej była w stanie tylko Anastasia ze swoim smithem-wessonem oraz pozostali pasażerowie. W siódmej rundzie jednak Arapaho zdołali zablokować konie. Wtedy poddała się także Anastasia i stało się to, co stać się musiało. Anastasia, oszalała z wściekłości, toczyła pianę jak źrebak wzięty na powróz. Przede wszystkim z powodu porucznika. Wściekła zbliżyła się do wojownika z rogami bizona i pękiem skalpów, gwałtownym gestem zerwała perukę i rzuciła mu ją, pokazując czaszkę łysą jak jajo.

„*Put this one too on your neck, ugly son of a bitch!* Zawieś sobie i to na szyi, ty skurwysynu!"

Biedny Czarny Kocioł, czy kto to był — kończył opowieść dziadek Antonio. Nigdy nie widział istoty ludzkiej, która sama się skalpuje i w dodatku nie traci przy tym ani kropli krwi, nie wydaje nawet jęku. Porzuciwszy cenne trofea, przerażony uciekł tak samo jak jego wojownicy. W ten sposób miss Demboska mogła dojechać cała i zdrowa do Salt Lake City. Odnaleźć Marianne i zaręczyć się z jej mężem.

* * *

Prawda czy legenda? Instynktownie daję wiarę tej opowieści. Zawsze w nią wierzyłam. Wierzę także w dwa inne niezwykłe czyny, które wzbogacają opowieść o peruce. W to, że zawrócono dyliżans po ciało porucznika, co na woźnicy wymusiła miss Dembowska, oraz w zbrojne starcie z bandytami, których w pobliżu Fortu Bridger odstraszyła strzałami ze smitha-wessona. Zresztą bez przygód do Salt Lake City nie można było dotrzeć. Bo niezwykła była już sama podróż, szlak prowadzący przez Góry Skaliste z Wyoming do Utah. Te lasy świerków, kasztanów, pinii i modrzewi, w których pełno było danieli, jeleni, łosi, wilków i niedźwiedzi. Te ośnieżone szczyty, błękitne i połyskliwe lodowce, kaniony głębokie na tysiąc albo i na dwa tysiące metrów, w których głębi poniewierały się skamieniałości dinozaurów. Te czerwone doliny i gigantyczne skały w kształcie wież i zamków, pejzaże jak wyjęte z Księgi Rodzaju. W lasach szlak biegł w górę po tak stromych zboczach, że niekiedy nawet muły (w tych stronach używało się mułów) nie były w stanie ich pokonać i zamiast podążać naprzód, cofały się i wywracały dyliżans. W górach droga biegła wzdłuż przerażających przepaści, które w pewnych miejscach otwierały się o kilka centymetrów od kół wozu. W kanionach zagłębiała się w wąskie, ciemne przesmyki, przedzierano się przez nie z trudem i w ustawicznym lęku przed atakiem Indian lub bandytów. W dolinach przebiegała przez rzeki i strumienie, które pokonywało się na marnych tratwach lub zanurzając się po szyję w wodę. A za Fortem Bridger zaczynała się bezkresna równina igieł twardszych niż stal, tak twardych, że przebijały nawet kopyta mułów i koła wozów, a co dopiero podeszwy butów! Wielka Pustynia Słona. Golgota podróży trwała tydzień i gdybym chciała, mogłabym ją opowiedzieć sobie ze wszystkimi szczegółami, aż do chwili, gdy dyliżans zajechał do Salt Lake City, gdzie Marianne, otrzymawszy telegram, z gorliwością wiernego psa każdego dnia oczekiwała na przybycie swej pupilki. Spieszno mi jednak zobaczyć Anastasię w mieście, w którym przeżyła najdziwniejszą przygodę swej amerykańskiej wyprawy. Ostatnią, którą znam.

14

Znam ją, lecz jej nie rozumiem. Bo nie rozumiem, jak Anastasia, tak buntownicza, inteligentna i dumna, mogła zaakceptować społeczność opartą na poligamii. Nie rozumiem, jakim sposobem Anastasia, ateistka, od dziecka napiętnowana jako ofiara religijnych fanatyzmów i klerykalnej przemocy, mogła tolerować nadużycia teokracji jeszcze bardziej ponurej od tej, która nękała waldejskie doliny i Piemont Karola Alberta. To prawda, w Utah była Marianne. To właśnie myśl o Marianne popchnęła Anastasię do emigracji do Ameryki. To prawda, pozostanie w Nowym Jorku lub innym dużym mieście Stanów Zjednoczonych było zbyt ryzykowne. Żeby uniknąć ewentualnego dochodzenia w sprawie paszportu, Anastasia musiała osiąść w miejscu, gdzie prawa federalne nie były przestrzegane. Wiedziała jednak, że Marianne nawróciła się na wiarę Kościoła mormonów i że w Salt Lake City była szóstą panią Dalton, żyła w poligamii. Wiedziała, że mormoni z Utah mieli więcej żon niż mahometanie, że kobiety nie znaczą dla nich nic, a prawa federalne jeszcze mniej. Od ponad trzech dziesięcioleci ten problem był solą w oku amerykańskiej demokracji, hańbą podobną do niewolnictwa, i nie wydaje mi się możliwe, aby w Turynie czy w Nowym Jorku Anastasia nigdy o nim nie słyszała. Nie wierzę, aby podjęła tę piekielną przeprawę, nie przestudiowawszy wcześniej dokładnie historii tej niewiarygodnej sekty, w której postanowiła szukać schronienia.

Jaka to historia? Spróbujmy ją pokrótce streścić. W 1823 roku niejaki Joseph Smith, osiemnastoletni wieśniak z Vermont, został nawiedzony (tak twierdzą Święte Pisma) przez anioła, który objawił mu istnienie trzydziestu tabliczek, wyrytych przed wieloma wiekami przez świętego człowieka o imieniu Mormon. Tabliczki te miały się znajdować w skrzynce ukrytej w pobliżu jeziora Ontario. „Objaśniają Królestwo Boże. Są napisane w reformowanym języku egipskim, który można odszyfrować dzięki cudownym okularom, również znajdującym się w szkatułce. Idź, odszukaj je i zmień losy Wszechświata". Joseph znalazł tabliczki, rozszyfrował, przetłumaczył na angielski i w ten sposób powstała *Księga Mormona*, czyli biblia mormonów. Absurdalna mieszkanka idei judaizmu, islamu, panteizmu, socjalizmu, Starego Testamentu, chrześcijaństwa, z dodatkiem różnych przesądów i głupstw, która stała się podstawą założonego przez Josepha w następnym roku Kościoła Jezusa Chrystusa Świętych w Dniach Ostatnich, kolejnego kultu wśród licznych importowanych z Europy lub wymyślonych *in loco* religii, obiecujących pewność zbawienia. (Takich jak baptyzm, anabaptyzm, prezbiterianizm, metodyzm. Luteranizm, kalwinizm, kościół episkopalny, kongregacyjny. Kwakrzy, adwentyści, amisze, katolicy, żydzi, greko-katolicy. Świadkowie Jehowy, dzieci Szatana, uczniowie Belzebuba...) Był to, rzecz jasna, kościół w stylu protestanckim. Pod kierunkiem kapłanów i biskupów, których nie obowiązywał celibat, i zjednoczony pod przewodnictwem Dwunastu Apostołów z żonami i potomstwem. Wśród nich znajdowało się trzech, którzy pomogli Josephowi w zrealizowaniu jego zamiaru, i z którymi miała się zmierzyć Anastasia: szklarz Brigham Young, zwany także Lwem, sklepikarz Heber Kimball, nauczyciel szkolny Orson Pratt. Na próżno zawistni niedowiarkowie twierdzili, że sławetne tabliczki (których nikt nigdy nie widział) to bajka, tak samo jak reformowany język egipski i cudowne okulary. Że nowy prorok to dureń, manipulowany przez bandę szarlatanów, żądnych władzy i pieniędzy, a jego biblia to plagiat manuskryptu ukradzionego początkującemu pisarzowi Samowi Spauldingowi. W mgnieniu oka Joseph zebrał z tysiąc popleczników, czyli świętych, utworzył sekretną milicję, Drużynę Aniołów Zagłady, i ruszył z nimi na Środkowy Zachód w poszukiwaniu nowej Jerozolimy. Najpierw udał się do Kirtland w Ohio, gdzie z tysiąca rozrośli się do dwóch tysięcy i gdzie pomimo ochrony Drużyny Aniołów Zagłady został wytarzany w smole i pierzu, a następnie wypędzony z miasta w 1833 roku. Potem przeniósł się do Independence w Missouri, gdzie społeczność mormonów wzrosła do czterech tysięcy i skąd w 1838 roku także został wydalony. Następnie osiedlił się w Nauvoo w Illinois, gdzie liczba jego wyznawców sięgnęła ośmiu tysięcy i gdzie 12 lipca 1843 roku został ponownie nawiedzony przez anioła. Tym razem zszedł on z nieba, by skarcić Josepha za niedostateczną liczbę świętych i wyjawić mu, że poligamia powinna stać się podstawową regułą mormonizmu. „Josephie! Jest was zbyt mało, a dzieje się tak z powodu monogamii. Musicie poślubiać i zapładniać więcej kobiet. Niechaj ci będzie wiadome, że w Ogrodzie Edenu Adam miał wiele żon. Nie tylko Ewę". Dlatego też Joseph, głuchy na protesty swojej prawowitej żony Emmy, poślubił pięć następnych kobiet. Dwunastu Apostołów i wielu biskupów poszło jego śladem. Robili to jednak w tajemnicy przed rzeszą wiernych, nieprzygotowanych jeszcze, by docenić radosną nowinę, a nawet odrzucali z oburzeniem insynuacje tych, którzy coś podejrzewali. „Oszczerstwa rozsiewane przez pogan. Nie śniłoby się nam nawet praktykować takiej nikczemności". Niestety, w wyniku zeznań czternastu konkubin, które zbuntowały się przeciw narzuconym im upokorzeniom, rok później dziennik „Expositor" wszystko wyjawił. Niektórzy święci, krzycząc z oburzeniem kłamcy-hipokryci-zboczeńcy, porzucili wtedy Kościół, aby zmazać podwójną zniewagę. Aniołowie Zagłady spalili gazetę i wyeliminowali buntowników, Joseph skończył w więzieniu, po czym został zlinczowany przez rozwścieczony tłum, a jak wiadomo, męczennicy zawsze zwyciężają. Zakończywszy kłótnie i pozbywszy się apostatów, siedem tysięcy wiernych oddało się pod przywództwo Brighama Younga „Lwa". „Bracia i siostry, znajdę dla was nową Jerozolimę. Nową wymarzoną ojczyznę. I biada tym, którzy spróbują ją nam odebrać".

Z wszczęciem poszukiwań Lew, nowy Mojżesz, zwlekał przez trzy lata. Wreszcie jednak, w 1847 roku, gdy społeczność mormonów rozrosła się z siedmiu do jedenastu tysięcy, ruszył w podróż z eskortą stu dwudziestu uzbrojonych mężczyzn i skierował się

ku niemal bezludnemu terytorium Indian Ute, plemienia żyjące-
go jeszcze w epoce kamiennej, żywiącego się szarańczą (niestety
bardzo tam liczną) i zasadniczo nieszkodliwego. Przebywszy Góry
Skaliste i pustynię stalagmitów, Young dotarł na nizinę otaczającą
Wielkie Jezioro Słone, na górujący nad nim wspaniały płaskowyż,
wbił tam pale, którymi w owym czasie oznaczano, iż to-miejsce-
-należy-do-mnie, i w połowie jesieni zaczął się exodus. Na wozach, które ciągnęły woły, na popychanych samodzielnie taczkach.
Z dziećmi, ciężarnymi kobietami, starcami, kalekami. Wszyscy ci
ludzie mieli bardzo skąpe zapasy, niewiele okryć, nie towarzyszył
im żaden lekarz, nie mieli lekarstw. Ani nawet przewodnika, który
pokazałby im drogę. W istocie to oni wytyczyli Mormon Trail,
pierwszy i najważniszy ze szlaków, ale po drodze śmierć zebrała
obfite żniwo. Umierali z głodu, ze zmęczenia, z zimna. Na cholerę,
na tyfus, z braku lekarstw. Zabijani przez Apaczów, Komanczów,
Arapaho, Siuksów. Tracili życie w trzęsawiskach prerii, w wodach
wezbranych rzek, w zaspach śnieżnych, na stromych ścieżkach,
w kanionach. Nadzieja na zdobycie raju daje jednak stoicką wy-
trwałość, wiara połączona z głupotą zdolna jest zrodzić najbardziej
heroiczne czyny i na wiosnę ci, którzy przeżyli (około dziesięciu
tysięcy), dotarli do wymarzonej ojczyzny. Do olbrzymiej krainy,
zdolnej przyjąć miliony mieszkańców. Było to imperium, które
oprócz ziem Indian Ute obejmowało część obecnej Arizony, Kalifornii, Kolorado, Idaho i Wyoming. Zajęli je bez przeszkód i bez
oporu z czyjejkolwiek strony (zwłaszcza nieszkodliwych Ute).
Następnie wznieśli tam nową Jerozolimę, czyli Salt Lake City,
a potem kolejne miasta i osady. Uprawiając, nawadniając, zwalcza-
jąc szarańczę. I gromadząc żony, żony, żony. Płodząc dzieci, dzieci,
dzieci. Tak jak tego pragnął Brigham Young, ich wódz i wyrocznia.
Bo w istocie im byli liczniejsi, tym potężniejszy stawał się on
sam, monarcha i władca absolutny. Stawał się także coraz bardziej
ambitny, zachłanny, niecierpliwy, aby zaludnić jak najszybciej swe
nowe królestwo. Czyż nie wpadł na genialny pomysł, by znaleźć

nowych wyznawców pośród europejskich biedaków, wysyłając do nich misjonarzy poliglotów, którzy nawracali ich na nową religię i uwodzili mirażem bogatej Ameryki? „Przyjeżdżajcie, przyjeżdżajcie! Tutaj wszyscy jesteśmy panami, posiadaczami. Mamy domy, majątki, włości. Drewno, węgiel, sól. Jeziora, morza soli!" (w Europie sól kosztowała majątek). Zebrał w ten sposób armię szkockich, walijskich, irlandzkich, holenderskich, norweskich, duńskich, niemieckich i piemonckich, a raczej waldejskich pariasów. Różne Marianne Gardiol, nieszczęśników, którzy nawracali się na dziwny kult omamieni nadzieją bogactwa. Za pieniądze pożyczone ze stałego funduszu króla (naturalnie potem musieli je zwrócić) jechali do Liverpoolu, wsiadali na powolne statki i po przybyciu odkrywali, że bogatą Ameryką była droga krzyżowa Mormon Trail. Mimo to, wierząc w miraż, ruszali w dalszą podróż, stawiali czoło śmierci i ciągnęli taczki aż do Salt Lake City. Naturalnie, nie wiedząc nic o poligamii. O niej misjonarze nigdy nie wspominali.

I tak oto dochodzimy do sedna sprawy.

29 sierpnia 1853 roku wezwanie do poligamii zostało obwieszczone publicznie. Mormońska gazeta wychodząca w Liverpoolu opublikowała sążnisty tekst pod tytułem *Niebiańskie zaślubiny. Objawienie patriarchalnej natury małżeństwa, mnogości żon, zesłane na Josepha Smitha 12 lipca 1843 roku w Nauvoo*. Jednocześnie teologowie z Salt Lake City objaśnili poganom motywy, dla których poligamia jest nie tylko dozwolona, ale wręcz obowiązkowa, jako *conditio sine qua non*, warunek nałożony przez Boga na każdego, kto chce się dostać do raju. „Zapewnia potomstwo i zaspokojenie zmysłów, czyż nie? Eliminuje cudzołóstwo, prostytucję, dzieciobójstwo, staropanieństwo, jednym słowem: chroni rodzinę, nieprawdaż? To dlatego nasi ojcowie praktykowali ją z zamkniętymi oczami. Przeczytajcie sobie Stary Testament. Abraham miał cztery żony, tak samo Izaak i Jakub. Król Dawid miał ich osiemset, król Salomon tysiąc. Przeczytajcie też sobie jeszcze raz Ewangelię, czyli dzieje Jezusa Chrystusa, i zapomnijcie o gadkach naszych nieprzyjaciół.

Kto się ożenił w Kaanan w dzień, gdy przemienił wodę w wino? Jezus Chrystus, proszę państwa, Jezus Chrystus! Z Martą i Miriam! A Maria Magdalena nie była czasem jego trzecią żoną? Nazarejczyk kochał kobiety! Kto wie, ile by ich zaślubił, gdyby Go nie ukrzyżowano?" Mormoni przyznali nawet, że wysoko postawieni Święci, nie naśladując ekscesów Dawida i Salomona, pojmowali jednak więcej żon od Jezusa Chrystusa, Abrahama, Izaaka i Jakuba. Apostoł Heber Kimball, na przykład, miał ich czterdzieści trzy. Brigham Young zaślubił dwadzieścia siedem kobiet: Mary Ann Angell, jej siostrę Jemimę, Lucy Decker, jej siostrę Clarissę, Lucy Bigelow, jej siostrę Mary Jane, swoje kuzynki Tessy i Elisabeth Young, Dianę Chase, Marthę Bowker, Harriet Barney, Elizę Burgess, Elizę Snow, Susanne Snively, Margaret Alley, Ellen Rockwood, Emily Partridge, Zinę Huntington, Mary Van Cott, Julię Hampton, Augustę Cobb... w rezultacie nie mógł spamiętać wszystkich imion. Tak jak Kimball nazywał je po prostu Numerem Pierwszym, Numerem Drugim, Numerem Trzecim... Tak samo zrobił z pięćdziesięciorgiem sześciorgiem dzieci. A one wcale się nie buntowały, bo o całej tej sprawie mormońskie kobiety miały takie samo zdanie jak mormońscy mężczyźni. Podejrzenie, że anioł opowiedział brednię, nawet nie przyszło im do głowy, i lepiej było nie próbować im tego wyjaśniać.

Wtedy kraj uniósł się oburzeniem, nazywając poligamię barbarzyństwem-takim-jak-niewolnictwo. Na próżno. W 1855 roku prezydent Pierce wysłał trzech sędziów, ale Young ich wypędził. „Stany Zjednoczone nic do nas nie mają, tutaj ja rządzę". W 1857 roku prezydent Buchanan wysłał wojsko, trzy tysiące piechoty i dwa tysiące kawalerii pod rozkazami generała zdecydowanego poskromić rebelię, ale żołnierze nic nie zdołali zdziałać, bo Young palił ich forty i zatruwał im studnie. Pod samym nosem generała Aniołowie Zagłady dokonali nawet masakry stu trzydziestu czterech pionierów, którzy przemierzali Utah w drodze do Kalifornii. Zdarzenie to zwane jest jako rzeź w Mountain Meadow.

W 1859 roku rząd został zmuszony do zawarcia upokorzającego zawieszenia broni. Potem wybuchła wojna secesyjna. Pomimo wydania przez Lincolna dekretu uznającego poligamię za praktykę nielegalną i zabronioną problem na kilka lat odłożono na bok. Nie powrócono do niego także po zakończeniu wojny i nic nie przeszkadzało Marianne, by została szóstą żoną Johna Daltona, sędziwego pioniera, który zaprowadził ją do ołtarza trzy miesiące po ślubie z piątą żoną, Letizią Williams. Z nią z kolei ożenił się dwa miesiące po zaślubieniu czwartej żony, Ann Casbourne, dziesięć miesięcy po zaślubieniu trzeciej, Lydii Knight, i dwudziestu trzech miesiącach po ślubie z drugą żoną, Adą Miller, wdową Hodgkinton. Z pierwszą żoną, Rebeccą Crammer, pobrali się dwadzieścia osiem lat wcześniej. (Co prawda małżeństwo z wdową Hodgkinton okazało się krótkotrwałe, bo wyszło na jaw, że rzekomo martwy pan Hodgkinton żyje sobie zdrowo w Kalifornii). Nic nie powstrzymywało Johna Daltona od pojęcia siódmej żony, to znaczy od dodania do haremu pięknej cudzoziemki, która zatelegrafowała do Marianne „przyjadę wkrótce. Bebè".

Nie rozumiem, nie potrafię zrozumieć. Chyba że dumna, cyniczna, zbuntowana Anastasia była w głębi ducha masochistką. Albo nosiła w sobie podświadome pragnienie ukarania się za porzucenie babci Giacomy. Albo też podświadome marzenie o odtworzeniu prawdziwej rodziny, o zdobyciu ojca, którego nigdy nie miała, i być może rok wcześniej szukała go również w starszym od siebie kochanku. Takie dwa wyjaśnienia sugerował dziadek Antonio, dodając z ekstatycznym uśmiechem: „I nie zapominaj, że była zdolna do każdego szaleństwa, do każdej przygody. Awanturnica czystej wody, chciała w życiu doświadczyć wszystkiego!".

* * *

Do Marianne dotarła z dużym opóźnieniem, pod czarną peruką wyrósł jej już delikatny złoty meszek. I naturalnie z trudem rozpoznała ukochaną nianię z Turynu w tej nieszczęśnicy wyniszczonej licznymi ciążami i ogłupionej praniem mózgu, którym Święci całkowicie unicestwili jej już i tak mizerną inteligencję. Rzecz jasna również Marianne potrzebowała dłuższej chwili, by zrozumieć, że ekscentryczna kobieta w długich butach i z bronią u pasa to ta sama słodka dziewczynka, z którą rozstała się w 1853 roku. Ale przyjęła ją z otwartymi ramionami, przekonana, że Anastasia przybyła, aby praktykować Słowo Mormona na łonie rodziny Dalton. Potem zaprowadziła ją do Lydii i Rebekki, żon, które Mister Dalton umieścił w Salt Lake City, po drodze nie przestając jej dodawać otuchy. Co za wspaniały pomysł przyszedł Anastasii do głowy! Czy zostanie w mieście, czy przeniesie się do Rockville, to znaczy na farmę, na której Mister Dalton mieszka z nią, z Ann i z Letizią, będzie z nimi szczęśliwa. Żadnej zawiści, żadnej zazdrości, żadnych konfliktów: wszystkie panie Dalton żyły z sobą w zgodzie. Nazywały się *sisters*, jak siostry wychowywały potomstwo i dzieliły łoże małżonka...

— Bo widzisz, Bebè, on żadnej nie faworyzuje. Każdą żonę traktuje tak samo.

— Ach tak?

— Tak. W poniedziałek śpi ze mną, we wtorek z siostrą Ann, w środę z siostrą Letizią. W czwartek znowu ze mną, w piątek z siostrą Ann, w sobotę z siostrą Letizią, w niedzielę odpoczywa...

— A kiedy przyjeżdża do miasta?

— Kiedy jest tutaj, śpi na zmianę jedną noc z siostrą Lydią i jedną z siostrą Rebeccą.

Z otwartymi ramionami przyjęły ją także Lydia i Rebecca, dwie pokorne staruszki ubrane zawsze na czarno. Rebecca miała siedemdziesiąt lat, była o sześć lat starsza od Johna, o czterdzieści lat starsza od tydziestojednoletnich Ann i Marianne, o czterdzieści pięć od dwudziestopięcioletniej Letizii. Lydia miała lat sześćdziesiąt, ale wyglądała na starszą. Lekceważone przez wszystkich, także przez dorosłe już dzieci, żyjące w samotności przerywanej jedynie rzadkimi wizytami męża, i spragnione towarzystwa, powitały

Anastasię jak dar z niebios. Umieściły ją w pokoju domniemanej wdowy Hodgkinton. Umyły ją, nakramiły, wraz z Marianne otoczyły troskliwą opieką. W rezultacie Bebè odprężyła się i poczuła na nowo dzieckiem. Zdawało się jej, że powróciła do małego gineceum na via Lagrange. Do wspaniałych czasów, gdy miała trzy mamy, tyle że tutaj zamiast Suzanne była Lydia, a zamiast *Tante* Jacqueline Rebecca. Jednym słowem, Salt Lake City ją podbiło. Zatarło w niej nawet żal za Nowym Jorkiem, za Irving Place, za Nesimi. I cóż z tego, że za progiem domu rzeczywistość dawała o sobie znać na każdym kroku. Były tam na przykład rezydencje Brighama Younga. Tak zwany *Bee House*, Dom Pszczół, dla młodych żon i dzieci, *White House*, Biały Dom, gdzie trzymał postarzałe i wykluczone już z małżeńskiego łoża połowice, oraz *Lion House*, siedzibę jego obecnej faworyty, czyli Amelii Fulton z Bostonu, o pięćdziesiąt lat od niego młodszej. Niektórzy Apostołowie umieszczali swoje żony w przylegających do siebie, ale osobnych domkach. Na każdych drzwiach wypisane było imię zamieszkującej tam żony: „Lucy", „Clarissa", „Joan", „Abigail". W niedzielę można było zobaczyć te biedaczki, jak idą rządkiem za mężem do kościoła, trochę jak gęsi prowadzone na łąkę... Cóż z tego, skoro w zamian, oprócz trzech mam i bezkarności prawnej, ten świat sytych mężczyzn ofiarowywał Anastasii wolność, jakiej nigdy dotąd nie posmakowała. Wolność obojętną na wymogi zmysłów i miłości. Nie było tam miejsca na cielesne czy romantyczne przygody. Nie było sielanek, pokus, namiętności. Było tylko małżeństwo. Z powodów społecznych, religijnych, prokreacyjnych, nie z miłości czy dla zaspokojenia zmysłów. Nie istniało także cudzołóstwo, grzech, który poligamia i rozwody uczyniły niepotrzebnym, a zresztą karany był ekskomuniką, rocznym więzieniem i grzywną wysokości pięciuset dolarów. No i uroda się nie liczyła, a wręcz uważana była za groźbę, za przynętę do grzechu. Anastasia mogła więc sobie pozwolić i pozwoliła na luksus nieuwodzenia nikogo. W istocie nie obchodziła ją już własna uroda. Nie zakładała nawet peruki, z pogodną obojętnością obnosiła się ze swoim złotym puchem, niemal łysą jeszcze czaszką. „*Je m'en fiche, I don't care*. Nic mnie to nie obchodzi".

Niestety zakazy i przepisy moralności nie gaszą pożądania. Raczej jeszcze je podsycają i potęgują, a Anastasia była piękna nawet bez peruki. Ogolona głowa podkreślała jej wysokie kości policzkowe, piękny profil, długą i smukłą szyję. Miała fascynujący urok, któremu nawet mężczyzna zaspokojony i przestrzegający zasad mormońskiej moralności nie byłby w stanie się oprzeć. Po dwóch tygodniach pan Dalton przyjechał do miasta po Marianne i... mężczyzna niczego sobie, ten pan Dalton. Tak wynika z niewyraźnej fotografii, którą znalazłam w archiwach Salt Lake City, gdzie mormoni przechowują dokumenty i dane genealogiczne swoich przodków. Pełna energii twarz, której dodają powagi gęste wąsy i długa broda w stylu Mojżesza. Przenikliwe spojrzenie, wysoka, krzepka postać i coś, co przywodzi na myśl Bezimiennego. (Być może męski i pewny siebie wyraz twarzy. Surowe, a jednocześnie zmysłowe usta). Z danych genealogicznych wynika, że był osobą uczciwą i obdarzoną wielką siłą woli: mimo iż miał słabość do tytoniu i whisky, od chwili nawrócenia się na wiarę Mormona pił tylko wodę, nie zapalał nigdy cygara ani fajki. Poza tym był przywiązany do Rebekki, przez dwadzieścia osiem lat jego jedynej żony, i starszej od niego. No cóż, bardzo pociągały go jednak młode kobiety. I od zbyt już długiego czasu z żadną się nie żenił. Dlatego gdy zobaczył swego młodego gościa, którego uroda uwiodłaby nawet mężczyznę zaspokojonego i przestrzegającego zasad mormońskiej moralności, stwierdził, że potrzebuje nowej żony. Obarczył Marianne rolą swatki i żegnaj wolności obojętna na wymogi zmysłów i miłości! Przytoczony poniżej dialog nie jest wymysłem mojej wyobraźni. Cytował go dziadek Antonio, któremu powtórzyła to sama Anastasia.

— Musisz się jak najszybciej ochrzcić, Bebè.

— Dlaczego?

— Bo mój mąż pragnie cię poślubić. Potrzebuje nowej żony w Salt Lake City i wybrał ciebie.

Milczenie.

— To dobry człowiek. Idealny mąż. Nigdy nas nie bije, nie zdradza, a w wieku sześćdziesięciu czterech lat nie ma ani jednego zepsutego zęba czy siwego włosa.

Milczenie.

— Zresztą kobieta musi wyjść za mąż, prawda? Jeśli tego nie zrobi, nie pójdzie do raju.

Milczenie.

— Przyjmij jego oświadczyny, Bebè. Jutro wracam z nim do Rockville i bardzo bym się cieszyła, zostawiając cię tu zaręczoną.

Wciąż milczenie, a potem...

— Dobrze, Marianne.

Zaręczyny były kameralne, odbyły się w obecności Lydii i Rebekki. Ślub zaplanowano na koniec października *w House of Endowment*, czyli w Domu Ceremonii, gdzie Prorok udzielał także rozwodów (kosztowały dziesięć dolarów, inkasował tę sumę na drobne-wydatki-osobiste). Chrzest odbył się we wrześniu, w Jordan River, ale niestety nie mam na to żadnych dowodów. W archiwach Salt Lake City nic nie znalazłam. Dziadkowi Antoniowi Anastasia mówiła jednak zawsze, że jej ateizm został uświęcony trzema chrztami. Dwoma waldejskimi i jednym mormońskim. Czy to możliwe, że kłamała? Opowiadała mu także, że czekała na zawarcie małżeństwa bez żadnych wahań, zdecydowana zostać siódmą panią Dalton. Mając pełną świadomość absurdalnych szczegółów rytuału. (Tylko absurdalnych? Zadanie poprowadzenia nowej małżonki do ołtarza i oddanie jej panu młodemu należało do pierwszej żony, czy było jej to w smak, czy nie. Do Domu Ceremonii Anastasia musiała się więc udać z Rebeccą, stać obok niej w trakcie całego rytuału, a w dodatku przy wejściu miały się obie ubrać w ślubny strój, to znaczy tunikę z białego lnu. Podobną wkładał pan młody. Idąc za nim, weszłyby do pomieszczenia, w którym oczekiwał na nich Brigham Young, siedzący na wyścielanym na czerwono tronie. Pozostałe żony mogły się tam znajdować w charakterze świadków. Tutaj wszyscy troje uklękliby, John z jednej strony, one dwie z drugiej, Brigham Young spytałby Rebeccę: „Czy jesteś gotowa uznać ten związek i oddać tę kobietę twemu mężowi jako prawowitą małżonkę na wieki wieków?". Biedna Rebecca odpowiedziałaby twierdząco, na co Brigham Young oświadczyłby: „Okaż to, wkładając jej prawą dłoń w prawą dłoń twego męża". Ona by to zrobiła, a wtedy Young zapytałby Johna, czy chce poślubić Anastasię, a Anastasię, czy pragnie poślubić Johna...) Rebecca odradzała jej ten krok. Była inteligentną kobietą. Mimo swej apatii, swej pokory zdawała sobie dobrze sprawę, że fascynująca cudzoziemka pod wpływem kaprysu ma zamiar popełnić szaleństwo: „Nie chodzi o mnie, dziecko. Ja zostałam już zastąpiona tyloma żonami, że przestałam cierpieć. Mówię to dla twojego dobra: zmień zdanie. Każdego dnia modlę się, żebyś się opamiętała, żeby coś cię powstrzymało od klęknięcia przed ołtarzem". Odradzała jej małżeństwo także Lydia, kobieta prosta, ale niegłupia. „Posłuchaj rady przyjaciółki, która się nabrała i dobrze wie, co to za życie! Uciekaj, dziecko, uciekaj!" Doradzała jej nawet, dokąd powinna uciec: do Virginia City w pobliskiej Newadzie. Każdego dnia opisywała jej to miasto powstałe przed sześcioma laty z niczego, za sprawą dwóch górników, którzy szukali złota, a znaleźli olbrzymie pokłady srebra. Lydia twierdziła, że to cudowne miejsce. Tak bogate, że nawet ulice błyszczą tam od srebra. Od srebrnego pyłu. Jeźdźcy noszą srebrne ostrogi, konie mają srebrne podkowy, a drzwi srebrne klamki. Poza tym jest to miasto bez praw, bez reguł, bez kościołów, bez religii: otóż to. Miasto, w którym ludzie nie boją się ani Boga, ani diabła, i robią to, co chcą. Grają w kości i w karty, palą, tańczą, upijają się, bawią do woli. Przede wszystkim jednak jest to miejsce, w którym kobiety nie wychodzą za mąż za mężczyznę mającego już inne żony. Bo pomijając sam obowiązek monogamii, kobiet jest tam jak na lekarstwo. Tak mało, żc każdą przyjmuje się jak rzadki i cenny dar, jak królową, boginię. Nawet jeśli jest stara i brzydka, jeśli jest prostytutką. Liczą się bardziej od mężczyzn. Mogą, tak samo jak mężczyźni albo i lepiej od nich, rządzić, palić, tańczyć, grać w kości i w karty, upijać się i bawić. A jeśli mają ochotę wziąć sobie męża, to go biorą, a jeśli nie, to nie... Ale Anastasia nie chciała słuchać. Co najwyżej uśmiechała się, *don't worry*, nie martw się, *don't worry*. Potem zdarzyło się coś, o co modliła się Rebecca i niedoszła pani Dalton: naprawdę zmieniła zdanie. Naprawdę uciekła.

* * *

Zdarzyło się to w przeddzień ślubu za sprawą głupiutkiej Marianne, która przyjechała z mężem, by radować się wielkim wydarzeniem. Zapadł wieczór. Lydia i Rebecca, przygnębione niczym żołnierze, którzy przegrali bitwę, siedziały w jakimś kącie, wymieniając westchnienia. Pan Dalton, dumny niczym kogut, który szykuje się, by dołączyć nową kurę o swego haremu, pożerał oczami narzeczoną. Anastasii tymczasem włosy urosły do prawie czterech centymetrów i stworzyły uroczy złocisty kask, jeszcze piękniejszy niż wcześniej puszek. Anastasia, nieprzenikniona niczym Sybilla, nie zdradzając nikomu swych sekretów i stanu duszy, obracała w palcach pierścionek, który miała jej przekazać Rebecca. A Marianne, szczęśliwa niczym kwoka, która zniosła jajko, paplała bez ustanku. *What-a-joy*, co za radość, jutro-moja-Bebè--zostanie-naszą-siostrą. Nagle jednak spoważniała i wydała z siebie cichy jęk.

— I pomyśleć, że *Tante* Jacqueline nigdy się o tym nie dowie! Pierścionek upadł z cichym brzękiem na podłogę. Złoty kask jakby się naelektryzował. Nigdy? Co to znaczy n i g d y?! Od ośmiu miesięcy Anastasia nie miała wieści od *Tante* Jacqueline. Wierna swemu postanowieniu, by zacierać za sobą ślady, nie-mówić--dokąd-jedziesz, nie-zostawiać-adresów, nawet-mnie, po opuszczeniu Ceseny nie przekazała jej żadnych informacji o miejscach swego pobytu, nie nawiązała nawet pośredniego kontaktu. Wysłała jej tylko trzy krótkie uspokajające bileciki. Jeden z Liverpoolu: *„Je m'embarque aujourd'hui, la mer est calme et le bateau confortable.* Dzisiaj wsiadam na statek, morze jest spokojne, parowiec wygodny". Jeden z Nowego Jorku: *„Je suis arrivée, j'habite dans une maison exquise, et cette ville me plaît.* Dotarłam, mieszkam w uroczym domu, miasto mi się podoba". Jeden z Saint Joseph: *„Je suis de nouveau en voyage, je m'amuse, sois tranquille.* Znowu ruszyłam w podróż, dobrze się bawię, bądź spokojna". Z Salt Lake City jednak nie napisała. Do przyjaciół, którzy mogliby jej donieść, co działo się na via Lagrange, w ogóle się nie odezwała. Nie napisała do Giuditty Sidoli, która pomogła jej rozwiązać dramat porodu, porzucenia dziecka, uzyskania paszportu i ucieczki do Ameryki. Nie skreśliła nawet linijki do Valzanii, który tak wielkodusznie pomógł jej w trudnych chwilach, a potem ostrzegł ją o problemach związanych z formularzem paszportowym. Dlatego też Anastasia nie wiedziała nawet, czy ta poczciwa kulawa staruszka z brodawką na nosie, jedyna osoba, która kochała ją bezgranicznie, i jedyna, którą ona kochała, żyje jeszcze czy umarła. Teraz jednak słówko „n i g d y" nasunęło jej straszne pytanie, które zadała z lękiem zrodzonym ze złych przeczuć.

— Co to znaczy n i g d y, Marianne?

Odpowiedziało jej milczenie, a potem zmieszany szept.

— To znaczy... no, to znaczy... Nie powiedziałam ci?

— Czego?

— Mój Boże, zapomniałam... zapomniałam...

— O czym?

— Dostałam list od Suzanne, która pisze... pisze...

— Co pisze?

— Że w lipcu była... była...

— Gdzie?

— Na pogrzebie *Tante* Jacqueline.

Anastasia oprzytomniała w jednej chwili. I tej samej nocy uciekła. Nie otworzywszy ust, nie powiedziawszy panu Daltonowi, że nie zostanie jego siódmą żoną. Nie było łatwo wyjechać z Utah Brighama Younga. Kiedy już ktoś nawrócił się na wiarę Kościoła Jezusa Chrystusa Świętych w Dniach Ostatnich, potrzebował jego pozwolenia na opuszczenie terytorium. Wyjazd w przeddzień własnego ślubu był praktycznie niemożliwy. Biedaczki, które tego próbowały, były zawsze chwytane i oddawane ich panom. Tej nocy jednak przez Salt Lake City przejeżdżał dyliżans do Virginia City, a narzeczony wbrew regułom udał się do łóżka z Marianne. Gdy spał, Lydia i Rebecca pomogły swojej pupilce zwinąć się po cichu, i kiedy John Dalton zbudził się, Anastasia przekroczyła już granicę stanu. Wiśta-wio!

Gdzie schroniła się tym razem? Jakie przygody przeżyła, jakie nowe tożsamości przyjęła? No cóż, tutaj zaczyna się tych tajemniczych trzynaście lat, o których nie chciała mówić lub wspominała niechętnie. Zwykle ograniczała się do niejasnych aluzji i skąpych wzmianek. Jak gdyby wstydziła się ich lub były dla niej zbyt bolesne. Mimo to muszę spróbować odtworzyć je choć pokrótce. Bo w tych trzynastu latach kryje się klucz do zrozumienia wydarzeń, które zakończą jej sagę. Powrót do Włoch, odnalezienie babci Giacomy, romans z dziadkiem Antoniem, i śmierć, którą podarowała sobie, gdy zmęczyło ją życie.

15

Dzisiaj Virginia City już nie istnieje. Złoże srebra wyczerpało się przed ponad stuleciem, mieszkańcy opuścili miasto, które powoli popadło w ruinę, zmieniło się w *ghost-town*. Miasto widmo, iluzję dla turystów, wyruszających w lecie na poszukiwanie Dzikiego Zachodu. Ja też udałam się tam pewnego dnia, w nadziei, że odnajdę tę cząstkę mojej zamierzchłej przeszłości. I nie znalazłam nic, poza Anastasią siedzącą przy stole do gry w faraona i napominającą rozgorączkowanych graczy: *„Behave as gentlemen, messieurs.* Zachowujcie się jak gentlemeni, panowie". Miała na sobie suknię z niebieskiej tafty na krynolinie z bardzo wyciętym dekoltem, obnażającym plecy i ramiona. W uszach, na szyi i na przegubach nosiła kosztowne klejnoty, być może te same, które dostała w Turynie od Bezimiennego, a na serdecznym palcu lewej ręki pierścionek z dużym diamentem. Poznałam ją po jasnych włosach, wciąż jeszcze trochę krótkich, oczach przejrzystych jak woda, wysokich kościach policzkowych i wyzywającym wyrazie twarzy. Zbliżyłam się i wyszeptałam, nie otwierając ust: „Mów do mnie, pomóż mi przypomnieć sobie, kim byłam, kiedy byłam tobą i żyłam tutaj". Ona udała jednak, że nie słyszy, i gdy tylko nasze spojrzenia się skrzyżowały, odwróciła się ode mnie plecami i znikła.

Virginia City już nie istnieje, a fotografie z tamtej epoki ukazują miasto dość odmienne od *ghost-town* odtworzonego, a raczej wymyślonego na użytek turystów. Zamiast prawdziwego miasta ukazują raczej olbrzymią wioskę, składającą się z trzech ulic i skromnych domków z drewna lub z cegieł. Osadę podobną do miasteczek z westernów, z urzędem szeryfa, saloonem i małym bankiem, zamkniętą w górskiej dolinie — Virginia City leżało na zboczu Mount Davidson, gdzie odkryto żyłę srebra, i zewsząd otoczone było przez wysokie szczyty. W 1865 roku miasto niewiele miało zresztą do zaoferowania z estetycznego punktu widzenia. Powstało zaledwie pięć lat wcześniej, zastąpiwszy namioty i baraki pierwszego obozowiska górników, i rosło chaotycznie, podporządkowane jedynie potrzebie zapewnienia noclegu hordom, które napływały tam w poszukiwaniu szczęścia. Spekulanci, gracze, górnicy rozczarowani gorączką złota w Kalifornii. Przestępcy, prostytutki, biedacy i awanturnicy wszelkiej maści i narodowości. Amerykanie, Indianie, Meksykanie, Chińczycy, Europejczycy. Nie przypadkiem w tych latach miasto liczyło aż dwadzieścia tysięcy mieszkańców. A jednak było ono właśnie takie, jak opisywała je Lydia. Bo w 1860 roku złoże srebra przyniosło milion dolarów dochodu. W 1861 roku już dwa miliony, rok później siedem, dwa lata potem dwanaście, w 1864 roku aż osiemnaście. Wydobywany kruszec zawierał nawet do pięciu procent złota. Ulice, wybrukowane kamieniami z kopalń lub ubite resztkami pyłu kopalnianego naprawdę świeciły się złotem i srebrem. Klamki, ostrogi, podkowy, wykończenia siodeł rzeczywiście robiono ze srebra. Używano go także do płacenia za towary i dawania napiwków, czasem w formie samorodków, kiedy indziej kawałeczków odcinanych nożem z lasek metalu. Papierowych pieniędzy nikt tam nie chciał, *green-back*, czyli banknoty, rzucali ci w twarz, a jeśli chciałeś je wymienić w banku, dawali tylko połowę ich wartości. Co więcej, było to naprawdę miejsce, w którym ludzie nie bali się ani Boga, ani diabła i robili, co chcieli. Najchętniej pili i uprawiali hazard. W Virginia City był tylko jeden kościół i dwieście domów gry. Sto dwadzieścia saloonów serwujących alkohol i posiadających również stoły do gry w faraona, w pokera, blackjacka, *chuck-a-chuck*, czyli gry w kości. Grali wszyscy. Dobrzy i nikczemni, biedni i bogaci, młodzi i kobiety. Gorączka gry dopadała każdego, kto przyjeżdżał do miasta. Nawet tych, którzy nigdy nie mieli w ręku talii kart ani kości. Grało się o wszystko. O tygodniową płacę, akcje kopalni, złote zęby, buty, spodnie, koszulę noszoną na grzbiecie, życie. Jeśli chodzi o alkohol, o Jezu! Lokali sprzedających trunki nie dałoby się zliczyć. Dzisiejsze Las Vegas wypada blado w porównaniu z Virginia City. W 1859 roku pierwsi górnicy przytaszczyli z sobą przez Sierra Nevada skrzynie whisky, brandy, rumu, ginu, wódki, absyntu. Teraz alkohol był najważniejszym towarem przywożonym do Newady i nikt nie był w stanie określić, ile barów, zajazdów, piwiarni istnieje w mieście. Przy samej tylko C Street, głównej ulicy Virginia City, znajdowało się ich sto osiemdziesiąt dwa. Włosi, Hiszpanie, Francuzi preferowali koniak. Anglicy i Amerykanie whisky. Popularne były także koktajle, na przykład Woshoe Drink, piekielna mieszanka na bazie whisky, brandy, absyntu i ulepu — po wypiciu trzydziestu kropli tego trunku padałeś jak trup. Albo Minnie Kiss, pocałunek Minnie, trucizna z rumu, sherry i piwa, która miała taki sam efekt. Oraz Total Destruction, czyli Całkowita Zagłada, której efekty opisywano w ten sposób: „Najpierw się blednie, potem czerwienieje, potem przechodzi się do pozycji poziomej. Na ziemi przyjmuje się wyraz twarzy uśmiechnięty i błogi, po czym natychmiast zapada się w sen. Po przebudzeniu boli głowa i wydaje się, że żołądek jest pełen os, motyli, sosu pieprzowego i witriolu. Ale warto".

Z taką samą łatwością strzelano i zabijano się nawzajem. „W pierwszych dwudziestu sześciu grobach w Virginia City pochowano ciała zamordowanych", pisze w *Pod gołym niebem* Mark Twain, który przez trzy lata pracował jako reporter w lokalnym „Territorial Enterprise". A pisał to w roku 1861, potem zabójstwa stały się tak częste, że nie stanowiły żadnej sensacji. Wszyscy posiadali rewolwer lub strzelbę, przedmioty sprzedawane razem z kilofami i łopatami lub w sklepach spożywczych, a różnicę zdań rozwiązywano pojedynkiem. Nie były to jednak pojedynki toczone zgodnie z regułami podyktowanymi przez kodeks honorowy, przewidującymi wręczenie pisemnego wezwania, obecność sekundantów, chirurga, drugiego chirurga, ceremonialne nabicie pistoletów, panowie-jesteście-gotowi, liczę-do-trzech-i-strzelacie. Tylko-jeden-wystrzał. To były pojedynki takie, jakie się widzi w westernach: staczane od razu w saloonie albo na ulicy. Bang-bang-bang! W 1846 roku ogłoszono Anti-Dueling Law, prawo przeciw pojedynkom, które uznawało za przestępstwo zarówno wyzwanie na pojedynek, jak i zaakceptowanie wyzwania, a także przewidywało oskarżenie o morderstwo w razie zabicia przeciwnika w walce. W praktyce jednak prawo to przez długi czas nie weszło w życie i dalej spokojnie wysyłano ludzi na cmentarz. Zwykle odbywało się to na B Street za pomocą pięciostrzałowego kolta. Magazynek opróżniano na ślepo, nie dbając o zgromadzonych gapiów, dlatego też oprócz pojedynkujących się ginęły zawsze trzy czy cztery osoby z tłumu. Pewnego razu zginęło ich osiem, plus obaj przeciwnicy. A powody do wyzwania często bywały błahe. Dieta oparta na alkoholu skłaniała do liberalnego naciskania na cyngiel, toteż w 1865 roku niejaki Bill Bryan, adwokat, zabił górnika popijającego spokojnie piwo *just-because-I-felt-like-killing-somebody*. Bo-miałem-ochotę-kogoś-zamordować. Strzelały zresztą także kobiety. Zarówno władze, jak i prasa zachęcały je, by zawsze chodziły z bronią, a jeśli zdarzyło im się kogoś zastrzelić, nigdy ich nie skazywano. Często nie stawiano nawet przed sądem. „To nie zbrodnia zastrzelić chama, który cię molestuje, a jeśli klepnie cię po tyłku, masz do tego pełne prawo". W 1865 roku prostytutka imieniem Juanita Sanchez doczekała się triumfalnej rundy za zabicie byłego kochanka Jacka Butlera, który dla żartu wymierzył w nią rewolwer. Co do sprawiedliwości, było to puste słowo. Niewygodnych świadków wypędzało się lub zabijało. Sędziów, ławę przysięgłych i szeryfów można było przekupić, sprawy wygrywali ci, którzy mieli więcej pieniędzy, zresztą i tak na przedstawicieli sprawiedliwości nie należało za bardzo liczyć. Byli zawsze pijani. Jeśli nie pijani, to głupi. Jeśli nie głupi, to ciemni. Nie umieli nawet odróżnić „deprawacji" od „deportacji" i w dziewięciu na dziesięć przypadków werdykt brzmiał *not guilty*, niewinny. W rezultacie przestępstwa mnożyły się jak szarańcza w Utah, i w porównaniu z Virginia City Nowy Jork mógł się wydać szkołą zakonną dla panienek z dobrych domów. W 1865 roku w jednym tylko dniu odbyły się i zakończyły dwa procesy o zabójstwo, dwa dotyczące pojedynku, pięć w sprawie zamachu na życie, pięć o zranienie nożem. Kradzieży, włamań, oszustw nikt by nie zliczył. „Jeśli pozostanę tu przez sześć miesięcy — napisał w swym dzienniku jakiś uczciwy podróżny — ja także stanę się przestępcą". A ksiądz z jedynego kościoła w mieście opowiadał: „Wczoraj oczyściłem duszę jednego z parafian. Na pytanie, czy kiedyś kogoś zabił, odpowiedział: tylko dwie lub trzy osoby. Na pytanie, czy dopuścił się oszustwa, odrzekł: najwyżej ze dwadzieścia lub trzydzieści razy. A na pytanie, czy zdarza mu się kraść, powiedział: codziennie, co w tym złego?".

Ale Lydia nie myliła się też, twierdząc, że Virginia City to raj dla kobiet, zwłaszcza niezamężnych. Bo w tych pierwszych latach istnienia miasta górnicy, spekulanci, oszuści, gracze i awanturnicy nie przywozili z sobą, jak można się domyślić, żon, córek, sióstr ani kochanek. Na początku brak kobiet był tak dotkliwy, że gdy dyliżans zatrzymywał się na zmianę koni, wszyscy przybiegali zobaczyć, czy nie ma w nim jakiejś kobiety. Jeśli była, zaczynali krzyczeć: „*Yes, yes! There is. Oh, God! That's so good for the eyes!* O Boże, co za widok dla oczu!". Pewnego dnia żona jakiegoś Kalifornijczyka tak się tym przestraszyła, że zamiast wyjść z powozu, aby odpocząć i zjeść obiad, skuliła się w środku i zaciągnęła zasłony. Wtedy grupa górników ofiarowała mężowi dwieście dolarów, aby namówił ją do odsłonięcia okna i wyjrzenia na chwilę. On ją przekonał i na widok kobiecej twarzy ze dwunastu gapiów zemdlało z wrażenia. W 1860 roku sytuacja trochę się polepszyła: na każdych stu siedemdziesięciu mężczyzn przypadało dziesięć kobiet (w większości były to oczywiście prostytutki, *entraîneuses* czy *hurdy-gurdy girls* — dziewczyny do tańca, które brały dwadzieścia pięć centów za obrót, całkiem pokaźna sumka, za przetańczenie całego tańca z klientem saloonu). W 1861 roku było już dwadzieścia kobiet na każdych stu siedemdziesięciu mężczyzn, w 1863 czterdzieści, a w 1865 pięćdziesiąt. Jednak to i tak wciąż za mało — i niezamężnej kobiecie wystarczyło wysiąść z dyliżansu, by znaleźć sobie męża. Nawet jeśli była stara, brzydka i kulawa. Poświadczają to także akty ślubu z dołączonymi fotografiami małżonków: obok przystojnego krzepkiego młodziana prawie zawsze stoi matrona, która mogłaby być jego matką. I naturalnie rozwód był równie łatwy do przeprowadzenia jak zawarcie małżeństwa. Największą korzyścią dla kobiet było jednak co innego: szacunek, jaki żywili mężczyźni dla każdej istoty obdarzonej biustem i noszącej spódnicę. Byłam bardzo zaskoczona, wyczytawszy, że kobieta miała prawo strzelić do każdego, kto wyraził się wobec niej obleśnie albo poklepał ją po siedzeniu. Wszystkie książki historyczne są zgodne co do tego, że takie niestosowne sytuacje nie zdarzały się w Virginia City i wśród niezliczonych przestępstw, które tam popełniano, nie dochodziło do gwałtów. „Nie słyszałem o żadnym mężczyźnie, który uchybiłby kobiecie" dodaje podróżnik od dziennika „jeśli-pozostanę-tu-przez-sześć-miesięcy-ja-także-stanę-się-przestępcą". Po pierwsze, nie używało się słowa kobieta. Mówiło się *lady*, dama. (Obyczaj wciąż rozpowszechniony na zachodzie Stanów). Poza tym w obecności kobiety zdejmowało się kapelusz. Zawsze. Na koniec: kobietę otaczało się opieką. Zawsze. Podawało się jej ramię, ofiarowało pomoc w niesieniu pakunków, pomagało w przejściu przez ulicę. I lepiej było nie rzucać na nią zbyt śmiałych spojrzeń. *Apologize or I blow up your brain.* Przeproś albo rozwalę ci mózg". Zawsze. W odniesieniu do każdej kobiety. Także *hurdy-gurdy girls, entraîneuses,* prostytutek. Jednym słowem, były traktowane jak królowe. Wszystko im wybaczano. Na przykład w teatrze można było gwizdać na aktora. Na aktorkę — nigdy. Nawet jeśli nie umiała grać ani śpiewać. Wręcz przeciwnie, publiczność stawała się wtedy szczególnie wielkoduszna i oklaskiwała ją głośno, rzucała jej samorodki i woreczki ze srebrem i złotem. „*Fine!*, świetnie! Brawo, bis!" Poza tym bezgranicznie podziwiali kobiety odważne, nieustraszone, przedsiębiorcze i mieli szczególną słabość do tych, które mówiły z silnym francuskim akcentem, to znaczy zaokrąglając *r*, co było, jak pamiętamy, charakterystyczne dla sposobu mówienia Anastasii. Naprawdę nie potrafię sobie wyobrazić miejsca, które bardziej by do niej pasowało. I pociesza mnie, że o pierwszych latach spędzonych w Virginia City opowiadała nieco obszerniej, z mniejszą powściągliwością i rezerwą. Dalsze opowiadanie, skrótowa relacja z tego okresu, opiera się na tym, co wyznała dziadkowi Antoniowi.

„Czy wiesz, że..."

Przybyła tam po czterech dniach jazdy dyliżansem. Tyle trwała podróż z Salt Lake City przez Ogden i pustynię Newady. Pod imieniem Amanda Gautier (nazwisko zaczerpnęła niewątpliwie z *Damy Kameliowej*) zamieszkała w eleganckim International Hotel i następnego dnia została okradziona z całego swojego kapitału. To znaczy z dwóch tysięcy dolarów, które przez tyle miesięcy tak starannie przechowywała. Gdy tylko się zbudziła, wyszła z hotelu, by złożyć pieniądze w banku. Kiedy szła C Street, została napadnięta przez złodzieja, który usprawiedliwiwszy się uprzejmie, *„sorry, Madame"*, wyrwał jej z ręki torebkę. Była tak zaskoczona, że nie zdążyła nawet pochwycić smitha-wessona, z którego strzelała do Indian i do bandytów napotkanych w Górach Skalistych. Bardzo ją to rozwścieczyło i aby uniknąć konieczności sprzedania klejnotów Bezimiennego, jedynego majątku, który jej pozostał, tego samego wieczoru znalazła sobie pracę w Café de Paris, słynnym ze swych *hurdy-gurdy girls. Entraîneuses*, które tańczyły z klientami walca lub polkę za dwadzieścia pięć centów. Podniosła cenę do siedemdziesięciu pięciu centów, plus napiwek, akceptujesz-albo-wynocha, została tam, dopóki nie zarobiła na obcisły trykot, i z wielkim koszem w ręku udała się do impresaria Golden Terrace: najsławniejszego i najbardziej luksusowego saloonu w mieście. Kryształowe żyrandole, srebrne spluwaczki, weneckie lustra, ogromny mahoniowy bar intarsjowany kością słoniową oraz scena tak wielka, że można tam było jeździć konno. W 1863 roku właśnie na koniu występowała w nim aktorka i śpiewaczka Ada Menken, ubrana tylko w cienki gorset: zapowiedź współczesnego striptizu. Nie żeby była jakąś pięknością, powiedzmy szczerze. Miała przyjemną twarz i bujny biust, ale była zbyt obfita w biodrach i miała krótkie, nazbyt masywne nogi (widać to na fotografiach). Poza tym mówiła z akcentem niemieckim, a nie francuskim. Ale i tak, kiedy śpiewała, recytowała lub pokazywała się na koniu w samym gorsecie, entuzjazm sięgał szczytu. Kiedyś rzucono jej w wyrazie uznania sztabkę kruszcu wartości tysiąca dolarów, i po jej wyjeździe do San Francisco Golden Terrace nie znalazł żadnej artystki, która by jej dorównała.

— *Are you French*, jesteś Francuzką? — spytał impresario, obrzucając spojrzeniem znawcy pięknotkę, która zjawiła się u niego z koszem.

— *Oui, monsieur.*

— *Can you sing?* Umiesz śpiewać?

— *No, monsieur.*

— *Can you act*, jesteś aktorką?

— *No, monsieur.*

— *Can you ride?*, Umiesz jeździć konno?

— *No, monsieur.* Ale umiem robić coś lepszego.

Następnie zdjęła suknię z krynoliną, pantalony, buty. W samym trykocie weszła do kosza i pokazała mu numer ze żmiją. Tą samą żmiją, która stała się przyczyną wszystkich jej kłopotów. Nazwała ją *The Snake's Dance*. Taniec Węża. Swoim numerem zepchnęła w niepamięć żal po Adzie Menken. Jej ciało wciąż jeszcze było takie samo jak wtedy, gdy wprawiało w ekstazę publiczność w Teatro Regio, ciąża i poród w niczym nie zaszkodziły jej sylwetce. A w porównaniu z jej długimi pięknymi nogami nogi Ady Menken przypominały parówki. Poza tym udało jej się znaleźć parę pantofli baletowych. Po wyjściu z kosza wykonywała numer solowy na czubkach stóp, *pas-à-deux, arabesques, jetés*, wprawiając w euforię górników. Jej także rzucano woreczki ze srebrnym i złotym pyłem, samorodki, sztabki. W ciągu kilku tygodni odzyskała wszystkie stracone pieniądze, a nawet je pomnożyła, i w następnych miesiącach otrzymała trzydzieści propozycji małżeństwa i niezliczone wyrazy uwielbienia. „*Oh, thank you, Amanda! You are a kiss on the eyes and the rest!* Jesteś pocałunkiem dla oczu i dla reszty..."

Jak wyglądały jej związki z mężczyznami w okresie *Snake's Dance*, nie wiem. Prawdopodobnie, również dzięki pigułkom *madame* Restell, były one dość intensywne. Po przygodzie z Dzikim Billem nastąpił okres wstrzemięźliwości seksualnej, którego nie przerwał nawet flirt z porucznikiem zabitym przez Indian, i przypuszczam, że trudno jej było oprzeć się tym wszystkim hołdom. Zresztą dziadek Antonio często wspominał o „szampańskim panieństwie", które Anastasia przedkładała nad możliwość ustatkowania się jako mężatka. Wiem natomiast, jak długo trwały występy ze *Snake's Dance*: do dnia, w którym poślubiła trzydziestoletniego Napoleona Le Roi. Hazardowego gracza, szulera, donżuana pierwszej wody, który, zakochany bez pamięci w niej i w jej występach w trykocie, zabrał ją ze sceny. „*Either me either the snake*. Albo ja, albo wąż". Wiem także, dlaczego zgodziła się na to ultimatum i zrezygnowała z „szampańskiego panieństwa": bo Le Roi był typem, któremu nie można się było oprzeć. Przystojny, sympatyczny, inteligentny, *bon viveur*. Miał piękne błękitne oczy, wspaniałe czarne wąsy, szerokie bary zapaśnika i mierzył metr dziewięćdziesiąt wzrostu. Nosił eleganckie ubrania i jedwabne koszule, które wysyłał do prania w Hongkongu. Używał wyłącznie kapeluszy z najdelikatniejszego filcu lub słomkowych z Florencji, wszystkie jego buty były zrobione ze skóry najlepszej jakości, a na kamizelce miał przyczepiony ciężki złoty łańcuch z zegarkiem, który należał wcześniej do Filipa Orleańskiego. Na palcu serdecznym lewej ręki nosił diament wielki jak czereśnia. Poza tym pił tylko szampana, nigdy Minnie Kiss czy Total Destruction, sprowadzał świeże ostrygi z San Francisco i miał dziesięć koltów przyozdobionych inicjałami i nieprawdopodobnym herbem. Jego imię, nie trzeba dodawać, było nie bardziej autentyczne niż imię przybrane przez Anastasię, i krążyły na jego temat niezbyt pochlebne plotki. Że w wieku osiemnastu lat uciekł ze swego rodzinnego miasta, Marsylii, by uniknąć zemsty trzech typów, którym ukradł portfele i żony. Że na pirackim statku dotarł do Nowego Orleanu, gdzie zajął się przemytem kubańskich cygar. Że w czasie wojny secesyjnej przez dwa lata walczył w wojsku konfederatów, z którego zdezerterował, aby handlować z Jankesami. Że do Newady przybył, umykając przed agentami federalnymi, którzy oskarżali go o malwersacje w dostawach rządowych. Że w Virginia City oszukiwał bank oraz innych graczy, używając sfałszowanych kości albo asa ukrytego w rękawie lub w kieszeniach. Anastasia poznała go wiosną 1866 roku w Silver Terrace i także zakochała się w nim bez pamięci, co nie zdarzyło się jej, jak pamiętamy, od czasu historii z Bezimiennym. Ślub, udzielony przez pijanego sędziego, odbył się pod warunkiem, że małżonkowie nie zdecydują się na potomstwo. Ceremonia była dość pobieżna.

— *Do you want him?* Chcesz go?
— *Yes!*
— *Do you want her?* Chcesz ją?
— *Yes!*
— *It's done, one dollar.* Załatwione, należy się jeden dolar.

Szczegół, nad którym dziadek Antonio bardzo się rozwodził i w który nikt w rodzinie nie wierzył. (Tymczasem na Dzikim Zachodzie często tak się to odbywało. W większości przypadków sędzia nie pytał nawet o imiona małżonków). Miesiąc miodowy spędzili w International Hotel i Napoleon wykorzystał ten czas na nauczenie Amandy sztuki oszukiwania w grze w karty. Dla kobiety było to zadanie dość trudne, bo nie mogła przecież ukryć asów w kieszeniach kamizelki ani w rękawach surduta (obnażone plecy i ramiona, gładki, przylegający gorset). Ona jednak nauczyła się trzymać je w dekolcie lub pod podwiązką i wyciągać je stamtąd z zadziwiającą zręcznością. W rezultacie w mgnieniu oka stworzyli niezrównaną parę najzręczniejszych oszustów, jacy kiedykolwiek grasowali w Newadzie. Byli także razem bardzo szczęśliwi. Jeździli czterokonną karetą powożoną przez woźnicę w liberii. Mieszkali w *mansion*, willi w parku na wzgórzu. Mieli garderobę godną lorda Brummela i hrabiny Castiglione i byli w sobie zakochani do szaleństwa. „O tak, zgadzali się w każdej rzeczy", wzdychał dziadek Antonio, zazdrosny o wszystkich kochanków, którzy go poprzedzili. Sielanka trwała jednak krótko.

Pewnej tragicznej jesiennej nocy Napoleon dał się przyłapać na wyciąganiu asa kierowego z kieszeni kamizelki i... bang! Niejaki Joe the Speedy, nazywany tak z powodu szybkości, z jaką naciskał na spust swego remingtona, wysłał go na tamten świat. *Madame Le Roi* została wdową i...

Jeśli wierzyć aluzjom i wzmiankom, w tym przypadku nie tylko nie skąpym, ale wręcz przeciwnie, obszernym i obfitującym w szczegóły, później wypadki potoczyły się w następujący sposób. Szybki Joe został aresztowany i postawiony przed sądem, ale ława przysięgłych, przekupiona dziesięcioma laskami srebra, uznała go za niewinnego. Po zwolnieniu zaczął rozpowiadać, że Napoleon był nieudacznikiem, nie umiał nawet dobrze oszukiwać, i oburzona Anastasia wyzwała go na pojedynek. Na prawdziwy pojedynek w obecności sekundantów, chirurga i drugiego chirurga. Przesłała mu wyzwanie, napisane zgodnie z regułami narzuconymi przez kodeks honorowy, którego w Virginia City nikt nie przestrzegał. „Sir! Wyzywam pana do zdania sprawy z nikczemnych oszczerstw, jakimi plami pan pamięć mego męża, przez pana tchórzliwie zastrzelonego. Proszę wskazać mi dzień oraz miejsce, jakie panu odpowiadają, oraz nabyć sobie kwaterę na cmentarzu". Szybki Joe odpowiedział szyderczo, że nie bije się z kobietami, dlatego też Anastasia przebrała się za mężczyznę. Zasłoniła twarz, zebrała odrośnięte już włosy pod czapką, włożyła za pas jeden z koltów z inicjałami i nieprawdopodobnym herbem, po czym udała się na poszukiwanie zuchwalca, który siedział w jakimś odrażającym barze. Nadając swemu głosowi męskie brzmienie, sprowokowała go pozornie bez powodu. *„Get outside and face me, if you have the guts.* Wyjdź na zewnątrz i zmierz się ze mną, jeśli wystarczy ci odwagi. *One single shot*, tylko jeden strzał". Przekonany, że chodzi o jakiegoś pijanego i niedoświadczonego młodzieniaszka, Szybki Joe wyszedł na ulicę. Razem udali się na B Street, na której rozwiązywano spory i wyjaśniano różnice zdań za pomocą rewolweru lub strzelby. Tutaj ustawili się w odległości pięćdziesięciu kroków jedno od drugiego i stojąc w rozkroku, patrząc sobie w oczy, z rewolwerem jeszcze w kaburze, przygotowali się do strzału. Dokładnie tak jak w westernach. Na chodniku zgromadził się tłum gapiów, mówił dziadek Antonio. Z każdej spelunki, domu gry, zajazdu i saloonu wysypali się ciekawscy, żeby obejrzeć widowisko. Naturalnie wszyscy sądzili, że Szybki Joe zlikwiduje przeciwnika w mgnieniu oka. Tymczasem na ułamek sekundy, zanim wyciągnął swojego remingtona, młodzieniaszek wymierzył z kolta i wpakował mu kulkę prosto w czoło, wysyłając go na tamten świat. Następnie podszedł do trupa, odsłonił twarz, wytrząsnął długie włosy spod czapki: „Żałuję tylko, że umarł, nie wiedząc, kim jestem". W rezultacie obniesiono ją w triumfie. „Hurrah-for-Amanda! Niech-żyje-Amanda!". Ofiary asów ukrytych w dekolcie i pod podwiązką przyłączyły się do chóru, szeryf odmówił aresztowania jej, sędzia postawienia jej przed sądem. „She shot in self-defence. Strzeliła w samoobronie". Zaczęły się znowu sypać propozycje małżeństwa i wyrazy uwielbienia. Ona jednak wszystkim odmówiła „Sorry, nigdy już nie wyjdę za mąż". Co więcej, aby przeżyć do głębi swą żałobę, zrezygnowała z luksusów, z willi na wzgórzu, z czterokonnej karety powożonej przez woźnicę w liberii. Zatrzymała tylko garderobę godną hrabiny Castiglione i w niej zabrała się do samodzielnej kariery szulera. „I can do it". Potem jednak zorientowała się, że sama nigdy nie będzie w stanie osiągnąć takich zarobków jak w parze ze swym mistrzem, i zmieniła zawód. Stała się krupierem, a raczej dealerem banku gry w faraona. Naturalnie po to, by znaleźć nowe ofiary. „It's time to start all over again. Czas zacząć wszystko od nowa".

Na Dzikim Zachodzie kobiety krupierki cieszyły się wielką popularnością. Jeśli były piękne, eleganckie, miały temperament i mówiły z francuskim akcentem, gwarantowały sukces jaskini gry lub saloonu. Co do faraona, był on ulubioną grą górników. Bardziej niż o grę chodziło o prymitywny hazard, rodzaj uproszczonej ruletki, która nie wymagała od graczy ani inteligencji, ani pamięci, ani stylu. Grało się chaotycznie, wszyscy stłoczeni przy długim stole podzielonym linią na dwie części, tak zwane *right-side* i *left-side*, prawa i lewa strona. Wzdłuż linii kładziono stawki, a bankier stojący u szczytu stołu wyciągał dwie zakryte karty z podwójnej talii i odkrywał jedną po lewej, a drugą po prawej stronie. Jeśli wyższą wartość miała ta po prawej, wygrywali gracze z prawej strony stołu. Bank wypłacał wygrane stosowne do stawek i zabierał stawki z drugiej strony stołu. Tak samo, jeśli wyższą wartość miała karta po lewej. Jeśli obie karty miały taką samą wartość, bank zabierał wszystkie stawki. Zatem jeśli bankier był uczciwy, możliwości wygranej były spore. W przypadku nieuczciwego bankiera, czyli uczennicy Napoleona Le Roi — prawie żadne. Kunszt nieuczciwego krupiera nie polegał tylko na położeniu niższej karty po tej stronie stołu, na której znajdowały się mniejsze stawki, ale także na częstym wyciąganiu dwóch kart tej samej wartości. By tego dokonać, musiał wiedzieć, co wyciąga z podwójnej talii, a w tej sztuce Anastasia była niedościgniona. Dlaczego? Bo nie tylko odwracała uwagę biednych górników swoim miękkim *r*, swoją elegancją i urodą, ale też ścierała sobie skórę z opuszków wskazującego i środkowego palca. W ten sposób stawały się one niezwykle wrażliwe, i dotykiem mogła rozpoznać numery, figury, kolory. To jest-trzy, to-jest-pięć, to-jest-siedem. To-as, to-walet, to-król, to-królowa. To-kier, to-trefl, to-karo, to-pik... Nie myliła się nigdy. Nigdy! Dzięki jej opuszkom bank zawsze wygrywał. Nie bez powodu domy gry i saloony walczyły o nią, proponując jej coraz wyższe wynagrodzenia i procenty od wygranych, a ona przenosiła się dość często z jednego do drugiego miejsca. Zaczęła od Silver Terrace, potem szybko przeszła do Golden Terrace. Z Golden Terrace do Paradise Corner. Z Paradise Corner do Opera House. Z Opera House do Palace Julii Boulette, Kreolki wzbogaconej na dochodowym burdelu, w którym wydawało się nawet tysiąc dolarów w jedną noc. U Julii Boulette Anastasia dostawała zawrotną prowizję czterdziestu procent od zysku i pod koniec 1867 roku zebrała już tak znaczny kapitał, że gdyby tylko chciała, mogłaby wykupić jej burdel. Potem biedna Julia została uduszona i obrabowana z klejnotów przez górnika rozwścieczonego przegraną. Uczennica Napoleona Le Roi zrozumiała, że nadeszła chwila, by zmienić klimat, i na początku 1868 roku znowu wsiadła do dyliżansu. Udała się do San Francisco, gdzie mieszkała aż do 1878 roku. Okres ten dziadek Antonio nazywał czasem Wielkiej Tajemnicy i... trzeba tu wyjaśnić jedną ważną rzecz.

Dwadzieścia jeden lat wcześniej San Francisco nie istniało. Było małą kalifornijską wioską (wówczas należącą do Meksyku), której jedynymi atutami były rajski klimat, zarówno w zimie, jak i w lecie, oraz strategiczne położenie nad wspaniałą zatoką, stanowiącą naturalny port. Mieszkało tam dwustu Indios sterroryzowanych przez alkada, który uważał się za niezależnego władcę, pięćdziesięciu franciszkańskich mnichów z misji założonej w 1776 roku oraz marynarze z posterunku zainstalowanego w czerwcu 1846 roku przez rząd w Waszyngtonie, przybyli na historycznej korwecie „Portsmouth". Osada nosiła wtedy jeszcze miano Yerba Buena. Zawdzięczała tę nazwę krzakom mięty, które rosły wzdłuż wybrzeża i wydzielały mocną, aromatyczną woń. Dopiero w 1847 roku alkad przemianował ją na San Francisco, a w prawdziwy ośrodek miejski zaczęła się zmieniać w roku 1849, to znaczy w czasie gorączki złota. Początkowo było to raczej skupisko chat i namiotów wzniesionych dla hołoty, flibustierów, wyrzutków i przestępców, przybywających gromadnie statkami z Australii, Ameryki Południowej, Azji, Europy — zewsząd, gdzie znajdowali się młodzi, przedsiębiorczy ludzie marzący o zrobieniu fortuny. W ciągu kilku miesięcy zjawiło się ich kilkadziesiąt tysięcy. Wszyscy dwudziesto- i trzydziestoletni, najwyżej czterdziestolatkowie. Bez kobiet, bez rodziny, w wielu przypadkach ci sami, którzy w 1859 roku, to znaczy w czasie gorączki srebra, mieli przemierzyć Sierra Nevada, by rzucić się do kopalń w Comstock. Innymi słowy, San Francisco rozwinęło się z dziesięcioletnim wyprzedzeniem w taki sam sposób i z tymi samymi mieszkańcami co Virginia City. Jednak z jedną zasadniczą różnicą. Do Virginia City kobiety przybyły z dużym opóźnieniem i były traktowane jak królowe, które można poślubić, uwielbiać, szanować. W San Francisco natomiast pojawiły się od razu, aby sprzedawać swe wdzięki w burdelach, lupanarach, domach uciech. Przybywały z Francji, gdzie rząd nowo powstałej republiki ustanowił loterię, w której nagrodą dla prostytutek była darmowa podróż na parowcach płynących do Kalifornii. Były kupowane w Chinach, gdzie za piętnaście lub trzydzieści dolarów rodzice sprzedawali je handlarzom żywym towarem. Porywano je w Chile, Brazylii, Peru, gdzie nie kosztowały nic. Albo też rekrutowano je w miastach spoza Missouri i Missisipi: w Nowym Jorku, Nowym Orleanie, Bostonie, Chicago. Masowo. Niewolnice lub wolontariuszki, amatorki i profesjonalistki. Były rzeczywistością bardziej atrakcyjną niż małżeństwo. Znajdowało to także odbicie w obfitości określeń w innych miejscach unikanych lub przemilczanych, a w San Francisco wymawianych głośno i używanych w prasie. *Whores, harlots, courtesans, magdalenes*. Kurwy, ladacznice, kurtyzany, magdalenki. A także *lovely-ladies, filles-de-joie, girls--in-full-bloom*. Piękne panie, córki uciech, panienki w rozkwicie. W 1868 roku San Francisco było najważniejszym miastem trzydziestego pierwszego stanu, czyli Kalifornii: stupięćdziesięciotysięczną metropolią, podlegającą prawom stanowym i federalnym, a także podporządkowaną surowej wiktoriańskiej moralności. A jednak prostytucja wciąż była jego cechą wyróżniającą. „O ile Virginia City jest stolicą szulerni, rozwodów, strzelanin, San Francisco to ojczyzna kurw" — pisze dziennikarz z tej epoki. — To prawda, jest tu także trochę uczciwych kobiet. Ale mało, bardzo mało".

Koniec wyjaśnienia i pora przejść do konkluzji, która łamie mi serce.

16

„Nie wiem nawet, czy w San Francisco używała imienia Amanda Gautier czy Amanda Le Roi, czy wyszła ponownie za mąż, czy zadowoliła się kochankami, czy zmieniła zawód, czy też dalej ścierała sobie opuszki środkowego i wskazującego palca — burczał dziadek Antonio. — Na temat tego przeklętego dziesięciolecia nie chciała nic powiedzieć i tylko jeden raz coś niecoś o nim zdradziła. Było to wtedy, kiedy zapytałem, gdzie nauczyła się palić. Gdy spotkaliśmy się po raz pierwszy, paliła jednego papierosa za drugim. Bez przerwy. Nauczyłam się w San Francisco, odpowiedziała, od hrabiny domu. Wtedy zapytałem, jaka hrabina, jaki dom, i ku memu zdumieniu pozwoliła sobie na chwilę gadatliwości. Po przyjeździe do San Francisco, wyjaśniła, zatrzymała się w hotelu *à la page*. Poznała tam hrabinę, znaną w przeszłości hazardzistkę. Była to francuska hrabina, tak mi się wydaje, nazywała się Dumont, paliła jak piec, a złośliwcy nazywali ją *Madame* Moustache, Pani Wąsy. Poczuły do siebie wielką sympatię i z okazji dwudziestych drugich urodzin Anastasii hrabina wydała wielkie przyjęcie we wspaniałej rezydencji, którą miała w dzielnicy willowej. Był to dom z ogromnymi salonami, ośmioma pokojami gościnnymi, pełen służby i urządzony z wielkim przepychem. Adamaszkowe zasłony, koronkowe firanki, orientalne dywany. Gazowe żyrandole, srebrne kandelabry, zawsze świeże kwiaty w wazonach, pianino i harfa. Potem hrabina wyjechała. Wyjeżdżając, przekazała młodej przyjaciółce willę z całym wyposażeniem, włączając w to służbę. Anastasia zamieszkała tam więc i zaczęła prowadzić życie na wysokiej stopie. Bale i przyjęcia, na które zapraszała bankierów, miliarderów, znanych polityków, przyjaciółki niemal równie eleganckie i piękne jak ona. Menu przygotowywane przez słynnych szefów kuchni, wieczory, w czasie których szampan płynął strumieniami i spożywano kawior na kilogramy. Błyskotliwa konwersacja, klejnoty, perfumy. Nie bez powodu Anastasię nazywano z francuska *madame*, z *e* na końcu.

Tu jednak przerwała krótką opowieść i nigdy się nie dowiedziałem, w jaki sposób opłacała te kosztowne kaprysy. Zgromadziła wielki majątek w Virginia City? W San Francisco stała się utrzymanką jakiegoś krezusa? Tajemnica, powiadam ci, tajemnica".

Tajemnica? Być może moja konkluzja jest oszczercza i nikczemna. Być może pewnego dnia będę się jej wstydzić i poproszę Anastasię (i siebie) o wybaczenie. To moje życie nie było zwykłą egzystencją, dlatego nie mam prawa oceniać go według standardowych norm moralności. Miarką przykładaną przez hipokrytów i miernoty. Ale inaczej niż dziadek Antonio, zbyt naiwny i zbyt zakochany, by wyciągnąć wnioski z pewnych informacji, obawiam się, że zrozumiałam aż nazbyt dobrze to, czego on nie zrozumiał. Obawiam się, bo ta krótka opowieść nasuwa smutne podejrzenia, wzmocnione konkretnymi szczegółami. W San Francisco tytułem *madame* (z francuskim *e* na końcu) nie określano kobiety godnej szacunku, lecz właścicielkę *parlor-house*. A *parlor-house* nie miał dzisiejszego znaczenia, które dosłownie można by przetłumaczyć jako dom-salon. Oznaczał bowiem dom uciech, luksusowy burdel. Poza tym *parlor-house* wyglądały właśnie tak jak *mansion* oddana przez francuską hrabinę Anastasii. Takie same firanki, zasłony, dywany. Takie same żyrandole, kandelabry, wazony z kwiatami, pianino i harfa. Na parterze salony do przyjmowania „gości", na pierwszym piętrze sypialnie do zabawiania ich w łóżku. Wszystko w wielkim stylu. W istocie, kiedy mowa o *parlor-house*, nie należy sobie wyobrażać obskurnego burdelu z wesołymi panienkami, które za pięć centów zaspokajają w pięć minut zachcianki klientów. To rodzaj eleganckiego klubu, w którym niewielkie grono kurtyzan biegłych w sztuce pochlebiania, pocieszania, uwodzenia umila gościom czas wszelkiego rodzaju przyjemnościami, proponując im seks, relaks, konwersację, muzykę, napoje i wykwintne posiłki. Co do *madame*, to czytając kroniki z Dzikiego Zachodu, odkryłam, że chodziło o grzesznice szczególnego rodzaju. Przede wszystkim one same nigdy się nie prostytuowały. Miały mężów lub protektorów, którym były bezwzględnie wierne, a często nawet żyły w celibacie. Poza tym prawie zawsze były piękne i młode. Na ogół debiutowały w zawodzie w wieku około dwudziestu lat i przechodziły na emeryturę około trzydziestki. Na koniec, musiały być inteligentne, mieć autentyczną klasę, zarządzać pieniędzmi z wprawą biznesmena i kierować przedsiębiorstwem z taktem dyplomaty. Na przykład organizując wydarzenia towarzyskie: wieczory z kawiorem i szampanem, im kosztowniejsze, tym bardziej podnoszące renomę miejsca. A także poprzez kontrolę, selekcję klientów, którymi trzeba było często pokierować. Bo oczywiście jeśli zjawiał się jakiś nieokrzesany gbur z kieszeniami pełnymi pieniędzy, nie odganiały go od progu. Zawierzały go usługom kamerdynera, który mył go, czesał, golił, elegancko ubierał i udzielał szybkiej lekcji dobrych manier. Żadnych przekleństw, żadnego plucia, dłubania w nosie, wulgarnych komplementów czy klepania po tyłku. („*Here vulgarities are not admitted*. Brak manier nie jest tu tolerowany" informowała tabliczka na drzwiach). Przede wszystkim jednak, czytając te kroniki, odkryłam, kim była hrabina lub raczej rzekoma hrabina, którą złośliwi przezywali *Madame* Moustache. Nazywała się Irene McCready *alias* Eleonora Dumont — jedna z pierwszych właścicielek *parlor-house* w San Francisco.

Potwierdzają to niestety nawet historycy prostytucji. W 1849 roku, podają, w San Francisco zjawiła się brunetka o imieniu Irene McCready, mająca około dwudziestu trzech, dwudziestu czterech lat, sprytna i bardzo ładna. Pochodziła z Nowego Jorku, gdzie zbiła niezłą fortunkę na grze hazardowej. Podróżowała wraz ze swym kochankiem, Jamesem McCabe'em, zawodowym szulerem, i odznaczała się niezwykłym u kobiet nałogiem: paliła bez umiaru, cokolwiek wpadło jej w ręce. Papierosy, cygara, fajkę. Wynajęła nowo zbudowany dwupiętrowy dom na Washington Street z licznymi sypialniami na piętrze. Urządziła go z wykwintnym przepychem, po czym zainstalowała tam siedem francuskich pięknotek, pianino i harfę. Kazała wydrukować pięćdziesiąt zaproszeń i wysłała je do najbogatszych i najbardziej wpływowych mężczyzn w mieście, między innymi do burmistrza, komisarza policji, sędziego i różnych bankierów. Zaproszenia podpisane „Hrabina Eleonore Dumont" informowały o inauguracji Parisian Mansion, czyli *parlor-house*, a kto nie wiedział, co to takiego, zrozumiał zaraz po wejściu. To było coś zupełnie innego niż portowe lupanary i obskurne burdele, gdzie zadowalałeś się pospiesznym numerkiem za pięć centów. Wszystko tam było eleganckie i wykwintne, włącznie z właścicielką ubraną w wieczorową suknię i podejmującą gości u boku Jamesa McCabe'a. Wieczorowo ubrane były także jej francuskie pięknotki. Jedna z nich grała na pianinie, inna na harfie, pozostałe śpiewały słodkie ballady lub prowadziły konwersację tak błyskotliwą, że burmistrz zawołał: „Hrabino, mam wrażenie, że obcuję z dziewczętami z towarzystwa!". Pochwała, na którą ona odpowiedziała wyniośle: „Sir, jedyna różnica między moimi dziewczętami a dziewczętami z dobrego towarzystwa jest taka, że moje są piękniejsze, bardziej wykształcone i bardziej szykowne". Kolacja była wyśmienita, menu lekkostrawne, wina schłodzone do właściwej temperatury i naturalnie do sypialni goście zostali zaproszeni gratis. (Świetnie wykonana praca, w której hrabina nie miała żadnego udziału. *„Please forgive me, I only sleep with my lover.* Proszę wybaczyć, sypiam tylko z moim kochankiem"). Od następnego dnia przedsiębiorstwo zaczęło działać normalnie. Cena — dwanaście uncji złota, czyli dwieście dolarów (bez trunków) za wieczór. Osiemnaście uncji, czyli trzysta dolarów za noc. Sukces był natychmiastowy i interes kwitł, dopóki Irene McCready *alias* Eleonore Dumont nie abdykowała, rozgoryczona zdradą McCabe'a i obrażona na imitującą ją niejaką Belle Corę. Wraz z pianinem i harfą przeprowadziła się do Virginia City, a następnie do Montany, gdzie wróciła do hazardu. W 1867 roku pojawiła się jednak znowu. Kupiła trzypiętrowy dom na Kearney Street, urządziła go z takim samym przepychem jak poprzedni, zwerbowała osiem francuskich piękności i znowu otworzyła Parisian Mansion.

Niestety miała już czterdzieści lat i nad górną wargą wyrósł jej ciemny meszek, którego nie depilowała. Obrażony klient przemianował ją na *Madame* Moustache i prześladowana tym szyderczym przezwiskiem w 1869 roku opuściła San Francisco, zostawiając dom swej młodej przyjaciółce. Zamieszkała w Sacramento, w którym 19 września 1879 roku gazety doniosły: „Wczoraj na drodze, około mili od miasta, znaleziono ciało pięćdziesięcioletniej Eleonore Dumont. W prawej ręce denatka ściskała fiolkę z trucizną i koroner uważa, że zgon należy potraktować jak samobójstwo". O tak, moje podejrzenia, obawy, niepewność, w rzeczywistości są bolesną pewnością i jedyne pytanie, jakie można sobie zadać, to czy Anastasia dowiedziała się kiedykolwiek o tym samobójstwie. Czy w następnym dziesięcioleciu wpłynęło ono w jakiś sposób na jej decyzję, by podarować sobie przedwczesną śmierć? Ale odpowiedzi nigdy nie poznam, zważywszy, że San Francisco i w ogóle Amerykę opuściła na rok przed tym, jak Irene McCready alias Eleonore Dumont odebrała sobie życie. Zresztą moja najważniejsza wątpliwość dotyczy w tym miejscu czego innego.

W roku wyjazdu Anastasia miała trzydzieści dwa lata. Wciąż jeszcze była przepiękna. Być może nawet piękniejsza niż wtedy, gdy Bezimienny stracił dla niej głowę. Jej rysy stały się bardziej wyraziste, jej fascynujący urok nabrał nowego wymiaru. Stał się urokiem kobiety, która wiele przeżyła i zbyt wiele widziała, w rezultacie patrzyła na dobro i na zło z wyrozumiałym lub rozbawionym dystansem i nie potrzebowała urody czy modnych toalet, by uwodzić mężczyzn. (Trudu tego zresztą nie zaniedbywała. Krynoliny przestały być już modne, nosiła teraz spódnice przylegajace na biodrach, spiętrzone z tyłu na tiurniurze i z wielką kokardą. Zakładała urocze kapelusze z woalką i zdobione piórami, buciki z obcasem wysokim na sześć czy siedem centymetrów. Stroju dopełniały wykwintne koronkowe parasolki i eleganckie torebki wykończone złotem lub srebrem. Żadnych smithów-wessonów, żadnych koltów czy męskich ubrań). Poza tym była bogata. Dużo bogatsza, niż kiedy przybyła. Oprócz domu posiadała akcje Central Pacific i Union Pacyfic, dwóch transkontynentalnych linii kolejowych, co pozwalało jej na różne ekstrawagancje, na przykład na wykupienie na stałe loży w operze. Na koniec stała się osobą wpływową. Status, który, jak sądzę, zawdzięcza podejmowaniu w swym domu osobistości ze świecznika, a zatem łatwych do zaszantażowania. Poza tym San Francisco podobało się jej. W 1878 roku było perłą Kalifornii i całego Zachodu. Nazywano je Paryżem Pacyfiku i awanturnice wszelkiego rodzaju prosperowały w nim bez przeszkód. Mogłaby tam więc dalej mieszkać. Zestarzeć się, zakończyć swoją podróż w Czasie. Dlaczego postanowiła wyjechać, wrócić do Ceseny, do małego prowincjonalnego miasta, w którym przeżyła największy dramat swego życia? Co ją skłoniło do podjęcia tej decyzji? Natrętny amant, niebezpieczny protektor? Krach finansowy, problemy prawne? A może ogarnęło ją wreszcie obrzydzenie do zawodu, który, o ile moje przypuszczenia są słuszne, dawał jej dużo pieniędzy za cenę wielkiego wstydu? Każde z tych przypuszczeń może być prawdziwe. Ja jednak sądzę, że przyczyną tej kolejnej ucieczki była brzydka dziewczynka porzucona na kole przytułku, nieprzeparty zew macierzyństwa, tak długo odrzucanego i tłumionego pod warstwami buntu. Po urodzeniu Giacomy nigdy nie zaszła już w ciążę. („Nigdy. Za każdym razem udało mi się tego uniknąć. Przysięgam", wyznawała dziadkowi Antoniowi). Nigdy nie poznała miłości dziecka i miłości do dziecka, które byłoby owocem jej łona. A z instynktem macierzyńskim nie ma żartów. To prawda, czasami nie istnieje, i jego brak prowadzi do przerażających przestępstw: zabijania, wyrzucania na śmieci noworodków, okrucieństw, za które żadna kara nie jest wystarczająca. Czasami milczy i objawia się zaniedbaniem lub porzuceniem. Gdy milczenie jednak ustępuje, instynkt ten objawia się z ogłuszającą siłą. Niczym trzęsienie ziemi poruszające góry, zmieniające bieg rzek i topografię oceanów. Wszystko wtedy staje się możliwe. Wszystko. Nawet porzucenie przez Anastasię San Francisco i powrót do Ceseny.

Tym razem do Nowego Jorku podróżowała pociągiem, objuczona kuframi. Kolej transkontynentalna, ukończona w 1869 roku, była dumą Stanów Zjednoczonych. Podróż z San Francisco do Nowego Jorku trwała tylko tydzień, w dodatku bez żadnych zmian pociągu. W przeszłość odeszły drewniane ławki, siedzenia tylko jednej klasy. Dysponując odpowiednimi finansami, można było odbyć podróż w wygodnym wagonie sypialnym, w którym przedziały przypominały pokoje hotelowe. Obszerne łóżka z drewna zdobionego mosiądzem, miękkie materace, łazienki, saloniki, nienaganna obsługa. Naturalnie Anastasia kupiła bilet na wagon sypialny i z okien swego przedziału ponownie ujrzała tereny, które jako dziewiętnastolatka przemierzyła niewygodnym dyliżansem. Bezkresne pustynie, bezmierne równiny, niedostępne góry, wąwozy, w których Apacze, Arapaho, Komancze i Siuksowie na próżno bronili jeszcze swych ziem sprofanowanych przez „blade twarze", przez cynizm postępu i zachłanność jego wyznawców. Tocząc się zwycięsko po szynach, które pariasi z całego świata ułożyli, często z narażeniem życia, za płacę kilku dolarów za tydzień, pociąg przejechał także przez Salt Lake City, gdzie Rebecca zmarła zaraz po udzieleniu Anastasii pomocy w ucieczce i gdzie Lydia wciąż jeszcze zastanawiała się, co się stało z narzeczoną jej męża. (Marianne nie wróciła więcej do miasta. Całkowicie stłamszona przez pana Daltona, który nigdy nie otrząsnął się z doznanego upokorzenia i nie wziął już żadnej nowej żony, mieszkała w Rockville, rodząc kolejne dzieci). Anastasia przejeżdżała także wzdłuż szlaku, na którym trafiony strzałą porucznik skonał, szepcząc: *Miss-Demboska-I-love-you*, i gdzie ona, zrywając sobie perukę z głowy, skłoniła do ucieczki Indian. Przejechała przez Saint Joseph, gdzie w ciągu dwóch dni szaleńczej namiętności Dziki Bill nauczył ją strzelać i gdzie w obawie przed oskalpowaniem zgoliła włosy. Zastanawiam się, jak się czuła, o czym myślała, mijając w odwróconym porządku etapy swej podróży. Ale nie mam na czym oprzeć swoich domysłów, nie zachowałam żadnych wspomnień w mej genetycznej pamięci. Kiedy próbuję je pobudzić, odnajduję tylko obraz uwodzicielskiej kobiety, która siedząc na fotelu w wagonie sypialnym, pali jednego papierosa za drugim, podczas gdy jej nieprzenikniony wzrok prześlizguje się po krajobrazie za oknem. W Nowym Jorku (jeden z nielicznych szczegółów, o których wspominała) zatrzymała się w Fifth Avenue Hotel i zatroszczyła tylko o przesłanie do Ceseny wiezionych z sobą pieniędzy, dwudziestu tysięcy dolarów, odpowiadających stu tysiącom lirów, po czym zamknęła się w pokoju. Pozostała tam przez czterdzieści osiem godzin, nie próbując się z nikim kontaktować. Nie poszła nawet na Irving Place, do domu, w którym została tak serdecznie przyjęta, żeby przywitać się z Louise i Johnem Nesimi, poprosić ich o wybaczenie. (Zabrakło jej odwagi? To możliwe. Odwaga objawia się na dziwne sposoby. Może rozpalić się jasnym płomieniem, gdy musisz walczyć z Indianami lub wyzwać na pojedynek Szybkiego Joego, i może też zniknąć, kiedy trzeba kogoś przeprosić). Żeby nie natknąć się na któregoś ze znajomych, nie schodziła nawet na posiłki do restauracji. Po czterdziestu ośmiu godzinach kazała załadować kufry do powozu i ukryta pod kapeluszem z opuszczonym rondem pojechała na molo Hudson River. Z amerykańskim paszportem wystawionym na Anastasię Le Roi wsiadła na parowiec płynący do Genui. Przepłynęła przez Atlantyk, wróciła po cichu do Włoch.

* * *

We Włoszech wiele się w tym czasie zdarzyło. Rzeczy, o których ona nie wiedziała lub tylko słyszała pobieżnie, czytając w gazetach jakieś lakoniczne wzmianki o Europie. W 1866 roku, po zawarciu potajemnego sojuszu z Prusami, wybuchła trzecia wojna o Niepodległość i Włosi zostali znowu pokonani przez Austriaków pod Custozą, potem pod Lissą, na Adriatyku. Jednocześnie wybuchła wojna między Austrią a Prusami. Prusy wygrały i Austriacy musieli oddać region Wenecji, który po plebiscycie wrócił do ojczyzny. Wydarzenie, przez które stosunki między byłymi uciśnionymi a uciskającymi uległy całkowitej zmianie: w 1873 roku Wiktor Emanuel II udał się z wizytą do Wiednia, gdzie Franciszek Józef przyjął go jak brat brata, a w 1875 roku Franciszek Józef rewizytował go w Wenecji, gdzie został przyjęty przez Wiktora Emanuela, bankietami, balami i oklaskami. „Spory przeszłości odeszły w niepamięć". (Tak się świat toczy, moje dzieci. Kto umarł, Bóg z nim. Kto żyje, cieszy się chwilą). Również w wyniku kaprysu Historii, która co jakiś czas zmienia przyjaciół we wrogów, a wrogów w przyjaciół, do Włoch powrócił ostatni skrawek ziemi pozostający w rękach obcej władzy i teraz stolica nie znajdowała się już we Florencji, lecz w Rzymie. W 1867 rzymscy patrioci wzniecili powstanie. Garibaldi udał się im na pomoc, ale pod Mentaną został pokonany przez Francuzów Napoleona III (protektora Piusa IX), którzy uzbrojeni w ładowane odtylcowo karabiny Chassepot odparli jego wolontariuszy dysponujących starymi skałkowymi muszkietami. W 1870 roku Napoleon III jednak wycofał z Włoch swój kontyngent i wdał się w wojnę z Prusami. Wzięty do niewoli pod Sedanem, przegrał zarówno wojnę, jak i tron. W rezultacie rząd włoski postanowił zająć Rzym i wojska generała Cadorny wkroczyły tam po wystrzeleniu zaledwie kilku salw artyleryjskich, zmuszając papieża do zadowolenia się obszarem połowy kilometra kwadratowego. (W wyniku tych wydarzeń ogłoszono amnestię, dzięki której Mazzini, przybyły miesiąc wcześniej z Londynu, aresztowany w Palermo i uwięziony w Gaecie, nie musiał ponownie udawać się na wygnanie).

Co do polityki wewnętrznej, też sporo się działo — jeśli tak jak Anastasia nie śledziło się na bieżąco wydarzeń, trudno było coś z nich zrozumieć — dobrze zorganizowane związki robotnicze, masowe strajki w celu wymuszenia podwyżki płac i ograniczenia czasu pracy, dzikie kłótnie między wyznawcami i sympatykami nowej wiary, wielbicielami dwóch nowych mesjaszy, Marksa i Bakunina. W 1871 roku Francja znów stała się republiką po krwawym stłumieniu próby rewolucyjnego przewrotu Komuny Paryskiej — trzydzieści tysięcy zabitych w osiem tygodni. Przerażony tym okrucieństwem, Mazzini odżegnywał się od Międzynarodówki, która pochwalała rewolucjonistów. Większość jego uczniów przyłączyła się do socjalistów Marksa lub anarchistów Bakunina. Anarchiści pod przewództwem Carla Cafiera zyskali przewagę i pomimo represji policyjnych wszystko zabarwiło się na czerwono. W 1876 roku lewica doszła do władzy i premierem został Agostino Depretis. Włochy zmieniły się nie do poznania, zresztą nie tylko od strony politycznej. Powstały nowoczesne fabryki, przemysł metalowy i mechaniczny, prowadzono prace inżynieryjne, szybko rozwijały się technologie. W 1871 roku otwarto tunel Frejus, pod górą w zachodnich Alpach, którą wcześniej trzeba było pokonać, aby dostać się z Piemontu do Sabaudii, a w 1872 tunel pod górą świętego Gotarda w Alpach Lepontyńskich, prowadzący do Szwajcarii. W 1876 roku zaczął działać omnibus, czyli tramwaj konny, który mógł pomieścić dwadzieścia cztery osoby. W 1877 roku helikopter na parę wybudowany przez Enrica Forlaniniego, przyszłego ojca hydroplanu, podniósł się w Mediolanie na trzynaście metrów i pozostał w powietrzu przez dwadzieścia jeden sekund. W tym samym roku przeprowadzono pierwsze udane eksperymenty z oświetleniem elektrycznym, cudownym wynalazkiem, którym chciano zastąpić lampy gazowe, oraz doświadczenia z innym wspaniałym urządzeniem, wymyślonym przez Antonia Meucciego, a potem bezkarnie skopiowanym przez Alexandra Bella: z telefonem (zwanym wtedy mówiącym telegrafem). Także w Mediolanie odbyła się historyczna rozmowa między strażakami z Palazzo Marino i tramwajarzami z Porta Venezia: „Halooooo! Naprawdę nas słyszycie?" „Tak, do cholery! Wydaje się, jakbyście byli obok naaaas!". Na koniec, oprócz *Tante* Jacqueline, zmarło wiele osób pośrednio i bezpośrednio związanych z przeszłością Anastasii. W 1871 roku odeszła Giudittà Sidoli, przyjaciółka, która poradziła jej urodzić w Cesenie i za pośrednictwem Valzanii pomogła jej uciec do Ameryki. W 1872 roku Giuseppe Mazzini. W 1873 roku Nino Bixio, Urbano Rattazzi i Gabrio Casati. Na początku 1878 roku Wiktor Emanuel II oraz, *dulcis*, a raczej *amaris in fundo*, Bezimienny. Tak, właśnie on. Zmarł w jednym ze swoich pięknych pałaców, nic nie wiedząc o losach dumnej dziewczyny, dla której w 1864 roku stracił głowę. I nie dbając o to, że spłodził z nią córkę, która dla świata miała pozostać dzieckiem nieznanego ojca, ale która od urodzenia była do niego podobna jak dwie krople wody. (Szczegół niezagrażający zresztą w niczym prestiżowi prawowitej małżonki i prawowitych spadkobierców. W owych czasach dociekanie ojcostwa było niedozwolone. Wzbraniał go artykuł 189 kodeksu cywilnego).

Ta druga „kropla wody" miała już prawie czternaście lat i mieszkała w Longiano, ładnym miasteczku dwanaście kilometrów od Ceseny, powstałym w trzynastym wieku we włościach rodziny Malatesta, położonym na wzgórzu, z którego rozciągał się jeden z najpiękniejszych widoków w Emilii-Romanii. Nie podejrzewając nawet, że po mieczu w jej żyłach płynie błękitna krew, harowała od rana do nocy i nosiła imię, co prawda w zitalianizowanej wersji, zasugerowane przez bilecik dołączony do niej, gdy została położona na kole. *„Je vous demande la courtoisie de l'appeler Jacqueline Ferrier"*. Wśród dokumentów przytułku Świętego Krzyża była w istocie karta z zapisem: „1 stycznia 1865 roku. Dzisiaj ja, don Giuseppe Biondi, ochrzciłem dziewczynkę, córkę nieznanych rodziców, porzuconą poprzedniej nocy w naszym przytułku. Na życzenie osoby, która ją porzuciła, nadałem jej imię Giacoma Ferrieri". Pod tym względem babci się udało. Nierzadko niemowlętom pozostawionym na kole nadawano hańbiące i wstydliwe nazwiska: Nieszczęśliwski, Nieznanowski, Nieprawski, Wyrzutkowski, Bękartowski, Bękarcik, Złowróżbnik... dziewczynki często dostawały dziwaczne lub szydercze imiona: Salomè, Cleopatra, Vereconda, Caia, Sempronia... Poza tym miała jednak niewiele szczęścia.

Wynika to z rejestru przytułku, w którym zapisywano jej miejsca pobytu, i z tego, co sama opowiedziała tego pamiętnego dnia, gdy wyznała mi imię mego szacownego pradziadka. W przytułkach, wyjaśniła, brakowało kobiecego mleka. Niańki wolały je oddawać niemowlętom bogatych dam, które nie miały ochoty karmić piersią, i w rezultacie podrzutki pojono często mlekiem kozim lub krowim, niewysterylizowanym, a nawet skwaśniałym. Ergo: w ciągu pierwszych dwóch dni życia babcia omal nie zmarła na dyzenterię. Niemal martwą 4 stycznia powierzono ją opiece stolarza Federica De Carli i jego żony Adelaidy, która dopiero co powiła trzecie dziecko, mogła więc karmić drugiego noworodka. De Carli zabrali babcię do Longiano, gdzie mieszkali przy via Santa Maria 25. Wyleczyli ją i trzymali u siebie przez dziesięć lat. „Za opiekę nad noworodkiem poza siedzibą przytułku płacono dwa i pół lira miesięcznie. Za dziecko odstawione od piersi dwa liry, i ewentualnie deputat w zbożu lub mące, oraz co roku ubranie wraz z butami. Za opiekę nad niepełnoletnim płacono jednego lira i przyznawano prawo do zatrudniania podopiecznego czy podopiecznej do robót domowych". W Longiano babcia poszła do szkoły. Nauczyła się czytać i pisać, chociaż, no cóż, służyło jej to tylko do uczenia się dogmatów wiary katolickiej. Federico i Adelaide, pobożni katolicy, wydawali co roku na świat dzieci, które Giacoma musiała myć, kołysać, nosić na ręku. Oboje byli do niej przywiązani i gdyby mogła, pozostałaby z tą rodziną na zawsze. Niestety, gdy skończyła dziesięć lat, władze przytułku zabrały ją od De Carlich i powierzyły parze starych wieśniaków, która nie mając własnego potomstwa, zgłosiła chęć jej adopcji. Byli to sześćdziesięcioletni Gaetano i Luigia Raggi, również z Longiano. Tyle tylko, że zamiast ją adoptować, kazali jej kopać ziemię, pilnować owiec, czyścić stajnie. Ta udręka trwała osiemnaście miesięcy, dopóki ksiądz odpowiedzialny za kontrolę adopcji nie zabrał jej, oburzony, z powrotem do sierocińca. Ale znowu, trzy tygodnie później, przytułek bezmyślnie powierzył ją niejakiemu

Poliniemu, kawalerowi z Ceseny, który potrzebował pomywaczki. Znosiła go z pokorą, dopóki w marcu 1878 roku nie uciekła
z płaczem i...

— Dlaczego uciekłaś z płaczem, babciu? — spytałam wtedy.

Spiorunowała mnie swoim jedynym okiem i w dialekcie,
w którym zaczynała mówić zawsze, gdy się zdenerwowała, odpowiedziała krótko.

— *Làssia perd*, daj spokój, *làssia*.

Potem oko trochę się uspokoiło.

— Ale nie Federico i Adelaide. Oni byli dla mnie mili. *I num
'mnevan mai e i num me manchevan mai ad respect*. Nigdy mnie nie
bili i nigdy mnie nie obrażali.

W Longiano zamieszkała znowu z małżonkami De Carli,
którzy ulitowali się i zabrali ją do siebie jako niańkę dla Vincenza,
szóstego dziecka, i dla urodzonej po nim Olindy. Żyła jako żarliwa
katoliczka i wszystko przyczyniało się do umocnienia jej w wierze.
Religijność rodziny. Obecność sanktuarium pod wezwaniem Świętego Krzyża, podobnie jak przytułek, z obrazem Chrystusa wielce
poważanym przez miejscową ludność, gdyż w 1493 roku jałówka
przeznaczona na rzeź do kuchni zakonników klękła przed nim
na przednich nogach i w rezultacie zamiast skończyć jako pieczeń
dokonała swych dni ze starości w oborze wypełnionej wotami. No
i przede wszystkim dom przy via Santa Maria 25. Rodzina De
Carlich mieszkała tuż obok maleńkiego trzystuletniego kościółka,
mieszczącego inny sensacyjny przedmiot kultu: wizerunek Matki
Boskiej, który w 1506 roku wylał kilkanaście łez i dlatego nazywany był Madonną Łez. Pozwalało to babci chodzić na mszę codziennie i codziennie spowiadać się, przyjmować komunię i odmawiać
Salve Regina u stóp tej, która zdaniem proboszcza uczyniła cud
wyrwania jej ze szponów Raggich, a potem Poliniego. Madonna
Łez bardzo się babci podobała. Miała pucołowate policzki, piękną
karmazynową suknię wyszywaną w gwiazdy, na prawym ręku dźwigała dzieciątko Jezus, a jej smutne oblicze tchnęło taką słodyczą,

że odmawianie *Salve Regina* kończyło się zawsze westchnieniem: „Ach, gdyby moja matka ją przypominała!".

Ale tego akurat jej prawdziwa matka, właśnie z powodu świętych i Matek Boskich, urodzona bez prawnej tożsamości i wychowana bez wiary w Boga, z całą pewnością nie mogła sobie wyobrazić. Wracając do Włoch, Anastasia nie wiedziała nawet, czy brzydka dziewczynka położona na kole przeżyła, a jeśli tak, to czy uda się jej ją odnaleźć i wyjednać jej przebaczenie. Jednocześnie każdym nerwem czuła, że jej dziecko żyje, że je odnajdzie i że otrzyma przebaczenie. Wiedziona tym przeczuciem, zaraz po przybyciu do Genui wsiadła do pociągu do Ceseny. Gnana potrzebą, by dotrzeć tam jak najprędzej i wygrać ostatnią bitwę, zapomniała nawet o odwiedzeniu Turynu, złożeniu kwiatów na grobach *Tante* Jacqueline i Giuditty Sidoli.

17

Lodowacieję, gdy widzę ją, jak ze swymi kuframi i pewnością siebie, w modnym kapeluszu z wygiętym rondem i w wyzywającej sukni z tiurniurą wysiada znowu w Cesenie: mieście o kształcie skorpiona, który ma zwyczaj zadawać sobie śmierć, w mieście rywalizującym w odsetku samobójstw z Paryżem. Lodowacieję, bo w poprzednim tygodniu jakiś mężczyzna rzucił się pod pociąg jadący z Bolonii, a inny skoczył do Savio, rzeki płynącej poza murami miasta i wpadającej do Adriatyku niedaleko miejsca, w które trafiło ciało Marguerite. Wczoraj jakaś staruszka utopiła się w Cesuoli, kanale płynącym przez historyczne centrum i za murami łączącym się z Savio. Tego ranka to samo zrobiła młoda dziewczyna, która skoczyła z Sciaquador ad Palazz, publicznej pralni przy parafii Sant'Agostino, i pewien świadek zanotował: „miała na ustach szczęśliwy uśmiech". Tygodnik „Satana", organ ceseńskiej lewicy, opublikował artykuł rozgrzeszający samobójstwo.

„Zabić się, wrócić na łono Wielkiej Matki — twierdził — może być aktem szaleństwa lub tchórzostwa, ale także gestem odwagi i wyboru narzuconego przez okoliczności. W przypadku osoby świadomej i odpowiedzialnej za swoje czyny instynkt przeżycia daje się pokonać tylko przekonaniu, że życie jest złem, a śmierć dobrem". Jednym słowem, tragedia, która miała się rozegrać za jedenaście lat, wisiała już w powietrzu. Ona nie przeczuwa jej, nie umie jej przewidzieć. Jest wciąż tą samą nieustraszoną kobietą, która pojechała do Ameryki, przebyła prerie, strzelała do Indian, zaręczyła się z mormonem, poślubiła szulera, wyzwała na pojedynek jego mordercę, została hazardzistką, a nawet *madame* w *parlor-house*. Zdecydowanym krokiem wychodzi więc ze stacji, na której tym razem nikt na nią nie czeka, i wsiada do dorożki. Każe się zawieźć do eleganckiego Leon d'Oro: hotelu na rogu placu, który w 1864 roku nazywał się piazza Maggiore, a dzisiaj nosi imię Wiktora Emanuela II. Wchodzi bez wahania do środka, podaje paszport wystawiony na Anastasię Le Roi, obywatelkę amerykańską zamieszkałą w San Francisco, i wynajmuje pokój za trzy liry dziennie, czyli więcej, niż przytułek płacił miesięcznie rodzinie De Carlich za opiekę nad noworodkiem zatrutym skwaśniałym mlekiem. Jednym słowem, luksusowy apartament. Duże okna wychodzące na plac, meble i zasłony godne Parisian Mansion, obszerne szafy mogące pomieścić bajeczną garderobę, którą pokojówki wyjmują z kufrów, wykrzykując: „Ac maraveja, cóż to za cudowne rzeczy, proszę pani!". Anastasia przebiera się w pośpiechu i ścigana głodnymi spojrzeniami oraz ekstatycznymi szeptami wychodzi z hotelu. Idzie zrobić rachunek sumienia w miejscach, które w lodowatą zimową noc były świadkami jej egoizmu. Vicolo Madonna del Parto, dom, w którym urodziła niechciane dziecko i z którego wyszła, aby się tego dziecka pozbyć, podczas gdy ludzie wznosili toasty za nowy rok i wyrzucali stare rzeczy na śnieg. Via Fattiboni, ocieniony mur, okienko z napisem „*In dolore pietas*. Położyć dziecię tutaj". Koło jeszcze istnieje. Niemal w całych

Włoszech już takie zlikwidowano. Ale nie w Cesenie. Tak więc Anastasia zatrzymuje się, by na nie popatrzyć, i nie udzielając sobie rozgrzeszenia, rozpamiętuje, jak pchnęła ten swoisty półmisek, wspomina maleńką rączkę, zdziwione oczy. Nie wybaczając sobie, słyszy znowu płacz, łe-łe, i dźwięk dzwonka, który jest sygnałem dla odźwiernego. Następnie odwraca się, skręca w via Dandini i kieruje się do domu Eugenia Valzanii. Naturalnie nie ma pojęcia, czy go tam zastanie i czy on także nie skończył na cmentarzu. Tymczasem otwiera właśnie Eugenio, wąsaty brzuchacz, który przez chwilę wpatruje się w Anastasię z niedowierzaniem, jak gdyby zobaczył ducha, po czym wykrzykuje radośnie: *„Cum vegna un colp!* Niech mnie kule biją!".

Obejmuje ją, prowadzi do salonu, zasypuje pytaniami. Gdzie była przez te wszystkie lata, co robiła, czy wyszła za mąż. Dlaczego nie odpowiedziała na list, w którym informował ją, że w Forlì zauważyli zniknięcie formularza, dlaczego zniknęła bez śladu, dlaczego wróciła...?

— Eugenio, chcę ją wziąć z powrotem.

— Kogo? *La burdèla*, dziewczynkę? A jak?

— Nie wiem, ale chcę ją wziąć z powrotem.

— *La po' ser morta*, może już nie żyje...

— Żyje. Czuję to. W jakiś sposób, nieważne jaki, pan mi pomoże ją odzyskać.

Nie mogłaby się z tym zwrócić do bardziej odpowiedniej osoby. Jeśli w Cesenie potrzebujesz czegoś specjalnego czy nielegalnego, najlepiej zwrócić się do Valzanii. Poza tym epoka bohaterów i herosów przeminęła wraz z końcem risorgimenta. Teraz także tutaj istnieje Dziki Zachód. Także tutaj rządzą awanturnicy, tyrani, intryganci, spryciarze. I nikt nie jest na to lepszym dowodem niż ten dziwny rewolucjonista, który na przekór szlachetnym marzeniom świeci Panu Bogu świeczkę, a diabłu ogarek. Ten dziwny kombinator, który lawirując między mazzinistami a garibaldczykami, między radykałami a umiarkowanymi, między anarchistami a socjalistami, od co najmniej dziesięciu lat jest liderem chaotycznej lewicy w Romanii i jednocześnie romansuje z dawnymi tyranami. W 1866 roku co prawda brał udział w trzeciej wojnie o Niepodległość. W 1867 roku Valzania walczył pod Mentaną i przy obu okazjach okrył się chwałą. Po powrocie zaś cynicznie wykorzystywał swoje wojenne zasługi dla prywatnych korzyści, osobistych ambicji i zachowywał się jak łotr. Podobno zlecił nawet swoim czerwonym brygadom zabicie trzech uczciwych, dlatego też niewygodnych, towarzyszy. Starego Giuseppe Comandiniego, byłego przywódcę bandy Rewolwera, który rozczarowany polityką wycofał się do warsztatu szewskiego — gdy zelował buty, został zarżnięty z powodu swoich krytycznych opinii. Młodego Pietra Noriego, podoficera spod Mentany, który równie rozczarowany sprzeciwił się temu morderstwu i dlatego został dosłownie poćwiartowany. Wiernego Giuseppe Martiniego, który odmówił udania się do Mentany, aby nie wyświadczać przysługi monarchii, i oskarżony o zdradę dostał dziewiętnaście ciosów nożem. Na przekór szlachetnym marzeniom w tym czasie Valzania stał się bogaty. Jakim sposobem? Skupując po niskiej cenie dobra kościelne, które skonfiskował rząd. Dzięki tym zakupom posiada teraz nieruchomości warte 128 734 lirów i sześćdziesiąt siedem hektarów pól, zapewniających mu głos wyborczy wieśniaków. Figuruje na liście najmajętniejszych obywateli i jakby tego nie dość, przewodniczy Banca Popolare, Bankowi Ludowemu. Jest postacią wpływową, szarą eminencją w mieście. I wreszcie jest człowiekiem, który w 1864 roku z otwartymi ramionami przyjął ciężarną osiemnastolatkę, zapewnił jej schronienie i akuszerkę, zdobył dla niej fałszywy paszport, skontaktował ją z Pastacaldimi, pomógł jej w ucieczce. Zdaje sobie sprawę, że kobieta, na którą wyrosła ta osiemnastolatka, ma odwagę tygrysa i jest twarda jak skała, nie dba o skrupuły i aby odzyskać swoją córkę, byłaby gotowa posunąć się do morderstwa. Bez wahania obiecuje jej więc swoją pomoc. Problem w tym, że pani Le Roi, obywatelka amerykańska z San Francisco, nie może udowodnić, że jest matką dziecka. Nie wystarczy ani ten bilecik po francusku, ani świadectwo akuszerki. A w zarządzie przytułku zasiada niebezpieczny przeciwnik Valzanii: markiz Ludovico Ceccaroni, który do prezesa Banca Popolare żywi zapiekłą urazę. W dyrekcji znajduje się jeszcze bardziej niewygodny człowiek: ultrakatolicki Ferrante Zamboni, który żywi niemal religijną cześć dla regulaminów. Dlatego trzeba działać ostrożnie i z rozmysłem. Bez pośpiechu, i jeśli dziewczynka rzeczywiście żyje, podejmując kroki stwarzające wrażenie, że wierzy się w możliwość legalnego jej odzyskania. Należy wysłać list przez adwokata, w ten sposób będzie można odkryć, jakie imię nosi dziecko, gdzie mieszka, pod czyją jest opieką. Tymczasem Anastasia musi milczeć i trzymać się z daleka od przytułku Świętego Krzyża.

— Z daleka?

— Z daleka, z daleka. Nie jest pani typem matki, dla której ci dwaj bigoci byliby skłonni oddać mi przysługę. Tam do licha, nawet jeśli przebierze się pani za mniszkę, będzie można zrozumieć od razu, że ma pani duszę równie czarną jak moja!

— Zgadzam się, Eugenio.

Kilka dni później został wysłany do Ferrante Zamboniego następujący list: „Wielmożny Panie Dyrektorze, z racji mojego urzędu, ośmielam się niepokoić Pana w pewnej delikatnej sprawie. W nocy pierwszego stycznia 1865 roku na kole tej Szacownej Instytucji zostało porzucone niemowlę płci żeńskiej, w którego pieluszkach odnaleziono bilecik w języku francuskim, podający godzinę urodzenia, północ 31 grudnia 1864 roku, i prośbę, aby nadać dziecku imię Jacqueline Ferrier. W imieniu matki rzeczonego dziecięcia, która w chwili obecnej woli pozostać anonimowa, ale deklaruje chęć ujawnienia się w odpowiednim momencie, pytam Waszą Wielmożność, czy podrzucona dziewczynka jest żywa i czy została ochrzczona zgodnie z życzeniem wyrażonym w bileciku. Zwracam się też do Waszej Wielmożności z prośbą o udzielenie informacji o miejscu pobytu dziecka i o osobach sprawujących nad nim opiekę. Czując instynktownie, że dziecko pozostaje przy życiu, stęskniona matka pragnie odzyskać dziecko i wypełnić obowiązki, których z powodu tragicznych okoliczności życiowych musiała się dotąd wyrzekać. Podkreślam, że owa matka jest osobą żyjącą w dobrobycie. Spełnienie jej pragnienia będzie zatem także korzystne dla dziecka, jako iż zapewni mu zabezpieczenie finansowe na przyszłość". Odpowiedź nadeszła po tygodniu: „Szanowny Panie Mecenasie, z rejestrów Świętego Krzyża wynika w istocie, iż 1 stycznia 1865 roku pozostawiono na kole pobożnej instytucji niemowlę płci żeńskiej. Dziecię to pozostaje przy życiu, zapisane pod numerem 208 tajnego rejestru, i jest pod naszą opieką. W przypadku małżeństwa zawartego zgodnie z ceremoniałem religijnym i z obywatelem, który zyska naszą aprobatę, otrzyma w przyszłości posag wysokości stu pięćdziesięciu lirów. Takich tylko informacji zezwala mi udzielić Panu obowiązujący mnie regulamin. Jako reprezentant prawa powinien Pan zresztą wiedzieć, że jest nam zabronione ujawnianie osobom obcym imienia i nazwiska niepełnoletnich sierot z nieprawego łoża oraz imion i adresu ich opiekunów. Powinien Pan także zdawać sobie sprawę, że oddanie nieletniego rodzicowi, który go porzucił, możliwe jest tylko wtedy, gdy tenże lub ta pokaże świadectwo depozytu, sporządzone w swoim czasie w przytułku, albo też posiada przedmiot, udowadniający w niezaprzeczalny sposób akt samego porzucenia. Mam na myśli na przykład połowę medalu, monety, banknotu czy świętego obrazka, czy jakiejkolwiek innej rzeczy, której drugą połowę znaleziono przy niemowlęciu. W przypadku rzeczonej nieletniej, zarejestrowanej pod numerem 208, rejestry przytułku nie odnotowują świadectwa depozytu ani znalezienia przy dziecku przedmiotu pozwalającego ustalić tożsamość rodzica. Wspomina Pan co prawda o biliku w języku francuskim, który podawał datę urodzenia i sugerował imię i nazwisko do nadania dziecku. List ten jednak nie zachował się w aktach, a nawet gdyby się w nich znajdował, to jako że nie był przedzielony na pół i nie widniał na nim, jak przypuszczam, żaden podpis, nie miałby wartości jako dowód. Szanowny Panie Mecenasie: stęskniona matka, wśród której cnót nie wymienia Pan zalet moralnych, pobożności i wiary katolickiej, a jedynie dobry stan finansowy, mogła dowiedzieć się o sprawie przypadkiem i posłużyć się nią, aby zawłaszczyć cudze potomstwo. Kończę podkreśleniem, że opieka Świętego Krzyża ustanie 31 grudnia 1879 roku, kiedy dziewczę dojdzie piętnastego roku życia i zostanie przez nas umieszczone u osób godnych zaufania, czyli w rodzinie odznaczającej się niezaprzeczalnymi cnotami moralnymi i wyznania katolickiego. Cechami, które naszym zdaniem są ważniejsze od bogactwa".

„A niech to diabli, nie myliłem się, trzymając panią z daleka od tych bigotów!", zagrzmiał Valzania po przeczytaniu ostatniego zdania. Następnie spuścił ze smyczy sforę wyżłów gotowych na wszystko i w ciągu dwóch tygodni zdobył dane, których Zamboni nie chciał mu zdradzić. Wraz z informacjami szpiedzy przynieśli jednak także wieść, której Anastasia się nie spodziewała, oraz radę, podzielaną przez Valzanię. Rodzina De Carli, powiedzieli, nie ma najmniejszej ochoty oddać Giacomy Ferrieri. A Giacoma Ferrieri nie ma najmniejszej ochoty opuszczać De Carlich. Bardzo ich kocha, tak samo jak ich dzieci. To-są-moi-przybrani-rodzice, moi-bracia-i-siostry, nie-rozdzielajcie-mnie-z-nimi. Zresztą to właśnie De Carli byli rodziną o niezaprzeczalnych cnotach moralnych i wyznaniu katolickim, u której przytułek miał zamiar pozostawić sierotę numer 208 od 31 grudnia 1879 roku, to znaczy od jej piętnastych urodzin. Czy miało zatem sens walczyć, przeciwstawiać się przeznaczeniu? Nieszczęśliwa matka zrobiłaby lepiej, gdyby wróciła do Kalifornii pogodzona z losem. Mogła też po prostu zobaczyć córkę. Wystarczyło pojechać do Longiano i poczekać w kościółku przylegającym do domu na via Santa Maria 25. *Pora burdèla* nie ustawała nigdy w odmawianiu pacierzy i litanii. W porze mszy i nieszporów zawsze można było ją tam znaleźć.

* * *

Anastasia udała się tam pewnej niedzieli pod koniec listopada, po cichu i powziąwszy wszelkie środki ostrożności, by nie zwracać niczyjej uwagi. Żadnych modnych kapeluszy, żadnych prowokujących tiurniur. Żadnych koronkowych parasolek, perfum, zajeżdżania na via Santa Maria karetą. Poszła tam w porze nieszporów, gdy było już ciemno, zdecydowana posłuchać udzielonej rady i przejęta lękiem, jakiego nigdy wcześniej nie odczuła. Na drżących nogach przekroczyła próg maleńkiego kościółka, usiadła w ostatnim rzędzie ławek, blisko drzwi. Niespokojnym wzrokiem przebiegła po pogrążonym w półmroku ledwie rozświetlonym świecami wnętrzu, szukając córki, o której nie wiedziała nawet, jaki ma kolor włosów. I nie zobaczyła nikogo. Proboszcz nie zadzwonił jeszcze w dzwon zwołujący wiernych na wieczorną modlitwę i ławki były puste. Puste były także konfesjonał, prezbiterium, ołtarz, w którym widniał obraz smutnej Madonny otulonej purpurowym płaszczem wyszywanym w gwiazdy. Poczuła wtedy dziwną ulgę, jak gdyby uniknęła jakiegoś niebezpieczeństwa, i przez kilka minut łudziła się nadzieją, że podjęła podróż na próżno. W pewnej chwili zorientowała się jednak, że nie jest w kościele sama. Wpatrzyła się ponownie w mroczną przestrzeń i tak: ktoś tam klęczał, trzydzieści metrów od niej, w pierwszym rzędzie ławek. Jakaś staruszka... nie, jakaś dziewczynka modliła się przed obrazem Madonny. Dziwna ulga rozwiała się. Znowu przeszył jej serce lęk i zapragnęła popatrzeć dziecku w twarz. Stojąc w głębi nawy, mogła przecież dostrzec tylko włosy i plecy. Głowę okrytą brązową chustką i plecy opatulone wieśniaczym szalem. A jednak podejrzenie, że to właśnie Giacoma, ścisnęło Anastasię za gardło, odebrało dech. W pierwszym odruchu chciała wstać. Rozmyśliła się i wtedy dziewczynka akurat skończyła się modlić. Wyszła z ławki, odwróciła się plecami do obrazu i ruszyła w stronę wyjścia. Podejrzenie zmieniło się w pewność. Pod brązową chustką i wieśniaczym szalem Anastasia ujrzała bowiem wierną kopię Bezimiennego.

Mój Boże, te same oczy. Ten sam nos, te same usta, fizjonomia. I ta sama powaga twarzy, surowe poczucie godności. Godności, której nawet nędzne ubrania i rozpadające się buty nie mogły zatrzeć. Z wrażenia skoczyła na równe nogi. Pokonując odruch, by pobiec dziewczynce naprzeciw, zawołać jestem-twoją-matką, kochaj-mnie, pojedź-ze-mną, wpatrywała się w nią intensywnie. I Giacoma to zauważyła. Gdy znalazła się obok Anastasii, ona też się zatrzymała i popatrzyła na nią niepewnie. „Zastanawiałam się, kto to jest — opowiadała, kiedy pytano ją o to — dlaczego wstała tak raptownie i patrzy na mnie tak uporczywie. Zadałam sobie także pytanie, czy ją znam, i na moment zdało mi się, że już ją gdzieś spotkałam. Kto wie gdzie i w jakich okolicznościach? Potem poczułam ziąb. Przenikliwy chłód zimy, śniegu. Przypomniałam sobie obracające się koło, dzwonek i pomyślałam: Jezu, czy to moja matka?! Ale od razu odpowiedziałam sobie przecząco. Była zbyt piękna. Jasnowłosa, wysoka, elegancka, tak różna ode mnie. Poza tym wyobrażałam sobie moją matkę podobną do Madonny Łez, pucołowatą i z obliczem słodszym od dojrzałej figi. Tymczasem policzki tej pani były zapadnięte, a na twarzy miała kwaśny grymas. I odepchnąwszy od siebie tę pierwszą intuicję, czekałam, aż się do mnie odezwie. Nie otworzyła jednak ust, więc poszłam dalej do drzwi. Wyszłam z kościoła, wróciłam do domu. W głowie miałam zamęt i nie mogłam oprzeć się wątpliwościom. Adelaide wykrzyknęła na mój widok: «Co ci się stało? Jesteś blada jak śmierć! Wyglądasz, jakbyś zobaczyła diabła!»".

Diabeł wrócił tymczasem do Ceseny, wiedząc dokładnie, czego chce. Spotkanie przywróciło Anastasii zimną krew i zwykły jej brak skrupułów, dlatego wyjeżdżając z Longiano, już wiedziała, że nie pogodzi się z sytuacją. Zadowolić się popatrzeniem na córkę, powiedziała Valzanii, wrócić spokojnie do swojego życia w Kalifornii? Nigdy! Nie obchodziło ją, że Giacoma kocha De Carlich i że oni kochają ją, że chce z nimi zostać, a oni pragną ją zatrzymać. Gdy tylko dobiegnie końca kuratela Świętego Krzyża, ona odbierze swoje dziecko. W jaki sposób? Kupując miłość czy też rzekomą miłość swoich rywali, rozumie się. Czyżby Valzania zapomniał, że wszystko jest na sprzedaż, że nikt nie umie oprzeć się pieniądzom? Wobec tego szybko sobie o tym przypomni. Bo Anastasia przekupi tych przybranych rodziców. Wynagrodzi ich, opłaci, żeby ich przekonać do oddania przybranej córki. Zaproponuje im dużo więcej niż dwa liry na miesiąc płacone przez przytułek. Pięćset lirów może być? Odpowiednik dwudziestu lat i dziesięciu miesięcy opieki, pardon, miłości. Nie, tysiąc lirów. Odpowiednik czterdziestu jeden lat i ośmiu miesięcy. Albo dwa tysiące, trzy, cały swój majątek. Pieniędzy jej nie brakuje. Valzania rozgniewał się. Oskarżył Anastasię o cynizm, arogancję, niewdzięczność. Wykorzystując to, czego dowiedział się o jej przygodach w Ameryce, palnął jej brutalne kazanie. Czy nie wstyd jej snuć takie plany, korzystać z cudzego ubóstwa i szczodrości? Gdzie była panna Ferrier, kiedy De Carli ratowali życie niemowlęcia porzuconego na kole, kiedy Adelaide karmiła je i leczyła swoim mlekiem? Flirtowała z pasażerami luksusowego transatlantyku w drodze do Nowego Jorku, oto gdzie była. Prowadziła światowe życie przy Irving Place, spotykała się ze śmietanką towarzyską metropolii, przyglądała się pogrzebowi Lincolna! Gdzie była, kiedy Adelaide uczyła Giacomę mówić i stawiać pierwsze kroki? W dyliżansie, czarując młodych oficerów, strzelając do Indian na prerii, zaręczając się z mormonem w Salt Lake City! Gdzie była, kiedy Adelaide posyłała Giacomę do szkoły, pomagała jej nauczyć się czytać i pisać? Zabawiała się na Dzikim Zachodzie, ot co. Występowała w trykotach przed bandytami i poszukiwaczami srebra, bogaciła się na grach hazardowych, jadła kawior i piła szampana z mężem szulerem! Czy Anastasia naprawdę myśli, że wystarczy urodzić dziecko, żeby powiedzieć jest-mój, jest-moja? Dziecko nie należy do matki, która je rodzi, aby potem porzucić na kole. Należy do tego, kto je karmi, myje, usypia, pociesza, uczy mówić, stawiać pierwsze kroki, kto je wychowuje i uczy. Valzania uprzytomnił jej także, że nie chodzi tu nawet tyle o De Carlich, co o Giacomę. Jeśli oni ją oddadzą, najbardziej ucierpi na tym właśnie dziewczynka: przeżyje kolejny dramat i szok. Ale to wszystko tylko pogłębiło upór Anastasii i doprowadziło do jeszcze większej kłótni. Niech Valzania pomyśli o własnych winach i nie prawi jej kazań o moralności, odpowiedziała mu. Jeśli istnieje na świecie ktoś, kto nie ma do tego prawa, to jest nim właśnie on. A jeśli Valzania jej nie pomoże, to trudno, sama sobie poradzi. Choćby miała się pojawić u tych dobroczyńców z koltem w ręku i wepchnąć im do gardła te tysiąc czy dwa tysiące lirów. W tej sytuacji on musiał się poddać mimo swoich czarnych przeczuć.

„No już dobrze, *sgnurèna*. Ja się tym zajmę razem z adwokatem i miejmy nadzieję, że nikt z nas nie będzie tego żałować".

18

Pertraktacje prowadzone przez adwokata trwały całą zimę, wiosnę i znaczną część lata. W jaki sposób Anastasia spędziła to długie oczekiwanie, tego nie wiem. Jedyne, co jest pewne (tak mówił dziadek Antonio), jest to, że w styczniu 1879 roku Anastasia zrobiła rzecz, którą przejęta poszukiwaniem Giacomy wcześniej zaniedbała: ulokowała swoje dwadzieścia tysięcy dolarów przesłanych z Ameryki. We włoskiej walucie było to sto tysięcy lirów, czyli jakieś ćwierć miliona euro w przeliczeniu na dzisiejsze pieniądze. Dziesięć tysięcy lirów złożyła w Banca Popolare, którego prezesem był Valzania, zobowiązana do tego przez wdzięczność wobec przyjaciela. Czterdzieści tysięcy wpłaciła do Credito Mobiliare, solidnego banku założonego przez wielkich właścicieli ziemskich z Toskanii i przedstawicieli lombardzkiej i piemonckiej finansjery. A pięćdziesiąt tysięcy lirów zainwestowała w akcje Cesena Sulphur Company. Podczas gdy ona mieszkała w Virginia City, w prowincji Ceseny wybuchła gorączka siarkowa: minerału, w którego wydobyciu Włochy były europejskim liderem, dzięki sycylijskim solfatarom, i który w Emilii-Romanii występował przede wszystkim wzdłuż biegu rzeki Savio. W Apeninach odkryto nowe złoża, wszyscy, nawet wieśniacy, rzucili się, by je eksploatować w gorączce godnej poszukiwaczy złota, i w amosferze małego Dzikiego Zachodu powstały liczne narodowe i międzynarodowe koncerny, które spekulowały na siarce tak, jak wcześniej spekulowano na produktach rolniczych. Wśród nich było także Cesena Sulphur Company, angielskie przedsiębiorstwo z Londynu, które powstało w 1871 roku z kapitałem zakładowym w wysokości trzystu tysięcy funtów, czyli niemal dziewięciu milionów lirów, w trzystu pięćdziesięciu tysiącach akcji po dziesięć funtów. Sprawował nad nim kontrolę Francesco Kossuth, syn starego węgierskiego patrioty Lajosa Kossutha, który od lat sześćdziesiątych mieszkał w Turynie, i naturalnie ulokowanie połowy kapitału w pojedynczą imprezę było decyzją ryzykowną. Kossuth płacił jednak akcjonariuszom dziesięć procent dywidendy, która od dwustu akcji wynosiła rocznie pięć tysięcy lirów, czyli czterysta szesnaście lirów miesięcznie, nieobciążonych podatkiem. Anastasia nie wahała się ani chwili.

„Chcę, żeby moja córka żyła jak księżniczka i wyszła za mąż, mając piękny posag".

Co jeszcze robiła Anastasia w tym czasie, to seria znaków zapytania. Pozostała w Cesenie, mieszkała cały czas w hotelu Leon d'Oro, czy też podróżowała po Włoszech, których nie znała? Unikała wciąż Turynu, przeszłości, o której chciała zapomnieć, czy udała się tam i złożyła na koniec kwiaty na grobach *Tante* Jacqueline, Giuditty Sidoli, a może i Bezimiennego? Odwiedzała tylko Valzanię z żoną, czy może zawarła nowe znajomości, bywała w jakichś salonach, pyszniła się wspaniałymi sukniami we foyer Teatro Comunale? (W 1879 roku dawano tam głośnie przedstawienia. Opery Verdiego i Donizettiego, balety takie jak *Pas-à-deux* w stylu węgierskim). Pojechała ponownie do Longiano, zobaczyła znowu z ukrycia dziewczynkę w brązowej chustce, w wieśniaczym szalu i rozpadających się trzewikach, czy też omijała miasteczko z daleka? Nie wiem, powtarzam to raz jeszcze. Nie wiem także, jaki był jej udział w pertraktacjach prowadzonych przez adwokata i jaką taktykę wybrał on, aby przekonać De Carlich, jaką sumę im zaproponował. Pięćset lirów, tysiąc? Wiem jednak, że gdy zaoferowano im pieniądze, wyglądali ich z niecierpliwością, i że włożyli całą sumę do kieszeni na długo przed 31 grudnia. Księgi przytułku Świętego Krzyża zdradzają, że 28 lipca 1879 roku Giacoma znalazła się tam ponownie, a ona sama potwierdzała to i wyjaśniała, jak do tego doszło. „Było to 27 lipca. Po kolacji, pamiętam. Nieoczekiwanie kazali odejść dzieciom i zamknęli się ze mną w kuchni. Federico miał minę poważną, a Adelaide przygnębioną. Wymienili porozumiewawcze spojrzenie, odchrząknęli i... bardzo by chcieli trzymać mnie u siebie na zawsze, wybąkała Adelaide. Nie bez powodu powiedzieli panu Zamboniemu, że po ukończeniu przeze mnie piętnastu lat mógł mnie pozostawić u nich. Niestety, człowiek strzela, a pan Bóg kule nosi: no i Bóg zesłał im ósme dziecko, czyli Cecilię, tak więc w domu nie ma już dla mnie miejsca. Skamieniałam. Cecilia urodziła się w marcu i spała w kołysce. Angelo, najstarszy syn, miał się właśnie żenić i przeprowadzić na pobliskie wzgórze. Ernesta, urodzona jako trzecia, zamierzała zostać mniszką i mieszkała już w klasztorze. Jednym słowem, miejsce było. Gdy odzyskałam oddech, wykrzyczałam im to. Federico tylko potrząsnął głową. Nie chodzi im o miejsce, westchnął. Chodzi o wydatki. Dzisiaj proboszcz wyjaśnił im, że po ustaniu opieki przytułku ustawało także wypłacanie miesięcznego świadczenia w wysokości dwóch lirów, a bez nich kto miałby zapłacić za moje utrzymanie? Giacomo, 31 grudnia będziesz musiała nas opuścić. Mówimy ci o tym teraz, żebyś przyzwyczaiła się do tej myśli. Zamilkłam na kilka chwil, załamana. Chciałam już tylko umrzeć. Potem otrząsnęłam się. Nieprzytomna z gniewu odpowiedziałam, że nie chcę czekać do 31 grudnia, chcę wyjechać od razu, i on skwapliwie mi przytaknął. Tak będzie lepiej, burknął. Co do Adelaide, no cóż! Chociaż zaczęła rzewnie płakać, mamrocząc przeklęte-pieniądze, przeklęte-pieniądze, nie powiedziała nic, aby mnie zatrzymać. Wyjechałam o świcie, na wozie drabiniastym, nie pożegnawszy się z nikim. Nawet z Madonną Łez, nawet z dziećmi. W mgnieniu oka znalazłam się znowu w przytułku Świętego Krzyża. Wychowawczyni Piera Colombani wyglądała na zaskoczoną. Powiedziała szyderczo do Federica: „Pospieszyliście się o pięć miesięcy i dwa dni, poczciwy człowieku. Wygraliście może los na loterii?".

Wiem, że później adwokat zapewnił sobie współpracę Piery Colombani i że to ona była wykonawczynią sprytnego planu wymyślonego przez Valzanię. Chodziło o to, żeby nie zwracać się w ogóle do Zamboniego i po cichu pozwolić *madame* Le Roi na spotkania z sierotą przebywającą w przytułku, przygotować się i przygotować ją do wyznania jestem-twoją-matką. Jednocześnie znaleźć rodzinę o-niezaprzeczalnych-cnotach-moralnych-i--wyznaniu-katolickim, kogoś, kto posłuży za figuranta, i w ten sposób przekazać 31 grudnia córkę Anastasii. Wiem to dzięki innej opowieści babci Giacomy, w której opisywała swoje drugie spotkanie z Anastasią. „Nienawidziłam, nie cierpiałam przebywać w przytułku. Wydawało mi się, że mieszkam w więzieniu. Brama była zawsze zamknięta na łańcuch, w oknach kraty, i wychodzić można było tylko w niedzielę, w towarzystwie, a raczej pod eskortą Colombani. Na pół godziny, najwyżej godzinę. Żeby rozprostować nogi. Poza tym nosiło się mundurek. Bluzę i spódniczkę z zielonej wełny lub z bawełny, żółty czepek, znaczek z napisem Święty Krzyż. Panowała wojskowa dyscyplina, trzeba było prząść konopie albo wyszywać prześcieradła i obrusy, czego nie potrafiłam. Ach, jak tęskniłam za via Maria 25! Często brakowało mi nawet Federica i Adelaide. Płakałam bez przerwy i Colombani na próżno mnie pocieszała. Mówiła, żebym się nie przejmowała, że nie ma tego złego, co by na dobre nie wyszło, że przekonam się jeszcze, że De Carli oddali mi przysługę. Potem, pewnego ranka w sierpniu, odeszła ze mną na bok w kaplicy. Zaznaczyła, że wyjawi mi sekret, którego nie wolno mi zdradzić, żeby nie wzbudzić zawiści innych, po czym powiedziała, że pewna bogata pani chce mnie wziąć na swoją damę do towarzystwa. Damę do towarzystwa! Mój Boże, w dziewięćdziesięciu dziewięciu przypadkach na sto sieroty kończące piętnaście lat znajdowały miejsce jako pomywaczki, służące lub niańki! Czy mam pojęcie, jakie szczęście mnie spotyka? Damy do towarzystwa nie muszą harować od rana do nocy. Muszą tylko dotrzymywać towarzystwa. Poza tym mają ładne ubrania, noszą rękawiczki, żyją w luksusowych domach i obracają się w eleganckim towarzystwie. Nie uwierzyłam jej. Z jakiego powodu bogata pani miałaby mnie wybrać, i to w tajemnicy, na damę do towarzystwa?!? Nie byłam żadną damą. Byłam niezdarną i niewykształconą wieśniaczką. Nie wiedziałam nic o eleganckim towarzystwie i byłam pewna, że Colombani coś źle zrozumiała. Wieczorem jednak wpadła do warsztatu. Szybko, biegnij się ubrać w czysty mundurek, uczesz się i zejdź do mojego biura, tylko nikomu ani słowa. Bogata pani czeka tam na ciebie. Usłuchałam z ciężkim sercem. Zadając sobie pytanie, kto to taki, zeszłam na dół i... Jezu: to była ta sama kobieta, którą spotkałam w kościele w Longiano. Dzisiaj była zamyślona i prawie nadąsana. I jeszcze piękniejsza, jeszcze bardziej elegancka niż poprzednim razem. Nosiła koronkową suknię koloru kości słoniowej, która z przodu przylegała niczym futerał do jej smukłego ciała, a z tyłu miała tren długi na pół metra, coś podobnego! Na głowie miała jedwabny kapelusik w kształcie jaskółki z rozczapierzonym ogonem i rozłożonymi skrzydłami. Na szyi olbrzymią kameę. W uszach perłowe kolczyki w oprawie brylantów. I intensywnie pachniała gardenią. Cofnęłam się zmieszana. Ukłoniłam się niezręcznie i wtedy ona uśmiechnęła się. Spotkałyśmy się już w listopadzie, moja droga, zagruchotała pieszczotliwie głosem o silnym cudzoziemskim akcencie. Akcencie, który podwajał i zaokrąglał głoskę r. Potem zrobiła gest, by podejść bliżej i objąć mnie, ale ja jej na to nie pozwoliłam. Odwróciłam się plecami i uciekłam. Ten zapach rozbudził we mnie wspomnienie zimna, obracającego się koła i dzwoniącego dzwonka. Rozniecił we mnie wrogość i nieufność".

Wiem, jak potoczyła się dalej intryga i nie mogę wyjść z podziwu. Bo nie było łatwo podbić serce tej zranionej i wrogo nastawionej dziewczynki. Tej nieprzyjaciółki, która patrząc na Anastasię, wdychając jej zapach, czuła, że została przez nią porzucona. Opuszczona przy kole. Tak, było to zadanie trudne, niemal niemożliwe do spełnienia. W dodatku wymagało takiego uwodzenia, do którego Wielka Uwodzicielka nie była przyzwyczajona. Tym razem nie chodziło o podbój jednej z niezliczonych ofiar (mężczyzn i kobiet), które od dziecka czarowała, zniewalała i podporządkowywała swoim pragnieniom czy celom. Nie chodziło o uwiedzenie Ponsów, Tronów, pastora Morela, Suzanne i Marianne Gardiol czy Giuditty Sidoli. Tym bardziej o uwiedzenie gołowąsego ucznia z kolegium Candellero, tancerza lub skrzypka z Teatro Regio, kapitana statku, Elisabeth Nesi i naiwnego Johna. Albo Dzikiego Billa, porucznika eskortującego dyliżans, siostry Rebekki i siostry Lydii, starego Johna Daltona i fascynującego Napoleona Le Roi. Nie mówiąc już o hrabinie Dumont alias *Madame* Moustache, górnikach z Virginia City, bankierach z San Francisco czy samym Valzanim. Tym razem chodziło o oczarowanie własnej córki. Córki, która fizycznie przypominała Bezimiennego, ale dumę, upór i buntownicze usposobienie wzięła po matce. „Następnego dnia pojawiła się znowu, z pudełkiem karmelków — opowiadała babcia Giacoma. — Zanim zdążyłam zareagować, włożyła mi je do ręki, objęła mnie, powiedziała mi, że ma na imię Anastasia, i czy mi się podobało, czy nie, od tej chwili odwiedzała mnie codziennie. Przychodziła wieczorem, gdy Zamboniego nie było w przytułku, i Colombani nieodmiennie napominała mnie, abym zachowała sekret i nie puszczała pary z ust. Tajemnicza pani była zawsze wykwintnie ubrana, zawsze pachnąca gardeniami i za każdym razem przychodziła z pudełkiem karmelków. Nie mówiła niemal nic o sobie. Po trzech tygodniach wiedziałam tylko, że mieszka w hotelu Leon d'Oro, że jest wdową, żyje samotnie i dlatego potrzebuje kogoś, kto dotrzyma jej towarzystwa. Mówiła za to wiele o mnie. Chwaliła mnie, przymilała się do mnie. Twierdziła, że moje oczy mają w sobie coś szczególnego i że nie może się doczekać, żeby wyrwać mnie z tego przytułku i ofiarować szczęśliwe życie. Ja jednak za wszelką cenę starałam się oprzeć jej zakusom. Wciąż byłam nieufna, nie rozumiałam, dlaczego mnie wybrała, i mając nadzieję, że się zniechęci, próbowałam na wszelkie sposoby zachowywać się antypatycznie. Odpowiadałam jej monosylabami, mamrocząc co najwyżej „tak, proszę pani", „nie, proszę pani". Nie dziękowałam za karmelki, często ich w ogóle nie jadłam, zatykałam sobie nos, żeby dać jej do zrozumienia, że nie podoba mi się jej zapach. Ale im bardziej ją odpychałam, im bardziej obrażałam, tym ona robiła się pokorniejsza i bardziej wyrozumiała. I swoim pieszczotliwym głosem, o cudzoziemskim podwójnym *r*, w czwartym tygodniu powiedziała mi, że niesłusznie tak źle ją traktuję. Niesłusznie, bo obie mamy ze sobą coś wspólnego: obie jesteśmy nieślubnymi dziećmi i nie mamy matki. Ona nigdy nie poznała swojego ojca, a matkę straciła, gdy miała dwa lata. Opowiedziała mi także, że wychowała ją ciotka, która nazywała się Jacqueline, imię, które jest francuskim odpowiednikiem Giacominy, czyli Giacomy, i że właśnie dlatego mnie wybrała. I wtedy nagle wszystko się zmieniło i jej zapach zaczął mi się podobać, a te potajemne spotkania stały się ekscytujące. Kiedy nie przychodziła przez kilka dni, robiłam się nerwowa. Zadawałam sobie pytanie, czy zrezygnowała z damy do towarzystwa, czy znalazła sobie kogoś innego, czy wyjechała, i szukałam zapachu gardenii na sobie albo w korytarzu prowadzącym do biura Colombani. Jednym słowem, zakochałam się w niej. Do tego stopnia, że przestałam sobie wyobrażać moją matkę z pucołowatymi policzkami i słodkim obliczem Madonny Łez. Zaczęłam ją sobie wyobrażać czarującą jak Anastasia, z trójkątną twarzą, zapadniętymi policzkami, w sukni z trenem długim na pół metra, pachnącą gardeniami. Pewnego październikowego wieczoru wyznałam jej to. Ona zbladła i krzyknęła: ależ ja jestem twoją matką, najdroższa, jestem nią! Potem upadła na ziemię zemdlona i Colombani musiała przybiec z solami trzeźwiącymi". Wiem także, co stało się potem, i jestem pełna podziwu dla zmyślności Valzanii. Ponieważ do końca jesieni musiał znaleźć jakiegoś figuranta, czyli rodzinę-o-niezaprzeczalnych-cnotach- -moralnych-i-wierze-katolickiej, potrzebną do wystąpienia o przyjęcie do siebie sieroty numer 208. I oto, kogo wybrał: ową Anastasię, żarliwą wielbicielkę świętej Anastazji, która 31 grudnia 1864 roku pomogła w porodzie ciężarnej dziewczynie z Turynu. Potwierdzają to księgi komunalne z dopiskiem nabazgranym ołówkiem, okropnymi kulfonami, czyli przez jakąś przypadkową osobę, a nie przez urzędnika. W dopisku tym czytamy, że w latach osiemdziesiątych Giacoma Ferreri (nie Ferrieri), była gościem w domu Anastasii Cantoni zamężnej z Bianchim, urodzonej w Cesenie w 1831 roku, zamieszkującej z mężem i córką na via Verzaglia 1, w Lavadùr, i należącej do parafii Sant'Agostino. Tym właśnie genialnym posunięciem zakończyła się sprytna intryga, to znaczy drobnym zniekształceniem nazwiska i wybraniem na podstawioną opiekunkę kobiety o tym samym imieniu, kobiety, która znała prawdę. W dodatku stało się to na miesiąc przed terminem i w sposób niezupełnie zgodny z regulaminem. Księgi przytułku świadczą, że piętnastoletnia Giacoma Ferrieri (tutaj *i* jeszcze widnieje) opuściła jego progi 30 listopada 1879 roku. Nie podają jednak, u kogo została umieszczona, komu przekazana. Anastasii Cantoni zamężnej z Bianchim czy Anastasii Ferrier wdowie Le Roi? Tajemnicza pani pachnąca gardeniami dostała jednak Giacomę tego samego dnia. I tego samego dnia zabrała ją do domu, czy raczej apartamentu, który po opuszczeniu hotelu wynajęła na trzecim piętrze Palazzo Almerici (dzisiaj nieistniejącego) między via Dandini a Biblioteką Malatestiana, w eleganckiej dzielnicy miasta. Osiem pięknie urządzonych pokoi, z których babcia Giacoma jeszcze na starość pamiętała wiele szczegółów. Salon z gazowymi żyrandolami i sofami z żółtego aksamitu, marmurowe półki, obrazy na ścianach pokrytych tapetą w błękitne kwiatuszki. Jadalnie z koronkowymi obrusami, kryształowymi kieliszkami, porcelanową zastawą. Gabinet z regałami pełnymi książek; wśród nich znajdowała się rosyjska powieść przetłumaczona na francuski, napisana przez niejakiego Tołstoja, opowiadająca o pewnej pani, która popełniła samobójstwo, rzucając się pod pociąg. *Anna Karenina*. Dwie sypialnie, których jedyną niedogodnością było, że znajdowały się daleko od siebie, na dwóch przeciwnych końcach korytarza. Pokój Anastasii, z łożem tak wielkim, że wystarczyłby dla całej rodziny De Carlich, zwierciadła prawie do sufitu i kasa pancerna zawierająca cenne przedmioty. Biżuterię, akcje Cesena Sulphur Company, świadectwa depozytowe z Banca Popolare i Credito Mobiliare, nabity pistolet z rękojeścią inkrustowaną masą perłową. Pokój Giacomy z łóżkiem z baldachimem, tiulowymi firankami, szafą pełną ubrań i wspaniałą porcelanową lalką. „Poza tym miałyśmy trzy służące — dodawała wciąż z błyskiem w oku. — Trzy, powiadam, trzy! Pokojówkę, kucharkę i pomywaczkę. Boże, co za raj! Ja nie miałam pojęcia, jak to jest być obsługiwanym przez trzy służące. Nie wiedziałam, jak to jest żyć, nie harując. Nie piorąc ubrań i pościeli, nie łatając i nie prasując, nie pasąc owiec i nie pilnując dzieci..."

* * *

Anastasia zabrała ją więc do raju i przez trzy lata dawała jej wszystko, co matka taka jak ona może ofiarować córce, od której chce uzyskać przebaczenie. Nie posłała jej ponownie do szkoły, bynajmniej. Nie zachęcała jej do czytania książek zgromadzonych w gabinecie. Nie nauczyła jej nawet języków, które znała. Po angielsku i francusku babcia Giacoma nie mówiła. Nie miała nawyku czytania książek. Pomijając wrodzoną inteligencję, jej edukacja zatrzymała się na poziomie piątej klasy szkoły podstawowej. Poza tym nie pozwoliła jej mówić do siebie mamo. „Nazywaj mnie Anastasią, inaczej wzbudzimy podejrzenia". Nie wyjawiła jej również imienia ojca. (Poznać je miała Giacoma dopiero w przeddzień ślubu z dziadkiem Antoniem). W zamian oddała jej stracone dzieciństwo i podarowała beztroskie dojrzewanie. Nauczyła ją leniuchować, spacerować, rozmawiać, śmiać się i bawić. Tak, także się bawić, chociaż Cesena nie dawała wielu okazji do rozrywki... To kłótliwe i położone na uboczu prowincjonalne miasteczko, w którym czas upływał na awanturach politycznych, nie przypominało w niczym San Francisco czy Nowego Jorku. Mała stolica samobójstw popełnianych z powodu błahostek nie wyróżniała się wesołą atmosferą ani bogatym życiem towarzyskim. W istocie Anastasia pozostała tam niechętnie i tylko z powodu powikłań prawnych, które przyznawały prawo opieki nad sierotą numer 208 Anastasii Cantoni zamieszkałej przy via Verzaglia 1. Ale o pół godziny jazdy pociągiem znajdowało się Rimini, jeden z najbardziej szykownych i obleganych nadmorskich kurortów w Europie, gdzie nie było problemu ze znalezieniem rozrywek. Był tam luksusowy hotel Kursaal, w którym codziennie odbywał się wieczór taneczny i tańczyło się walce Johanna Straussa, *Nad pięknym modrym Dunajem* czy *Wiedeńską krew*. Było kasyno, w którym grało się tak jak w Virginia City w ruletkę, w faraona i w blackjacka. Hipodrom, gdzie odbywały się wyścigi konne i stawiało się na konie sumy zapierające dech w piersiach. Teren do strzelania do rzutków i do gołębi, teatr, koncerty. Wycieczki łodzią, plaża, przyjemność pokazywania się w pierwszych kostiumach kąpielowych. Panie w szerokich pantalonach sięgających łydek, w obszernych bluzach i czepkach z ceratowego płótna. Dziewczęta w spodenkach lub spódniczkach do kolan, w fałdzistych bluzach i berecikach w stylu tureckim. (Ulubione kolory: czarny oraz turkusowy w czerwone pasy). Odradzany lub wręcz potępiany kolor biały, który przy najmniejszym pryśnięciu wody pokazywał obrys sutków czy łona. Co do toalet wkładanych na kolację, musiały je obowiązkowo uzupełniać naszyjniki z pereł lub brylantów, tak jak niezbędnym dodatkiem do menu był kawior. Rimini rywalizowało w tym czasie z Montecarlo i Biarritz. Nie przypadkiem socjalistyczna prasa nie szczędziła słów potępienia: „To miejsce, gdzie ucztuje się, pije, tańczy, przepuszcza fortuny i nie myśli o nędzy, w jakiej żyją robotnicy". Ergo: Anastasia ciągnęła tam Giacomę latem i zimą, i trudno, że butelka szampana w Kursaal kosztowała dziesięć lirów, czyli równowartość tygodniowej płacy robotnika. Trudno, że zanadto podobały się jej zakłady na wyścigach i ruletka, które opróżniały jej sakiewkę. Mieszkanie z córką, która nie mogła jej nazywać matką, ale powoli stawała się kobietą, wspólniczką, przyjaciółką, wynagradzało to wszystko z nawiązką. Nawet życie w celibacie, które narzuciła sobie po powrocie do Włoch. Żadnych mężczyzn, żadnych kochanków, żadnych przygód. „Chcę tylko ciebie, tylko ty się liczysz".

Były to także trzy lata obfitujące w ważne wydarzenia. 1880 rok rozpoczął się procesem apelacyjnym i uniewinnieniem piętnastu socjalistów (między innymi Anny Kuliszew), skazanych wcześniej za udział w zamachu na Humberta I, a w maju inżynier z Werony, Alessandro Cruto, rozwiązał napotkany przez Thomasa Edisona problem stworzenia żarówki, której nie spalałby od razu przepływ prądu elektrycznego. Zrobił to, wypełniwszy ją etylenem i używając cienkich platynowych drucików, odpornych na wysokie temperatury. Anastasii to jednak nic obeszło i nie zainteresowało. We wrześniu Garibaldi zrezygnował z mandatu poselskiego i wycofał się na zawsze na Caprerę, gdzie po rozwiązaniu małżeństwa z hrabianką Raimondi poślubił niańkę swoich dzieci, Francescę Armosini. Podając się do dymisji, wysłał do dzienników oskarżycielski list, którego Włosi nie wzięli sobie zbytnio do serca: „O innych Włoszech marzyłem. Nie o takich, nędznych w środku i szkalowanych z zewnątrz". Anastasii także to nie obeszło i nie zainteresowało. Rok 1881 rozpoczął *Bal Excelsior*, sławne przedstawienie, które naiwnie obwieszczało zwycięstwo Cywilizacji nad Obskurantyzmem, przyszłość braterstwa między ludami i celebrowało historię wiecznej walki Postępu ze Wstecznictwem. W lutym w Rzymie odbył się zjazd demokratów, którzy żądali powszechnego prawa wyborczego, czyli głosu dla kobiet. W lipcu Carlo Lorenzini alias Collodi rozpoczął druk w odcinkach *Przygód Pinokia*, a w sierpniu Andrea Costa założył w Rimini Socjalistyczną Partię Rewolucyjną, która na przekór swej nazwie porzucała zasady gwałtownej bezpośredniej walki. W październiku Humbert I udał się do Wiednia, by umocnić związki z Austrią i Niemcami, to znaczy przygotować grunt do Trójprzymierza. Wydarzenie to umocniło we Włoszech irredentyzm, ruch dążący do przyłączenia do Włoch regionów Trydentu i Triestu, w dalszym ciągu należących do Austrii. Jego młody przywódca, Guglielmo Oberdan, przybył nawet do Ceseny, aby prosić o pomoc Valzanię i jego republikanów. I to nie obeszło Anastasii i nie zainteresowało. Rok 1882 rozpoczął się od reformy wyborczej, która nie wziąwszy pod uwagę postulatu głosu dla kobiet, obniżała wiek wyborczy mężczyzn do dwudziestu jeden lat i gwarantowała dostęp do urn każdemu obywatelowi, który ukończył przynajmniej dwie klasy szkoły podstawowej. Demokraci z Romanii rozpętali akcję protestacyjną w imieniu kobiet. Anastasii jednak to nie obeszło i nie zainteresowało. W lutym Generalne Towarzystwo Telefonów wydało książkę pierwszych stu abonentów: wydarzenie, które rozbudziło entuzjazm wszystkich, którzy traktowali na serio przepowiednie *Balu Excelsior* i nie zdawali sobie sprawy z kradzieży, której ofiarą padł w Nowym Jorku prawdziwy wynalazca urządzenia, Antonio Meucci. Móc prowadzić rozmowy z oddalenia wielu kilometrów, pomyśleć tylko! Konwersować z domu z kimś, kto znajduje się gdzie indziej, przyłożywszy po prostu ucho do słuchawki! Mój Boże, co za wiek cudownych wynalazków! Najpierw para, statki bez żagli, balony, lampy gazowe, zapowiedź oświetlenia elektrycznego. A dzisiaj telefon! W tym tempie do czego doprowadzi postęp? Do podróży na Księżyc?! Anastasii jednak to nie obeszło i nie zainteresowało. W marcu anarchista Amilcare Cipriani, bohater drugiej wojny o Niepodległość, uczestnik wyprawy Tysiąca, powstania greckiego przeciw Turkom, Komuny Paryskiej, po ucieczce z francuskiego więzienia w Nowej Kaledonii i nieostrożnym powrocie do Włoch, gdzie naiwnie spodziewał się, że zostanie przyjęty z otwartymi ramionami, został skazany na dwadzieścia pięć lat ciężkich robót przez sąd w Anconie. Proces toczył się o podwójne zabójstwo popełnione przez niego w 1867 roku w Aleksandrii w Egipicie w obronie własnej. I cały kraj powstał ze wzburzeniem. Także w Cesenie odbyły się tłumne manifestacje wznoszące okrzyki Niech-żyje-Cipriani. W maju zostało podpisane Trójprzymierze i nadzieje na odzyskanie Trydentu i Triestu przepadły. W czerwcu Garibaldi umarł na Caprerze i wszędzie, także w Cesenie, na znak żałoby zamknięto wszystkie sklepy, szkoły, teatry i urzędy. Anastasii jednak to nie obeszło i nie zainteresowało.

W swoim upojeniu macierzyństwem, opętana pragenieniem przebaczenia ze strony Giacomy, w ciągu tych trzech lat interesowała się tylko dochodami zwolnionymi od podatku, które przynosiły jej akcje Sulphur Company. Dochodami niezbędnymi do utrzymania apartamentu w Palazzo Almerici, opłacenia trzech służących, podróży do Wenecji i Rimini, wydawania pięniędzy na hotele, wyścigi konne i ruletkę. W 1878 roku, kiedy Anastasia zainwestowała połowę swojego kapitału w dwieście akcji przynoszących pięć tysięcy lirów rocznie, kopalnie pod Ceseną wydobywały trzydzieści tysięcy ton rudy siarczkowej na rok. Siarka z Romanii trzymała się dobrze, osiągając cenę 175 lirów za tonę, mimo wysokiej akcyzy (11 lirów od tony) i konkurencji siarki sycylijskiej, uważanej za lepszą jakościowo, oraz taniej siarki amerykańskiej. W 1879 roku złoża okazały się jednak mniej obfite i położone głębiej pod ziemią, niż sądzono, i chociaż prace wydobywcze zeszły na poziom 180 metrów pod powierzchnią, wydobycie zmniejszyło się o jedną trzecią. Na początku 1880 roku cena rudy spadła ze 175 do 135 lirów za tonę i Cesena Sulphur Company obniżyła dywidendy z dziesięciu procent do ośmiu. Pięć tysięcy lirów rocznie skurczyło się do czterech tysięcy. Anastasia zniosła cios z wdziękiem. „*Ça arrive, it happens*". Zdarza się". Na początku 1881 roku ceny spadły ze 135 lirów do 119 za tonę, a dywidendy Sulphur Company z ośmiu procent do siedmiu. Z czterech tysięcy zrobiło się trzy tysiące pięćset — Anastasia znowu zniosła cios z wdziękiem. *Ça arrive, it happens*. Na początku 1882 roku ceny zeszły do 105 lirów za tonę, dywidendy obniżono do pięciu procent, trzy tysiące pięćset lirów skurczyło się do trzech tysięcy i tym razem Anastasia się przestraszyła. Przerażona, postanowiła sprzedać przeklęte akcje, a także wycofać pieniądze z Credito Mobiliare i z Banca Popolare, załatwić fałszywy paszport dla Giacomy i nie przejmując się prawnym matactwem, zgodnie z którym opiekę nad sierotą numer 208 sprawowała Anastasia Cantoni zamieszkała na via Verzaglia, zamierzała przenieść się do Francji. Albo nawet wrócić do Ameryki. Potem, na wiosnę, zmieniła zdanie i nie zrobiła tego. Dlatego że hazard leżał w jej naturze, że lubiła ryzykować? Być może. Cesena stała się już jej stołem gry. Sulphur Company jej pokerem, faraonem, blackjackiem. A prawdziwy gracz nie porzuca stołu, przy którym przegrywa. Pozostaje przy nim uparcie, dalej grając, ryzykując, licząc na to, że szczęście znów zacznie mu sprzyjać. Ja jednak jestem przekonana, że Anastasia nie postąpiła tak, bo w jej losie, w moim losie zapisane było, że tego nie zrobi. Dlatego że (o czym ona oczywiście nie wiedziała) tej wiosny przyjechał do Ceseny mężczyzna wybrany przez przeznaczenie, by stworzyć miłosny trójkąt, który Giacomę miał kosztować lewe oko, a dla Anastasii zakończyć się przedwczesną śmiercią.

* * *

Mężczyzna wybrany przez przeznaczenie nazywał się Anton Maria Ambrogio Fallaci. Był potomkiem Carla i Cateriny, spokrewnionym bezpośrednio z rodziną Launaro, a pośrednio z Cantinimi. Teraz nosił mundur straży celno-podatkowej, a wcześniej przez jakiś czas sutannę seminarzysty. (W związku z tym pozostał bardziej dziewiczy od Maryi Dziewicy). 27 kwietnia miał skończyć dwadzieścia jeden lat. Był więc o cztery lata starszy od Giacomy, która miała lat siedemnaście, i o piętnaście młodszy od trzydziestosiedmioletniej Anastasii.

Tak, dochodzę już do ostatniej części egzystencji, którą przeżyłam, gdy byłam Anastasią. Ale by się w nią zagłębić, muszę najpierw zrobić krok w przeszłość. Opuścić Cesenę i wrócić do ekscentrycznego dwunastolatka, którego wiele egzystencji wcześniej porzuciliśmy w Candialle, majątku położonym pod San Eurfosino di Sopra. Był to rok 1873. Don Fabbri, proboszcz z Panzano, narzekał nie-rozumiem-tego-chłopca, czasem-zdaje-mi-się--aniołem-a-czasem-diabłem. Żeby pielęgnować w nim anioła, zapewnił mu darmowe miejsce w Małym Seminarium w Pizie, które przyjmowało biednych uczniów nieodpłatnie. W rodzinie oczekiwano, że Antonio zostanie księdzem. Może nawet papieżem, albo chociaż kardynałem. Tylko wuj Luca, jak pamiętamy, był innego zdania. Jaki-papież, jaki-kardynał, on-nie-zostanie--nawet-klerykiem. Wówczas Amabile Launaro, stryjeczna babka, wdowa po garbatym karle lutniku, przybyła, aby zawieźć go do Pizy i... oto ów krok w przeszłość. Odtwarzam go na podstawie tego, co opowiadał mi dziadek Antonio, dla ścisłości Anton Maria Ambrogio, gdy pytałam go, co porabiał po wyjeździe z Candialle.

19

Wszystko poszło jak najgorzej, opowiadał. Och, na początku był naturalnie zachwycony. Cieszył się podróżą dyliżansem z Panzano na stację kolejową i postojem we Florencji. Nigdy wcześniej nie jechał przecież dyliżansem, nie był we Florencji. „Chcę ci pokazać miasto, do którego sto lat temu mój tato przybył, aby przyłączyć się do grupy pana Mazzeiego i wyruszyć do Wirginii, ale plan się nie powiódł, dlatego ożenił się z mamą i przyszliśmy na świat my", powiedziała stryjeczna babcia, kiedy tam przyjechali. Z taką intencją ruszyli na spacer po ulicach centrum i, o Jezu!, były tam kościoły wyglądające jak pałace, pałace wielkie jak królewskie zamki, rzeka tak szeroka, że pływały po niej statki. Mosty, dzwonnice, kopuły zapierające dech w piersiach, i rzeźby, ale jakie! Kto widział kiedyś coś takiego? Na piazza Signoria, w miejscu niedoszłego spotkania Carla z panem Mazzeim, było ich co najmniej ze czterdzieści. Z marmuru, z brązu, z kamienia. Na zewnątrz i w środku Loggii dei Lanzi. I niemal wszystkie przykryte tylko laurowym listkiem, a kobiety nawet i bez tego. Na przykład najady wokół *Fontanny Neptuna*. Sabinki z *Porwania Sabinek*. W ten sposób można było odkryć, jak wyglądają kobiety bez ubrania, a zwłaszcza przyjrzeć się szczegółom anatomicznym w dolnej części ciała. Boże, co za nogi! Co za pośladki, biodra, piersi! Okrągłe, ze sterczącymi sutkami... w istocie Antonio zadał sobie pytanie: „A jeśli wuj Luca ma rację i naprawdę nie da się żyć bez kobiet?". A potem pociąg. Na stacji kolejowej wsiedli do pociągu... i Jezu! Kto by uwierzył, że pociąg może osiągnąć taką szybkość? Zaledwie dwie godziny z Florencji do Pizy, tylko dwie godziny! Następnie Piza. Znowu ta wielka rzeka i mosty, kościoły, pałace, dzwonnice i tak dalej. Poza tym Krzywa Wieża. Ach, Krzywa Wieża! Zaraz się na mnie przewróci, myślał, zaraz mnie przygniecie. Była równie podniecająca jak posągi nagich pań. Potem dom stryjecznej babci Amabile. Ozdobiony kolorowymi kafelkami, pełny wypolerowanych mebli, lamp gazowych, a na honorowym miejscu znajdowała się lutnia inkrustowana masą perłową. Ta sama lutnia, na której matka zmarłego męża babci Amabile, fascynująca Hiszpanka, córka księcia Gerolama Grimaldiego, zwana Księżną, grała w domu dla wariatów, gdzie zmarła oszalała z bólu po śmierci czterech synów w katastrofie w Zatoce Liońskiej. Na koniec „ocieranie się". To znaczy spacer po ulicach wzdłuż rzeki Arno, gdzie chodniki były bardzo wąskie i dlatego siłą rzeczy Antonio ocierał się o piękne panie w kapeluszach, w sukniach z dużym dekoltem i tiurniurą.

Na początku podobało mu się także w seminarium. Wprawdzie poczuł się niepewnie, ścisnął mu się żołądek. Szare ściany, ciemne pokoje, nieme cienie, milczące korytarze, na których jego kroki rozbrzmiewały jak wystrzały armatnie, i za każdym razem otwierały się jakieś drzwi, ktoś wychylał się z nich, kładąc palec na ustach: „Pst! Cisza! Pst!". Można się było poczuć jak w szpitalu czy na cmentarzu. Umieszczono go jednak w dormitorium, gdzie spali uczniowie pierwszego roku... i co za radość! W Candialle nie było żadnego chłopca w jego wieku. Przed nim urodziły się Annunziata i Assunta, po nim Palmira, Giulia i Viola. Wuj Luca i jego żona Adele mieli jednego syna i jedną córkę, ale syn umarł, została tylko córka, i powiedzmy sobie uczciwie: pięć sióstr i jedna kuzynka to żadna korzyść dla chłopaka. Musi sam spać, sam się bawić, uczyć, znosić ich złośliwości. Czuje się wyłączony i zazdrości tym, którzy mają chociaż jednego brata czy kuzyna, i mogą się z nim wdrapywać na drzewa, bronić się, robić rzeczy nieinteresujące dla dziewczynek. W dormitorium znalazł aż trzynastu zastępczych braci czy kuzynów, wszystkich mniej więcej w jego wieku. Nie licząc czterdziestu sześciu uczniów z innych dormitoriów i z pojedynczych pokoi, zarezerwowanych dla seminarzystów piątego i szóstego roku. Antonio lubił także nosić sutannę. Małą sutannę skrojoną jakby w sam raz na niego, pięknego pąsowego koloru z jaskrawoczerwonym obrębkiem, guzikami i dziurkami do guzików. W Candialle bardzo się martwił koniecznością założenia sutanny. Wuj Luca cały czas żartował sobie sutanna-to-ubranie-kobiece, bardzo-niebezpieczne, uważaj-na-pośladki, ratuj-pośladki. Pewnego razu wdał się w wyjaśnienia i mój Boże, jakie niepokojące rzeczy mówił! Po pierwsze, powiedział, sutanna sprzyja sodomii. Po drugie, sodomia to miłość między mężczyznami, inaczej mówiąc, to, co robią psy, kiedy nie ma w pobliżu suki. Po trzecie, miłość między mężczyznami to obrzydliwość. Po czwarte, ta obrzydliwość źle oddziałuje na wyżej wzmiankowane części ciała. Zresztą na temat sutanny negatywnie wypowiadała się także babcia Amabile.

„Według mnie to nie jest ubranie dla mężczyzn. Mężczyźni noszą spodnie. Będziesz wyglądał głupio". Włożył ją zatem z niejakim lękiem i burcząc: szkoda-że-nie-mogę-przejrzeć-się-w-lustrze. Bo jako że zwierciadła sprzyjają rozbudzaniu próżności, w seminarium były tylko małe lusterka do golenia zawieszone nad umywalkami. Pewnego razu Antonio przeszedł koło szklanych drzwi... i Jezu! Dobrze mu w niej było. Nadawała mu dostojny, surowy i poważny wygląd. Zresztą to nieprawda, że mężczyźni noszą zawsze spodnie. Dowiedział się tego z encyklopedii. W Chinach spodnie noszą kobiety, a mężczyźni chodzą w sukniach. W Szkocji mężczyźni noszą kilt, a w krajach arabskich szaty sięgające ziemi, jak Nazarejczyk. Co do obrzydliwości, o której wspominał wuj Luca, było to bez wątpienia oszczerstwo. Kapłaństwo wymaga celibatu, czy nie tak? Najbardziej jednak spodobało się Antoniowi, że obsługiwali go uniżeni służący. Jezu, Jezu! Kto by przypuszczał, że tu będą służący i że jego, dwunastolatka ze wsi, potomka ciężko harujących wieśniaków, będą obsługiwać z takim szacunkiem? Nazywali go „panem", pomyśleć tylko! Czyścili mu buty, rozgrzewali mu łóżko szkandelą, ścielili je, zmieniali pościel. Poza tym myli go, ubierali, czesali gęstym grzebieniem, żeby sprawdzić, czy nie ma wszy. A kiedy protestował: ja-nie-mam-wszy, nigdy-nie-miałem, odpowiadali: proszę-pana-o-wybaczenie, proszę-o-wyrozumiałość--tak-nakazuje-regulamin.

Regulamin... to, że pomimo służących, pięknej sutanny, radości z towarzystwa równolatków seminarium nie było krainą rozkoszy, zrozumiał, ucząc się na pamięć regulaminu, na który bezpośrednio po przybyciu tylko rzucił pobieżnie okiem. Absurdalne zakazy, dziwne zalecenia, niezrozumiałe wymagania. Na przykład: „Seminarzyści mają zasypiać z rękami na kołdrze. Pod żadnym pozorem nie wolno im wkładać ich pod nią, blisko ciała, a w czasie snu będą kontrolowani, czy stosują się do tego zarządzenia". Niby dlaczego trzymanie rąk blisko ciała miałoby być czymś złym? Ze szkandelami czy bez, w listopadzie z rękami na kołdrze okropnie się marzło. Pewnej nocy nie usłuchał i: „Budzić się, budzić! Co tu się dzieje? Co pan robi?". Albo: „Udając się do toalety w celu załatwienia naturalnej potrzeby, seminarzyści powinni uważać, by wchodzić do niej tylko wtedy, gdy nikogo innego tam nie ma, oraz zawieszać na drzwiach wywieszkę, że toaleta jest zajęta". No bo znowu: cóż złego w myciu się czy oddawaniu moczu w dwójkę albo w trójkę? Chłopcy nie mają przecież piersi i bioder takich jak najady i sabinki na piazza Signoria! Albo: „Mycie całego ciała odbywa się w balii, w koszuli". Dlaczego nie można się myć nago? Jak się namydlić i opłukać w koszuli? Boże kochany, najczęściej powtarzającym się terminem w regulaminie było słowo „z a b r o - n i o n e". „Zabronione używanie formy Ty i Wy. Także między sobą seminarzyści mają używać zwrotu Pan. Zabronione wyglądanie przez okno, patrzenie na ulicę, wychodzenie za bramę bez nadzoru. Zabronione zatrzymywanie się na korytarzu i na progu pokoi, które mają być zawsze zamknięte. Zabronione rozmawianie z uczniami innych klas, także w refektarzu, w czasie rekreacji i niedzielnej przechadzki. Zabronione zwierzanie się, dotykanie towarzysza, kładzenie ręki na jego ramieniu. Zabronione oddalanie się na ubocze z kimkolwiek, nawiązywanie bliskich przyjaźni: to, co na początku może się wydać niewinne, sprowadza często na złą drogę. Zabronione przynoszenie książek i gazet z zewnątrz oraz czytanie, tak w bibliotece, jak i w dormitorium, książek, które nie uzyskały zgody *in scriptis* Jego Ekscelencji Rektora. Zabronione pisanie listów i czytanie tych listów od rodziców, których Jego Ekscelencja Rektor nie przeczytał przedtem i nie sprawdził..." Na koniec ostatni cios: „Wykroczenia będą surowo karane. Lista kar obejmuje posiłek o chlebie i wodzie, post i klęczenie na podłodze refektarza w czasie, gdy inni spożywają posiłek, zachowanie całkowitego milczenia. W przypadkach uporczywego trwania w nieposłuszeństwie lub popełnienia wyjątkowo ciężkiego wykroczenia winny zostanie wydalony *ad aeternum*. Jego imię zostanie wymazane z rejestrów seminaryjnych, a wszelkie dokumenty mające z nim związek zostaną spalone. Łącznie z wypracowaniami szkolnymi. Podpisano: brat Paolo Micallef z Zakonu Heremitów Świętego Augustyna, z łaski Bożej i Stolicy Apostolskiej arcybiskup Pizy, doradca Świętej Inkwizycji, prałat domowy Jego Świątobliwości, konsultant Siedziby Apostolskiej, Rektor Małego Seminarium, który przekazuje Prefektom i Wiceprefektom zadanie czuwania nad przestrzeganiem wyżej wymienionych zasad".

Prefektami i wiceprefektami byli seminarzyści wybrani spośród najlepszych uczniów piątego i szóstego roku. Osoby odznaczające się nienagannym prowadzeniem, czystością i wiarą niepodlegającymi dyskusji. Najgorliwsi, najposłuszniejsi, najbardziej zdyscyplinowani. Oprócz sprawowania kontroli mieli także za zadanie pouczać, przeszukiwać, meldować, karać i... Jezu! Jakie cerbery, jakie bestie, co za oprawcy! Nie spuszczali cię z oka nawet na chwilę. Byli tak gorliwi, że zadawałeś sobie pytanie, kiedy znajdują czas, aby się uczyć, modlić, chodzić za potrzebą, odpoczywać. I nic im nie umykało. Słyszeli i zauważali wszystko. Jeśli przypadkiem nie zrozumieli znaczenia jakiegoś gestu, szeptu, zaraz zaczynali przesłuchanie: „Co Pan robił, co Pan mówił? Z kim Pan mówił, na kogo wskazywał?". Poza tym sprawdzali twoje lektury. Grzebali w twoich ubraniach, a w czasie rekreacji zabraniali ci biegać, skakać, krzyczeć, śmiać się. Przed niedzielną przechadzką ustawiali wszystkich w rzędzie i w parach jak żołnierzy. Pary dobierali spośród chłopców żywiących do siebie niechęć. W-ten-sposób-nie-będziecie-rozmawiać. Każda para musiała iść w odległości dwóch metrów od sąsiedniej. W-ten-sposób-nie-będziecie-się-bratać. I trzeba było spacerować ze spuszczoną głową. Lepiej było nie próbować jej podnosić, by popatrzeć na niebo, na domy, na ruch uliczny, na ludzi. Lepiej nie rzucać ukradkowych spojrzeń na kobiety, nie nadstawiać ucha, aby pochwycić urywki dziewczęcych pogawędek. Na-co-pan-patrzy-na-co-pan-patrzy?!, czego-pan-nasłuchuje-czego-pan-nasłuchuje? Bo to, co na początku bardzo się Antoniowi spodobało, to znaczy przebywanie z innymi chłopcami, a nie z dziewczynkami, wkrótce zaczęło mu się podobać dużo mniej. Po pierwsze, odkrył, że chłopcy w seminarium są tacy jak dziewczynki: podstępni, złośliwi i podlizują się. Po drugie, przekonał się, że wuj Luca ma rację. Nie można żyć bez kobiet. Nie widząc nigdy kobiety, nie słysząc kobiecego głosu. A w przypadku Antonia chodziło o coś więcej niż mrowienie w podbrzuszu. Czasami brakowało mu nawet wrzasków matki. Złośliwości sióstr: Annunziaty, Assunty, Palmiry, Giulii, Violi. Dąsów kuzynki Irene. Zamknięty w seminarium, nigdy nie widział kobiet, nie słyszał ich głosu. Wiedział, że gdzieś są. Trzy kucharki, trzy praczki, trzy pomywaczki, dwie prasowaczki, dwie szwaczki zajmujące się łataniem odzieży. Nie widział jednak nigdy nawet ich cienia, być może wchodziły i wychodziły osobnymi wejściem, i nigdy nie pochwycił uchem jakiegoś dźwięku, wskazującego na ich obecność. Tylko raz, kilka dni po przyjeździe, usłyszał jedną z nich, jak podśpiewywała, fałszując, „*Fiorin fiorello, l'amore è bello, io voglio te...*". Zaraz jednak rozległ się oburzony okrzyk, zapadło grobowe milczenie i cud nigdy się już nie powtórzył. Niedzielna przechadzka dawała zatem nadzieję na zapełnienie tej pustki, odnalezienie utraconych obrazów i dźwięków, przypomnienie sobie, że na świecie istnieją nie tylko mężczyźni. A potem te wzorowe okazy nienagannego prowadzenia się, moralności i tak dalej wszystko mu psuły swoimi na-co-pan-patrzy-na-co-pan-patrzy. Czego-pan-nasłuchuje-czego-pan-nasłuchuje. Zresztą także poza murami seminarium nie spotykali wielu kobiet. Trasa spaceru omijała starannie zatłoczone ulice, bulwary nad rzeką, nie było kontaktu z damami w kapeluszach z piórami, w sukniach z dużym dekoltem i z tiurniurą. W dzień Niepokalanego Poczęcia trafili przez pomyłkę na przedmieścia, do dzielnicy burdeli... i Jezu, Jezu, Jezu! Jakaś ladacznica zaczęła wołać z okna „Śliczne chłopaczki, chodźcie do mnie na górę, ja wam pokażę, co to raj!" — brat Paolo dowiedział się o tym i o mało nie posłał wszystkich na stos.

Co do brata Paola, no cóż. Nie znając go bliżej, można go było wziąć za nieszkodliwego i dobrodusznego pięćdziesięciopięciolatka. Różowe policzki, mięsiste usta, szerokie szczęki łakomego smakosza. Podwójny podbródek i brzuch jak piłka (tak wygląda na portrecie olejnym ozdabiającym rezydencję prymasowską w Pizie i takim ukazuje go granitowe popiersie ustawione w przyległym portyku). Gardził wygodami. Zamiast biskupiej sutanny nosił habit, zamiast mieszkać w pałacu arcybiskupim, rezydował w seminarium. Nie przyjmował zaszczytów, głosił wstrzemięźliwość, a gdy klęczał w kaplicy zatopiony w modlitwie, wyglądał jak gruby święty Franciszek, podwójnie litościwy i pobłażliwy. Tymczasem to on wybierał prefektów i wiceprefektów, to on za ich pośrednictwem wdrażał bezlitośnie regulamin. To on zaostrzał zasady i nakazywał spać z rękami na kołdrze, kąpać się w koszuli, chodzić po ulicach bez patrzenia na niebo, ludzi, ruch uliczny. Był wielbicielem świętego Augustyna i tak jak on wierzył w grzech pierworodny, we wrodzoną grzeszność człowieka, w winę, której nie zmazuje nawet rozgrzeszenie, i w to, że im surowsza kara, tym większe zadowolenie Boga. Bóg wie, jakie tortury psychiczne i udręki przeżył w augustiańskich klasztorach, odkąd miał siedem lat, w każdym razie lubował się w cierpieniu i w zadawaniu cierpienia, nie miało też dla niego żadnego znaczenia, że za gorliwością religijną kryły się nieprzebrane złoża hipokryzji. Rządzenie społecznością wystraszonych i bezbronnych niepełnoletnich chłopców dawało mu idealną sposobność, być dać ujście swym sadystycznym i masochistycznym skłonnościom. Nadzwyczajnie odpowiadało jego despotycznym i biurokratycznym upodobaniom. Pod pretekstem uczenia ich, wpajania dyscypliny, nie dawał im spokoju nawet w czasie posiłków. Zza stołu, przy którym siedział z ojcem duchowym, skarbnikiem, nauczycielami, mając przed sobą talerz z kilkoma orzechami i gotowanymi ziemniakami, kontrolował niestrudzenie cały refektarz i wszystkie stoły swoich sześćdziesięciu ofiar. Gdy tylko widział, że ktoś za bardzo delektuje się posiłkiem lub je z apetytem, wyciągał oskarżycielsko palec: „Wstyd! Je się, aby żyć, nie żyje się, żeby jeść! Za każdym razem, gdy napełniamy żołądek, pustoszymy duszę!". (I próżno zadawać sobie pytanie, skąd wzięła się jego okrągła twarz, jego brzuch wielki jak piłka. Z postnych orzechów i gotowanych ziemniaków czy ze smakołyków, którymi, jeśli wierzyć plotkom, opychał się potajemnie w swojej celi?) Poza tym nakazywał czytanie przy obiedzie i przy kolacji budujących historii męczenników, tak więc jedząc, trzeba było wysłuchiwać odrażających szczegółów na temat tortur zadawanych przez stulecia chrześcijanom. Opowieści o biedakach oślepianych, obdzieranych ze skóry, kaleczonych, ćwiartowanych. Można było stracić apetyt. Zresztą brat Paolo przeszkadzał także seminarzystom w czasie nauki. Przerywając wykład czy pisanie zadania, wpadał do auli, wdrapywał się na katedrę i *In malevolam animam non intrabit Sapientia, nec habitabit in corpore subdito desideriis!* Mądrość nie wejdzie do złej duszy, nie zamieszka w ciele ulegającym pożądaniom". Pauza. „A jeśli któryś z was znalazł się tu nie po to, aby wstąpić na drogę kapłaństwa, a tylko aby zdobyć wykształcenie na koszt seminarium, Bóg wrzuci go do gardła Lucyferowi za to, że nadużywa i marnotrawi dobra Kościoła!" Jakby to nie wystarczyło, zagarnął także funkcję spowiednika, zwykle pełnioną przez ojca duchowego. Pozwalało mu to sondować umysł i serce każdego seminarzysty, poznać jego wątpliwości i słabości, najbardziej intymne myśli, a potem to wykorzystać przeciw niemu. Jednym słowem, istny Torquemada. Nie przypadkiem w Pizie był powszechnie znienawidzony, nawet przez tych samych bigotów, którzy w 1871 roku, kiedy obejmował arcybiskupstwo i kierownictwo seminarium, przyjęli go z entuzjazmem. Nienawidziła go znaczna część kleru, przede wszystkim kanonik Palmiro Billeri, który oskarżał go o niemoralność i domagał się wszczęcia śledztwa, a nawet wytoczenia mu procesu. Czyżby pociągali go chłopcy? Czy pomiędzy jednym a drugim kazaniem, jedną a drugą modlitwą posuwał się do molestowania ich? Po śmierci brata Paola kanonik Billeri był zmuszony poprosić o wybaczenie, a także wstąpić do zakonu augustianów. Ale choć wielu badaczy twierdzi, że chodziło o oszczerstwa, z których brat Paolo został oczyszczony, w sprawie niewygodnego podejrzenia Kościół jeszcze dzisiaj zachowuje ścisłe milczenie. „Lepiej spuścić zasłonę milczenia, odesłać zdarzenie w niepamięć".

A mimo to do czasu owej trudnej próby burzliwy prawnuk wielkiej Cateriny nagiął się niczym ledwie zerwana witka, znosząc trudności z bohaterstwem godnym męczenników, o których słuchał przy stole. Z nieśmiałości, ze strachu, z miłości do Boga? Często go o to pytałam, gdy był już sędziwym i zajadłym antyklerykałem, bo nie mogłam uwierzyć, że w młodości uczęszczał do seminarium. I za każdym razem odpowiadał mi, że tak, że wchodziły w grę także te trzy czynniki, ale decydującym powodem było wyrachowanie. Obawa, by nie stracić Wielkiej Okazji, lęk, by nie zostać na zawsze wieśniakiem, ambicja przeskoczenia przepaści społecznej dzielącej jego rodzinę od rodziny stryjecznych dziadków, Eufrosina i Domenica, dwóch Fallacich w cylindrze, zamożnych braci, którym Pietro, Lorenzo i Donato zawdzięczali zdobycie posiadłości, potem zniszczonej przez oidium i ceny siarki. Wszyscy ich synowie byli bogaci i prosperowali. Carlo junior, czyli ósmy syn Eufrosina, był na przykład znanym sędzią we Florencji. Wkładał sędziowską togę i piorunując oskarżonych lodowatym spojrzeniem oraz potrząsając długachnymi wąsami, dwadzieścia centymetrów każdy, ferował wyroki. Przekonany o własnej wyższości, o krewnych wieśniakach z Candialle mawiał: „To głupcy o ciasnym móżdżku. Nigdy się niczego nie nauczą". Niczego? W seminarium brata Paola uczono wielu rzeczy i już trudno, że niektóre były strasznie nudne. Rozbioru logicznego i gramatycznego zdania. Czasowników ułomnych i *verba deponentia*, następstwa czasów, składni, liturgii, retoryki, prozodii... Inne przedmioty były za to fascynujące i od ich nauki umysł otwierał się niczym kwiat. Historia Grecji i Rzymu, literatura starożytna, astronomia... ach, jakie to ekscytujące dowiedzieć się, że wokół Słońca krąży tyle planet, że największa, czyli Jowisz, ma szesnaście księżyców, że Saturn ma ich dziesięć i jest otoczony przez kolorowe pierścienie, że Droga Mleczna, czyli galaktyka, do której należy nasz układ słoneczny, liczy miliony innych gwiazd i planet, że we wszechświecie są miliony galaktyk, że Ziemia to tylko drobinka pośród miliardów innych drobinek. Ziarenko piasku na bezkresnej plaży. Ach, co to za radość uczyć się historii Aten, Sparty, Rzymu. Dowiedzieć się, kim byli Homer, Achilles, Ulisses. I Sokrates, Platon, Perykles. A także Romulus i Remus, Cyncynat, Juliusz Cezar, Oktawian August i Cyceron, Neron i Seneka, Horacy i Wergiliusz. Poza tym wpajano tam nie tylko wiedzę, ale także uczono dobrych manier. Jak wyrażać się elegancko, kichać, poruszać się, myć zęby i czyścić paznokcie. Tłumaczono, że nie wolno dłubać palcem w nosie i w uchu, pluć na dywany czy na posadzkę, jeść rękami... W Candialle zawsze jedzono rękami, i to już było coś, że chociaż do zupy używano łyżki. W seminarium natomiast trzeba się było posługiwać sztućcami i nie zapominać o tym, co objaśnia Mechiorre Gioria w swoim podręczniku savoir--vivre'u: widelec trzyma się w lewej ręce, z palcem wskazującym wspartym na trzonku. Nóż w ręce prawej, nie ściskając go, jakby był włócznią lub szablą, ale także wspierając palec wskazujący na trzonku. Na tym nie koniec. Po ukończeniu pierwszego roku nauki w lecie 1874 roku Antonio spędził wakacje w posiadłości diecezjalnej w Migliarino. I tam poznał morze. Morze! Boże kochany, kto widział coś takiego? Kto by przypuszczał, że jest wielkie jak niebo, gwałtowniejsze od wiatru, bardziej słone od soli? Upajał się słonym powiewem na brzegu morza i czuł wdzięczność do brata Paola. Mniejsza z tym, że regulamin zabraniał rozbierania się, wchodzenia do wody, pływania. Mniejsza, że pozwalał jedynie na zdjęcie butów, a jeśli ktoś próbował odkryć nogi do łydek, prefekci i wiceprefekci protestowali ze zgorszeniem: „Proszę opuścić ubranie, proszę opuścić ubranie!".

Po drugim roku nauki wysłano go na wakacje do domu. Wrócił do Candialle w swojej pięknej sutannie z czerwonymi guzikami, i co za triumf! Naturalnie na jego widok wuj Luca zaczął sobie pokpiwać. Śmiał się, powtórzył swoje wywody o zagrożonych pośladkach, o kobiecych pogwarkach i tak dalej. Ale reszta rodziny i całe Panzano... Tatuś pękał z dumy. Mama płakała z radości. Dziadkowie szlochali wygląda-jak-kardynał. Siostry odnosiły się do niego z szacunkiem, don Fabbri chwalił się swoim pupilem, a mieszkańcy nazywali go don Antonio. Mówili do niego na pan, a czasami nawet prosili go o błogosławieństwo: „Z przeproszeniem, don Antonio, z przeproszeniem!". Spędził w Candialle cudowny miesiąc. Oczywiście, przestrzegając skrupulatnie reguł. Chodził zawsze w sutannie, unikał książek wymienionych w *Index librorum prohibitorum*. Codziennie uczestniczył w mszy, wypełniał wszystkie nakazane praktyki religijne, odmawiał różaniec i litanie. Jednym słowem: prowadził się nienagannie i nie zapominał ani na chwilę, że pobyt na wsi stwarza duże zagrożenie dla czystości seminarzysty. Nigdy nie naruszył reguł, bo ich przestrzeganie przychodziło mu już bez żadnego wysiłku. Nie czuł nawet ambarasującego mrowienia w dole brzucha. Pomimo lektury Pisma Świętego i nauki mitologii ta przypadłość jeszcze go nie dotknęła. A tak, bo w Piśmie Świętym można znaleźć rzeczy pobudzające wyobraźnię! Król Dawid, który traci głowę dla Betszeby, i żeby ją zdobyć, każe zabić jej męża, Uriasza. Abraham, który w Egipcie stręczy swoją żonę faraonowi, udając, że jest jego siostrą: proszę się nie krępować, Wasza Wysokość. Judyta, która by zabić Holofernesa, zachowuje się jak prostytutka z przedmieść Pizy. A w mitologii? Wystarczy pomyśleć o Zeusie, schodzącym co chwilę z Olimpu, by napastować piękne dziewczęta. Raz zamienia się w byka i uwodzi biedną Europę na łące. Kiedy indziej pod postacią łabędzia przywodzi do upadku Ledę nad jeziorem. Albo spada jako złoty deszcz na Danae w jej łożu... W czwartym roku nauki nic się nie zmieniło. Tym bardziej że przeniesiono Antonia z dormitorium — w którym zawsze znalazł się ktoś, kto komentował grzechy Zeusa, Judyty, Abrahama, Dawida, Betszeby — do jednoosobowej celi. Co prawda maleńkiej. Dwa na trzy metry. I spartańskiej. Tak spartańskiej, że nie dałoby się tam ukryć nawet szpilki. Całe umeblowanie składało się z łóżka, stolika, krzesła, wieszaka, półki na książki, nocnika i świecy, którą prefekt lub wiceprefekt gasił punktualnie o dziewiątej wieczorem. Maleńkie było także okienko, znajdujące się tak wysoko, że nie można było do niego dosięgnąć, nawet stojąc na krześle. Ta asceza sprzyjała jednak koncentracji, potrzebnej, aby się uczyć, dojść do czegoś, dorównać krewnemu w sędziowskiej todze, i Antonio unikał nieczystych myśli. W lecie 1876 roku nie mógł się doczekać szesnastych urodzin i rozpoczęcia nauki metafizyki: wstępu do kursu teologii, który miał zwieńczyć w wieku osiemnastu lat dyplomem, tonsurą i przyjęciem w szeregi kleryków. Nic go nie dręczyło i wydawało mu się, że może stawić czoło wszelkim niebezpiecznym tekstom. Nawet Pieśni nad Pieśniami. Poematowi króla Salomona, który nieco nazbyt dosłownie opowiada o wszystkich rozkoszach ziemskiej miłości i dlatego czytany jest dopiero w ostatnim roku nauki.

Niestety, właśnie tego lata stryjeczny dziadek Gaetano, proboszcz w Sienie, bardzo już chory i szykujący się do odejścia na tamten świat, napisał do brata Paola, wyrażając pragnienie pożegnania się ze stryjecznym wnukiem seminarzystą. Brat Paolo, przekonany o niezkazitelności moralnej Antonia, pozwolił mu udać się w podróż bez asysty i...

* * *

Wszystko zdarzyło się z tego powodu. I Antonio przeczuwał, że ta podróż do Sieny okaże się dla niego fatalna. Zarówno w pociągu, jak i w pokoju umierającego powtarzał sobie z niepokojem Jezu-czego-on-ode-mnie-będzie-chciał. I co się okazało? Że Gaetano chce podarować Antoniowi skrzynię odziedziczoną po matce Caterinie. Skrzynię Ildebrandy. „Zawiera pamiątki rodzinne i chcę umrzeć ze świadomością, że przekazałem ją w dobre ręce. Oto klucz i akt notarialny darowizny. Ale nie otwieraj jej przed wyświęceniem się na księdza, dobrze?" Antonio zesztywniał. Wiedział przecież doskonale, że Caterina Wielka była ateistką, która w swoim życiu tylko raz się pomodliła, w dniu, kiedy jej pierworodna córka wpadła w śpiączkę z powodu błonicy. Buntowniczką, która umierając, odmówiła przyjęcia rozgrzeszenia od syna księdza, wrzeszcząc ani-ty-ani-twój-Bóg-nie-macie-mi-nic--do-wybaczenia. Wiedział także, że przodkini Ildebranda była kacerką, że w 1569 roku została spalona przez Inkwizycję w Sienie wraz z czterema heretyczkami winnymi konszachtów z diabłem i rzucenia uroku na osiemnaścioro niewinnych dzieci. I mógł sobie powtarzać wuj Luca jaki-diabeł, jakie-opętane-dzieci, te łotry spaliły-ją-za-jagnięcy-udziec-ugotowany-w-czasie-Wielkiego--Postu! Inkwizycja nie wysyła ludzi na stos za zwykły jagnięcy udziec. Antonio był przekonany, że skrzynia nie zawiera ostensoriów ani świętych relikwii i wolałby jej nie brać.

W końcu jednak ją zabrał. Zawlókł ze sobą aż do Pizy, a przewiezienie tak ciężkiego sprzętu musiało go kosztować wiele trudu, zwłaszcza że ze Sieny nie było bezpośredniego połączenia do Pizy i trzeba się było przesiąść w Empoli. Musiał więc załadować skrzynię do jednego pociągu, wyładować ją, załadować do drugiego, uciekając się do pomocy tragarzy, którzy drwili sobie z niego: „przewozicie skarby, księżulku?". W Pizie zawiózł ją na przechowanie w jedyne możliwe miejsce: do domu stryjecznej babci Amabile. Ustawił ją w pokoju, który babcia trzymała dla niego na wszelki wypadek. Jeśli-zmienisz-zdanie, jeśli-cię-wyrzucą... I zamiast wrócić od razu do seminarium, został tam na noc. Wpatrywał się w skrzynię, zadawał sobie pytanie, dlaczego nie wolno mu jej otwierać przed przyjęciem święceń. Czyżby kryła się w niej jakaś stara klątwa, ponure przekleństwo, które tylko jako kapłan będzie w stanie egzorcyzmować? Skrzynia zdawała się odwzajemniać jego spojrzenie i szeptać kusząco otwórz-mnie-należę-do-ciebie. A on był piętnastoletnim chłopcem, a nie dojrzałym mężczyzną. Nagle wsunął klucz do zamka, podniósł wieko. W świetle lampy gazowej obejrzał zawartość skrzyni i odetchnął z ulgą: w środku nie znajdowało się nic diabelskiego. Były tam rzeczywiście pamiątki rodzinne, przede wszystkim po prababci. Na początek elementarz. Z pewnością jej elementarz. Liczydło. Tekst medyczny doktora Barbette'a, siedemnastowiecznego lekarza. Niewątpliwie podręcznik, w którym szukała sposobu wyleczenia umierającej Teresy. Haftowana poszwa, na której napisała gęsim piórem wspaniałe epitafium „Ja jestem Caterina Zani. Jestem chłopką i żoną chłopa, który nazywa się Carlo Fallaci. W siedem miesięcy nauczyłam się czytać i pisać i niedługo nauczę się również liczb, żeby rachować. San Eufrosino di Sopra, dnia ósmego kwietnia tysiąc siedemset osiemdziesiątego szóstego". Oprócz tego okulary, list pełen błędów składniowych, napisany w połowie po francusku, w połowie po włosku, i podpisany Antoine. Oraz stosik książek, z których tylko jedna figurowała w *Indeksie ksiąg zakazanych* i dlatego nie wolno jej było nawet dotknąć: *Dekameron* Boccaccia. Pozostałe były nieszkodliwe lub przynajmniej na takie wyglądały. *Boska Komedia*, *Orland szalony* Ariosta, *Jeruzalem wyzwolona* Tassa, *Moje więzienia* Silvia Pellica. A wśród nich mały tomik bez okładki, o wymiarach zaledwie dziesięć na osiemnaście centymetrów, gruby na trzy, i wydrukowany tak małymi literami, że aby czytać go bez trudu, potrzebne byłoby szkło powiększające. Zaciekawiony Antonio zaczął kartkować książeczkę, zatrzymał wzrok na przypadkowej stronie i: „Pamiętasz na pewno jak to już wtedy, kiedy złączeni byliśmy ślubem, a ty przebywałać wśród siostr w Argenteuil, przyszedłem tam jednego dnia, aby cię potajemnie odwiedzić, i jak wtedy nie zapanowałem nad żądzą. Wiesz dobrze, że to było bardzo nieprzyzwoite w tak poważnym miejscu i poświęconym Najświętszej Pannie ". I dalej: „Pamiętasz, że kiedy byłaś w odmiennym stanie, wysłałem cię do mej ojczyzny, i dla zatajenia rzeczywistości chodziłaś w świętym stroju jak siostra, a taki fałsz był nieprzyzwoitym szyderstwem ze stanu religijnego, do którego teraz należysz. [...] Wiesz, do jakich aktów bezwstydnych pchnęła nas moja nienasycona namiętność. Stargałem wszystkie więzy przyzwoitości, nie miałem względu ani na Boską bojaźń, ani nawet na dni Męki Pańskiej, ani na żadne inne uroczystości, ale bez opamiętania nurzałem się w błocie rozpusty. Jeżeli kiedy się sprzeciwiałaś i w miarę swych sił stawiałaś opór, jeżeli czegoś mi odradzałaś, często groźbą i chłostą jako słabszą z natury zmuszałem do uległości [...]. I nie inaczej mogła mię uratować Boska łaskawość, tylko w ten sposób, że raz na zawsze odjęła ode mnie samą możliwość używania tego rodzaju rozkoszy".

Z wytrzeszczonymi oczyma, zamętem w głowie, bijącym głośno sercem, Atnonio zamknął książeczkę. Potem otworzył ją znowu trzęsącymi się rękami i zaczął czytać w innym miejscu. „Bóg jest mi świadkiem, że nigdy nie pragnęłam niczego od ciebie — prócz ciebie. Nie nęciły mnie nigdy ani przywileje małżeńskie, ani żadne bogactwa. Nie chciałam nigdy, jak sam wiesz najlepiej, spełniać swej woli ani szukać przyjemności dla siebie. [...] Jeżeli nawet godność żony jest uważana przez ludzi za więcej zaszczytną i trwałą, jednak inny tytuł miał dla mnie zawsze więcej powabu: imię twej ukochanej, a jeżeli nie weźmiesz mi za złe — imię twojej kochanki. [...] Bóg jest mi świadkiem, że gdyby nawet sam Cezar August, władca całego świata, chciał mnie zaszczycić honorem swej żony, ścieląc pod moje nogi światowe imperium, ja jednak wolałabym z większą przyjemnością nazywać się twoją kochanką niż żoną Cezara". I dalej: „Te miłosne rozkosze, jakimi raczyliśmy siebie nawzajem, z taką słodyczą mi przypadły do smaku, że nie mogę ich sobie obrzydzić ni w żaden sposób przegnać z pamięci. Gdziekolwiek się zwrócę, wyczarowane zjawy stają mi przed oczyma. [...] Nawet czasu najuroczystszego nabożeństwa, gdy z duszy ulatywać winna modlitwa żarliwsza i czystsza, szpetne wspomnienia tak mnie niewolą, że się silniej wyrywa ku znanym sobie igraszkom niż ku modlitwie. Zamiast ubolewać nad tym, co już się stało, wzdycham ku temu, co nigdy nie wróci. [...] Również po nocach mary podobne płoszą mi sen z oczu. [...] O, ja naprawdę nieszczęśnica! [...] łaska, mój drogi, już dawno spłynęła na ciebie. Jedna rana na ciele ustrzegła cię od wielu zranień na duszy i uwolniła cię od podobnej niewolni zmysłów. [...] Daleka jestem od twego spokoju! Namiętne zmysły, gorąca młodość, czarowne wizje doznanych rozkoszy — rozpalają we mnie ogień miłosnych porządań i są tym bardziej władcze i zwycięskie w natarciu, im słabsza i mniej odporna jest natura, którą szturmują. [...] Chwalą mnie za pobożność w tych czasach, kiedy jest ona prawie jednoznaczna z obłudą. Pościągliwość cielesną biorą za cnotę, jak gdyby cnota była ozdobą ciała, nie ducha. [...] Nie miłość Boga, ale życzenie twej woli skłoniło mnie do życia poświęconego Bogu"*. Na koniec, niczym salwa na klombie czerwonych róż, wiersz, zarazem czuły i pełen gniewu: „Święte księgi, surowi sędziowie / moralności, która duszę zasmuca / posępnymi dogmatami i mrocznymi tajemnicami / trzymajcie się ode mnie z dala / mamicie mnie odległymi dobrami / przyrzeczeniami radości niebiańskich, chorobliwych lęków / wasze pioruny ślepej wiary / umocnić nie mogą duszy, która pożąda / pocałunków i pieszczot, zgasłych namiętności / Była to godzina, gdy słońce kłoni się do horyzontu / by podarować nam wieczór / łagodny wietrzyk, rześki powiew / szeleścił wśród gałęzi / a moja dłoń ściskała mocno twoją / pełen pożądania pociągnąłeś mnie do łoża / na drżących nogach szedłeś za mną / cnota już mnie opuszczała / zbliżyłeś wargi do moich warg / poczułeś w nich pragnienie, które było twoim pragnieniem / upadłam w twoje ramiona / wszelkie hamulce cię odeszły, wszelki wstyd / i w namiętnych, powtarzanych uniesieniach...".

Wtedy, wstrząśnięty nie do opisania, zaczął szukać okładki, żeby zrozumieć, co to za książka. Zamiast okładki znalazł naddartą stronę tytułową, na której widniał napis *Listy Abelarda i Heloizy w wolnym przekładzie z łaciny przez wielmożnego*

---

* Fragmenty *Abelarda i Heloizy. Listów* Pierre'a Abelarda w tłumaczeniu Leona Joachimowicza.

kawalera Andreę Metrà. Tekst wzbogacony o sławny poemat angielskiego poety Alexandre'a Pope'a „Elegia pamięci nieszczęsnej niewiasty", przełożony przez sławnego opata Pia Contiego. Ponadto anonimowe wiersze francuskie o tej samej materii i przetłumaczone przez wielce szanownego członka Arkadii Eusebia Mallerbę. Prolog pana Giuseppe Martiniego, który własnym nakładem książkę tę wydał, wydrukowawszy w 1812 w drukarni Molinari. (Mogę przytoczyć ten słowotok słowo w słowo, bo teraz książeczka należy do mnie. Ukradłam ją, zanim skrzynia wyleciała w powietrze, i w ten sposób ocaliłam).

20

Biedny dziadek Antonio. Jego głos przygasał, kiedy opowiadał mi o dramacie, jaki przeżył tamtej nocy, o odkryciu miłości i pożądania, poczynionym dzięki listom mnicha i mniszki opłakujących swe dawne uściski. W wieku piętnastu lat nie wiedział jeszcze, kim byli Abelard i Heloiza. W seminarium nigdy o nich nie wspomniano, a ich sławna korespondencja bez wątpienia spoczywała gdzieś w bezpiecznym ukryciu w szafach, do których dostęp uzyskiwało się wyłącznie za pozwoleniem *in scriptis* brata Paola. Dopiero przeczytawszy wstęp pana Martiniego odkrył Antonio, że Abelard był wybitną osobistością, średniowiecznym filozofem i teologiem, który nauczał na najlepszych uczelniach, pisał mądre dzieła, komponował piękne ballady, sam je śpiewał, i z powodu swej urody cieszył się wielkim powodzeniem wśród płci niewieściej. Heloiza, jego uczennica i siostrzenica kanonika Fulberta, była jedną z najbardziej niezwykłych kobiet swej epoki. Przepiękna, nad wyraz inteligentna, znała łacinę, grekę i hebrajski. Odcyfrowawszy z trudem maleńkie litery książki pana Martiniego, Antonio dowiedział się także, że w 1117 roku Heloiza, zaledwie szesnastoletnia, i niemal czterdziestoletni Abelard, będący wówczas u szczytu sławy, zakochali się w sobie bez pamięci. Wkrótce spłodzili syna, po czym pobrali się, aby złagodzić skandal, lecz żądny zemsty Fulbert mimo to kazał wykastrować winnego, i żegnajcie czułe uściski. Nieszczęśliwi kochankowie rozdzielili się na zawsze, wybierając drogę zakonną. W 1134 roku zaczęli jednak do siebie pisać listy (od siedmiu wieków najbardziej manipulowane i kopiowane arcydzieło literatury), które sprawiły, że ich historia stała się legendą. Antonio nic o tym wcześniej nie wiedział. A dowiedziawszy się, poczuł nagle ambarasujące mrowienie w dole brzucha. Tysiąc razy gwałtowniejsze niż to, które poczuł na widok figur nagich najad i sabinek. Z podbrzusza mrowienie przeniknęło do serca i rozpętało w nim burzę uczuć. Współczucie dla Heloizy i świadomość, że on również wpadł w sidła hipokryzji. Z serca zamęt przeniósł się do mózgu, gdzie rozniecił pytania i wątpliwości. Jeśli osoba tak wyjątkowa jak Heloiza nie umiała oprzeć się wezwaniu zmysłów, jeśli mężczyzna inteligentny i dojrzały jak Abelard nie potrafił opanować siły pożądania, w jaki sposób mógł sobie poradzić z tymi problemami zwykły śmiertelnik, gołowąs jak on?!? Co robić, żeby nie trwać dalej w fałszu, w hipokryzji? Zadać sobie ranę, która upokarzając i kalecząc ciało, ratuje duszę, innymi słowy, uciąć sobie kutasa? No nie, co to, to nie. Zrezygnować z projektu zostania księdzem, dorównania krewnemu w sędziowskiej todze, wrócić do okopywania pól? Nigdy. Poddać się regułom celibatu, czyli zaakceptować moralność, która zasmuca duszę posępnymi dogmatami, ponurymi tajemnicami, i zamiast ziemskich uciech obiecuje niebiańskie radości?

Myślał nad tym aż do świtu. Potem zdecydował brnąć dalej w hipokryzję, podążać obraną drogą. W chwili gdy zamykał skrzynię, aby powierzyć klucze babci Amabile, która burczała jesteś-blady-co-się-z-tobą-dzieje, popełnił jednak fatalny błąd, gorszy od tego, jakim było otwarcie skrzyni. Dał się zwyciężyć pokusie przeczytania wszystkich listów, poematu Pope'a oraz wierszy. Wsadził sobie mianowicie książeczkę do kieszeni sutanny i wrócił z nią do seminarium, po czym stanął przed obliczem brata Paola, który po każdym urlopie wymagał zdania mu raportu. Tak, czcigodny ojcze, stryjeczny dziadek umierał i pragnął zalecić wnukowi, aby podążał drogą cnoty i pokory. Nie, czcigodny ojcze, pożegnanie nie odznaczyło się żadnym szczególnym wydarzeniem, a on, Antonio, nie naruszył w niczym reguł. O skrzyni, spotkaniu z Abelardem i Heloizą, nocy spędzonej w domu stryjecznej babci Antonio nie zająknął się ani słowem. Kłamiąc, cierpiał piekielne męki. Równą męką było posiadanie przy sobie książeczki. Zdawała się palić mu kieszeń. „A jeśli ją zauważy?!?" Zastanawiał się także, gdzie ją ukryje w swej ascetycznej celi. Pomiędzy podręcznikami ustawionymi w rzędzie na półce na książki? Niemożliwe. Prefekci i wiceprefekci przetrząsali ją każdego dnia. Pomiędzy ubraniami albo pod materacem? Również nie. Oprawcy nawet i tam zaglądali. Za wieszakiem? Głupi pomysł. Przesuwali go. Gdy tylko znalazł się w swojej celi, jego wzrok padł na cegłę w kącie podłogi, która nie przylegała ściśle do innych. Podważając ją paznokciami, dał radę ją wyciągnąć i... Jezu kochany! Pod spodem było wystarczająco dużo miejsca, żeby ukryć tam przedmiot o wymiarach dziesięć na osiemnaście centymetrów, grubości trzech centymetrów. I tak Antonio rozpoczął piąty rok nauki, ukrywszy swą niebezpieczną tajemnicę pod cegłą, która podnosiła się niczym wieko sekretarzyka. Prefekci i wiceprefekci nie zauważyli jej, tak więc do nadejścia wiosny Antonio zdążył przeczytać wszystkie listy oraz resztę. Ze szczególnym entuzjazmem anonimowe wiersze, które trafnie opisywały jego własny problem i zachęcały go do buntu. „Niebiosa, czyż to zbrodnia / przedkładać pocałunek nad moje śluby? / Jeśli tak jest, mówię Ci, Panie / że kocham tę zbrodnię". Wykorzystując odosobnienie swej pojedynczej celi, Antonio nie spał już z rękami na kocu. Nie czuł się już godnym potępienia grzesznikiem, a w nocy przywoływał obraz kobiety, którą nazywał Heloizą. „Ale nie nastoletnią Heloizę, dla której stracił głowę Abelard", uściślał w starości. „Dorosłą Heloizę. Piękną, doświadczoną, pewną siebie kobietę. Boginię, poruszającą się, jak gdyby cały świat do niej należał, nieprzypominającą żadnej poznanej przeze mnie kobiety. Taką jak Anastasia, czy jasno się wyrażam?" W tych miesiącach zaczął też szybko rosnąć. Jego sylwetka wydłużyła się i nabrał krzepy. Okrągła twarz wysmuklała. Głos zrobił się głębszy, melodyjniejszy, a nad górną wargą zaczął mu się sypać wąs. Nie przypadkiem brat Paolo bardzo się nim interesował i w konfesjonale dręczył go pytaniami: „Czujesz jakiś niepokój, synu? Dręczą cię mętne fantazje?". Prefekci i wiceprefekci sprawdzali go jeszcze dokładniej. Śledzili go z większą gorliwością, coraz częściej przetrząsali jego celę. Obawa, że odkryją kryjówkę, zaprzątała Antonia obsesyjnie. Gdy tylko wracał do celi, podnosił cegłę, aby sprawdzić, czy cenna książka jeszcze tam jest, i czasami zastanawiał się, czy nie powinien jej wyrzucić. W ten sposób nadszedł dzień 26 kwietnia 1877 roku, wigilia jego urodzin i data, którą miał na zawsze wspominać z dreszczem. Bo tego wieczoru nie znalazł książeczki w zwykłym miejscu. Zamiast niej leżała kartka z napisem drukowanymi literami: NIEWDZIĘCZNIK. Z korytarza dochodziła złowróżbna kantylena: „Libera nos a malo, libera nos a malo... Uwolnij nas od zła wszelkiego, uwolnij nas od zła wszelkiego... Amen".

Z przerażenia prawie zemdlał. Klęczał nieruchomo, wpatrując się w pusty schowek i w karteczkę, niczym idiota, którego walnięto młotem w głowę. Przez całą noc czekał, aż otworzą się drzwi i ktoś przyjdzie, aby go zawlec przed oblicze Jego Ekscelencji Rektora. Nikt jednak nie przyszedł, po złowróżbnej kantylenie zapadła grobowa cisza i przez trzy dni, które przeżył w okrutnej udręce, nikt mu nic nie powiedział. Nauczyciele i koledzy byli mili jak zawsze. Prefekci i wiceprefekci ograniczyli się do traktowania go z zimną uprzejmością. Nieprzeniknione twarze, lakoniczne odpowiedzi. Wzrok skierowany w inną stronę, żadnego wyrzutu. Ani słowa nagany, najmniejszej aluzji do zbrodni. Na próżno usiłował się czegoś dowiedzieć, uśmiechał się przymilnie, żebrał o wyjaśnienia.

„Czy coś jest nie w porządku, panie prefekcie?",„To możliwe".„Czy gniewa się pan na mnie, panie wiceprefekcie?" „Niewykluczone". W przypadkach tego rodzaju było zwyczajem brata Paola (Antonio tego nie wiedział) wznosić mur ostracyzmu między winnym a jego strażnikami. W ten sposób grzesznik robił się nerwowy, cierpiał, gubił się w domysłach, a może dawał się nawet ponieść bezzasadnym nadziejom. Może mimo wszystko listy Abelarda i Heloizy, poematy Pope'a i anonimowe wiersze nie znajdują się na *Indeksie ksiąg zakazanych*. Może chodzi tylko o tekst odradzany, niemile widziany, i Jego Ekscelencja Rektor jest po prostu niezadowolony. Wyraża swoją dezaprobatę za pośrednictwem prefektów i wiceprefektów, więc trzeba po prostu uzbroić się w cierpliwość. Zachować ducha, czekać na przebaczenie. Tymczasem, gdy minęły trzy dni, brat Paolo przeszedł do następnego etapu procesu. W refektarzu, czyli w miejscu, gdzie wszyscy jedli razem, i dlatego wybranym na miejsce publicznej pokuty. W porze kolacji, gdy każdy zaczynał się już trochę odprężać i mniej mieć na baczności. Poprzedzając *Pater noster* oskarżycielską mową. Po *Gratias-agimus-tibi-Domine* kazał pozostać seminarzystom w pozycji stojącej, ze złożonymi rękoma, i zaczął swoją filipikę: „Pośród was kryje się zgniłe jabłko, czarna owca, którą należy ukarać. Nie wypowiem imienia winnego, nie zdradzę natury jego grzechu, bo zepsułby zdrowie i skaził czystość pozostałych. W zamian za to żądam, by modlił się wraz z nami o oczyszczenie tego miejsca, skażonego jego obecnością. *Pater Noster, qui es in caelis, sanctificetur nomen tuum. Adveniat regnum tuum, fiat voluntas tua sicut in caelo et in terra, panem nostrum cotidianum da nobis hodie. Dimitte nobis debita nostra, sicut nos dimittimus debitoribus nostris, et ne nos inducas in tentationem, sed libera nos a malo. Libera nos a malo! Libera nos a malo! Libera nos a malo!*". Tak, wykrzyczał cztery razy *libera-nos-a-malo*, już wcześniej wyśpiewane w złowieszczej kantylenie. I potężny chór głosów dołączył się do jego supliki. Ale nie zgniłe jabłko, nie czarna owca. On nie miał nawet siły, by poruszyć ustami, a potem by tknąć jedzenie, i wielu to zauważyło. Z perfidią typową dla tchórzy zaczęli się trącać łokciami, wymieniać porozumiewawcze uśmieszki, szeptać: „to on, to on!". „Tak, to na pewno on". „Ciekawe, co zrobił?" „Coś okropnego, coś strasznego". W nocy, rzecz jasna, Antonio nie mógł spać, dręcząc się obawą, co się stanie następnego dnia. No cóż, poszło jak najgorzej. Bo następnego dnia wypadała niedziela. Na obiad i na kolację były pieczony kurczak i cielęcina, chrupiące ziemniaki, tort, słodkie wino. Po południu wychodziło się na niedzielną przechadzkę, rano do katedry, na śpiew gregoriański. W rezultacie można było cieszyć się świeżym powietrzem, placem Cudów, Krzywą Wieżą. Ale kiedy Antonio chciał wyjść, jeden z prefektów zatrzymał go.

— Nie, pan nie.

— Ale... msza, panie prefekcie!

— Pan zostaje w celi.

W porze obiadu to samo.

— Nie, pan nie.

— Ale... obiad, panie prefekcie!

— Przyniesiemy panu coś do celi.

Tak samo z popołudniową przechadzką. Nie-pan-nie. A przed kolacją ostateczny cios.

— Proszę iść za mną. Czcigodny Ojciec czeka na pana w swoim gabinecie.

Szedł tam z entuzjazmem więźnia udającego się na szafot, opowiadał w późniejszych latach. Wlókł się noga za nogą i drżący przekroczył próg Sancta Sanctorum, w którym nigdy jeszcze nie był, bo seminarzystów wzywano tam tylko w wyjątkowych okolicznościach. I Jezu, co za orgia sadyzmu! Na wprost wisiał olbrzymi krucyfiks, zajmujący niemal całą wysokość ściany, a na nim najbardziej makabryczny Chrystus, jakiego Antonio kiedykolwiek widział. Wychudzone ciało, wywrócone oczy, usta wykrzywione w paroksyzmie bólu, strugi krwi spływające spod cierniowej korony, z przebitych gwoździami dłoni, z przebitego boku. Każda struga pomalowana była czerwoną farbą tak, że z daleka krew wyglądała jak prawdziwa. Na prawo od krucyfiksu znajdował się obraz przedstawiający nagiego i przeszytego strzałami świętego Sebastiana. Strzały tkwiły w jego brzuchu, w ramionach, w bokach, a nawet w pachwinie. Całość prezentowała się przerażająco. Z lewej strony wisiał obraz ukazujący archanioła Gabriela przebijającego piorunem Lucyfera. Archanioł przedstawiony był jako przepiękny młodzieniec, zadowolony, tryskający zdrowiem, elegancki. Rozwiane włosy, błyszcząca zbroja z aż nazbyt wypukłymi napierśnikami, spódniczka odsłaniająca kształtne uda, i coś dwuznacznie kobiecego w rysach. W istocie Gabriel zdawał się raczej dziewczyną, przebraną za wojownika. Nogą przygniatał genitalia nieprzyjaciela, który nagi jak święty Sebastian był równie bezbronny i wił się z bólu. W dłoni Archanioł trzymał ognistą strzałę i przebijał nią brzuch Lucyfera, budząc niemałe wątpliwości co do miłosierdzia przypisywanego niebiańskim istotom. Na biurku brata Paola stała natomiast figurka męczennika, którego spotkał ten sam los co Abelarda, oraz drugi krucyfiks, osadzony na kryształowym cokole, w którym znajdował się zmumifikowany palec. A za biurkiem czekał brat Paolo. Nieruchomy na krześle, tęgi, okryty klejnotami niczym królowa na pałacowej gali. Na czarnym habicie augustianina nosił masywny złoty łańcuch, z którego zwisał krzyż utworzony z dziewięciu olbrzymich rubinów osadzonych w oprawie z brylantów. Na palcu prawej dłoni miał ogromny ametystowy pierścień arcybiskupa, na palcu lewej szafir wielki jak orzech. Jezu, kto by pomyślał, że w zaciszu Sancta Sanctorum ten orędownik skromności, umiaru, pokory, stroi się z większym przepychem niż królowa na dworze? Oszołomiony i zdumiony Antonio nie zauważył w pierwszej chwili, że pomiędzy kartami na biurku leży dowód jego zbrodni. Nagle brat Paolo porzucił swą nieruchomość. Pochwycił książkę i lodowatym głosem przeczytał fragment, w którym Heloiza opowiada, że w trakcie mszy, gdy w czasie modlitwy powinna uwolnić się od ziemskich myśli, wspomnienia dawnych namiętności opanowują jej duszę. „Zamiast ubolewać nad tym, co już się stało, wzdycham ku temu, co nigdy nie wróci". Równie lodowatym głosem przeczytał brat Paolo początek poematu Pope'a: „W mrocznych samotnościach i ponurych celach / gdzie niebiańska medytacja gości / i melancholia modlitwy drętwieje / płomień, który pali moje ciało mniszki...". Następnie zatrzasnął książkę i rzucił ją na biurko, a jego lodowaty głos zmienił się w warczenie wściekłego psa.

„Co to za ohyda? Skąd się wzięła, jakim sposobem przemycił pan to do seminarium?!? Komu ją pan pokazał, ilu innych uczniów ją widziało? Niech pan odpowiada, natychmiast! Niech pan się przyzna, to rozkaz, niech pan wyzna swoje winy!"

Wyznać, odpowiadać? Nie mógłby, nawet gdyby chciał. Nie był w stanie wydusić z siebie ani słowa, czuł się ogłupiały, jego umysł sparaliżował strach. Dlatego stał tylko bezradnie, gdy lały się na niego potoki oburzonych słów brata Paola, aż w pewnej chwili stało się coś, czego na starość bardzo się wstydził. Zaczął płakać. „Nigdy nie byłem skory do płaczu. Nawet jako dziecko rzadko płakałem. A jednak tego wieczoru przelałem mnóstwo łez. Nie szlochając, po cichu. Czułem, jak spływają mi po policzkach, spadając na sutannę ciężko niby kamyczki, i miałem wrażenie, że zaraz cały się w nich rozpłynę. Boże, co za wstyd". Wtedy brat Paolo przestał grzmieć. Zrobił się czuły, serdeczny i zaczął przemawiać tak dwuznacznie, że Antoniowi przypomniały się ostrzeżenia wuja Luki. Uważaj-na-pośladki, ratuj-pośladki. Ach, co za przykrość, co za rozczarowanie! I pomyśleć, że on, brat Paolo, często porównywał Antonia z archaniołem Gabrielem! Patrzył na ten obraz, piękne rysy twarzy, na uśmiech, tak przypominające Antonia, i myślał: pewnego dnia może to właśnie ten chłopiec pokieruje Małym Seminarium. Może naprawdę zostanie papieżem lub kardynałem. Mimo to, choć grzechu nie da się wymazać, można jeszcze naprawić sytuację. Trzeba się opamiętać, wypełnić pokutę, którą teraz Antoniowi nakaże, a potem zdać się na jego ojcowską opiekę.

— Przez tydzień będzie pan przestrzegać absolutnego milczenia. Nie będzie pan do nikogo mówić ani nikt nie będzie się zwracać do pana, nawet modlitwy będzie pan odmawiać w myślach. Zrozumiano? Proszę skinąć głową na znak, że pan zrozumiał. Skinięcie.

— Poza tym będzie pan żył o chlebie i wodzie, spożywając posiłki we własnej celi. Z celi będzie pan wychodził tylko do łazienki, do klasy i do kaplicy na modlitwę. Zrozumiano? Skinięcie.

— W porze kolacji będzie pan chodził do refektarza. Zamiast usiąść przy stole i jeść, będzie pan klękał na środku sali, zachowując milczenie i w duchu prosząc Boga o przebaczenie. Zrozumiano? Skinięcie.

Nakaz milczenia był straszną torturą. Antonio nie mógł rozmawiać nawet ze służącym, on też się do niego nie odzywał. I ten gad z tego korzystał. Pod pretekstem czesania go wyrywał mu włosy. Prefekci i wiceprefekci wyrażali się poprzez gesty. Profesorowie i uczniowie zachowywali się, jak gdyby nie istniał, i jedyną pociechą było przysłuchiwanie się cudzym głosom. Cudzym modlitwom, objaśnianiu lekcji w klasie. Straszną udręką było także życie tylko o chlebie i wodzie. Antonio umierał z głodu. Ledwie trzymał się na nogach i marzył o kurczaku bardziej, niż więzień marzy o ucieczce. Najgorszą jednak, najbardziej upokarzającą karą było klęczenie na środku refektarza w czasie kolacji. Nie tyle z powodu zapachu jedzenia, który wnikał do jego nozdrzy i zaostrzał jego głód, ile dla złośliwej satysfakcji, z jaką inni seminarzyści rozkoszowali się przedstawieniem. Czuł się jak skazany na pręgierz na placu publicznym, z głową w żelaznym kołnierzu i rękami związanymi na plecach, opluwany i obrzucany zgniłymi jajkami przez plebs. Tutaj zamiast splunięć były chichoty. Zamiast zgniłych jajek porozumiewawcze puszczanie oka. Zamiast plebsu seminarzyści. Przyszli księża. Przyszli orędownicy chrześcijaństwa, miłosierdzia, współczucia. Kandydaci na głosicieli nauki, która w imię Dobra robi ludzi w konia, mawiał dziadek na starość. (Potem dodawał gorzko: „Popatrz na polityków, którzy przyrzekają ludziom raj na ziemi. Przypominają księży, brakuje im tylko sutanny. Mają twarz księży, ich charakter, jak oni używają pogróżek lub pochlebstw i małpują Kościół we wszystkim. Kult świętych ksiąg, propagandowe posługiwanie się męczennikami, organizację. Dążenie do podporządkowania wszystkich własnej ideologii i dogmatom, techniki prześladowania i indoktrynacji. Arogancję, cwaniactwo, cynizm. Pogardę dla przeciwników, żądzę władzy, tyranię, gdy już uda się im ją zdobyć". Całkowicie się z nim zgadzam). Tak więc przez pierwsze wieczory cierpiał, a klęcząc, myślał sobie: prosić Boga o przebaczenie, za co? Gdyby słuchać tych kazań o czystości i wstrzemięźliwości, ludzkość szybko by wymarła. Czego mam żałować? Nie zrobiłem nic złego. I czuł, że chce umrzeć. Czwartego wieczoru cierpienie zmieniło się w nienawiść. Piątego — w bunt. Antonio zaczął marzyć o szaleństwach i nieczystych aktach popełnionych przez Abelarda zaraz po ślubie w Argenteuil, właśnie w refektarzu. Wyobrażał sobie, że on robi to samo, w obecności brata Paola, skarbnika, ojca duchowego i kolegów seminarzystów. Z kim? Oczywiście z tą, o której marzył nocami i którą nazywał Heloizą. Piękną, doświadczoną, pewną siebie. Boginią, poruszającą się, jak gdyby świat do niej należał, i nieprzypominającą żadnej kobiety dotąd przez niego poznanej. Tak, to ona sprawiła, że przestał pragnąć śmierci, i ona także podsunęła mu sposób, w jaki mógł się zemścić i odnaleźć samego siebie. Gdyż następnej niedzieli, w dzień, który miał zakończyć jego trzy pokuty, Antonio postanowił podpisać na siebie wyrok. Nie, nie zostanie księdzem, a tym bardziej papieżem czy kardynałem, nawet jeśli złamie serce dziadkom i rodzicom, jeśli nie zdoła pokonać przepaści społecznej dzielącej go od kuzyna w sędziowskiej todze. Do diabła z kulturą, z historią, literaturą, metafizyką, astronomią, filozofią, teologią. Do diabła z dobrymi manierami, savoir-vivre'em Mechiorre Gioi, do diabła z morzem. Z żołądkiem pustym jak łupina orzecha pobiegł

do kuchni. Nie zważając na krzyki kucharek, proszę-pana-proszę-
-tego-nie-robić-proszę, pochwycił pieczonego kurczaka i butelkę
słodkiego wina. „Pst! Buzia na kłódkę, pst!" Wino wypił, jeszcze
zanim pożarł kurczaka. Dlatego też, gdy zjawił się prefekt, aby
zaprowadzić Antonia do refektarza, kazać mu klęczeć tam po raz
ostatni, zastał go kompletnie pijanego. „Precz, bydlaku, precz! I nie
ośmielaj się gasić mi w nocy świecy, bo ci ją wsadzę do dupy, choć
wiem, że oddałbym ci tym przysługę". Potem, nie dbając o okrzyki
ratunku-oszalał-ratunku, zabarykadował się w celi. Usiadł przy
stoliku i naśladując styl utworów francuskiego anonima, przetłu-
maczonych przez wielmożnego członka Arkadii Eusebia Mallerbę,
napisał bluźnierczy wierszyk, który w 1944 roku ukradłam, a raczej
uratowałam wraz z książeczką.

„Głód, milczenie, pragnienie śmierci / łzy, modlitwy, lękliwe
supliki / do głuchego Boga, który milczy i nie słucha / upokorzenia,
groźby, kary / za winy niepopełnione, rozwiązłości, których nie
było / Chryste, wasz raj jest piekłem / wasze miłosierdzie kłamstwem / niewiedzą wasza mądrość / nie możecie mnie niczego nauczyć / dlatego opuszczam was, mordercy myśli / eunuchy w ciele
i na umyśle / wyzwalam się z jarzma i odchodzę / w poszukiwaniu
tej, którą nazywam Heloizą".

Gdy skończyły się wrzaski i ustało oblężenie seminarzystów,
którzy nadbiegli na okrzyki ratunku-oszalał-ratunku, Antonio
wywiesił wierszyk na drzwiach. Następnie poszedł odespać kaca
i rano brat Paolo wezwał go znowu do swego gabinetu. Tym razem
nie miał złotego łańcucha, dziewięciu gigantycznych rubinów,
pierścienia z ametystem i pierścienia z szafirem. Przyjął Antonia
z wyrazem nieoczekiwanego smutku w oczach. Przemówił z dziwnym przygnębieniem, niemal wyrozumiałością, w której czuło się
nutę szacunku. W ręce trzymał kartkę z wierszem.

— To twoje, synu?

— Tak, czcigodny ojcze.

— Byłeś pijany, prawda?

— Tak, czcigodny ojcze.

— Zatem nie ty to napisałeś. Podszepnął ci to szatan, prawda, synu?

— Nie, to ja go napisałem, czcigodny ojcze.

— To znaczy, że nie czujesz skruchy?

— Nie. To moja prośba o zwolnienie, czcigodny ojcze.

Nastąpiła chwila ciszy. Tak długa, Jezu, tak długa, że w pewnej chwili obawiał się, że zostanie uniewinniony. Gdy brat Paolo otworzył wreszcie usta, wygłosił wyrok. Tym samym głosem, tym samym tonem, z ledwie uchwytną nutą sarkazmu. Czy wręcz perfidii.

— Tutaj nie znajdujemy się w przedsiębiorstwie czy ministerstwie, synu, tutaj nie prosi się o zwolnienie. Zostajesz wydalony. Jeszcze dzisiaj poinformuję twoją rodzinę i nakażę spalić wszystkie dokumenty wiążące się z twoją osobą. Podanie, które wysłał do nas proboszcz z prośbą o przyznanie ci bezpłatnego miejsca w seminarium, oraz wystawione przez niego *affidavit*, kopię twojego świadectwa chrztu, zadania szkolne. Nakażę również wymazać twoje imię ze wszystkich rejestrów, archiwów i list seminarzystów. Taki jest regulamin i nie może po tobie zostać żaden ślad. Żadne wspomnienie.

— Tak, czcigodny ojcze.

— Natomiast twoje rzeczy osobiste zostaną ci zwrócone. Na początek proszę, oto twoja nieprzyzwoita książka i prośba o zwolnienie. Nie bądź z niej zbyt dumny. Metryka jest nienajgorsza, ale wena poetycka bardzo mierna.

— Tak, czcigodny ojcze.

— Teraz żegnam pana. Proszę oddać skarbnikowi sutannę i resztę odzieży. Łącznie ze skarpetami i majtkami. Reguła działa w dwie strony i z seminarium nie wolno panu wynieść nawet ziarenka piasku. Po oddaniu rzeczy proszę założyć ubranie, w którym pan do nas przybył, i może się pan udać na poszukiwanie swojej Heloizy. Niech Bóg się nad wami zlituje, jeśli się kiedyś spotkacie.

Było to coś więcej niż zwykła perfidna uwaga: była to klątwa. Miał to zrozumieć dziesięć lat później. Co do ubrań, w których jako dwunastolatek przybył do seminarium, na szczęście babcia Amabile przyszła zabrać go do domu i przyniosła parę butów oraz ubranie zmarłego męża. Buty były przyciasne, a ubranie za krótkie, spodnie sięgały Antoniowi do połowy łydek, mąż Amabile był przecież karłem. Wystarczyło to jednak, aby wyjść z seminarium, udać się na targ starych ubrań, wybrać coś lepszego i wrócić ze skrzynią do Candialle.

21

Tak, do Candialle. „Zostań ze mną, posmakować trochę wolności. Zabawić się, poszukać twojej Heloizy", powiedziała mu, jak zawsze inteligentna, babcia Amabile. Zaproponowała nawet, że pomoże mu w dalszej nauce, w zapisaniu się na wydział prawa, aby mógł zostać sędzią, tak jak jego krewny w todze. „Odłożyłam trochę pieniędzy. Nie mów tego swoim rodzicom, ale mój Michele nie zostawił mnie bez zasobów. A na wydziale prawa tutaj, w Pizie, uczą świetni profesorowie. W 1848 roku, kiedy byli w twoim wieku, walczyli z Austriakami pod Curtatone i Montanarą. Będzie ci się tam podobać. Ty też zostaniesz sławnym sędzią, ten nudziarz z wąsiskami pęknie z zazdrości". W pierwszej chwili ta myśl przypadła mu do gustu. Lecz po tygodniu spędzonym na przyglądaniu się pięknym paniom spacerującym po deptaku wzdłuż rzeki odrzucił ją. Wrócił wraz ze skrzynią do Candialle, gdzie z wyjątkiem don Fabbriego, który od 1875 roku spoczywał na cmentarzu San Leolino, i wuja Luki, który widząc, że wraca bez sutanny, wykrzyknął z ulgą: „Jesteś uratowany, jesteś uratowany!", złamał wszystkim serce. Dziadkowi, który następnej zimy umarł, płacząc wiele-miałem-w-życiu-rozczarowań-ale-największe-sprawił-mi- -mój-wnuk. Babci, której w wyniku tego pomieszało się w głowie.

To-ty-go-zabiłeś-morderco. Ojcu, który popadł w apatię i nie dotykał jedzenia. Nie-mogę, mam-ściśnięty-żołądek, nie-dam-rady. Mamie, która zachorowała na jakąś wyimaginowaną dolegliwość i jęczała cały czas w-tym-domu-nigdy-nic-się-nie-udaje. Antonio stracił też respekt sióstr i szacunek mieszkańców Panzano, którzy przestali się do niego zwracać na pan i prosić go o błogosławieństwo, a w dodatku nadali mu szydercze przezwisko: Wyksiężony. Swojej Heloizy, jak łatwo się domyślić, nie szukał. Zamiast tego wrócił do wieśniaczego życia i lepiej było nie zwracać mu uwagi, że ze swoim wykształceniem mógłby zostać nauczycielem, preceptorem czy pisarzem gminnym. Do kultury żywił niechęć graniczącą z odrazą. Na przykład nikt i nic nie przeszkadzało mu w tym, by zabrał się za lekturę kolejnej skandalicznej książki: *Dekameronu* Boccaccia. A jednak spoczywała ona w skrzyni, która nie budząc dawnych zawiści (jakie-skarby, tam-nic-nie-ma, nic-nie-jest-warta), pokrywała się kurzem na strychu. Co do nieszczęsnej książki zwróconej wraz z wierszykiem, Antonio nie chciał na nią nawet spojrzeć. Dzięki Bogu, położył ją z powrotem tam, gdzie ją znalazł (razem z wierszem), czyli pod innymi pamiątkami po Caterinie Wielkiej. Rozwinął za to pasję do kopania, pielenia, fizycznego znoju. A także, wprawdzie z pewnym dystansem, każdej niedzieli chodził na mszę. Każdego wieczoru odmawiał różaniec.

— Dlaczego, dziadku, dlaczego? — spytałam go pewnego dnia.

— Bo istnieje coś, co nazywa się wyrzutem sumienia — odpowiedział.

Potem wyjawił mi, co mu się przydarzyło w czasie tygodnia spędzonego w Pizie na przyglądaniu się pięknym paniom nad rzeką.

Rozmyślał o pożegnaniu z bratem Paolem, o nieoczekiwanym smutku, który zamglił jego oczy, o rozczarowaniu pobrzmiewającym w jego głosie. I nie żywiąc urazy za złośliwość pożegnalnej klątwy niech-Bóg-się-nad-wami-zlituje-jeśli-się-kiedyś-spotkacie,

Antonio zadał sobie pytanie, czy dobrze zrobił, postępując tak, jak postąpił, mszcząc się swoim bluźnierczym wierszem. Chryste, jedna rzecz to napaść na Bastylię i unieść z niej pieczonego kurczaka i butelkę wina, zrealizować swoje święte prawo i obowiązek do buntu przeciw tyranii. Jedna rzecz, to postawić się oprawcy i zagrozić mu, że mu się wsadzi do dupy świecę. A inna wznosić gilotyny, ucinać nieprzyjacielowi głowę i obnosić ją po ulicach Paryża na pice. A bratu Paolowi tymi trzynastoma wersami swojego wiersza, powieszonymi na drzwiach swojej celi, to właśnie zrobił. Uciął mu głowę, nasadził na pikę i wystawił na pokaz na ulicach Paryża. Biedny człowiek. Na pewno także on w młodości był karany, zastraszany, upokarzany w jakimś refektarzu. Wystawiany na pośmiewisko, na szyderstwa kolegów, bo i on pożądał tego, co przeżyli Abelard i Heloiza. I być może w jakiś sposób wciąż o tym marzył. Właśnie dlatego trzymał w swoim gabinecie obrazy nagich męczenników, dwuznacznego archanioła Gabriela z włosami rozwianymi na wietrze, ze zniewieściałą twarzą i wypukłymi napierśnikami, który zdawał się dziewczyną przebraną za wojownika. Dlatego tak bardzo bał się wszelkiej myśli o obcowaniu płciowym, kazał seminarzystom kąpać się w koszuli, spać z rękoma na kołdrze, nie rozbierać się na plaży, nie czytać książek o miłości i erotyzmie. Ale to nie była jego wina, tylko typów takich jak święty Augustyn, którzy zanim zaczęli grzmieć przeciw grzechom, nażywali sobie życia do woli. Była to wina Kościoła, Kościołów, teologii, ideologii wymyślonych przez nudziarzy, których historia przedstawia jako wielkie umysły i dobroczyńców ludzkości. Apostołów, proroków, mesjaszy i głosicieli wszelkiego rodzaju wiary, religijnej czy politycznej. Zimnych myślicieli, którzy swoimi kamieniami filozoficznymi, abstrakcjami i umysłową masturbacją wygrywają dla własnych celów naszą potrzebę nadania życiu sensu, i zamiast pobudzać inteligencję, sieją głupotę. W ten sposób hodują sobie stada posłusznych owiec i fanatycznych hien, które mogą poszczuć przeciw tym, co ośmielą się im sprzeciwić.

Rozumując w ten sposób, także brata Paola należało postrzegać raczej jako ofiarę niż kata. Albo przynajmniej jako bezmyślnego cyrenejczyka, który, zmuszony nieść krzyż, był przekonany, że musi go przekazać innym. Tak, powiedział sobie Antonio, zbłądził, decydując się na taką zemstę, jaką wybrał. Powinien był po prostu odejść z seminarium, być może zostawiając nawet list z podziękowaniem. Bo przecież od brata Paola doznał nie tylko złych rzeczy. Seminarium dało mu wykształcenie, obycie, dobre maniery. Pozwoliło mu poznać rzeczy, których bogacze uczą się w liceach i na uniwersytetach, pokazało mu, że wiedza jest radością, dyscyplina cnotą, a poświęcenie przywilejem silnych natur. Dzięki pobytowi w seminarium przestał się czuć wieśniakiem z Candialle, nauczył się posługiwać sztućcami, nie pluć na podłogę, nie dłubać w nosie, mógł nawet doświadczyć dreszczu bycia obsługiwanym przez służących. W tym biliciku z napisem NIEWDZIĘCZNIK, pozostawionym pod cegłą, było zatem wiele słuszności. I teraz musiał spłacić dług, odbyć pokutę. Wrócić do swojego małego światka wieśniaka, który pracuje w znoju, chodzi na mszę, odmawia różaniec.

— A twoja Heloiza, dziadziu? Także rezygnacja z szukania Heloizy była częścią pokuty? — spytałam wtedy.

— O tak — odpowiedział. — Ale ona była silniejsza od wyrzutów sumienia. Widziałem ją wszędzie, prześladowała mnie na każdym kroku. Nie dawała mi spokoju.

— A dziewczęta z Panzano?

— Na nie w ogóle nie patrzyłem. Nie mogły jej zastąpić i nawet spoglądanie w ich kierunku wydałoby mi się obrazą Heloizy.

Szesnaste urodziny, siedemnaste, osiemnaste, dziewiętnaste, dwudzieste. Nie wytknąwszy nigdy nosa poza tę małą zacofaną wioskę, w której przezywano go Wyksiężonym. Nie oddaliwszy się nigdy od tych pól, od tępej i pobożnej rodziny, która nie miała mu nic do powiedzenia i której on nie miał nic do powiedzenia, dlatego oprócz wuja Luki z nikim nie mógł porozmawiać i wiódł życie w milczeniu. Tym samym milczeniu, które tak bardzo ciążyło mu w seminarium. Nie interesując się tym, co się działo poza granicami jego ciasnego światka, nie otwierając nigdy książki ani nie biorąc do ręki pióra. I nie myśląc o tym, aby zostać nauczycielem, preceptorem czy pisarzem gminnym. I nie zapominając ani przez chwilę o swojej Heloizie, nie spoglądając na żadną inną dziewczynę. Ten brak zainteresowania dziewczętami bardzo martwił wuja Lucę. „Chyba nikt ci się nie dobrał tam do pośladków, nie zostałeś przypadkiem ciotą?" Na próżno odpowiadał nie-wujku-nie. Nikt-mnie-nie-dotknął-nikt-mi-nic-nie-zrobił, podobają-mi-się--kobiety. Wuj Luca dalej żywił podejrzenia i kiedy Antonio miał skończyć dwadzieścia lat, wykrzyknął: „Ja to za ciebie załatwię. I to nie z jakąś ladacznicą tutaj, na sianie. Z profesjonalistką z miasta, w burdelu". Potem dodał: „Jutro zabiorę cię do Florencji i przestaniesz być prawiczkiem. Na mój koszt, rozumiemy się? To będzie prezent na twoje dwudzieste urodziny". Antonio mógł oczywiście odmówić. Odpowiedzieć nawet-o-tym-nie-myśl-wujku, ja-do--burdelu-nie-pójdę. Tymczasem zgodził się. „Przykro mi było, że tak się tym martwi. Dręczy podejrzeniami. Poza tym miałem nadzieję, że robiąc to z zawodową prostytutką, uwolnię się od Heloizy. Nie miałem siły żyć dalej z jej duchem. Wizja przekształciła się z upływem czasu w obsesję i mówiłem sobie: jestem już mężczyzną i nie mogę widzieć jej w taki sam sposób jak wtedy, gdy byłem chłopcem". Był więc gotowy do wyprawy jeszcze przed wschodem słońca. Umył się starannie, ogolił, założył niedzielne ubranie, to przeznaczone na mszę, i wsiadł z wujem Lucą do dyliżansu. Pozwolił się zawieźć do Florencji, a dokładniej do Borgo Allegri, na ostatnie piętro domu z zamkniętymi okiennicami, gdzie na klientów czekało dziesięć prostytutek, którymi zarządzała *sora* Cleofe. Właścicielka. Był to piątek. W piątek do Cleofe przychodzili przede wszystkim wieśniacy, którzy sprzedawali warzywa na piazza Santa Croce, w pobliżu Borgo Allegri. Żeby ich zwabić, obniżała stawki z półtora lira do jednego lira, podawała im kawę, pożyczała nawet gazetę, żeby czekanie na swoją kolej minęło im szybciej. Antonio zdawał sobie sprawę, że stracenie dziewictwa w takim miejscu jest poniżające, że kupowanie kobiety tak, jak się kupuje befsztyk, to rzecz niegodna. Nie przypadkiem, wchodząc po schodach, odczuwał mdłości. Ale był pełen determinacji, prawie jak gdyby udawał się na kurację do szpitala, i bez wahania wszedł do środka z wujem Lucą, a potem siadł w przedpokoju, gdzie klienci czekali w swoją kolejkę: „Kto następny?". Pewny siebie napił się kawy, zaczął czytać gazetę. Wreszcie nadeszła jego kolej. Z roztargnieniem wtykając w kieszeń gazetę, poszedł za wujem do klitki *sory* Cleofe, obleśnej czarownicy o lepkich manierach, i między tym dwojgiem rozegrał się dialog, od którego mogły zwiędnąć uszy:

— *Sora* Cleofe, nie jestem tu w swojej sprawie. Chodzi o mojego bratanka, którego trzeba rozdziewiczyć.

— To dla nas honor, wielki honor. A dla was nic, nawet szybkiego numerku?

— Nie, *sora* Cleofe. Dzisiaj to jego dzień i chcę dobrze wykonanej roboty.

— Oczywiście, rozumie się, oczywiście. Jeśli tylko zapłacicie z góry. Pięć lirów proszę.

— Pięć lirów?!? A stawki, a piątkowa zniżka?

— Nie dotyczy prawiczków, drogi panie. Oni potrzebują specjalnego towaru. A specjalny towar kosztuje!

Zdecydowanie, pewność siebie prysły w mgnieniu oka. Dusząc się z zażenowania, wymruczał wujku-chodźmy-stąd-proszę-cię. Ale nie mógł się już wycofać, *sora* Cleofe zainkasowała pieniądze, popchnęła Antonia w kierunku saloniku, żeby oddać go w ręce specjalnego towaru i... no cóż, przechodząc przez przedmieście, czyli dzielnicę prostytutek w Pizie, wiele razy wyobrażał sobie salon, w którym następowała transakcja. Roił go sobie jako przytulne, zachęcające miejsce, pełne pięknych i eleganckich dziewcząt. Natomiast to, co tutaj zobaczył, mogło skłonić do pozazdroszczenia wykastrowanemu Abelardowi. Rzeźnia, gdzie zamiast cieląt i jagniąt już zabitych lub czekających na zarżnięcie siedziały nagie ladacznice, ledwie przysłonięte jakimś przezroczystym fatałaszkiem. Niektóre miały na sobie tylko podwiązki i pończochy, toteż ich pośladki i łona były całkowicie odsłonięte. W dodatku były tłuste. W epoce nękanej klęskami głodu i częstą gruźlicą ceniono obfite kształty. Tylko jedna wyglądała inaczej. Ubrana od stóp do głów, młoda, smukła jak najady z piazza Signoria. Wdzięczna twarzyczka, zamglone oczy, czarne kędziory. I podczas gdy ladacznice nuciły „Jaki słodki blondynek, jaki smaczny kąsek", *sora* Cleofe przekazała Antonia właśnie tej dziewczynie, wraz z zaleceniem: „Romildo, masz tu klienta za pięć lirów. To jest jego debiut, więc obsługa musi być ekstra". Wtedy z uśmiechem, głucha na komentarze tobie-to-dobrze, ty-masz-najlepiej-głupia-dziwko, Romilda zaprowadziła go do pokoiku jeszcze bardziej ascetycznego niż jego cela w seminarium. Materac, wieszak, dzbanek z wodą, bidet. Pod wpływem chwilowej ulgi i podekscytowany wspomnieniem najad Antonio powiedział sobie: „Szpital jest obrzydliwy, ale może ona jest odpowiednim doktorem. Może mnie uleczy". Gdy tylko zamknęły się drzwi, duch Heloizy znowu jednak powrócił. Władczy, królewski, silniejszy niż wyrzuty sumienia. Jednocześnie wróciło obrzydzenie do kupowania kobiety tak, jak się kupuje befsztyk. A wraz z nim wszystkie nauki, które mimowolnie przyswoił sobie w seminarium. Odrzucenie cielesności i seksu. Ciało widziane jako coś grzesznego, oślizgłego, co należy zawsze ukrywać. Nawet jeśli dusisz się z gorąca. Nawet jeśli stoisz nad brzegiem morza i umierasz z chęci, by rzucić się do wody, poczuć pieszczotę fal. Albo myjesz się w wannie i nie możesz się dobrze namydlić w koszuli. Seks postrzegany jako grzech, a raczej największy z grzechów, przewina gorsza od zabójstwa i zdrady. I nie zapominajmy, że to Ewa zerwała jabłko i skazała tym samym ród ludzki na potępienie. Nie zapominajmy, że Maryja Dziewica jest dziewicą, że syna poczęła za sprawą Ducha Świętego, a nie z mężczyzną, który ją zapłodnił. Seks jest zaczątkiem wszelkiego zła, wszelkiej niegodziwości, kazi nawet prokreację i należy go odrzucić. Musi być karany w taki sam sposób, w jaki Gabriel karze Lucyfera, gdy miażdży mu stopą genitalia i przebija brzuch ognistą włócznią. Wraz z odrazą odezwała się w Antoniu wrodzona prawość. Poczucie smaku, wstydliwość. Romantyczne usposobienie każące mu śnić, a raczej kochać kobietę, której nigdy nie poznał, obraz będący owocem jego wyobraźni. Te same przymioty, jakie zachował także na starość, i dla których był mi tak drogi. Sympatyczny, nieprzeciętny. „Wiesz, potem nie byłem znowu taki święty. Ale nigdy nie splamiłem się wulgarnymi postępkami, rzeczami w złym guście. I nigdy więcej nie odwiedziłem burdelu. Nigdy".

Uciekł. Porzucając zdumioną i zażenowaną Romildę, wyszedł od razu, nie zdążywszy nawet zdjąć kapelusza. Nie zważając na uśmieszki i sprośne zaczepki ladacznic, śliczny-blondynku--spróbuj-ze-mną, spróbuj-posmakować-tłuszczyku, przebiegł przez salon. Stanął przed wujem i powiedział „Przykro mi, wujku. Nie mogę. Nie powinienem. Nie chcę". Potem, ścigany przez Lucę, który wrzeszczał wracaj-kretynie-przecież-zapłaciłem, rzucił się na schody i wypadł na piazza Santa Croce. Z rozpędu wpadł do jakiejś mleczarni i aby ochłonąć, wypił cztery kubki mleka. W drodze powrotnej nie było końca wymówkom: „Kretyn, mięczak, tchórz. Wystawiłeś mnie na pośmiewisko! Całemu miastu to opowiedzą, wszystkim naokoło! Zrobią ze mnie pośmiewisko całej Florencji! Co ci płynie w żyłach, krew czy napar z rumianku?!? A w dodatku wyrzuciłem w błoto pięć lirów. Pięć lirów! Równowartość dziesięciu butelek wina, dniówkę trzech robotników! I pomyśleć, że aby podarować ci rozdziewiczenie, odmówiłem sobie nawet szybkiego numerku! Siedziałem tam na mękach gorszych niż Tantal, który umiera z głodu i pragnienia. To już równie dobrze mogłeś sobie wybrać jakąś dziwkę z Greve czy Panzano, dać jej pół lira i zamknąć się w nią w stodole! Co ty mi tam wmawiasz, mięczaku! Pośladków w seminarium nie uratowałeś, zrobili z ciebie ciotę, ot co! Ciotę, tak ciotę!". Antonio milczał. Nawet nie próbował się bronić. Myślał tylko, jak uciec także z Candialle. Bo kiedy pił te cztery kubki mleka, zdążył ochłonąć, zastanowić się i zrozumieć, że w burdelu *sory* Cleofe zdarzyło się coś bardzo ważnego. Coś, co teraz zmuszało go do rachunku sumienia i przyznania się przed samym sobą, że w czasie tych pięciu lat wygnania, letargu, apatii zmarnował swoją młodość gorzej niż w czasie czterech lat nauki w seminarium. Zdał sobie sprawę, że doszedł do punktu zwrotnego w swoim życiu. Że nadeszła chwila, by odzyskać stracony czas i być może zacząć naprawdę szukać swojej Heloizy. Ale gdzie i w jaki sposób? Nie miał nawet do kogo się zwrócić o pomoc czy radę, teraz kiedy jego jedyny sojusznik, czyli wuj Luca, uznał go za ciotę i patrzył na niego z pogardą. Stryjeczna babcia Amabile umarła, rodzice Antonia zdziecinnieli, siostry otwarcie go nienawidziły, a jego umysł był zaśniedziały. Prawie cała jego wiedza się ulotniła. Stał się ponownie wieśniakiem i dziękować Bogu, że pamiętał jeszcze *consecutio temporum*, trochę Pisma Świętego, trochę astronomii i reguły savoir-vivre'u Melchiorre Gioi. Musiał wyjechać, za wszelką cenę, wszystko jedno jakim sposobem, choćby wybierając najbardziej banalną, pospolitą, nieodpowiednią drogę ucieczki. I pogrążony w takich myślach wrócił do domu, siadł na skrzyni i zaczął wpatrywać się w okno. Za oknem widział las podchodzący pod San Eufrosino di Sopra, oratorium i wzgórze, za którym otwierał się świat. Za którym czekała przyszłość i być może Heloiza, miłość, seks i wolność. Potem, zmęczony rozmyślaniami, wstał. Zdjął kurtkę i wtedy zauważył, że w roztargnieniu włożył do kieszeni gazetę, którą czytał, a raczej udawał, że czyta, czekając na swoją kolej w burdelu. Wziął ją do ręki, żeby ją wyrzucić, i wtedy jego spojrzenie padło przypadkowo na artykuł zatytułowany *Dekret Królewski*.

„Na podstawie ustawy numer 149 zatwierdzonej 8 kwietnia bieżącego roku przez senat i izbę poselską Jego Wysokość

Humbert I wydał dekret, zgodnie z którym Korpus Straży Celnej zostaje przekształcony w Korpus Straży Finansowej — przeczytał Antonio. — Zadaniem tej formacji będzie wykrywanie i zwalczanie przemytu, czuwanie nad ściąganiem podatków konsumpcyjnych i dbanie o bezpieczeństwo publiczne. Mimo iż będzie ona podlegać Ministerstwu Finansów, wejdzie w skład państwowych sił zbrojnych. W ciągu najbliższego roku Ministerstwo Wojny zadba o zorganizowanie jej w kompanie i bataliony podlegające dyscyplinie wojskowej, którym przysługiwać będą te same prawa, zaszczyty i żołd jak formacjom należącym bezpośrednio do sił zbrojnych. Decyzja ta musi cieszyć, zważywszy, że służby celne i finansowe zawsze zaszczytnie odznaczały się w pracy dla naszego państwa. Wystarczy przypomnieć udział, jaki miały w walkach risorgimenta i w wojnach o Niepodległość Włoch, a zwłaszcza w czasie kampanii Garibaldiego o wyzwolenie Południa spod obcej władzy". I dalej: „Służba w Korpusie Straży Finansowej trwa pięć lat i na ten okres zwalnia od służby wojskowej tych, którzy zgłoszą się do niej, zanim otrzymają powołanie. Jest odnawialna po upłynięciu każdego pięciolecia i gwarantuje minimalną płacę w wysokości 750 lirów rocznie, czyli dwa i pół lira dziennie. Zaciąg do służby jest ochotniczy, odbywa się w stolicy każdej prowincji w lokalnym okręgu po sprawdzeniu, czy ochotnik posiada odpowiednie kwalifikacje. Kandydaci powinni być w dobrym zdrowiu, zdolni do stawienia czoła trudom służby i niebezpieczeństwom, z jakimi może się łączyć, takimi jak długie marsze w górach czy starcia zbrojne. Muszą mieć nie mniej niż 154 centymetry wzrostu, obwód klatki piersiowej minimum 80 centymetrów, wykształcenie nie niższe niż podstawowe, wiek nieprzekraczający 36 lat i nienaganną przeszłość. Dopuszcza się także kandydatów niepełnoletnich, to znaczy obywateli, którzy nie ukończyli jeszcze 21 lat, pod warunkiem że uzyskają zgodę rodziny".

* * *

Na uzyskanie zgody czekał długo. Gdy oświadczył: „Zaciągam się do Straży Finansowej”, mama zemdlała, a tata się obruszył. „Teraz chce zostać janczarem, uciskać i zabijać ludzi!” Siostry szydziły: „żołdak, sługus!”. Tylko wuj Luca się nie sprzeciwił, a nawet ucieszył się tak bardzo, że prawie mu przebaczył wydane na darmo pięć lirów. „Dobry pomysł. Może mundur wyprostuje ci orientację”. Potem Antonio musiał poczekać do 1 stycznia 1882 roku, aż Ministerstwo Wojny zorganizuje szkolenia w miastach wybranych jako ośrodki nauczania, czyli w Genui, Neapolu, Mesynie, Wenecji. O to, czy spełnia wymagania stawiane kandydatom, doprawdy nie musiał się martwić. Wzrost 164 centymetry, obwód klatki piersiowej 85 centymetrów, żadnych konfliktów z prawem, a jego wykształcenie, nawet jeśli trochę zaśniedziałe, i tak przewyższało o niebo przygotowanie innych kandydatów. „Gdzie się pan uczył?”, spytał z uznaniem przewodniczący komisji. „W Małym Seminarium w Pizie, proszę pana”. „To widać”. Szkoda, że brat Paolo kazał spalić wszystkie dokumenty i Antonio nie mógł tego potwierdzić oficjalnie. (Ten problem ciągnął się za nim przez całe życie). Nie miał także kłopotów ze złożeniem przysięgi na wierność dynastii sabaudzkiej: „Ja, Anton Maria Ambrogio Fallaci, syn Ferdinanda i Cateriny Poli, przysięgam, że będę wierny Jego Wysokości Humbertowi I i jego królewskim potomkom, że będę przestrzegał konstytucji i praw państwa, że będę sprawował swój urząd w Straży Finansowej dla nierozdzielnego dobra króla i ojczyzny”. W owym czasie monarchia czy republika — nie robiło mu różnicy. Dlatego też bez wyrzutów sumienia powrócił do Candialle, spędził ostatnie dwa tygodnie z członkami rodziny, którzy wciąż czuli się poddanymi Habsburgów Lotaryńskich. Tatą, opłakującym jeszcze wypędzenie Leopolda II, i wujem Lucą, który do Humberta I pałał wyjątkową niechęcią. „Gdybym wiedział, że aby założyć mundur, będziesz musiał zaprzysiąc wierność temu skurwysynowi, ostrzegłbym cię, żebyś nawet o tym nie myślał".

Antonia przydzielono do koszar w Wenecji. Wyruszył z Florencji o siódmej rano 16 stycznia, razem z tuzinem kretynów, którzy myśleli, że jadą na wojnę. Pociąg jechał przez Pistoię–Bolonię–Ferrarę–Padwę–Mestre i docierał na stację Santa Lucia o szóstej po południu. Dziesięć godzin podróży, co za przygoda! Za Mestre, na odcinku wybudowanym w 1846 roku przez Austriaków na lagunie, aby połączyć Wenecję ze stałym lądem, Antonio odniósł wrażenie, że znajduje się nie tyle w pociągu, ile na statku. Przyszło mu nawet do głowy, że może w Candialle mają rację, iż opłakują Habsburgów i nienawidzą Sabaudów, którzy nie budują nawet gówna. Największe wrażenie zrobił na nim jednak sam wjazd do miasta. Bo chociaż o Wenecji wiedział dużo: że jest tu sto sześćdziesiąt kanałów i trzysta sześćdziesiąt dziewięć mostów, że urodził się tutaj Casanova, czyli typ, któremu bardzo podobały się Romildy, to nie zdawał sobie sprawy, że stacja Santa Lucia znajduje się nad samym Canale Grande. Kiedy dwaj podoficerowie, wysłani po grupkę rekrutów, zaprowadzili ich do wyjścia i załadowali na *vaporetto* płynący na wyspę Giudeccę, gdzie znajdowały się koszary Straży Finansowej, Antonio chciał krzyczeć z radości. Z zapartym tchem płynął przez ten szlak wodny obramowany starymi pałacami i wspaniałymi kościołami, do którego wpływały mniejsze kanały, także zamknięte pomiędzy murami domów. Zamiast powozów i koni widział tu łodzie i gondole, te sławne gondole, o których tak dużo słyszał i marzył, że popłynie na którejś z Heloizą. W styczniu o szóstej po południu było już ciemno, ale przed kościołami i pałacami stały wysokie zapalone latarnie, okna były oświetlone, również gondole miały swoje światełka i można było i tak rozkoszować się widokiem tych wszystkich cudów. Potem cuda się niestety skończyły. U ujścia Canale Grande *vaporetto* wpłynął w następny kanał, tak szeroki, że wydawał się jeziorem, i zamiast skręcić w lewo, czyli na piazza San Marco, zatoczył szeroki łuk na prawo... Och, Antonio zrozumiał od razu, że koszary to drugie więzienie. Seminarium, które od Małego Seminarium różniło się tylko nieobecnością służących, pozwoleniem na spanie z rękoma pod kołdrą, mycie się bez koszuli i zasiadanie do stołu bez odmawiania *Gratias-agimus-Tibi-Domine*. Taka sama była bezlitosna dyscyplina, surowy regulamin, ciasne horyzonty, tyrania. W miejsce brata Paola bydlak kapitan, który wrzeszczał jak opętany, karcił za każdą drobnostkę i za najmniejsze przewinienie skazywał na areszt. W miejsce prefektów i wiceprefektów byli brygadierzy (kaprale) i wicebrygadierzy (starsi szeregowi), którzy nie zadowalali się śledzeniem rekrutów na każdym kroku, ale zwracali się do nich na ty, i wymagali, by do nich mówić na pan. W miejsce *Pater Noster* i *Ave Maria* trzeba było recytować normy o podatkach konsumpcyjnych i o przywilejach branżowych. Zamiast sutanny mundur. Ciemnozielona kurtka zapinana na sześć złoconych guzików, z żółtymi wypustkami przy rękawach i kołnierzu. Szare rurkowe spodnie. Beret z daszkiem i herbem dynastii sabaudzkiej, a na przepustkę melonik, również z herbem i w dodatku z trójkolorową kokardą, z której wystawało długie krucze pióro. W miejsce krucyfiksu karabin, ładownica i szpada z bagnetem.

Antonio opowiadał na starość, że przywdział mundur z taką samą łatwością, z jaką w wieku lat dwunastu włożył sutannę. Pominąwszy melonik, który irytował go swym kształtem i długim piórem, dobrze się czuł w mundurze. Z taką samą dobrą wolą, z jaką akceptował wszystkie radykalne zmiany w swoim życiu, nauczył się teraz posługiwać karabinem i szpadą, przedmiotami równie mu obcymi jak balon czy para rękawic bokserskich. A zrozumienie, że koszary to innego rodzaju więzienie, drugie seminarium, ani trochę go nie przestraszyło. Czyż nie przeżył już seminarium? Mimo iż między strzelaniem a modleniem się istnieje pewna różnica, a huk na poligonie nie przypomina ciszy w kaplicy, podobieństwo było uderzające. Odnajdując w koszarach brata Paola, prefektów i wiceprefektów, jarzmo dyscypliny wtłaczającej go w tryby systemu, jak kółko zębate w mechanizm zegarka, poczuł się jakby w domu. Jak gdyby nie był rekrutem, ale weteranem. Sześć godzin lekcji w klasie, i niech żyje król. *Ora pro nobis.* Sześć godzin szkolenia wojskowego, naprzód-marsz, w-tył-zwrot, na-prawo-patrz, na-lewo-patrz, wyceluj-broń, prezentuj-broń, i niech żyje król. *Ora pro nobis.* Sześć godzin na posiłki, higienę osobistą, czyszczenie broni, rekreację, i niech żyje król. *Ora pro nobis.* Sześć godzin na spanie, i niech żyją Włochy. Amen. Jedna rzecz jednak zdziwiła, a nawet zdumiała Antonia. Otóż także w koszarach, co prawda z powodów całkiem innych niż w seminarium, seks i kobiety uważano za nieprzyjaciół, których trzeba zwalczać i eliminować. A to dlatego, że obawiano się francuskiej choroby. Eufemizmem tym określano choroby weneryczne, dość rozpowszechnione w dziewiętnastym wieku, a w miastach portowych szczególnie niebezpieczne z powodu prostytutek obsługujących zarażonych marynarzy. Czystość kadetów, w większości naiwnych i niedoświadczonych chłopców z prowincji, była więc chroniona z surowością godną seminarium duchownego. Wzbraniano im kontaktów ze światem zewnętrznym, przyjmowania wizyt domniemanych kuzynek i narzeczonych, a co gorsza, nie dawano indywidualnych przepustek. Wypuszczano ich na godzinę dwa razy w tygodniu (w środę i w niedzielę) w grupach i pod eskortą brygadiera lub wicebrygadiera. Tylko na teren Giudekki, naturalnie, i tylko na przechadzkę. Jedynie ci, którzy odznaczyli się wyjątkową pilnością i wzorową postawą, otrzymywali w nagrodę pozwolenie na samodzielne wyjście i spędzenie całego popołudnia w Wenecji. Co ciekawe, nikt nie protestował. Nikt nie narzekał i nie buntował się: potrzebuję-dziewczyny. Po głębszym zastanowieniu było to naprawdę dziwne: czy to możliwe, żeby wszyscy godzili się bez oporu na takie poświęcenie? Czy to prawdopodobne, by obawa przed francuską chorobą czyniła ich bardziej wstrzemięźliwymi od seminarzystów, dla których seks oznaczał obrazę Pana Boga? Przecież żołnierze mieli opinię podrywaczy i uwodzicieli? Czy to nie właśnie z tego powodu wuj Luca zachęcał Antonia do przywdziania munduru? Co by sobie pomyślał, gdyby wiedział, że jego bratanek przysiągł wierność Humbertowi I, żeby trafić do facetów, którym nie staje kutas? Chcąc się upewnić w swoich podejrzeniach, Antonio przeprowadził nawet małe śledztwo. „Wybacz, że pytam: nie zdarza ci się nigdy..." „Nie, na szczęście nie". „A tobie?" „Nie, jestem zrelaksowany". Zresztą to samo działo się z Antoniem. Po tygodniu pobytu w „seminarium" Heloiza znikła, a on stracił chęć, by jej szukać.

Początkowo odczuł ulgę. Koniec z udręką, powiedział sobie. Wyleczyłem się i w odpowiednim czasie będę mógł stawić czoło wszystkim Romildom świata, pozbyć się tego ciernia. Potem jednak ogarnął go żal, poczucie pustki. Tam do licha, ta kobieca zjawa towarzyszyła mu przez pięć lat! Była jego kobietą, kochanką, przyjaciółką, i teraz mu jej brakowało. Zaczął więc analizować problem. Zauważył, że poczucie odprężenia jest szczególnie intensywne rano po wypiciu kawy z mlekiem oraz wieczorem po zjedzeniu zupy, i przypomniał sobie, co mówiono żartem w Toskanii, kiedy ktoś był za bardzo pobudzony seksualnie. „Temu to przydałoby się trochę bromu". Antonio przypomniał sobie, jednym słowem, że brom osłabia albo wręcz eliminuje popęd seksualny, i ruszył na ekspedycję do kuchni. Spytał kucharza: „Czy nie dodajecie nam czasem bromu do jedzenia?". „To dla waszego dobra, młodzieńcze. Inaczej od przymusowego postu zostalibyście wszyscy ciotami", odpowiedział kucharz. I to całkowicie zmieniło sytuację. Gdy Antonio zrezygnował z kawy i zupy, Heloiza od razu pojawiła się z powrotem, intensywniej niż przedtem. A wraz z Heloizą pragnienie, aby jej poszukać. Żeby zyskać ku temu okazję, stał się najlepszym uczniem na kursie, zasłużył sobie na indywidualną przepustkę, na spędzenie całego popołudnia w Wenecji i... Boże, co się jej naszukał! W meloniku z długaśnym piórem, ze szpadą u boku i burzą w podbrzuszu, której i kwintal bromu by nie ukoił, niczym wygłodniały pies przebiegał ulice, place, kościoły, muzea.

Wzdłuż stu sześćdziesięciu kanałów, po trzystu sześćdziesięciu mostach, wszędzie, gdzie go zaniosły nogi i trawiący go ogień. Mogło się wydawać, że podziwia cuda miasta, że zachwyca się piazza San Marco, Pałacem Dożów, arcydziełami malarstwa i malowniczymi widokami. Tymczasem on szukał tylko Heloizy i gdy tylko widział jakąś piękną, elegancką i pewną siebie damę, zaczynał za nią iść. Nie dbając o swoją niezdarność i niedoświadczenie. Z tej racji zresztą przydarzyły mu się trzy incydenty. Pierwszy z jakąś Niemką, która nie była sama, tak jak sądził, ale w towarzystwie opiekuńczego męża, który o mało nie skoczył na Antonia z pięściami: *„Was wollen Sie? Belästigen Sie meine Frau?!?* Czego pan chce? Zaczepia pan moją żonę!?!".* Drugi z Angielką, która nagle zatrzymała się i walnęła go w kapelusz parasolką. *„Stop following me! I have enough of you and your ridiculous hat!* Proszę przestać się za mną włóczyć! Mam dosyć pana i pańskiego idiotycznego kapelusza".* Trzeci z wenecką prostytutką, która mrugnęła do niego znacząco *„Bel soldà, quantu vustu pagar?* Piękny żołnierzu, ile chcesz zapłacić?".* W rzeczywistości żadna z nich nie była Heloizą. Ale potem, na piazza San Marco, zobaczył panią, która mogła nią być naprawdę. Bo chociaż woalka nie pozwalała dostrzec dokładnie rysów jej pięknej twarzy, uderzająco przypominała Heloizę. Poruszała się właśnie tak, jakby świat do niej należał. Z biciem serca, którego nie czuł przy poprzednich spotkaniach, Antonio postąpił krok naprzód. Ale tajemniczej pani towarzyszyła brzydka i poważna dziewczyna — to go onieśmieliło. Zamiast się przybliżyć, stanął w miejscu, a tymczasem one zniknęły w tłumie. Godzinę później natknął się na nie znowu. Na Riva degli Schiavoni, w towarzystwie tragarza niosącego walizki. Wsiadały na *vaporetto* płynący na stację Santa Lucia. Tym razem, nie dbając już o onieśmielającą brzydką dziewczynę, przybliżył się, nie dość jednak szybko, by zdążył i on wsiąść na pokład. Po zjawie, która wreszcie przekształciła się w istotę z krwi i kości, pozostał mu tylko intensywny zapach gardenii w nozdrzach.

Wtedy pogodził się z losem. Usiadł na stopniach bazyliki i spędził resztę popołudnia, rozmyślając nad tym, jaki jest głupi i nieszczęśliwy. Wkrótce miał skończyć dwadzieścia jeden lat, wiek, w którym można głosować i założyć rodzinę, tymczasem wciąż był bardziej dziewiczy od Maryi Dziewicy. Żeby pozbyć się tego ciernia, wylądował w „seminarium", gdzie nie można było napić się kawy ani zjeść zupy, nie połykając kilogramów bromu. Szukając Heloizy, dostał parasolką po kapeluszu i dwa razy nakrzyczano na niego w jakichś dziwnych językach, a w dodatku zaczepiła go ladacznica, od której mógł się nabawić francuskiej choroby. A kiedy wreszcie natknął się na prawdziwą Heloizę, pozwolił się jej wymknąć. Na pewno o tej porze siedziała już w pociągu, jadąc nie wiadomo dokąd, dlatego... A jeśli los zdecydował, że mają się spotkać i pokochać? Należy jak najszybciej ukończyć szkolenie i znowu rozpocząć poszukiwania.

* * *

Szkolenie trwało sześć miesięcy. Cztery, jeśli odbyło się już służbę wojskową. Trzy, jeśli było się wzorowym kadetem, który nie popełnił najmniejszego wykroczenia, znał przepisy celne i podatkowe lepiej od sędziego, strzelał celniej niż Buffalo Bill. No cóż, Antonio zakończył naukę w niespełna dwa i pół miesiąca. (Potwierdzają to ankiety personalne, które odnalazłam w archiwach Straży Finansowej). 1 kwietnia przeniesiono go do służby czynnej i przydzielono (tak, wiem, że to niewiarygodne) do jednostki w Cesenie.

Cesena była ważnym ośrodkiem. Stacjonował tu garnizon, który powinien mieć siedzibę w stolicy prowincji, Forlì, i walczył przede wszystkim z przemytem soli, na tym odcinku wybrzeża adriatyckiego szczególnie intensywnym z powodu bliskości salin w Cervii, skąd na przekór państwowemu monopolowi kradziono sól, by sprzedawać ją tanio w Dalmacji. Poza tym Straż Finansowa nadzorowała pięćdziesiąt dwa punkty sprzedaży tytoniu, również objętego państwowym monopolem, dwa browary, wytwórnię grappy, fabrykę oranżady oraz sześć sal gry i dwadzieścia cztery młyny. Także z młynów kradziono mąkę, by następnie przemycać ją do Chorwacji. Z powodu typowej dla rządu włoskiego tępoty jednostka w Cesenie składała się tylko z jednego *maresciallo* (sierżanta), jednego wicebrygadiera, jednego szeregowca i trzech strażników, i nie miała nawet koszar godnych tego miana. Wątła grupka stacjonowała w niewielkim domku na rogu via Virgili i piazza Bufalini, tego samego, po którego północnej stronie wznosiła się Biblioteka Malatestiana, a po stronie południowej Ridotto degli Aristocratici oraz Palazzo Almerici, gdzie mieszkały Anastasia z Giacomą.

Antonio przybył do Ceseny 2 kwietnia, żywiąc w duchu absurdalną nadzieję, że odnajdzie swoją Heloizę. Od razu przypadł do serca sierżantowi, który zamiast męczących zadań nadzorczych przydzielił mu obowiązki sekretarza i ulokował go na nocleg nie z trzema strażnikami, ale w samodzielnym pokoju. Maleńkim, jak cela w Małym Seminarium, ale z oknem na piazza Bufalini i na Palazzo Almerici w oddali. „Napatrzysz się. Na czwartym piętrze mieszka najpiękniejsza kobieta w Cesenie". Początkowo Antonio nie przywiązał do tych słów większej wagi. Mniej więcej po miesiącu dostrzegł kobietę, która wydała mu się podobna do damy spotkanej w Wenecji. Gdy przechodził koło Palazzo Almerici, zdało mu się, że poczuł zapach gardenii. Następnego dnia z udawaną obojętnością zagadnął sierżanta: „Kim jest ta najpiękniejsza kobieta w Cesenie?", na co usłyszał odpowiedź: „Podobno jakaś cudzoziemka. Amerykanka lub Francuzka. Pewnego razu pozdrowiłem ją i odpowiedziała mi *good-morning, monsieur*". „Nie, jest wdową. Mieszka z młodą dziewczyną, którą wszędzie z sobą zabiera. To chyba jej sekretarka czy dama do towarzystwa". W czasie przepustki Antonio myślał tylko o tym, jak spotkać tajemniczą kobietę. Wystawanie przed pałacem, gdzie wyczuwał zapach gardenii, stało się dla niego codziennym rytuałem, obsesją i...

Patrzę na fotografię, jaką zrobił sobie na dwudzieste pierwsze urodziny (czyli właśnie w tych dniach) w atelier wielmożnego kawalera Casalboniego, na via Dandini 5. Jest to kolorowane zdjęcie, które pokazuje go siedzącego ze skrzyżowanymi nogami na tle namalowanego krajobrazu zielonych gór. Lewą rękę położył na oparciu krzesła z udrapowaną na nim tkaniną w żółte kwiatki, w prawej ściska szpadę. Ma na sobie mundur strażnika finansowego, ciemnozieloną kurtkę ze złoconymi frędzlami i lamówkami, jasnoszare rurkowe spodnie, a zamiast znienawidzonego melonika z kruczym piórem beret z daszkiem. Jest naprawdę przystojnym młodzieńcem. Jego proporcjonalna sylwetka tchnie wrodzoną elegancją, zaskakującą u byłego wieśniaka, a rysy twarzy są ujmujące. Wysokie czoło, piękny nos. Harmonijne policzki, wyraźnie zarysowana szczęka. Łagodne usta, oczy pełne wyrazu. Ale tym, co uderza najbardziej, jest jego niewinność. Niewinność, czystość bijąca od całej jego postaci, niemal anielska, wynikająca raczej z ducha niż z tego, że był bardziej dziewiczy od Maryi Dziewicy. Niewinność niemal dziecięca, zakorzeniona w umyśle i trudna do wyjaśnienia, jeśli przypomnieć sobie ciężkie próby, jakie musiał znieść. Perfidię brata Paola, burdel *sory* Cleofe, koszary i brom. Czy to właśnie ta niewinność urzekła Wielką Uwodzicielkę, doświadczoną zalotnicę o piętnaście lat starszą od niego, która nasycona seksem, uwolniła się od mężczyzn, i odkąd opuściła San Francisco, przestała się nimi interesować? A może było to pragnienie przerwania wstrzemięźliwości, która do niej nie pasowała i zaczynała jej ciążyć? Chęć zatrzymania uciekającej młodości, którą dwudziestojednoletni Antonio w jakiś sposób jej zwracał? Nie wiem, nie pamiętam. Z egzystencji przeżytej jako Anastasia moje chromosomy zachowały tylko dwa urywkowe wspomnienia: udrękę nocy, kiedy powiłam swoje niechciane dziecko i porzuciłam je na kole przytułku Świętego Krzyża, oraz ulgę nocy, gdy podarowałam sobie śmierć. Odpoczynek. Ale nawet biorąc pod uwagę zrozumiały w tych okolicznościach głód seksu, moim zdaniem bliższa prawdy jest pierwsza hipoteza. Urok niewinności, czystości bijący od Antonia. Odruch, by mu ją ukraść, przywłaszczyć sobie, użyć do zmazania przeszłości, która nagle zaczęła Anastasii ciążyć. Do uzyskania przebaczenia od wszystkich, których cynicznie wykorzystała: *Tante* Jacqueline, Giuditty Sidoli, nawet Bezimiennego. Valzanii, Giuseppe Pastacaldiego, Louise Nesi i jej syna Johna. Dzikiego Billa, porucznika zabitego przez Indian, Johna Daltona, Marianne, Lydii i Rebekki. Napoleona Le Roi, górników z Virginia City, hrabiny Daumont, bankierów z San Francisco. A ostatnio De Carlich, poczciwych De Carlich kupionych za marne grosze. Anastasii Cantoni, której dzięki prawnemu kruczkowi przypisała opiekę nad swoją córką. I własnej córki. Ostatniej z długiej listy ofiar jej uwodzicielskiego czaru i ofiary jej lekkomyślności, egoizmu i cynizmu.

Sądzę tak z powodu książki, którą dziadek Antonio trzymał na starość w skrzyni i nie pozwalał nikomu dotykać. „Przesłała mi ją, zanim się zabiła, zamiast bileciku pożegnalnego". No cóż, zanim skrzynia wyleciała w powietrze, dobrałam się do tej książki. Przeczytałam ją. Była to *Julia albo Nowa Heloiza* Jeana--Jacques'a Rousseau: powieść epistolarna, w której pisarz przedstawił dzieje dwojga osiemnastowiecznych kochanków, uwspółcześnioną wersję losów Heloizy i Abelarda. I w ostatnim liście Julii-Heloizy do Edwarda-Abelarda niektóre linijki były podkreślone. Pamiętam je tak dobrze, że ich odnalezienie nie sprawiło mi żadnego kłopotu. Które linijki? Oto one: „Prawie sześć lat mija, odkąd cię po raz pierwszy ujrzałam. Byłeś młody, zgrabny, miły; inni młodzieńcy wydawali mi się piękniejsi i od ciebie bardziej zręczni, ale żaden nie dał mi powodu do najmniejszego wzruszenia, a do ciebie serce me przylgnęło od pierwszej chwili. Zdawało mi się, że na obliczu masz wyryte przymioty duszy odpowiadające moim"*.

---

* Fragment *Nowej Heloizy* J.J. Rousseau w przekładzie Ewy Rzadkowskiej.

22

Tak, w ten sposób zakończyła się krótka wycieczka w przeszłość. Dobiegłam do opowieści o ostatnim etapie egzystencji, jaką przeżyłam jako Anastasia. Myśl, że zbliżam się już do konkluzji, powinna mi sprawić ulgę. Dać poczucie uwolnienia, lekkości, jakie często towarzyszą zakończeniu długiego trudu. Tak jednak nie jest. Bo ta ostatnia część historii prowadzi do jej (do mojego) samobójstwa, bardziej dla mnie gorzkiego niż tragiczne lub niesprawiedliwe zgony, które przytrafiły mi się w innych życiach. Na przykład kiedy zamarzłam z zimowego chłodu jako Montserrat, grając na lutni w ogrodzie domu dla obłąkanych. Albo kiedy jako Giobatta zostałam rozjechana i zmiażdżona przez czterokonny powóz, kiedy wlokłam się o kulach, by sprzedać alabastrowe figurki. Czy kiedy byłam Stanisławem, a austriacki oficer ściął mi szablą głowę, gdy stałam na czele pochodu na zaśnieżonej równinie, i wycenił ją na pięć guldenów... Ta śmierć jest gorsza. Bo to, co teraz opowiem, nie jest legendą, po trosze odtworzoną, po trosze wymyśloną. Jest prawdą, rzeczywistością. Prawdą, którą odkryłam pół wieku temu, dowiedziawszy się, dlaczego babcia Giacoma ma tylko jedno oko. Rzeczywistość, z której chciałam wysnuć powieść, jakiej w końcu nie napisałam, z obawy, że przeinaczę fakty. Teraz ta obawa mnie opuściła, gdyż zrozumiałam, że Anastasia, Giacoma i Antonio są częścią mnie samej, dlatego też o miłosnym zapętleniu, jakie się między nimi wytworzyło, mogę pisać, co mi się podoba. Obawę zastąpiło jednak wspomnienie rozdzierającego cierpienia. Bólu trzech istot, które zakodowane w moich chromosomach wciąż jeszcze cierpią. Przeżycie tego wszystkiego na nowo rani mnie i porusza. Dlatego też ze smutnej historii, która mogłaby stać się całą powieścią, opowiem tylko to, co niezbędne.

Choć trudno w to uwierzyć, przez cztery miesiące obsesja Antonia nie wykroczyła poza bezsensowne czatowanie przed Palazzo Almerici. W nadziei na zawarcie znajomości spędzał na czekaniu niemal wszystkie przepustki, od siódmej do w pół do dwunastej wieczorem, i wciąż musiał się zadowolić tylko zapachem gardenii. Także przed Palazzo Almerici Anastasia pojawiała się zawsze w towarzystwie brzydkiej i surowej dziewczyny, która onieśmieliła go już na piazza San Marco. Dlatego też nie odważył się nigdy podejść do nich i zagaić rozmowę.

Równie trudno uwierzyć w to, że przez cztery miesiące Anastasia nawet nie popatrzyła na Antonia wprost i na początku nie przywiązywała do jego obecności żadnej wagi. Potem przestraszyła się. Czy to jakiś policjant śledzący ją, a być może nawet mający zamiar ją aresztować? Czy może ktoś odkrył intrygę, uknutą z Anastasią Cantoni, aby oddać sierotę numer 208 pod opiekę Anastasii Le Roi? A może nawet skojarzono *madame* Le Roi z Anastasią Ferrier i jej fałszywym paszportem? Te obawy nie opuściły Anastasii nawet wtedy, gdy Valzania zapewnił z przekonaniem: „Bądźcie spokojna, *sgnurèna*. Jestem pewien, że chodzi o smarkacza, który się w was rozamorował, a gdyby nawet nie, to w tym mieście ja rządzę. Dopóki tu jestem, nikt was nie dotknie". Na ulicy chowała się za Giacomą jak za tarczą. W domu podglądała zawsze zza firanki, czy Antonio jest, czy go nie ma. A jeśli był, to aby się z nim nie spotkać, czasami rezygnowała nawet z wyjścia z domu. „W ten sposób nie będzie się za nami plątał i nie ryzykuję, że stracę cierpliwość i rzucę się na niego z pięściami". Jednak pewnego wieczoru, 26 sierpnia, Antonio nie zajwił się na swoim zwykłym miejscu, a Anastasia wyszła sama, by zobaczyć coś, co bardzo ją fascynowało, natomiast nie zainteresowało Giacomy. W głównej auli Liceum Montiego, położonego kilka kroków od Palazzo Almerici, Komitet Energii Elektrycznej zorganizował pokaz, mający udowodnić wyższość oświetlenia elektrycznego nad gazowym (które nie tylko pokrywało kopciem ściany, sufity i dywany, ale powodowało też pożary i dawało niezbyt mocne światło). Szesnaście żarówek o wymiarach dwadzieścia dwa na czternaście centymetrów, mocy siedemdziesięciu amperów, podłączono do baterii z przełącznikiem na dźwignię.

Żeby przydać widowiskowości zapaleniu żarówek, dyrektor liceum zarządził, aby zgasić oświetlenie gazowe i zostawić tylko cztery świece. Dwie obok panelu, do którego przykręcono żarówki i dwie obok baterii. Część sali, w której siedziała publiczność, była więc pogrążona w mroku, niepozwalającym dostrzec nawet osób siedzących blisko, dlatego Anastasia nie zauważyła irytującego natręta. Antonio nie spostrzegł pięknej damy, nareszcie samej. Za to poczuł jej zapach. Cały roztrzęsiony, z bijącym sercem, przesunął się ku miejscu, z którego ten zapach dochodził, i gdy zapaliło się oślepiające światło (ponad tysiąc sto dwadzieścia amperów), ona ujrzała go u swego boku. Popatrzyła na niego, i aby zrozumieć, jaka była jej reakcja, muszę odwołać się do słów z *Nowej Heloizy*. Bo to Anastasia, opowiadał dziadek Antonio, pierwsza przerwała milczenie swoimi uroczymi zaokrąglonymi *r*. Nie przedstawiając się ani nie pytając, kim on jest. Jakby akt prezentacji był czymś wręcz wulgarnym czy niestosownym.

— Dob*r*y wieczó*r*, monsieu*r*.

— Dobry wieczór, *madame*...

— Często się pan zatrzymuje pod moimi oknami...

— Tak, *madame*...

— By się do mnie zalecać czy aby mnie a*r*esztować?

— Och, *madame*!

— Ile pan ma lat, monsieu*r*?

— Dwadzieścia jeden.

— Mogłabym być pańską matką.

— Och, *madame*!

— P*r*oszę mnie odprowadzić do b*r*amy mojego domu.

Swoje imiona poznali w trakcie krótkiej przechadzki z liceum Montiego do Palazzo Almerici i oprócz tego nie powiedzieli sobie nic więcej. On nie był jeszcze w stanie wydobyć z siebie głosu, ona wydawała się zmieszana, jakby żałowała, że pozwoliła mu sobie towarzyszyć. Na progu domu nagle jednak zmieniła zdanie.

— P*r*oszę wejść. Chcę dowiedzieć się o panu czegoś więcej.

Gdy weszli do mieszkania, było już po dziesiątej. Giacoma i służące spały. Anastasia zaprowadziła Antonia do salonu, nalała mu kieliszek likieru i być może to właśnie alkohol rozwiązał mu język i pozwolił odzyskać głos. Opowiedział jej, kim jest. Z impetem wzburzonego strumienia, z entuzjazmem młodego ptaka wypuszczonego z klatki, który wzbija się do nieba, widzianego wcześniej tylko przez pręty swego więzienia, opowiedział Anastasii wszystko, o czym był w stanie jej opowiedzieć w krótkim czasie dzielącym go od zakończenia przepustki. Powiedział jej o Candialle, o rodzicach, o wuju Luce, o pracy na roli. O bracie Paolu, o prefektach i wiceprefektach, o sutannie, o życiu w seminarium. Opowiedział o Heloizie i Abelardzie, o Heloizie, którą sobie wymyślił i która była właśnie taka jak Anastasia: piękna, elegancka i pewna siebie. Innymi słowy, wyznał jej, że to ona jest dla niego Heloizą. Że z jej powodu został wydalony z seminarium, powrócił do pracy na roli, zrezygnował z dorównania krewnemu w sędziowskiej todze, z jej powodu uciekł z burdelu *sory* Cleofe i skończył w koszarach, gdzie paśli go bromem. Ona była przyczyną, że nie dotknął żadnej innej kobiety. Na koniec wyznał, że pierwszy raz ujrzał ją przelotnie w Wenecji, że od czterech miesięcy chodzi za jej zapachem jak wygłodniały pies za strawą, ale nie jest to głód zmysłów, tylko głód kogoś, kto poprzez drugą istotę ludzką szuka samego siebie... Ona słuchała z niedowierzaniem, chwilami rozbawiona, chwilami wzruszona, uśmiechając się z lekką ironią lub okazując grzeczne zdziwienie, ale w każdym razie pochlebiało jej to. Pomimo iż miała w swoim życiu wielu mężczyzn, w żadnym nie obudziła aż takiej namiętności. Czystości i namiętności, niewinności ducha i namiętności. I być może przeczuła nawet, że jeśli go nie odepchnie, pewnego dnia znajdzie się w śmiertelnej pułapce. A mimo to zamiast odepchnąć go i uratować siebie, oddała się w jego ręce.

„Do widzenia, Antonio. Jutro z Giacomą oczekujemy pana na kolacji — powiedziała, żegnając się z nim. Potem dodała:

— Giacoma to moja córka. To tajemnica. Zdradzam ją panu jako podziękowanie za to, że zjawił się pan w moim życiu". Naturalnie przyjął te słowa jako to, czym były i miały być: podarunek przypieczętowujący cud ich spotkania. Również z tego powodu wyszedł z Palazzo Almerici, czując się najszczęśliwszym człowiekiem na świecie, takim, któremu można tylko zazdrościć — opowiadał na starość. „Nie szedłem, ale unosiłem się nad ulicą. A znalazłszy się w swoim pokoju, nie przestawałem sobie powtarzać: czy to naprawdę się zdarzyło? Naprawdę wkroczyłem w jej życie?" Zobaczywszy następnego dnia wieczorem Giacomę, osłupiał. „Tego się nie spodziewałem. Kto wie dlaczego, wyobraziłem sobie, że jej córka będzie małą dziewczynką, przypominającą matkę. Tymczasem ujrzałem młodą kobietę, podobną do Anastasii jak zima do lata. Niezdarną, tłustawą brunetkę, której brzydoty nie mogły skryć eleganckie ubrania i staranne uczesanie. Na mój ukłon odpowiedziała sucho i nieprzyjaźnie. „Piasèr. Miło mi". Rozpoznałem w niej brzydką i poważną dziewczynę, z której powodu nie ośmieliłem się wcześniej zbliżyć do Anastasii, i ogarnął mnie jakiś niepokój. Złe przeczucie. Potem naturalnie opanowałem się. Tego wieczoru Anastasia umiałaby rozbawić nawet zmarłego. Miała na sobie czarną suknię, która leżała na niej jak druga skóra. Ostre rysy jej twarzy, tęczówki przejrzyste jak źródlana woda, pieczczotliwy i przeciągły głos miały w sobie niemal diabelski urok. A kiedy przy stole zaczęła opowiadać o swoim dzieciństwie, młodości, zapomniałem o jej córce. Anastasia umiała cudownie opowiadać, nadając każdej historii baśniową aurę". Zapewne była to baśń o wróżce i czarownicy, które aby się uchronić przed żądaniami Kościoła katolickiego, szukają schronienia w Valle Oscura. Baśń o ogniskach rozniecanych na wzgórzach na wieść o emancypacji waldensów. *Maman-les-feux, maman-les--feux.* I o małym gineceum na via Lagrange, o szkole tańca przy Teatro Regio, o Cavourze przechodzącym rankami przez via Lagrange i uchylającym kapelusza w odpowiedzi na jej pozdrowienie.

Bonjour, monsieur-le-comte. Bonjour, ma-très-belle. O Jego Wysokości Wiktorze Emanuelu II, który na ulicy pociąga ją za jasne włosy, wykrzykując ależ-ja-cię-znam, *'t-es-la-citina-valdeisa-dël--Regiu.* O Garibaldim, odpowiadającym na jej wyrazy uwielbienia aż nadto czułym uściskiem. O Giuditcie Sidoli, która zabierała Anastasię do parlamentu i sprzyjała jej flirtowi z Edmondem de Amicisem. Giacoma za to milczała... Jakie baśnie mogłaby opowiedzieć? Wspomnienia sieroty numer 208, która w Longiano modli się do Madonny Łez i zarabia na chleb jako niańka u De Carlich, pastuszka u Raggich albo pomywaczka u Poliniego? Przyćmiona, odsunięta na drugi plan przez olśniewającą matkę, jadła w milczeniu. Siedziała ze spuszczoną głową, nie pokazując w związku z tym swego jedynego atutu: oczu (głębokich, ciemnych, inteligentnych). Nie zrezygnowała ze swojej mrukliwości, nawet gdy gość, przypomniawszy sobie o zaleceniach savoir-vivre'u, zaszczycił ją odrobiną uwagi i spytał, czy zna historię flirtu Anastasii z de Amicisem, który został słynnym dziennikarzem, podróżującym po całym świecie i publikującym reportaże ze swoich wypraw. „*A' so gnas tot.* Wiem wszystko", odpowiedziała w dialekcie, którym posługiwała się zawsze, gdy chciała wyrazić złość lub niechęć. „*Anca cuma a' so nasuda.* Także o tym, jak się urodziłam. *A mi Anastasia l'am dis tot.* Anastasia opowiada mi wszystko".

Potem powróciła do spożywania posiłku ze spuszczoną głową i Antonio pomyślał: „Jezu, przypomina moje siostry". Anastasia pomyślała: „*Mon Dieu,* nie nazwała mnie nawet matką, *mon Dieu*". Żadnemu z tych dwojga nie przyszło do głowy, że Giacoma jest zazdrosna. Zakochana i zazdrosna. Mówię to, bo pewnego dnia, siedemdziesiąt lat później, spytałam ją o to.

— Babciu — zapytałam — kiedy zakochałaś się w dziadku?

— Od razu — odpowiedziała. — Pierwszego wieczoru, gdy przyszedł na kolację.

— A kiedy się zorientowałaś, że Antonio jest zakochany w Anastasii, a ona w nim?

— Tego samego wieczoru — odpowiedziała. — Ślepy by to zauważył.

— A ty co wtedy czułaś?

— Wielki ból, wielki gniew — odparła, patrząc na mnie okiem błyszczącym od łez.

— I nienawidziłaś Anastasii?

— O, nie! Nigdy nie nienawidziłam Anastasii. Nigdy. Zawsze ją kochałam. Jej nie można było nienawidzić. Można ją było tylko kochać.

Rozmawiałam o tym także z dziadkiem.

— Dziadku — spytałam — kiedy się zorientowałeś, że babcia jest zakochana w tobie i zazdrosna o Anastasię?

— Kiedy było zbyt późno.

— A Anastasia?

— Kiedy zauważyłem to ja — odpowiedział.

— Jak to możliwe?!

— Możliwe. Giacoma była taka skryta — odrzekł. — A Anastasia nie widziała w niej kobiety w wieku do zamążpójścia. Dla niej była dzieckiem, które porzuciła na kole.

— A dla ciebie?

— Dla mnie była jak siostra, która dołączyła do tych pięciu, które już miałem — odpowiedział.

Potem wyjaśnił mi, jak to się stało, że nieporozumienie trwało tak długo, i jak powstał fatalny trójkąt.

— Spotykaliśmy się każdego wieczoru. O ile sierżant nie posłał mnie na kontrolę salin albo nie kazał aresztować jakiegoś przemytnika, codziennie w porze przepustki biegłem do Palazzo Almerici i pozostawałem tam z moją Heloizą do chwili powrotu do koszar. Ale Giacoma zawsze była z nami. Trzymanie jej przy nas stanowiło część nienaruszalnej, milczącej umowy. Nie wolno jej było wykluczyć ani zaniedbać. Zresztą ona nigdy nas nie opuszczała. Jeśli zostawaliśmy w domu, opowiadając sobie nasze przygody, dyskutując, ani razu nie powiedziała jestem-śpiąca-idę-

-spać. Jeśli wychodziliśmy na przechadzkę lub do teatru, zawsze szła z nami. Za każdym razem zachowywała się z tą samą zimną niechęcią, jaką okazała mi pierwszego wieczoru. Po uwadze *a'-so--gna-tot, anca-cuma-a'-so-nasuda* Anastasia wyjawiła mi historię porzucenia swego dziecka i przypisałem ten chłód nieszczęśliwej przeszłości Giacomy. „Biedaczka dużo się nacierpiała, trzeba jej wybaczyć". Okazywałem jej nawet serdeczność, w pewnym sensie lubiłem ją, i dopóki nie zdarzyło się to, co miało się zdarzyć, nigdy nie dałem jej powodu do zazdrości o moją przyjaźń z jej matką.

— Przyjaźń?!

— Tak, przyjaźń. Dopóki nie zdarzyło się to, co miało się zdarzyć, nigdy nie przekroczyliśmy z Anastasią granic przyjaźni, czy raczej ostrożnego flirtu. Nie wymieniliśmy nawet jednego pocałunku, żadnej pieszczoty, uwierz mi. Jedyne intymne gesty, na jakie sobie pozwalaliśmy, wykonywaliśmy z daleka. Zaraz po powrocie do koszar stawałem w oknie mojego pokoju, które wychodziło na piazza Bufalini. O północy ona także pojawiała się w oknie swojego pokoju i... dzieliło nas co najmniej sto metrów. Latarnie na placu dawały niewiele światła. W ich słabej poświacie mogłem dostrzec tylko cień. Ale mnie wydawało się, że dotykam tego cienia, że trzymam go w ramionach, czuję jego zapach.

— A Giacoma?

— A tak, czasami pojawiała się i Giacoma. Czułem, jak jej oczy świdrują mnie na wskroś niczym sztylety.

* * *

Ta czysta przyjaźń trwała prawie rok. Ostrożny flirt pod kontrolą przeszywających oczu. Omotany pełną szacunku wstydliwością, wstrzemięźliwością godną młodego Wertera, były seminarzysta przez prawie rok hamował pożądanie rozniecone przez swoją wielką namiętność, zagłuszał zew zmysłów. A Anastasia, ta Wielka Uwodzicielka, oczarowana jego wstydliwością, miłością tak odmienną od wszystkich, które poznała, podjęła jego grę. Nie osłabiło to w niczym więzi między nimi. Wręcz przeciwnie, wzmocniło ją. Ponieważ oczekiwanie dało im sposobność, by przyzwyczaili się do czyhających na nich niebezpieczeństw. Różnicy wieku, obecności Giacomy, nieuniknionych plotek i uwag ludzi, którzy widzieli ich razem. Pozwoliło im także wypełnić długie preludium czymś więcej niż miłymi wieczorami spędzonymi w Palazzo Almerici, na przechadzce czy w teatrze.

— Dziadku, czy to prawda, że właśnie wtedy stałeś się republikaninem?

— Tak, to prawda.

— I to wtedy Anastasia została sufrażystką?

— Tak, wtedy.

Angażowanie się w sprawy polityczne nie leżało w naturze Anastasii. Pomimo przyjaźni z Giudittą Sidoli, zarówno jako młoda dziewczyna, jak i dorosła już kobieta, na wydarzenia wstrząsające światem patrzyła zawsze z egocentrycznym brakiem zainteresowania lub co najwyżej z przelotną ciekawością zarezerwowaną dla jakiegoś osobliwego faktu. Takiego jak przemowa Wiktora Emanuela II o krzyku cierpienia, marsz wojska francusko-piemonckiego przez Turyn w drodze na wojnę z armią cesarstwa austro-węgierskiego. Garibaldi, który rozwścieczony utratą Nicei, obraża Cavoura w parlamencie, ciało Cavoura na katafalku ustawionym w jego gabinecie, policja strzelająca do demonstrantów na piazza Castello, tnąca ich szablami, dokonująca masakry. W Ameryce doświadczenie wojny secesyjnej, które ograniczyło się dla Anastasii do tłumów wiwatujących na Fifth Avenue *Richmond-is-ours*, Richmond-jest-nasze. Zabójstwa Lincolna i wielkich manifestacji żałobnych w Nowym Jorku, w których uczestniczyła z Johnem Nesim. Potem ataki Indian, przygoda z ogoloną głową, peruką i smithem-wessonem w ręku. Poligamia mormonów, osobiste doświadczenie, które nie skłoniło jej nawet do refleksji nad zniewoleniem kobiet. A po powrocie do Włoch upojenie macierzyństwem tak ją pochłonęło, że nawet Valzania nie zdołał wciągnąć jej w burzliwe sprawy Romanii. Co do Antonia, zdarzenia wstrząsające światem nigdy nie zaprzątały szczególnie jego myśli. W seminarium nie mówiło się o nich, w Candialle zaledwie wspominało. Jego rodzice ograniczali się do opłakiwania wielkiego księcia Leopolda, wuj Luca do nienawiści do dynastii sabaudzkiej, która zajęła jego miejsce, a sam Antonio, wstępując do Straży Finansowej, przysiągł wierność Humbertowi I. Co więcej, zaciągając się, odmówił sobie wręcz prawa do wyrażania własnych poglądów, gdyż wojskowym nie wolno było zajmować się polityką. Ale w tym okresie zarówno Anastasia, jak i Antonio wyszli ze swojej skorupy. I kiedy we wrześniu 1882 roku rewolucjoniści z Ceseny zorganizowali marsz protestacyjny przeciwko reformie wyborczej, która ponownie wykluczała z głosowania kobiety, *madame* Le Roi była jedną z nielicznych pań, które miały odwagę w nim uczestniczyć, krzycząc: wstydźcie-się-hańba. („Naprawdę, dziadku?" „O tak! Była wspaniała, w swoim kapeluszu z woalką, boa z piór strusia, tiurniurą, gdy tak wrzeszczała na całe gardło). Kiedy w październiku odbyły się wybory z rozszerzoną listą wyborczą, obywatel Anton Maria Ambrogio Fallaci zagłosował na listę republikańską Aurelia Saffiego. Razem z Anastasią włączyli się też do ruchu irredentystów, który dokonując licznych zamachów bombowych, walczył o odzyskanie dla Włoch prowincji pozostających w rękach Austriaków. I kiedy w grudniu Austriacy skazali na szubienicę Guglielma Oberdana, po czym powiesili go w Trieście, a Humbert I nawet nie kiwnął palcem w jego obronie, Antonio odmówił założenia beretu z godłem dynastii sabaudzkiej. Z gołą głową aresztował dwóch przemytników i wraz z nimi skończył w celi. W styczniu, gdy przez cały kraj przeszła fala protestów, Anastasia dołączyła do nich, rzucając zgniłymi jajkami w portrety ich wysokości. Niech-żyje-Oberdan, niech-żyje-wolny-Triest, śmierć-Franciszkowi Józefowi, precz-z-Humbertem („A Giacoma, dziadku?" „Nie, Giacoma nie").

Niestety, te wszystkie sprawy uczyniły ich jeszcze bardziej niewrażliwymi na dramat Giacomy, która w styczniu skończyła osiemnaście lat i stała się już kobietą. Potwierdza to fotografia, zrobiona przez kawalera Casalboniego z okazji urodzin, na której Giacoma tak bardzo przypomina Bezimiennego, że nie mogę jej opisać zbyt dokładnie. Szerokie, bujne biodra, odpowiednie dla kobiety mającej urodzić wiele dzieci. Obfite, pełne piersi, gotowe do karmienia. I gorzki uśmiech, skrywający piekący ból, smutne spojrzenie kogoś, kto cierpi... Jakby to nie wystarczyło, sprawy uczuciowe sprawiły, że Anastasia straciła zainteresowanie dla swego stołu gry. To znaczy dla problemu zbyt dużych sum zainwestowanych w Cesena Sulphur Company. Na początku 1882 roku, jak pamiętamy, ceny ceseńskiej siarki spadły do stu pięciu lirów za tonę i spółka obniżyła dywidendy do sześciu procent. Roczne dochody Anastasii, już zmniejszone z pięciu tysięcy lirów do czterech tysięcy, a potem do trzech tysięcy pięciuset, skurczyły się do trzech tysięcy. Tym razem przestraszyła się i miała już zamiar wszystko sprzedać, zdobyć fałszywy paszport dla Giacomy, a następnie przenieść się do Paryża lub wrócić do Ameryki. No cóż, na początku 1883 roku cena siarki spadła ze stu pięciu do osiemdziesięciu pięciu lirów za tonę, a dywidendy z sześciu do pięciu procent. Z trzech tysięcy rocznie zostało dwa tysiące pięćset i pomimo interwencji piemonckiego Banku Geisser, który pożyczał pieniądze zagrożonym spółkom, stało się jasne, że wkrótce akcje Cesena Sulphur Company stracą wszelką wartość. Zamiast jednak uwolnić się od nich, dopóki mogła jeszcze odzyskać choć część pieniędzy, Anastasia przestała się nimi interesować. Zareagowała jak gracz, który nie ma już ochoty trzymać kart w ręku i rzuca je na stół, zanim jeszcze skończy się rozgrywka. Oddala się od stołu gry i idzie wydać pieniądze, które mu pozostały. (W jej przypadku depozyty złożone w Credito Mobiliare i w Banca Popolare Valzanii). Co gorsza, z podświadomym masochizmem w tej kolejnej klęsce ujrzała wyroki losu, wiążące ją z jej młodym Abelardem. Czy to nie z powodu zbyt wysokich cen siarki opóźniło się opylanie, które w San Eufrosino di Sopra mogło uratować winnice zaatakowane przez oidium? Czy to nie siarka doprowadziła rodzinę Antonia do ruiny i do utraty ziemi przodków? Potem nadeszło lato. Antonio dostał dwa tygodnie urlopu, Anastasia zabrała jego i Giacomę do Rimini, gdzie wynajęła trzy pokoje w swoim ulubionym hotelu Kursaal. Trzy pokoje na trzech różnych piętrach. Dzięki tym sprzyjającym okolicznościom, jak przypuszczam, wydarzyło się to, co miało się wydarzyć. I tym razem to Giacoma nie spostrzegła się na czas, nie zrozumiała, że jej matka i jej Antonio zostali kochankami.

Teraz nienapisana powieść staje się bardzo prawdziwa i ta prawda mnie boli. Muszę opowiedzieć ją szybko, ograniczyć się do niezbędnych faktów i oddać te moje trzy życia zapomnieniu.

23

Giacoma nie zorientowała się na czas, bo ten, kto kocha bez wzajemności, ma nadzieję, że ukochany kiedyś odwzajemni jego uczucie. Żyje nadzieją, oczekuje, łudzi się. Nie widzi tego, co powinien zobaczyć, pada ofiarą okrutnych nieporozumień, i w Rimini Giacoma przeżyła bardzo bolesne, tragiczne wręcz nieporozumienie. Bowiem gdy to, co miało się zdarzyć, zdarzyło się, Antonio zachował się bardzo nierozważnie. Wciągnął Giacomę w pełnię swojego szczęścia i być może dla rozproszenia ewentualnych podejrzeń, zaczął ją traktować serdeczniej niż wcześniej. Jak-ładnie-dzisiaj--wyglądacie, jak-wam-do-twarzy-w-tej-sukience, nie-siedźcie--sama-w-kącie, usiądźcie-obok-mnie. Uważajcie-na-schodki, podajcie-mi-ramię. Podarował jej nawet bukiecik kwiatów i małego kotka znalezionego w parku Kursaal. Kociak podobał się Anastasii. Nie-nie, to-prezent-dla-Giacomy. A pewnego ranka popełnił największy błąd. W przypływie entuzjazmu pocałował Giacomę. Braterski pocałunek w policzek, całkiem niewinny. Tyle że Giacomy jeszcze nigdy nie pocałował żaden mężczyzna. Nie umiała odróżnić prawdziwego pocałunku od niewinnego cmoknięcia. W swoim pragnieniu bycia kochaną przez tego, kogo kochała, uwierzyła, czy chciała uwierzyć, że nagle Antonio zwrócił swe uczucia ku niej. Zaślepiona swoim złudzeniem, nie widziała tego, co powinna była zobaczyć. Ukradkowych pieszczot, nadmiernej troskliwości, spojrzeń zdradzających intymną więź i dziwnego pośpiechu, by wieczorem udać się jak najwcześniej na spoczynek. W takim miejscu jak hotel Kursaal nikt nie chodził wcześnie spać. Po kolacji szło się potańczyć, wypić kawę, posłuchać koncertu, pograć w kasynie. Tymczasem oni już przy deserze zaczynali ziewać. Ależ-jestem-zmęczona, chodźmy-spać.

— A ty, babciu?

— Ja nie oponowałam, zamykałam się w pokoju z kotkiem. Marzyć, prosić Boga, aby podarował mi drugi pocałunek.

— I podarował ci?

— Nie. Ale myśl, że oni spędzają razem noce, nawet mi nie przyszła do głowy.

Zresztą nie domyśliła się, że zostali kochankami, nawet kiedy wrócili do Ceseny. Bo w Cesenie oboje zrobili się ostrożni, wystrzegali się porozumiewawczych spojrzeń i pieszczot. Zapewne skrępowani obecnością Giacomy i obawiając się zgorszenia ludzi, gdyby zdradzili się przed nimi ze swym związkiem, poszukali sobie od razu tajemnego miejsca schadzek. Wynajęli mansardę w Palazzo Braschi, starym gmachu za Teatro Comunale. Składała się z dwóch pokoi i wchodziło się do niej bocznym wejściem. Przez drzwi od strony vicolo del Paiuncolo. („Ja ją znalazłem, ja ją wynająłem — opowiadał z dumą dziadek. — I do samego końca to było nasze gniazdko"). Spotykali się tam dość często, naturalnie w godzinach przepustki Antonia, a żeby usprawiedliwić swoje nieobecności, Anastasia znalazła jako wymówkę Koło Republikańskie. „Giacomo, idę na wieczór w Kole Republikańskim". „Mam zebranie w Kole Republikańskim". Było to doskonałe alibi, bo Koło Republikańskie znajdowało się na via Dandini, a żeby dotrzeć z Palazzo Almerici do Palazzo Braschi, trzeba było przejść właśnie przez via Dandini. Poza tym Koło organizowało zebrania w godzinach przepustek Antonia. Między szóstą po południu a północą.

— A ty tam nie chodziłaś, babciu?

— Nie. Nie interesowała mnie polityka. Zostawałam w domu z kotem.

— I nie wydawało ci się dziwne, że Anastasia chodzi tam w te wieczory, w które Antonio nie przychodzi do Palazzo Almerici?

— Nie. Byłam zbyt głupia. Za bardzo przekonana, że teraz on zakochał się we mnie.

— A co robiłaś w domu?

— Czytałam książki de Amicisa. Rozkoszowałam się swoim szczęściem, wyszywałam na prześcieradłach i ręcznikach swojej wyprawy monogramy G i F, które odpowiadało także F jego nazwiska, i marzyłam o dniu, gdy poprosi mnie o rękę.

— O rękę? Chociaż nigdy nie zdarzył się ten drugi pocałunek?

— Tak. Wbiłam sobie do głowy, że ten pocałunek w Rimini był czymś wyjątkowym, zuchwałością, której nie można było powtórzyć do czasu zaręczyn. W moich czasach dżentelmen nie całował panny, jeśli nie miał zamiaru poprosić jej, by została jego żoną. A dziewczyna nie robiła nic, aby go zachęcić. Czekała i koniec.

— Jak długo tak się łudziłaś?

— Dwa i pół roku.

— Dwa i pół roku?!?

— Tak. Dopóki nie odkryłam, że Koło Republikańskie jest wymówką. I że spotykają się w Palazzo Braschi.

Że spotkania w Kole Republikańskim są wymówką, odkryła w istocie pod koniec 1885 roku: gdy ktoś przyszedł do Palazzo Almerici poinformować Anastasię, że dywidendy Cesena Sulphur Company najprawdopodobniej spadną do trzech procent, dlatego mądrze byłoby pozbyć się ich jak najszybciej, ale nie zastał jej w domu. Zaalarmowana Giacoma pobiegła na via Dandini i...

— *No, qua l'a gnè.* Tu jej nie ma.

— Przecież wychodząc, powiedziała: Idę-do-Koła!

— *Busie.* Bzdury. Przecież zawsze tu przychodzi!

— *L'an ven piô. Iè scul cl'an ven.* Już tu nie przychodzi. Od wieków się nie pojawia.

Giacoma wróciła do domu z zamętem w głowie. Bzdury! Nie ma jej od wieków? To dokąd chodzi w takim razie? Jaki sekret ukrywa? Nielegalny dom gry, odrodzoną pasję do hazardu? Jakiś potajemny związek, kochanka? Tak, na pewno chodzi do nielegalnej szulerni. Albo ma kochanka. Mężczyznę żonatego, który obawia się skandalu. Potem, niespodziewanie, Giacomę naszło podejrzenie, które przez ponad dwa lata nawet nie przemknęło jej przez myśl. Matko najświętsza! Anastasia wychodziła zawsze między szóstą a północą. To prawda, w tych godzinach na via Dandini zbierało się Koło Republikańskie, ale zarazem był to także czas przepustki Antonia. I nieobecności Anastasii — nagle zdała sobie sprawę Giacoma — zbiegały się zawsze z nieobecnościami Antonia. Czyżby jej kochankiem był właśnie on? Nie, to niemożliwe. Przecież Antonio kochał teraz Giacomę, jego zauroczenie Anastasią minęło. Naprawdę? Jakie miała na to dowody? Pocałunek w Rimini, kotka, którego jej podarował? Nic się przecież potem nie zdarzyło. Żadne słowo, żaden gest, żadne spojrzenie, które potwierdzałyby, że Antonio naprawdę interesuje się Giacomą, że chce ją poślubić. Może się pomyliła? Może w swojej naiwności wybudowała zamki na lodzie, wbiła sobie do głowy coś, co nie istniało, i podczas gdy ona czytała de Amicisa i wyszywała F na prześcieradłach, tych dwoje spotykało się w jakiejś garsonierze. Może? Musiała zyskać pewność. Musiała się dowiedzieć, czy Anastasia kłamie, aby spotkać się z Antoniem, czy by udać się do nielegalnego domu gry. W tym celu postanowiła ją śledzić i zmilczeć o tym, co właśnie odkryła. Nie pisnąć ani słówkiem, że w Kole Republikańskim powiedzieli tu-jej-nie-ma, już-tu-nie-przychodzi-od-wieków-się-nie-pojawia. Po czym pewnego listopadowego wieczoru zrobiła to, co sobie zamierzyła. „Nie było mi łatwo — opowiadała na starość z okiem błyszczącym od łez. — Śledzić własną matkę, mój Boże! Podglądać ją, iść za nią jak jakiś zbój. Serce mi biło, nogi trzęsły się ze wstydu i w głębi serca pogardzałam samą sobą". Potrzeba poznania prawdy była jednak silniejsza od pogardy wobec siebie, od wstydu, i pod osłoną ciemności Giacoma podążyła za Anastasią. Trzymając się w pewnej odległości, przemierzyła trasę z domu do mansardy. Piazzę Bufalini, contradę Almerici, vię Dandini, gdzie za siedzibą Koła Republikanów szło się wzdłuż katedry, a potem pod portykami przytułku Świętego Krzyża. Dalej przez via Dandini, z której skręciła w contrada Braschi, przeszła obok głównego wejścia do Palazzo Braschi i na rogu skręciła w vicolo del Paiuncolo. Nieodmiennie pusty zaułek, na który wychodziły drzwi bocznego wejścia. Gdyby Giacoma miała więcej szczęścia, ujrzałaby, jak Anastasia wchodzi tam sama, i odeszłaby w przekonaniu, że znajduje się tam jakaś szulernia. Antonio bowiem przychodził na miejsce schadzki inną trasą. Docierał do vicolo del Paiuncolo z przeciwnej strony, od contrady Verdoni, na skróty, i pojawiał się na miejscu wcześniej od Anastasii. Tym razem oboje zjawili się jednocześnie. Nie zdając sobie sprawy, że patrzą na nich oczy świdrujące niczym sztylety, rzucili się sobie w objęcia i wymienili pocałunek w usta, zupełnie inny od tego, który otrzymała od Antonia Giacoma. Razem weszli w drzwi i...

— A ty, babciu?

— Ja stałam tam jak skamieniała.

— A potem?

— Potem wróciłam do domu. Chciałam umrzeć.

Wróciła ledwie żywa. Na ulicy z trudem trzymała się na nogach, nie miała siły iść. Po schodach wdrapywała się ociężale, chwiejąc się na każdym stopniu. A kiedy tylko znalazła się w domu, osunęła się bezwładnie na ziemię. Zaczęła szczękać zębami, powtarzać zimno-mi, zimno-mi i trząść się tak gwałtownie, że służące się przeraziły. Wykrzykując *a-si-malèda*, jesteście-chora, *avi-la--fevra*, macie-gorączkę, chwyciły ją i położyły do łóżka. Wkrótce gorączka podniosła się tak bardzo, że Giacoma zaczęła majaczyć. „Wyrzućcie kota! Utopcie go, wyrzućcie go przez okno! Sprujcie monogramy, spalcie prześcieradła z F! Szulernia? Jaka szulernia! Longiano, Longiano! Zawieźcie mnie do Longiano!" Szamotała się, miotała, gestykulowała. Chwilami zaczynała płakać, a potem zasypiała. Zapadała w niespokojny sen, z którego wybudzała się, nie wiedząc, gdzie jest i kto się przy niej znajduje. Nie rozpoznała także Anastasii, która wróciła około północy z miną kogoś, kto wraca z raju. „Kim jesteście?", krzyknęła Giacoma. „Czego chcecie? Nie dotykajcie mnie, nie znam was!" Zrozpaczona Anastasia posłała po profesora Robusta Moriego, naczelnego lekarza w miejskim szpitalu, specjalistę od chorób zakaźnych, znanego ze swoich badań nad atakami gorączki. Nie przypadkiem posługiwał się nowym wynalazkiem Anglika Thomasa Clifforda — termometrem. Była to długa ampułka, która w dolnej części zawierała srebrzysty płyn, rtęć, i była oznakowana na zewnątrz cyframi odpowiadającymi stopniom ciepłoty ludzkiego ciała: 35, 36, 37, 38, 39, 40, 41, 42. Profesor Mori przyszedł, gdy Giacoma leżała pogrążona w głębokim śnie, z twarzą jeszcze zroszoną łzami, ciężko oddychając. Ze zmarszczonymi brwiami zbadał jej puls, włożył jej pod pachę długą ampułkę, w której srebrzysty płyn podniósł się szybko do numeru 40. Mori osłuchał płuca Giacomy, zbadał każdy centymetr jej ciała, na koniec potrząsnął głową. „To nie zapalenie płuc, zapalenie opon mózgowych, błonica ani żadna inna choroba zakaźna, *madame*. Według mnie to zator mózgowy spowodowany jakimś wielkim wstrząsem psychicznym. Może jakimś rozczarowaniem? Zranieniem duszy? A dusza jest w rękach Boga, a nie lekarzy. Ja mogę tylko przepisać jej kompresy z lodu i nacieranie zimną gąbką dla obniżenia temperatury". Niestety lód można było dostać tylko w fabryce lodu, Mulèn de Zas, w nocy oczywiście zamkniętej. Zimnych nacierań Giacoma nie chciała, odpychała gąbkę nawet pogrążona we śnie, i gorączka jeszcze wzrosła. Zaczęło się znowu majaczenie. Tym razem jednak bardzo logiczne. Tak logiczne, że można sobie zadać pytanie, czy nie było mimowolną komedią, nieświadomą zemstą zrodzoną z utajonego pragnienia złamania Anastasii serca. Ukarania jej. Bo tym razem Giacoma nie bredziła. Nie krzyczała, nie mówiła bez związku i od rzeczy. Mimo iż dalej nie rozpoznawała matki i nazywała ją „panią", wyrażała się, jakby miała pełną świadomość tego, co mówi. Z rozsądkiem, spokojem. Prawie jak gdyby zwierzała się przyjaciółce. „Widziałam ich, proszę pani, widziałam ich. W Kole powiedzieli mi «już-tu-nie-przychodzi- -od-wieków-się-nie-pojawia», no i skojarzyłam, że kiedy jej nie ma, nie ma też jego, poszłam za nią... widzi pani, miałam nadzieję, że ona chodzi do domu gry. Bo ona uwielbia hazard, a w Cesenie nie ma kasyna. Tymczasem on wyszedł z contrady Verdoni, podbiegli do siebie, objęli się, razem weszli do Palazzo Braschi... są kochankami. Ja myślałam, że on wybrał mnie. Szyłam sobie wyprawę, haftowałam na niej F. A tymczasem są kochankami...". Albo też: „Wie pani, wolałabym się nie urodzić. Urodzenie mnie było błędem. Większym niż położenie mnie na kole. Teraz czuję się jeszcze bardziej samotna niż wcześniej, jeszcze głupsza i brzydsza. Niech mnie pani nie leczy. Niech mi pani pozwoli umrzeć...". Uspokoiła się dopiero o świcie, kiedy zaczęła się pocić i zapadła w głęboki sen, który powoli obniżył jej gorączkę, a jednocześnie wymazał z pamięci to, co powiedziała w majakach...

— Babciu, co się stało, kiedy się zbudziłaś?

— Rozpoznałam Anastasię, przypomniałam sobie wszystko, co zdarzyło się do chwili, gdy wróciłam do domu, pragnąc umrzeć, ale nie pamiętałam nic z tego, co stało się potem, i poczułam się zagubiona. Popatrzyłam na nią, nie wiedząc już, czy ją kocham, czy nienawidzę, więc żeby zyskać na czasie, spytałam, dlaczego jestem tak spocona. Ona pogładziła mnie i odpowiedziała: „Miałaś gorączkę, kochanie".

— Nie powiedziała ci, że majaczyłaś w gorączce?

— Nie. O tym dowiedziałam się dopiero wiele lat później od dziadka. Po czym dodała, z miną kogoś, kto próbuje zacząć dyskusję, że zdaniem lekarza gorączkę spowodował jakiś wielki wstrząs i rozczarowanie. Wtedy przeraziłam się i przerwałam jej, protestując: jaki wstrząs? Jakie rozczarowanie? Musiało mnie gdzieś zawiać!

— A ona?

— Otarła ukradkiem łzę, potem powiedziała: tak, ja też tak myślę. I w ten sposób przypieczętowała milczące porozumienie, rodzaj umowy opartej na wzajemnym milczeniu. Czyli że ja będę udawać, że nie wiem, a ona, że nie wie, że wiem. Było to jedyne możliwe rozwiązanie, jedyny sposób wybrnięcia z sytuacji.

— A potem?

— Potem przyszedł profesor Mori i zdziwiony, że tak nagle spadła mi gorączka, wykrzyknął: „Choroby duszy to prawdziwa tajemnica!" i zaczął mnie wypytywać. Gdy odpowiedziałam jaki--wstrząs, jakie-rozczarowanie, na-pewno-mnie-zawiało, zirytował się i powiedział Anastasii, że powinna mnie zawieźć do Paryża. Przebywa tam bowiem młody i obiecujący lekarz z Wiednia, niejaki Zygmunt Freud, który bada i leczy choroby duszy, hipnotyzując pacjentów i wydobywając od nich ich sekrety. Anastasia zareagowała na tę sugestię, ostro odpowiadając: „Panie profesorze, każdy ma prawo do swoich tajemnic. Jeśli ta panienka twierdzi, że gdzieś przemarzła, to znaczy, że przemarzła. Niech młody i obiecujący lekarz z Wiednia hipnotyzuje samego siebie".

— A potem?

— Przyszedł Valzania. Chyba to ona go wezwała. Pogładził mnie po głowie, ze zmartwioną miną wymamrotał, trzeba to prze-dyskutować, potem zamknął się z Anastasią w gabinecie, tak więc nie wiem, o czym rozmawiali. Ale w pewnej chwili doszedł moich uszu jego grzmiący głos: „Skończcie z tym, skończcie z tym *sgnurènaaa!*". I jej piękny głos o zaokrąglonych *r*, który odpowiadał: „Mam zamia*r*, Eugenio, mam zamia*r*".

— A potem?

— Potem, około siódmej, przyszedł dziadek. Słysząc jego kroki w korytarzu, znowu poczułam, że chcę umrzeć. Obawiałam się, że wejdzie do pokoju spytać mnie o gorączkę czy coś takiego. Nie wszedł jednak. Jego też zabrała do gabinetu. Zamknęli się tam na godzinę, która wydała mi się wiecznością, po czym Anastasia przyszła do mojego pokoju i powiedziała: „Jest tu Antonio, którego jutro przenoszą do Forlì. Chcesz się z nim pożegnać?". Zaczerwieniłam się i powiedziałam: „Nie trzeba, dziękuję. Pożegnaj go ode mnie". Niedługo potem, a raczej wieki potem, usłyszałam znowu kroki w korytarzu i dźwięk zamykanych drzwi wejściowych. Następnie szelest sukni Anastasii, która przyszła do mnie i znowu siadła przy łóżku. Pochyliła się nade mną i odchrząknąwszy powiedziała: „Poszedł, kochanie".

— Dziadku... co się wydarzyło w gabinecie?

— To, co się dzieje, gdy wybucha bomba i w ułamku sekundy niszczy skarb, który wydawał się wieczny, nienaruszalny, tymczasem nagle zmienia się w garstkę prochu, na którą patrzysz oniemiały, powtarzając machinalnie: nie, nie. To nie może być prawda. Był tu, istniał. Zdawał się niezniszczalny, wieczny, tymczasem już go nie ma. Zniknął... nie spodziewałem się tego, rozumiesz. Wieczorem rozstaliśmy się ze słowami do-jutra. Zobaczymy-się--w-domu-na-kolacji, do-jutra. Tak więc przyszedłem nieprzygotowany, bezbronny niczym dziecko, które idzie zbierać kwiaty na polu minowym. Nie zwróciłem nawet uwagi na lodowaty chłód, z jakim mnie przywitała. A raczej zauważyłem, ale nie przypisałem temu żadnego znaczenia. Pomyślałem, że to pewnie znowu problemy z Cesena Sulphur Company. W tych dniach Bank Geisser wycofał swoje gwarancje dla Sulphur Company i Anastasia była bardzo zdenerwowana. Nie zdziwiłem się nawet tym, że zamiast do jadalni, zaprowadziła mnie do gabinetu: Sancta Sanctorum, w którym przesiadywała tylko, by czytać lub zajmować się rachunkami. Zacząłem podejrzewać, że coś jest nie w porządku, dopiero kiedy zamknęła się ze mną w środku, suchym gestem wskazała mi fotel, a sama, jak gdyby chciała stworzyć między nami jak największy dystans, usiadła za biurkiem. Skrzyżowała ręce na blacie. W świetle lampy gazowej była bardzo blada i bardzo napięta. Jej piękna, szczupła twarz zdawała się zapadnięta, policzki jakby znikły, a oczy świeciły jakimś niezdrowym blaskiem i bezwzględnością. Przywodziły na myśl oczy kogoś, kto celuje do ciebie z rewolweru. „Muszę z wami porozmawiać, Antonio", powiedziała stanowczym, niemal wrogim głosem. Na to „z wami" aż podskoczyłem, bo nie zwracaliśmy się w ten sposób do siebie od dwóch lat. „Muszę zadać wam ból — ciągnęła. — Muszę wyjaśnić, dlaczego nie możemy się już kochać". Potem, podczas gdy mój świat walił się w gruzy, a ja patrzyłem na nią osłupiały, niezdolny wypowiedzieć nawet słowa, wyjaśniła mi. Powiedziała, że Giacoma zakochała się we mnie, że poprzedniego wieczoru zobaczyła nas razem, że z tego powodu dostała zatoru mózgowego i gorączki, która omal jej nie zabiła. Wyjaśniła, że majacząc, wyjawiła to wszystko, ale teraz o tym nie pamięta, i to pozwoli nam skończyć nasz związek bez upokarzania jej. Na przykład twierdząc, że zostałem przeniesiony do Forlì, że wyjeżdżam następnego ranka i przyszedłem się pożegnać... Ona będzie udawać, że wierzy w to kłamstwo, żeby ocalić swoją dumę. Na koniec Anastasia powiedziała, że od tego dnia nie wolno mi nawet zbliżać się do Palazzo Almerici, chodzić po piazza Bufalini ani podchodzić do okna w moim pokoju. Kazała mi to przysiąc.

— I przysiągłeś?

— Tak. To nie była prośba czy rada, ale rozkaz. Kategoryczny, bez odwołania. Poza tym sumienie mówiło mi, że tak trzeba zrobić. Że to słuszne.

— A potem?

— Spytała, czy zdobędę się na to, aby pożegnać Giacomę, powiedzieć, że przeniesiono mnie do Forlì i tak dalej. Nie czekając na moją odpowiedź, poszła ją spytać, i kiedy wróciła z odpowiedzią odmowną, poczułem ulgę.

— A potem?

— Potem oddała mi klucz od mansardy. Złagodziła spojrzenie, złagodziła głos, powiedziała, że byłem najpiękniejszą miłością jej życia. Najczystszą, najuczciwszą, najszlachetniejszą. Ale w gruncie rzeczy wolała, aby skończyła się dzisiaj i od razu: żadna miłość nie jest wieczna. Każda kiedyś powszednieje, wygasa. I z czasem tak samo stałoby się i z naszą: nie zapominajmy, że ona ma prawie czterdzieści lat, a ja dwadzieścia cztery. Wkrótce założę rodzinę, znajdę sobie odpowiednią dziewczynę w swoim wieku... Z tymi słowami odprowadziła mnie do drzwi, a ja nawet nie spróbowałem objąć jej po raz ostatni czy powiedzieć, że się myli, że moja miłość nigdy nie umrze i do diabła z zacnymi dziewczętami w moim wieku. Nie powiedziałem tego, bo teraz to ja zacząłem mieć gorączkę, to ja czułem, że chcę umrzeć. Chwiejąc się na nogach, przekroczyłem próg, płacząc jak wykastrowany Abelard, zszedłem po schodach i... resztę znasz, prawda?

* * *

Znam, tak, znam. Reszta jest cierpieniem, które te moje trzy poprzednie egzystencje przekazały w spuściźnie mojej własnej, niczym chorobę. Prawdziwa orgia cierpienia, która jeszcze dzisiaj zatruwa moje wspomnienie czasów, gdy byłam Antoniem, Giacomą i Anastasią. Nie będąc w stanie dotrzymać przysięgi, że nawet nie zbliży się do Palazzo Almerici, nie stanie nigdy w oknie swojego pokoju, a zarazem nie mogąc opuścić Ceseny przed 1887 rokiem, to znaczy przed końcem pięcioletniej służby, Antonio naprawdę próbował uzyskać przeniesienie do Forlì czy w inne miejsce. Sztab generalny odrzucił jego prośbę, uznając, że nie ma powodów do przeniesienia. Wtedy Antonio postanowił zagrać kartą Erytrei.

W 1885 roku, wykorzystując jako pretekst masakrę w Dankali, gdzie zostali zamordowani włoski podróżnik Gustavo Bianchi i jego towarzysze, oraz za zachętą nowego kanclerza niemieckiego, Ottona Bismarcka, i rządu angielskiego, wywierającego naciski na ambasadora w Londynie, Constantina Nigrę, rząd włoski rozpoczął politykę ekspansjonizmu kolonialnego w Afryce. W styczniu cztery kompanie bersalierów i bateria artyleryjska popłynęły na Morze Czerwone i nie napotkawszy oporu, wylądowały w Massaui, będącej w tym czasie terytorium, o które spierali się Turcy z Egipcjanami. W lutym druga, a następnie trzecia ekspedycja wojskowa zajęły całą strefę wybrzeża aż do Assabu, w grudniu zaś Massua została oficjalnie wcielona do Królestwa Włoch. W związku z tym zaistniała potrzeba stworzenia tam urzędów celnych i na początku 1886 roku Ministerstwo Wojny ogłosiło nabór do Straży Finansowej. Podań było tysiące, a wolnych miejsc tylko osiemnaście. Antonio nie znalazł się wśród wybranych i tak go to przygnębiło, że cała jego dyscyplina nabyta w seminarium rozwiała się jak dym. Niedbałość w pełnieniu obowiązków, niesubordynacja, nadużywanie przepustek, niedotrzymywanie terminów. Wynika to także z ankiety personalnej, w której w 1886 roku odnotowano wiele nagan, ostrzeżeń, napomnień, a nawet dziesięć dni aresztu w koszarach. (Kara za postępek, o którym w rodzinie wspominano jedynie półgębkiem i który o mało nie skończył się dla Antonia oskarżeniem o próbę zabójstwa. Pewnej nocy, zamiast wezwać do zatrzymania jakiegoś przemytnika w salinach, strzelił do niego, raniąc go powierzchownie). Co do Giacomy, uwikłanej w odgrywanie komedii ja-wiem-że-ty-wiesz-że-ja-wiem-i-że--udaję-że-nie-wiem, przez dwa miesiące była w szoku. Przez dwa miesiące cierpiała na chorobę duszy, którą profesor Mori chciał leczyć hipnozą praktykowaną przez młodego i obiecującego lekarza z Wiednia. Giacoma nie wychodziła z domu, często nie opuszczała nawet swojego pokoju i nie wstawała z łóżka. Przestała rozmawiać, haftować, niczym się nie interesowała. Co najwyżej bawiła się z kotem, z jakiegoś powodu przywróconym do łask, a nawet pokochanym jeszcze goręcej. Albo też czytała. Na przykład cieszącą się wielkim powodzeniem książkę dla dzieci pod tytułem *Serce*, napisaną przez byłego narzeczonego mamy, de Amicisa. Potem pewnego dnia otrząsnęła się z letargu. Ze zwykłym sobie umiarem zaczęła rozmawiać, haftować, wychodzić, i Anastasia...

Zadawałam sobie często pytanie, czy po rozbiciu trójkąta najtrudniej było mi być Antoniem, Giacomą czy Anastasią. I za każdym razem konkluzja była ta sama: Anastasią. Bo to jej przypadło zmagać się z największymi przeciwnościami losu. To ona musiała zajmować się Giacomą, uleczyć ją samodzielnie, zamiast wysłać do doktora Freuda, znosić jej niewyznaną urazę, uzyskać przebaczenie. To ona musiała trzymać na dystans Antonia: odsyłać jego wzruszające bileciki, nie pozwalać mu na przebycie stu metrów dzielących koszary od Palazzo Almerici, zmusić go, by zaakceptował swój los wykastrowanego Abelarda. I w dodatku to wszystko przyczyniło się w decydujący sposób do krachu finansowego, który w 1886 roku zmiótł fortunę przywiezioną z San Francisco. W ciągu kilku miesięcy bogactwo zmieniło się w nędzę nigdy wcześniej nieznaną i niewyobrażoną. Właśnie z powodu podwójnego wysiłku, poświęcenia wszystkich sił na zajmowanie się córką i trzymanie na dystans Antonia, Anastasia nie dostrzegła niebezpieczeństwa, w jakim znalazło się czterdzieści tysięcy lirów (które wraz z odsetkami urosły do czterdziestu siedmiu tysięcy), złożone przed siedmiu laty w Credito Mobiliare. W styczniu 1886 roku dzienniki zaczęły podawać alarmujące informacje na temat banku. Wbrew własnemu statutowi, twierdziły, Credito Mobiliare zainwestował pieniądze z depozytów w podejrzane spekulacje budowlane. Pożyczał szemranym spółkom, które chronione przez skorumpowanych polityków zagarniały do własnej kieszeni dotacje rządowe przeznaczone na rozbudowę przedmieść Rzymu i Neapolu. Po odkryciu machlojek rząd wycofał swoje udziały. Spółki zbankrutowały z dnia na dzień i bilans Credito Mobiliare wykazywał deficyt. Nie przypadkiem parlament postanowił powołać komisję do zbadania rozmiaru szkód i poszukania środków zaradczych. Komisję powołano w lutym. Anastasia nie przywiązywała do tego wagi. Była zbyt zajęta rozpieszczaniem Giacomy, która znowu zaczęła z nią rozmawiać. W marcu oszacowano rozmiar strat. Anastasia nie chciała jednak nawet słuchać Valzanii, który burczał zamknijcie- -natychmiast-to-konto-*sgnurèna*, odbierzcie-swoje-pieniądze. Była zanadto zajęta unikaniem Antonia, który przysyłał jej rozpaczliwe bileciki. W kwietniu zdecydowano, że jedynym środkiem zaradczym będzie zamrożenie kapitałów pożeranych przez deficyt. Depozyty pieniężne zostały zablokowane, w praktyce skonfiskowane, i Anastasia nie odzyskała nawet jednego centa. Jej czterdzieści siedem tysięcy lirów rozwiało się jak dym. Zaraz potem cena siarki spadła do pięćdziesięciu lirów za kwintal, Bank Geisser wycofał poparcie dla Cesena Sulphur Company i dywidendy z akcji zeszły do półtora procent. Oznaczało to, że dochody Anastasii obniżyły się do siedmiuset pięćdziesięciu lirów rocznie, czyli sześćdziesięciu dwóch lirów miesięcznie. Dochodów kiepsko opłacanego robotnika. Wyjąwszy trochę biżuterii i pieniędzy w gotówce, z wielkiej fortuny Anastasii zostało zatem tylko dziesięć tysięcy lirów (z odsetkami jedenaście tysięcy sześćset) złożonych w Banca Popolare. I ruina nadeszła nieubłaganie, wraz ze stopniowym obniżaniem się poziomu życia, do którego była przyzwyczajona. W maju zrezygnowała z nowej garderoby, którą sprawiała sobie zawsze przed nadejściem lata, a także z perfum i ze szminek. W czerwcu przestała kupować wykwintne artykuły spożywcze i wina, które dodawały splendoru jej obiadom i kolacjom. W lipcu zwolniła jedną ze służących. W sierpniu drugą, we wrześniu ostatnią. W październiku zrozumiała, że nie jest w stanie utrzymać pięknego apartamentu w Palazzo Almerici, poprosiła Valzanię, by znalazł jej jakąś tańszą kwaterę, i Valzania ją znalazł. Gdzie? Na via Verzaglia. W domu Anastasii Cantoni, wdowy Bianchi, tej samej, której prawny kruczek przypisał opiekę nad sierotą numer 208...

Był to bardzo mały i skromny dom. Parter i pierwsze piętro. Nie miał nawet bieżącej wody. Trzeba było po nią chodzić do fontanny Lavadùr, publicznej pralni, znajdującej się nad mostem Rio Cesuola. Wdowa Bianchi mieszkała na pierwszym piętrze z nieżonatym synem Luisìnem, Luigim. Trzydziestoletnim kapelusznikiem. Parter (sypialnia, salonik, czy raczej coś w rodzaju saloniku, kuchnia) wynajęła Anastasia za trzydzieści lirów miesięcznie. I trudno, że umeblowanie ograniczało się do jednego łóżka, szafy, komody, stołu, kilku krzeseł i fotela. Trudno, że światło wpadało tylko przez dwa niewielkie okna, a wilgoć zagrzybiała ściany, łazienka zaś ograniczała się do ubikacji na korytarzu. Ze zwykłą sobie odwagą Anastasia oświadczyła, że za taką cenę nie można oczekiwać niczego lepszego, i wprowadziła się tam od razu razem z Giacomą i kotem. Ale w tajemnicy, cichaczem. W istocie, sąsiedzi zauważyli wyprowadzkę dopiero w następnym tygodniu, gdy na bramie Palazzo Almerici pojawiło się ogłoszenie „do wynajęcia obszerny i luksusowy apartament na czwartym piętrze, całkowicie umeblowany". I właśnie wtedy Antonio przeżył swe najgorsze chwile. To wówczas strzelił do przemytnika, skończył w areszcie, o włos uniknął oskarżenia o próbę zabójstwa i postanowił zrezygnować z odnowienia służby w Straży Finansowej. Z trudem doczekał do 31 grudnia, dnia zakończenia pięcioletniego kontraktu, i zdjął mundur. Wrócił do Mercatale Val di Pesa, do matki, siostry Violi i skrzyni Ildebrandy. Nie wiedział, co począć, gdzie indziej się udać, opowiadał na starość. Za pieniądze zaoszczędzone w czasie pięciu lat służby, trzy tysiące lirów, otworzył małą księgarenkę, która oczywiście nie miała żadnego powodzenia. Kto na wsi kupuje książki? Żeby odrobić straty, otworzył więc rozlewnię wina, która odniosła wielki sukces, ale wyjałowiła mu duszę. Przygnębiła go i zgasiła na zawsze pragnienie dorównania krewnemu w sędziowskiej todze. Owemu Carlowi Fallaciemu z wąsami długimi na dwadzieścia centymetrów, którego fotografię przechowuję. Winiarnia wyjałowiła także zainteresowania intelektualne Antonia i jego głód miłości. Rozlewając wino, zapomniał nawet o swoim zaangażowaniu politycznym i przez wiele miesięcy pędził szarą egzystencję wykastrowanego Abelarda. Potem i to się skończyło. Odrodziły się potrzeby ciała, poznał inne kobiety. Nigdy jednak nie ulegał namiętnościom i uczuciom, i nawet nie chciał słyszeć o ślubie. „Nigdy się nie ożenię". Nie przypadkiem prześmiewcy nazywali go Starą Panną, najbardziej złośliwi zastanawiali się: „Czy temu to kobiety naprawdę się podobają, czy ugania się za nimi, tylko żeby zachować twarz?". Udręka ta trwała dwa lata, dopóki do urzędu pocztowego w Mercatale nie przyszła następująca wiadomość: „*Mon amour*, piszę do ciebie na jedyny adres, który mam, i zadaję sobie pytanie, czy otrzymasz w ogóle ten liścik. Jeśli go otrzymasz, jeśli się jeszcze nie ożeniłeś i nie zapomniałeś o mnie, jeśli mnie jeszcze kochasz, przybądź natychmiast. Zdarzyło się coś strasznego, potrzebuję cię. Heloiza. Post scriptum: mieszkam na via Verzaglia, u wdowy Bianchi, i często przychodzi mi chęć utopić się w Cesuoli".

24

Doszliśmy do epilogu. Za chwilę oddam milczeniu to moje piekielne Ja, egzystencję przeżytą jako Anastasia. I niecierpliwa, by to uczynić, otwieram po raz ostatni plan miasta o kształcie skorpiona, który ma zwyczaj zabijać sam siebie. Z ciężkim sercem szukam Rio Cesuola, kanału ulubionego przez samobójców, dzisiaj pogrzebanego pod cementem, i widzę, że w połowie przebiegu płynął równolegle do via Verzaglia, prawie dotykając tylnej ściany domów po zachodniej stronie ulicy. Nie obok domu wdowy Bianchi, on znajdował się po stronie wschodniej. Ale stał dokładnie naprzeciw *voltùn*, czyli przejścia prowadzącego przez jeden z domów po drugiej stronie do mostu Lavadùr, przeklętego, nieszczęśliwego miejsca. Tu właśnie koryto rozszerzało się, zaczynało schodzić w dół, i Cesuola ze spokojnego kanału szerokiego na pięć metrów i w lecie niemal wyschniętego, w zimie głębokiego na osiemdziesiąt centymetrów, zmieniała się w rwący strumień szeroki na osiem metrów i w lecie głęboki na półtora metra. W zimie, po deszczach, głębokość wzrastała do trzech lub czterech metrów. Często woda występowała wtedy nawet z brzegów, zalewała piwnice, podtapiała partery. Albo też jej poziom podnosił się aż do balustrady mostu i nawet zbliżenie się do poręczy stwarzało ryzyko, że wir porwie cię niczym fala powodzi. Nie przypadkiem w 1842 roku prąd zgarnął dwie praczki, które wychyliły się, aby wyłowić kosz z bielizną. Ergo: jeśli ktoś chciał popełnić samobójstwo w zimie, nie musiał udawać się aż nad Savio, rzekę płynącą za murami miasta. Tym bardziej nie trudził się wycieczką nad Adriatyk, odległy od Ceseny szesnaście kilometrów. Wystarczyło pójść do Lavadùr i przeleźć przez balustradę. Niektórzy zresztą robili to nawet w lecie, kiedy poziom wody był niski, ale wysokość mostu gwarantowała natychmiastowy zgon. Ten most stanowił jakby zaproszenie. Przyzywał do siebie jak śpiew syreny, słodka pokusa dla zmęczonych życiem. Kołysanka, której nie można się oprzeć. Chodź, odpocznij, chodź. Nie walcz, nie opieraj się. Zamknij oczy i skocz. Skocz, skocz.

Czy to właśnie dlatego dodała w post scriptum często-przychodzi-mi-chęć- utopić-się-w-Cesuoli? Nie wiem, nie wiem. Trudno mi jednak uwierzyć, że zabiła się, bo rozczarowała Giacomę, bo odepchnęła Antonia, bo Credito Mobiliare i Cesena Sulphur Company doprowadziły ją do ruiny, bo była zmuszona mieszkać w nędznym domku na via Verzaglia i obywać się bez wygód, jakie zapewnia bogactwo. Służących, wykwintnych potraw, dobrego wina, nowych sukien, perfum. Nie leżało w naturze Anastasii poddawanie się przeciwnościom, klęskom finansowym, nieszczęściom. Hartowała się przeciw nim od dzieciństwa. Wystarczy pomyśleć o stresie życia bez prawnej tożsamości, w lęku przed spisami ludności, z których może wyniknąć, że nie zgłosiwszy jej narodzin i prawdziwego imienia, *Tante* Jacqueline popełniła przestępstwo karane więzieniem. O udręce tańczenia w ciąży w trykocie na scenie Teatro Regio, gdzie pewnego wieczoru zemdlała wśród śmiechów i szyderczych le-łe okrutnej publiczności. O torturze urodzenia niechcianej córki i wyjścia z nią na śnieg, by pozostawić ją na kole, w czasie gdy wszyscy świętują sylwestra. O lękach podróży statkiem z fałszywym paszportem, piersiami pękającymi od mleka. O ucieczce z Nowego Jorku, od poczciwej Louise Nesi i zacnego Johna, którzy tak ją kochali i którym odpłaciła niewdzięcznym pożegnalnym bilecikiem. O ciężkiej przeprawie przez Wielkie Równiny, z Indianami ścigającymi dyliżans, aby oskalpować pasażerów, o odrażającej pauzie w Salt Lake City, gdzie obleśny staruch chciał z niej zrobić swą siódmą niewolnicę, trudnym życiu w Virgnia City, gdzie, straciwszy wszystkie pieniądze, była zmuszona zarabiać na życie jako *hurdy-gurdy girl* dla pijanych górników. Wystarczy pomyśleć o zamordowaniu jej męża, o pojedynku mającym go pomścić, o dalekich od niewinności latach w San Francisco. Wszystkim tym przeżyciom stawiła czoło z zimną krwią, godną rewolwerowca, z odpornością bizona, za każdym razem gotowa zacząć wszystko od początku, nie poddając się. Nie tracąc odwagi, nie pożądając nigdy śmierci, a wręcz jej nienawidząc. Nienawidząc? Nic nie upoważnia mnie do przypuszczenia, że w tym czasie nienawidziła śmierci. Być może wcale tak nie było. Być może już wtedy uważała ją za przyjaciółkę, za wspólniczkę, towarzyszkę podróży, którą można poprosić o pomoc. Dość-walki, dość-oporu, pomóż mi. I może właśnie w tej przyjaźni, w tym oswojeniu się ze śmiercią krył się klucz do skomplikowanej osobowości Anastasii. Albo mylę się? Nie wiem, nie wiem. Jakkolwiek było, na via Verzalia posępna depresja, z której profesor Mori chciał leczyć Giacomę, wysyłając ją do młodego i obiecującego lekarza z Wiednia, dotknęła Anastasię. Przeszła z Giacomy na Anastasię niczym wirus od pacjenta do pielęgniarza, odwracając sytuację: pacjent zdrowieje, a pielęgniarz zapada na zdrowiu. W 1887 roku Giacoma wyzdrowiała całkowicie i zachowywała się, jak gdyby tamta straszna noc nigdy się nie zdarzyła, jak gdyby nigdy nie poznała Antonia, nigdy nie mieszkała w Palazzo Almerici. Teraz to ona zajmowała się domem, zastępowała służące, rozwiązywała codzienne problemy. Ona pełniła funkcję głowy rodziny. Żeby zarobić trochę pieniędzy, nie dopuścić, aby skromne pozostałości majątku zbyt szybko się rozeszły, wróciła nawet do haftu. Koronki, rąbki, wycinanki. Monogramy wyszywane teraz przez biedną Giacomę na wyprawach klientek. Poza tym przecież kochała kota. Kiedy wskakiwał jej na kolana, nigdy go nie odpędzała, i widząc ją tak pogodną, nikt nie przypuściłby, że przeżyła wiele miesięcy pogrążona w zupełnej apatii. Za to Anastasia...

Na via Verzaglia stała się inną osobą. Kobietą, którą z Anastasią z legendy łączyła tylko uroda. (Piękność, której za sprawą nie wiedzieć jakiej kombinacji genetycznej i biologicznej nie zniszczyły nawet wiek i przeciwności losu). Czy słuszniej byłoby powiedzieć, że stała się cieniem siebie samej? Larwą, która nie miała ochoty się przebudzić? Bo przecież był jeszcze, prawda, że nieduży, depozyt w Banca Popolare. A czterdzieści lat to zbyt mało, by podnosić białą chorągiew. Tymczasem ona poddała się chorobie duszy bez walki, niemal jakby śpiew syren wyciągnął na wierzch jakąś ukrytą czy stłumioną prawdę. Zmęczenie życiem. Anastasia stała się posępna, milcząca. Ona, zawsze tak błyskotliwa i uwodzicielska w rozmowie. Często trwała w upartym milczeniu lub otwierała usta tylko po to, by opowiadać o swojej matce, Marguerite, o tym, jak umarła. Zrobiła się leniwa, apatyczna. Ona, zawsze tak pełna energii i żywotności. Tak jak wcześniej Giacoma w czasie choroby, teraz Anastasia spędzała całe popołudnia, czytając tę samą książkę. Powieść Tołstoja, historię kobiety, która rzuca się pod pociąg. *Annę Kareninę*. I zamiast znaleźć sobie pracę, uratować topniejące konto w Banca Popolare, zaczęła przepuszczać pieniądze w salach Koła Republikańskiego, gdzie uprawiano gry hazardowe. Grało się w kości, w pokera, w trzydzieści siedem, w ruletę (rodzaj ruletki). Chodziła tam jak za czasów swej aktywności politycznej i przegrywała. Ona, która w kościach, w kartach i w ruletce była zawsze mistrzynią. Profesjonalistką, szulerką. Czy nie szachrowała już, grała, aby przegrać? Według babci Giacomy tak właśnie było. „Po każdej przegranej stawała się zadowolona, podniecona. I na próżno powtarzałam: mamo-żeby-zarobić-pięć-lirów-muszę-wyhaftować-dziesięć-monogramów". Zaczęła też pozbywać się drogich sobie przedmiotów. Ostatnich klejnotów od Bezimiennego, kamei *Tante* Jacqueline, torebek ze srebrnym zapięciem, parasolek z rączką z kości słoniowej. Sprzedawała je lichwiarzowi na via Orefici, który nazywał się Żyd i płacił jej grosze. Za grosze sprzedała nawet smitha-wessona z rękojeścią z masy perłowej, i naturalnie od razu tego pożałowała. „*Quel erreur!* Co za błąd! Pistolet był mi potrzebny". Zatem zmęczenie życiem i dążenie do śmierci. Proces samozniszczenia, którego naturalna konkluzja, śmierć, jeszcze nie nadeszła, gdyż Anastasia kochała Giacomę. Samobójstwo byłoby jakby porzuceniem jej na nowo, oddaniem jej na koło. Podświadomie jednak szukała sposobu usunięcia tej przeszkody zrodzonej z miłości: „Musisz wyjść za mąż. Wkrótce skończysz dwadzieścia trzy lata. Musisz stworzyć rodzinę, uwolnić się ode mnie. Co byś poczęła, dokąd byś poszła, gdybym wpadła pod pociąg lub do Cesuoli?". Tyle że Giacoma tego nie rozumiała. W głębi serca wciąż była zakochana w Antoniu, nie chciała wyjść za nikogo i na te niepokojące wywody odpowiadała wzruszeniem ramionami: „Jaki pociąg, jaka Cesuola, mamo! Zestarzejemy się razem". Tak nadszedł rok 1888 i dzień, w którym zdarzyło się nieszczęście.

Był to koniec października. Nadszarpnięte przez gry hazardowe konto w Banca Popolare skurczyło się do niecałych pięciuset lirów i aby uratować resztkę pieniędzy, Giacoma wyszywała niemal bez przerwy. Po wysprzątaniu mieszkania, przyniesieniu wody z fontanny Lavadùr, siadała ze swoimi igłami, nożyczkami i nitkami, nie odpoczywając ani przez chwilę. Jedyną pociechą był dla niej kot, który wskakiwał jej czasem na kolana, żeby go pogłaskała. Kiciu-chodź-kiciu-zejdź. W chwili gdy to się zdarzyło, wyszywała. A raczej przecinała nitkę. Nagle kot wskoczył jej na kolana, gdyż zapragnął pieszczot, ona nie spodziewając się tego, machinalnie podniosła nożyczki i na via Verzaglia rozległ się przeszywający krzyk, a potem długi, stłumiony szloch. „Oślepiłam się, oślepiłam się..." Anastasia znalazła ją chwiejącą się na nogach, z rękami przyciśniętymi do twarzy zalanej krwią i galaretowatą mazią, wypływającymi z lewego oka, w które wbiła sobie nożyczki. Ona też zaczęła krzyczeć, odsunęła jej ręce i zobaczyła, co się stało. Szlochając oślepiłaś-się, oślepiłaś-się, zaprowadziła ją do szpitala profesora Moriego. Kiedy Mori ją zobaczył, tylko potrząsnął głową. Rogówka została przebita, powiedział. Gałka oczna opróżnia się z soczewki, ciała szklistego i cieczy wodnistej. Wkrótce oko zgaśnie, ulegnie atrofii i „oczy nie odrastają tak jak włosy, moja panno. Mogę tylko dać wam trochę morfiny, żeby złagodzić ból, obandażować ranę, a w przyszłości założyć szklane oko". Położył ją na oddziale chirurgii, gdzie ogłupiona morfiną, unieruchomiona w łóżku, spędziła półtora miesiąca, płacząc „Mamo, nie chcę szklanego oka". Wróciła do domu w połowie grudnia, z opaską na oku, której nigdy nie zdejmowała, bo wstydziła się pokazać to, co było pod spodem, i dlatego, że światło podrażniało ledwie zagojoną ranę. Zarówno światło słoneczne, jak i gazowe. W najlepszym razie była w stanie znieść mdły płomyk świecy i przyćmione światło przenikające przez żaluzje.

Anastasia straciła resztę woli życia. Właściwie stało się to jasne już nazajutrz po nieszczęściu, kiedy utopiła kota, krzycząc tobie--to-dobrze, zazdroszczę-ci. W połowie grudnia doszła do stanu krytycznego. Zmęczenie życiem zmieniło się w niecierpliwość, by umrzeć, i gorączkowe pragnienie, aby pozbyć się przeszkody, dzielącej ją od śmierci. Właśnie wtedy napisała bilecik do Antonia. Zrobiła to w jasno określnym celu: żeby dowiedzieć się, czy tymczasem się ożenił, a jeśli nie, to aby narzucić mu małżeństwo z Giacomą. Bo poślubić Giacomę mógł tylko specjalny mężczyzna. Młodzieniec inteligentny, zacny, zdolny być dla niej bratem. Nie tylko mężem, ale i bratem. List dotarł do Mercatale Val di Pesa na początku stycznia i podziałał na Antonia niczym kamień wrzucony do stawu. „Moje życie stało się stęchłym stawem — opowiadał na starość. — Bagnem, w którym nigdy nic się nie działo. Spędzałem dni w znienawidzonej rozlewni wina, czasami brałem do łóżka jakąś dziwkę albo jeździłem do Florencji do *sory* Cleofe, która miała teraz trochę lepszy burdel, i nie zwierzałem się nikomu. Nawet mojej matce ani siostrze Violi, z którymi mieszkałem, tym mniej Annunziacie, która wyszła za sklepikarza, ani Assuncie, która była żoną rzeźnika. Jedyną osobą, której towarzystwo lubiłem, był wuj Luca, pracujący teraz jako najemnik w San Eufrosino di Sotto, majątku przylegającym do San Eufrosino di Sopra. Luca zjawiał się w niedzielę z wizytą, żeby wypić kieliszek wina, powyklinać na Humberta I i obecnego premiera Francesca Crispiego albo narzekać na moje starokawalerstwo. Wiedział wszystko o mojej miłości do Anastasii. Opowiedziałem mu o niej kiedyś, gdy czułem się bardzo samotny, i na samą wzmiankę na ten temat wściekał się gorzej niż przy wyliczaniu wad Crispiego i Jego Wysokości. Musisz o niej zapomnieć, warczał. Musisz wygnać z głowy i z serca tę czarownicę, która ma prawie dwa razy tyle lat co ty, tę Kirke o niejasnej przeszłości! Tam do licha, masz dwadzieścia siedem lat i zamiast płodzić synów z jakąś dorodną dziewuchą, myślisz o motylkach. Ale ja nie słuchałem wuja. Nie mogłem zapomnieć o Anastasii, nie mogłem wygnać jej z serca i z pamięci. Myśl o spłodzeniu synów z kimś innym odstręczała mnie i za każdym razem, gdy byłem z kobietą, myślałem o niej. Zadawałem sobie pytanie gdzie-jest, co-robi. Myślałem zresztą i o Giacomie. Bo czułem wobec niej niejasny wyrzut sumienia, miałem niemal poczucie winy. W jakiś sposób brakowało mi ich obu, tymczasem nie wiedziałem, gdzie są, co porabiają... Nie miałem od nich wieści od dwóch lat. Nie wiedziałem nawet, że bankructwo Credito Mobiliare i Cesena Sulphur Company doprowadziło je do nędzy. Kiedy więc przyszedł list podpisany «Heloiza», omal nie zemdlałem. Przeczytałem go i ugięły się pode mną nogi. Wyjechałem natychmiast. Nigdy jeszcze podróż tak mi się nie dłużyła. Nawet monotonny stukot pociągu powtarzał te same słowa. Zdarzyło-się-coś-strasznego, stuk-stuk. Przychodzi-mi-chęć-utopić-się-w-Cesuoli, stuk-stuk. W Cesenie wyskoczyłem z wagonu, rzuciłem się na via Verzaglia. Z niedowierzaniem zbliżyłem się do tego nędznego domu, który przypominał Palazzo Almerici tak jak lepianka przypomina pałac królewski, pociągnąłem za dzwonek, drzwi się otwarły, ona pojawiła się na progu... Była wciąż piękna. Ta twarz, to ciało, te jasne włosy. Nie wyglądała na swoje czterdzieści dwa lata. Sprawiała jednak wrażenie Kopciuszka. Źle ubrana, rozczochrana. I nie pachniała już gardeniami". Popatrzyła na niego, jak więzień w łańcuchach patrzy na tego, kto zwraca mu wolność, opowiadał dziadek. „Przyjechałeś!", zawołała, wydawszy westchnienie ulgi. Potem zamiast wpuścić go do środka, położyła palec na ustach i „Pst! Poczekaj tu". Weszła do zaciemnionego pokoju, wyszeptała muszę-wyjść-na-godzinkę, nałożyła płaszcz, wyszła. Oparła się o zewnętrzny mur domu i:

— Nie ożeniłeś się więc.

— Nie — odpowiedział głucho.

— Nie masz nawet narzeczonej, stałej kochanki?

— Nie.

— I kochasz mnie jeszcze?

— Tak.

— Więc opowiem ci wszystko.

Zaprowadziła go do jakiejś kafejki, opowiedziała mu wszystko, a gdy doszła do straszliwego wydarzenia, czyli do nieszczęścia Giacomy, pochwyciła Antonia za rękę i powiedziała dobitnie:

— Chcę, abyś ożenił się z Giacomą, ukochany.

— Z Giacomą?!? — prawie krzyknął.

— Z Giacomą, z Giacomą — powtórzyła stanowczym, rozkazującym głosem. — Żeby jej nie porzucić, nie zostawić znowu na kole, muszę ją oddać tobie.

On nie próbował zrozumieć, czy za tym sybillińskim wyjaśnieniem kryje się jakiś inny motyw, poza pragnieniem zabezpieczenia życia brzydkiej i na pół ślepej córki. „Byłem zbyt oszołomiony, ogłupiały, nieprzygotowany. Ze stawu wpadłem prosto do wzburzonego oceanu. I nie broniąc się, nic nie mówiąc, siedziałem tam i słuchałem jej".

Słuchał jej, podczas gdy takim samym tonem, nie okazując najmniejszej wątpliwości co do tego, jaka będzie jego odpowiedź, Anastasia poinformowała go, że nie może dać Giacomie żadnego posagu. Ostatnie pięćset lirów przegrała w pokera. Przypomniała mu, że Giacoma jest nieślubnym dzieckiem, że w jej dokumentach będzie zawsze widnieć hańbiące NN, czyli *nullum-nomen*: rodzice nieznani. I zaskakując go dalej, dodając niespodziankę do niespodzianki, wyjawiła mu imię arystokratycznego i sławnego ojca Giacomy. Imię, które miał prawo i obowiązek znać, jak podkreśliła, ale stanowiące nienaruszalny sekret, którego nie znała jeszcze sama Giacoma. Na koniec kazała przysiąc Antoniowi, że w ciągu miesiąca ożeni się z jej córką. A ponieważ nie było takiej rzeczy, o którą nie mogłaby go poprosić, czy raczej od niego zażądać, ponieważ miał wobec Giacomy wyrzuty sumienia i poczucie winy, ponieważ dzieci córki Anastasii byłyby prawie jej dziećmi, Antonio zgodził się. Zaraz potem pobiegł poinformować o tym Giacomę, która tak opowiadała o Niezwykłym Wydarzeniu:

— Przyszedł sam. Zamknął za sobą drzwi i w ciemnościach rozświetlonych trochę jedynie płomieniem świecy ujrzałam tylko jakiś cień w spodniach. W pierwszej chwili nie rozpoznałam go. Potem zrozumiałam, że to Antonio, i wymamrotałam: „Czego chcecie, co tu robicie? Nie potrzebuję waszej litości, idźcie sobie". On jednak nie posłuchał. Ukląkł obok fotela, na którym opłakiwałam swoje przyjście na świat, i z wielką delikatnością zdjął opaskę zakrywającą lewe oko. Zamiast oka była to już tylko biaława blizna, suchy kasztan wsadzony dla szyderstwa w gałkę oczną. Obejrzał ją w milczeniu, po czym powiedział: „Chciałbym móc dać wam jedno ze swoich oczu. W ten sposób bylibyście jedyną osobą na świecie z jednym okiem czarnym, a drugim niebieskim". To mnie rozbawiło i zaczęłam się śmiać, a on wtedy powiedział: „Nie bawmy się w ceregiele. Przybyłem, żeby się z wami ożenić, i w ciągu miesiąca zostaniecie moją żoną". Jego żoną?!? „Przecież mnie nie kochacie", zaprotestowałam. „Pokocham was", oświadczył zdecydowanym głosem. „Chociaż mam tylko jedno oko?", zawołałam. „Chociaż macie tylko jedno oko. Podoba mi się to, które zostało", odpowiedział z jeszcze większą stanowczością. „Wtedy odpowiedziałam dobrze, ustaliliśmy ślub na następny miesiąc i on wrócił do Mercatale. Ja wyszłam z tego ciemnego pokoju. Pobiegłam po dokumenty konieczne do ogłoszenia zapowiedzi, a potem złożyłam podanie o wypłacenie stu pięćdziesięciu lirów przyznawanych przez przytułek Świętego Krzyża sierotom wychodzącym za mąż, wreszcie poszłam na stację sprawdzić rozkład pociągów odchodzących do Wenecji. Bo noc poślubną chciałam spędzić w Wenecji, rozumiesz? Wiedziałam, że ich historia zaczęła się w Wenecji i czułam potrzebę odprawienia egzorcyzmów nad duchem Heloizy".

— A Anastasia?

— Powiedziała doskonały pomysł. Wyjedźcie od razu po podpisaniu rejestru.

— I co jeszcze powiedziała?

— Coś, czego niestety nie zrozumiałam.

— To znaczy?

— Dziękuję, kochanie. Dziękuję.

Pobrali się rankiem w środę 13 lutego w kościele Świętego Augustyna. Na fotografii zrobionej z tej okazji widać anioła w szarym ubraniu, który obejmuje ramieniem pannę młodą w podróżnej sukni. Najbrzydszą i najbardziej promienną pannę młodą, jaką kiedykolwiek widziałam. Jej ciało jest wciśnięte w kostium ołowianego koloru, który ją pogrubia, na głowie ma wianuszek z kwiatów pomarańczy, który nie pasuje do kostiumu i uwydatnia jej pucołowate policzki, a oko bez opaski wydaje się naprawdę suchym kasztanem wsadzonym dla szyderstwa w orbitę oka. Za to drugie oko błyszczy jak diament w słońcu. Jest fontanną światła. Na ustach uśmiech nieposkromionej radości, a ręce skrzyżowane na brzuchu zdają się chronić łono brzemienne przyszłymi dziećmi. Pobrali się w obecności Anastasii, która tego dnia ubrała się w suknię z tiurniurą i trenem, założyła kapelusz z piórami i pokropiła się perfumami. To Anastasia zaprowadziła Giacomę do ołtarza. Zrobiła to z wdziękiem i swobodą mormońskiej żony, która przedstawia mężowi nową wybrankę, i widząc je razem, wszyscy osłupieli. Pomimo kwiatów pomarańczy zadawali sobie pytanie, która z dwóch kobiet jest panną młodą, a don Giovanni Lucchi, proboszcz, zirytował się. *„Ac raz ad scherz l'è quest, chiela cla sgrasìda?* Co to za żarty, kim jest ta nieszczęśnica?" Nieszczęśnica nie zmieszała się jednak i przeszła nawę, trzymając pod ramię swoją córkę, która dla świata nie była jej córką, po czym dotarłszy do ołtarza, przekazała ją Antoniowi. „Powierzam ją wam", powiedziała, podając mu obrączkę małżeńską (w tych czasach obrączkę nosiły tylko kobiety). Ceremonia była pospieszna, odmówiona po łacinie przez don Lucchiego, w obecności dwóch opłaconych świadków.

— *Antoni Maria Ambrosi, vis accipere hic praesentem Jacobam in tuam legitimam uxorem iuxta ritum Sanctae Matris Ecclesiae?*

— *Volo.* Chcę.

— *Jacoba, vis accipere hic praesentem Antonium Mariam Ambrosium in tuum legitimum sponsum iuxta ritum Sactae Matris Ecclesiae?*

— *Volo.* Chcę.

— *In nomine Patris et Filii, et Spiritus Sancti ego vos coniugo in matrimonium atque benedico anulum hunc...*

791

W języku łacińskim jest także wpis w księdze parafialnej, w którym w nazwisku Ferrieri brakuje jednego *i*, co zmienia je w Ferreri. "*Tribus proclamationibus praemissis nulloque detecto canonico impedimento, ex licentia huius Curiae Episcopalis atque adstantibus testibus Fredericus Urbini et Elisaeth Pasini, ego infrascriptus Ioannes Lucchi curio hodie in matrimonium conjunxi Antonium Mariam Ambrosium quandam Ferdinandi ex Mercatale vulgo Archidiocesis Florentinae et Iacobam Ferreri ex hoc brephotrophio atque in hac paroecia degentem*". Potem pożegnał ich dwoma pryśnięciami święconej wody i świeżo poślubieni małżonkowie udali się, wciąż w towarzystwie Anastasii, do ratusza, gdzie w obecności dwóch innych płatnych świadków, niejakiego Paglieriniego i niejakiej Battistini, odprawili ceremonię cywilną. Zakłóciła ją wieść, że Valzania miał atak serca i jest umierający. A także to, że w rejestrze cywilnym został przypieczętowany błąd don Lucchiego. "O godzinie dziesiątej czterdzieści dzisiejszego ranka trzynastego lutego 1889 roku stawili się przede mną, Fabbrim hrabią i kawalerem Mariem Eduardem, asesorem powołanym przez burmistrza i odzianym w strój urzędowy: 1) Fallaci Antonio, lat dwadzieścia siedem, przedsiębiorca, syn nieżyjącego Ferdinanda i Cateriny Poli, zamieszkały w Mercatale Val di Pesa; 2) Ferreri Giacoma, lat dwadzieścia cztery, gospodyni domowa, córka nieznanych rodziców..." Dlatego też, aby nie unieważnić podwójnego małżeństwa, biedna Giacoma musiała się podpisać Ferreri, rezygnując z jedynego śladu jej pokrewieństwa z *madame* Le Roi, z domu Ferrier. (I naturalnie pod drugim *e* widać nieśmiałe *i*). Potem nie było nawet przyjęcia, toastu niech-żyją-państwo-młodzi. Niecierpliwa, by ich pożegnać, pobiec do umierającego przyjaciela, Anastasia zabrała ich w pośpiechu do atelier fotograficznego Casalboniego, stamtąd na via Verzaglia po walizki i na koniec na stację, skąd właśnie odjeżdżał pociąg do Wenecji. "Jaki toast, jakie przyjęcie. Wypijecie i zjecie w pociągu. Wsiadajcie, szybko, wsiadajcie". Wsiedli, podczas gdy po mieście niósł się krzyk "*Valzania l'è mort!* Valzania nie żyje!".

Zaraz potem pociąg ruszył. Żeby pożegnać się z Anastasią, która patrzyła na nich jak Anna Karenina, gotowa rzucić się pod pociąg, zdążyli tylko stanąć w oknie i zawołać: „Zatrzymamy się w drodze powrotnej, zobaczymy się!". Niestety w drodze powrotnej nie zatrzymali się. Pozbywszy się ducha Heloizy, pojechali prosto do Florencji, następnie do Mercatale i Anastasii już nie zobaczyli.

— Nigdy więcej, dziadku?

— Nigdy więcej.

— A kiedy dowiedziałeś się, że...

— Dwa miesiące później. W połowie kwietnia babcia napisała do niej, że jest w ciąży. Nie otrzymała odpowiedzi i to nas zaniepokoiło. Pojechałem natychmiast do Ceseny, nie zastałem Anastasii i... Na początku wdowa Bianchi nie chciała nic mówić. Powtarzała tylko bezładnie nie-szukajcie-jej na miłość-boską. Nie rozpowiadajcie-nikomu, nie-wciągajcie-w-to-policji. I-tak--nikt-nie-zauważył-nikt-nic-nie-podejrzewa. Ja-nikomu-nie--powiedziałam. Potem wyznała mi prawdę.

— I co powiedziała?

— To, co powinienem sam zrozumieć, kiedy patrzyła na nas na dworcu jak Anna Karenina. Powiedziała, że wieczorem 17 lutego ujrzała, jak Anastasia wychodzi z domu i kieruje się do przejścia prowadzącego do mostu Lavadùr. Zaniepokojona pobiegła za nią, wołając *sgnùra-duc-andiv*, gdzie pani idzie, *sgnùra-farmiv*, niech się pani zatrzyma. Ale Anastasia nie odpowiedziała i gdy dotarła do mostu, rzuciła się do Cesuoli.

* * *

Dziadek Antonio nie dodawał nic więcej. Tak samo babcia Giacoma. „Cicho! Nie chcę o tym mówić!" Ale i tak pamiętam tę swoją śmierć. Śmierć, którą podarowałam sobie, gdy byłam Anastasią. Nie przypadkiem czasami o niej śnię... Jest niedzielny wieczór 17 lutego 1889 roku. Cesenę oprószył śnieg, tak jak w sylwestra, gdy urodziła się moja niechciana córka, i trochę z powodu tego śniegu, a trochę z powodu styczniowych deszczy, poziom Cesuoli bardzo się podniósł, kanał grozi wylaniem. W piątek jakiś mężczyzna i jakaś kobieta skorzystali z tego, by skończyć z sobą, a dzisiaj katolicki tygodnik „Voce del Buonsenso" opublikował pełen oburzenia artykuł. „Dość z samobójstwami, dość! Jakież to szaleństwo zatruwa nasze miasto? Życie jest darem Boga, wyzbycie się go to niewdzięczność i samobójcy idą do piekła". W oddali ktoś się kłóci, z okna woła mnie wdowa Bianchi, a ja dopiero co wróciłam z pogrzebu Valzanii. Wielkiej uroczystości, na której było dziewięć tysięcy osób, dwieście pięćdziesiąt sztandarów, z piętnaście orkiestr i fanfar, i oczywiście nie zabrakło wytartych frazesów. Odwiecznych banałów i kłamstw o ojczyźnie, o interesach ludu i postępie. O tak, pięć dni zajęło im zorganizowanie przedstawienia wokół zwłok, które w następnych wyborach przyniesie nowe głosy republikanom. Przez pięć dni czekałam, aby odprowadzić na cmentarz jedynego przyjaciela, jaki mi pozostał, i ta zwłoka nie skłoniła mnie do zmiany zamiarów. Siedząc na fotelu w nędznym saloniku, słucham śpiewu syren, szumu wezbranej wody, która na odcinku równoległym do via Verzaglia podchodzi pod parter domów. Czuję się prawie szczęśliwa, gdy tak przygotowuję się do zrobienia tego, co chciałam zrobić zaraz po odjeździe Giacomy i Antonia. Ale nie myślę o nich w tej chwili. Giacoma jest w dobrych rękach. Spłaciłam swój dług wobec niej. Przez miłość do mnie Antonio pokocha ją i powoli oboje odnajdą spokój. „Była szalona. Nie zrozumieliśmy tego, ale była szalona". (Czy to nie w ten sposób, pomijając już opinię „Voce del Buonsenso", ocenia się święte prawo do odebrania sobie życia? Nigdy nie znajdzie się ktoś, kto powiedziałby: „Był zmęczony, była zmęczona. Za dużo się nacierpiała". Albo „nie miała już ochoty żyć"). Nie myślę także o przeszłości. Zniknęła z mej pamięci wraz z przyszłością i pozostało mi tylko wspomnienie delikatnej wróżki, która jadła kwiaty. Obraz ślicznej nieznajomej, która mnie urodziła i wpadła do strumienia Rodoret, a potem jej ciało, z rzeki do rzeki, skończyło w morzu, gdzie wkrótce i ja się znajdę. Tak więc, rozmyśląc o niej i o dziwnym zbiegu okoliczności zgotowanym nam przez los, wstaję z fotela i nie dbając o zimno, wychodzę na via Verzaglia. Głucha na głos wołający *sgnùra-duc-andiv, sgnùra--farmiv*, kieruję się na przejście prowadzące do mostu Lavadùr i... to nieprawda, że rzuciłam się do kanału. Poziom wody był tak wysoki, że wystarczyło mi przejść przez poręcz, by porwał mnie wezbrany nurt. Wody pociągnęły mnie do tunelu, który na odcinku stu metrów biegł pod fundamentami domów, potem dalsze trzysta metrów, zanim kanał wyprowadził wodę poza mury miasta, wreszcie do miejsca, gdzie wpadał do rzeki Savio. I tutaj moje wspomnienie się urywa. Wszystko staje się ciemnością i nie mogę powiedzieć nic o tym, co zdarzyło się wzdłuż trzydziestu dwóch kilometrów dzielących mnie od morza, w którym czterdzieści lat wcześniej skończyła Marguerite. Wiem jednak, że nie zostałam nigdy odnaleziona. Po Anastasii Ferrier, legendzie bez świadectwa urodzenia, nie pozostało też świadectwo śmierci.

NOTA DO WYDANIA WŁOSKIEGO

Edoardo Perazzi

Moja ciotka Oriana

Moja ciotka Oriana nosiła się z zamiarem napisania historii swojej rodziny, odkąd była młodą dziewczyną. Otaczała kultem swoich rodziców i stryja Bruna, starszego brata jej ojca, największego intelektualistę w rodzinie, dziennikarza, redaktora i założyciela gazet. Opisała go w swojej książce *Wściekłość i duma* (2001): „Pierwsza zasada: nie nudzić czytelników" (wyd. pol.: tłum. K. Hejwowski, Warszawa 2003, s. 41). Charakter Oriany ukształtował się pod wpływem przeżyć z czasu ruchu oporu, w którym aktywnie uczestniczyli jej rodzice, a ona sama przeżyła go jako nastolatka. Jej ojca Edoarda, a mojego dziadka, który był jednym z przywódców podziemia we Florencji, cała rodzina wspierała w działalności — moja babcia Tosca odważnie stawiała czoło trudnościom, które bez liku mnożyły się przed nią i jej córkami. Dziadkowie pomagali partyzantom, udzielali schronienia alianckim pilotom; Edoardo był człowiekiem porywczym, prawdziwym Toskańczykiem, i nie ukrywał swoich antyfaszystowskich poglądów; rodzina nie mogła z tego powodu nie ucierpieć. Powszechnie znane jest zdarzenie, gdy Edoardo, kierujący ważną komórką florencką, został zdemaskowany przez faszystów po akcji, w czasie której przeniesiono do kryjówki broń zrzuconą na spadochronach na Monte Giove. Schwytała go banda Maria Carità, sadystycznego oprawcy i szefa milicji republikańskiej, mającej siedzibę we Florencji. Dziadka zawieziono do siedziby tajnej policji w Villa Triste i poddano torturom. Po kilku dniach żonie Tosce i najstarszym córkom, Orianie i Neerze, pozwolono spotkać się z nim w rozmównicy — nie rozpoznały go, tak był posiniaczony, wybito mu też wszystkie zęby.

To zdarzenie pomaga zrozumieć, w jakich okolicznościach ukształtował się charakter Oriany. Życie pod bombami z pewnością nie było dla niej, jeszcze dziewczynki, zabawą — zawsze miała świadomość tego, co robi i jakie podejmuje ryzyko. To ona opowiadała rodzinie, jak zachowywała się jej matka, kiedy poszła do Maria Carità, domagając się uwolnienia męża, i nalegała, aby o tym pamiętano. Opowieść ta tkwi w mojej pamięci od najdawniejszych czasów, gdy słuchałem jej, będąc jeszcze małym dzieckiem. Można ją także znaleźć we *Wściekłości i dumie:* „Nie może pan sobie wyobrazić, kim była moja matka. Nie może pan nawet przypuszczać, jakie nauki dała swoim córkom. [...] Kiedy wiosną 1944 roku mój ojciec został aresztowany przez hitlerofaszystów, nikt nie wiedział, gdzie go przetrzymują. Władze nie chciały tego ujawnić, a florenckie gazety napisały tylko, że został aresztowany, ponieważ jest zatwardziałym przestępcą na usługach wroga. (To znaczy Anglo-Amerykanów). Ale matka powiedziała: «Ja go znajdę. Przysięgam». Szukała go w kolejnych więzieniach, a potem w Villa Triste, gdzie przeprowadzano przesłuchania za pomocą tortur, i tu udało się jej dotrzeć do biura komendanta, majora Mario Carity. Major Carità przyznał, że owszem, to on przetrzymuje zatwardziałego przestępcę Edoardo Fallaciego, i z pogardą dodał: «Proszę pani, może się pani ubrać na czarno. Jutro o szóstej rano pani mąż zostanie stracony w Parterre. Nie marnujemy czasu na procesy». Cóż, zawsze zadaję sobie pytanie, jak zareagowałabym na jej miejscu. I odpowiedź zawsze brzmi: «Nie wiem». Ale wiem, jak zareagowała matka. (Zresztą jest to dobrze znana historia, niestety). Na chwilę zupełnie oniemiała. Nieruchoma i milcząca, jakby trafił ją piorun. Potem uniosła prawą rękę. Wycelowała palec wskazujący w Mario Caritę i pewnym głosem, zwracając się do niego tak, jakby był poddanym na jej rozkazy, zimno powiedziała: «Mario Carità, jutro o szóstej rano zrobię tak, jak powiedziałeś. Ubiorę się na czarno. Ale jeśli urodziłeś się z łona kobiety, powiedz swojej matce, żeby zrobiła to samo. Bo wkrótce nadejdzie twój dzień»" (tamże, s. 169–170).

W całej swej twórczości literackiej Oriana zawsze odwoływała się do własnych przeżyć, nawet jeśli czasem nie robiła tego otwarcie, tak jak na przykład w *Liście do nienarodzonego dziecka*. Ale jej ambicją było odtworzenie historii i poznanie losów wielu osób, którym zawdzięcza, że doszło do jej narodzin, i dlatego zdecydowała się napisać sagę swojej rodziny. Etapy planowania powieści zaczynają się od pracy nad dwudziestym wiekiem: kiedy Oriana zdała sobie sprawę, że stryj Bruno czuje się coraz gorzej, najpierw spisała jego wspomnienia. Potem, po wydaniu *Inszallah* (1990), ponownie poświęciła się poszukiwaniom, robiła to z gorączkową pasją, która jeszcze wzrosła, kiedy Oriana odkryła, że sama jest chora.

Miała w tym czasie wiele projektów, kończyła poprawę *Wywiadu z historią*, chciała napisać wstęp do *Inszallah*, podkreślający aktualny wydźwięk powieści, porzuciła jednak wszystko, aby powrócić do swoich poszukiwań. Wiem, że nie udało się jej dotrzeć do jakichkolwiek informacji na temat Ildebrandy, przodkini spalonej na stosie za herezję; pierwszym, o którym odszukała zapiski, był Carlo Fallaci, urodzony w połowie osiemnastego wieku; potem znalazła dokumenty dotyczące jego żony, Cateriny Zani. Od tego momentu pracowała bez wytchnienia. Zbieranie dokumentacji zawsze stanowiło podstawę jej pracy pisarskiej, ale przy pisaniu tej powieści popadła nieomal w przesadę, poświęcając temu wiele lat. Materiałów szukała po całym świecie, docierając do miast rodzinnych swoich przodków, rozmawiała ze znawcami przedmiotu, odwiedzała antykwariaty, zdobywając rzadkie księgi, szperała w archiwach osiemnastowiecznych i dziewiętnastowiecznych tekstów, sprawdzała zachowane księgi parafialne i rejestry cywilne. Gdyby na końcu książki chciała zamieścić bibliografię przejrzanych tekstów, zajęłaby ona wiele stron. Jej dokładność, dociekliwość, dbałość o każdy szczegół były wyjątkowe. Opisuje je zresztą w Prologu do powieści: „Nastąpiła eksplozja kolejnych dociekań: dat, miejsc, dowodów. Poszukiwania gorączkowe, nerwowe — bo przyszłość przelatywała przez palce, bo wymuszony pośpiech, lęk, że nie ukończę pracy. Jak oszalała w pędzie mrówka gromadząca pokarm przetrząsałam archiwa, księgi metrykalne, spisy katastralne, wykazy dóbr, wszystkie możliwe *Stati Animarum*. [...] Aż poszukiwania przekształciły się w sagę do napisania, w baśń do odtworzenia w wyobraźni. Tak, to wtedy rzeczywistość zaczęła osuwać się w sferę fantazji, prawda stopiła się ze światem, którego się domyślałam, a potem który wymyśliłam — jedno uzupełniało drugie, w symbiozie równie spontanicznej, co nierozerwalnej. I wszyscy ci dziadkowie, babcie, pradziadkowie, prababcie, prapradziadkowie, praprababcie, praszczury i praszczurzyce, krótko mówiąc — wszyscy ci moi rodzice stali się moimi dziećmi. Ponieważ tym razem to ja ich urodziłam, dałam, a raczej przywróciłam im życie, które wcześniej od nich dostałam".

Były to poszukiwania o tyle bardziej drobiazgowe, o ile pozwalały jej przekształcić prawdę historyczną w rzeczywistość powieści, jak czytamy dalej w Prologu: „[...] opowieści rozrastały się z taką energią, że w pewnej chwili nie potrafiłam już ustalić, czy należały jeszcze do tych dwóch głosów [ojca i matki], czy przekształciły się w owoc mojej wyobraźni". A dalej, w czwartej części, opowiadając o legendarnej podróży Anastasii na Dziki Zachód, dodaje: „Prawda czy legenda? Instynktownie daję wiarę tej opowieści".

Tymczasem Oriana pisała: między Nowym Jorkiem a Toskanią, siedząc przy swojej maszynie do pisania Olivetti, wypełniała stronę za stroną, czytała je na nowo, poprawiała, przepisywała, odkładała zapisane kartki do kartonowych kremowych teczek, robiła notatki, zaznaczała, że musi coś uzupełnić na temat tej czy innej postaci, tego czy innego wydarzenia. Maszynopis rósł. Woziła go zawsze ze sobą, brała go w każdą podróż. Trzymała go w ciemnobrązowej podróżnej torbie, z którą nigdy się nie rozstawała. Pisząc, zdawała sobie całkowicie sprawę z własnej choroby, i to pozwalało jej identyfikować się jeszcze bardziej z postaciami, o których opowiadała, oraz zwiększało jej emocjonalne zaangażowanie w poszukiwanie własnych korzeni. Szczególnie wymowny jest tu ustęp poświęcony matce Montserrat w drugiej części książki: „Przedsionek zaświatów, jeśli ktoś woli. Przerwę czy limbo, w którym nadchodząca Śmierć kroczy w zwolnionym tempie, tak że czekając na nią i patrząc, jak idzie ku nam powolutku, mamy czas, by zrobić dwie rzeczy. Docenić życie, czyli zorientować się, że jest piękne, nawet wtedy, kiedy jest wstrętne, i dobrze się zastanowić nad nami samymi i nad innymi — rozważyć teraźniejszość, przeszłość, tę odrobinę przyszłości, jaka nam pozostała. Ja to wiem. I być może María Isabel Felipa nie zorientowała się, że życie jest piękne, nawet kiedy jest wstrętne. Przyznanie tego wymaga pewnego rodzaju wdzięczności, której ona nie miała. Wdzięczności dla naszych rodziców i dziadków, i pradziadków, i prapradziadków, i praszczurów, czyli dla tych, którzy dali nam możliwość przeżywania tej nadzwyczajnej i potwornej przygody, która nazywa się istnieniem". Do tej samej myśli powraca Oriana ponownie, gdy mówi o śmierci Francesca Launara, 17 stycznia

1816 roku. „Bezlitosny *mal dolent*, który zabił Marię Isabel Felipę, który przez jego chromosomy i chromosomy Montserrat miał zabić wiele osób w rodzinie i który prędzej czy później zabije także i mnie".

Potem, jak można przeczytać w Nocie do Czytelników opublikowanej we *Wściekłości i dumie*, atak na World Trade Center 11 września przerwał pracę nad powieścią; w tym czasie Oriana poprawiała czwartą część, była już chora, ale czuła potrzebę zrozumienia i opisania tego, co dzieje się wokół; opublikowanie *Wściekłości i dumy*, tłumaczenia na inne języki, sukces książki i gwałtowne dyskusje, jakie wywołała na całym świecie, wydanie *Siły Rozumu* (2004) i *Wywiadu z sobą samą. Apokalipsa* (2004), oddaliły pisarkę od pracy nad powieścią.

Opowieść o swoim „ja" przeżytym w postaciach wszystkich swoich przodków („Dlaczego się urodziłam, dlaczego żyłam, kto lub co ułożyło mozaikę postaci, która od zamierzchłych lat była moim Ja".) chciała doprowadzić co najmniej do 1944 roku, do wyzwolenia Florencji przez wojska alianckie. Przechowuję jej odręczną notatkę, w której napisała o sobie: „Chciała dotrzeć do naszych dni, ale postanowiła się zatrzymać na nadejściu młodości, i to tylko pozostawiła".

Wyjaśnia to stałe odnoszenie się w powieści do skrzyni odziedziczonej po przodkini Ildebrandzie i wypełnionej przez pięć pokoleń rodziny przedmiotami należącymi do różnych osób: skrzynia ta miała potem ulec zniszczeniu w czasie bombardowania Florencji pewnej strasznej nocy 1944 roku, ale choć o zdarzeniu tym wspomina się w książce niejednokrotnie, narracja urywa się dużo wcześniej.

Wśród wielu postaci ulubioną była Anastasia, do której Oriana czuła najwięcej sympatii i której poświęciła czwartą część powieści. *Kapelusz cały w czereśniach* zamyka się w 1889 roku jej śmiercią i małżeństwem Antonia Fallaciego i Giacomy Ferrier, dziadków Oriany, rodziców jej ojca Edoarda, którzy w niektórych miejscach sami stają się narratorami (jego głos dźwięczny i wesoły, jej niski i smutny). Pamiętam pradziadków także ze swego dzieciństwa, z fotografii, które krążyły po domu.

I znowu znajduję osobiste nawiązanie w refleksji, jaką Oriana snuje w odniesieniu do śmierci jednej z postaci powieści, tym razem Giobatty: „Nienawidzę Śmierci. Przeraża mnie bardziej od cierpienia, od perfidii, od głupoty, od wszystkich innych rzeczy, które niszczą cud i radość przyjścia na ten świat. Brzydzi mnie patrzenie na nią, dotykanie jej, wąchanie. Nie rozumiem Śmierci. Chcę powiedzieć: nie potrafię się pogodzić z jej nieuniknionością, z jej prawomocnością, z jej logiką. Nie umiem strawić faktu, że aby żyć, trzeba umrzeć, że życie i śmierć to dwa wymiary tej samej rzeczywistości, wzajemnie sobie niezbędne, wzajemnie z siebie wynikające. Nie mogę się nagiąć do myśli, że Życie to podróż ku Śmierci, a narodziny są wyrokiem śmierci. A jednak akceptuję to". Podobne spostrzeżenia pojawiają się w konkluzji *Wywiadu z sobą samą „Boi się pani śmierci?* [...] jako że musiałam się z nią stykać, czuć ją wokół i w samej sobie, zdołałam ją w dziwny sposób oswoić. I nie przeraża mnie myśl, że umrę. *Naprawdę?* Naprawdę. Nigdy nie kłamię. [...] Wyznam pani szczerze: zamiast strachu czuję rodzaj melancholii, rodzaj przykrości, która przyćmiewa nawet moje poczucie humoru. Jest mi przykro umierać, owszem. [...] Prawdą jest, że choć znam ją dobrze, nie rozumiem Śmierci. Rozumiem tylko, że jest to część Życia, i że bez tego marnotrawstwa, za jakie uważam Śmierć, Życie by nie istniało" (wyd. pol.: tłum. J. Wajs. Warszawa 2005, s. 163–169).

Kiedy moja ciotka Oriana zrozumiała, że jej stan się pogorszył, w lipcu 2006 roku zadzwoniła do mnie i poprosiła, abym przyleciał do niej do Nowego Jorku. Przekazała mi tekst tej powieści w wersji, którą potem oddałem wydawcy, i udzieliła mi dokładnych instrukcji, jak przygotować wydanie pośmiertne: sprawdzić literówki, wziąć pod uwagę wszystkie odręczne poprawki, szczególnie w czwartej części, której nie zdążyła przepisać na maszynie, jak to zrobiła w poprzednich częściach, zachować tytuł *Kapelusz cały w czereśniach* w takiej formie, w jakiej pojawia się zapisany jej ręką na teczce zawierającej rękopis z podtytułem „saga" (zastanawiała się także nad innym tytułem, *Mijanie w Czasie*, który powraca wielokrotnie w tekście, i wahała się do ostatniej chwili, tak samo jak w przypadku *Inszallah*, przemianowanym tak z *Trzeciej ciężarówki* na miesiąc przed ukazaniem się książki), wybrać okładkę czysto graficzną, o prostej, lecz wyrazistej czcionce.

Zalecenia te spełniono i powieść ukazała się w takiej formie, w jakiej życzyła sobie Autorka.

Mediolan, lipiec 2008

Od wydawcy

Pierwszą książką Oriany Fallaci opublikowaną przez wydawnictwo Rizzoli była wydana w 1961 roku *Sesso inutile. Viaggio intorno alla donna* (*Niepotrzebna płeć. Podróż wokół kobiety*). Chodziło o rozszerzoną wersję reportażu na temat sytuacji kobiety na Wschodzie, przygotowanego dla „L'Europeo". Nie był to debiut książkowy Fallaci: w 1958 roku Longanesi wydał książkę na temat skandali w świecie filmu, zatytułowaną *Isettepeccati di Hollywood* (*Siedem grzechów Hollywoodu*). Od tej chwili Rizzoli stał się stałym wydawcą pisarki, publikując reportaże, które rozsławiły ją na całym świecie, korespondencje z wojen i frontów, wywiady z największymi sławami współczesności, ale także powieści cieszące się ogromną popularnością zarówno we Włoszech, jak i za granicą. W 1962 roku ukazała się *Penelopa na wojnie*, historia młodej kobiety w Nowym Jorku, a 1963 zbiór portretów biograficznych *Gli antipatici* (*Antypatyczni*). W 1965 roku wyszło *Se il Sole muore* (*Jeśli Słońce umrze*), kronika przygotowań do wyprawy na Księżyc, a w 1969 dramatyczne świadectwo o wojnie w Wietnamie, *Niente e così sia* (*Niech i tak będzie*). Z opowiadania o przeżyciach pierwszych astronautów zrodził się *Quel giorno sulla Luna* (*Tego dnia na Księżycu*, 1970), potem zbiór słynnych wywiadów przeprowadzonych dla tygodnika „L'Europeo", *Wywiad z historią*. W następnym roku przejmująca opowieść o niespełnionym macierzyństwie, *List do nienarodzonego dziecka*, przyciągnęła uwagę całego świata. W 1979 roku wyszedł pamiętnik *Un uomo* (*Człowiek*), poświęcony Alekosowi Panagulisowi, bohaterowi greckiego ruchu oporu, prywatnie wielkiej miłości Oriany. Historia misji włoskiej w Libanie w czasach wojny domowej stała się inspiracją do napisania powieści o epickim rozmachu, *Inszallah*, wydanej w 1990 roku.

Wszystkie książki Fallaci stały się na wiele lat międzynarodowymi bestsellerami; we Włoszech, po opublikowaniu wydań w twardych okładkach, Rizzoli wypuścił jej książki w taniej serii wydawniczej Bur, w różnych wersjach i z różnymi okładkami, natomiast najważniejsze tytuły zebrał w serii charakteryzującej się jednolitą szatą graficzną, z efektownymi literami na złotym tle. Nad wyborem formy graficznej, papieru i czcionki czuwała sama pisarka. W 1993 roku Oriana Fallaci nagrała na czterech kasetach audiobook *List do nienarodzonego dziecka*. Potem nastąpił okres milczenia, przerywany tylko nielicznymi wywiadami na temat własnej choroby.

W czasie gdy poddawała się leczeniu, Oriana Fallaci poświęciła się jednocześnie pracy nad książką, którą uważała za powieść swego życia, dzieło, któremu ona sama nadała podtytuł „saga". Jest to rzeczywistość historyczna, która stała się legendą w opowieści przebiegającej z pokolenia na pokolenie przez różne odgałęzienia rodziny pisarki, poczynając od połowy osiemnastego wieku. (Drzewo genealogiczne odtworzone na podstawie opowiadania i pokazane na wewnętrznej stronie okładki pokazuje powiązania między licznymi bohaterami książki). O swoim nowym projekcie Oriana Fallaci rozmawiała tylko z najbliższymi jej osobami, którym pozwoliła przeczytać fragmenty tekstu. Przerwała pracę 11 września 2001 roku, kiedy po zamachu na World Trade Center stała się naocznym świadkiem Apokalipsy. Pod koniec września na łamach „Corriere della Sera" ukazał się długi artykuł *Wściekłość i duma*, a pod koniec roku Rizzoli wydało książkę będącą rozwinięciem tego tekstu. Przetłumaczona szybko na wiele języków stała się przedmiotem międzynarodowej debaty bez precedensu, co skłoniło Fallaci do opublikowania w 2004 roku *Siły Rozumu* i *Wywiadu z sobą samą. Apokalipsa*. Były to lata gwałtownych ataków i dużych nacisków na autorkę. Z powodu głoszonych przez nią poglądów Fallaci wytoczono procesy we Francji i we Włoszech, ale jej książki rozchodziły się w coraz większych nakładach i zyskiwały, także za pośrednictwem Internetu, nowych czytelników i stronników. Wysiłek włożony w obronę swoich racji, również w nowych artykułach i wykładach, nie pozwalał pisarce na powrót do powieści, przede wszystkim jednak przeszkodził jej w systematycznym leczeniu. Jej stan pogorszył się, Oriana Fallaci wróciła do Włoch i zmarła 15 września 2006 roku we Florencji.

Rok po jej śmierci w Mediolanie, w Rzymie i we Florencji zorganizowano wystawę zdjęć, której towarzyszył katalog opublikowany przez wydawnictwo Rizzoli, *Oriana Fallaci. Intervista con la Storia* (*Oriana Fallaci. Wywiad z historią*), pod redakcją Alessandra Cannavò, Alessandra Nicosii, Edoarda Perazziego. Prowadząc dalej „[...] dialog ze swoim wyjątkowym i wiernym autorem, który przyczynił się ogromnie do zwiększenia prestiżu swego wydawcy, jego misji wydawniczej i publikacji", jak pisze Piergaetano Marchetti we wprowadzeniu do katalogu, Rizzoli wydało pośmiertnie, zgodnie z wolą autorki, jej testament literacki, *Kapelusz cały w czereśniach*, dowód zaufania i lojalności, jakie Oriana Fallaci okazywała przez długie lata swemu wydawnictwu.

O tekście

Maszynopis, który Oriana Fallaci przekazała siostrzeńcowi i spadkobiercy, Edoardowi Perazziemu, wraz ze wskazówkami wydawniczymi, składa się z prologu (s. 1–8), części pierwszej (s. 9–115), części drugiej (s. 116–223), części trzeciej (s. 224–373) i części czwartej (s. 1–275). Numeracja stron została dodana ręcznie przez autorkę na każdej stronie maszynopisu i zaczyna się od nowa od strony pierwszej w części czwartej. Każda część została podzielona na rozdziały ponumerowane przez autorkę w trakcie pisania powieści, oddzielone od siebie pustymi stronami (co zostało odzwierciedlone w druku).

Tak jak we wszystkich swoich dziełach Oriana Fallaci sama pisała tekst na maszynie, używając modelu Olivetti Lettera 32. Jej tryb pracy był taki sam jak zawsze: pisała pierwszą wersję od razu na maszynie, potem wprowadzała ręczne poprawki piórem, wymazywała słowa lub zdania czarnym flamastrem albo białym korektorem, wpisywała nowe zdania nad linijką albo na wysuszonym korektorze: kiedy zmiany wymagały więcej miejsca albo nie wydawały się dość jasne, Autorka przepisywała je na maszynie na nowej kartce albo przepisywała na nowo całą stronę. Dlatego też do niektórych stron oryginalnego maszynopisu są przyczepione taśmą klejącą nowe fragmenty, a wyeliminowane zdania wycięte z kartki.

Maszynopis przekazany wydawcy przez Edoarda Perazziego może być uznany za wersję ostateczną powieści, jeśli chodzi o strony 1–373, czyli prolog, część pierwszą, drugą i trzecią: poprawki są w nich minimalne, wyeliminowane fragmenty nieliczne. Natomiast część czwarta, ponumerowana przez Autorkę, jak już powiedziano, od strony 1 do 275, to maszynopis bez poprawek na maszynie, wyłącznie z ręcznymi zapiskami naniesionymi na stronach lub na oddzielnych kartkach (trzy pełne strony zapisane ręcznie, fotografia jednej z nich znajduje się na stronie 821 książki*); dołączone są też do niego notki na kolorowych karteczkach samoprzylepnych. Są to przede wszystkim notatki przypominające o konieczności sprawdzenia wiadomości o miejscach, okolicznościach i osobach lub też o zamiarach pogłębienia lub rozszerzenia informacji na temat niektórych postaci. Na stronie 822 można znaleźć reprodukcję kilku takich zapisków, rzucających światło na sposób pracy pisarki: „użyć wyrażenia paszport nielegalny zamiast fałszywy" (o paszporcie Anastasii, określonym jako „fałszywy" w tekście oddanym do druku), „dyliżans był dostępny dla bogaczy i klasy średniej, gdyż za przejazd płaciło się od 150 do 200\$!"; „ważna zasada: nie wyskakiwać z powozu, jeśli konie przestraszą się stada bizonów lub czegoś innego"; „powiedzieć, że samotne kobiety podróżują rzadko: czasem jakaś żona, by dołączyć do męża oficera stacjonującego w forcie, albo prostytutka szukająca pracy w saloonie"; „przejazd całej trasy Overland Stage: 2700 mil, 25 dni, \$150 od osoby lub 10 centów od mili, szybkość 120 na dobę"; „8 mil na godzinę, ale na terenie kamienistym lub błotnistym tylko 2 lub 3 mile na godzinę"; „pierwsze dyliżanse w 1858 roku", „*trails* biegną na ogół wzdłuż rzek, nie są prawdziwymi drogami, lecz szlakami wytyczonymi przez karawany i dyliżanse"; „Stage-Coach staje się modny po wybuchu gorączki złota (po 1849)" (notatki dotyczące podróży Anastasii na Dziki Zachód).

Powstawanie maszynopisu można datować na lata 1991–2001. Potwierdzają to przeliczenia na liry, które pisarka podaje w różnych miejscach tekstu jako dzisiejsze odpowiedniki sum, o jakich mowa w powieści: po przejrzeniu tabel sporządzanych przez Instytut Statystyki można było stwierdzić, że źródłem informacji były dane z lat 1996–1998.

Genezę i przeznaczenie powieści wyjaśniła swoim czytelnikom sama Oriana Fallaci w Nocie do Czytelników we *Wściekłości i dumie*: „W przededniu apokalipsy zajmowałam się czymś zupełnie innym — książką, którą nazwałam moim dzieckiem. Ogromną, wciągającą powieścią, której w ciągu tych lat nigdy nie porzuciłam, którą co najwyżej

---

* Podane w nocie wydawniczej strony książki odnoszą się do wydania polskiego (przyp. red.)

zostawiałam na kilka tygodni lub kilka miesięcy, żeby się podleczyć w jakimś szpitalu albo posprawdzać w archiwach fakty, na których jest oparta. Bardzo trudne, bardzo wymagające dziecko, którego życie płodowe trwa przez większą część mojego dorosłego życia, którego poród rozpoczął się dzięki chorobie, która mnie zabije, a którego pierwszy krzyk słychać będzie nie wiem kiedy. Może po mojej śmierci. (Czemu nie? Dzieła pośmiertne mają tę wspaniałą zaletę, że oszczędzają oczom i uszom autora idiotyzmu lub perfidii tych, którzy nie będąc w stanie napisać lub choćby począć powieści, mają pretensje do oceniania i obrażania tych, którzy powieść poczną i napiszą). Tak, owego ranka 11 września byłam tak zajęta moim dzieckiem, że aby przezwyciężyć szok, powiedziałam sobie: Nie wolno mi myśleć o tym, co się stało i co się dzieje. Muszę się zająć moim dzieckiem i to wszystko. Inaczej skończy się to poronieniem. Potem, zaciskając zęby, siadłam przy biurku. Próbowałam skupić się na stronie napisanej poprzedniego dnia, cofnąć myśli do powieściowych postaci. Postaci z odległego świata, z czasów kiedy samoloty i drapacze chmur z całą pewnością nie istniały. Ale to nie działało. Zapach śmierci dobiegał od okien...".

Zasady wydania

Przed przekazaniem tekstu do składu redakcja uwzględniła odręczne poprawki Autorki: nieliczne w prologu, części pierwszej, drugiej i trzeciej, bardzo liczne w części czwartej: przeprowadziła, tak jak we wszystkich wcześniej publikowanych dziełach Oriany Fallaci, rutynową korektę polegającą na ujednoliceniu pisowni, poprawieniu literówek, lapsusów i pomyłek i dostosowaniu tekstu do norm wydawniczych (np. ujednolicono pisownię dużych i małych liter oraz typy cudzysłowów w dialogach i cytatach). Uszanowano niektóre decyzje pisarki, obecne już w jej wcześniejszych Dziełach: używanie rzadkich form leksykalnych: *zittella, ultore, torto*, akcentowanie *dò, bè, sé stesso*, termin *ammenoché*, zapis „Istambuł", anachronizmy leksykalne, używanie przecinka przed i po nawiasie. Uszanowano także relacje z poszczególnych okresów historycznych, nawet jeśli nie znaleziono potwierdzenia nazwisk przywoływanych postaci, dat czy wypowiedzi przytoczonych w cudzysłowie.

W cytatach w dialekcie zachowano zapis autorki, odtwarzający wymowę zdań.

Zachowano także drogie pisarce i często powtarzane stwierdzenie „jak zobaczymy", w odniesieniu do zniszczenia skrzyni należącej do Cateriny Zani, żony Carla Fallaciego, które nastąpiło „tej strasznej nocy w 1944", wspominanego na stronach 9, 61, 67, 93, 154, 234, ale nigdzie w tekście nieopisanego.

O skrzyni tej mówi się także w części czwartej, że umierający ksiądz Gaetanino Fallaci przekazuje ją stryjecznemu wnukowi Antoniowi, podczas gdy w zakończeniu części pierwszej czytamy: „Skrzynię Ildebrandy wziął właśnie Gaetanino, który pomimo reprymendy starannie ułożył w niej jedenaście książek, elementarz, arytmetykę, książkę medyczną doktora Barbette'a, poszwę z pięknym napisem

«Ja-jestem-Caterina-Zani», list kuzyna, który zginął w Rosji, *Moje więzienia*, okulary, i zabrał ze sobą do Sieny. Tu pozostała do chwili, gdy, nie wiadomo z jakiego powodu, została odesłana do Chianti przez prapradziadka Donata, który pozostawił ją w spadku pradziadkowi Ferdinando, który z kolei zostawił ją w spadku dziadkowi Antoniowi, który w lipcu 1944 roku przekazał ją mojemu ojcu. Lecz to już inna historia. I jeszcze daleka". Zachowano ten ustęp w niezmienionej formie, mimo rozbieżności informacji.

W opowieści nawiązuje się do następujących wydarzeń z młodości autorki, które nie zostały następnie opisane wprost w tekście: podpisanie kontraktu o San Eufrosino di Sopra 2 lipca 1778 w kancelarii Szpitala Regio we Florencji „[...] w sali na parterze, położonej dziwnym trafem niedaleko kostnicy, w której sto sześćdziesiąt sześć lat później miałam przeżyć najbardziej przerażający epizod mojej wczesnej młodości zatrutej wojną (choć wypełniała mnie też duma z tego, że walczę z wrogiem u boku dorosłych)"; spotkanie Mussoliniego i Hitlera we Florencji w 1938 roku, którego Autorka była świadkiem „[Napoleon] wjechał do Florencji w eskorcie regimentu dragonów. Został przyjęty z takimi samymi honorami, jakie miały zostać oddane Mussoliniemu i Hitlerowi w 1938 roku, co prawnuczka naszej bohaterki miała zobaczyć na własne oczy"; arystokracja florencka w 1848 roku zachowuje się służalczo wobec najeźdźców: „Pradziadowie i prapradziadowie asekurantów, którzy w 1938 roku mieli zakładać fraki na przyjęcie Hitlera, przybyłego do Florencji z Mussolinim"; pobicie Carla i Gaetana Fallaciego, które przypomina autorce „Ciosy pięścią po głowie i brzuchu, kopniaki w łydki i nerki, czego w podobnych okolicznościach ich prawnuki miały doświadczyć półtora wieku później"; „Epizod z Cateriną, która z ośmiomiesięcznym brzuszyskiem i z sierpem w garści rzuca się na ciemiężyciela i odbiera od niego wyrazy uznania za swoją odwagę, na zawsze miał pozostać symbolem rodzinnej godności oraz wzorem walki z tyranią. (Przewyższyć miało go dopiero odważne zdanie, jakie moja matka wypowiedziała sto czterdzieści lat później. Czyli w dniu, kiedy poszła po mojego ojca, aresztowanego przez faszystów, a dowódca oprawców powiedział do niej: «Pani mąż zostanie rozstrzelany jutro o szóstej rano»)".

W części trzeciej Giobatta i Maria Rosa śpiewają w operze hymn Mamelego. Jest 9 października, tymczasem Mameli skomponował swój utwór w listopadzie. Stał się on niezwykle popularny, począwszy od manifestacji w Genui 10 grudnia, w stulecie wypędzenia Austriaków. Pozostawiono ten anachronizm bez poprawek.

Na stronach 550-551 nie zmieniono odwołania do „gorzkiej rady" udzielonej przez Anastasię *Tante* Jacqueline i niewyjaśnionej.

Na stronie 639, w odniesieniu do zachowania się Anastasii wobec mormonów twierdzi się: „Nie wierzę, aby podjęła tę piekielną przeprawę, nie przestudiowawszy wcześniej dokładnie historii tej niewiarygodnej sekty, w której postanowiła szukać schronienia". Wcześniej jednak o tej samej kwestii mówi się tak: „po spotkaniu z Suzanne w Turynie pobiegła do biblioteki, by poznać więcej szczegółów na temat miejsca, w którym znalazła się Marianne".

Na stronie 699 wspomniana jest Anastasia Cantoni Bianchi, jako osoba, która pomogła Anastasii w porodzie 31 grudnia 1864 roku; wcześniej mówi się, że Anastasii pomogły w porodzie żona Valzanii i służąca, w mieszkaniu wynajętym dla niej na vicolo Madonna del Parto. Chodzi prawdopodobnie o tę samą osobę, choć służąca nie została wymieniona z imienia.

Na stronie 706 wspomina się wydarzenie z 1873 roku w Candialle, poniżej San Eufrosino di Sopra, gdzie mieszkała liczna rodzina Fallacich. Wcześniej nigdzie nie mówi się o Candialle.

Także na stronie 706, na której występuje postać don Fabbriego nazywa się tak samo jak don Fabbri z Panzano z poprzedniego wieku — pozostawiono imię niezmienione, mimo notki Autorki, która miała zamiar je zmodyfikować.

W części pierwszej Carlo i Caterina Fallaci zwracają się do dwóch bogatych synów z prośbą o pomoc w spłacaniu rat: Domenico odmawia, podczas gdy Eufrosino pomaga im przez kilka lat, dopóki nie stracą majątku, gdyż zbyt liczna rodzina do wykarmienia nie pozwala na spłacenie długu. Natomiast w części czwartej mówi się o „dwóch Fallacich w cylindrze, zamożnych braci, którym Pietro, Lorenzo i Donato zawdzięczali zdobycie posiadłości, potem zniszczonej przez oidium i ceny siarki". I dalej: „Czy to nie z powodu zbyt wysokich cen siarki opóźniło się opylanie, które w San Eufrosino di Sopra mogło uratować winnice zaatakowane przez oidium? Czy to nie siarka doprowadziła rodzinę Antonia do ruiny i do utraty ziemi przodków?". Zachowano lekką rozbieżność tych dwóch stwierdzeń.

Na stronie 780 Antonio porzuca Cesenę i Straż Finansową 1 stycznia 1887 roku i wraca do Mercatale Val di Pesa, do matki, siostry Violi i skrzyni Ildebrandy. Poprzednio jako siedziba rodziny podane było Candialle. Wśród notatek na karteczkach samoprzylepnych znajduje się wzmianka o przeprowadzce z Candialle do Marcatale Val di Pesa, najwyraźniej niewprowadzona do opowiadania.

Na następnych stronach znajdują się fotografie kilku stron maszynopisu: warto zwrócić uwagę na odręczną numerację kartek, poprawki poszczególnych słów i zmiany całych zdań (tylko trzy strony autorka przepisała własnoręcznie), zapiski na karteczkach. Pismo jest wyraźne, a poprawki świadczą o uwadze i dbałości Oriany Fallaci podczas pisania, lektury i korygowania tekstu.

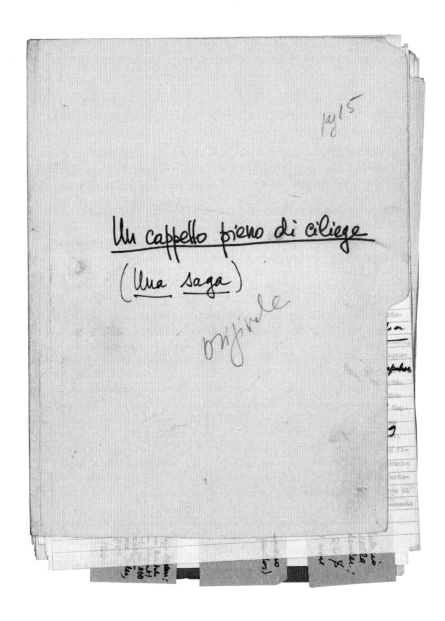

Okładka teczki z pierwszą partią oryginalnego maszynopisu,
z odręcznie naniesionym przez Orianę Fallaci tytułem i podtytułem.

PROLOGO

Ora che il futuro s'era fatto corto e mi sfuggiva di mano con l'inesorabilità della sabbia che cola dentro una clessidra, mi capitava spesso di pensare al passato della mia esistenza: cercare lì le risposte con le quali sarebbe stato giusto morire. Perché fossi nata, perché fossi vissuta, e chi o che cosa avesse plasmato il mosaico di persone che da un lontano giorno d'estate costituiva il mio io. Naturalmente sapevo bene che la domanda perché-sono-nato se l'eran già posta miliardi di esseri umani ed invano, che la sua risposta apparteneva all'enigma chiamato Vita, che per fingere di trovarla avrei dovuto ricorrere all'idea di Dio. Espediente mai capito e mai accettato. Però non meno bene sapevo che le altre si nascondevano nella memoria di quel passato, negli eventi e nelle creature che avevano accompagnato il ciclo della formazione, e in un ossessivo viaggio all'indietro lo disotterravo: riesumavo i suoni e le immagini della mia prima adolescenza, della mia infanzia, del mio ingresso nel mondo. Una prima adolescenza di cui ricordavo tutto: la guerra, la paura, la fame, lo strazio, l'orgoglio di combattere il nemico a fianco degli adulti, e le ferite inguaribili che n'erano derivate. Un'infanzia di cui ricordavo molto: i silenzi, gli eccessi di disciplina, le privazioni, le peripezie d'una famiglia indomabile e impegnata nella lotta al tiranno, quindi l'assenza d' allegria e la mancanza di spensieratezza. Un ingresso nel mondo del quale mi sembrava di ricordare ogni dettaglio: la luce abbagliante che di colpo si sostituiva al buio, la fatica di respirare nell'aria, la sorpresa di non star più sola nel mio sacco d'acqua e condivider lo spazio con una folla sconosciuta. Nonché la significativa avventura di venir battezzata ai piedi d'un affresco dove, con uno spasmo di dolore sul volto e una foglia di fico sul ventre, un uomo nudo e una donna nuda lasciavano un bel giardino pieno di mele: la cacciata di Adamo ed Eva dal Paradiso Terrestre, dipinta da Masaccio per la chiesa del Carmine a Firenze. Riesumavo in ugual modo i suoni e le immagini dei miei genitori, da anni sepolti sotto un'aiola

Pierwsza strona *Prologu* w maszynopisie Oriany Fallaci, powstałym na maszynie Olivetti Lettera 32.

PARTE PRIMA

Strona tytułowa *Części pierwszej.*

- 1 -

Nel 1773, quando Pietro Leopoldo d'Asburgo Lorena era granduca di Toscana e sua sorella Maria Antonietta regina di Francia, corsi il rischio più atroce che possa capitare a chi ama la vita e pur di viverla é pronto a subirne tutte le catastrofiche conseguenze: il rischio di non nascere. Naturalmente l'avevo già corso numerose volte, per milioni di anni e ogni volta che un mio arcavolo si sceglieva un'arcavola o viceversa, ma quell'anno fui proprio sul punto di pagare con la mia pelle il principio biologico che dice: "Ciascuno di noi nasce dall'uovo nel quale si sono uniti i cromosomi del padre e della madre, a loro volta nati da uova nelle quali s'erano uniti i cromosomi dei loro genitori. Se cambia il padre o la madre, dunque, cambia l'unione dei cromosomi e l'individuo che avrebbe potuto nascere non nasce più. Al suo posto ne nasce un altro e la progenie che ne deriva é diversa dalla progenie che avrebbe potuto essere". In che modo accadde? Semplice. Filippo Mazzei faceva il commerciante di vini a Londra e frequentava Benjamin Franklin, lì come rappresentante della Pennsylvania, da cui aveva comprato due delle sue celebri stufe per la reggia di palazzo Pitti. Attraverso Franklin era entrato in contatto con Thomas Jefferson che conosceva l'italiano e sapeva tutto sulla Toscana, e nei primi mesi del 1773 ricevette da lui una proposta formulata press'a poco così: "Caro Filippo, secondo me il Chianti é un modello di agricoltura da imitare in Virginia. Perchè non si trasferisce qui e vi crea un'azienda agricola per la produzione del vino e dell'olio? La terra non manca. Costa poco, é fertile, e credo adatta a coltivarvi la vite e l'ulivo. Però i nostri coloni non hanno dimestichezza con queste piante e non sanno nulla sull'olio e sul vino. Se viene, si porti dietro una decina di contadini toscani." Mazzei trovò l'idea irresistibile, incoraggiato da Franklin lasciò Londra, rientrò a Firenze dove all'inizio dell'estate prese ad organizzare il viaggio, e per scegliere i dieci contadini si rivolse all'ente ecclesiastico presso il quale aveva studiato medicina: il Regio Spedale di Santa Maria Nuova che a Panzano possedeva una gros-

Strona pierwsza *Części pierwszej.*

sa fattoria. Il Regio Spedale delegò la faccenda ad alcuni preti della zona fra cui
don Pietro Luzzi, e il candidato di don Luzzi fu un bel biondino dagli occhi azzur=
ri e il cervello vispo che sapeva leggere e scrivere: Carlo Fallaci, futuro bisnon=
no del mio nonno paterno.

Carlo aveva vent'anni, ~~eventabic~~ a quel tempo. Era il secondogenito del mez=
zadro che nel podere denominato Vitigliano di Sotto lavorava per i Da Verrazzano, gli
eredi del Giovanni cui si deve la scoperta del fiume Hudson e della baia di New York,
e veniva considerato la pecora nera della famiglia. Più che una famiglia, una setta
di irriducibili terziari francescani cioè di probi caratterizzati da una cupa spiri=
tualità e da un sistema di vita tragicamente monastico. Penitenze, astinenze, digiu=
ni, crocifissi. Frusta a sei corde e tre nodi per corda /flagellarsi meglio. Preghie=
re a colpi di dodici Pater e dodici Ave da dire al mattino, a mezzogiorno, al tramon=
to, la sera, più un Gloria o un Requiem Aeternam ad ogni suonar di campane e un Rosa=
rio prima d'addormentarsi. Castità coniugale, insomma rari e sbrigativi amplessi ri=
servati solo alla procreazione. Ripudio di qualsiasi piacere, qualsiasi gioia, qual=
siasi divertimento o lazzo o risata. Nonché cieca obbedienza a un frate detto Padre
Visitatore che allo scader del mese gli piombava in casa per controllare se praticas=
sero l'umiltà, la carità, la frugalità, la pazienza, l'amore per gli animali predica=
to da San Francesco. O verificare se portassero il cilicio, se indossassero abiti di=
messi e color cenere completati dal cingolo, se rifiutassero le cattive compagnie, i
discorsi indecenti, le canzonacce, i balli, le veglie, le fiere, la carne proibita
il mercoledì e il venerdì e il sabato e gli altri giorni stabiliti, infine se ese=
guissero le opere di misericordia imposte dalle bolle papali. Ad esempio convertire
i traviati, segnalare i miscredenti, denunciare i confratelli rei di qualche fallo
ma restii ad accusarsi. E guai a chi sgarrava. Dopo un triplice ammonimento finiva
espulso col seguente anatema: "Che Dio ti maledica, ti maledica, ti maledica". Tutte
regole alle quali Luca e Apollonia si piegavano come un soldato si piega alla disci=
plina militare: sorretti da una fede sincera e convinti che non esistesse altra via
per guadagnarsi il Paradiso o almeno il Purgatorio. Infatti a cinquant'anni Luca
sembrava un vegliardo, la sua barba lunga fino a metà stomaco era già bianca, a qua=

Strona druga *Części pierwszej.*

rie, vasellami, dipinti, libri, vini..."

      La casa al numero 24 non esiste più. All'inizio del Novecento la demo-
lirono con l'intero blocco, e in quel punto oggi sorge un edificio moderno che occupa
anche lo spazio delle case allora al numero 28 e 26. Però so qual'era il suo aspetto.
Misurava undici metri d'altezza e otto di larghezza, aveva uno squisito frontespizio
semicoperto dall'edera, e sia sul davanti che sul retro undici finestre. Due al piano
terreno o primo piano, tre al secondo, tre al terzo, tre al quarto. La porta d'ingresso s'apriva in cima alla breve gradinata che spesso caratterizza le brownstones, ed
entrando trovavi un vestibolo poi un ampio salone che sfociava in un piccolo giardino
verde di alberi e ricco d'uccelli. Sulla sinistra del vestibolo, la cucina adiacente
alla sala da pranzo e collegata al seminterrato dove si custodivano i vini e la legna.
Sulla destra, a ridosso della parete, le scale che conducevano ai piani superiori. O-
gni piano, composto da un corridoio e da due stanze: una che guardava la strada e una
che guardava il giardino. Le stanze erano assai luminose per via delle tre finestre e
dei soffitti elevati, nonché fornite di caminetti che d'inverno stavan sempre accesi.
Le scale prendevano luce da una vetrata multicolore... So anche che vi fece un ingresso trionfale, e a immaginarla lì con i Neri non duro alcuna fatica.
Anche loro credevano che in America ci fosse andata per sfuggire ad
angherie, minacce, e Louise era con buona. Davvero un cuore d'oro. La tenne
nella camera che era stata della primogenita Elvira, ora moglie d'un
certo Peter Krug e quindi abitante altrove, la copriva di premure, la
trattava come una figlia. Quanto a John, il cuore ce l'aveva di burro.
Per resistere ad Auretania ci voleva di ferro, e durante la scarrozzata
dal Liverpool Wharf a Irving Place s'era presto l'inevitabile cotta. La
serviva, la riveriva, la trattava come una regina. In certo senso, il suo
che subito ebbe tra i notabili della colonia italiana e tra i famori vicini.
Appena arrivate conobbe infatti Henry Tuckerman, già amico di Michele Pasta
caldi, e l'incanto ne rimase talmente sedotto che per incontrarla spesso si
assunse il compito di insegnarle l'inglese. Dopo Tuckerman, Melville che a sua
volta inebito si assunse quello di mostrarle le meraviglie e gli orrori della
città senza Dio. Dopo Melville, Edwin Booth che se ne invaghì più degli altri

Strona z *Części czwartej* z odręczną poprawką Autorki, naklejo-
ną na taśmie przezroczystej na wcześniejszym maszynopisie.

skwisboru, nel palco presidenziale cioè quello che si affacciava sul proscenio. Grazie alla sua notorietà era riuscito a introdursi senza che nessuno lo fermasse, dopo avergli sparato un colpo alla nuca era saltato giù in mezzo agli attori paralizzati dallo spavento, s'era rotto una gamba, malgrado ciò era riuscito a fidare sic-semper-tirannis quindi a fuggire. Ora gli davan la caccia in Virginia dove lo avevano visto entrare a cavallo, e intanto cercavano i complici. Offrivano taglie da centomila dollari, tenevano in prigione Junius che si trovava a Filadelfia e non c'entrava per nulla, interrogavano Edwin che si trovava a Boston e c'entrava ancor meno... Nei primi ~~momenti~~ vide anche il dramma di Edwin che al ritorno da Boston s'era ~~rintanato~~ nella sua Providence della Disperazione e ne usciva solo a notte fonda per prendere una boccata d'aria: sedere in una panchina di Gramercy Park o camminare in Irving Place dove lo sentivano piangere disperatamente. "Oh God, oddio! Help us, aiutaci, help us!". Col dramma di Edwin, le incredibili onoranze che dimenticando del loro animo i newyorkesi tributarono a Lincoln. Condussi i funerali di Washington, in fretta, il corpo imbalsamato in stato meno sul treno che via Baltimore – Harrisburg – Filadelfia – New York – Albany – Buffalo – Cleveland – Chicago lo avelle condotto a Springfield nell'Illinois, sua città natale. A New York prima la mattina di lunedì 24 aprile col Central Railroad Ferry boat, il traghetto che collegava alla ferrovia del New Jersey, e altro due le esequie di Cavour! Altro due è cinquecentomila trovarsi in fila per dire addio a Cavour! Da ogni finestra pendeva un drappo nero, da ogni edificio si levava una bandiera a mezz'asta, tutti i luoghi pubblici erano chiusi, e lungo il traffico del corteo si ammassava un milione di persone. Più di quante ne contasse Manhattan. Dinanzi alla bara aperta ed esposta nella Governor Room del City Hall ne sfilarono circa quattrocentomila.

Lo confermano le fotografie scattate nella fissità straordinaria di folla in attesa di rendergli omaggio, e tra queste quella che non mi stanco mai di osservare perché... È un'istantanea che in primo piano ritrae un bel giovanotto e una ragazza stupenda. Il bel prosuetto sfoggia il cilindro e lo stiffelius, il sopralito dei nobili, ed ha gli orecchi a scentole mondi lo sguardo languido degli innamorati senza speranza. John Dei? La ragazza stupenda indossa un'ampia forma a crinolina e un morbido scialle da cui

Fragment tekstu z *Części czwartej* przepisany w całości odręcznie.

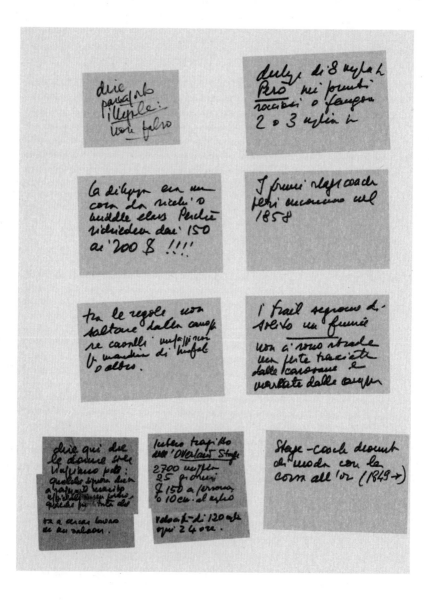

Karteczki samoprzylepne z notatkami dotyczącymi podróży
na Dziki Zachód (przepisanymi później na stronie 624).

presto finirò anch'io. Sicché pensando a lei e alla strana coincidenza riservataci dal destino mi alzo dalla poltrona, incurante del freddo esco in via Verzaglia. Sorda a una voce che strilla sgnura-duc-andiv, sgnura farmiv, imbocco il passaggio che conduce al ponte del Lavadur, e... Non è vero che mi buttai. L'acqua era tanto alta che per esser ghermita dal gorgo mi bastò scavalcare la spalletta. Subito le acque mi trascinarono dentro il tunnel che per cento metri passava sotto le fondamenta delle case, poi nel tratto che per trecento metri percorreva prima di oltrepassare le mura delle città, poi in quello che faceva per unirsi al fiume Savio, e qui il ricordo si spenge. Tutto diventa buio e non posso dir nulla di ciò che accadde lungo i trentadue chilometri che portavano al mare nel quale quarant'anni prima era finita Marguerite. Però so che non venni mai ritrovata. Di me, *fantasma vissuto* senza un certificato di nascita, non esiste nemmeno un certificato di morte.

Ostatnia kartka maszynopisu.

Spis treści

Opieka redakcyjna
Jolanta Korkuć

Redakcja
Marta Dvořak

Korekta
Ewa Kochanowicz, Paulina Orłowska, Dorota Trzcinka

Projekt okładki i stron tytułowych
Filip Kuźniarz

Na okładce wykorzystano zdjęcie Oriany Fallaci
Mondadori Portfolio / Archivio Angelo Cozzi

Redaktor techniczny
Bożena Korbut

Książkę wydrukowano na papierze Creamy 70 g vol. 2,0
dystrybuowanym przez **PaperlinX**

Printed in Poland
Wydawnictwo Literackie Sp. z o.o., 2014
ul. Długa 1, 31-147 Kraków
bezpłatna linia telefoniczna: 800 42 10 40
księgarnia internetowa: www.wydawnictwoliterackie.pl
e-mail: ksiegarnia@wydawnictwoliterackie.pl
fax: (+48-12) 430 00 96
tel.: (+48-12) 619 27 70
Skład i łamanie: Infomarket
Druk i oprawa: Drukarnia Na Księżym Młynie, Łódź